DICCIONA... WEBSTER UNIVERSAL
Inglés/Español
Español/Inglés

WEBSTER'S WORLDWIDE
English/Spanish
Spanish/English
Dictionary

Sarita Mlawer, M.Ed., Ed.
Editor in Chief

Daniel Santacruz, B.A.
Senior Editor

MINERVA BOOKS
New York, NY

Contents/Índice

Foreword

This comprehensive bilingual dictionary was created with two primary objectives — to offer a quick and easy reference book in an attractive format, and to give the user not only the definition or definitions of each word listed, but to expand most definitions with examples that clarify each meaning depending on its usage. These examples are given in both English and Spanish.

In any language, words change their meaning according to their context. For example, each of the following definitions apply to the word *press*: a priting press: periodical publications; to force or to use persistently; an apparatus by which pressure is applied. This dictionary provides examples for each of these definitions.

All examples appear in italics with an accompanying translation. Idiomatic phrases are shown in bold, preceded by the symbol **o**. The various meanings of a word are preceded by a black triangle ▲.

Readers will be delighted to find how easy it is to look up the meaning of a word in this clearly organized dictionary. The editors have chosen only the most concise definitions to explain each concept.

We are confident that this practical and easy-to-use reference — with more than 50,000 defined words, examples, everyday expressions and Americanisms — will meet the needs of even the most demanding readers.

Prefacio

Este amplio diccionario bilingüe fue creado con dos objetivos primordiales: ofrecer un manual de consulta rápida y fácil en un atractivo formato y darle al lector no sólo la definición o definiciones de las palabras incluidas, sino ilustrar la mayoría de ellas con ejemplos que aclaran su significado según su uso. Los ejemplos están dados en inglés y español.

Las palabras de un idioma cambian de significado de acuerdo a su contexto. Por ejemplo, la palabra *press* puede tener uno de los significados siguientes: una imprenta; publicaciones periódicas; forzar o insistir; o una máquina para prensar. Este diccionario incluye ejemplos para cada una de estas definiciones.

Todos los ejemplos aparecen en cursiva con su correspondiente traducción, lo que será de inmensa ayuda para el lector. Las expresiones idiomáticas aparecen en negrilla, precedidas del símbolo **o**. Las diferentes acepciones de una palabra están precedidas de un triángulo negro ▲.

A los lectores les agradará lo fácil que es encontrar el significado de una palabra en este diccionario, que ha sido organizado con mucha claridad. Los editores han escogido solamente las definiciones más concisas para explicar cada concepto.

Estamos seguros de que este diccionario práctico y de fácil uso, con más de 50.000 palabras definidas, ejemplos, expresiones de uso diario y americanismos, responderá a las necesidades de los lectores más exigentes.

ABREVIATURAS Y SÍMBOLOS USADOS EN ESTE DICCIONARIO

♦

ABBREVIATIONS AND SYMBOLS USED IN THIS DICTIONARY

Abreviaturas/Abbreviations

abbr	abreviatura	abbreviated
adj	adjetivo	adjective
adv	adverbio	adverb
Am	América	America
Ant	Antillas	Antilles
Arg	Argentina	Argentina
art	artículo	article
C.A.	América Central	Central America
Col	Colombia	Colombia
com	comercio	commerce, commercial
condit	*condicional*	*conditional*
conj	conjunción	conjunction
f	fcmenino	feminine
Fam	familiar	familiar
fut	*futuro*	*future*
imperf	*imperfecto*	*imperfect*
interj	interjección	interjection
irr	irregular	irregular
lit	*literalmente*	*literally*
m	masculino	masculine
Math	matemáticas	mathematics, mathematical
Mex	México	Mexico
Mil	militar	military
n	nombre, sustantivo	noun
neu	neutro	neuter

5

obj	objetivo	object, objective
part	*participio*	*participle*
pl	plural	plural
prep	preposición	preposition
pret	pretérito	preterite
pres	*presente*	*present*
pron	pronombre	pronoun
P.R.	Puerto Rico	Puerto Rico
rad-ch	—	radical-changing verb
S.A.	América del Sur	South America
sg	singular	singular
Sp	España	Spain
subj	*subjuntivo*	*subjunctive*
v	verbo	verb
Ven	Venezuela	Venezuela
zc	—	Irregular verb that substitutes *zc* for *c* whenever *o* or *a* follows

Símbolos

En las definiciones, el símbolo ▲ denota un significado adicional de la palabra que aparece en negrilla. El símbolo **O** denota una frase idiomática o el uso de la palabra en forma reflexiva. El símbolo ‖ introduce oraciones idiomáticas donde el término en negrilla no se ha traducido por si sólo.

◆

Symbols

In the definitions the symbol ▲ denotes an additional translation of the preceding boldface term. The symbol **O** denotes idiomatic phrases and reflexive forms. The symbol ‖ introduces idiomatic sentences in which the boldface term is not translatable alone.

PARTE I

GUÍA PARA LA PRONUNCIACIÓN DEL INGLÉS

El alfabeto inglés tiene 26 letras, de las cuales cinco son vocales y 21 son consonantes. La pronunciación de las letras que se presenta en la Tabla I es la que éstas tienen solas. Cuando forman palabras, su pronunciación cambia en gran medida, como se verá en la Tabla II.

TABLA I

Letras	Pronunciación	Letras	Pronunciación
a	ei	n	en
b	bi	o	ou
c	ci	p	pi
d	di	q	kiú
e	i	r	ar
f	ef	s	es
g	yi	t	ti
h	eich	u	iu
i	ai	v	vi
j	jey	w	dóbliu
k	kei	x	ex
l	el	y	uay
m	em	z	zi

TABLA II

Pronunciación de las letras inglesas cuando forman palabras:

Letras	Pronunciación

a   Tiene seis sonidos; 1) sonido corto, entre la *a* y la *e*, sin equivalente en español: *man, rat, pat, gas*; 2) sonido medio, como la *a* española: *ask, dance, sofa, facility*; 3) sonido abierto, como la *a* española: *arm, father, and, an*; 4) sonido largo, equivalente a *ei*: *play, same, name, state*; 5) sonido equivalente a *ea: care, air, prepare, dare*; 6) en la combinación *wa*, suena como *o: water, war, warrior, warm*. En algunos casos, sin embargo, suena como *a: wash, want, wander, wagon*.

b   Sonido similar a la española, pero más explosiva: *better, bib, but, best*.

c   Sonido similar a la española en palabras con combinaciones *ca*, *co*, *cu*, *cla*, *cle*, *cli*, *clo*, *clu*, *cra*, *cre*, *cri*, *cro*, *cru*: *car*, *copper*, *current*, *clan*, *clean*, *climate*, *closed*, *clue*, *crayon*, *credit*, *crime*, *crown*, *crew*.
En palabras con combinaciones *ce* y *ci* se pronuncia como *se* y *si*: *central*, *circle*.

ch   Esta letra no existe en el alfabeto inglés, y fue eliminada recientemente del alfabeto español. Cuando la *c* va unida a la *h*, tiene tres sonidos: 1) suena como la *ch* en *rich*, *chicken*, *much*, *cheese*; 2) se pronuncia como *k* en *chemist*, *character*, *chronicle*; y 3) en algunas palabras se pronuncia también como *k* cuando aparece al final: *psych*, *monarch*, *headache*.

d   Sonido similar a la española, pero más fuerte: *desk*, *dog*, *admire*, *saved*.

e   Tiene cuatro sonidos: 1) como la española en *dentist*, *desk*, *intended*; 2) como la *i* en *me*, *repeat*, *eat*; 3) la doble *ee* suena como una *i* larga en *meet*, *see*, *reef*; 4) como *ia* en *dear*, *clear*, *rear*. Es muda al final de *excuse*, *love*, *arouse*, *have*.

f   Sonido similar a la española: *fabric*, *fun*, *fax*, *father*. La combinación *ph* tiene el sonido *f* también: *phone*, *phony*, *philosophy*, *photo*.

g   Tiene tres sonidos: 1) suena como la *g* española en vocablos con la combinación *ga*, *go*, *gu*, *gla*, *gle*, *gli*, *glo*, *glu*, *gra*, *gre*, *gri*, *gro*, *gru*, *gain*, *good*, *guard*, *great*, *glare*, *glean*, *glib*, *globe*, *glue*, *grand*, *ground*, *gruel*; 2) se pronuncia como *y* en *giant*, *Gibraltar*, *general*; 3) en algunas palabras se pronuncia como la *g* española cuando aparece al final: *log*, *rug*, *drug*.

h   Sonido aspirado y de pronunciación parecida a una *j* suave: *hello*, *how*, *high*, *house*. En algunas palabras es muda: *honest*, *honor*, *hour*.

i   Tiene tres sonidos: 1) como la *i* española en *interesting*, *rain*, *interior*, *American*; 2) como *e* en *first*, *thirsty*, *third*, *thirteen*; y 3) como *ai* en *right*, *time*, *dime*, *night*.

j   Sonido similar a la *y* española en *June*, *July*, *John*, *jet*, *joy*.

k   Sonido similar a la *k* española en *king*, *kitchen*, *key*, *kite*. Es siempre muda delante de la *n*: *knight*, *knock*, *know*, *knife*.

l   La *l* inicial suena como la española. La media es apenas imperceptible: *able*, *cable*, *double*. La *ll* suena como una sola *l*: *roll*, *call*, *full*, *smell*. En algunas palabras es muda: *could*, *Lincoln*, *salmon*, *half*.

m	Sonido similar a la española: *may, mime, mother, alarm*. La *m* doble se pronuncia como una sola en *committee, command, comma*.
n	Sonido similar a la española: *none, new, night, consonant*.
o	Tiene cinco sonidos: 1) como la española en *stop, no, only;* 2) como la *u*, con ciertas excepciones, cuando es doble: *book, root, loot;* 3) como *ou* en *home, tome, bone;* 4) ligeramente similar a la española en *how, house, rouse;* 5) como *au* en *pound, ounce, round.*
p	Sonido similar a la española, pero más explosiva: *passion, pantry, pie, appoint.*
q	Sonido similar a la española, pero la *u* que siempre le sigue sí se pronuncia, a diferencia del español: *quality, query, quiet, quote.*
r	Sonido más gutural que lingual. La punta de la lengua se arrolla hacia atrás sin tocar el paladar: *razor, red, river, ruby.* La *rr* se pronuncia como una sola *r: ferry, querry, arrange.*
s	Sonido aproximado a la española: *sea, sip, years, most.* La *ss* se pronuncia como una sola: *assist, pass, class, possible.* Seguida de la *h*, tiene un sonido como la *ch*, pero más suave: *shoot, shift, ash, flesh.*
t	Tiene cuatro sonidos: 1) como la española en *today, tank;* 2) unida a la *h*, suena como la *z* española: *Thursday, birth;* 3) como una *d* suave en *those, this, that;* 4) como *sh* en *nation, essential, administration.*
u	Tiene cuatro sonidos: 1) como la española en *put, salute, glue;* 2) como *iu* en *use, unify, united;* 3) como entre la *o* y la *a* en *up, umbrella, until;* 4) como *a* en *uncle, much, flush.*
v	Es labiodental y se pronuncia como la española.
w	Sonido como *ua, ue, uo, ui,* en *water, Wednesday, wolf, winter.*
x	Tiene dos sonidos: 1) como la española en *extra, ax, maximum;* 2) en las palabras que empiezan con esta letra, que son muy pocas, suena como *s* o *z* en *xylophone, xenophobia.*
y	Tiene dos sonidos: 1) al principio y en la mitad suena como la española: *year, yes, yesterday;* 2) al final suena como *i: boy, my, day.*
z	Sonido similar a la española, pero más sonoro: *zebra, zone, zany.*

DICCIONARIO INGLÉS/ESPAÑOL

A

a un, una *Do you have a pen, an envelope, and some paper?* ¿Tiene Ud. una pluma, un sobre y papel? ▲un, algún *Is there a bank near here?* ¿Hay algún banco cerca de aquí? ▲una, alguna *Is there a nurse here?* ¿Hay alguna enfermera aquí? ▲por *I make two hundred dollars a week.* Gano doscientos dólares por semana. ▲por, cada *The rate of exchange is five pesos to a dollar.* El cambio está a cinco pesos por dólar.

abandon abandonar *She abandoned her child.* Abandonó a su hijo.

abbreviate abreviar.

ABC abecé *It is as simple as ABC.* Eso es el abecé.

ability habilidad.

abnormal anormal.

abolish abolir, derogar.

abortion aborto.

about [*prep*] de *What is he talking about?* ¿De qué está hablando? ▲concerniente *It isn't anything about you.* No es nada concerniente a Ud. • [*adv*] casi *Dinner is about ready.* La comida está casi preparada. ▲unos *I have about ten.* Tengo unos diez. ○ **about to** a punto de, para *The train is about to leave.* El tren está a punto de partir. ○ **what about?** ¿qué hay de? *What about the things you were going to get for me?* ¿Qué hay de las cosas que Ud. me iba a conseguir?

above sobre *How far above sea level are we?* ¿A qué altura estamos sobre el nivel del mar? ○ **above all** sobre todo, ante todo *Above all, remember to be on time.* Ante todo, acuérdese de estar a tiempo. ○ **to be above** sobrepasar *He is above average height.* Su estatura sobrepasa la normal.

abreast de . . . en fondo *They marched four abreast.* Marchaban de cuatro en fondo. ○ **to keep abreast of** estar al corriente de *I can't keep abreast of the news.* No puedo estar al corriente de las noticias.

abroad en el extranjero.

abrupt brusco (*rude*); repentino (*sudden*).

absence falta *In the absence of any ideas, we ended the meeting.* A falta de nuevas ideas concluimos la reunión. ▲ausencia *Her absence was noticed at the office.* En la oficina notaron su ausencia.

absent ausente *Three members were absent because of illness.* Tres miembros estuvieron ausentes por enfermedad.

absent-minded distraído.

absolute absoluto *His power was absolute.* Su poder era absoluto. ▲puro *This is the absolute truth.* Esta es la pura verdad.

absolutely absolutamente *I'm absolutely certain of my facts.* Estoy absolutamente seguro de mis datos.

absorb absorber *This blotter absorbs ink very well.* Este secante absorbe muy bien la tinta.

abstain abstenerse, privarse.

absurd absurdo.

abundance abundancia.

abuse [*n*] abuso *That is an abuse of authority.* Eso es un abuso de autoridad. ▲maltrato *That child got more abuse than affection.* Ese niño recibió más maltrato que cariño.

abuse [*v*] abusar de *I advise you not to abuse any of the privileges we have here.* Le aconsejo que no abuse de ninguno de los privilegios que tenemos aquí. ▲insultar *We heard her abuse her sister.* La oímos insultar a su hermana.

abusive abusivo.

academy academia.

accelerate acelerar, apresurar.

accelerator acelerador.

accent [*n*] acento *Where is the accent in this word?* ¿Dónde lleva el acento esta palabra?—*He speaks English with a Russian accent.* Habla inglés con acento ruso.

accent [*v*] acentuar *Accent the first syllable of this word.* Acentúe la primera sílaba de esta palabra.

accept aceptar *He accepted the money that I offered him.* Aceptó el dinero que le ofrecí.

acceptance aceptación.

access acceso, entrada.

accessory accesorio *I'd like to get some accessories for the automobile.* Quisiera comprar algunos accesorios para el automóvil. ▲cómplice *The police held him as an accessory.* La policía le detuvo como cómplice.

accident accidente *In case of accident, notify the manager.* En caso de accidente avise al administrador. ○ **by accident** por casualidad *We met them by accident.* Les encontramos por casualidad.

accidental accidental, casual.

accommodate acomodar *We can only accommodate three more people.* Podemos acomodar sólo a tres personas más.

accommodations alojamiento *We'll have to call ahead for accommodations.* Tendremos que llamar para reservar alojamiento.

accompany acompañar *May I accompany you home?* ¿La puedo acompañar a casa?

accomplish llevar a cabo, realizar *He accomplished his purpose quickly.* Llevó a cabo su propósito rápidamente. ○ **accomplished** consumado *He is an accomplished linguist.* Es un lingüista consumado.

accomplishment realización.

accord acuerdo *His ideas on politics are in accord with mine.* Sus ideas políticas están de acuerdo con las mías. ○ **of one's own accord** espontáneamente *He wrote to me of his own accord.* Me escribió espontáneamente.

accordance conformidad, armonía.

accordingly de acuerdo, conforme *He gave us instructions and we acted accordingly.* Hemos obrado de acuerdo con las instrucciones que nos dio.

according to según *We'll make our arrangements according to your plans.* Haremos nuestros arreglos según sus planes.

accordion acordeón.

account relato *His account of the accident is different from hers.* Su relato del accidente es diferente al de ella. ▲cuenta *The company's accounts were in good order.* Las cuentas de la compañía estaban en orden. ▲ valor, importancia *This book is of no account.* Este libro no tiene ningún valor. O **on account of** a causa de *The game was postponed on account of the rain.* El partido fue pospuesto a causa de la lluvia. O **on no account** de ninguna manera, por ningún motivo. O **to account for** explicarse *How do you account for that?* ¿Cómo se explica eso?

accountant contador.

accuracy exactitud, precisión.

accurate exacto.

accuse acusar.

accustom acostumbrar. O **to be accustomed** to estar acostumbrado *I'm not accustomed to such treatment.* No estoy as-costumbrado a semejante trato.

ache [n] dolor *Do you have a headache?* ¿Tiene dolor de cabeza? •[v] doler *My tooth aches.* Me duele una muela (*molar*) o Me duele un diente (*front tooth*).

achieve llevar a cabo, lograr.

acid [adj, n] ácido.

acknowledge admitir *The court acknowledged my claim.* El tribunal admitió mi demanda. ▲ dar las gracias por *They haven't acknowledged the wedding presents yet.* Todavía no han dado las gracias por los regalos de boda.

acknowledgment reconocimiento (*recognition*); admisión (*admission*).

acorn bellota.

acoustics acústica.

acquaint O **to be acquainted** conocerse *Are you two acquainted?* ¿Se conocen Uds. dos?

acquaintance conocido, amigo *She is an old acquaintance of mine.* Es una vieja conocida mía. O **to make one's acquaintance** conocer a uno *I'm very happy to make your acquaintance.* Tengo mucho gusto en conocerle.

acquire adquirir.

acquit absolver. O **to acquit oneself well** portarse bien.

acre acre.

across al otro lado de *The restaurant is across the street.* El restaurante está al otro lado de la calle. ▲ a través *There is an obstruction across the road.* Hay un obstáculo a través del camino.

act [n] acción *That was a very kind act.* Fue una acción muy amable. ▲ acto *I don't want to miss the first act.* No quiero perder el primer acto. •[v] obrar, actuar *Now is the time to act.* Ahora es el momento de obrar. ▲portarse *Don't act like a child.* No te portes como un niño. O **act of Congress** ley aprobada por el Congreso. O **to act as** hacer de *Who is acting as head?* ¿Quién hace de jefe? O **to act on** seguir *I'll act on your suggestion.* Seguiré su sugerencia. O **to act upon** *When will this be acted upon?* ¿Cuándo se actuará sobre esto?

action acción *He is a man of action.* Es un hombre de acción. O **to take action** tomar medidas *Has any action been taken on my case?* ¿Se ha tomado alguna medida en mi caso?

active activo.

activity actividad, movimiento. O **social activities** vida social.

actor actor.

actress actriz.

actual real, verdadero *What is the actual cost?* ¿Cuál es el costo real?

actually realmente, en realidad.

acute agudo.

ad See (Vea) **advertisement**.

adapt adaptar.

add agregar, añadir *Add it to my bill.* Añádalo a mi cuenta O **to add up** sumar *Add up this list of figures.* Sume Ud. esta columna de números.

adding machine sumadora, máquina de sumar.

addition adición, suma *Is my addition correct?* ¿Está correcta mi suma? ▲aumento *We need additions to our staff.* Necesitamos un aumento en nuestro personal. O **in addition to** además de *In addition to my worries this has to happen.* Además de mis preocupaciones tenía que ocurrir esto.

additional adicional.

address [n] dirección, señas *What is your address?* "My address is 21 Fifth Avenue." "¿Cuál es su dirección?" "Mi dirección es: Quinta Avenida número 21." ▲discurso *I have to listen to an address tonight.* Tengo que oír un discurso esta noche. • [v] dirigir *How shall I address the letter?* ¿Cómo tengo que dirigir la carta?

adequate bastante, suficiente.

adhesive tape esparadrapo, cinta adherente.

adjacent adyacente, cercano.

adjective adjetivo.

adjoining contiguo.

adjust arreglar, ajustar *Adjust the clock so it'll run faster.* Ajuste el reloj para que adelante. ▲adaptar, acostumbrar *I can't adjust myself to the climate here.* No me puedo acostumbrar al clima de aquí.

adjutant ayudante.

administer administrar.

administration aplicación *The workers complained about the administration of the law.* Los obreros se quejaron por la aplicación de la ley. ▲ministerio, gobierno *During his administration a great many new laws were passed.* Durante su gobierno se promulgaron muchas leyes nuevas.

admirable admirable.

admiral almirante.

admiration admiración.

admire admirar.

admission admisión, entrada *How much is the admission?* ¿Cuánto cuesta la entrada? ▲confesión *He made a frank admission.* Hizo una confesión sincera. || *No admission.* Se prohíbe la entrada.

admit dejar entrar *Ask for me and you'll be admitted.* Pregunte Ud. por mí y le dejarán entrar. ▲admitir *When were you admitted to that club?* ¿Cuándo se le admitió en ese club? ▲reconocer *I admit that I was wrong.* Roconozco que estaba equivocado.

adopt adoptar.

adore adorar.

adorn adornar.

adult [*n*] adulto *What is the proper dose for adults?* ¿Cuál es la dosis para adultos? • [*adj*] juicioso *She is very adult for her age.* Es muy juiciosa para su edad.

adultery adulterio.

advance [*n*] aumento *There is an advance in price after 6 o'clock.* Hay un aumento en los precios después de las seis. ▲adelanto, progreso *What advances have been made in medicine?* ¿Qué progresos se han hecho en medicina? • [*v*] avanzar *Let's advance the idea of his running for office.* Vamos a avanzar la idea de que se postule. ▲promover, ascender *We'll advance him if he proves capable.* Le ascenderemos si demuestra su capacidad. ▲adelantar *Could you advance me some money?* ¿Podría Ud. adelantarme algún dinero?

advantage ventaja *You have the advantage over me.* Ud. me lleva ventaja. ▲provecho, beneficio *This is to your advantage.* Es para su provecho. O **to take advantage of** aprovecharse de *I wish to take advantage of your offer.* Deseo aprovecharme de su ofrecimiento. ▲aprovecharse de, engañar *Don't let people take advantage of you.* No deje que se aprovechen de Ud.

advantageous provechoso.

adventure aventura.

adverb adverbio.

advertise avisar, anunciar *The store is advertising a sale.* La tienda anuncia una venta a precios reducidos. ▲poner un anuncio *They're advertising for a cook.* Han puesto un anuncio solicitando un cocinero.

advertisement anuncio, aviso.

advisable prudente, aconsejable.

advise avisar, informar *We were advised of the dangers of the trip.* Nos avisaron que el viaje era peligroso. ▲aconsejar *I advise against our going.* Aconsejo que no vayamos.

aerial [*n*] antena *The aerial on our television needs fixing.* Hay que reparar la antena de nuestra televisión. • [*adj*] aéreo *The movie had great aerial photography.* La película tenía muy buena fotografía aérea.

affair negocio, asunto *He handled the affairs of the company badly.* Manejó mal los negocios de la compañía. ▲acontecimiento, suceso *The dance was the biggest affair of the season.* El baile fue el acontecimiento más grande de la temporada. O **love affair** aventura amorosa.

affect afectar, conmover *I wasn't a bit affected by the news of his death.* La noticia de su muerte no me afectó nada. ▲afectar, fingir *He affects indifference when you mention her.* Finge indiferencia cuando se alude a ella.

affection afecto, cariño.

affectionate afectuoso.

affectionately afectuosamente.

affirm afirmar.

afford tener con que comprar *I really can't afford to buy this dress.* De veras no tengo con que comprar este vestido. ▲convenir *He can't afford to have his reputation hurt.* No le conviene comprometer su reputación. ▲proporcionar *The trip afforded us the opportunity of seeing the country.* El viaje nos proporcionó la oportunidad de ver el país.

affront [*n*] afrenta, insulto.

afloat a flote *After battle our ship was still afloat.* Después de la batalla nuestro buque quedó a flote.

afraid O **to be afraid** tener miedo, temer *Don't be afraid.* No tenga miedo.—*I'm afraid I'm going to be late.* Me temo que voy a llegar tarde.

after [*adv*] detrás *The man walked ahead and the woman came after.* El hombre caminaba delante y la mujer venía detrás. • [*prep*] después de *Come any time after nine.* Venga cuando quiera después de las nueve. ▲tras *We came one after the other.* Vinimos uno tras otro. ▲detrás de *The police are after him.* La policía anda detrás de él. • [*conj*] después que *Wait until after I come back.* Espere hasta después que yo vuelva. O **after all** después de todo *You're right, after all.* Después de todo, tiene Ud. razón. O **after this** en adelante *After this let us know in advance.* En adelante avísenos por anticipado. O **to go after** ir por *Will you go after the mail?* ¿Quiere Ud. ir por el correo? O **to look after** cuidar de, tener cuidado de *Is there anyone to look after the children?* ¿Hay alguien que cuide de los niños?

afternoon tarde *Can you come this afternoon or tomorrow afternoon?* ¿Puede Ud. venir esta tarde o mañana por la tarde?

afterward(s) después.

again otra vez, de nuevo *Try once again.* Pruebe otra vez. O **again and again** una y otra vez, muchas veces *I'll do this again and again.* Haré esto muchas veces.

against contra *Lean it against the wall.* Apóyalo contra la pared. ▲en contra de *Is everyone against him?* ¿Está todo el mundo en contra de él?

age [*n*] edad *What is your age and profession?* ¿Qué edad y qué profesión tiene Ud.? ▲época *This is the age of invention.* Esta es la época de los inventos. • [*v*] envejecer *He has aged a great deal lately.* Ha envejecido mucho últimamente. O **of age** mayor de edad *He'll come of age next year.* Será mayor de edad el año próximo. O **old age** vejez *Save something for your old age.* Ahorre algo para la vejez.

agency agencia.

agent agente *Your agent has already called on me.* Su agente acaba de visitarme. ▲representante *I'm a government agent.* Soy un representante del gobierno.

aggravate (*make worse*) agravar.

ago hace *I was here two months ago.* Estuve aquí hace dos meses. O **a while ago** hace un rato *He left a while ago.* Salió hace un rato.

agony agonía.

agree estar de acuerdo *Do you agree with me?* ¿Está Ud. de acuerdo conmigo? ▲concordar *The two statements don't agree.* Las dos declaraciones no concuerdan.

agreeable agradable *She has an agreeable disposition.* Tiene un carácter agradable. ▲simpático *She is a very agreeable person.* Es una persona muy simpática. ○**agreeable to** de acuerdo con *Is everyone agreeable to the plan?* ¿Están todos de acuerdo con el plan?

agreement acuerdo, pacto ○**in agreement** de acuerdo.

agriculture agricultura.

ahead adelante *Are there many turns up ahead?* ¿Hay muchas vueltas más adelante? ○**to be ahead** ir a la cabeza, ir delante *Who's ahead?* ¿Quién va a la cabeza?

aid [n] ayuda *I'd welcome any aid.* Agradecería cualquier ayuda. •[v] ayudar *She gave him free legal aid.* Ella le prestó ayuda legal gratis. ○**first aid** primeros auxilios.

AIDS *Acquired Immune Deficiency Syndrome* (SIDA) *Aids has killed thousands around the world.* El SIDA ha matado a miles en todo el mundo.

aim [n] puntería *Is your aim good?* ¿Tiene Ud. buena puntería? ▲propósito, meta, mira *What are your aims in life?* ¿Cuáles son sus propósitos en la vida? •[v] apuntar *Aim higher.* Apunte más alto.

air [n] aire *I'm going out for some air.* Voy a salir a tomar un poco el aire.—*There is an air of mystery about the whole affair.* Hay un aire de misterio en todo el asunto. •[v] ventilar, airear *Would you please air the room while I'm out?* ¿Quisiera Ud. hacer el favor de ventilar el cuarto mientras estoy fuera? ○**by air** por vía aérea, por avión *I'd like to go by air, if possible.* Si es posible, quisiera ir por avión.

air bag bolsa de aire *The steering wheel houses the air bag.* La bolsa de aire se halla en el timón.

aircraft carrier portaviones.

airfield campo de aviación, campo de aterrizaje.

air force fuerza aérea.

airline aerolínea, línea aérea, compañía de aviación.

air mail correo aéreo.

airplane avión.

airport aeropuerto.

aisle pasillo.

ajar entreabierto, entornado.

alarm [n] alarma *Did you hear the alarm?* ¿Has oído la alarma? •[v] alarma *The noise alarmed the whole town.* El ruido alarmó a toda la ciudad. ○**to be alarmed** alarmarse.

alarm clock despertador.

album álbum.

alcohol alcohol.

alcoholic [n][adj] alcohólico.

alcove alcoba, recámara.

ale cerveza inglesa.

alert [n] alarma *We ran for shelter when we heard the alert.* Corrimos a refugiarnos cuando oímos la alarma. •[adj] listo, vivo *He is a very alert child.* Es un chico muy listo. ▲despabilado *The students aren't very alert on Mondays.* Los estudiantes no están muy despabilados los lunes. ○**to be on the alert** estar sobre aviso, estar alerta.

algebra álgebra.

alien [n] extranjero *There were many aliens in the city.* Había muchos extranjeros en la ciudad. •[adj] extranjero, extraño, ajeno *They adopted alien ways while they were in that country.* Adquirieron costumbres extranjeras mientras estuvieron en ese país. ▲contrario *Such actions are alien to his character.* Tales actos son contrarios a su carácter.

align alinear.

alike igual, semejante *These places are all alike.* Estos sitios son todos iguales. ▲del mismo modo, igualmente *We treat all the guests alike.* Tratamos a todos los clientes del mismo modo.

alimony pensión por razón de divorcio.

alive vivo, viviente *I feel more dead than alive.* Me siento más muerto que vivo. ○**to keep alive** mantener vivo.

all todo *I've been waiting all day.* He estado esperando todo el día.—*That is all.* Eso es todo.—*Tell me all about it.* Dígamelo todo.—*That is all there is.* Eso es todo lo que hay.—*It is all gone.* Todo se ha acabado. ▲todos *Did you all go?* ¿Fueron todos Uds.? ○**all alone** solo *I can't do this all alone.* No lo puedo hacer yo solo. ○**all at once** de pronto *All at once something happened.* De pronto ocurrió algo. ○**all over** *Is it all over?* ¿Se ha acabado todo? ○**all the better** tanto mejor *If that is so, all the better.* Si es así, tanto mejor. ○**all the same** lo mismo *That is all the same to me.* Me da lo mismo. *If I go at all I'll be there before eight.* Si voy, estaré allí antes de las ocho. ○**in all** en total *How many are there in all?* ¿Cuántos hay en total? ○**not at all** nada *I'm not at all tired.* No estoy nada cansado.

allege afirmar, alegar.

allergy alergia.

alley callejuela, callejón. ○**blind alley** callejón sin salida. ○**bowling alley** bolera [Sp], boliche [Am].

alliance alianza.

alligator caimán, [Am] lagarto.

allot distribuir, repartir.

allow permitir, dejar *We're not allowed to leave the camp at night.* No se nos permite salir del campamento por la noche.

allowance asignación, estipendio, abono *How much of an allowance do you get for your traveling expenses?* ¿Qué asignación le dan para sus gastos de viaje? ○**to make allowance for** tener en cuenta, hacerse cargo de, excusar.

allure [v] atraer, tentar.

ally [n] aliado *The Allies won the first World War.* Los aliados ganaron la primera guerra mundial. ○**to ally oneself, to be allied** aliarse *They allied themselves with powerful neighbors.* Se aliaron con vecinos poderosos.

almanac almanaque, calendario.

almighty todopoderoso. ○**the Almighty** el Todopoderoso.

almond almendra.

almost casi *Are you almost ready?* ¿Estás casi listo?

alone solo *Do you live alone?* ¿Vive Ud. solo? ▲sólo, solamente *You alone can help me.* Sólo Ud. puede ayudarme. ○**to let alone** dejar en paz *Leave me alone.* Déjame en paz.

along a lo largo de *A fence runs along the road.* Hay una cerca a lo largo de la carretera. ||*Bring her along.* Tráigala consigo.

aloof apartado, lejos, a distancia.

aloud alto, en voz alta *Read the story aloud.* Lea Ud. el cuento en voz alta.

alphabet alfabeto, abecedario.

already ya.

also también *You may also come.* También Ud. puede venir.

altar altar.

alter cambiar, modificar.

alternate [*adj*] alterno.

alternative [*n*] alternativa.

although aunque *I'll be there, although I may be late.* Estaré allá, aunque llegue tarde.

altitude altura.

altogether en conjunto, enteramente.

always siempre *Are you always busy?* ¿Está Ud. siempre ocupado?

am See (Vea) **be.**

amateur aficionado.

amaze asombrar, pasmar *I'm amazed.* Estoy pasmado.

ambassador embajador.

ambition ambición *He has no ambition.* No tiene ambición.

ambitious ambicioso.

ambulance ambulancia.

ambush [*n*] emboscada. •[*v*] sorprender.

amend enmendar, corregir.

amends compensación, reparación. º**to make amends** compensar, dar cumplida satisfacción.

amiable amable, afable.

amid entre, en medio de.

ammunition munición.

among entre *You're among friends.* Ud. está entre amigos.

amount [*n*] importe, suma *What is the whole amount?* ¿Cuál es el importe total? •[*v*] subir *What does the bill amount to?* ¿A cuánto sube la cuenta?

ample amplio.

amuse divertir *That amuses me very much.* Eso me divierte mucho.

amusement diversión, pasatiempo recreo º**amusement park** parque de diversiones.

an See (Vea) **a.**

analysis análisis.

analyze analizar.

anarchy anarquía.

anatomy anatomía.

ancestor antepasado.

anchor [*n*] ancla *The boat had no anchor.* El bote no tenía ancla. •[*v*] anclar *They anchored the ship in the bay.* Anclaron el buque en la bahía. º**to weigh anchor** levar el ancla.

ancient antiguo.

and y *The room had only a bed and a chair.* La habitación tenía solamente una cama y una silla.—*Wait and see.* Espere y verá. ▲e (*before* i or hi) *Father and son.* Padre e hijo.

angel ángel.

anger [*n*] cólera, enojo.

angle ángulo *Measure each angle of the triangle.* Mida cada ángulo del triángulo. ▲punto de vista, aspecto *Let's not discuss*

that angle of the problem. No discutamos ese aspecto del problema.

angry enojado, enfadado, [*Am*] bravo *What are you angry about?* ¿Por qué está Ud. enojado? º**to be angry** estar enfadado, estar enojado, [*Am*] estar bravo *Are you angry at him?* ¿Está Ud. enfadado con él?

anguish angustia.

animal animal.

animate [*v*] animar.

ankle tobillo.

annex [*n*] anexo.

annex [*v*] anexar.

anniversary aniversario.

announce anunciar *They just announced that on the radio.* Lo acaban de anunciar en la radio.

announcement aviso, anuncio.

annoy molestar, incomodar.

annual [*adj*] anual.

anorexia anorexia.

another otro *Please give me another cup of coffee.* Haga el favor de darme otra taza de café.

answer [*n*] respuesta, contestación *What is your answer?* ¿Cuál es su respuesta? ▲solución *Where can I find the answer?* ¿Dónde encontraré la solución? •[*v*] contestar *Please answer me by return mail.* Haga el favor de contestarme a vuelta de correo.

ant hormiga.

antagonize contrariar.

antarctic [*adj, n*] antártico.

antenna antena.

anthem himno º**national anthem** himno nacional.

anticipate esperar, prever *There was a larger crowd at the concert than we had anticipated.* Había más gente en el concierto de lo que esperábamos. ▲anticiparse *The attendants anticipated all our needs.* La servidumbre se anticipó a todo lo que necesitábamos.

antidote antídoto, contraveneno.

antique [*n*] antigüedad, antigualla. •[*adj*] antiguo.

antiseptic [*adj, n*] antiséptico.

anxiety ansia, ansiedad.

anxious inquieto *I've been anxious about you.* He estado muy inquieto por ti. ▲ansioso *I'm anxious to succeed.* Estoy ansioso de triunfar.

any alguno *Are there any books around here?* ¿Hay algunos libros por aquí? ▲algún *I don't like this hat. Do you have any other?* No me gusta este sombrero. ¿Tiene Ud. algún otro? ▲cualquier *Any policeman can direct you.* Cualquier guardia puede indicarle el camino. º**any longer** más, más tiempo *I can't stay any longer.* No puedo quedarme más. º**any way** de cualquier modo, de cualquier manera *Do it any way you can.* Hágalo de cualquier manera. º**at any time** en cualquier momento. º**in any case** en todo caso, de todos modos.

anybody alguien *Will anybody be at the station to meet me?* ¿Habrá alguien en la estación esperándome? ▲cualquiera *Anybody can do that.* Cualquiera puede hacer eso.

anyhow de todos modos, de todas maneras *It may rain but I'm going anyhow.* Puede ser que llueva pero iré de todos modos.

anyone alguien *If anyone calls, take the message.* Si llama alguien, tome Ud. el mensaje.

anything algo, alguna cosa *Is there anything for me?* ¿Hay algo para mí? ▲cualquier cosa *Anything you have will be all right.* Cualquier cosa que Ud. tenga estará bien.

anyway de todos modos, con todo *I didn't want to go anyway.* De todos modos yo no quería ir.

anywhere en alguna parte *Have you seen him anywhere?* ¿Le ha visto Ud. en alguna parte? ▲en ninguna parte (*in negative sentence*) *I don't want to go anywhere tonight.* No quiero ir a ninguna parte esta noche. ▲donde quiera, cualquier parte *We could go anywhere if we had the money.* Podríamos ir a cualquier parte si tuviéramos dinero.

apart separado *The house stands apart from the others.* La casa está separada de las otras. ▲aparte *Set this apart for me.* Ponga esto aparte para mí. ○to take apart desmontar *Take the machine apart.* Desmonte Ud. la máquina. ○to tell apart distinguir *How do you tell the two apart?* ¿Cómo puede distinguir uno del otro?

apartment piso [*Sp*], apartamento [*Am*], departamento [*Chile*] *We want to rent an apartment in the city.* Queremos alquilar un apartamento en la ciudad.

ape mono.

apiece por persona, cada uno *My brother and I earned six dollars apiece.* Mi hermano y yo ganamos seis dólares cada uno.

apologize disculparse, excusarse *You ought to apologize to her for being so rude.* Debe Ud. disculparse con ella por haber sido tan descortés.

appall espantar, aterrar, consternar.

apparatus aparato.

apparent aparente (*seeming*); claro (*clear*).

appeal [*n*] llamamiento *He made an appeal for justice.* Hizo un llamamiento pidiendo justicia. ▲apelación *The defendant was granted an appeal.* Al acusado le permitieron la apelación. •[*v*] apelar, recurrir *He appealed to his friends for sympathy.* Apeló a la solidaridad de sus amigos. ▲atraer *Her type appeals to me.* El tipo de ella me atrae.

appear salir, aparecer *The paper appears every day.* El periódico sale todos los días. ▲parecer *He appears to be very sick.* Parece muy enfermo.

appearance apariencia, aspecto *Try to improve your appearance.* Trate de mejorar su aspecto. ○to make an appearance dejarse ver *At least make an appearance.* Por lo menos déjese Ud. ver un momento.

appease apaciguar, calmar.

appeasement apaciguamiento.

appendix apéndice.

appetite apetito.

appetizer aperitivo.

applause aplauso.

apple manzana.

appliance aparato.

application solicitud *Your application has been received.* Su solicitud ha sido recibida. ▲compresa *Cold applications will relieve the headache.* Compresas frías aliviarán el dolor de cabeza. ○application blank formulario *Fill out this application blank.* Llene este formulario.

apply dirigirse *Who should I apply to?* ¿A quién tengo que dirigirme? ▲aplicar *Apply a hot compress every two hours.* Aplique una compresa caliente cada dos horas. ○to apply for solicitar, pedir *I wish to apply for the position.* Quiero pedir el empleo.

appoint nombrar, designar.

appointment nombramiento, puesto *She is very happy since she received her appointment.* Está muy feliz desde que recibió su nombramiento. ▲cita *I have an appointment to meet him at six o'clock.* Tengo cita para encontrarle a las seis.

appreciate apreciar, agradecer.

appreciation reconocimiento *Everyone expressed appreciation for what he had done.* Todos expresaron su reconocimiento por lo que él había hecho. ▲aprecio *She has a deep appreciation for art.* Tiene un profundo aprecio por el arte.

apprehension aprehensión, aprensión.

approach [*n*] acceso *The approaches to the bridge are under repair.* Los accesos del puente están en reparación. ▲camino, método *Am I using the right approach?* ¿Estoy siguiendo el camino debido? •[*v*] acercarse *Let's approach carefully.* Acerquémonos con cuidado.

appropriate [*v*] destinar *The government has appropriated more money for road construction.* El gobierno ha destinado más dinero para la construcción de caminos. ▲apropiarse *All my ties have been appropriated by my son.* Mi hijo se ha apropiado de todas mis corbatas.

appropriate [*adj*] apropiado *I don't think that is an appropriate dress for a party.* No creo que ese vestido sea apropiado para una fiesta.

approval aprobación, consentimiento.

approve aprobar.

approximate [*adj*] aproximado.

apricot albaricoque, [*Mex*] chabacano.

April abril.

apron delantal.

apt capaz *He is apt to do anything.* Es capaz de hacer cualquier cosa. ▲propenso *He is apt to make mistakes.* Está propenso a equivocarse. ▲acertado *Her last remark was very apt.* Su última observación fue muy acertada. ▲competente *He is an apt student.* Es un estudiante competente.

arch [*n*] arco *The bridge has a tremendous arch.* El puente tiene un arco enorme. •[*v*] arquear *She arched her eyebrows.* Arqueó las cejas.

architect arquitecto.

architecture arquitectura.

arctic [*adj*] ártico.

ardor ardor.

are See (Vea) **be**.

area área *What is the area of the park?* ¿Cuál es el área del parque? ▲zona *What area is he working in?* ¿En qué zona trabaja?

area code código de área *My city has a new area code.* Mi ciudad tiene un nuevo código de área.

argue sostener *I argued that taking the train would save us a lot of time.* Sostenía que ganaríamos mucho tiempo tomando el tren. ▲discutir *Let's not argue the point.* No discutamos ese asunto. ▲convencer, persuadir *You can't argue me into going there again.* Ud. no puede persuadirme de volver allí.

argument argumento *This is a strong argument in his favor.* Este es un argumento muy fuerte en su favor. ▲razonamiento *I don't understand your argument.* No sigo su razonamiento. ▲disputa *They had an argument.* Tuvieron una disputa.

arise surgir *Many difficulties arose in carrying out the plan.* Surgieron muchas dificultades al realizar el plan. ▲sobrevenir *The trouble arose over a question of priority.* Sobrevino la dificultad sobre una cuestión de prioridad.

aristocracy aristocracia.

arithmetic aritmética.

arm brazo *Can you carry the package under your arm?* ¿Puede llevar el paquete debajo del brazo? •[v] armar *They armed the soldiers with pistols.* Armaron a los soldados con pistolas. ○**at arm's length** a distancia prudente.

armchair butaca, sillón.

armistice armisticio.

armor [n] blindaje *These shells can't penetrate the heavy armor of a battleship.* Estos proyectiles no pueden atravesar el grueso blindaje de un acorazado.

armory armería, arsenal.

armpit sobaco, axila.

arms armas *They couldn't fight without arms.* No podían pelear sin armas. ○**to bear arms** portar armas. ○**to be up in arms** sublevarse *The students were up in arms at the new restrictions.* Los estudiantes se sublevaron ante las nuevas restricciones. ○**to carry arms** llevar armas, tener armas. *In this city you need a license to carry arms.* En esta ciudad se necesita un permiso para llevar armas. ○**to rise up in arms** tomar las armas.

army ejército.

around alrededor de *We'll have to take a walk around the town.* Tendremos que dar un paseo alrededor de la ciudad. ▲alrededor de, más o menos *I have around twenty dollars.* Tengo alrededor de veinte dólares. ▲a la vuelta de *The store is around the corner.* La tienda está a la vuelta de la esquina. ▲alrededor *Look around you.* Mire a su alrededor. ○**around here** por aquí *Are there any soldiers around here?* ¿Hay por aquí algunos soldados? ○**to look around** buscar *I'll have to look around for it.* Tendré que buscarlo por aquí. ○**to turn around** dar la vuelta *He turned around and spoke to me.* Dio la vuelta y me habló.

arouse despertar *I was aroused during the night by fire engines.* Me despertaron los bomberos por la noche. ▲excitar, suscitar (interés, etc.). ○**to arouse suspicion** despertar sospechas.

arrange arreglar *Everything has been arranged.* Todo está arreglado.

arrangement colocación, disposición *The arrangement of the furniture was very inconvenient.* La disposición de los muebles era muy incómoda. ▲arreglo, preparativo *They made arrangements to leave by plane.* Hicieron los preparativos para ir en avión. ▲arreglo musical *How do you like the arrangement of that song?* ¿Qué le parece el arreglo musical de esa canción?

arrears atrasos.

arrest [n] detención *The police made two arrests.* La policía hizo dos detenciones. •[v] arrestar, prender *Why have you been arrested?* ¿Por qué ha sido Ud. arrestado?—*They arrested two men.* Prendieron dos hombres.

arrival llegada. ○**new arrival** recién llegado.

arrive llegar *When will I arrive in New York?* ¿Cuándo llegaré a Nueva York?

arrow flecha.

arsenal arsenal.

art arte *This building contains many works of art.* Este edificio encierra muchas obras de arte. ▲técnica *There is an art to it.* Hay una técnica para ello. ○**art gallery** galería de arte. ○**arts and crafts** artes y oficios.

artery arteria.

article objeto *I have no articles of value to declare.* No tengo objetos de valor que declarar. ▲artículo *There was an interesting article about it in the newspaper.* Había en el periódico un artículo interesante acerca de ello.

artificial artificial *The flowers she was wearing were artificial.* Las flores que ella llevaba eran artificiales.

artillery artillería.

artist artista.

artistic artístico.

as como *He is late as usual.* Está retrasado como de costumbre. ▲porque *I must go, as it is late.* Tengo que irme porque es tarde. ▲cuando *Did you see anyone as you came in?* ¿Vio Ud. a alguien cuando entró? ▲a medida que *Count the people as they enter.* Cuente la gente a medida que entre. ○**as far as** hasta *I'll go with you as far as the door.* Le acompañaré a Ud. hasta la puerta. ○**as if** como si *Act as if nothing had happened.* Obre Ud. como si no hubiese pasado nada. ○**as soon as possible** cuanto antes, lo más pronto posible *I want to leave as soon as possible.* Quiero salir cuanto antes. ○**as to, as for** en cuanto a *As to that, I don't know.* En cuanto a eso, yo no lo sé. ○**as yet** aún, todavía *Nothing has happened as yet.* Todavía no ha pasado nada.

ascend ascender, subir.

ascertain averiguar, determinar.

ash(es) ceniza. ○**ash tray** cenicero.

ashamed ○**to be ashamed** dar vergüenza *I was ashamed to ask for a second helping.* Me daba vergüenza repetir. ▲tener vergüenza, estar avergonzado *He is ashamed of his English.* Está avergonzado de su inglés.

aside a un lado *All joking aside, I intend to go.* Bromas a un lado, tengo la intención de ir. ○**aside from** aparte de *Aside from singing he has no talent.* Aparte de cantar no tiene otros talentos. ○**to put aside** dejar a un lado *Let's put our work aside and go and get a* *drink.* Dejemos a un lado el trabajo y salgamos a beber algo. ᴼto set aside apártar *I think we have enough set aside for the trip.* Creo que hemos apartado suficiente dinero para el viaje.

ask preguntar *Did you ask him his name?* ¿Le preguntó Ud. su nombre? ▲pedir *He asked for permission to go.* Pidió permiso para ir. ▲invitar *Ask him in.* Invítele a entrar. ᴼto ask about informarse de, pedir información sobre *Mr. X is asking about trains.* El señor X pide información sobre los trenes.

asleep dormido *I must have been asleep.* Debo haberme dormido o Estaría dormido. ᴼto fall asleep dormirse, quedarse dormido *He has fallen asleep.* Se ha quedado dormido.

asparagus espárrago.

aspect aspecto *Have you considered every aspect of the problem?* ¿Ha examinado Ud. todos los aspectos del problema? ▲apariencia *The house has a gloomy aspect.* La casa tiene una apariencia sombría.

asphalt asfalto.

aspire aspirar.

aspirin aspirina.

ass asno, burro.

assassin asesino.

assault [*n*] asalto. •[*v*] asaltar.

assemble reunir *They assembled a great force for the invasion.* Reunieron una gran fuerza para la invasión. ▲reunirse *A large crowd assembled in the park.* Un gran gentío se reunió en el parque. ▲montar, armar *He is an expert at assembling airplane motors.* Es experto en montar motores de aviones.

assembly asamblea, montaje. ᴼassembly line línea de montaje.

assert afirmar, sostener. ᴼto assert oneself hacerse sentir, hacer valer sus derechos.

assign indicar, señalar *I'll assign your lesson for tomorrow.* Voy a indicarles la lección para mañana. ▲asignar *Who was assigned to the new post?* ¿A quién asignaron para el nuevo cargo?

assignment misión *The editor gave him an interesting assignment to cover.* El director del periódico le encargó una misión interesante. ▲tarea *Our teacher gave us a big assignment.* El profesor nos dio un tarea grande.

assimilate asimilar.

assist ayudar, asistir.

assistance auxilio, ayuda.

assistant ayudante, asistente.

associate [*n*] consocio *He has been an associate of mine for many years.* Ha sido consocio mío durante muchos años.

associate [*v*] mezclar *His name has been associated with a recent scandal.* Su nombre ha estado mezclado en un reciente escándalo. ▲asociar *Our two firms have always been associated.* Nuestras dos casas siempre han estado asociadas.

association asociación, relación *His association with important people helped him to advance.* Su relación con gente de importancia le ayudó a progresar. ▲asociación, sociedad *I don't think I'll join that association.* No creo que me incorporaré a esa asociación.

assorted surtido *I want a bag of assorted chocolates.* Deseo un paquete de bombones surtidos.

assume asumir *I've always had to assume the family's responsibilities.* Siempre he tenido que asumir las responsabilidades de la familia. ▲suponer, presumir *I assume that dinner will be on time.* Supongo que la comida estará a tiempo.

assurance seguridad, certeza *He gave us his assurance that he'd pay on time.* Nos dio la seguridad de que pagaría a tiempo.— *He works with complete assurance that he'll succeed.* Trabaja con la completa seguridad de que va a tener éxito.

assure asegurar *That is not so, I assure you.* No es así, se lo aseguro.

asterisk asterisco.

astern por la popa, a popa.

asthma asma.

at en *I'll be at home.* Estaré en casa.—*I'm not good at that.* No soy hábil en eso. ▲de *I was surprised at its size.* Estaba sorprendido de su tamaño.—*What are you laughing at?* ¿De qué se están riendo Uds.? ▲a *The gloves sell at ten dollars a pair.* Los guantes se venden a diez dólares el par.—*Be there at ten o'clock.* Esté Ud. allí a las diez.—*Aim at it.* Apunte a eso.—*We haven't arrived at a decision.* No hemos llegado a ninguna decisión. ▲por *In the morning and at night.* Por la mañana y por la noche. ▲con *He is mad at me.* Está enfadado conmigo. ᴼat all nada de *I haven't got any money at all.* No tengo nada de dinero. ᴼat all costs a toda costa *We must do it at all costs.* Tenemos que hacerlo a toda costa. ᴼat best a lo más *This car will go only forty-five miles per hour, or at best, fifty.* Este auto marcha sólo a cuarenta y cinco millas por hora, o a lo más a cincuenta. ᴼat first al principio *At first we didn't like the town.* Al principio no nos gustaba el pueblo. ᴼat last al fin *At last the train has arrived.* Al fin el tren ha llegado. ᴼat least al menos, por lo menos *There were at least a hundred people present.* Había presentes por lo menos cien personas. ᴼat most a lo más *Give me a dozen, or at most twenty.* Déme una docena, o a lo más veinte. ᴼat once en seguida *I'll leave at once.* Salgo en seguida. ᴼat times a veces *At times I'm doubtful.* A veces dudo. ᴼat will a antojo de uno *They come and go at will.* Van y vienen a su antojo.

athlete atleta.

atmosphere atmósfera.

attach enganchar *Attach the trailer to your automobile.* Enganche el carro de remolque a su automóvil. ▲embargar *His creditors attached his salary.* Sus acreedores le embargaron el sueldo. ᴼto attach importance to dar importancia a *We don't attach much importance to it.* No le damos mucha importancia. ᴼto be attached estar agregado, *For many years he has been attached to the embassy.* Fue agregado a la embajada durante muchos años. ▲estar apegado *He is very much attached to his family.* Está muy apegado a su familia.

attack [*n*] ataque *She has had a heart attack.* Ha tenido un ataque al corazón. •[*v*] atacar *The enemy position has been attacked.* La posición del enemigo ha sido atacada.

attain lograr, obtener.

attempt [n] esfuerzo - *He made a courageous attempt to save her.* Hizo un esfuerzo valeroso para salvarla. ▲tentativa *That was her first attempt at cooking.* Fue su primera tentativa culinaria. •[v] intentar *Don't attempt too much.* No intente demasiado.

attend asistir a *Did you attend the meeting?* ¿Asistió Ud. a la reunión? ▲cuidar, atender *What doctor attended you?* ¿Qué doctor le atendió? ᴼto attend to atender, ocuparse *I have some things to attend to.* Tengo algunas cosas a que atender.

attendance presencia *My attendance will hardly be necessary.* Casi no será necesaria mi presencia. ▲público, auditorio *We've had very poor attendance at these meetings.* Hemos tenido muy poco público en estas reuniones.

attendant ayudante, asistente, sirviente.

attention atención *Please give me your complete attention.* Hagan el favor de escucharme con toda atención.

attest atestiguar.

attitude actitud.

attorney abogado.

attract atraer.

attraction atracción *Her dancing is the big attraction of the show.* Su baile es la atracción más grande de la función. ᴼmain attraction número principal *We got to the circus just in time for the main attraction.* Llegamos al circo precisamente para el número principal.

attractive [adj] atractivo, atrayente.

attribute [n] atributo.

attribute [v] atribuir *To what do you attribute your success?* ¿A qué atribuye Ud. su éxito?

auction subasta, remate.

audible audible.

audience auditorio, público.

auditorium auditorio.

August agosto.

aunt tía ᴼaunt and uncle tíos *I'd like you to meet my aunt and uncle.* Me gustaría presentarle a mis tíos.

author autor.

authority autoridad *What authority do you have to do this?* ¿Qué autoridad tiene Ud. para hacer esto?—*I'm not an authority on that.* No soy una autoridad en eso. ᴼauthorities autoridades *I'll speak to the authorities.* Hablaré con las autoridades.

authorize autorizar, facultar.

auto auto.

automatic automático. ᴼautomatic pistol pistola automática.

automobile automóvil.

autum otoño.

avail ᴼof no avail en vano *The doctor's efforts to save his life were of no avail.* Los esfuerzos del médico por salvar su vida fueron en vano. ᴼto avail oneself aprovecharse *Avail yourself of every opportunity.* Aprovéchese de todas las oportunidades.

available disponible.

avenue avenida.

average [n] promedio *The average (age) of the class is fifteen years.* El promedio (de edad) de la clase es de quince años. •[adj] medio *What is the average temperature here?* ¿Cuál es la temperatura media aquí? •[v] hallar el promedio *Average this column of figures for me.* Hálleme el promedio de esta columna de cifras.

aviation aviación.

avocado aguacate, palta [Am].

avoid evitar *Avoid that at all cost.* Eviten eso a toda costa.

await esperar *We await your reply.* Esperamos su respuesta.

awake [adj] despierto *Are you wide awake?* ¿Está Ud. bien despierto? •[v] despertar *Some airplanes awoke me at five o'clock.* Unos aviones me despertaron a las cinco. ᴼto be awake to darse cuenta de *He is awake to his responsibilities.* Se da cuenta de sus responsabilidades.

aware enterado, sabedor, consciente. *Are you aware of the time?* ¿Está Ud. consciente de la hora?

away fuera *Have you been away?* ¿Ha estado Ud. fuera? ᴼto give away dar *We're giving this away free.* Estamos dando esto gratis. ᴼto go away irse *Go away.* Váyase. ᴼto take away llevar(se) *Please take this away.* Haga el favor de llevarse esto. ᴼto throw away tirar *Don't throw anything away.* No tire nada.

awe temor reverente, pavor.

awful terrible, tremendo *An awful accident happened yesterday.* Ayer ocurrió un accidente terrible. ▲horrible *We've been having awful weather.* Hemos tenido un tiempo horrible.

awhile algún tiempo *The girl will be here for awhile.* La muchacha estará aquí por algún tiempo ▲un rato. *Let's talk for awhile.* Vamos a charlar un rato.

awkward torpe, chambón *He was awkward in everything he did.* Era torpe en todo lo que hacía. ▲desgarbado *He is a very awkward fellow.* Es un tipo muy desgarbado. ▲incómodo *This package is awkward to carry.* Es muy incómodo llevar este paquete. ▲delicado, embarazoso *It was an awkward situation.* Era una situación delicada.

awning toldo, marquesina.

ax hacha.

axis eje.

axle eje de las ruedas.

B

baby [n] nene, criatura, bebé, crío. ▲niño *She is sewing baby clothes.* Está cosiendo ropa de niño. •[v] mimar *We must baby her until she gets well again.* Tenemos que mimarla hasta que se ponga buena.

bachelor soltero *My brother is a bachelor.* Mi hermano es soltero. ▲bachiller *He has a bachelor's degree.* Tiene el grado (o título) de bachiller. ᴼconfirmed bachelor solterón *My uncle is a confirmed bachelor.* Mi tío es un solterón empedernido.

back [n] espalda *(of person) He is carrying the bag on his back.* Lleva el saco a la espalda. ▲lomo *(of animal).* ▲respaldo *This chair has a high back.* Esta silla tiene un respaldo alto. •[adj] de atrás *He went out the back door.* Salió por la puerta de atrás. •[adv] de vuelta *I'll be back at four.* Estaré de vuelta a las cuatro. •[v] apoyar *We'll back* him in his request. Le apoyaremos en su petición. ▲dar marcha atrás *Please back your car slowly.* Por favor, dé marcha atrás despacio. O**at the back, in the back** al fondo *He is in the back of the classroom.* El está al fondo de la clase. O**back in** allá por *Back in 1850.* Allá por el año de 1850. O**back number** número atrasado *The library has the back numbers of this magazine.* La biblioteca tiene los números atrasados de esta revista. O**behind one's back** a espaldas de uno *They told stories about her behind her back.* Contaban cosas de ella a sus espaldas, O**on one's back** boca arriba *He lay on his back.* Estaba acostado boca arriba. O**to back down** volverse atrás *Don't back down on what you said.* No se vuelva atrás en lo que ha dicho. O**to get back** volver, regresar *They got back from their journey.* Han vuelto de su viaje. O**to give back** devolver *When are you going to give me back the book?* ¿Cuándo me va a devolver el libro? O**to go back on** volverse atrás *He went back on me.* Se me volvió atrás. O**to hold back** contener *They held the crowd back.* Contuvieron a la multitud. O**to hold something back** callarse algo *Tell everything; don't hold anything back.* Dilo todo; no te calles nada. O**to pay back** pagar *We must pay back what we owe him.* Debemos pagar lo que le debemos. O**to turn one's back on** volver la espalda *He turned his back on them.* Les volvió la espalda.

backbone espinazo *He hurt his backbone.* Se lastimó el espinazo. ▲agallas *If she had any backbone she wouldn't take those insults.* Si tuviera agallas no aguantaría esos insultos.

background fondo *He painted some white flowers on a black background.* Pintó unas flores blancas sobre un fondo negro. ▲antecedentes *She has a very fine background.* Tiene muy buenos antecedentes.

backlash retroceso, contragolpe, reacción violenta, culateo.

backup, back-up or **back up** [*n*] de reserva *They are in the backup group.* Ellos están en el grupo de reserva. ▲copia de reserva. *I learned how to make a backup copy in the computer.* Aprendí cómo hacer una copia de reserva en el computador. ▲acumulación *There is a backup of cars on the highway.* Hay gran acumulación de autos en la autopista. • [*v*] apoyar *The teacher backed up my arguments.* El profesor apoyó mis argumentos. ▲dar marcha atrás, dar reversa *Back up the car so I can leave.* Dale marcha atrás al auto para que yo pueda salir.

backward [*adj*] tímido *He is very backward about asking for anything.* Es muy tímido para pedir algo. ▲atrasado *She runs a school for backward children.* Tiene una escuela para niños atrasados. •[*adv*] al revés *You've got your blouse on backward.* Ud. tiene puesta la blusa al revés.

backwards hacia atrás.

bacon tocino.

bad [*n*] lo malo *We must take the bad along with the good.* Hay que aceptar lo bueno con lo malo. • [*adj*] mal, malo *It is a bad day to go out.* Es mal día para salir o Está el día malo para salir (*of weather*).—*It is not a bad idea.* No es una mala idea. ▲fuerte *I caught a bad cold in the rain.* Con la lluvia

he cogido un fuerte catarro. ▲mal *I feel bad today.* Me siento mal hoy. O**from bad to worse** de mal en peor *His affairs went from bad to worse.* Sus asuntos iban de mal en peor. O**to be bad for** hacer daño a *Too much smoking is bad for you.* El fumar demasiado le hará daño. O**to go bad** echarse a perder *The butter went bad because of the heat.* La mantequilla se echó a perder por el calor. O**too bad** (una) lástima *That is too bad.* Eso es una lástima.

baffle [*v*] desconcertar, confundir.

bag [*n*] bolsa, saco, cartucho *Put these groceries in a bag.* Ponga estos comestibles en una bolsa. ▲cartera *Hand me my bag and my gloves, please.* Por favor, mi cartera y mis guantes. ▲maleta *Where shall I check my bags and trunk?* ¿Dónde puedo facturar las maletas y el baúl? • [*v*] capturar *They bagged a lion.* Capturaron un león.

baggage equipaje *Take my baggage up to my room.* Suba el equipaje a mi cuarto. O**baggage car** furgón (*o* vagón) de equipajes *The baggage car is at the end of the train.* El furgón de equipajes está al final del tren. O**baggage room** sala de equipajes *Where is the baggage room?* ¿Dónde está la sala de equipajes?

bail [*n*] fianza *He is out on bail.* Está libre bajo fianza. • [*v*] poner fianza, salir fiador *His friends bailed him out of jail.* Sus amigos le pusieron una fianza para sacarlo de la cárcel. ▲achicar *He had to bail the water out of the boat with a can.* Tuvo que achicar el bote con una lata. O**to bail out** lanzarse *The pilot bailed out of the plane.* El piloto se lanzó del avión.

bait [*n*] cebo, carnada.

bake asar, [*Am*] hornear *We had baked potatoes for dinner.* Hemos comido patatas asadas. ▲cocer [*Sp*], hornear [*Am*] *The bread was baked this morning.* El pan ha sido cocido esta mañana.

baker panadero.

bakery panadería.

balance [*n*] equilibrio *I lost my balance and fell off the step.* Perdí el equilibrio y me caí del escalón. ▲resto *Pay the balance in monthly installments.* Pague el resto por mensualidades. ▲balance *What is the bank balance?* ¿Cuál es mi balance en el banco? • [*v*] equilibrar *The two weights balance each other.* Los dos pesos se equilibran. O**in the balance** en la balanza *His fate hung in the balance.* Su suerte estaba en la balanza.

balcony balcón.

bald calvo.

bale fardo, bala.

ball ovillo *He rolled the string into a ball.* Hizo un ovillo con la cuerda. ▲pelota *They played ball all afternoon.* Jugaron a la pelota toda la tarde. ▲baile formal O**ball gown** traje de baile.

ballet ballet.

balloon globo, globo aerostático.

ballot papeleta para votar.

ballroom salón de baile.

bamboo bambú.

banana plátano, banana.

band lista, franja *The room was decorated with a blue band near the ceiling.* El cuarto estaba decorado con una franja azul cerca del techo. ▲banda *The band played marches.* La banda tocó marchas. O**metal band**

B

fleje, [*Sp*] precinto, [*Am*] zuncho *Put a metal band around this box.* Ponga un zuncho en esta caja. **○rubber band** goma *Can you get me a box of rubber bands?* ¿Me puede conseguir una caja de gomas? **○to band together** unirse *They banded together against me.* Se unieron contra mí.

bandage [*v*] vendaje. [*v*] vendar.

bandit bandido.

bang [*n*] estrépito *I heard a loud bang.* Oí un gran estrépito. ▲ímpetu *He started off with a bang.* Empezó con mucho ímpetu. •[*v*] golpear con violencia *She banged the table.* Golpeó la mesa con violencia. ▲cerrar de golpe *He banged the door.* Cerró la puerta de golpe.

banish desterrar, deportar, proscribir.

banjo banjo.

bank [*n*] montón *There is a bank of snow near the door.* Hay un montón de nieve cerca de la puerta. ▲orilla, margen, ribera *He swam to the nearest bank.* Nadó hasta la orilla más cercana. ▲banco *We should deposit this money in a bank.* Deberíamos depositar este dinero en un banco. *I'd like to open a bank account.* Quisiera abrir una cuenta en el banco. ▲banca (*in games*) *How much is in the bank?* ¿Cuánto hay de banca? • [*v*] tapar, cubrir (*a fire*) *Please bank the fire so it'll burn slowly.* Haga el favor de cubrir el fuego para que arda lentamente. **○to bank on** estar seguro *You can bank on it.* Puede estar seguro.

banker banquero.

bankruptcy quiebra.

banner bandera, insignia, estandarte.

banquet banquete *They gave a banquet in his honor.* Dieron un banquete en su honor.

baptize bautizar.

bar [*n*] tranca, barra *Put the bar across the window.* Ponga Ud. la tranca a través de la ventana. ▲barra *Where is the bar of soap?* ¿Dónde está la barra de jabón? ▲impedimento *Is a foreign accent much of a bar to making friends?* ¿Es un impedimento para hacer amigos el acento extranjero? ▲compás *He played a few bars of my favorite waltz.* Tocó unos compases de mi vals favorito. ▲mostrador *He was standing at the bar when I walked in.* Estaba frente al mostrador cuando yo entré. ▲bar *Meet me in the bar on the corner in an hour.* Encuéntreme en el bar de la esquina dentro de una hora. • [*v*] trancar *He forgot to bar the gate to the pasture.* Olvidó trancar la portilla de la pradera. ▲obstruir *The fallen tree barred our way.* El árbol caído obstruía el paso. ▲excluir *He has been barred from the club.* Le han excluido del club.

barbecue [*n*] barbacoa, parrilla [*Mex*]. •[*v*] asar en asador, hacer barbacoa.

barbed wire alambre de púas.

barber peluquero, barbero *Where can I find a good barber?* ¿Dónde puedo encontrar un buen peluquero? **○barber shop** peluquería, barbería.

bare desnudo, al aire *Don't go out in this weather with bare legs.* No salga Ud. en este tiempo con las piernas desnudas. ▲puro *I'm telling you the bare truth.* Le estoy diciendo la pura verdad. ▲vacío *The apartment was completely bare when we moved in.* El apartamento estaba completamente vacío cuando nos mudamos allí. ▲es-

caso *He won the race by a bare second.* Ganó la carrera por un segundo escaso. **○to bare one's head** descubrirse *When the flag passed, the men bared their heads.* Al pasar la bandera, los hombres se descubrieron.

bareback **○to ride bareback** montar en pelo.

barefoot descalzo.

barely escasamente *He had barely enough to live on.* Tenía escasamente lo bastante para vivir.

bargain [*n*] trato *I'll make a bargain with you.* Haré un trato con Ud. ▲ganga *You'll find many bargains there.* Ud. encontrará allí muchas gangas. • [*v*] regatear *We bargained with him before buying.* Estuvimos regateando con él antes de comprar.

barge lanchón.

baritone [*adj n*] barítono.

bark [*n*] corteza *That tree has a rough bark.* Ese árbol tiene una corteza áspera.

bark [*n*] ladrido *That dog has a shrill bark.* Ese perro tiene un ladrido agudo. • [*v*] ladrar *Make the dog stop barking.* Haga que el perro deje de ladrar.

barley cebada.

barn granero *The barn was filled with hay and grain.* El granero estaba lleno de heno y de grano.

barometer barómetro.

barracks cuartel.

barrel barril *The truck was loaded with barrels of beer.* El camión estaba cargado con barriles de cerveza. ▲cañón *Clean the barrel of this gun.* Limpie el cañón de esta escopeta.

barren árido.

barrier obstáculo, barrera.

base [*n*] pedestal *The base of the statue was still there.* Todavía estaba allí el pedestal de la estatua. ▲base *The soldiers returned to their base.* Los soldados regresaron a su base.—*Run to base before he catches you.* Corra a la base antes de que le coja. ▲ [*adj*] bajo *That is a very base action.* Esa es una acción muy baja. • [*v*] basar *Success is based on honesty.* El éxito está basado en la honradez.

baseball béisbol (*game*).

basement sótano.

bashful tímido.

basic básico.

basin palangana (*for washing*), tazón (de fuente), cuenca.

basis base.

basket cesta, canasta *He brought a basket of fruit.* Trajo una canasta de fruta.

basketball basketball, baloncesto.

bass (*singer*) bajo.

bass (*fish*) lubina, róbalo.

baste hilvanar *Why don't you baste the seam?* ¿Por qué no hilvana Ud. la costura? ▲lardear *Baste the chicken with butter every half hour.* Lardee Ud. el pollo con mantequilla cada media hora.

bat [*n*] bate *He hit the ball with the bat.* Dio con el bate a la pelota. • [*v*] batear *He batted the ball over the fence.* Bateó la pelota por encima de la cerca. **○at bat** bateando *Who is at bat?* ¿Quién está bateando?

bat murciélago *I'm afraid of bats.* Tengo miedo a los murciélagos. **○blind as a bat** ciego como un topo.

batch (*of bread*) hornada.

bath baño *Where can I take a bath?* ¿Dónde puedo tomar un baño?

bathe bañar *What time do you usually bathe the baby?* ¿A qué hora baña Ud. al niño usualmente? ▲bañarse *We went bathing in the lake.* Nos bañamos en el lago.

bathing cap gorro de baño.

bathing suit traje de baño.

bathrobe albornoz, bata de baño.

bathroom cuarto de baño.

bathtub bañera, baño, [*Am*] tina.

batter [*n*] batido (*cooking*) • [*v*] apalear, demoler.

battery batería *My radio needs a new battery.* Mi radio necesita una nueva batería.

battle [*n*] batalla *The battle was fought at the river.* La batalla se libró junto al río. • [*v*] batirse *The two armies battled all day.* Los dos ejércitos se batieron todo el día. ▲luchar *He battled against heavy odds.* Luchó en condiciones desiguales.

battlefield campo de batalla.

battleship acorazado.

bay bahía *The boat sailed in the bay.* El barco navegaba por la bahía.

bay ○at bay a raya *He held them at bay.* Los mantuvo a raya.

be ser *The road was built by the prisoners.* El camino fue construido por los prisioneros.—*The plans have been perfected.* Los planes han sido perfeccionados.—*It was a gold watch.* Era un reloj de oro.—*"What time is it?" "It is ten o'clock."* "¿Qué hora es?" "Son las diez."—*They're mine.* Son míos.—*We're from New York.* Somos de Nueva York.—*Be a good boy!* ¡Sé un buen chico!—*He is a doctor.* Soy médico.—*I wish I were younger!* ¡Ojalá fuese más joven!—*My birthday is July the third.* Mi cumpleaños es el tres de julio.—*Being stubborn won't help you.* El ser terco no le traerá ningún beneficio. ▲estar *Where is your office?* ¿Dónde está su oficina?—*He is to be there next Tuesday.* Tendrá que estar allí el martes próximo.—*He'll be here tomorrow.* Estará aquí mañana.—*I'm looking for another job.* Estoy buscando otro empleo.—*He was writing a letter.* Estaba escribiendo una carta.—*The house was painted white.* La casa estaba pintada de blanco.—*She is still sick.* Todavía está enferma.—*Your baggage is being checked.* Están facturando su equipaje. ▲haber *There is a big house on the corner.* Hay una casa grande en la esquina.—*There was a cup on the table.* Había una taza en la mesa.—*The child must be punished.* Hay que castigar al niño.—*I'm sorry I was late this morning.* Siento haber llegado tarde esta mañana. ▲tener *I'm cold.* Tengo frío.—*You're right.* Tiene razón. ▲hacer *It is sunny.* Hace sol.—*It is cold.* Hace frío.—*We'll have been here a year this coming Friday.* El viernes que viene hará un año que estamos aquí.—*What are you doing?* ¿Qué hace Ud.? ○to be off ser inexacto *His figures were way off.* Sus cálculos eran muy inexactos.

beach [*n*] playa *Were you at the beach all summer?* ¿Estuvo Ud. en la playa todo el verano? • [*v*] varar, poner en seco *We beached the canoe.* Hemos puesto la canoa en seco.

bead cuenta, abalorio.

beak pico.

beam [*n*] viga *The beams are beginning to rot.* Las vigas empiezan a pudrirse. ▲rayo *I was awakened by a beam of light.* Me despertó un rayo de luz. • [*v*] destellar de alegría *She beams every time he speaks to her.* Destella de alegría cada vez que le habla. ○to be off the beam no dar pie con bola *You're off the beam this morning.* No da Ud. pie con bola esta mañana.

bean frijol [*Am*], judía [*Sp*] *Do they have beans on the menu?* ¿Tienen frijoles en el menú?

bear [*n*] oso.

bear [*v*] sostener *This board won't bear your weight.* Esta tabla no sostendrá su peso. ▲soportar *He bore the pain bravely.* Soportó el dolor con valentía. ▲sufrir *I can't bear to see them leave.* No puedo sufrir el verlos marchar. ▲aguantar *I can't bear him.* No puedo aguantarle. ▲dar *This orchard bears good peaches.* Este huerto da buenos duraznos. ▲tener *She has borne three children.* Ha tenido tres hijos. ○to bear out probar *This bears out what I said.* Esto prueba lo que dije.

beard barba.

bearing relación *That has no bearing on the matter.* Eso no tiene relación con el asunto. ▲porte, aire *His military bearing is excellent.* Su porte militar es excelente. ▲cojinete *The bearings of the car are worn out.* Los cojinetes del automóvil están gastados. ▲marcación, rumbo *The navigator is taking a bearing.* El oficial de derrota está determinando el rumbo. ○to get one's bearings orientarse, marcarse *Let's get our bearings before we go any further.* Vamos a orientarnos antes de continuar. ○to lose one's bearings aturdirse.

beast bestia.

beat [*n*] ritmo *The beat of the music wasn't clear.* El ritmo de la música no era claro. ▲ronda *What policeman is on this beat?* ¿Qué policía hace esta ronda? • [*v*] derrotar *We beat the enemy.* Derrotamos al enemigo. ▲vencer *They were beaten in the game.* Fueron vencidos en el juego. ▲sacudir *Please beat this carpet.* Haga el favor de sacudir esta alfombra. ▲batir *Beat the egg before putting it in.* Bata el huevo antes de añadirlo. ▲latir, palpitar *His heart was beating regularly.* Su corazón latía con regularidad. ○beaten path camino(s) trillado(s) *He always sticks to the beaten path.* Siempre sigue los caminos trillados. ○beat back hacer retroceder *The soldiers beat back the enemy.* Los soldados hicieron retroceder al enemigo. ○to beat it escapar(se) *He beat it.* Se escapó. ○to beat time marcar el compás *He beat time with his foot.* Marcaba el compás con el pie.

beautiful bello, hermoso *What a beautiful day!* ¡Qué día tan hermoso!

beauty belleza *I find great beauty in his music.* Encuentro mucha belleza en su música.—*She is a beauty!* ¡Es una belleza!

beauty parlor salón de belleza, peluquería.

beaver castor.

because porque *He didn't come because he got sick.* No vino porque se enfermó. ○because of a causa de *I didn't buy it because of the high price.* No lo compré a causa de lo elevado del precio.

beckon llamar con señas.

become hacerse *The work has become harder.* El trabajo se ha hecho más difícil.— *He became a lawyer.* Se hizo abogado. ▲ponerse *He became ill.* Se puso enfermo. ▲volverse *He is becoming more aggressive every day.* Se está volviendo cada día más agresivo. ▲llegar a ser *He became a good lawyer.* Llegó a ser un buen abogado. ▲cumplir *When he became twenty-one, he left home.* Cuando cumplió veintiún años se marchó de su casa. ▲sentar bien, quedar bien *The red dress becomes her.* El traje rojo le sienta bien. ᴼto **become of** ser de *What is to become of her?* ¿Qué será de ella?

becoming [*adj*] ᴼto **be becoming** sentar bien, quedar bien *That hat is very becoming.* Ese sombrero le sienta bien. ᴼto **be becoming to** ir con *Such conduct isn't becoming to a man of your position.* Tal conducta no va con un hombre de su posición.

bed cama *My bed hasn't been made.* No han hecho mi cama. ▲lecho *He was on his deathbed.* Estaba en su lecho de muerte. ▲base *The machine is set in a bed of concrete.* La máquina está colocada sobre una base de hormigón. ▲firme *The roadbed is in bad condition.* El firme de la carretera está en malas condiciones. ▲macizo *Don't step in the flower bed.* No pise el macizo de flores. ▲cauce *Follow the old river bed for two miles.* Siga el viejo cauce del río dos millas. ᴼto **get up on the wrong side of the bed** levantarse de mal humor.

bedbug chinche.

bedding ropa de cama *Air the bedding.* Ponga al aire la ropa de cama. ▲cama *We used straw for bedding for the horses.* Usábamos paja para la cama de los caballos.

bedroom dormitorio, alcoba.

bedspread colcha, cubrecama.

bee abeja. ᴼto **have a bee in one's bonnet** estar un poco destornillado.

beech haya.

beef carne de vaca *Do you have beef or pork?* ¿Tiene Ud. carne de vaca o de cerdo?

beefsteak bistec, biftec.

beehive colmena.

beeline línea recta||*He made a beeline for home.* Se fue directamente a casa.

been See (Vea) **be**.

beer cerveza.

beet remolacha.

beetle escarabajo.

before [*adv*] antes *We should have done this before.* Deberíamos haberlo hecho antes. • [*prep*] ante, en presencia de *He was taken before the judge.* Fue llevado ante el juez. ▲antes de *The telegram should come before evening.* El telegrama debe llegar antes de la noche. ▲antes que *Do this before anything else.* Haga Ud. esto antes que nada. • [*conj*] antes de *I'll telephone you before I leave.* Le telefonearé antes de salir. ▲antes de que *Let me know before you come.* Avíseme antes de que Ud. venga. ᴼ**before Christ (B.C.)** antes de Jesucristo (a. de J. C.) *The temple was built in the first century before Christ.* El templo fue construido en el siglo primero antes de Jesucristo. ᴼ**before long** dentro de poco *They'll come before long.* Vendrán dentro de poco.

beforehand de antemano.

beg pedir limosna *Begging is a common practice in that country.* El pedir limosna es corriente en ese país. ▲mendigar *That man went begging from door to door.* Aquel hombre iba mendigando de puerta en puerta. ▲pedir *The children begged for pennies.* Los chicos pedían centavos. ▲rogar *They begged us to help them.* Nos rogaron que les ayudásemos.

beggar mendigo, pordiosero.

begin empezar *The performance begins at 8:30 P.M.* La función empieza a las ocho y media de la noche.—*The building was begun many years ago.* El edificio fue empezado hace muchos años. ▲comenzar *Cigarettes began to disappear from the market.* Los cigarrillos comenzaban a desaparecer del mercado. ᴼto **begin with** para empezar *To begin with, he is too old.* Para empezar, es demasiado viejo.

beginner principiante.

beginning [*n*] principio.

behalf ᴼin, o **on behalf of** a favor de, en nombre de.

behave portarse, conducirse *The little boy behaved badly during the whole trip.* El muchacho se portó muy mal durante todo el viaje. ▲conducirse bien *Behave yourself.* Condúcete bien.

behavior conducta *Her behavior is very strange.* Su conducta es muy rara.

behind [*adj*] atrás *They left all the other cars behind.* Dejaron atrás a los demás autos. • [*prep*] detrás de *The car is parked behind the house.* El carro está estacionado detrás de la casa. ᴼ**behind one's back** a espaldas *He talked about me behind my back.* Habló a espaldas mías. ᴼto **be behind time** estar atrasado *The train is behind time.* El tren está atrasado. ᴼto **fall behind** atrasarse *He has fallen behind in his work.* Se ha atrasado en su trabajo. ᴼto **leave behind** olvidar *Have you left anything behind?* ¿Ha olvidado Ud. algo?

behold contemplar.

beige beige.

being ser *They don't act like human beings.* No se portan como seres humanos. ᴼ**for the time being** por ahora, de momento *Let the matter rest for the time being.* Deja dormir el asunto por ahora.

belief creencia, opinión.

believe creer *Do you believe what he told us?* ¿Cree Ud. lo que nos dijo?—*I believe so.* Creo que sí.

bell campana *The bell rings half an hour before services.* La campana toca media hora antes de los servicios religiosos. ▲timbre *Ring the bell for the elevator.* Toque el timbre para el ascensor. ᴼ**stroke of the bell** campanada *I couldn't count the strokes of the bell.* No pude contar las campanadas. ᴼ**bell tower** campanario.

bellboy botones, muchacho (*o* mozo) de hotel.

bellow [*v*] bufar, rugir, bramar.

belly vientre, barriga, panza.

belong pertenecer *Does this book belong to you?* ¿Le pertenece a Ud. este libro?—*He belongs to the Republican Party.* Pertenece al Partido Republicano. ▲ser de *Who does this belong to?* ¿De quién es esto?

beloved [*adj, n*] querido, amado.

B

below [*adv*] abajo *From the window they saw what happened below.* Desde la ventana veían lo que pasaba abajo. ▲de abajo *Try the floor below.* Mire en el piso de abajo. •[*prep*] debajo de *Who has the room below mine?* ¿Quién tiene el cuarto debajo del mío? ▲bajo *The temperature here seldom gets below zero.* La temperatura aquí rara vez llega a bajo cero.

belt cinturón *Do you wear a belt or suspenders?* ¿Usa Ud. cinturón o tirantes? ▲correa *Please fix the fan belt in this car.* Haga el favor de arreglar la correa del ventilador del auto. Osafety belt cinturón de seguridad.

bench banco *We sat down on a bench in the park.* Nos sentamos en un banco en el parque. ▲banco *The carpenter is at his bench eight hours a day.* El carpintero está pegado a su banco ocho horas al día. ▲tribunal, asiento del juez.

bend [*n*] curva *The house is beyond the bend in the road.* La casa está pasada la curva de la carretera. •[*v*] doblar *He bent the rod into a V shape.* Dobló la varilla en forma de V. ▲doblarse *How much will this bend without breaking?* ¿Cuánto se podrá doblar esto sin que se rompa? Oto bend down encorvarse, agacharse *You'll have to bend down to get through here.* Tendrá Ud. que agacharse para pasar por aquí.

beneath debajo de *He was buried beneath the tree.* Fue enterrado debajo del árbol. ▲inferior a *Don't look on these people as beneath you.* No considere a esta gente inferior a Ud.

benefit [*n*] beneficio(s) *The new law gave us very little benefit.* La nueva ley nos suministró muy pocos beneficios.—*Will you buy this ticket for the benefit?* ¿Quiere comprar este boleto para el beneficio? • [*v*] beneficiar, aprovechar *The trip didn't benefit us much.* El viaje no nos ha beneficiado mucho.

bent [*n*] inclinación *He has a bent for art.* Tiene inclinación por el arte. •[*adj*] torcido *These nails are bent too much.* Estos clavos están demasiado torcidos. O bent on resuelto a *In spite of us he is bent on going.* A pesar de nuestra opinión está resuelto a irse.

berth cama, litera *I couldn't get a berth on the midnight train.* No pude conseguir cama en el tren de medianoche. ▲camarote *There are two berths left on this ship.* Quedan dos camarotes en este barco. ▲amarradero *The ship was anchored in its berth.* El buque estaba anclado en su amarradero.

beside al lado de *Please put this trunk beside the other one.* Haga Ud. el favor de poner este baúl al lado del otro. Obeside onself fuera de sí *He was beside himself with anger.* Estaba fuera de sí de rabia. Oto be beside the point no venir al caso.

besides [*adv*] además *We need these and others besides.* Necesitamos estos y además otros. • [*prep*] además de *Others must help besides him.* Otros deben ayudar además de él.

best [*adv*] mejor *She knows three languages but speaks French best.* Sabe tres idiomas pero el que mejor habla es el francés. Othe best el mejor *We tried to pick out the best plan.* Tratamos de escoger el mejor plan. ▲lo mejor *We want only the best.* Queremos sólo lo mejor. Oto be at one's best lucirse, estar uno en su máximo *He was at his best tonight.* Se lució esta noche. Oto get the best of adelantarse, aventajar *We must be careful he doesn't get the best of us.* Tenemos que tener cuidado de que no se nos adelante.

bestow conferir.

bet [*n*] apuesta *When are you going to pay up that bet?* ¿Cuándo va a pagar esa apuesta? • [*v*] apostar *I bet five dollars on the black horse.* Apuesto cinco dólares al caballo negro.

betray traicionar *He was charged with betraying his country.* Se le acusó de traicionar a su país. ▲revelar *His remarks betrayed his ignorance.* Sus palabras revelaron su ignorancia.

better [*adj*] mejor *I want a better room than this one.* Quiero un cuarto mejor que éste.—*I felt better this morning.* Me encontraba mejor esta mañana. •[*adv*] mejor *I can't do better than this.* No lo puedo hacer mejor que esto. •[*v*] mejorar *We're trying to better living conditions here.* Estamos tratando de mejorar aquí las condiciones de vida. Obetter half media naranja, esposa Obetter off mejor *We'll be better off if we move.* Estaremos mejor si nos mudamos. Oso much the better tanto mejor *So much the better if you pay in advance.* Tanto mejor si Ud. paga por adelantado. Oto get better mejorar *The doctor says he is getting better.* El médico dice que va mejorando. Oto get the better of aprovecharse de *He'll try to get the better of you.* Tratará de aprovecharse de Ud.

between (por) entre *They walked between the buildings.* Pasaron entre los edificios. ▲de *I'll meet you between six and seven.* Le encontraré de seis a siete.

beverage brebaje, bebida.

beware Oto beware of cuidarse de *Beware of the dog!* ¡Cuídese del perro! ‖*Beware!* ¡Cuidado!

bewilder dejar perplejo.

beyond más allá de *They live beyond the river.* Viven más allá del río. ‖*When we arrived he was beyond help.* Cuando llegamos para socorrerle, ya era tarde.

bias [*n*] sesgo *I want the skirt cut on the bias.* Quiero la falda cortada al sesgo. ▲prejuicio *It is wrong to judge her with so much bias.* No es justo juzgarla con tanto prejuicio. •[*v*] influir, predisponer *She has a biased opinion of my work.* Ella está predispuesta hacia mi trabajo.

bib babero.

Bible Biblia.

bicycle [*n*] bicicleta *My bicycle needs repairs.* Mi bicicleta necesita reparación. •[*v*] dar un paseo en bicicleta *Let's bicycle down to the lake.* Vamos a dar un paseo en bicicleta hasta el lago.

bid [*n*] oferta *His bid was too high to get the contract.* Su oferta fue demasiado elevada para conseguir el contrato. •[*v*] mandar, ordenar *He wouldn't do as I bid him.* No quiso hacerlo como se lo mandé. ▲ofrecer *He bid fifty dollars for the rug and then she bid ninety.* El ofreció cincuenta dólares por la alfombra y después ella ofreció noventa.

big grande *They live in a big house.* Viven en una casa grande. ▲mayor *She is my big sister.* Ella es mi hermana mayor. ▲impor-

B

tante *A big man will talk at the meeting.* Un hombre importante hablará en la reunión. Oto **talk big** darse importancia, echárselas de importante *He talks big, but don't believe everything he says.* Se da mucha importancia, pero no crea Ud. todo lo que dice.

bill cuenta *We must pay the bill today.* Tenemos que pagar la cuenta hoy. ▲billete *Can you change a five-dollar bill?* ¿Me puede cambiar un billete de cinco dólares? ▲cartel *Post no bills.* Se prohíbe fijar carteles.—*What is on the bill at the theater this evening?* ¿Qué hay en el cartel del teatro esta noche? ▲proyecto de ley *The bill will be voted upon by the House of Representatives.* El proyecto de ley será votado por la Cámara de Diputados. ▲pico *This bird has a long bill.* Este pájaro tiene un pico largo. Obill of fare menú. Obill of health certificado de sanidad. Obill of lading manifiesto de embarque.

billboard cartelera.

billfold billetera.

billiards billar.

billion mil millones (1,000,000,000).

bind •[v] atar *They bound his hands behind his back.* Le ataron las manos detrás de la espalda. ▲vendar *You should bind up this cut.* Ud. debería vendar esta cortadura. ▲encuadernar, empastar *They're binding both volumes of his poetry into one book.* Están empastando los dos volúmenes de su poesía en un solo libro.

biography biografía.

biology biología.

birch abedul.

bird pájaro.

birth nacimiento *What is the date of your birth?* ¿Cuál es la fecha de su nacimiento? ▲origen *The governor was a man of humble birth.* El gobernador era un hombre de humilde origen. Oby **birth** de nacimiento *Are you an American by birth?* ¿Es Ud. norteamericano de nacimiento? Oto give **birth to** dar a luz *She has given birth to twins.* Ha dado a luz gemelos.

birthday cumpleaños.

biscuit galleta, bizcocho.

bishop obispo (*church*); alfil (*chess*).

bit pedazo, pedacito *He broke the candy into bits.* Partió el dulce en pedacitos. ▲bocado *This bridle doesn't have a bit.* Estas bridas no tienen el bocado. ▲taladro *I need a bit to drill a hole with.* Necesito un taladro para hacer un agujero. ▲pizca, lo más mínimo *That doesn't make a bit of difference.* Eso no altera en lo más mínimo. ▲poco, poquito *They arrived a bit later than the others.* Llegaron un poco más tarde que los demás. Obit by bit poco a poco *We learned the story bit by bit.* Nos enteramos de la historia poco a poco. Oto blow to bits hacer pedazos *The truck was blown to bits.* El camión quedó hecho pedazos.

bite [n] bocado *I took one bite of the apple.* Tomé un bocado de la manzana. ▲picadura *I have two mosquito bites on my arm.* Tengo dos picaduras de mosquito en el brazo •[v] morder *Will this dog bite?* ¿Muerde este perro?—*He bit into the apple.* Mordió la manzana. ▲picar *The fish are biting well today.* Los peces están picando bien hoy. ▲cortar *It is a biting-cold day.* Es un día en que el frío corta. Obiting mordaz *She often*

makes biting remarks. Hace muchas veces observaciones mordaces.

bitter amargo *This coffee is too bitter.* Este café está demasiado amargo. ▲picante, desapacible *It was bitter cold.* Hacía un frío desapacible. ▲enconado *He had a bitter quarrel with his brother.* Tuvo una enconada disputa con su hermano. ▲encarnizado *After the war their bitter hatred continued.* Después de la guerra continuaron sus odios encarnizados. Oto the bitter end hasta vencer o morir.

black negro *Do you have a black dress?* ¿Tiene Ud. un vestido negro?—*Their future is black.* Su porvenir es negro. ▲obscuro *The night was very black.* La noche era muy obscura. ▲luto *She has worn black since her husband died.* Va de luto desde que murió su marido. Oto black out *This line should be blacked out.* Esta línea hay que pintarla de negro.

blackberry zarza (*plant*); mora (*fruit*).

blackbird mirlo.

blackboard pizarra, encerado.

blackmail [n] chantaje. •[v] chantajear.

blackout apagón, obscurecimiento.

blacksmith herrero.

blade hoja (*knife*); pala (*oar, propeller*). Oblade of grass brizna de hierba.

blame echar la culpa *He blamed us for the accident.* Nos echó la culpa del accidente. ▲culpar *He didn't blame us for going ahead.* No nos culpó porque prosiguiéramos. Oto be to blame tener la culpa *Who is to blame?* ¿Quién tiene la culpa? Oto take the blame echarse la culpa.

blank blanco *Fill in the blanks.* Llene Ud. los blancos. ▲vacío *He feels that his future is a blank.* El cree que su porvenir es vacío. Oblank check cheque en blanco. Oblank form formulario.

blanket [n] manta *We only had one blanket apiece.* Sólo teníamos una manta cada uno. ▲capa *The ground was covered with a thick blanket of snow.* La tierra estaba cubierta con una capa espesa de nieve. •[v] envolver *A thick fog blanketed the city.* Una niebla densa envolvía a la ciudad.

blast [n] ráfaga *A blast of wind knocked off my hat.* Una ráfaga de viento me llevó el sombrero. ▲explosión *You could hear the blast for miles.* Se podía oír la explosión a muchas millas. •[v] volar *From a distance we watched them blasting rocks.* Les observábamos desde lejos volar las rocas. ▲malograr *That scandal blasted her chances for success.* Aquel escándalo malogró sus probabilidades de éxito. Oat full blast a toda velocidad *The machine was working at full blast.* La máquina estaba funcionando a toda velocidad.

blaze [n] llama, llamarada *We saw a blaze in the distance* Vimos una llamarada en la distancia. •[v] arder *The fire is blazing nicely now.* El fuego está ardiendo ahora muy bien. ▲abrir, construir *We're going to blaze a new trail.* Vamos a abrir un nuevo sendero.

bleach [v] blanquear, poner blanco.

bleed sangrar *This cut is bleeding a lot.* Esta cortadura está sangrando mucho. Oto bleed for sangrar de dolor por *My heart bleeds for you.* Mi corazón sangra de dolor por ti.

blemish [n] mancha, tacha, defecto.

blend [*n*] mezcla *This tobacco is a good blend.* Este tabaco es una buena mezcla. •[*v*] combinar *Those two colors blend well.* Esos dos colores combinan bien.

blender batidora, licuadora.

bless bendecir.

blessing bendición.

blind [*n*] persiana *The house has green blinds.* La casa tiene persianas verdes. •[*adj*] ciego *He was blind to the true facts.* Estaba ciego para ver la verdad. •[*v*] cegar *The lightning blinded me for a while.* El relámpago me cegó por un momento. ○**blind alley** callejón sin salida *This is only a blind alley.* Esto es sólo un callejón sin salida. ○**blind man** ciego *We helped the blind man across the street.* Ayudamos al ciego a cruzar la calle.

blister ampolla.

blizzard ventisca, tormenta de nieve.

block [*n*] bloque, zoquete, trozo *The child was playing with wooden blocks.* El niño estaba jugando con bloques de madera. ▲manzana [*Sp*], cuadra [*Am*] *Walk three blocks and then turn right.* Camine Ud. tres manzanas y entonces voltee a la derecha. •[*v*] obstruir *That car is blocking traffic.* Ese automóvil está obstruyendo el tráfico.

blond [*adj, n*] rubio.

blonde [*adj, n*] rubia.

blood sangre *After the accident there was blood on the ground.* Después del accidente había sangre en el suelo. ○**blood pressure** presión arterial *I have high blood pressure.* Tengo la presión alta. ○**blood relatives** parientes por consanguinidad *They're blood relatives.* Son parientes por consanguinidad. ○**blood test** análisis de sangre *Have you had your blood test?* ¿Le han hecho ya el análisis de sangre? ○**in cold blood** a sangre fría *The crime was committed in cold blood.* El crimen fue cometido a sangre fría.

bloody sangriento.

bloom [*v*] florecer.

blossom [*n*] flor, capullo *The blossoms are beginning to fall off the trees.* Los capullos empiezan a caer de los árboles.

blot [*n*] borrón *This book is full of ink blots.* Este libro está lleno de borrones de tinta. ▲mancha, baldón *Don't forget this will be a blot on your record.* No se olvide que esto será una mancha en su hoja de servicios. •[*v*] emborronar *The teacher scolded the little girl for blotting her homework.* La maestra regañó a la niña por emborronar sus cuadernos. ○**to blot out** quitar la vista, encubrir *The trees blot out the view from here.* Los árboles quitan la vista desde aquí. ▲arrasar, destruir *After the raid the town was almost blotted out.* Después del raid el pueblo quedó casi arrasado. ○**to blot up** secar *Blot up the ink you spilled.* Seque la tinta que ha derramado.

blotter papel secante.

blow [*n*] golpe *He died from a blow on the head.* Murió de un golpe en la cabeza. •[*v*] soplar *The wind will blow hard tonight.* El viento soplará fuerte esta noche. ▲sonar *Has the whistle blown?* ¿Ha sonado la sirena? ▲tocar *Blow the horn three times when you come.* Toque Ud. la bocina tres veces cuando venga. ○**to blow away** llevarse el viento *The wind will blow the*

tent away. El viento se va a llevar la tienda de campaña. ○**to blow down** derribar *The wind blew the tree down.* El viento derribó el árbol. ○**to blow one's nose** sonarse (las narices) *I have to blow my nose.* Tengo que sonarme. ○**to blow out** apagar *Blow out the candle before you go.* Apague la vela antes de irse. ▲reventar, estallar *The old tire blew out.* El neumático viejo reventó. ▲fundir(se) *The fuse blew out.* Se fundió el fusible. ○**to blow over** pasar *Wait until all this blows over.* Espere hasta que pase todo esto. ○**to blow up** volar *The enemy will try to blow up the bridge.* El enemigo tratará de volar el puente. ▲inflar *Please blow up this tire.* Haga el favor de inflar este neumático. ▲desencadenarse *A storm may blow up this afternoon.* Puede desencadenarse una tormenta esta tarde. ○**to come to blows** pelear, venir a las manos.

blue azul *She always wears blue.* Va siempre de azul. ▲triste *Why are you so blue this morning?* ¿Por qué está Ud. tan triste esta mañana? ○**the blues** esplín [*Sp*], morriña [*Sp*], tristeza *I get the blues when it rains.* Tengo esplín cuando llueve *o* Me da tristeza cuando llueve.

bluff [*n*] risco *We climbed to the top of the bluff.* Escalamos hasta la punta del risco. •[*v*] farolear *He won't do it, he is only bluffing.* No lo hará, está faroleando únicamente. No es una farsa. ○**to call one's bluff** descubrir una farsa.

blunder equivocación *I made an awful blunder.* Cometí una tremenda equivocación.

blunt [*adj*] romo *These scissors have a blunt point.* Estas tijeras tienen la punta roma. ▲descortés, crudo *There is no need for you to be so blunt about it.* No hace falta que sea Ud. tan descortés. •[*v*] embotar *If you use the knife that way you'll blunt the edge.* Si usa Ud. así el cuchillo embotará el filo.

blush [*n*] rubor. •[*v*] ruborizarse, sonrojarse.

board [*n*] tabla *We need some boards to make the top of the box.* Necesitamos algunas tablas para hacer la tapa del cajón. ▲comida *Is the board good there?* ¿Es buena la comida allí? ▲junta *The board has made new regulations.* La junta ha establecido nuevas regulaciones. •[*v*] subir *He has already boarded the train.* Ya ha subido al tren. ○**ironing board** tabla de planchar *Do you have an ironing board?* ¿Tiene Ud. una tabla de planchar? ○**on board** a bordo *The whistle has blown. Let us get on board.* Ha sonado la sirena. Subamos a bordo.

boarder huésped.

boarding house casa de huéspedes.

boarding school escuela de internados.

boardwalk entablado de paseo.

boast jactarse *I get fed up hearing you boast about your connections.* Estoy harto de oírle a Ud. jactarse de sus relaciones.

boat barca *We can cross the river in this boat.* Podemos cruzar el río en esta barca. ▲barco *The boat trip will take five days.* El viaje en barco durará cinco días.

bob cortar corto *She bobbed her hair.* Ella se cortó el pelo corto. ○**to bob up** presentarse súbitamente *He is always bobbing up at the wrong time.* Siempre se presenta súbitamente en el momento inoportuno.

bobby pin horquilla, ganchito para el pelo.

body cuerpo *He had a rash on his body.* Tenía una erupción en el cuerpo. ▲cadáver *They buried the two bodies in one grave.* Enterraron los dos cadáveres en una tumba. ▲formación *A body of troops marched down the street.* Una formación de tropas marchaba calle abajo. ▲contenido *The body of his speech was technical.* El contenido de su discurso era técnico.

bodyguard guardaespaldas.

bog pantano. ○to **bog down** empantanarse.

boil [*n*] divieso, forúnculo, grano *This boil is painful.* Este divieso es doloroso. • [*v*] hervir *In a few minutes the water will boil.* Dentro de pocos minutos hervirá el agua. ▲cocer *Please boil the egg two minutes.* Haga el favor de cocer el huevo dos minutos. ○to **boil down** reducirse *What does all this boil down to?* ¿A qué se reduce todo esto? ○to **boil over** salirse *The coffee is boiling over.* Se sale el café.

boiler caldera.

boisterous ruidoso.

bold arrojado, atrevido *He was bold enough to face the enemy alone.* Era bastante atrevido para hacer frente él solo al enemigo. ▲descarado *He is too bold in his manners.* Es demasiado descarado en sus modales.

bologna salchichón.

bolt [*n*] tornillo *The nut is loose on this bolt.* La tuerca del tornillo está floja. ▲cerrojo *Did you push the bolt shut?* ¿Ha corrido Ud. el cerrojo? ▲pieza *She ordered half a bolt of cloth.* Ella pidió media pieza de paño. • [*v*] echar el cerrojo a *You forgot to bolt the door.* Ha olvidado Ud. echar el cerrojo a la puerta. ▲dispararse *The horse bolted across the field.* El caballo se disparó por el campo. ▲engullir *Don't bolt down your food.* No engullas la comida. ○to **bolt out** salir de golpe. ○**bolt of lightning** rayo, centella.

bomb [*n*] bomba *A bomb was dropped by the plane.* El avión dejó caer una bomba. • [*v*] bombardear *They bombed the factory last night.* Bombardearon la fábrica anoche.

bomber bombardero, avión de bombardeo.

bond lazo *There is a firm bond of friendship between them.* Hay un lazo de amistad muy firme entre ellos. ▲bono *How much have you invested in bonds?* ¿Cuánto ha invertido Ud. en bonos? ▲contrato *Will you require a written bond for this job?* ¿Será necesario un contrato escrito para este trabajo?

bone [*n*] hueso *He broke two bones.* Se le rompieron dos huesos. • [*v*] quitar las espinas a (*of fish*), quitar los huesos a (*of animal*). ○**fish bone** espina *A fish bone caught in his throat.* Se le ha clavado una espina en la garganta. ○to **feel in one's bones** darle a uno el corazón *I feel it in my bones that he isn't coming.* Me da el corazón que no viene. ○to **make no bones** no andarse con rodeos *He made no bones about what he wanted.* No se anduvo con rodeos en lo que quería.

bonfire hoguera, fogata.

bonnet caperuza.

book [*n*] libro *I want a book to read on the train.* Quiero un libro para leer en el tren. ▲taco *This book of tickets will save you money.* Este taco de boletos le ahorrará dinero. • [*v*] reservar *Have you booked passage on the boat yet?* ¿Ha reservado Ud. ya el pasaje del barco? ○to **keep books** llevar los libros *Who kept the books when the accountant was sick?* ¿Quién llevó los libros cuando el contador estuvo enfermo?

bookcase estante para libros.

bookend sujetalibros.

bookkeeper tenedor de libros.

booklet folleto.

bookmaker, "bookie" corredor de apuestas.

bookstore librería.

boom estampido *We could hear the boom of the cannons.* Podíamos oír el estampido de los cañones. ▲auge *He made all his money in the boom.* Hizo todo su dinero en aquel auge.

boost [*n*] empuje, alza. • [*v*] empujar alzar desde abajo; fomentar.

boot [*n*] bota *You can't get rubber boots now.* No se pueden comprar ahora botas de goma.

bootblack limpiabotas.

booth puesto *We visited most of the booths at the fair.* Hemos visitado la mayoría de los puestos en la feria. ▲cabina telefónica *I'm calling from a booth.* Estoy llamando desde una cabina telefónica.

bootlegging contrabando.

booty botín.

border frontera *Tell me when we reach the border.* Avíseme cuando lleguemos a la frontera. ▲borde *The border of this rug is worn out.* El borde de esta alfombra está gastado. ○to **border on** rayar en *His argument borders on the ridiculous.* Su argumento raya en lo ridículo.

bore [*n*] pelmazo *Don't tell me you're going out again with that bore.* No me diga que va Ud. a salir otra vez con ese pelmazo. • [*v*] aburrir *That speech bored me to death.* Ese discurso me aburrió enormemente. ○to **bore a hole** taladrar, hacer un agujero *We'll have to bore a hole through the wall.* Tendremos que taladrar (*o* hacer un agujero) a través de la pared.

born ○to **be born** nacer *Were you born in Mexico?* ¿Nació Ud. en México?

borrow pedir prestado *He has borrowed money at the bank.* Ha pedido dinero prestado al banco.

bosom pecho, seno. ○**bosom buddy** amigo íntimo, compinche.

boss [*n*] jefe *The boss bawled me out for being late again.* El jefe me echó una buena por llegar tarde otra vez. ▲cacique *The party split when he became boss.* El partido se dividió cuando él se hizo cacique. • [*v*] mandar, ordenar *What right have you to boss me around?* ¿Con qué derecho me manda Ud.?

botany botánica.

both ambos, los dos *Both roads will take you to the city.* Los dos caminos le llevan a la ciudad.—*I'll buy both of the books.* Compraré ambos libros. ○**both . . . and** y . . . a la vez *It is both good and cheap.* Es bueno y barato a la vez. ▲tanto . . . como *Both boys and girls use this playground.*

Tanto los muchachos como las niñas usan este campo de juego.

bother [n] molestia. • [v] molestar, incomodar.

bottle [n] botella *He drank the whole bottle of milk.* Se bebió toda la botella de leche. ▲frasco *I'd like a bottle of aspirins.* Quisiera un frasco de aspirinas. • [v] embotellar *This milk was bottled this morning.* Esta leche ha sido embotellada esta mañana. Oto **bottle up** reprimir *He bottled up his anger.* Reprimió su cólera.

bottleneck embotellamiento, atascamiento *There was a bottleneck in the road.* Hubo un embotellamiento en la carretera.

bottom fondo *The coffee grounds were at the bottom of the cup.* Los posos del café estaban en el fondo de la taza.—*The bottom of this chair is broken.* El asiento de esta silla está roto. Oat **bottom** en el fondo *At bottom he is honest.* En el fondo es honrado. Oto **get to the bottom of** llegar al fondo de *We'll never get to the bottom of the case.* Nunca podremos llegar al fondo del caso.

bough rama.

boulevard bulevar, avenida.

bounce [n] bote *This ball still has a lot of bounce.* Esta pelota todavía tiene buen bote. • [v] rebotar *The ball bounced off the roof.* La pelota rebotó en el tejado. ▲echar, arrojar, [Am] botar *The drunk ought to be bounced out of here.* Se le debería arrojar a ese borracho de aquí.

bound [n] límite *His pride had no bounds.* Su orgullo no tenía límites. • limitar *The United States is bounded on the north by Canada.* Los Estados Unidos limitan al norte con el Canadá.

bound [n] salto *He jumped to safety in one bound.* De un salto se puso a salvo. •[v] saltar *The child bounded along the sidewalk.* El niño iba saltando por la acera.

bound Obound **up** ligado *His success is bound up with politics.* Su éxito está ligado a la política.

bound ‖*Where are you bound for?* ¿A dónde se dirige Ud.?

boundary límite.

bounty generosidad; prima (*money*).

bouquet ramo (*flowers*); aroma (*smell*).

bow arco (*weapon*); arco de violín; lazo (*knot*).

bow [n] reverencia *The conductor made a bow.* El director hizo una reverencia. •[v] inclinarse *He bowed respectfully on leaving.* Se inclinó respetuosamente al salir. ▲ceder *I generally bow to my father's wishes.* Generalmente cedo a los deseos de mi padre.

bow proa (*ship*)

bowels intestinos.

bowl [n] tazón *Can I have another bowl of soup?* ¿Puedo tomar otro tazón de sopa? •[v] jugar a los bolos *He went bowling last night.* Anoche fue a jugar a los bolos. Oto **bowl over** dejar de una pieza *I was simply bowled over by his marvelous performance.* Me dejó de una pieza por su ejecución maravillosa.

box cajón *We need a larger box for packing.* Necesitamos un cajón mayor de embalaje. ▲caja *Please put it in a box.* Haga el favor de ponerlo en una caja.—*She ate a whole box of chocolates.* Se comió una caja de bombones. ▲palco *The party took a box at the theater.* El grupo tomó un palco en el teatro.

boxcar furgón.

boxer boxeador.

boxing boxeo *Do you like boxing?* ¿Le gusta el boxeo?

box office taquilla.

boy niño *They have two boys and a girl.* Tienen dos niños y una niña.*The boys are having a game of poker.* Los muchachos van a echar una partida de póker. ▲chico *Boy, what a night!* ¡Chico, qué noche!. Oboy **friend** novio, amigo.

boycott [n] boicoteo. •[v] boicotear.

brace •[n] abrazadera, laña. •[v] asegurar *Brace the tent. A storm is coming up.* Asegure la tienda de campaña; se acerca una tormenta. Oto **brace up** fortalecer *I drank some broth to brace me up.* Tomé un caldo para fortalecerme. Oto **brace oneself** tomar ánimo *Brace yourself for the news.* Tome Ud. ánimo para enterarse de la noticia.

bracelet pulsera.

brag jactarse, fanfarronear.

braid [n] trenza (*hair*); galón (*fabric*). •[v] trenzar.

brain [n] cerebro *She is going to have an operation on her brain.* Se le va a hacer una operación en el cerebro. ▲seso *You haven't got a brain in your head.* No tiene Ud. nada de seso. ▲inteligencia *She is a brain.* Es muy inteligente. •[v] romper la crisma *If you do that again I'll brain you.* Si vuelve Ud. a hacer eso le voy a romper la crisma. Oon **the brain** metido en el seso *I've got that song on the brain.* Tengo esa canción metida en el seso. Oto **rack one's brain** dar vueltas a la cabeza *No matter how I rack my brain I can't remember.* Por más vueltas que le doy en mi cabeza no puedo acordarme.

brake freno.

brakeman guardafreno.

bran salvado, afrecho.

branch [n] rama *Several branches were blown off by the wind.* El viento se llevó algunas ramas.—*Our branch of the family comes from the West.* Nuestra rama familiar procede del oeste. ▲brazo *No, this is only a branch of the river.* No, sólo es un brazo del río. ▲sucursal *Get the stamps at the branch post office.* Compre los sellos en la sucursal de correos. •[v] bifurcarse *Wait for us where the road branches to the right.* Espérenos donde el camino se bifurca a la derecha.

brand [n] marca *Have you tried that new brand of coffee?* ¿Ha probado Ud. esa nueva marca de café? ▲hierro, marca *Whose brand is on that cow?* ¿De quién es el hierro de esa vaca? •[v] marcar con hierro *We're going to brand the new horses this afternoon.* Esta tarde vamos a marcar con hierro los potros.

brand-new flamante, lo más nuevo.

brandy coñac.

brass latón *Here is a brass bowl you can use for the flowers.* Aquí tiene un cacharro de latón donde puede colocar las flores. ▲bronce *Use the brass candlestick.* Use el candelabro de bronce.

brassiere sostén.

brave [adj] valiente, bravo. •[v] arrostrar.

brawl alboroto, refriega.

bread [n] pan *I must cut the bread.* Tengo que cortar el pan. •[v] empanar. O**bread line** cola de menesterosos *Many people are on the bread line.* Hay mucha gente en la cola de menesterosos. O**loaf of bread** flauta de pan *We need two loaves of bread.* Necesitamos dos flautas de pan.

breadth anchura.

break [n] oportunidad *Let's give him a break.* Démosle una oportunidad. •[v] romper *Be careful not to break it.* Ten cuidado de no romperlo.—*He broke with his family.* Rompió con su familia. ▲romperse *Does it break easily?* ¿Se rompe con facilidad? ▲quebrantar *We mustn't break the law.* No debemos quebrantar la ley. O**jail break** fuga *There was a jail break yesterday.* Hubo una fuga ayer en la cárcel. O**to break camp** levantar el campo *We're going to break camp tonight.* Vamos a levantar el campo esta noche. O**to break down** estropearse *The car didn't break down until yesterday.* El auto no se estropeó hasta ayer. ▲echar abajo *They broke down the argument.* Echaron abajo el argumento. O**to break into** entrar en *A thief may break into the house.* Un ladrón puede entrar en la casa. O**to break off** partir *Please break off a piece for me.* Haga el favor de partirme un pedazo. ▲romper *They've broken off relations.* Han roto relaciones. O**to break out** estallar *We hope war won't break out.* Esperamos que la guerra no estalle. O**to break out with** brotar *The child is breaking out with measles.* Al niño le está brotando el sarampión. O**to break the ice** romper el hielo *They were very formal until a joke broke the ice.* Estaban muy ceremoniosos hasta que una broma rompió el hielo. O**to break up** disolver *The police are breaking up the meeting.* La policía está disolviendo la reunión.

breakdown agotamiento (*nervous*); interrupción, avería (*mechanical*).

breakfast [n] desayuno. •[v] desayunar.

breast pecho, senos.

breath respiración *Hold your breath to stop the hiccups.* Contenga la respiración para que se le quite el hipo. ▲soplo *There isn't a breath of air today.* No hay ni un soplo de aire hoy. O**out of breath** sin aliento *She ran up the hill and was out of breath.* Subió corriendo a la colina y quedó sin aliento. O**to catch one's breath** tomar aliento *Let's stop here and catch our breath.* Detengámonos aquí para tomar aliento.

breathe respirar *He is breathing regularly.* Respira con regularidad. ▲revelar *Don't breathe a word of this to anyone.* No revele a nadie ni una palabra de esto.

breed [n] casta, raza. •[v] criar. O**to breed hatred** despertar odio.

breeding educación, modales O**breeding ground** criadero.

breeze brisa.

brew [n] mezcla. •[v] amenazar (*storm*); hacer (*tea*); urdir, tramar.

bribe [n] soborno. •[v] sobornar.

brick ladrillo *Their house is made of red brick.* Su casa está hecha de ladrillo rojo.

bride novia.

bridge [n] puente *This boat can go under the bridge.* Este barco puede pasar por debajo del puente.—*Can you see the captain on the bridge?* ¿Puede Ud. ver al capitán en el puente?—*The dentist is making a new bridge for me.* El dentista me está haciendo un puente nuevo. ▲bridge *Do you play bridge?* ¿Juega Ud. al bridge? •[v] tender un puente sobre *They intend to bridge this river.* Se proponen tender un puente sobre este río. ▲llenar *These books will bridge the gaps in the library.* Estos libros llenarán los claros de la biblioteca.

brief breve *Please make your speech brief.* Por favor, haga su discurso breve. O**in brief** brevemente, en una palabra *In brief, our plan is this.* Brevemente, nuestro plan es éste.

briefcase portafolio, cartera de papeles.

bright claro *We'd better wait for a bright day.* Sería mejor que esperásemos un día claro. ▲llameante *I like to see a bright fire.* Me gusta ver un fuego llameante. ▲fuerte, intenso *The flower is a bright yellow.* La flor es de un amari-llo fuerte. ▲brillante *He is a bright boy.* Es un muchacho brillante. ▲inteligente *He wasn't bright enough to catch the idea.* No era bastante inteligente para comprender la idea. ▲luminoso *Do you have any bright ideas?* ¿Se le ocurre alguna idea luminosa? ▲alegre *Everyone was bright and cheerful at the party.* Todos estaban alegres y animados en la fiesta.

brilliance brillantez.

brilliant brillante.

brim borde (*glass, cup*); ala (*hat*).

bring llevar *May I bring a friend with me?* ¿Puedo llevar a un amigo conmigo? ▲traer *Bring it with you.* Tráigalo con Ud. ▲valer *How much does this bring in the market?* ¿Cuánto vale esto en el mercado? O**to bring about** efectuar *We hope to bring about a change soon.* Esperamos efectuar un cambio pronto. O**to bring around** convencer *At first they didn't agree but we brought them around.* Al principio no estaban de acuerdo pero se convencimos. O**to bring back** devolver *Please bring the book back with you.* Haga Ud. el favor de devolver el libro. O**to bring down** bajar *Do you think they'll bring down the prices soon?* ¿Cree Ud. que bajarán los precios pronto? O**to bring forward** presentar, poner sobre el tapete *If you have any complaints, bring them forward.* Si Ud. tiene algunas quejas, preséntelas. O**to bring in** dar *Have they brought in the verdict yet?* ¿Han dado ya el veredicto? ▲recoger *Bring in the clothes before it rains.* Recoja la ropa antes de que llueva. O**to bring on** traer *This bad weather will bring on many colds.* Este mal tiempo traerá muchos catarros. O**to bring out** poner en escena *They're bringing out a new play.* Van a poner en escena una nueva obra. ▲presentar *He brought out his point forcefully.* Presentó su argumento con energía. O**to bring over** traer *They brought him over to this country.* Le trajeron a este país. O**to bring to** hacer volver en sí, reanimar *Cold water will bring him to.* El agua fría le hará volver en sí. O**to bring up** presentar *I'll bring the plan up at the next meeting.* Presentaré el plan en la próxima reunión.

brisk vivo, animado.

bristle cerda.

brittle quebradizo.

broad ancho *The avenue is very broad.* La avenida es muy ancha. ▲liberal, tolerante *He is very broad in his views.* Tiene ideas muy liberales. ▲amplio, extenso *He had a broad knowledge of the subject.* Tenía un conocimiento amplio del tema. ○in broad daylight en pleno día *The crime was committed in broad daylight.* El crimen fue cometido en pleno día.

broadcast [n] emisión, transmisión *Did you hear the broadcast of the symphony last night?* ¿Oyó Ud. anoche la emisión de la sinfonía? •[v] transmitir *The news will be broadcast tonight.* Las noticias se transmitirán esta noche. ▲propalar, divulgar *If you tell her, she'll broadcast it all over the neighborhood.* Si se lo dice a ella, lo divulgará por todo el vecindario. ○broadcasting station radio emisora.

broadcloth paño fino.

broad-minded liberal, tolerante.

broil [v] asar.

bronze bronce.

brook arroyo.

broom escoba.

broth caldo.

brother hermano *She expected her brother to come soon.* Esperaba que su hermano viniese pronto.

brotherhood hermandad.

brother-in-law cuñado.

brow frente.

browbeat intimidar *The poor fellow is browbeaten.* El pobre se siente intimidado.

brown [n] color pardo, color castaño *This brown is too dark.* Este color castaño es demasiado oscuro. •[adj] moreno *Do you have any brown bread?* ¿Tiene Ud. pan moreno? •[v] tostar *The bread was browned in the oven.* El pan fue tostado al horno.

bruise [n] contusión •[v] contusionar.

brunet [adj, n] moreno, trigueño.

brunette [adj, n] morena, trigueña.

brush [n] cepillo *This brush has stiff bristles.* Este cepillo tiene las cerdas duras. ▲brocha *I need a new brush to paint the walls.* Me hace falta una brocha nueva para pintar las paredes. ▲matorrales *The workmen are cutting the brush.* Los trabajadores están cortando los matorrales. •[v] cepillar *Please brush these clothes for me.* Haga el favor de cepillarme esta ropa. ▲limpiarse *I must brush my teeth.* Tengo que limpiarme los dientes. ○to brush aside dejar de lado, no hacer caso de *He brushed my protests aside.* No hizo caso de mis protestas. ○to brush away espantar *He brushed away the fly.* Espantó la mosca. ○to brush up (on) repasar *I'm brushing up on my French.* Estoy repasando mi francés.

brute bestia, bruto.

bubble burbuja, ampolla.

bubble gum chicle, goma de mascar.

bucket cubo, balde.

buckle [n] hebilla *Did you break the catch on that buckle again?* ¿Ha roto Ud. de nuevo el broche de la hebilla? •[v] abrocharse *I can't buckle this belt.* No puedo abrocharme este cinturón. ▲encorvarse *When it gets wet it buckles.* Cuando se moja se encorva. ○to buckle down to work ponerse a trabajar en serio *It is about* time we buckled down to work. Ya es hora que nos pongamos a trabajar en serio.

bud [n] capullo, pimpollo, yema *This rosebush has many buds.* Este rosal tiene muchos capullos. •[v] brotar *Everything is beginning to bud now.* Todo empieza a brotar ahora.

budding en embrión *He is a budding author.* Es un autor en embrión.

budget [n] presupuesto *Our budget won't allow us to buy the piano.* Nuestro presupuesto no nos permite comprar el piano. •[v] arreglarse *You'll have to learn to budget yourself on your salary.* Ud. tendrá que aprender a arreglarse con su sueldo.

buffalo búfalo.

buffet aparador *You'll find a tablecloth in the buffet.* Ud. encontrará un mantel en el aparador. ▲bufet *They served a buffet supper.* Sirvieron una cena de bufet.

bug insecto.

bugle trompeta, corneta.

bugler corneta.

build construir *They're building a new house.* Están construyendo una nueva casa. ▲hacer *The birds are building a nest in the tree.* Los pájaros están haciendo un nido en el árbol. ▲preparar *Please build a fire in the fireplace.* Haga el favor de preparar el fuego en la chimenea. ○to build up acrecentar *The advertising will build up the business.* Los anuncios acrecentarán el negocio. ▲hacerse *He is trying to build up a reputation.* Está tratando de hacerse una reputación.

building edificio *Both offices are in the same building.* Las dos oficinas están en el mismo edificio. ▲construcción *Behind the house are three small buildings.* Detrás de la casa hay tres pequeñas construcciones.

bulb bombilla *The bulb in the kitchen is burnt out.* La bombilla de la cocina está fundida. ▲bulbo *We planted tulip bulbs this year.* Plantamos bulbos de tulipán este año.

bulge [n] bulto *What is causing that bulge in your pocket?* ¿Qué es lo que le hace bulto en el bolsillo? •[v] abultarse *Her pocket is bulging.* Su bolsillo está abultado.

bulimia bulimia.

bulk volumen, bulto, masa. ○in bulk la mayor parte de *The bulk of my salary goes for rent and food.* La mayor parte de mi sueldo se va en la renta y en la comida.

bull toro.

bullet bala. ○bullet-proof a prueba de balas.

bulletin boletín.

bully [n] matón *Don't let that big bully push you around.* No se deje Ud. dominar por ese matón. •[v] intimidar *He bullied me into finishing the job myself.* Me intimidó para que yo mismo terminara el trabajo.

bum vagabundo. ○to bum around vagabundear *We like to bum around.* Nos gusta vagabundear.

bump [n] chichón, protuberancia *Where did you get that bump on your head?* ¿Dónde se ha hecho ese chichón en la cabeza? •[v] tropezar *He bumped into the chair.* Tropezó con la silla. ○to bump into darse de cara con *Guess who I bumped into yesterday?* ¿Adivine Ud. con quién me encontré ayer?

bun bollo de pan.

bunch [n] manojo *I'll buy two bunches of flowers.* Voy a comprar dos manojos de flores. ▲racimo *How much is this bunch of grapes?* ¿Cuánto cuesta este racimo de uvas? •[v] agrupar *All the children were bunched in a corner.* Todos los niños estaban agrupados en un rincón.

bundle lío, fardo, atado *Is that bundle too heavy to carry?* ¿Es demasiado pesado ese lío para llevarlo? ᴼto **bundle up** abrigarse *It's cold today; you'd better bundle up.* Hace frío hoy; tiene Ud. que abrigarse.

buoy boya.

burden carga *This housework is a heavy burden.* Esta tarea doméstica es una carga pesada. ᴼto **be burdened** estar cargado *I wish I weren't burdened with so many responsibilities.* Quisiera no estar cargado con tantas responsabilidades.

bureau cómoda *The bottom drawer of the bureau is mine.* El último cajón de la cómoda es el mío. ▲negociado, departamento *My brother got a job in one of the government bureaus.* Mi hermano consiguió trabajo en un departamento del gobierno.

burglar ladrón.

burial entierro.

burn [n] quemadura *This burn is very painful.* Esta quemadura me duele mucho. •[v] quemar *They burned their old papers.* Quemaron sus papeles viejos. ▲picar *This pepper burns my tongue.* Esta pimienta me pica en la lengua. ᴼto **burn a hole** hacer un agujero *The acid burned a hole in his coat.* El ácido le hizo un agujero en la chaqueta. ᴼto **burn down** quemarse por completo *Their home burned down.* Su casa se quemó por completo. ᴼto **burn one's fingers** quemarse los dedos *Don't interfere or you'll get your fingers burned.* No intervengas porque te vas a quemar los dedos. ᴼto **burn up** quemarse *His books burned up in the fire.* Sus libros se quemaron en el fuego.

burner (*of stove*) mechero, hornilla.

burst [n] explosión *There was a burst of applause after his speech.* Hubo una explosión de aplausos después de su discurso. •[v] estallar *A bomb had burst in the next block.* Una bomba había estallado en la manzana próxima. ▲reventarse *The tire was so old that it burst.* El neumático era tan viejo que se reventó. ▲romperse *Last year the dam burst.* El año pasado se rompió la presa. ᴼto **burst into** irrumpir en *He burst into the room.* Irrumpió en la habitación.

bury enterrar *They'll bury the body tomorrow.* Enterrarán el cadáver mañana. ▲sepultar *Did they bury him at sea?* ¿Le sepultaron en el mar? ▲enterrar *My passport was buried under the other papers.* Mi pasaporte estaba enterrado entre otros papeles. ᴼto **be buried in thought** estar absorto en la meditación. ᴼto **bury the hatchet** hacer la paz.

bus autobús, bus, [*Cuba y Puerto Rico*] guagua *Where can I catch the bus?* ¿Dónde puedo coger el autobús?

bush arbusto. ᴼto **beat about the bush** andar por las ramas *Stop beating about the bush and get to the point.* Deje Ud. de andar por las ramas y llegue al punto esencial.

business ocupación, oficio *What is his business?* ¿Cuál es su ocupación? ▲asunto,

cuestión *Let's settle this business right away.* Arreglemos la cuestión ahora mismo. ▲negocio *My business is going very well.* Mi negocio marcha muy bien. ▲comercio *He is in business.* Se dedica al comercio. ▲derecho *He had no business asking such questions.* No tenía el derecho de preguntar tales cosas. ▲obligación *It is your business to keep the staff satisfied.* Es su obligación tener a los empleados contentos. ▲propósito *Make it your business to do it right.* Hágase el propósito de hacerlo bien.

bust [n] busto *A famous sculptor is doing a bust of the President.* Un famoso escultor está haciendo un busto del Presidente. ▲pecho *That blouse is too tight across the bust.* Esa blusa es demasiado estrecha de pecho.

bust [v] reventarse *The little boy cried when his balloon busted.* El niño lloró al reventarse el balón.

bustle (*stir*) bullicio.

busy ocupado *This morning I was too busy to read the newspaper.* Esta mañana estaba demasiado ocupado para leer el periódico. —*The operator says the line is busy.* La telefonista dice que la línea está ocupada. ▲de mucho tráfico *They live on a busy street.* Viven en una calle de mucho tráfico.

busybody chismoso, entremetido.

but pero *We can go with you but we'll have to come back early.* Podemos ir con Ud. pero tenemos que volver temprano. ▲sino *It is not made of wood, but of leather.* No es de madera sino de cuero. ▲menos *All are ready but you.* Todos están listos menos Ud. ▲salvo *There is no other meat but chicken.* No hay otra carne, salvo pollo.

butcher [n] carnicero. •[v] matar *This afternoon we're going to butcher two pigs.* Esta tarde vamos a matar dos cerdos. ▲hacer una carnicería con *Everybody in that village was butchered.* Se hizo una carnicería con todos los habitantes del pueblo. ▲destrozar *He really butchers the music.* Verdaderamente destroza la música.

butler mayordomo.

butt culata *They knocked him unconscious with the butt of a gun.* Le privaron del sentido con la culata del fusil. ▲blanco *He doesn't realize he is the butt of their jokes.* No se da cuenta que él es blanco de sus bromas. ᴼ**cigarette butt** colilla *Clean up the cigarette butts.* Tire Ud. las colillas. ᴼto **butt in** entremeterse *Every time we talk, her little brother butts in.* Cada vez que hablamos, su hermanito se entremete.

butter [n] mantequilla, [*Sp, Arg*] manteca *I want bread and butter with the tea.* Quiero el té con pan y mantequilla. •[v] untar con mantequilla *Shall I butter your toast?* ¿Quiere que le unte la tostada con mantequilla?

butterfly mariposa.

button [n] botón *This button has come off.* Se me ha caído este botón. —*He is wearing a Red Cross button.* Lleva un botón de la Cruz Roja. —*Push the button for the elevator.* Apriete el botón para llamar al ascensor. •[v] abrochar *Button up your overcoat.* Abróchese el sobretodo.

buy [n] compra *That is a good buy.* Es una buena compra. •[v] comprar *I'll buy our tickets tomorrow.* Compraré nuestros boletos

B

mañana. ▲sobornar *You can't buy the police of this town.* Ud. no puede sobornar a la policía de esta ciudad. ᴼto buy out (*a partner*) comprar la parte (de un socio). ᴼto buy up adquirir *All the trucks have been bought up by the government.* Todos los camiones han sido adquiridos por el gobierno.

buzz [*n*] zumbido *The buzz of those flies gets on my nerves.* El zumbido de esas moscas me crispa los nervios. •[*v*] zumbar *The mosquitoes kept buzzing all night.* Los mosquitos continuaron zumbando toda la noche.

by por *This book was written by a Frenchman.* Este libro fue escrito por un francés.—*By order of the police.* Por orden de la policía.—*It is rented by the hour.* Se alquila por hora. ▲a *This wood is sawed by a machine.* Esta madera está serrada a máquina. ▲en *Can we get there by rail?* ¿Podemos ir en tren? ▲conforme, según *He is not playing by the rules.* No juega según las reglas. ▲de *I just know him by name.* Sólo le conozco de nombre. ▲por *He travels by night.* Viaja de noche. ▲con *What do you mean by that?* ¿Qué quiere Ud. decir con eso? ▲para *Please clean these clothes by Saturday.* Haga el favor de limpiar estos trajes para el sábado. ▲junto a, cerca de *The hotel is by the sea.* El hotel está junto al mar. ᴼby and by más tarde, luego *I'll see you by and by.* Le veré más tarde. ᴼby and large bastante *By and large the results were satisfactory.* Los resultados fueron bastante satisfactorios. ᴼby far con mucho *This is by far the best hotel in town.* Este es con mucho el mejor hotel de la ciudad. ᴼby oneself por sí mismo *He did that by himself.* Lo hizo por sí mismo. ᴼby the way a propósito *By the way, I met a friend of yours yesterday.* A propósito, me encontré ayer a un amigo suyo.

byte byte, grupo de ocho dígitos binarios para representar un carácter en el computador.

C

cab taxi.

cabin cabaña *We have a cabin in the mountains.* Tenemos una cabaña en las montañas. ▲camarote *It is so windy on deck I'm going to my cabin.* Hace tanto viento sobre cubierta que me voy al camarote.

cabinet armario *She keeps her best dishes in that cabinet.* Guarda los mejores platos en ese armario. ▲gabinete *The cabinet met with the President yesterday.* Hubo ayer una reunión del gabinete con el Presidente.

cable [*n*] cable *The bridge collapsed when one of the cables broke.* Se hundió el puente al romperse uno de los cables.—*I want to send a cable.* Quiero mandar un cable. •[*v*] cablegrafiar *Cable me the minute you arrive.* Cablegrafíe en el momento que Ud. llegue.

cadet cadete.

cafe café (establecimiento) *The cafe is just around the corner.* El café está a la vuelta de la esquina.

cage [*n*] jaula. •[*v*] enjaular.

cake bizcocho *I like cakes with my coffee.* Quisiera bizcochos con el café. ▲torta, pastel *Do you have chocolate cake?* ¿Tiene Ud. pastel de chocolate? ▲tortita *Do you have fish cakes today?* ¿Tiene Ud. tortitas de pescado hoy? ▲pastilla *Could I have a towel and a cake of soap?* ¿Podría Ud. darme una toalla y una pastilla de jabón?

calamity calamidad.

calculate calcular *What do you calculate it would cost?* ¿Qué calcula Ud. que costaría?

calculating calculador *She is a calculating woman.* Es una mujer calculadora.

calendar calendario.

calf ternero *The calf was born this morning.* El ternero nació esta mañana. ▲pantorrilla *The boot was tight around the calf.* La bota le estaba apretada en la pantorrilla.

calfskin piel de ternera, becerro *Is that bag made of calfskin?* ¿Es de piel de ternera ese bolso?

call [*n*] visita *The doctor is out on a call.* El doctor ha ido a hacer una visita. ▲llamada *I'm wating for a telephone call.* Espero una llamada telefónica. •[*v*] llamar *Would you call the porter for me?* ¿Quiere llamar al mozo?—*Please call me at 7 A.M.* Haga el favor de llamarme a las siete de la mañana.—*Has my name been called yet?* ¿Me han llamado ya?—*I don't call this cheap.* No le llamo a esto barato. ▲telefonear *Your friend said he'd call back.* Su amigo dijo que volvería a telefonear. ᴼto call attention llamar la atención *Please call my attention to any errors that I make.* Haga el favor de llamarme la atención si cometo algún error. ᴼto call away llamar *I expect to be called away soon.* Espero que me llamarán pronto. ᴼto call down regañar *I was late and got called down for it.* Llegué tarde y me regañaron por eso. ᴼto call for ir a buscar *Will you call for me at the hotel?* ¿Irá Ud. a buscarme al hotel? ▲exigir *This job calls for a lot of training.* Este trabajo exige mucha experiencia. ᴼto call in llamar *If your illness gets worse, call in a specialist.* Si se pone Ud. peor llame a un especialista. ᴼto call off suspender *The game has been called off.* Se ha suspendido el partido. ᴼto call on visitar *Someone called on you while you were out.* Vino una persona a visitarle cuando Ud. estaba fuera. ▲pedir *Whenever you need help, feel free to call me.* Cuando necesite Ud. ayuda, pídamela con toda libertad. ᴼto call out llamar *The fire department had to be called out.* Tuvieron que llamar a los bomberos. ᴼto call up llamar por teléfono *I intended to call him up, but I forgot.* Pensaba llamarle por teléfono, pero se me olvidó.

calm [*adj*] tranquilo *The sea is very calm today.* El mar está muy tranquilo hoy. •[*v*] tranquilizar *We tried to calm the child.* Tratamos de tranquilizar al niño. ᴼto calm down tranquilizarse *It took her some time to calm down.* Tardó algún tiempo en tranquilizarse.

camel camello.

camera cámara, máquina fotográfica.

camp [*n*] campamento *The children left for summer camp this morning.* Los niños han salido para el campamento de verano esta mañana. •[v] acampar *On our vacation we're going to camp in the woods.* Durante las vacaciones vamos a acampar en el bosque.

campaign [n] campaña *Many men were lost in the last campaign.* Murieron muchos hombres en la última campaña. •[v] hacer una campaña *The club is campaigning for funds.* El club está haciendo una campaña para conseguir fondos.

camphor alcanfor.

can [n] lata *Give me a can of tomatoes.* Déme Ud. una lata de tomates. •[v] poner en conserva *She is canning peaches.* Ella está poniendo melocotones en conserva. ▲hacer conservas *She does her own canning.* Hace sus conservas.

can poder *Can you give me some help?* ¿Puede Ud. ayudarme?—*Could I look at this?* ¿Podría mirar esto?—*I don't see how it can be true.* No entiendo cómo puede ser verdad.—*He did everything he could think of.* Hizo todo lo que se le pudo ocurrir.—*When could you start working?* ¿Cuándo podría Ud. comenzar a trabajar?—*You can go now if you wish.* Puede Ud. ir ahora si quiere.—*Can't we open these windows?* ¿No podemos abrir estas ventanas? ▲saber *He can't read or write.* No sabe leer ni escribir.

canal canal.

canary canario.

cancel [v] cancelar, anular.

cancellation cancelación, anulación.

cancer cáncer.

candidate candidato.

candle vela, bujía.

candlestick candelero.

candy dulces ○chocolate candy bombones. ○hard candy caramelos.

cane caña; bastón (*walking stick*).

cannon cañón.

canoe canoa.

can opener abrelatas.

cantaloupe melón.

canvas lienzo *Who painted that canvas?* ¿Quién pintó ese lienzo? ▲lona *I've never worn canvas shoes.* Nunca he usado zapatos de lona. ▲canvass escrutinio, encuesta.

cap gorra *He was wearing a cap on his head.* Llevaba una gorra puesta. ▲tapón *Put the cap back on the bottle.* Póngale el tapón a la botella.

capable competente *I want a very capable person for that job.* Quiero una persona muy competente para ese puesto.

capacity capacidad *His capacity for learning is quite limited.* Su capacidad de aprender es bastante limitada. ▲puesto *In what capacity does she serve?* ¿Qué puesto tiene?

cape cabo *I enjoyed my trip around the cape.* Me gustó mucho el viaje alrededor del cabo. ▲capa *The cape isn't warm enough.* Esta capa no abriga bastante.

capital capital *Have you ever visited the capital?* ¿Ha visitado Ud. alguna vez la capital?—*He lost all his capital in that investment.* Perdió todo su capital en esa inversión. ▲mayúscula *Do you spell that with a capital B?* ¿Se escribe con B mayúscula?

capitalist capitalista.

capitol capitolio.

caps letras mayúsculas

capsule cápsula.

captain capitán.

captive prisionero, cautivo.

capture [n] captura *The capture was made in broad daylight.* La captura se hizo en pleno día. •[v] *They captured many prisoners.* Capturaron a muchos prisioneros.

car auto, [Am] carro, [Sp] coche *Would you like to ride in my car?* ¿Quiere Ud. venir en mi carro? ▲tranvía *Which car goes downtown?* ¿Qué tranvía va al centro? ○dining car coche comedor. ○sleeping car coche-cama. ○freight car vagón, furgón.

carbon copy copia.

carbon paper papel carbón.

carburetor carburador.

card ficha, tarjeta *We'll keep your card on file.* Archivaremos su ficha. ▲ tarjeta *She wasn't home so I left my card.* No estaba en casa así que dejé una tarjeta. ▲carta, naipe *Let's have a game of cards.* Vamos a jugar una partida de cartas. ○post card tarjeta postal

cardboard cartón.

care [n] cuidado *I'll leave my valuables in your care.* Dejaré las cosas de valor a su cuidado. ▲atención *He needs medical care.* Necesita atención médica. •[v] importar *I don't care what he thinks.* No me importa lo que piensa. ○in care of para entregar a, recomendado a [Am] *He addressed the letter to me in care of my uncle.* Dirigió la carta a mi tío para que me la entregara a mí. ○to care for cuidar *The children are well cared for.* Los niños están bien cuidados. ▲querer *Do you care for gravy on your meat?* ¿Quiere Ud. salsa con la carne? ○to take care of guardar *Take care of my money for me.* Guárdeme el dinero. ▲cuidar *Take care of yourself.* Cuídese Ud.

career carrera.

careful cuidadoso *He is very careful in his work.* Es muy cuidadoso en su trabajo. ||*Be careful!* ¡Tenga cuidado!

careless descuidado *I've never seen men so careless about their clothes.* No he visto nunca hombres más descuidados en su manera de vestir.

caress [n] caricia. •[v] acariciar.

cargo carga, cargamento.

caricature caricatura *That is a very good caricature he drew of you.* Le ha hecho a Ud. una caricatura muy buena.

carpenter carpintero.

carpet [n] alfombra *We took up the carpet for the summer.* Quitamos la alfombra durante el verano. •[v] alfombrar *They promised to carpet the room before we moved in.* Prometieron alfombrar la habitación antes de que nos mudásemos.

carriage coche *Let's take a ride in a carriage.* Demos un paseo en coche.

carrot zanahoria.

carry llevar *The porter will carry the bags.* El mozo llevará las maletas. ▲soportar *How much weight will this bridge carry?* ¿Cuánto peso soportará este puente? ▲ser de *His remarks carried great weight.* Sus observaciones eran de mucho peso. ▲tener

Do you carry men's shirts? ¿Tienen Uds. camisas de hombre? ᴼto **carry arms** llevar armas *It is forbidden to carry arms.* Se prohíbe llevar armas. ᴼto **carry away** encantar, hechizar *She was carried away by the music.* Estaba encantada con la música. ᴼto **carry into effect** llevar a cabo *When will this project be carried into effect?* ¿Cuándo se llevará a cabo este proyecto? ᴼto **carry on** ocuparse de *His son carried on his business.* Su hijo se ocupaba de sus negocios. ▲armar bulla *They carried on until daybreak.* Estuvieron armando bulla hasta la madrugada. ᴼto **carry out** llevar a cabo *We'll try to carry out your plan.* Trataremos de llevar a cabo su plan.

cart [n] carretón *He'll bring the groceries in a cart.* Traerá los comestibles en un carretón. •[v] acarrear *This sand has to be carted away.* Hay que acarrear esta arena a otro sitio.

cartoon caricatura, tira cómica.

cartoonist caricaturista.

cartridge cartucho.

carve tallar *These figures are carved out of wood.* Esas figuras están talladas en madera. ▲trinchar *Will you carve the turkey?* ¿Quiere Ud. trinchar el pavo?

carving knife trinchante.

case cajón *Leave the bottles in the case.* Deje las botellas en el cajón. ▲caso *In that case I'll have to change my plans.* En ese caso tendré que cambiar mis planes.—*He presented his case well.* Presentó bien su caso.—*What a case he is!* ¡Es un caso!— *Some cases of typhoid have been reported.* Han informado de algunos casos de tifoidea. ▲causa, pleito *He has lost his case.* Ha perdido su pleito. ᴼ**in any case** en todo caso *In any case, I'd follow his advice.* En todo caso, seguiría su consejo. ᴼ**in case** en el caso *Wait for me in case I'm late.* Espéreme en el caso que llegue tarde.

cash [n] dinero *Is there any cash in the drawer?* ¿Hay algún dinero en caja? ▲al contado *I'm able to pay cash.* Puedo pagar al contado. •[v] cambiar *Will you cash a check for me?* ¿Quiere Ud. cambiarme un cheque? ᴼto **cash in on** aprovecharse de *He wants to cash in on what I did.* Quiere aprovecharse de lo que hice.

cashier cajero.

casket (*coffin*) ataúd.

cassette casete, cinta magnetofónica, cartucho.

cassette recorder grabadora.

cast [n] echar *The fisherman cast his line far out.* El pescador echó el anzuelo muy lejos. ᴼ**the die is cast** La suerte está echada. ▲vaciar *They cast the statue in bronze.* Vaciaron la estatua en bronce. ᴼto **cast a ballot** votar *I haven't cast my ballot yet.* Todavía no he votado. ᴼto **cast a glance** echar una mirada *I cast a glance in his direction.* Le eché una mirada. ᴼto **cast anchor** echar el ancla *We'll cast anchor at daybreak.* Echaremos el ancla al amanecer. ᴼto **cast off** soltar las amarras *The captain says we're ready to cast off.* El capitán dice que vamos a soltar las amarras. ᴼto **put in a cast** enyesar *His broken arm was put in a cast.* Le han enyesado el brazo roto.

castle castillo.

castor oil aceite de ricino, [*Am*] aceite de castor.

casual ‖*They had a casual conversation.* Hablaron de cosas sin importancia.

cat gato.

catalog catálogo.

catastrophe catástrofe.

catch [n] pesca (*of fish*) *A good catch of fish was brought in.* Trajeron una buena pesca. ▲cerradura *The catch on the door is broken.* La cerradura de la puerta está rota. ▲buen partido *That young man is a good catch for any girl.* Aquel joven es un buen partido para cualquier muchacha. •[v] capturar *The police are trying to catch the criminal.* La policía está tratando de capturar al criminal. ▲tomar *I have to catch the 5:15 train.* Tengo que tomar el tren de las cinco y quince. ▲entender *I didn't catch his name.* No entendí su nombre. ▲coger [*Should not be used in Argentina, Mexico, or Uruguay. Use* **atrapar**.] *Be careful not to catch cold.* Tenga cuidado de no coger un catarro. ᴼto **catch fire** prender *The wood is so dry that it'll catch fire easily.* La leña está tan seca que prenderá fácilmente. ᴼto **catch hold of** agarrar *Catch hold of the rope.* Agarre Ud. la cuerda. ᴼto **catch on** darse cuenta *Do you catch on?* ¿Se da Ud. cuenta? ᴼto **catch one's eye** llamar la atención *The neckties in the window caught my eye.* Las corbatas del escaparate me llamaron la atención. ᴼto **catch on fire** incendiarse *The car caught on fire when it turned over.* El automóvil se incendió al volcarse. ᴼto **catch sight of** ver *If you catch sight of him, let us know.* Si lo ve, díganoslo. ᴼto **catch up with** alcanzar *Go on ahead and I'll catch up with you.* Siga Ud. adelante y yo le alcanzaré.

caterpillar oruga.

cathedral catedral.

Catholic [*adj, n*] católico.

catsup salsa de tomate.

cattle ganado.

cauliflower coliflor.

cause [n] causa *What is the cause of the delay?* ¿Cuál es la causa de la demora? — *He is defending a good cause.* Defiende una buena causa. •[v] causar *Sorry to cause you this inconvenience.* Siento causarle esta molestia.

cautious cauto, prudente.

cave cueva ᴼto **cave in** hundirse, ceder, darse por vencido *Watch out! The roof is caving in!* ¡Cuidado! ¡Se está hundiendo el techo!

CD (Compact Disk) disco compacto

cease cesar *At midnight the rain ceased.* A media noche cesó la lluvia.

cedar cedro.

ceiling techo, cielo raso.

celebrate celebrar *They're celebrating their wedding anniversary.* Están celebrando el aniversario de su boda.—*Let's celebrate.* Vamos a celebrarlo.

celebrated célebre.

celebration celebración.

celery apio.

cell celda (*of a convent or jail*); calabozo (*of a jail*); célula (*biology*).

cellar sótano.

cellophane celofán.

celluloid celuloide.

cement [*n*] cemento.

cemetery cementerio.

censorship censura.

cent centavo [*Am*], céntimo [*Sp*] *I haven't a cent in change.* No tengo ni un centavo suelto.

center [*n*] centro *Aim for the center of the target.* Apunte Ud. al centro del blanco.— *Isn't this city an industrial center?* ¿No es esta ciudad un centro industrial?

centimeter centímetro.

central [*n*] central *The main office doesn't answer.* La central no contesta. •[*v*] central *Does this building have central heating?* ¿Tiene este edificio calefacción central? ▲céntrico *This building is in the central part of town.* Este edificio está en la parte céntrica de la ciudad. ▲principal *He has left out the central point.* Ha omitido el punto principal.

century siglo.

cereal [*adj, n*] cereal.

ceremony ceremonia.

certain seguro *I'm certain they're working.* Estoy seguro de que están trabajando. ▲cierto *They have to do it within a certain time.* Tienen que hacerlo dentro de un cierto plazo.

certainly ciertamente *It is certainly hot in here.* Ciertamente hace aquí mucho calor. ▲con mucho gusto *Certainly, I'll do it for you.* Se lo haré, con mucho gusto.

certificate certificado.

certify certificar.

chafe rozar.

chafed irritado.

chain [*n*] cadena *My bicycle chain is broken.* La cadena de mi bicicleta está rota. ▲circuito [*Am*] *He owns a chain of movie houses.* Tiene un circuito de cines. •[*v*] amarrar, atar *Chain that dog.* Amarre ese perro. ᴼmountain chain cordillera.

chair silla.

chairman presidente.

chairmanship presidencia.

chairperson presidente.

chairwoman presidenta.

chalk tiza.

challenge [*n*] desafío *Our team accepted their challenge and beat them.* Nuestro equipo aceptó el desafío y los venció. •[*v*] desafiar *I was flattered when the swimming champ challenged me.* Me sentí halagado cuando el campeón de natación me desafió.

chamber cámara *The Lower Chamber hasn't voted on this matter yet.* La Cámara de Diputados no ha votado sobre este asunto todavía. ▲alcoba, dormitorio, tribunal.

chambermaid camarera.

champion campeón.

chance oportunidad *Give me a chance to explain.* Déme Ud. una oportunidad para explicarme. ▲posibilidad *Is there any chance of catching the train?* ¿Tenemos alguna posibilidad de coger el tren? ᴼby chance por casualidad *I met him by chance.* Le encontré por casualidad. ᴼto take a chance aventurarse, arriesgarse.

chandelier araña de luces.

change [*n*] cambio *They made many changes in the house.* Han hecho muchos cambios en la casa.—*Here is your change, sir.* Aquí tiene Ud. su cambio, señor. •[*v*] cambiar *We may have to change our plans.* Puede que tengamos que cambiar nuestros planes.—*You've changed a lot since I saw you last.* Usted ha cambiado mucho desde la última vez que le vi.—*Can you change these bills for me?* ¿Puede Ud. cambiarme estos billetes? ▲mudarse *She is changing her clothes now.* Se está mudando de ropa ahora. ᴼfor a change para variar *I'll take chocolate ice cream for a change.* Para variar voy a tomar helado de chocolate. ᴼto change hands cambiar de dueño *This hotel has changed hands several times.* Este hotel ha cambiado de dueño varias veces. ᴼto change one's mind cambiar de opinión *I'd thought of staying, but I've changed my mind.* Había pensado quedarme, pero he cambiado de opinión.

channel canal *They dredged a channel in the river.* Dragaron un canal en el río. ▲conducto *Did you send that application through the proper channels?* ¿Envió Ud. esa solicitud por conducto apropiado?

chaos caos.

chapel capilla.

chaplain capellán.

chapped cortado, agrietado (labios).

chapter capítulo *I have one more chapter to go in this book.* Me falta sólo un capítulo para terminar este libro. ▲sección, capítulo *The women's chapter of the society meets today.* La sección de mujeres de la sociedad se reúne hoy.

character carácter *That boy has character.* Ese muchacho tiene carácter. ▲condición *I don't like men of his character.* No me gustan los hombres de su condición. ▲personaje *Who are the principal characters in the novel?* ¿Cuáles son los principales personajes de la novela? ▲tipo *He is quite a character!* ¡Es un tipo!

characteristic [*n*] característica *Selfishness is one of his characteristics.* El egoísmo es una de sus características. •[*adj*] característico *He solved the problem with characteristic accuracy.* Resolvió el problema con su característica exactitud.

charcoal carbón de leña.

charge [*n*] acusación *He could prove that the charge was false.* Pudo probar que la acusación era falsa. •[*v*] acusar *What crime is he charged with?* ¿De qué delito se le acusa? ▲cobrar, pedir *Please give me back two dollars; you charged me too much.* Tiene que hacer el favor de devolverme dos dólares, me ha cobrado de más.—*You're charging too much.* Ud. me pide demasiado. ▲cargar *Charge this to my account.* Cargue Ud. esto a mi cuenta. ▲embestir *Watch out or the bull will charge at us.* Cuidado con el toro, puede embestir. ᴼcharge account cuenta de crédito *I want to open up a charge account.* Deseo abrir una cuenta de crédito. ᴼto be in charge estar encargado *Mr. López is in charge of the office.* El señor López está encargado de la oficina. ᴼto take charge of hacerse cargo de, encargarse de *Who took charge of the store after he left?* ¿Quién se hizo cargo de la tienda cuando él se fue?

charity limosna *She doesn't want to accept charity.* No quiere admitir limosnas. ▲sociedad de beneficencia *That charity runs a nursery.* Esa sociedad de beneficencia mantiene una guardería de niños.

charm [n] encanto *Her smile has great charm.* Su sonrisa tiene un gran encanto. •[v] encantar *I was charmed by her smile.* Estaba encantado de su sonrisa.

charming encantador *She was a charming girl.* Era una muchacha encantadora.

chart carta, mapa.

charter título, licencia ᴼto **charter a boat** fletar un barco.

chase [n] caza, persecución *We all joined in the chase for the thief.* Todos tomamos parte en la caza del ladrón. •[v] cazar *The cat is chasing a mouse.* El gato está cazando un ratón. ▲correr tras de *I've been chasing you all morning.* Estoy corriendo tras de Ud. toda la mañana. ▲echar *Chase him out of here.* Echelo de aquí. ▲ahuyentar *Chase that dog away.* Ahuyente ese perro.

chat [n] charla, plática. •[v] charlar, platicar.

chatter [v] charlar *She chattered on all afternoon.* Estuvo charlando toda la tarde. ▲castañetear *His teeth were chattering with cold.* Le castañeteaban los dientes del frío.

chauffer chofer, chófer.

chauvinism chovinismo, patriotismo exagerado.

cheap barato *Do you have anything cheaper than this?* ¿Tiene Ud. algo más barato que esto? ▲vulgar, cursi *She was very cheap-looking.* Tenía un aire muy vulgar. ᴼ**cheap trick** mala jugada *He played a cheap trick.* El hizo una mala jugada. ᴼto **feel cheap** sentirse humillado *His kindness made me feel cheap.* Su amabilidad me hizo sentirme humillado.

cheat [n] tramposo *They all know he is a cheat.* Todos saben que es un tramposo. •[v] engañar *Be careful you're not cheated.* Cuidado que no le engañen.

check [n] cheque *I'll send you a check in the morning.* Le mandaré un cheque mañana por la mañana. ▲cuenta *Who is going to pay the check?* ¿Quién va a pagar la cuenta? ▲marca *Put a check beside each price.* Ponga Ud. una marca en cada precio. ▲talón *(for baggage) Give your check to the baggage man.* Dele Ud. el talón al mozo del equipaje. •[v] examinar *They're ready to check our passports.* Están listos para examinar nuestros pasaportes. ▲marcar *Check the things that are most important.* Marque Ud. las cosas más importantes. ▲refrenar *He was about to speak but checked himself.* Estaba a punto de hablar pero se refrenó. ▲dar a guardar *Check your hat and coat here.* Dé Ud. a guardar el sombrero y el abrigo aquí. ᴼto **check in** firmar *At the office we check in at nine o'clock.* Firmamos en la oficina a las nueve. ▲registrarse *Have you checked in at the hotel?* ¿Se ha registrado en el hotel? ᴼto **check out** marcharse *I'm checking out; have my bill ready.* Me marcho, tenga Ud. lista la cuenta. ᴼto **check through** facturar *I want this baggage checked through to New York.* Deseo facturar este equipaje hasta Nueva York. ᴼto **check up** comprobar *They're checking up on your records now.* Están comprobando ahora sus documentos. ᴼto **check with** estar de acuerdo con *Does this timetable check with the new schedule?* Está de acuerdo este horario con el nuevo plan? ▲consultar *Just a moment until we*

check with the management. Un momento hasta que consultemos con la dirección.

checkers juego de damas.

check up *(medical)* reconocimiento médico *Report to the doctor for a check-up.* Preséntese Ud. al doctor para un reconocimiento médico.

cheek mejilla, carrillo *She had a lot of rouge on her cheeks.* Tenía mucho colorete en las mejillas. ‖*He had his tongue in his cheek when he said it.* Lo dijo de dientes afuera.

cheer [n] vivas *They gave a cheer for the president.* Dieron vivas al presidente.—*We could hear the cheers from quite a distance.* Oímos los vivas desde bastante distancia. •[v] aplaudir *The crowd cheered like mad.* La muchedumbre aplaudía con frenesí. ᴼto **cheer up** animar *We visit her often to cheer her up.* La visitamos con frecuencia para animarla.

cheerful animado, alegre *You seem very cheerful this morning.* Parece que está Ud. muy animado esta mañana.

cheese queso.

chemical [adj] químico.

cherry cereza.

chess ajedrez.

chest *(anatomy)* pecho; baúl, cofre.

chest of drawers cómoda.

chestnut castaña.

chew mascar, masticar.

chicken pollo.

chicken pox varicela, viruelas locas.

chief [n] jefe *Where is the office of the chief of police?* ¿Dónde queda la oficina del jefe de policía? •[adj] principal *What is your chief complaint?* ¿Cuál es su queja principal?

child niño, niña.

childhood infancia.

children niños.

chili sauce salsa de chile, salsa de ají.

chill [n] frío *There is a chill in the air tonight.* Hace un poco de frío esta noche. ▲escalofrío *I have chills.* Tengo escalofríos. •[v] enfriar *The news chilled the enthusiasm of the crowd.* La noticia enfrió el entusiasmo del gentío.

chilly frío.

chimney chimenea *They came to fix the chimney.* Vinieron a arreglar la chimenea.

chin barba, barbilla.

chip [n] pedacito *The wood chips fell on the floor.* Los pedacitos de madera cayeron al suelo. ▲ficha *Cash in your poker chips.* Cambie sus fichas de póker por dinero. ▲chip, microplaqueta de silicio *Chips perform important functions in a computer.* Los chips realizan funciones importantes en un computador. •[v] contribuir *They all chipped in to buy me a present.* Todos contribuyeron para comprarme un regalo.

chirp [v] gorjear.

chisel escoplo, cincel.

chocolate [n] bombón *I want to buy a box of chocolates.* Deseo comprar una caja de bombones. ▲chocolate *I'd rather have chocolate than coffee.* Prefiero tomar chocolate que café.

choice [n] elección *The choice was difficult.* La elección era difícil. •[adj] excelente *These are choice cuts of meat.* Estos son excelentes trozos de carne.

choir coro *I sing in the school choir.* Canto en el coro del colegio.

choke [*n*] regulador del aire, válvula de obturación (*motors*). •[*v*] atragantarse *Be careful you don't choke on that fishbone.* Tenga cuidado, no se atragante con esa espina. ▲ahogar *That large log will choke the fire.* Ese leño grande ahogará el fuego. ○to choke to death estrangular.

cholera el cólera.

choose elegir *I have to choose the lesser of two evils.* Tengo que elegir el menor de los dos males.

chop [*n*] chuleta *This chop is all bone.* Esta chuleta no tiene más que, hueso. •[*v*] cortar *Should I chop more wood?* ¿Corto más leña?

chorus coro (música y teatro) *The chorus narrated the action of the play.* El coro narraba la acción de la obra. ▲estribillo *Do you know the words of the chorus?* ¿Conoce Ud. la letra del estribillo? ○in chorus a coro *They greeted the teacher in chorus.* Todos saludaron a coro al profesor.

chorus girl corista.

Christian [*adj, n*] cristiano, cristiana.

Christmas Pascua, Navidad *Merry Christmas!* ¡Felices Pascuas!

chronic crónico.

chum amigo, amiga *We've been chums for years.* Somos amigos desde hace años.

church iglesia.

cider sidra.

cigar cigarro, puro, habano.

cigarette cigarrillo, pitillo *Do you have a cigarette?* ¿Tiene Ud. un cigarrillo?

cigarette case pitillera *I lost my cigarette case.* Perdí mi pitillera.

cigar store cigarrería, tabaquería.

cinnamon canela.

circle [*n*] círculo *The sign has a red circle on a white field.* La señal tiene un círculo rojo sobre fondo blanco. ▲plaza *There is a big circle at the entrance to the park.* Hay una gran plaza a la entrada del parque. ▲círculo *I have a small circle of friends.* Tengo un pequeño círculo de amigos. •[*v*] dar vueltas *The airplane circled the field several times.* El avión dio varias vueltas sobre el campo.

circuit circuito.

circular [*n*] circular. *They send out a circular each month.* Envían una circular todos los meses. •[*adj*] redondo *She is skating at the circular rink.* Está patinando en la pista redonda.

circulate circular *Lots of rumors are circulating about him.* Circulan muchos rumores acerca de él.

circulation circulación *I've been taking exercises to improve my circulation.* He estado haciendo ejercicios para mejorar mi circulación.—*The circulation of that magazine increased considerably.* La circulación de esa revista ha aumentado considerablemente.

circumference circunferencia.

circumstances circunstancias *Under those circumstances I could hardly blame her.* En esas circunstancias no podía echarle a ella la culpa.

circus circo.

citizen ciudadano, ciudadana.

city ciudad.

city hall ayuntamiento, municipio.

civil civil *This comes under civil jurisdiction.* Esto es de jurisdicción civil. ▲civil, cortés, correcto *At least he was civil to us.* Por lo menos se mostró correcto con nosotros.

civilian paisano, paisana.

civilize civilizar.

civil service Funcionarios del Estado, Servicio Civil Oficial.

claim [*n*] demanda *The insurance company paid all claims against it.* La Compañía de Seguros pagó todas las demandas hechas contra ella. ▲pretensión *You can't justify your claims.* No puede Ud. justificar sus pretensions. •[*v*] reclamar *His children claimed half the estate.* Sus hijos reclamaron la mitad de sus bienes.—*Where do I claim my baggage?* ¿Dónde puedo reclamar mi equipaje? ▲sostener *He claims that the traffic delayed him.* Sostiene que el tráfico lo retrasó.

clam almeja.

clamor [*n*] griterío *Suddenly there was a great clamor in the street.* De pronto hubo un gran griterío en la calle. •[*v*] gritar *The child kept clamoring for attention.* El niño estaba gritando para que le hicieran caso.

clap [*v*] aplaudir *The audience clapped for five minutes.* El público aplaudió durante cinco minutos. ○clap of the hand palmada *He stopped the noise with a clap of his hand.* Con una palmada paró el ruido. ○clap of thunder trueno *Did you hear that clap of thunder?* ¿Ha oído Ud. ese trueno?

clasp [*n*] broche *The clasp on this necklace is broken.* El broche de este collar está roto. ▲apretón *He gave me a firm clasp of the hand.* Me dio un fuerte apretón de manos.

class [*n*] clase *This law will improve the conditions of the working class.* Esta ley mejorará la condición de la clase trabajadora.—*I have a class at nine.* Tengo una clase a las nueve.—*Give me a second-class ticket to Mexico City.* Déme Ud. un boleto de segunda clase para Ciudad de México. ▲estilo *That girl has class.* Esa muchacha tiene mucho estilo.

classic(al) clásico.

classify clasificar.

claw [*n*] garra.

clay greda, arcilla.

clean [*adj*] limpio *This plate isn't clean.* Este plato no está limpio. ▲moral *The new play is clean and amusing.* La nueva comedia es moral y divertida. •[*v*] limpiar *Hasn't the maid cleaned the room yet?* ¿No ha limpiado aún el cuarto la criada?—*These fish were cleaned at the market.* Estos pescados los han limpiado en el mercado. ○to clean out vaciar *I'll look for it when I clean out my trunk.* Lo buscaré cuando vacíe el baúl. ○to clean up arreglarse *I'd like to clean up before dinner.* Me gustaría arreglarme antes de la comida.

cleaner tintorero.

cleaning [*n*] limpieza *The room needs cleaning.* El cuarto necesita una limpieza.

cleaning fluid quitamanchas.

clear [adj] claro The water is so clear we can see the bottom. El agua es tan clara que se ve el fondo.—I don't have a clear idea of what you mean. No tengo una idea clara de lo que Ud. quiere decir. ▲limpio My conscience is clear. Mi conciencia está limpia. •[v] despejar The skies are clearing now. El cielo se está despejando.—Have they cleared the road yet? ¿Han despejado ya el camino? ▲salvar The plane cleared the treetops. El avión salvó las copas de los árboles. ᴼto clear off quitar de Clear everything off the shelf. Quite todo del estante.—Clear those things off your desk. Quite Ud. esas cosas de su escritorio. ᴼto clear out vaciar Please clear out this closet. Tenga la bondad de vaciar este armario. ᴼto clear up aclarar We'll leave as soon as the weather clears up. Saldremos en cuanto aclare el tiempo.—Would you mind clearing up a few points for me? ¿Quiere Ud. aclararme algunos puntos?

clerk dependiente The clerk is looking up the price. El dependiente está averiguando el precio. ▲empleado She is a clerk in that office. Es una empleada de esa oficina.

clever listo, inteligente.

click [n] ruido I heard the click of the lock when he came in. Oí el ruido de la cerradura cuando entró. •[v] sonar Her heels clicked against the sidewalk. Sonaban sus tacones al pisar la acera.

client cliente.

cliff risco, acantilado.

climate clima.

climax colmo, culminación.

climb [n] subida You'll find the climb steep and difficult. Encontrará Ud. la subida empinada y difícil. •[v] subir I prefer not to climb stairs. Prefiero no subir las escaleras. ᴼto climb down bajarse Tell that boy to climb down from the tree. Dígale a ese chico que se baje del árbol.

clinic clínica.

clip [n] broche She wore a gold clip on her dress. Llevaba un broche de oro en el traje. ▲clip, presilla [Am], sujetapapeles Fasten these papers together with a clip. Una Ud. estos papeles con un sujetapapeles. •[v] unir I clipped my picture to the application. Uní mi fotografía a la solicitud. ▲recortar If you find the magazine, clip that article out for me. Si encuentra Ud. la revista recórteme ese artículo. ▲cortar Don't clip my hair too short. No me corte Ud. el pelo demasiado.

clipping recorte.

clock reloj What time does the clock say? ¿Qué hora marca el reloj?

close [n] final At the close of the meeting everybody left. Al final de la reunión se marchó todo el mundo. •[v] cerrar Please close the door. Haga el favor de cerrar la puerta.—They close the store at six. Cierran la tienda a las seis. ▲liquidar I intend to close my account before I leave. Pienso liquidar mi cuenta antes de marcharme.

close [adj] cercano Do you have any close relatives in this country? ¿Tiene Ud. algún pariente cercano en este país? ▲íntimo I'm staying with some close friends. Estoy hospedada en casa de unos amigos íntimos. ▲mal ventilado It is very close in this room. Este cuarto está muy mal ventilado. ▲reñido The vote was very close. La votación fue muy reñida. ▲tupido That material has a very close weave. Esa tela tiene una trama muy tupida. ᴼclose call We just had a close call. Nos salvamos de milagro. ᴼclose shave I passed the examination, but it was a close shave. Pasé el examen por un pelo. ᴼclose to cerca de The hotel is close to the station. El hotel está cerca de la estación.

closely atentamente He examined the book closely. Examinó el libro atentamente. ▲estrechamente That matter is closely connected with what we were discussing. Ese asunto está estrechamente relacionado con lo que estábamos tratando.

closet [n] ropero, armario. ‖He closeted himself with the president. Se encerró (o conferenció a puerta cerrada) con el presidente.

cloth tela Do you have a better quality of cloth? ¿Tiene Ud. una tela de mejor calidad? ▲trapo, paño Wipe off the car with a clean cloth. Limpie Ud. el auto con un trapo limpio.

clothe vestir He needs this money to feed and clothe his family. Necesita este dinero para alimentar y vestir a su familia.

clothes ropa I want these clothes cleaned and pressed. Quiero que limpien y planchen esta ropa.

clothesline tendedera.

clothespin pinza de tendedera.

clothing ropa.

cloud [n] nube The plane is flying above the clouds. El avión vuela sobre las nubes.—The car left in a cloud of dust. El auto partió envuelto en una nube de polvo. •[v] nublar The facts are clouded in my memory. Los hechos están nublados en mi memoria. ▲alargarse Her face clouded when I mentioned his name. Se le alargó la cara cuando mencioné su nombre. ᴼto cloud up nublarse Just after we started on the picnic, it began to cloud up. En cuanto salimos para la excursión, comenzó a nublarse.

cloudy nublado.

clove clavo (especia).

clover trébol.

clown payaso.

club [n] porra, garrote The policeman was forced to use his club. El policía tuvo que usar su garrote. ▲club Are you a member of the club? ¿Es Ud. miembro del club? ▲trébol I played a club. Jugué un trébol. •[v] golpear The police said the victim had been clubbed. La policía dijo que la víctima había sido golpeada.

clue indicio, pista.

clumsy torpe, desmañado.

cluster [n] racimo (of grapes); grupo (of people). •[v] agrupar

clutch [n] embrague It took me a while to learn how to use the clutch. Tardé un poco en aprender a usar el embrague. •[v] agarrar The child clutched my hand crossing the street. El niño me agarró la mano al cruzar la calle.

coach coche, vagón They added two coaches to the train. Han añadido dos coches al tren. ▲entrenador He is the best coach that team ever had. Es el mejor entrenador que ha tenido ese equipo.

coal carbón.

coal bin carbonera.

coarse basto, burdo *This cloth is too coarse.* Esta tela es demasiado basta. ▲grosero *His answer was very coarse.* Su respuesta fue muy grosera.

coast costa ‖*The coast is clear.* No hay moros en la costa.

coast guard guardacostas.

coastline costa.

coat [*n*] abrigo, sobretodo, [*Arg*] tapado *You'll need a heavy coat for winter.* Necesitará Ud. un abrigo grueso para el invierno. ▲chaqueta, [*Sp*] americana, [*Am*] saco *The pants and vest fit, but the coat is too small for me.* El pantalón y el chaleco están bien, pero el saco me está pequeño. ▲mano *This room needs another coat of paint.* Este cuarto necesita otra mano de pintura. •[*v*] cubrir *The automobile was coated with mud.* El auto estaba cubierto de barro.

coat hanger percha.

coax instar, insistir.

cobbler zapatero.

cocaine cocaína.

cockroach cucaracha, [*Chile*] barata.

cocktail cóctel, coctel.

cocoa cacao.

coconut coco.

cod bacalao.

coffee café.

coffee cake rosca, bizcocho.

coffeehouse café.

coffee pot cafetera.

coffin ataúd.

coil [*n*] rollo *We'd better take that coil of rope along in the boat.* Sería mejor llevar ese rollo de cuerda en el barco. •[*v*] enroscar *The snake was coiled around the tree.* La serpiente estaba cnroscada en el árbol.

coin [*n*] moneda *Drop a coin in the slot.* Eche una moneda en la ranura. •[*v*] acuñar *The government needs to coin more money.* El gobierno necesita acuñar más moneda. º**to toss a coin** echar a cara o cruz.

coincide coincidir.

coincidence coincidencia.

coke coque, cok.

cold [*n*] frío *The cold was so severe that the animals froze.* El frío fue tan intenso que se helaron los animales. ▲catarro *I've got a cold.* Tengo catarro. •[*adj*] frío *After that incident, he grew cold toward us.* Después de aquel incidente, se mostró frío con nosotros. ▲sin sentido *The blow knocked him cold.* El golpe le dejó sin sentido.

cold cream crema para el cutis.

collaborate colaborar.

collar cuello (de camisa, etc.).

collarbone clavícula.

colleague colega, compañero.

collect recoger *Tickets are collected at the gate.* Los boletos se recogen en la entrada. ▲coleccionar *I'm interested in collecting stamps.* Me interesa coleccionar estampillas. ▲cobrar *He is going to collect a bill.* Va a cobrar una cuenta. ▲reunirse *A crowd collected around the wounded man.* Se reunió una multitud alrededor del herido. º**to collect oneself** tranquilizarse *He was confused at first, but collected himself quickly.* Estaba azorado al principio, pero se tranquilizó en seguida.

collection colección *The museum has a famous collection of Italian paintings.* El museo tiene una famosa colección de cuadros italianos. ▲recogida *Mail collections are at nine and three.* Las recogidas del correo son a las nueve y a las tres. ▲colecta *They took up a collection after the meeting.* Hicieron una colecta después de la reunión.

college universidad.

colon dos puntos (:); colon (*anatomy*).

colonel coronel.

colony colonia *I didn't know that country had so many colonies.* No sabía que ese país tuviera tantas colonias.—*There is a large artists' colony near here.* Hay una gran colonia de artistas cerca de aquí.

color color *We have this pattern in several colors.* Tenemos este dibujo en varios colores.—*Once you get out in the air, your color will improve.* En cuanto esté Ud. al aire libre, tendrá mejor color.

colt potro.

column columna *You can recognize the house by its white columns.* Conocerá Ud. la casa porque tiene unas columnas blancas.—*I wonder where that column of smoke comes from.* ¿De dónde saldrá esa columna de humo?

comb [*n*] peine *I left my comb on the dresser.* Dejé el peine en el tocador. ▲peineta [*Am*], peinecillo [*Sp*] *She always wears several combs in her hair.* Lleva siempre varias peinetas en el pelo. ▲panal *They have honey in jars, but not in combs.* Tienen miel en tarros, pero no en panales. º**to comb one's (own) hair** peinarse *My hair needs combing.* Necesito peinarme.

combination combinación *That color combination isn't becoming to her.* Esa combinación de colores no le sienta.

combine [*v*] combinar.

come venir *Come here!* ¡Venga acá! ▲llegar *When did he come?* ¿Cuándo llegó? ▲ser *When do the examinations come?* ¿Cuándo son los exámenes? º**to come (on)** vamos *Come, tell me what you mean.* Vamos, dime lo que quieres decir. º**to come about** pasar *How did this come about?* ¿Cómo pasó esto? º**to come across** encontrar *Let me know if you come across anything with my name on it.* Si encuentra Ud. algo a mi nombre, avíseme. º**to come along** acompañar *Do you mind if we come along?* ¿Le molesta a Ud. que le acompañemos? ▲andar, marchar *How is your work coming along?* ¿Cómo anda su trabajo? º**to come back** volver, regresar *He came back home yesterday.* Volvió a casa ayer. º**to come by** pasar por *I'll come by your house tonight.* Pasaré por su casa esta noche. ▲obtener *How did he come by all that money?* ¿Cómo obtuvo todo ese dinero? º**to come down** bajar *Come down the stairs.* Baje por la escalera. º**to come down with** darle a uno *I think I'm coming down with the flu.* Creo que me va a dar la gripe. º**to come easy to, come natural to** tener gran facilidad (*o* aptitud) para *Arithmetic comes easy to him.* Tiene gran aptitud para la aritmética. º**to come in handy** ser útil. º**to come into** entrar en *Tell him to come into the house.* Dígale que entre en la casa. º**to come into style** ponerse de moda *When did this come into style?* ¿Cuándo se puso esto de moda? ⁰**to come off** quitar *Is this lid fastened or does it come off?* ¿Es fija esta tapa o se puede quitar? ▲caerse *One of my buttons came off.* Se me cayó un botón. ⁰**to come on** *I feel a cold coming on.* Creo que me va a dar un catarro. ⁰**to come out** salir *He'll come out soon.* Saldrá pronto.—*The book hasn't come out yet.* El libro todavía no ha salido.—*Everything came out all right.* Todo salió muy bien. ▲quitarse *This spot won't come out.* Esta mancha no se quita. ▲declararse *The governor came out against the bill.* El gobernador se declaró contra el proyecto de ley. ⁰**to come through** salir *He came through with flying colors.* Salió triunfante. ⁰**to come to** ascender a *The bill comes to ten dollars.* La cuenta asciende a diez dólares. ▲volver en sí *The woman who fainted is coming to.* La mujer que se desmayó está volviendo en sí. ▲resultar de *Who knows what all this will come to?* ¿Quién sabe qué resultará de todo esto? ⁰**to come true** resultar, cumplirse, realizarse *Everything he predicted came true.* Se cumplió todo lo que predijo. ⁰**to come up** subir *Won't you come up and have a drink?* ¿Quiere subir a tomar un trago? ▲salir *The grass didn't come up this spring.* La hierba no salió esta primavera. ▲presentarse *This problem comes up every day.* Este problema se presenta todos los días. ⁰**to come upon** encontrar *I came upon the answer by accident.* Encontré la solución por casualidad.

comedy comedia.

comfort [*n*] comodidad *They lacked many comforts.* Les faltaban muchas comodidades. •[*v*] consolar *This news may comfort you.* Esta noticia puede que te consuele.

comfortable cómodo *This chair is soft and comfortable.* Esta silla es blanda y cómoda.

comical cómico, gracioso.

comics historietas cómicas, muñequitos.

comma coma.

command [*n*] orden *Has he issued his commands yet?* ¿Ha dado ya sus órdenes? ▲mando *A new officer has taken command of the troops.* Un nuevo oficial ha tomado el mando de las tropas. •[*v*] ordenar *We were commanded to take to the lifeboats.* Nos ordenaron que ocupáramos los botes salvavidas. ⁰**to have a good command of** dominar *Does he have a good command of English?* ¿Domina el inglés?

commander comandante.

commence comenzar.

commend encomendar, alabar.

comment [*n*] comentario, observación *We'll have no comments from you.* ¡No haga Ud. comentarios! •[*v*] hacer comentarios *She always comments on my clothes.* Siempre hace comentarios sobre mi ropa.

commentator comentador.

commerce comercio.

commercial comercial, mercantil.

commission [*n*] comisión, junta *The commission has promised to take action soon.* La comisión ha prometido actuar pronto. ▲comisión *My commission is almost as large as my salary.* Mi comisión es casi igual que mi sueldo. •[*v*] encargar *I've been commissioned to sell the property.* Me han encargado vender la propiedad. ⁰**out of commission** descompuesto *The car is out of commission.* El auto está descompuesto.

commissioner comisionado, comisario.

commit encerrar, meter *It is too bad they had to commit her to an asylum.* Es una lástima que hayan tenido que meterla en un manicomio. ▲perpetrar, cometer *It is not the first crime he has committed.* No es el primer crimen que ha cometido. ⁰**to commit oneself** comprometerse *You don't have to commit yourself unless you want to.* No tiene Ud. que comprometerse si no quiere.

committee comisión, comité *Who is on the committee?* ¿Quiénes forman la comisión?

common común *These laws are for the common good.* Estas leyes son para el bien común. ▲vulgar, ordinario *Her manners were rather common.* Sus modales eran algo vulgares. ⁰**common man** hombre del pueblo *He says this is the century of the common man.* Dice que éste es el siglo del hombre del pueblo. ⁰**common sense** sentido común *If other problems arise, use your common sense.* Si se presentan otros problemas, use Ud. su sentido común.

commonplace [*adj*] común.

commotion conmoción, tumulto.

communicate comunicar.

communication comunicación *The messenger brought two communications from headquarters.* El enviado trajo dos comunicaciones del cuartel general.—*Our communication lines have been broken by the storms.* Las tormentas han cortado nuestras líneas de comunicación.

communion comunión.

communist comunista.

community comunidad.

compact [*n*] polvera *Lend me your compact.* Préstame tu polvera.

compact [*adj*] conciso, breve *His last article was very compact.* Su último artículo era muy conciso. ‖ *That kitchen is very compact.* En esa cocina está todo en muy poco espacio.

compact disk disco compacto, CD.

companion compañero *We were companions on a trip to Paris.* Fuimos compañeros durante un viaje a París.

company visita *I'm expecting company this evening.* Espero visita esta noche. ▲compañía *What company do you represent?* ¿Qué compañía representa Ud?

comparative comparativo, relativo.

compare comparar *We compared the two methods and chose this one.* Comparamos los dos métodos y escogimos éste.

comparison comparación *There is no comparison between the two towns.* No hay comparación entre los dos pueblos.

compartment compartimiento.

compass brújula, compás *The ship's compass was broken during the storm.* Durante la tempestad la brújula del barco se rompió. ▲compás *For these drawings you need a compass.* Para hacer estos dibujos necesita Ud. un compás.

compel obligar.

compensate compensar.

compete competir *They'll compete for the prize.* Competirán por el premio.

competent competente, capaz.

competition competencia.

competitor competidor.

complain quejarse *She left work early, complaining of a headache.* Salió del trabajo temprano, quejándose de dolor de cabeza.

complaint queja *If it annoys you so much, file a complaint.* Si le molesta tanto presente Ud. una queja. ▲malestar *He told the doctor about his complaint.* Le dijo al doctor el malestar que sentía. ▲reclamación *Refer this woman to the complaint department.* Dirija esta señora a la sección de reclamaciones.

complete [*adj*] completo *Is the list complete?* ¿Está la lista completa? •[*v*] completar, terminar *You ought to complete the work before you go home.* Debe Ud. terminar el trabajo antes de irse a casa.

complex [*adj*] complejo.

complexion cutis *Being outdoors so much has improved her complexion.* Su cutis ha mejorado mucho desde que pasa tanto tiempo al aire libre.

complicate complicar.

compliment [*n*] piropo, galantería *Thanks for the compliment.* Gracias por la galantería. •[*v*] felicitar *Let me compliment you on your cooking.* Permítame Ud. felicitarla por lo bien que cocina.

comply with cumplir, conformarse a.

compose componer, formar *What is it composed of?* ¿De qué se compone? ▲componer *He composed that piece several years ago.* Compuso esa pieza hace varios años. °to compose oneself serenarse, calmarse *Try to compose yourself.* Trate Ud. de serenarse.

composition composición *That symphony is his most famous composition.* Esa sinfonía es su composición más famosa.— *The chemist will analyze the composition of this metal.* El químico analizará la composición de este metal.

comprehend comprender.

compress [*v*] comprimir.

computer computador, computadora [*Am*], ordenador [*Sp*].

computerize computarizar, procesar datos en un computador.

comrade camarada, compañero.

concave cóncavo.

conceal ocultar, esconder.

conceit presunción, engreimiento.

conceited engreído *He is very conceited about his looks.* Está muy engreído porque se cree buen mozo.

conceive imaginar *I can't conceive of her doing that.* No puedo imaginar qué ella haga eso. ▲concebir *Only a genius could conceive such a plan.* Sólo un genio podría concebir tal plan.

concentrate concentrarse *There is so much noise that I can't concentrate.* Hay tanto ruido que no me puedo concentrar. ▲concentrar *We were all concentrated in one area.* Todos estábamos concentrados en una sola zona.

concentration concentración.

concept concepto.

conception concepción *He is responsible for the conception of the plan.* La concepción del plan es suya. ▲opinión *According to my conception, his ability is highly overrated.* Según mi opinión se exagera mucho acerca de su capacidad.

concern [*n*] angustia, preocupación *She is showing a great deal of concern over her husband.* Demuestra mucha preocupación por su marido. ▲casa comercial, empresa *How long have you been with this concern?* ¿Cuánto tiempo lleva Ud. trabajando para ésta empresa? •[*v*] importar *This concerns you.* Esto le importa a Ud.

concerning acerca de, respecto a *Nothing was said concerning the matter.* No dijeron nada acerca del asunto.

concert concierto.

concert hall salón para conciertos.

concise conciso, breve.

conclude concluir, terminar *The meeting concluded with a vote.* La reunión terminó con una votación. ▲llegar a la conclusión *They concluded that it must have been suicide.* Llegaron a la conclusión de que debía haber sido un suicidio.

conclusion conclusión *I've come to the same conclusion.* He llegado a la misma conclusión.

concrete [*n*] cemento, hormigón *His new house is built completely of concrete.* Su nueva casa es toda de cemento. •[*adj*] definitivo *It is too early for my plans to be very concrete.* Es demasiado pronto para que yo pueda tener planes definitivos.

condemn condenar *You're in no position to condemn her actions.* Ud. no está en condiciones para condenar su conducta.

condense condensar *You'd better buy six more cans of condensed milk.* Convendría que Ud. comprara seis latas más de leche condensada. ▲condensarse *The room was so hot that the steam condensed on the windows.* Hacía tanto calor en el cuarto que el vapor se condensó sobre los cristales.

condition [*n*] estado *The house was in poor condition.* La casa estaba en muy mal estado. ▲condición *I'll accept the offer on three conditions.* Aceptaré la oferta con tres condiciones. •[*v*] determinar *His decision was conditioned by his religious beliefs.* Su decisión fue determinada por sus creencias religiosas. °in condition en buenas condiciones *The athlete isn't in good condition.* El atleta no está en buenas condiciones. °on any condition de ninguna manera *She said she wouldn't attend on any condition.* Dijo que no asistiría de ninguna manera. °on condition that con la condición de que *I'll go on condition that I pay my own way.* Iré con la condición de que yo pague mis gastos.

condominium condominio, apartamento.

conduct [*n*] conducta *I don't like his conduct.* No me parece bien su conducta.

conduct [*v*] conducir *A guide will conduct the party through the museum.* Un guía conducirá el grupo por el museo.—*We need a wire to conduct electricity to the barn.* Necesitamos un cable para conducir la electricidad al granero. ▲manejar, llevar, hacerse cargo *Who conducted the business in his absence?* ¿Quién se hizo cargo de los negocios en su ausencia? ▲dirigir *I wonder who conducts the orchestra tonight?* ¿Quién dirigirá la orquesta esta noche? °to conduct oneself comportarse *He con-*

ducted himself well during the meeting. Se comportó muy bien durante la reunión.

conductor director *He is the conductor for the final concert this season.* Será el director del último concierto de la temporada. ▲revisor, [Am] conductor *The conductor took our tickets as soon as we got on the train.* El revisor nos pidió los boletos en cuanto nos subimos al tren. ▲cobrador, [Am] conductor *Ask the conductor to stop at the next corner.* Pídale al conductor que pare en la próxima esquina.

cone cono.

confer conferir *They conferred extraordinary powers upon him.* Le confirieron poderes extraordinarios. ▲conferenciar *They were conferring on the war situation.* Conferenciaban sobre la situación de la guerra.

conference junta, reunión, conversación *He is in conference just now.* Está ahora en una junta. ▲conferencia *Who is our delegate to the conference?* ¿Quién es nuestro delegado en la conferencia?

confess confesar.

confession confesión.

confidence confianza.

confident seguro.

confidential confidencial.

confine limitar *He confined himself to a few brief remarks.* Se limitó a hacer unas breves observaciones. ᵒto be confined dar a luz *When does your sister expect to be confined?* ¿Cuándo dará a luz su hermana?

confirm confirmar *No one has confirmed the news yet.* No han confirmado todavía la noticia.—*They gave me flowers when I was confirmed.* Me dieron flores cuando me confirmaron.

conflict [n] conflicto *There was a great conflict of interests.* Había un gran conflicto de intereses.

conflict [v] luchar, chocar *Their ideas are always conflicting.* Sus opiniones siempre chocan.

conform conformarse *He never learned to conform.* No sabe conformarse. ▲estar de acuerdo *That conforms to the requirements.* Eso está de acuerdo con lo que se requiere.

confuse confundir, desorientar *All this talking confuses me.* Tanta charla me desorienta.

confusion ᵒto throw into confusion alterar, desorganizar *The accident threw traffic into confusion.* El accidente desorganizó el tráfico.

congenial simpático *She is very congenial.* Es muy simpática.

congratulate felicitar *Let me be the first to congratulate you.* Permítame ser el primero en felicitarle.

congratulations enhorabuena, felicitaciones.

congregation congregación.

congress congreso.

conjunction conjunción ᵒin conjunction with junto con.

connect conectar *Please connect these wires to the battery.* Haga Ud. el favor de conectar estos cables con la batería. ▲enlazar *All the trains connect with buses at the station.* Todos los trenes enlazan con autobuses en la estación. ▲relacionar *I al-*

ways connect his name with that event. Siempre relaciono su nombre con ese acontecimiento.

connection conexión *There is a loose connection somewhere in the engine.* Hay una conexión floja en alguna parte del motor. ▲comunicación *The connections with that town are very poor.* Las comunicaciones con ese pueblo son muy malas.

conquer conquistar.

conscience conciencia.

conscientious concienzudo.

conscious ᵒto be conscious of darse cuenta de *I wasn't conscious of what I was doing.* No me daba cuenta de lo que hacía. ‖*He hasn't been conscious since this morning.* No ha recobrado el conocimiento desde esta mañana *o* No ha vuelto en sí desde esta mañana.

consecrate consagrar.

consecutive consecutivo, sucesivo.

consent [n] permiso *If he is underage, the consent of his parents is required.* Si es menor de edad es preciso conseguir el permiso de sus padres. •[v] consentir *He consented to stay.* Consintió en quedarse.

consequence consecuencia.

consequently por lo tanto, por consiguiente.

conservative [adj, n] conservador.

conserve conservar.

consider estudiar *We're considering all angles of the proposal.* Estamos estudiando todos los aspectos de la propuesta. ▲ocuparse de *Don't even consider that.* Ni se ocupe de eso. ▲considerar *I don't consider him fit for the job.* No le considero capacitado para ocupar el puesto.

considerable bastante *I spent considerable time on it.* Tardé bastante tiempo en hacerlo.

consideration consideración *You'd think he'd have some consideration for my feelings.* Cualquiera pensaría que él debía de tener un poco más de consideración con mis sentimientos.—*We'll take the matter under consideration.* Vamos a tomar en consideración el asunto. ▲retribución *He'll probably expect a consideration for his services.* Probablemente esperará una retribución por sus servicios. ᵒin consideration of en reconocimiento a *We present this to you in consideration of your services.* Le hacemos este obsequio en reconocimiento a sus servicios.

consign consignar.

consist consistir.

consistent lógico, razonable.

consommé caldo.

conspiracy conspiración.

constant constante *He was a very constant friend.* Era un amigo muy constante.—*The constant noise kept me awake all night.* El ruido constante me tuvo despierto toda la noche.

constantly constantemente.

constitute constituir *This constitutes our major health problem.* Esto constituye nuestro mayor problema sanitario.

constitution constitución *She has a strong constitution.* Tiene muy buena constitución.—*The President's actions are in full accord with the Constitution.* Las actuaciones del Presidente están completamente de acuerdo con la Constitución.

construct construir.

construction construcción.

consul cónsul.

consult consultar.

consume consumir *How much water does the city consume in a week?* ¿Qué cantidad de agua consume la ciudad por semana?— *The school building was completely consumed by fire.* El edificio de la escuela fue completamente consumido por el fuego. ○*to be consumed* consumirse *He was consumed with anger.* Se consumía de rabia.

consumption tisis, tuberculosis *She is the third member of her family to die of consumption.* Es la tercera persona en su familia que ha muerto de tisis. ▲*consumo The consumption of coal increased during the month of February.* El consumo de carbón ha aumentado durante el mes de febrero.

contact [n] relación *Have you made any new business contacts?* ¿Ha hecho alguna nueva relación comercial? •[v] ponerse en contacto con *I'll contact you as soon as I arrive.* Me pondré en contacto con Ud. en cuanto llegue. ○*to come in contact with* ponerse en contacto con, tocar *Don't let your clothes come in contact with the wound.* No deje que la ropa toque la herida.

contain contener *What does the trunk contain?* ¿Qué contiene el baúl? ○*to contain oneself* contenerse *He contained himself throughout the quarrel.* Se contuvo durante toda la disputa.

contemplate proyectar *He is contemplating a trip to Europe.* Proyecta un viaje a Europa.

contemporary [adj, n] contemporáneo.

contempt desprecio, menosprecio. ○*contempt of court* contumacia, desacato al tribunal.

contend mantener.

content [adj] contento, satisfecho *He was content with what we offered him.* Se quedó contento con lo que le ofrecimos.

content, contents [n] contenido *I don't understand the content of this letter.* No comprendo el contenido de esta carta.— *The contents of your trunk must be examined.* Es preciso que registren el contenido de su baúl.

contentment contentamiento, satisfacción.

contest concurso *Prizes will be given to the winners of the contest.* Se darán premios a los que ganen en el concurso. ▲*contienda There was a bitter contest in the elections.* La contienda fue muy dura en las elecciones.

continent continente.

continual continuo.

continue continuar *The novel will be continued next week.* La novela continuará la semana próxima.

continuous continuo.

contour contorno.

contract [n] contrato *I refuse to sign the contract as it stands.* Me niego a firmar el contrato en esas condiciones.

contract [v] contratarse *They contracted to do the work.* Se contrataron para hacer el trabajo. ▲*contraer I'm not responsible for any debts you contract.* No soy responsable de las deudas que Ud. contraiga.—*He contracted a severe illness.* Contrajo una enfermedad grave.

contractor contratista.

contradict contradecir.

contradictory contradictorio.

contrary contrario *The results are contrary to my expectations.* Los resultados son contrarios a lo que yo esperaba. ○*on the contrary* al contrario *On the contrary, nothing could be worse.* Al contrario, nada podría ser peor.

contrast [n] diferencia *There is quite a contrast between what he says and what he does.* Hay mucha diferencia entre lo que dice y lo que hace. ▲*contraste Red flowers would be a nice contrast with that blue dress.* Unas flores rojas harían un bonito contraste con ese vestido azul.

contrast [v] comparar *It isn't fair to contrast my work with an expert's.* No es justo comparar mi trabajo con el de un experto. ▲*hacer contraste Do you think these colors contrast well?* ¿Cree Ud. que estos colores hagan un buen contraste?

contribute contribuir, prestar *I contributed my time without pay.* Presté mis servicios de balde. ▲*colaborar He contributes to the local paper.* Colabora en el periódico local.

control [n] dirección, [Am] control *The control of the business has passed to the son.* El control del negocio ha pasado a manos del hijo. •[v] dominar, [Am] controlar *You must learn to control your temper.* Tiene Ud. que aprender a dominar su genio. ○*controls* control, mandos *Would you mind taking the controls for a while?* ¿Le importaría tomar los mandos por un rato?

controversy controversia, disputa.

convenience comodidad *Our house in the country has every convenience.* Nuestra casa de campo tiene todas las comodidades.

convenient cómodo *The bus service here is convenient.* Es muy cómodo el servicio de autobuses aquí. ▲*oportuno It was a very convenient encounter.* Fue un encuentro muy oportuno.

convention convención *The convention wasn't too successful.* La convención no tuvo mucho éxito. ▲*reglas sociales That isn't in accord with convention.* Eso no está de acuerdo con las reglas sociales.

conventional convencional.

conversation conversación.

convert [v] convertir, transformar.

convey transmitir, llevar.

convict [n] presidiario, preso *They had convicts working on the road.* Tienen a los presos trabajando en la carretera.

convict [v] condenar *He was convicted of murder.* Fue condenado como culpable del asesinato.

convince convencer.

cook [n] cocinero *This is our cook's specialty.* Esta es la especialidad de nuestro cocinero. •[v] cocinar, guisar *Start cooking dinner now.* Empiece Ud. a cocinar la comida ahora. ○*to cook up* inventar *They've cooked up a good story for us.* Nos han inventado una buena fábula.

cookie galleta dulce.

cool [*adj*] fresco *It gets pretty cool here toward evening.* Por la tarde hace bastante fresco aquí. ▲sereno *I tried to keep cool when he insulted me.* Traté de permanecer sereno cuando me insultó. •[*v*] enfriar *Don't let this soup cool too long.* No deje Ud. enfriar demasiado la sopa. °to **cool off** enfriarse *Stop the engine and let it cool off.* Pare Ud. el motor y deje que se enfríe.

coop gallinero *Two chickens got out of the coop.* Dos pollos se salieron del gallinero. °to **coop up** encerrar *It is too hot to keep him cooped up in the house all day.* Hace demasiado calor para tenerlo encerrado en la casa todo el día.

cooperate cooperar.

cope [*v*] °to **cope with** contender con, hacer frente a.

copper cobre.

copy [*n*] copia *Please make ten copies of this report.* Tenga Ud. la bondad de hacer diez copias de éste informe. ▲manuscrito *I've already sent the copy to the printer.* Ya mandé el manuscrito a la imprenta. ▲ejemplar *I just bought two copies of his new book.* Acabo de comprar dos ejemplares de su nuevo libro. ▲número *Do you have the last copy of that magazine?* ¿Tiene Ud. el último número de esa revista? •[*v*] copiar *Please copy this letter.* Haga el favor de copiar esta carta.

cord cuerda *I don't have enough cord to tie up this package.* No tengo suficiente cuerda para amarrar este paquete. ▲cordón *We'll have to get a new cord for the iron.* Tendremos que conseguir un nuevo cordón para la plancha.

cordial [*adj, n*] cordial, licor.

cordless inalámbrico

corduroy pana.

core corazón (de una fruta), centro, meollo.

cork [*n*] corcho. •[*v*] tapar con corcho.

corkscrew tirabuzón [*Am*], sacacorchos [*Sp*].

corn maíz *They planted corn in some fields and wheat in others.* Sembraron maíz en algunos campos y trigo en otros. ▲callo *He said that those shoes hurt his corns.* Dijo que esos zapatos le lastimaban los callos.

corner [*n*] esquina *I hit my hand on the corner of the table.* Me golpeé la mano con la esquina de la mesa.—*Please stop at the next corner.* Haga el favor de parar en la próxima esquina. ▲rincón *Please bring that chair over from the corner.* Traiga Ud. aquella silla que está en el rincón. •[*v*] acorralar *The thief was cornered by the police.* El ladrón fue acorralado por la policía.

corporal [*n*] cabo (militar).

corporation corporación, sociedad anónima.

corpse cadáver.

corral [*n*] corral.

correct [*adj*] exacto *He got the correct answer to the problem.* Logró dar la solución exacta al problema. ▲correcto *Her English is not very correct.* Su inglés no es muy correcto. ▲propio *What is the correct dress for this ceremony?* ¿Cuál es el traje propio para esta ceremonia? •[*v*] corregir *Please correct my mistakes.* Haga el favor de corregir mis faltas.

correction corrección *Please make the necessary corrections.* Haga el favor de hacer las correcciones necesarias. ||*This child needs correction.* Este niño necesita que le corrijan.

correspond estar de acuerdo *What he says and what he does don't correspond.* Lo que dice no está de acuerdo con lo que hace. °to **correspond with** escribir a *I hope you won't be too busy to correspond with your old friends.* Espero que no esté Ud. tan ocupado que no pueda escribir a sus viejos amigos.

correspondence correspondencia.

correspondent corresponsal *I'm an American newspaper correspondent.* Soy corresponsal de un periódico americano.

corridor corredor, pasillo.

corruption corrupción.

corsage ramillete.

cost [*n*] precio *He buys clothes without regard for the cost.* Compra ropa sin mirar el precio. ▲coste *He was forced to sell his stock at less than cost.* Tuvo que vender sus existencias en menos del coste. •[*v*] costar *His recklessness cost him his life.* Su temeridad le costó la vida. °**at all costs** *We have to do it at all costs.* Tenemos que hacerlo a toda costa.

costly costoso, caro.

costume disfraz *What costume did he wear to the ball?* ¿Qué disfraz llevó al baile? ▲traje *She was dressed in a skating costume.* Estaba vestida con un traje de patinar. °**costumes** vestuario *Who designed the costumes for that play?* ¿Quién diseñó el vestuario para esa comedia?

cot catre?

cottage casita, cabaña.

cotton algodón.

couch diván.

cough [*n*] tos *Do you have something that is good for a cough?* ¿Tiene Ud. algo para la tos? •[*v*] toser *The baby has been coughing all night.* El nene ha tosido toda la noche.

council consejo, junta.

councilman concejal.

counsel consejo *I'm in trouble and I need your counsel.* Me encuentro en un apuro y necesito su consejo. ▲abogado *He is the counsel for the defense.* Es el abogado de la defensa.

count [*n*] recuento *The count hasn't been taken yet.* No se ha hecho todavía el recuento. ▲contar *The boxer got up on the count of nine.* El boxeador se levantó al contar nueve segundos. ▲conde *What is the proper way to address a count?* ¿Qué tratamiento se le da a un conde? •[*v*] contar *Please count your change.* Tenga la bondad de contar su cambio.—*The bill is five dollars, not counting the tax.* La cuenta es cinco dólares, sin contar el impuesto. ▲contar, importar *In this broad outline, the details don't count.* En este plan general, los detalles no cuentan. °to **count on** contar con *We're counting on you.* Contamos con Ud.

countenance [*n*] cara, aspecto.

counter [*n*] mostrador, contador *He put the money on the counter.* Puso el dinero sobre el mostrador. •[*adv*] contrario *The game was going counter to expectations.* El juego se desarrolló de forma contraria a lo que se esperaba.

counterfeit [n] falsificación *This is a counterfeit of the document.* Esta es una falsificación del documento. •[adj] falso *This coin is counterfeit.* Esta moneda es falsa.

countess condesa.

country país *What country were you born in?* ¿En qué país nació Ud.? ▲región *This is good wheat country.* Esta región es buena para el trigo. ▲campo *The country air will do you good.* El aire del campo le hará bien. ▲patria *He gave his life for his country.* Dio la vida por su patria.

county condado, distrito territorial, jurisdicción rural.

couple par *I want a couple of eggs.* Quiero un par de huevos. ▲pareja *Those young people make a very nice couple.* Esos dos jóvenes hacen muy buena pareja.

coupon cupón.

courage valor *It took a lot of courage to say what he did.* Necesitó mucho valor para decir lo que dijo.

course curso *What chemistry courses are being offered at the university?* ¿Qué cursos de química se dan en la universidad?—*The course of the river has been changed by the dam.* La presa ha cambiado el curso del río.—*I heard from him twice in the course of the year.* Tuve dos veces noticias suyas durante el curso del año. ▲ruta, dirección *The captain says we'll have to change our course.* El capitán dice que tendremos que cambiar nuestra ruta. ▲campo *When is the golf course open?* ¿Cuándo está abierto el campo de golf? ▲plato *They serve a five-course dinner.* Sirven una comida de cinco platos. **O**a matter of course la cosa más corriente *He takes everything as a matter of course.* Lo toma todo como la cosa más corriente. **O**of course claro, por supuesto *Of course I know what you mean.* Claro que sé lo que Ud. quiere decir.

court [n] patio *We have several rooms facing the court.* Tenemos varios cuartos que dan al patio. ▲cancha *The court is still too wet for a game.* La cancha está todavía demasiado mojada para jugar. ▲juzgado *I have to go to court to pay a fine.* Tengo que ir al juzgado para pagar una multa. ▲tribunal *The case goes from court to court.* El caso pasa de tribunal en tribunal. ▲corte *The ambassador hasn't been received at court yet.* El embajador no ha sido aún recibido en la corte. •[v] hacer la corte *He used to court her years ago.* Le hacía la corte hace muchos años.

courteous cortés.

courtesy cortesía *I'll go out of courtesy, but I'd rather stay home.* Iré por cortesía, pero preferiría quedarme en casa. ▲atención *She is always doing little courtesies for everybody.* Siempre tiene pequeñas atenciones con todo el mundo.

cousin primo *The two girls are cousins.* Las dos muchachas son primas.

cover [n] tapa, tapadera *Where are the covers for these boxes?* ¿Dónde están las tapas de estas cajas? ▲tapa *The cover of this book has been torn off.* Le han arrancado la tapa a este libro. ▲funda *The apartment must be cleaned and the covers removed from the furniture.* Es preciso limpiar el apartamento y quitarles las fundas a los muebles. ▲manta, [Am] cobija *I didn't have enough covers last night.* No tuve suficientes mantas anoche. •[v] cubrir, tapar *The floor was completely covered by a large rug.* El piso estaba completamente cubierto con una gran alfombra. ▲tapar *Cover the jar.* Tape el tarro. ▲taparse *She covered her face with her hands.* Se tapó la cara con las manos. ▲abarcar *This book covers the subject pretty well.* Este libro abarca el tema bastante bien. ▲recorrer *The express train covers the distance in two hours.* El expreso recorre la distancia en dos horas.—*A new salesman has been taken on to cover this territory.* Se ha empleado a un nuevo viajante para recorrer esta zona. ▲apuntar *He had us covered with a revolver.* Nos apuntaba con un revólver. **O**from cover to cover de cabo a rabo *I read the book from cover to cover.* Leí el libro de cabo a rabo. **O**to be covered by insurance estar asegurado. **O**to cover up ocultar *He carefully covered up all his mistakes.* Ocultaba cuidadosamente todos sus errores. **O**to take cover ponerse a cubierto.

cow vaca.

coward [n] cobarde.

cowardly [adj] cobarde.

cowboy vaquero, gaucho [Arg], huaso [Chile], llanero [Ven], [Col], charro [Mex].

cozy cómodo, agradable, acogedor.

crab (shellfish) cangrejo.

crack [n] raja, grieta *Can you fix that crack in the door?* ¿Puede Ud. arreglar esa raja en la puerta? ▲detonación *I thought I heard the crack of a rifle.* Me pareció oír la detonación de un rifle. ▲crack (droga) ▲ensayo *Would you like a crack at this job?* ¿Le gustaría a Ud. hacer un ensayo en este trabajo? •[adj] gran *She is a crack typist.* Es una gran mecanógrafa. •[v] rajar *This cup is cracked.* Esta taza está rajada. ▲forzar *If we can't open the safe we'll have to crack it.* Si no podemos abrir la caja de caudales tendremos que forzarla. ▲cascar *I can't crack this walnut.* No puedo cascar esta nuez. **O**to crack jokes decir chistes *He cracked several jokes before beginning his talk.* Dijo varios chistes antes de comenzar su charla. **O**to crack up estrellarse *The plane cracked up near the landing field.* El avión se estrelló cerca del campo de aterrizaje.

cracked chiflado *Your cousin is cracked.* Su primo está chiflado.

cracker galleta.

cradle cuna.

crane grúa (derrick); grulla (bird).

crank manivela *Is there a crank in this truck?* ¿Hay una manivela en este camión? ▲cascarrabias *Our neighbor is such a crank; he is always complaining.* Nuestro vecino es un cascarrabias, siempre está refunfuñando.

crash [n] estrépito *What was that loud crash in the kitchen?* ¿Qué estrépito ha sido ése en la cocina? ▲choque *He broke his leg in the crash.* Se rompió una pierna en el choque. •[v] chocar *Two cars just crashed.* Dos automóviles acaban de chocar.

crater cráter.

crawfish cangrejo de río, langostino.

crawl [v] marchar lentamente *The car crawled toward the gate.* El automóvil marchó lentamente hacia la entrada. ▲sentirse humillado *She made the poor boy crawl.* Hizo sentirse humillado al pobre muchacho. **○to crawl (on all fours)** gatear *The baby is just learning to crawl.* El nene está aprendiendo a gatear. **○to crawl on one's stomach** arrastrarse *He crawled through the grass on his stomach.* Se iba arrastrando por la hierba.

crazy extravagante *What a crazy way to do things!* ¡Qué manera más extravagante de hacer las cosas! ▲**loco** *This noise is driving me crazy.* Este ruido me está volviendo loco.

cream crema *Do you take cream with your coffee?* ¿Toma Ud. crema en el café?— *Apply this cream twice a day.* Aplíquese esta crema dos veces al día. ▲crema y nata *They invited the cream of society.* Invitaron a la crema y nata de la sociedad.

crease [n] raya, pliegue *Put a crease in my trousers.* Sáquele Ud. la raya a mis pantalones. •[v] doblar *Crease the paper and tear it in half.* Doble Ud. el papel y pártalo en dos.

create crear.

creation creación.

creative creador.

creature criatura *These poor creatures haven't been fed yet.* A esas pobres criaturas no les han dado de comer todavía. ▲animal, bicho *We saw many strange creatures in the forest.* Vimos muchos animales raros en el bosque. ▲tipo *Who is that creature in the green hat?* ¿Quién es ese tipo con el sombrero verde?

credit [n] mérito, paternidad *He took credit for the plan, although the others did the work.* Se adjudicó la paternidad del plan, aunque otros habían hecho el trabajo. ▲saldo a favor *The books showed a credit of five dollars in your name.* Los libros arrojan un saldo de cinco dólares a su favor. •[v] dar crédito a *Can you credit the reports in that newspaper?* ¿Se puede dar crédito a las noticias de ese periódico? **○on credit** a crédito *They're willing to sell us the furniture on credit.* Están dispuestos a vendernos los muebles a crédito. **○to give credit** fiar *Will they give us credit in this store?* ¿Nos fiarán en esta tienda?

creditor acreedor.

creek riachuelo, arroyo.

creed credo.

creep [n] (*fam.*) persona deshonesta, desagradable. •[v] gatear *How old was the baby when he started creeping?* ¿Qué edad tenía el niño cuando comenzó a gatear? ▲subir silenciosamente *We crept up the steps so as not to wake anybody.* Subimos silenciosamente la escalera para no despertar a nadie. ▲trepar *Those vines are creeping all over the wall.* Esas enredaderas están trepando por toda la pared.

cremate incinerar.

crepe crespón.

crescent creciente, cuarto de luna.

crest cresta.

crew dotación, tripulación *When the ship sank, several of the crew were drowned.* Cuando el barco se fue a pique, se ahogaron unos cuantos de la tripulación. ▲cuadrilla *We passed a crew of workmen repairing the road.* Pasamos una cuadrilla de obreros que estaban reparando la carretera.

cricket grillo.

crime delito; crimen (*capital crime*).

criminal [adj, n] criminal.

crimson [adj, n] carmesí.

cripple [n] inválido, cojo, [Arg] rengo. **○to be crippled** quedarse inválido, [Arg] quedarse rengo.

crisis crisis.

crisp fresco *I don't like salad unless it is crisp.* No me gusta la ensalada si no es fresca. ▲tonificante *The air is cool and crisp.* El aire es fresco y tonificante. ▲crujiente *Those cookies are nice and crisp.* Esas galletas están muy buenas y crujientes.

critic [n] crítico.

critical [adj.] crítico.

criticism crítica *He wrote a criticism of the lecture.* Escribió una crítica de la conferencia. ‖*She has nothing to offer but criticism.* No hace más que criticar.

crochet [v] hacer crochet.

crocodile cocodrilo.

crook (*person*) estafador, ladrón, pícaro.

crooked torcido *This pin is too crooked to use.* Este alfiler está demasiado torcido para usarlo. ▲deshonesto, sinvergüenza *I wouldn't do business with such a crooked person.* No haría negocios con una persona tan deshonesta.

crop (*harvest*) cosecha.

cross [n] cruz *Put a cross on the map to show where we are.* Ponga Ud. una cruz en el mapa para señalar donde estamos. •[adj] enojado *He was very cross with his children this morning.* Estaba muy enojado con sus hijos esta mañana. •[v] cruzar *Is it possible to cross these two species?* ¿Es posible cruzar estas dos especies?—*Cross the street at the corner.* Cruce Ud. la calle en la esquina. **○to cross one's mind** ocurrírsele a uno *It never crossed my mind that he'd object.* Nunca se me ocurrió que él se opusiera. **○to cross one's path** encontrarse con *I've never happened to cross his path.* Nunca he tenido la oportunidad de encontrarme con él.

crossing cruce, intersección.

crossword puzzle crucigrama.

crouch [v] agacharse.

crow [n] cuervo *His hair is as black as a crow.* Tiene el pelo como ala de cuervo. •[v] cantar *I get up soon after I hear the rooster crow.* Me levanto poco después de oír cantar el gallo.—*They're still crowing over their victory.* Todavía cantan victoria. **○as the crow flies** en línea recta.

crowbar palanca de hierro, pata de cabra.

crowd [n] gentío, multitud, muchedumbre *A crowd gathered on the street corner.* La multitud se reunió en la esquina. ▲grupo *He runs around with a different crowd.* Va con otro grupo. •[v] apiñarse *More and more people crowded into the square.* La gente se apiñaba en la plaza cada vez más. **○to be crowded** estar lleno *The hall was crowded to capacity.* El salón estaba completamente lleno.

crown corona.

crude bruto *Our ship is carrying several tons of crude rubber.* Nuestro barco lleva varias toneladas de caucho en bruto. ▲tosco *He is awfully crude at times.* A veces es muy tosco.

C

cruel cruel.

cruelty crueldad.

crumb miga.

crumple arrrugar.

crush [n] aglomeración *There was a big crush when they opened the gates.* Hubo mucha aglomeración cuando abrieron las puertas. •[v] aplastar *The package was crushed in the mail.* En el correo se aplastó el paquete. ▲abrumar *We were crushed by the announcement.* Nos quedamos abrumados con la noticia.

crust pasta *This pie has a very good crust.* La pasta de esta tarta es muy buena. ▲corteza *Don't cut the crust off the toast.* No le quite la corteza a las tostadas. ▲capa *It was so cold last night there is a crust of ice on the lake.* Hizo tanto frío anoche que hay una capa de hielo en el lago.

cry [n] grito *There was a cry of "man overboard!"* Se oyó un grito de "¡hombre al agua!" ▲llantina [Sp], llorada [Am] *After a good cry, she felt better.* Después de la llorada se sintió mejor. •[v] llorar *The baby cried all night.* El niño lloró toda la noche. ▲gritar *"Stop him!" she cried.* "¡Párenlo!" gritó. °a **far cry** una gran diferencia *These accommodations are a far cry from what we wanted.* Hay una gran diferencia entre estos arreglos y lo que queríamos. °to **cry out** gritar *The pain was so great that he cried out.* El dolor fue tan grande que gritó.

crystal cristal.

cube cubito *Have we any ice cubes left?* ¿Nos quedan cubitos de hielo? °**cube of sugar** terrón de azúcar *How many cubes do you take in your tea?* ¿Cuántos terrones de azúcar toma Ud. en el té?

cucumber pepino.

cue entrada *That actor keeps missing his cues.* Ese actor no coge nunca la entrada. ▲taco *The cue is on the pool table.* El taco está en la mesa de billar. °to **take one's cue** guiarse por *I took my cue from what she said and went early.* Me guié por lo que ella me dijo y salí temprano.

cuff [n] puño *Would you mind sewing a button on my cuff?* ¿Podría Ud. coserme un botón en el puño? •[v] abofetear *He cuffed me in the face.* Me abofeteó.

cuff link gemelos, yuntas, yugos.

cultivate cultivar *This soil is so poor it isn't worth cultivating.* Este terreno es tan pobre que no vale la pena cultivarlo. *It'd be worth your while to cultivate her friendship.* Valdría la pena de que cultive Ud. su amistad.

culture cultura, civilización.

cunning gracioso (*cute*); astuto, sagaz (*clever*).

cup taza *The cup isn't full.* No está llena la taza. ▲copa *He keeps the cups he won on the mantel.* Tiene las copas que ha ganado en la repisa de la chimenea.

cupboard aparador, alacena.

curb [n] borde de la acera *Park the car nearer the curb.* Estacione Ud. el auto más pegado al borde de la acera. ▲freno *Her mother finally put a curb on her wild spending.* Por fin su madre puso freno a sus gastos excesivos. •[v] dominar, controlar *You'll have to learn to curb your*

temper. Tendrá Ud. que aprender a dominar su mal genio.

cure [n] cura *Will the water cure do him any good?* ¿Le sentará bien la cura de aguas? •[v] curar *We can trust this doctor to cure him.* Podemos confiar en que este doctor lo curará. ▲corregir *This will cure him of that habit.* Esto le corregirá esa costumbre. ▲curar *Is this ham well cured?* ¿Está bien curado este jamón?

curiosity curiosidad.

curious curioso, deseoso *I'm curious to know how everything turned out.* Estoy curioso por saber cómo salió todo. ▲raro *What a curious bird!* ¡Qué pájaro tan raro!

curl [n] rizo, [Am] crespo *Her curls reach her shoulders.* Los rizos le llegan hasta los hombros. •[v] rizar *She went to have her hair curled.* Fue a que le rizaran el pelo. °to **curl up** enroscarse *The dog curled up and went to sleep.* El perro se enroscó y se durmió.

currant grosella.

currency dinero, billetes *New paper currency will be in circulation next week.* Pondrán en circulación nuevos billetes la semana que viene.

current [n] corriente *Does the river have a strong current?* ¿Tiene el río una corriente fuerte?—*The current has been cut off.* Han cortado la corriente. •[adj] corriente, común *That is a current expression.* Es una expresión corriente. ▲presente, corriente *You'll be paid during the current month.* Se le pagará durante el presente mes.

curse [n] maldición. •[v] maldecir.

curtain cortina, visillo *I want curtains for all the windows.* Quiero cortinas para todas las ventanas. ▲telón *The curtain goes up at 8:30.* Se levanta el telón a las ocho y media.

curtain rod barra de cortina.

curve [n] curva *Take it easy going around the curves.* Vaya Ud. despacio en las curvas. •[v] curvar *You'll have to curve the wire to make it fit right.* Tiene Ud. que curvar el alambre para que se adapte bien.

curved curvado, curvo.

custard flan.

custom costumbre *Is it your custom to eat breakfast early?* ¿Tiene Ud. la costumbre de desayunarse temprano? °**customs** impuestos *Do we have to pay customs on this?* ¿Hay que pagar impuestos sobre esto? ▲aduana *We were delayed at customs.* Nos demoramos en la aduana.

custom-made hecho a la medida *He wears only custom-made clothes.* Solamente usa ropa hecha a la medida.

cut [n] cortadura, [Am] cortada *The cut on my finger is nearly healed.* La cortadura que tengo en el dedo está casi curada. ▲rebaja *He asked us to take a salary cut of 10 percent.* Nos pidió que aceptáramos una rebaja de sueldo del diez por ciento. ▲parte *Did all of them get their cut?* ¿Recibieron todas la parte que les correspondía? ▲corte *The cut of that dress is a little old-fashioned.* El corte de ese vestido es un poco pasado de moda. ▲trozo, clase *What other cuts of meat do you have?* ¿Tiene Ud. otros trozos de carne? •[adj] tallado *Give me that cut-glass pitcher.* Déme Ud. aquella jarra de cristal tallado. •[v] cortar *Please cut the* meat. Haga el favor de cortar la carne.— *He cut his hand when he fell.* Al caerse se cortó la mano.—*I must get my hair cut.* Tengo que cortarme el pelo.—*She is cutting a dress for me.* Me está cortando un vestido.—*The cards have to be cut before you deal.* Hay que cortar antes de dar las cartas.—*The movie had to be cut in several places.* Tuvieron que cortar la película en varias escenas. ▲partir *Shall we cut the cake now?* ¿Partimos la torta ahora? ▲rebajar *Prices will be cut next month.* Rebajarán los precios el mes que viene. ▲segar *The farmers are cutting the hay.* Los labradores están segando el heno. ▲salirle a uno *The baby is cutting his first two teeth.* Al niño le están saliendo los dos primeros dientes. ▲suplantar *He used to have a good business but was cut out by competitors.* Tenía anteriormente un buen negocio, pero fue suplantado por los competidores. ○cold cuts fiambres *We're having cold cuts for supper.* Tenemos fiambres para la comida. ○cut and dried preparado de antemano *Everything was cut and dried.* Todo estaba preparado de antemano. ○to be cut out for servir para *He is not cut out for languages.* No sirve para los idiomas. ○to cut across atravesar *It'll save time if we cut across this field.* Economizaremos tiempo si atravesamos este campo. ○to cut class dejar de ir a la clase [Sp], no ir a clase *He had to cut class in order to meet us.* Para poderse encontrar con nosotros, dejó de ir a la clase. ○to cut corners abreviar, tomar atajos *The job'll take five days if we cut corners.* Tardaremos cinco días en hacer el trabajo si lo abreviamos. ○to cut down cortar *They've cut down most of the trees for firewood.* Han cortado la mayor parte de los árboles para leña. ▲reducir *The report had to be cut down to half its length.* Hubo que reducir el informe a la mitad. ○to cut in *We were talking very quietly until he cut in.* Estábamos hablando tranquilamente hasta que nos interrumpió. ○to cut in ahead of adelantar *He was going slow and I cut in ahead of him.* Iba despacio y me le adelanté. ○to cut into pieces hacer pedazos, destrozar *The child cut the book into pieces.* El niño hizo pedazos el libro. ○to cut off cortar *Cut off the loose ends.* Corte los cabos sueltos.—*The flood has cut off all communication with the next town.* La inundación ha cortado las comunicaciones con el pueblo vecino.—*I was talking to my sister, but we were cut off.* Estaba hablando con mi hermana, pero nos cortaron. ○to cut out recortar *Please cut out this article.* Haga el favor de recortar este artículo. ▲dejar de, parar *Tell them to cut out the noise.* Dígales que dejen de hacer ruido. ○to cut short interrumpir *Our trip was cut short by the bad news.* Nuestro viaje fue interrumpido a causa de la mala noticia. ○to cut to the quick llegar a lo vivo. ○to cut up dividir *This house has been cut up into apartments.* Esta casa se ha dividido en apartamentos.

cute gracioso *What a cute girl!* ¡Qué muchacha tan graciosa!

cyberspace ciberespacio

cyclone ciclón.

cylinder cilindro.

D

dad, daddy papá.

dagger puñal.

daily [n] diario, periódico *Two dailies are published in town.* Se publican dos diarios en el pueblo. •[adj] diario *He is making his daily report.* Está escribiendo su informe diario. •[adv] diariamente, todos los días *An inspection of passports is made daily.* Diariamente se hace una inspección de los pasaportes.

dainty [adj] delicado, fino.

dairy lechería.

dam presa, represa, dique.

damage [n] daños *How much damage has been done?* ¿Cuáles han sido los daños causados? •[v] estropear, averiar *The accident damaged the car.* El accidente estropeó el automóvil. ○damages indemnización *They collected damages after the accident.* Recaudaron una indemnización después del accidente.

damn [adj] maldito *Throw the damn cat out.* Eche afuera al maldito gato. •[v] condenar *All the critics damned her book.* Todos los críticos condenaron su libro. •[interj] ¡caray! *Damn! There goes my shoelace.* ¡Caray! se me ha roto el cordón del zapato.

damp húmedo.

dance [n] baile *We're invited to a dance at their home.* Estamos invitados a un baile en su casa. •[v] bailar *Would you like to dance this rumba?* ¿Le gustaría bailar esta rumba? ○dance hall salón de baile.

dancer bailarín, bailarina.

danger peligro.

dangerous peligroso.

dangle pender, columpiarse.

dare atreverse, arriesgarse *Do you dare go there alone?* ¿Se atreve Ud. a ir sola allá? ▲desafiar *My friends dared me to do it.* Mis amigos me desafiaron a hacerlo.

dark [n] oscuridad *The place is difficult to find in the dark.* Es difícil encontrar el lugar en la oscuridad. •[adj] oscuro *His house is a dark gray.* Su casa es de un gris oscuro. ▲negro *Those were dark days for me.* Aquellos fueron días negros para mí. ○in the dark al margen *My friend has kept me in the dark about his movements.* Mi amigo me tiene al margen de sus acciones. ○to get dark oscurecer *It gets dark earlier and earlier.* Oscurece más temprano cada día.

darkness oscuridad.

darling [n] querido. •[adj] querido. ▲bonito, lindo *What a darling dress you have on!* ¡Qué vestido tan bonito llevas!

darn [v] zurcir *She is out on the porch darning.* Está afuera en el porche zurciendo.

darn ○darn (it)! ¡demonios! *Darn (it)! I cut my finger.* ¡Demonios! Me he cortado el dedo. ○not to know a darn thing no saber ni jota.

dart [n] dardo, flecha. •[v] volar como una flecha.

dash [n] carrera *He won the hundred-yard dash.* Ganó la carrera de cien yardas. ▲guión *Put a dash between these two words.* Ponga un guión entre estas dos palabras. ▲poquito *A dash of vinegar is all the salad needs.* Un poquito de vinagre es lo único que le falta a la ensalada. •[v] echar, tirar, arrojar *She dashed water in his face.* Le echó agua a la cara. ▲salir corriendo *He dashed to the corner to mail a package.* Salió corriendo hasta la esquina para echar un paquete en el correo. ᴼto **dash against** estrellarse contra *The waves dashed against the rocks.* Las olas se estrellaban contra las rocas. ᴼto **dash off** hacer de prisa *Dash off these letters before you leave.* Haga de prisa estas cartas antes de que Ud. se marche.

dashing vistoso, ostentoso.

data información, datos.

databank, data bank or **data-bank** [n] banco de datos, información almacenada, generalmente, en un computador.

database, data base or **data-base** [n] base de datos, archivos alma-cenados, generalmente, en un computador.

data processing procesamiento de datos por un computador.

date [n] fecha *What is the date today?* ¿A qué fecha estamos hoy? ▲cita *I have a date for lunch today.* Hoy tengo una cita para almorzar. •[v] salir con *He has been dating her regularly.* Ha estado saliendo regularmente con ella. ᴼout-of-date fuera de moda *Her clothes seem out of date.* Su ropa parece estar fuera de moda. ᴼto **date** hasta la fecha *We haven't heard from him to date.* No sabemos nada de él hasta la fecha. ᴼto **date from** datar de *This church dates from the eighteenth century.* Esta iglesia data del siglo diez y ocho. ᴼup-to-date al corriente *I'm not up to date on this subject.* No estoy al corriente en este asunto.

date dátil *How much are dates by the pound?* ¿Cuánto cuesta la libra de dátiles?

daughter hija.

dawn [n] amanecer, madrugada ‖ *It just dawned on me that he was lying.* Se me occurre que mentía.

day día *We spent three days in the country.* Pasamos tres días en el campo.— *Christmas Day is a holiday.* El día de Navidad es fiesta. ▲época *This is the day of computers.* Esta es la época de los computadores. ᴼday after day; day in, day out día tras día *We walk through the town day after day.* Caminamos a través de la ciudad día tras día. ᴼday after tomorrow pasado mañana. ᴼday before yesterday anteayer, antier. ᴼfrom day to day de día en día *We're learning more about the country from day to day.* De día en día aprendemos más del país.

daybreak amanecer.

daylight luz del día.

daytime ᴼin the daytime de día *I sleep in the daytime.* Duermo de día.

daze [v] aturdir *He was dazed by the blow on his head.* El golpe en la cabeza le aturdió. ‖ *He walks around in a daze.* Anda como un sonámbulo.

dazzle encandilar, deslumbrar.

dead muerto *His father is dead.* Su padre ha muerto. ▲apagado *The furnace is dead.* El horno está apagado. ᴼdead certain completamente seguro *Are you dead certain you can do it?* ¿Está Ud. completamente seguro de que puede hacerlo? ᴼdead tired muerto de cansancio *She said she was dead tired.*

Dijo que estaba muerta de cansancio. ᴼto **stop dead** parar en seco.

dead end calle sin salida.

dead weight estorbo, lastre *This baggage is so much dead weight.* Este equipaje no es más que un estorbo.

deaf sordo *He doesn't go to concerts because he is deaf.* No va a los conciertos porque es sordo. ᴼdeaf and dumb sordomudo.

deal [n] negocio *He made a lot of money in the deal.* Ganó mucho dinero en el negocio. ▲trato *If they make a deal we're lost.* Si ellos hacen un trato estamos perdidos. •[v] tratar *This bureau deals with passport questions.* Esta oficina trata de asuntos de pasaportes. ▲traficar *This merchant deals in wines.* Este comerciante trafica en vinos. ▲asestar *The shortage of gasoline has dealt a heavy blow to our business.* La escasez de gasolina ha asestado un duro golpe a nuestros negocios. ▲dar *Whose turn is it to deal?* ¿A quién le toca dar? ᴼa **good deal** bastante, much *I smoke a good deal.* Fumo bastante. ᴼa **great deal of** mucho, gran cantidad de.

dealer comerciante, vendedor *The dealer tried his best to sell me a car.* El comerciante hizo lo posible por venderme un carro.

dear [n] querido *Whatever you say, dear.* Lo que tú digas, querida. •[adj] querido *Dear John* Querido Juan. ▲caro *These candies are very dear; those are cheap.* Estos dulces son muy caros; aquellos son baratos. ᴼDear Sir Muy señor mío.

death muerte *I was very sorry to hear of the death of your friend.* Sentí mucho la noticia de la muerte de su amigo.

debate [n] discusión, debate. •[v] debatir, discutir.

debit debe.

debt deuda.

decade década.

decay [n] decomposición; caries *(teeth).* •[v] descomponerse, pudrirse; picarse, cariarse *(of teeth).*

deceive engañar.

December diciembre.

decent decente *That is not a decent way to treat him.* Ese no es un modo decente de tratarlo *o* Esa no es manera de tratarle.

decide decidir.

deciding decisivo.

decision decisión, resolución.

deck [n] cubierta *Let's go up on deck.* Subamos a cubierta. •[v] adornar *Let's deck the building with flags.* Adornemos el edificio con banderas. ᴼdeck of cards baraja, [Am] naipe *Do you have a deck of cards?* ¿Tiene Ud. una baraja?

declare declarar *They declared war within 24 hours.* Declararon la guerra a las 24 horas.— *You must declare these perfumes at customs.* Hay que declarar estos perfumes en la aduana.

decline [n] baja *We expect a decline in all prices.* Esperamos una baja de todos los precios. ▲declinación *Has there been any decline in the epidemic?* ¿Ha habido alguna declinación de la epidemia? •[v] rehusar *They declined his invitation.* Rehusaron su invitación.

decorate decorar.

D

decoration decoración *The decorations were in very bad taste.* Las decoraciones eran de muy mal gusto. ▲condecoración *He was awarded a decoration for bravery.* Se le concedió una condecoración por su heroísmo.

decrease [n] disminución, descenso *There has been a great decrease in the birthrate.* Ha habido una gran disminución de nacimientos. •[v] disminuir, reducir *How can we decrease expenses?* ¿Cómo podemos reducir los gastos?

decree [n] decreto *When was the decree published?* ¿Cuándo fue publicado el decreto? •[v] decretar, ordenar *The government decreed a holiday.* El gobierno decretó un día de fiesta.

dedicate dedicar.

deed acción, obra *They performed many good deeds.* Hicieron muchas obras buenas.

deem juzgar, estimar.

deep hondo, profundo *This lake is very deep.* Este lago es muy hondo. ▲oscuro *The sky was a deep blue.* El cielo estaba azul oscuro. ▲grave *The singer had a deep voice.* El cantante tenía una voz grave. Odeep in *That family is always deep in debt.* Esa familia está siempre metida en deudas.

deep-seated arraigado *It is a deep-seated tradition.* Es una tradición arraigada.

deer venado.

default [v] faltar, no cumplir *They defaulted on their interest payment.* Faltaron en el pago de los intereses.

defeat [n] derrota *They took their defeat with good grace.* Aceptaron su derrota elegantemente. •[v] vencer *We defeated our opponents in the last game.* Vencimos a nuestros competidores en el último juego.

defect [n] defecto. •[v] defectar, desertar *The scientist defected yesterday.* El científico defectó ayer.

defend defender *They decided not to defend the town.* Resolvieron no defender el pueblo.

defendant defensor.

defense defensa *What can you say in your defense?* ¿Qué puede Ud. decir en su defensa?

defer deferir, aplazar.

deficit déficit.

define definir.

definite definitivo.

deform deformar.

defy desafiar.

degrade degradar.

degree grado *At night the temperature sometimes drops ten degrees.* De noche la temperatura baja algunas veces diez grados ▲título *What degrees have you received?* ¿Qué títulos ha recibido Ud.? Oby degrees por grados, gradualmente *By degrees he is getting closer to the answer.* Está llegando a la solución gradualmente.

dehydrate deshidratar.

deity deidad, divinidad.

dejected abatido, acongojado.

delay [n] demora *The delay caused me to miss the train.* La demora me hizo perder el tren. •[v] demorar *We'll delay the trip for a week.* Demoraremos el viaje por una semana.

delegate delegado.

delete [v] borrar, suprimir

deliberate deliberar, pensar.

deliberately con intención *They did it deliberately.* Lo hicieron con intención.

delicate delicado *They performed a delicate operation on his brain.* Le hicieron una operación muy delicada en el cerebro.— *She is too delicate to work.* Está demasiado delicada para trabajar. ▲exquisito *This wine has a delicate flavor.* Este vino tiene un sabor exquisito. ▲frágil *These vases are delicate.* Estos floreros son frágiles.

delicious delicioso.

delight [n] deleite *Buying clothes is her greatest delight.* Su mayor deleite consiste en comprar ropa. •[v] encantar, deleitar *The film delighted everyone.* La película encantó a todo el mundo.

delightful delicioso *The trip was most delightful.* El viaje fue de lo más delicioso. ▲encantador *Her manners were delightful.* Tenía modales encantadores.

deliver entregar, repartir *The mail carrier delivers the first mail at nine o'clock.* El cartero reparte el primer correo a las nueve. ▲dar *The professor delivered a course of lectures.* El profesor dio una serie de conferencias. Oto deliver a baby asistir a un parto.

delivery entrega *I'll pay the balance on delivery of the goods.* Pagaré el saldo a la entrega de la mercancía. Odelivery room sala de maternidad.

delusion decepción.

demand [n] petición, reclamo *His constant demands exasperated us.* Sus constantes peticiones nos exasperaron. ▲demanda *The supply is greater than the demand.* Las existencias son mayores que las demandas. •[v] exigir *He demands immediate payment.* Exige el pago inmediato. ▲insistir *When she was sick she demanded that we visit her every day.* Cuando estaba enferma insistió en que la visitáramos diariamente. Oto be in demand ser solicitado *He was in great demand as a speaker.* Era muy solicitado como orador.

democracy democracia.

democratic democrático.

demolish demoler, derrumbar.

demonstrate demostrar *He demonstrated the use of the machine.* Demostró el manejo de la máquina.

den caverna, guarida *(for animals)*; estudio, retiro *(for people)*.

denote denotar.

denounce denunciar.

dense denso, espeso *We haven't had such a dense fog for a long time.* Hace mucho tiempo que no tenemos una niebla tan espesa. ▲cerrado, torpe *He is awfully dense about some things.* Es muy torpe para algunas cosas.

dent [n] abolladura *Can you fix the dent in my fender?* ¿Puede Ud. arreglar la abolladura en mi guardafango? ▲mella *Our warnings never make a dent in him.* Nuestras advertencias no le hacen mella.

dentist dentista *Is there a good dentist around here?* ¿Hay un buen dentista por aquí?

deny negar.

depart irse, partir.

department departamento *He works in the bookkeeping department.* Trabaja en el departamento de contabilidad. ▲ministerio *You'll have to see someone from the State Department.* Es preciso que veas a alguien del Ministerio de Relaciones Exteriores.

department store almacén.

departure partida, salida.

depend Ꮎto depend on depender de *My plans depend on the weather.* Mis planes dependen del tiempo.—*We have to depend on the radio for our news.* Tenemos que depender de la radio para obtener noticias. ▲confiar en *Can I depend on his keeping his promise?* ¿Puedo confiar en que él cumpla su promesa?

dependent [*adj*] dependiente.

deposit [*n*] depósito *I can't pay it all now, so I'll leave a deposit.* No puedo pagarlo todo ahora, así que dejaré un depósito. •[*v*] depositar *I'll have to deposit some money.* Tendré que depositar algún dinero.

depot depósito, almacén *We must get our supplies from the depot.* Tenemos que conseguir nuestras provisiones del depósito. ▲estación, paradero *What time does the train leave the depot?* ¿A qué hora sale el tren de la estación?

depress deprimir.

depression depresión, abatimiento *I wish I could get over these moods of depression.* Quisiera poder vencer estos períodos de abatimiento. ▲depresión *We lost all our money in the depression.* Perdimos todo nuestro dinero en la depresión.

deprive privar.

depth profundidad *The well is 50 feet in depth.* El pozo tiene 50 pies de profundidad. ▲fondo *Because of its depth, the stage can accommodate a large cast.* Por tener tanto fondo el escenario puede dar cabida a un gran elenco.

descend descender, bajar.

descendant descendiente.

describe describir.

description descripción.

desert desierto *The desert begins a few miles beyond the town.* El desierto comienza a unas cuantas millas más allá del pueblo.

deserve merecer.

design [*n*] proyecto *He is working on a design for a new machine.* Está trabajando en un proyecto para una nueva máquina. ▲dibujo *The tablecloth has a simple design in the center.* El mantel tiene un dibujo sencillo en el centro. •[*v*] diseñar *She designs her own clothes.* Diseña su propia ropa.

desire [*n*] deseo *Your desire will soon be fulfilled.* Su deseo se verá realizado pronto. •[*v*] desear *What do you desire most of all?* ¿Qué es lo que más desea Ud.?

desk escritorio *Put the papers on this desk.* Ponga los papeles sobre este escritorio. ▲despacho *Hand your application to the secretary at the desk.* Entregue Ud. su solicitud al secretario en ese despacho.

desolate desolado, desierto, despoblado.

despair [*n*] desesperación. •[*v*] desesperar.

desperate desesperado *Her plight is desperate.* Su situación es desesperada. ▲peligrosísimo *He is a desperate criminal.* Es un criminal peligrosísimo.

despise despreciar.

despite [*prep*] a pesar de.

dessert postre.

destination destinación, destino.

destiny destino.

destitute desamparado.

destroy destruir *All my papers were destroyed in the fire.* Todos mis documentos fueron destruidos en el incendio.

destroyer destructor (*ship*).

destruction destrucción.

detach separar, despegar *Detach the stub before handing in the ticket.* Separe el talón antes de entregar el boleto. ▲destacar *They detached several soldiers for a special mission.* Destacaron algunos soldados para una misión especial.

detail [*n*] detalle *The details of the trip will be arranged by the guide.* Los detalles del viaje serán arreglados por el guía. ▲destacamento *A detail of police-men took charge of the investigation.* Un destacamento de policía se hizo cargo de la investigación. •[*v*] detallar *The story is too long to be detailed here.* El cuento es demasiado largo para detallarlo aquí. ▲destacar *Policemen were detailed to hold back the crowd.* Destacaron a varios policías para detener a la multitud.

detain detener *I'm sorry I'm late, but I was detained at the office.* Siento llegar tarde, pero me detuvieron en la oficina.

detective detective.

detention detención.

determine decidir, resolver *We determined to stay on till the end.* Decidimos quedarnos hasta el fin. ▲determinar *Can you determine the exact height of that hill?* ¿Puede Ud. determinar la altura exacta de aquella colina? Ꮎdetermined resuelto *They have a determined look.* Tienen un aire resuelto. Ꮎto be determined by depender de *My answer will be determined by what happens today.* Mi respuesta dependerá de lo que pase hoy.

detest detestar.

detour [*n*] vuelta, rodeo *We had to take a detour because the bridge was washed away.* Tuvimos que hacer un rodeo porque la corriente se había llevado el puente. •[*v*] desviar *They detoured traffic because of the accident.* Han desviado el tráfico a causa del accidente.

develop desarrollar *These exercises will develop the strength of your fingers.* Estos ejercicios desarrollarán la fuerza de sus dedos. ▲revelar, desarrollar *Can you develop this film right away?* ¿Puede Ud. revelar esta película inmediatamente?

development desarrollo *The development of this business has been rapid.* El desarrollo de este negocio ha sido rápido. ▲cambio, acontecimiento *If there are any new developments, let me know.* Si hay algún nuevo cambio, hágamelo saber.

device dispositivo, aparato *It is a mechanical device.* Es un dispositivo mecánico. ▲recurso, ardid *He used an unusual device to accomplish his purpose.* Se valió de un ardid excepcional para alcanzar su propósito.

devil diablo, demonio.

devise idear, proyectar *We'll have to devise some sort of plan.* Tendremos que idear algún plan.

devote dedicar *He is devoting all of his time to writing.* Dedica todo el tiempo a escribir.

devout devoto.

dew rocío.

diagnose diagnosticar.

diagonal [*adj, n*] diagonal.

diagram diagrama.

dial [*n*] cuadrante, esfera *The dial on my watch is dirty.* La esfera de mi reloj está sucia. •[*v*] marcar *Please dial the number for me.* Márqueme Ud. el número, por favor.

dialogue diálogo.

diameter diámetro.

diamond [*n*] diamante *I have an ace of diamonds.* Tengo un as de diamantes. •[*adj*] de diamante, de brillantes *He gave her a diamond brooch.* Le dio un broche de brillantes.

diaper pañal.

diarrhea diarrea.

diary diario.

dice dados.

dictate dictar *He dictated a letter to his secretary.* Le dictó una carta a su secretaria. ‖*I refuse to be dictated to.* Yo no admito que se me mande.

dictation dictado‖*Read that dictation back to me.* Léame lo que le he dictado.

dictator dictador.

dictionary diccionario.

die morir, morirse *He died this morning at two o'clock.* Murió esta mañana a las dos. ▲pararse *The motor died before we got to the top of the hill.* El motor se paró antes de que pudiéramos llegar a la cima de la loma. ▲morirse *She is dying to meet him.* Se muere por conocerlo. O**to die away** desaparecer poco a poco, desvanecerse poco a poco *The sound of the train died away in the distance.* El ruido del tren se desvaneció poco a poco en la distancia. O**to die down** acabarse *After she came in, the conversation died down.* Se acabó la conversación cuando ella entró. O**to die laughing** morirse de risa *I just about died laughing when I heard that.* Por poco me muero de risa cuando oí eso. O**to die off** ir muriendo *The old inhabitants are dying off.* Van muriendo los antiguos habitantes. O**to die out** desaparecer, acabarse *The custom of wearing a vest is dying out.* Ya está desapareciendo la moda de llevar chaleco.

diet [*n*] dieta *That is a very strict diet.* Esa dieta es muy estricta. •[*v*] estar a dieta *I've been dieting for a month.* He estado a dieta durante un mes.

differ diferir *They differ in many respects.* Difieren en muchos aspectos ‖*I beg to differ with you.* No estoy de acuerdo con Ud.

different diferente, distinto.

difficult difícil.

difficulty dificultad *He is always getting into difficulties.* Siempre se está metiendo en dificultades.

dig excavar *Dig this hole a little deeper.* Excave Ud. este hoyo un poco más. ▲sacar

These potatoes are ready to be dug now. Estas papas están listas para sacarlas. O**dig in the ribs** codazo. *If he starts talking too much, give him a dig in the ribs.* Si empieza a hablar demasiado, déle un codazo. O**to dig in** atrincherarse *The troops have had a good chance to dig in.* Las tropas han tenido buena oportunidad para atrincherarse. ▲empeñarse *It is a hard job, but he is digging right in.* Es un trabajo difícil pero sigue empeñándose en él. O**to dig up** excavar, levantar *We can't get through because they're digging up the pavement.* No podemos pasar porque están levantando el pavimento. ▲desarraigar, arrancar *We'll have to dig up this plant and put it over here.* Tendremos que desarraigar esta planta de aquí y ponerla allá. ▲desenterrar *The dog is digging up the bones.* El perro está desenterrando los huesos.

digest [*n*] resumen, reseña *Have you read the digest of his latest book?* ¿Ha leído Ud. la reseña de su último libro? •[*v*] digerir *I have trouble digesting my food.* Me cuesta trabajo digerir lo que como.

digestion digestión.

dignified digno, serio, señorial.

dignity dignidad.

dike dique.

diligent diligente, aplicado.

dilute aguar, diluir *He diluted the wine.* Aguó el vino.

dim [*adj*] débil, mortecino *The lights in the office are very dim.* Las luces de la oficina son muy débiles. •[*v*] velar, amortiguar *Dim the light.* Amortigüe la luz.

dimension dimensión.

diminish disminuir.

dine comer, cenar *They're dining with the ambassador tonight.* Van a comer con el embajador esta noche. O**to dine out** comer fuera *We always dine out on Sundays.* Siempre comemos fuera los domingos.

dining car coche-comedor, vagón restaurante.

dining room comedor.

dinner cena, comida *Dinner is ready.* La cena está servida. O**to have dinner** cenar, comer *Won't you come over and have dinner with us tomorrow night?* ¿Quiere Ud. venir a cenar con nosotros mañana por la noche?

dip [*n*] zambullida *There is still time for a dip in the lake.* Todavía hay tiempo para una zambullida en el lago. •[*v*] meter *Dip your finger in the water to see if it is not enough.* Meta el dedo en el agua para ver si está suficientemente caliente. ▲sacar *We used a pail to dip the water out of the tub.* Usamos un balde para sacar el agua de la bañera. ▲saludar con *They dipped the flag as they passed the reviewing stand.* Saludaron con la bandera al pasar por la tribuna (presidencial).

diplomacy diplomacia.

diplomat diplomático.

dipper cazo, cucharón.

direct [*adj*] directo *This is the most direct route to the city.* Este es el camino más directo a la ciudad. ▲recto *He has always been direct and honest with me.* Siempre ha sido recto y honrado conmigo. •[*v*] dirigir *Can you direct me to the nearest post office?* ¿Puede Ud. dirigirme a la oficina de correos más cercana? ▲ordenar *I was directed to wait until he returned.* Me ordenaron que esperara hasta que él volviera.

direction dirección, rumbo *They went in different directions.* Se marcharon en distintas direcciones. *They've made great progress under his direction.* Han hecho mucho progreso bajo su dirección. ▲instrucción, dirección *Follow the directions printed on the box.* Siga Ud. las instrucciones indicadas en la caja.

directly directamente *Write directly to the main office.* Escriba directamente a la oficina principal.

director director.

dirt mugre, suciedad *His face was smudged with dirt.* Tenía la cara llena de mugre. ▲tierra *He filled the flowerpot with dirt.* Llenó la maceta con tierra.

dirty [*adj*] sucio *The floor of my room is dirty.* El piso de mi cuarto está sucio. ▲verde *Most of his stories are pretty dirty.* La mayoría de sus cuentos son verdes. •[*v*] manchar *All my clothes were dirtied with soot.* Toda mi ropa estaba manchada de hollín.

disagreeable desagradable.

disagreement desacuerdo.

disappear desaparecer.

disappoint Odisappointing Desilusionante *The new play was rather disappointing.* La nueva comedia fue algo desilusionante. Oto be disappointed quedar desilusionado, estar decepcionado *I was disappointed with the results.* Quedé desilusionado con los resultados.

disappointment desengaño, chasco.

disaster desastre.

discharge [*n*] disparo, descarga *We could hear the discharge of the gun.* Oímos el disparo del arma. ▲supuración, pus *The doctor inserted a tube to drain off the discharge.* El doctor introdujo una sonda para drenar la supuración. •[*v*] desempeñar, cumplir *He has failed to discharge his duties.* Ha dejado de cumplir sus deberes. ▲dar de alta *I expect to be discharged from the hospital tomorrow.* Espero que mañana me den de alta en el hospital.

discipline [*n*] disciplina *While learning to fly you'll be under steady discipline.* Mientras Ud. aprende a volar estará sometido a una disciplina constante. ▲castigo *If you break the rules you'll be subject to discipline.* Si Ud. infringe las reglas será sometido a un castigo. •[*v*] castigar *He disciplines his children too severely.* Castiga demasiado severamente a sus hijos.

discontent descontento, disgusto.

discontented descontento, disgustado.

discord discordia.

discount descuento, rebaja *I shop there because I get a discount.* Yo compro allá porque me hacen un descuento. Oat a discount a precio rebajado.

discourage desanimar *He did everything to discourage me from going.* Hizo lo posible para desanimarme de ir. Odiscouraging desalentador *The results are so discouraging.* Los resultados son muy desalentadores.

discourse discurso.

discover descubrir.

discreet discreto.

discretion discreción, prudencia.

discuss discutir *Don't discuss this matter.* No discuta Ud. el asunto. ▲tratar *I'll discuss that point in my next lecture.* Trataré ese punto en mi próxima conferencia.

discussion discusión, debate.

disease enfermedad.

diseased enfermo.

disgrace ignominia, deshonra, vergüenza.

disguise disfraz *He wore an unusual disguise.* Llevaba un disfraz raro. Odisguised disfrazado *He passed through the enemy lines disguised as a monk.* Pasó a través de las líneas enemigas disfrazado de monje.

disgust [*n*] disgusto, desagrado *He looked at me in disgust.* Me miró con desagrado. •[*v*] repugnar *I'm disgusted with such goings-on.* Me repugnan tales actos.

dish plato *He dropped the dish and broke it.* Dejó caer el plato y se rompió. *What is your favorite dish?* ¿Cuál es su plato favorito? Oto dish out, to dish up servir *The cook dished out the food on our plates.* El cocinero nos sirvió la comida en los platos.

dishonest deshonesto, falso.

disinfect desinfectar.

disk disco.

diskette disco de computador.

dislike [*n*] antipatía *I can't overcome my dislike for the city.* No puedo vencer mi antipatía por la ciudad. ||*I dislike traveling by train.* Me disgusta viajar en tren.

dismal triste. Odismal failure fracaso total *It was a dismal failure.* Fue un fracaso total.

dismiss despedir.

dispatch [*v*] despachar, enviar.

dispensary dispensario.

dispense dispensar.

disperse dispersar.

displace desplazar.

display [*n*] exhibición, presentación *At the fair we saw the most beautiful display of flowers.* Vimos en la feria la más bella presentación de flores. ▲ostentación *I don't care for a lot of display.* A mí no me gusta la ostentación. •[*v*] exhibir *They're displaying his pictures at the gallery this week.* Están exhibiendo sus cuadros en la galería esta semana.

disposal disposición.

dispose Oto be disposed to estar dispuesto a *He was disposed to take things very seriously.* Estaba dispuesto a tomar las cosas muy seriamente. Oto dispose of disponer de *They'll leave as soon as they dispose of their furniture.* Partirán en cuanto dispongan de sus muebles. ▲depositar, disponer de *Where can we dispose of the garbage?* ¿Dónde podemos depositar la basura?

disposition genio *She is a pretty girl, but what an awful disposition!* Es una muchacha bonita, pero ¡qué mal genio tiene! ||*What disposition will be made of his belongings?* ¿En qué forma se va a disponer de sus bienes?

dispute [*n*] disputa, discusión *Will you settle the dispute?* ¿Quiere Ud. poner fin a la disputa? •[*v*] disputar, discutir *I won't dis-*

D

pute you on that point. No voy a discutir con Ud. sobre ese punto.

dissipate disipar.

dissolve disolver.

distance [n] distancia What is the distance form here to the next town? ¿Cuál es la distancia de aquí al próximo pueblo? ᴼfrom a distance desde lejos You can see the tower from a distance. Se puede ver la torre desde lejos. ᴼin the distance a lo lejos The plane disappeared in the distance. El avión desapareció a lo lejos. ᴼto keep one's distance mantenerse a distancia.

distant distante My brother lives in a distant part of the country. Mi hermano vive en un lugar distante del país. ▲lejano She is a distant relative of mine. Es una parienta lejana mía. ▲abstraído She seems very distant today. Ella parece muy abstraída hoy.

distill destilar.

distinct claro, preciso.

distinction distinción.

distinguish distinguir It is so dark I can't distinguish anything. Está tan oscuro que no puedo distinguir nada. ᴼto distinguish oneself distinguirse He distinguished himself as a musician. Se distinguió como músico.

distort torcer.

distract distraer.

distress [n] angustia There isn't really any need for such distress. Verdaderamente no hay necesidad de tanta angustia. ▲peligro, apuro The ship was in distress. El barco estaba en peligro.

distribute distribuir.

distribution distribución The distribution of population in this country is uneven. Es desigual la distribución de la población en este país. ▲reparto When is the first distribution of mail? ¿Cuándo se hace el primer reparto del correo?

district distrito.

distrust [n] desconfianza. •[v] desconfiar.

disturb molestar I don't want to be disturbed until ten. No quiero que me molesten antes de las diez. ▲desordenar Someone has disturbed my papers. Alguien ha desordenado mis papeles. ▲perturbar, inquietar I'm disturbed to hear the news. Me he inquietado al enterarme de la noticia.

ditch zanja They dug a ditch to irrigate the land. Cavaron una zanja para irrigar la tierra. ▲cuneta (roadside) There is a ditch on each side of the road. Hay una cuneta a cada lado del camino. ‖Let's ditch these people and have some fun. Vamos a sacudirnos de encima esta gente para poder divertirnos.

dive [n] zambullida What a beautiful dive! ¡Qué hermosa zambullida! ▲picada The plane went into a sudden dive. El avión hizo una picada repentina. •[v] zambullirse Let's dive in. Vamos a zambullirnos.

divide [v] dividir.

dividend dividendo.

divine [adj] divino.

diving board trampolín, [Am] palanca.

division división.

divorce [n] divorcio I'm finally getting a divorce from him. Por fin él me va a dar el divorcio. •[v] divorciarse de She divorced her husband several years ago. Hace varios años que se divorció de su marido.

dizzy mareado He felt dizzy after his illness. Se sentía mareado después de la enfermedad. ▲vertiginoso He drove the car at a dizzying speed. Conducía el carro a una velocidad vertiginosa.

do hacer He does all his work at night. Hace todo su trabajo de noche.—You'd better do as you're told. Más le valdría hacer lo que le han dicho.—My pen won't work; what did you do to it? ¿Qué le ha hecho a mi pluma que no escribe?—On a bad road like this I can't do more than forty miles an hour. En un camino tan malo no puedo ir a más de cuarenta millas por hora.—He gets up early and so do I. Se levanta temprano y lo mismo hago yo. ▲hacer, escribir He is doing a magazine article on local customs. Está haciendo un artículo sobre costumbres locales para una revista. ▲cumplir Leave him alone; he is doing his duty. Déjalo solo, que está cumpliendo su deber. ▲pasarse en la cárcel If we got caught we'd have to do five years. Si nos pillan tendríamos que pasarnos cinco años en la cárcel. ▲lucir The corn is doing well this year. El maíz luce bien este año. ▲estar bien, quedar bien Do you think this color will do? ¿Cree Ud. que éste color quedará bien? ᴼdone hecho I can't leave before the job is done. No puedo irme antes de que el trabajo esté hecho. ▲hecho, cocido In ten minutes the potatoes will be done. Las papas estarán hechas dentro de diez minutos. ᴼdone for gastado These tires are done for. Estos neumáticos están ya gastados. ᴼdone in agotado, deshecho I'm done in working in all this heat. Estoy agotado de trabajar en este calor. ᴼto be done for fastidiarse. If the boss finds this out I'm done for. Si el jefe se entera de esto me fastidiaré. ᴼto be done with terminar con, acabar con Are you done with these scissors? ¿Ha terminado Ud. con estas tijeras? ᴼto do away with suprimir They plan to do away with most of these regulations. Piensan suprimir la mayor parte de estos reglamentos. ᴼto do harm perjudicar, hacer daño, ser perjudicial Will it do any harm if we talk over that matter? ¿Será perjudicial si hablamos de ese asunto? ᴼto do one's best hacer lo mejor posible. ᴼto do someone good, to do something good hacer bien A vacation will do you lots of good. Le hará muy bien unas vacaciones. ᴼto do the dishes lavar los platos. ᴼto do the room arreglar el cuarto. ᴼto do up hacer, arreglar He did the package up good and tight. Hizo el paquete bien apretado. ᴼto do with tener que ver con That has nothing to do with the question. Eso no tiene nada que ver con la cuestión. ᴼto do without prescindir de He couldn't do without his car. El no podría prescindir de su automóvil.

dock [n] muelle They're busy repairing the docks. Están ocupados reparando los muelles. •[v] atracar What time does the steamer dock? ¿A qué hora atraca el barco?

dock [v] descontar I was only fifteen minutes late but they docked me for an hour. Llegué solamente quince minutos tarde, pero me descontaron una hora.

doctor [n] médico, doctor Will you please send for a doctor. Haga el favor de llamar a un médico. •[v] curar, tratar *I'm doctoring a cold.* Me estoy curando un resfriado.

doctrine doctrina.

document documento.

dodge [n] treta *What sort of a dodge has he thought of now?* ¿Qué nueva treta ha ideado ahora? •[v] desviar *If I hadn't dodged, the rock would have hit me in the head.* Si no me hubiera desviado, la piedra me habría pegado en la cabeza. ▲evadir *Stop trying to dodge the issue.* No siga Ud. tratando de evadir el tema.

dog [n] perro *Have you fed the dog yet?* ¿Ha dado Ud. de comer al perro ya? •[v] perseguir *They say they'll dog him until he gives in.* Dicen que lo perseguirán hasta que ceda.

dogged terco, tenaz.

doll muñeca.

dollar dólar.

dome cúpula.

domestic [adj] casero *She has always been very domestic.* Ella siempre ha sido muy casera. ▲doméstico *I'd rather not do domestic work.* Preferiría no hacer trabajos domésticos. ▲del país *Most of these products are domestic.* La mayoría de estos productos son del país.

dominion dominio.

donate donar, contribuir.

donkey burro.

donor donador.

doom [n] destino *(fate).* ▲muerte *The soldiers marched to their doom.* Los soldados marchaban hacia la muerte. •[v] condenar *The convicts were doomed to die that night.* Los reos fueron condenados a morir esa noche.

door puerta *Please open the door for me.* Haga el favor de abrirme la puerta. ᴼoutdoors al aire libre, a la intemperie. ᴼto show a person the door echar a alguien *If he becomes insulting, show him the door.* Si se pone insolente, échelo.

doorbell timbre.

doorman portero.

dope narcótico *They were accused of selling dope.* Les acusaron de vender narcóticos. ▲bobo *No one can understand why she married such a dope.* Nadie puede comprender cómo se ha casado con semejante bobo. ▲datos, información *He gave us the right dope about the deal.* Nos dio los datos exactos sobre el asunto. ᴼto be doped estar narcotizado *He acted as if he'd been doped.* Se condujo como si hubiera estado narcotizado.

dormitory dormitorio.

dose [n] dosis *That is a big dose for a child.* Esa es una dosis grande para un niño. •[v] curar *He keeps dosing himself with patent medicine.* Sigue curándose con específicos.

dot [n] lunar *Wear your dress with the blue dots.* Póngase el vestido de lunares azules. •[v] motear *The water was dotted with little boats.* El agua estaba moteada con botecitos. ᴼdotted line línea de puntos *Sign on the dotted line.* Firme Ud. en la línea de puntos. ᴼon the dot en punto *I'll see you at three on the dot.* Le veré a las tres en punto.

dot printer impresora de puntos.

double [n] doble *He looks enough like you to be your double.* Se parece tanto a Ud. que podría pasar por su doble. •[adj] doble *May I have a double portion of ice cream?* ¿Puede Ud. servirme un helado doble?— *That word has a double meaning.* Esa palabra tiene doble sentido. •[adj] el doble de *His income was double what he expected.* Sus ingresos fueron el doble de lo que esperaba. •[v] duplicar, doblar *He doubled his capital in two years.* En dos años duplicó su capital. ▲doblar *They doubled the bid.* Doblaron la oferta. ▲redoblar *Our efforts must be doubled.* Debemos redoblar nuestros esfuerzos. ▲apretar *He doubled his fists in anger.* Apretó los puños con rabia.

double-cross [v] engañar, traicionar.

doubt [n] duda *There is no doubt about it.* De eso no cabe duda. •[v] dudar *I doubt if the story is true.* Dudo que el cuento sea cierto.

doubtful dudoso *It is doubtful if he'll get well.* Es dudoso que mejore. ᴼdoubtful character persona de poco fiar *He is a doubtful character.* Es una persona de poco fiar.

doubtless sin duda, indudablemente.

dough masa, pasta *Don't make the dough too thin.* No haga la masa demasiado delgada. ▲dinero *I haven't any dough on me.* No tengo dinero en este momento.

dove paloma.

down [n] pluma(s), plumón *This pillow is filled with down.* Esta almohada es de pluma(s).

down [adv] abajo *They lived down there by the river.* Vivían allá abajo por el río.—*Is the elevator going down?* ¿Va hacia abajo este ascensor? •[v] echarse *He downed his drink quickly.* Se echó el trago rápidamente. ᴼdown and out arruinado *They used to be well off, but now they're down and out.* Estuvieron en buena posición pero ahora están arruinados. ᴼto be down on someone tener inquina a alguien *The others are down on him because he can't keep his temper.* Le tienen inquina los demás porque no domina su mal genio. ᴼto come down perdurar *That old song has come down through the ages.* Esa vieja canción ha perdurado a través de los tiempos. ᴼto go down bajar *Has the rate of exchange gone up or down?* ¿Ha subido o ha bajado el tipo de cambio? ᴼup and down de arriba abajo, de un lado a otro *He was walking up and down the room.* Se paseaba por el cuarto de un lado a otro.

downgrade ᴼto be on the downgrade estar en la pendiente *We're on the downgrade now.* Estamos en la pendiente.

downhill cuesta abajo *Put on the brakes or else the car will roll downhill.* Eche los frenos, si no el carro rodará cuesta abajo.

download descargar, bajar (archivos)

downstairs [n] planta baja *We'll have the downstairs ready next week.* Tendremos la planta baja lista para la semana entrante. •[adv] abajo *The visitor is waiting downstairs.* La visita está esperando abajo.

downtown [adv] al centro *Let's go downtown for our shopping.* Vamos a hacer nuestras compras al centro.

downward hacia abajo.

doze [v] dormitar.

dozen docena *Give me a dozen oranges.* Deme una docena de naranjas.

drab gris, triste *It is a drab day.* Es un día gris.

draft [n] corriente de aire, [Am] chiflón *I'm sitting in a draft.* Estoy sentado en una corriente de aire. ▲giro *The bank'll cash this draft for you.* El banco le abonará este giro. ▲tiro *This chimney doesn't have a good draft.* Esta chimenea no tiene buen tiro. ▲conscripción *The draft has taken half of our employees.* La conscripción ha afectado a la mitad de nuestros empleados. ▲borrador *He made a rough draft of his speech.* Hizo un breve borrador de su discurso. ▲plano *The architect has completed his draft for the house.* El arquitecto ha terminado el plano de la casa. ▲calado *This boat has a draft of six feet.* Este barco tiene seis pies de calado. •[v] reclutar *They've drafted many men from this town.* Han reclutado a muchos hombres de esta ciudad. ▲trazar *They drafted the plans in the engineer's office.* Trazaron los planos en el despacho del ingeniero. ᵒdraft beer cerveza de barril.

drag [n] carga *He has been an awful drag on the family.* Ha sido una gran carga para su familia. •[v] arrastrar *Your dress is dragging all over the floor.* Su vestido se arrastra por todo el suelo.—*Don't drag the trunk, it marks the floor.* No arrastre Ud. el baúl, que raya el piso. ▲dragar *Why are they dragging the river?* ¿Para qué están dragando el río?

drain [n] desagüe *The drain is stopped up again.* El desagüe está atascado otra vez. •[v] agotar *That illness is draining away all her strength.* Esa enfermedad está agotando sus fuerzas. ▲desecar *If they'd drain the swamp, there wouldn't be so many mosquitoes around here.* Si desecaran el pantano no habría tantos mosquitos por aquí.

drainage desagüe, drenaje.

drama drama.

draw [n] empate *The game ended in a draw.* El juego terminó en un empate. ▲desempate *The opposing team won the draw.* El equipo contrario ganó el desempate. •[v] sacar *Go out and draw a bucket of water.* Salga y saque un cubo de agua.— *They drew different conclusions from the same facts.* Sacaron distintas conclusiones de los mismos hechos.—*I'll have to draw fifty dollars out of the bank.* Tendré que sacar cincuenta dólares del banco. ▲sacarse *He drew a winning number.* Se sacó uno de los números premiados. ▲atraer *This concert is sure to draw a big crowd.* Este concierto seguramente atraerá mucha gente. ▲dibujar *Won't you please draw me a map of the route?* ¿Quiere hacerme el favor de dibujarme un plano del camino? ▲entrar *The train is just drawing into the station.* El tren está entrando en la estación. ▲llegar *The campaign is drawing to a close.* La campaña está llegando a su fin. ᵒdrawing card atracción, gran número *He is a big drawing card wherever he goes.* Es una gran atracción dondequiera que vaya. ᵒto draw a line poner un límite. ᵒto draw a sigh dar un suspiro *When the examination was over he drew a sigh.* Cuando terminó el examen dio un suspiro. ᵒto draw out sonsacar *I did my best to draw him out.* Hice

lo que pude para sonsacarle. ᵒto draw up acercarse *Just then a taxi drew up.* En ese momento se acercó un taxi.

drawer cajón, gaveta.

drawers calzoncillos.

drawing dibujo.

dread [n] miedo, terror.

dreadful espantoso *There was a dreadful storm.* Hubo una tempestad espantosa. ▲cursi *She wears dreadful clothes.* Lleva una ropa muy cursi.

dream [n] sueño *I had a funny dream last night.* Anoche tuve un sueño raro. •[v] soñar *Last night I dreamed I was home.* Soñé anoche que estaba en casa. ᵒto dream of soñar con *I often dream of you.* A menudo sueño contigo.

dreary triste, melancólico.

drench empapar.

dress [n] vestido, traje *She wants to buy a new dress.* Desea comprar un vestido nuevo. •[adj] de etiqueta *The reception is a dress affair.* La recepción es de etiqueta. •[v] vestir *Dress the children.* Vista a los niños. ▲vestirse *We've got to dress for the reception.* Hay que vestirse para la recepción. ▲arreglar *They were dressing the Christmas tree for the party.* Arreglaban el árbol para la fiesta de Navidad. ▲hacer la cura a *When was this wound dressed?* ¿Cuándo se le hizo la cura a esta herida? ᵒdressed limpio *Does he sell dressed chickens?* ¿Vende pollos limpios? ᵒto dress up arreglarse *I'll have to dress up to go there.* Tendré que arreglarme para ir allí.

dresser aparador, tocador.

dressing salsa *What kind of dressing would you like on your lobster?* ¿Qué clase de salsa le gustaría en la langosta? ▲relleno *She served roast turkey with chestnut dressing.* Sirvió pavo asado con un relleno de castañas. ▲venda *The nurse changes his dressings every morning.* La enfermera cambia sus vendas todas las mañanas.

dressing gown bata.

dressmaker modista.

dried seco *These leaves are dried and yellow.* Estas hojas están secas y amarillas.

drill [n] taladro *The engineers need another drill.* Los ingenieros necesitan otro taladro. •[v] entrenar *The officer is drilling his men.* El oficial está entrenando a sus soldados. ▲perforar *The dentist has to drill this tooth.* Es preciso que el dentista perfore este diente.

drink [n] bebida, trago *Can I mix you a drink?* ¿Puedo prepararle una bebida? •[v] tomar, beber *Drink plenty of water.* Tome Ud. mucha agua. ▲brindar *Let's drink to your return.* Brindemos por su vuelta.

drip [v] gotear.

drive [n] carretera *The drive goes around the lake.* La carretera da la vuelta al lago. ▲paseo en coche *Let's go for a drive.* Vamos a dar un paseo en coche. ▲campaña *Next week there'll be a drive to raise money for the poor.* La semana próxima habrá una campaña para colectar dinero en beneficio de los pobres. •[v] clavar *Drive that nail into the wall.* Clave Ud. ese clavo en la pared. ▲impulsar *He was driven to stealing by hunger.* Fue impulsado al robo por el hambre. ▲llevar *The boss drove me home in his new car.* El jefe me llevó hasta casa en su nuevo auto. ▲manejar, conducir *Can you drive a truck?* ¿Puede Ud. manejar un camión? ▲pasear en coche, ir en coche *Let's drive us out into the country.* Vamos a pasear en coche por el campo. ▲hacer trabajar *The foreman drives the workers continually.* El capataz hace trabajar a los obreros constantemente. ○to drive at proponerse *What are you driving at?* ¿Qué es lo que se propone Ud.? ○to drive away echar *Drive the dog away.* Eche Ud. al perro de aquí. ○to drive back echar hacia atrás, empujar hacia atrás *The crowd was driven back.* Echaron el gentío hacia atrás.

driver chofer, conductor *Where is the driver of the car?* ¿Dónde está el chofer del automóvil?

droop [v] inclinar, bajar, decaer, colgar.

drop [n] gota *There is not a drop of water left.* No queda ni una gota de agua. ▲caramelo *Lemon drops are my favorite candy.* Los caramelos de limón son mis dulces favoritos. •[v] dejar *For the time being, let's drop the subject.* Por ahora, dejemos ese tema.—*Please drop me at the corner.* Haga el favor de dejarme en la esquina. ▲dejar caer *I dropped the letter in the street.* Dejé caer la carta en la calle. ▲caerse *The pencil dropped out of my hand.* Se me cayó el lápiz de la mano. ▲bajar *The temperature dropped very rapidly.* La temperatura bajó rápidamente. ▲omitir *Drop every other letter to read the code.* Para leer la clave hay que omitir una letra sí y otra no. ▲echar *If I don't pay any dues I'll be dropped from the club.* Si no pago la cuota, me echarán del club. ▲soltar *She dropped a hint that she wanted to go.* Soltó una indirecta que quería irse. ○at the drop of a hat con cualquier pretexto. ○to drop in *or* over venir *Drop in to see me tomorrow.* Venga a verme mañana. ○to drop off (to sleep) quedarse dormido *I dropped off to sleep immediately.* Me quedé dormido inmediatamente.

drought sequía.

drown ahogarse *Many people have drowned at this beach.* Se ha ahogado mucha gente en esta playa. ▲inundar *This field was drowned out by the spring rains.* Este campo se inundó con las lluvias de la primavera. ○to drown out ahogar *The noise drowned out his remarks.* El ruido ahogó sus observaciones.

drowsy soñoliento, medio dormido.

drug [n] droga, medicina *This drug is sold only on a doctor's prescription.* Esta medicina solamente se vende por prescripción médica. •[v] narcotizar *He thought they had drugged him.* Creía que lo habían narcotizado. ○drugged borracho *I felt drugged with sleep.* Me sentía borracho de sueño.

druggist boticario, farmacéutico.

drugstore botica, farmacia.

drum [n] tambor *Do you hear the roll of the drums?* ¿Oye Ud. el redoblar de los tambores? ▲barril *They unloaded six drums of gasoline.* Descargaron seis barriles de gasolina. •[v] tamborilear *Please stop drumming on the table.* Por favor, deje de tamborilear sobre la mesa.

drunk [n] borracho *We had trouble with a drunk.* Tuvimos dificultades con un borracho. ▲borrachera *He looks like he has*

been on a drunk. Parece que ha estado de borrachera. ○to get drunk embriagarse, emborracharse *He got drunk at the party.* Se emborrachó en la fiesta.

dry [adj] seco *It has been a dry summer.* Ha sido un verano seco.—*I'm dry; let's have a drink.* Estoy seco; tomemos un trago. ▲aburrido *The lecture was so dry I walked out.* La conferencia era tan aburrida que me fui. •[v] secar *Who is going to dry the dishes?* ¿Quién va a secar los platos? ▲secarse *The paint dried in five hours.* La pintura se secó en cinco horas. ○dry land tierra firme. ○to dry up secarse *Every summer this stream dries up.* Este arroyo se seca todos los veranos.

dry-goods store mercería, tienda de telas *You can buy buttons in the dry-goods store.* Ud. puede comprar botones en la mercería.

duchess duquesa.

duck [n] pato *We're having roast duck for dinner.* Tendremos pato asado para la cena. •[v] bajar, agachar *Duck your head.* Baje la cabeza. ▲zambullir *Let's duck him in the lake.* Vamos a zambullirlo en el lago. ○to duck out escaparse *Let's duck out of here.* Vamos a escaparnos de aquí.

due [adv] derecho hacia *Go due west until you come to the river.* Vaya Ud. derecho hacia el oeste hasta que llegue al río. ○due to ocasionado por, causado por *His death was due to an accident.* Su muerte fue ocasionada por un accidente. ‖*I have three weeks' pay due me.* Me deben tres semanas de sueldo.

duel [n] duelo.

dues cuota *The dues are twenty dollars a year.* La cuota es de veinte dólares al año.

duke duque.

dull [adj] romo *This knife is dull.* Este cuchillo está romo. ▲triste *If it is a dull day, let's not go.* No vayamos si el día está triste. ▲sordo *He felt a dull pain in his chest.* Sentía un dolor sordo en el pecho. ▲torpe *Their son is a dull student.* Su hijo es un estudiante torpe. ▲soso *Our neighbors are very dull.* Nuestros vecinos son muy sosos. ▲aburrido *What a dull evening!* ¡Qué noche más aburrida!

duly debidamente.

dumb mudo *He became dumb after his sickness.* Quedó mudo después de la enfermedad. ○to strike dumb dejar atónito, pasmar *We were struck dumb by the news.* La noticia nos dejó atónitos.

dummy maniquí *Put the dress on the dummy.* Ponga Ud. el vestido en el maniquí. ▲tonto *He is a dummy.* Es un tonto.

dump [n] basurero, vaciadero *Where is the city dump?* ¿Dónde está el basurero de la ciudad? ▲depósito *The ammunition dump is very well guarded.* Está muy bien vigilado el depósito de municiones. •[v] echar *She dumped the coal into the stove.* Echó el carbón en la estufa. ○to be down in the dumps tener melancolía, estar triste *I've been down in the dumps all day.* He estado triste todo el día.

dung excremento, estiércol.

duplicate [n] duplicado, copia *Do you have the duplicate?* ¿Tiene la copia? ▲duplicado *Fill this out in duplicate.* Llene esto por duplicado.

duplicate [v] igualar *His work'll never be duplicated.* Su obra nunca será igualada.

durable durable, duradero.

duration duración.

during durante *I met him during my vacation.* Le conocí durante mis vacaciones.

dusk crepúsculo. ||*We'll return at dusk.* Regresaremos al anochecer.

dust [n] polvo *She swept the dust under the rug.* Barrió el polvo bajo la alfombra. •[v] quitar el polvo de *Please dust my desk.* Haga el favor de quitar el polvo de mi escritorio. Oto bite the dust morder el polvo.

duty deber *He thought it was his duty to visit his parents.* Creyó que su deber era visitar a sus padres. ▲obligación *Answering the phone is one of my duties.* Una de mis obligaciones es contestar el teléfono. ▲impuesto *How much duty is there on this perfume?* ¿Cuánto es el impuesto sobre este perfume? Ooffduty libre de servicio *I go off duty at 5:30.* Estoy libre de servicio a las cinco y media. Oon duty de servicio *I'm on duty all night.* Estoy de servicio toda la noche.

dwarf [n] enano.

dwell Oto dwell on insistir en.

dwelling vivienda, casa.

dwindle menguar, disminuir.

dye [n] tinte *Please get me a package of blue dye.* Hágame el favor de conseguirme un paquete de tinte azul. •[v] teñir *I had my shoes dyed.* Me hice teñir los zapatos.

dynamite dinamita.

dysentery disentería.

E

each cada *How many beds are there to each room?* ¿Cuántas camas hay en cada cuarto? ▲cada uno *These apples are fifty cents each.* Estas manzanas son a cincuenta centavos cada una. Oeach other el uno al otro, unos a otros *We don't understand each other.* No nos comprendemos (unos a otros).

eager ansioso *I'm eager to meet your friends.* Estoy ansioso de conocer a sus amigos.

eagle águila.

ear oído *My ear hurts.* Me duele el oído.—*I don't have an ear for music.* No tengo buen oído para la música. ▲oreja *The donkey has long ears.* El burro tiene orejas largas. ▲mazorca (corn), espiga (wheat) *The ears of wheat are nearly ripe.* Están casi maduras las espigas del trigo. Oall ears todo oídos *Go on with your story, I'm all ears.* Siga Ud. con el cuento, soy todo oídos.

eardrum tímpano.

earlier más temprano *Can't you get up earlier?* ¿No se puede Ud. levantar más temprano?

early [adj] primero *When does the early show begin?* ¿Cuándo comienza la primera función? [Sp] o ¿Cuándo comienza la primera tanda? [Am] ▲pronto, rápido *We expect an early reply.* Esperamos una pronta contestación. •[adv] temprano *Please call me early.* Por favor, llámeme temprano. Oearly life primeros años, juventud *Tell me something of your early life.* Cuénteme algo sobre su juventud. Oearly riser

madrugador *He is a very early riser.* Es muy madrugador.

earmuff orejera.

earn ganar *How much do you earn a week?* ¿Cuánto gana usted a la semana?—*His behavior earned him the respect of everyone.* Su comportamiento le ganó el respeto de todos.

earnest serio.

earnings salario.

earphone auricular.

earring pendiente (long), arete (round).

earth mundo, tierra *There is nothing on earth like it.* No hay nada igual en el mundo. ▲tierra *These pits must be filled with earth.* Hay que llenar estos hoyos con tierra. Odown-to-earth práctico *He has a down-to-earth attitude.* Tiene un punto de vista práctico. Oto get back to earth volver a la realidad *Stop dreaming and get back to earth!* ¡Deje Ud. de soñar y vuelva a la realidad!

earthquake terremoto.

ease [n] naturalidad *He dances with such ease.* Baila con mucha naturalidad. •[v] aliviar *This medicine will ease the pain quickly.* Esta medicina aliviará pronto el dolor. Oa life of ease una vida desahogada *He leads a life of ease.* Lleva una vida muy desahogada. Oto ease up aligerar *The pressure of the work has eased up a little in the past week.* El trabajo se ha aligerado un poco en la última semana.

easel caballete.

easily fácilmente *I don't make friends easily.* No hago amistades fácilmente. ▲seguramente *That is easily the best thing I've seen.* Seguramente es lo mejor que he visto.

east este *I lived in the East for ten years.* Viví en el Este durante diez años.—*Where do I turn east?* ¿Dónde tuerzo hacia el este? ▲Oriente *We get most of our tea from the East.* Recibimos del Oriente la mayor parte de nuestro té.

Easter Pascua Florida.

easy fácil *Is it easy?* ¿Es fácil? ▲con calma *Let's take things easy.* Tomemos las cosas con calma. Oeasy-going tranquilo, bonachón *The boss is very easy-going.* El jefe es muy tranquilo.

eat comer *I want something to eat.* Quiero algo de comer. Oto eat out comer fuera *Shall we eat out tonight?* ¿Comemos fuera esta noche?

eavesdrop escuchar a escondidas

echo [n] eco *He shouted and we heard the echo.* Gritó y oímos el eco. •[v] resonar *The shot echoed through the hills.* El disparo resonó en las colinas. ▲repetir *Quit echoing every word he says.* Deje de repetir cada palabra que dice él.

eclipse eclipse.

economical económico.

ecstasy éxtasis.

edge [n] las afueras *How far is it to the edge of town?* ¿A qué distancia quedan las afueras del pueblo? ▲borde *Don't fall over the edge.* No se caiga por el borde. ▲filo *The edge of this razor is dull.* Esta navaja no tiene filo. ▲ventaja *I think you have the edge on me.* Creo que tiene Ud. una ventaja sobre mí. o Creo que me lleva Ud. ventaja. •[v] abrirse paso por *The man edged his way* *through the crowd.* El hombre se abrió paso por entre la multitud.

edible comestible.

edit redactar, corregir, editar.

edition edición.

editor redactor, editor, director.

editorial editorial, artículo de fondo *There is a good editorial in today's paper.* Hay un buen editorial en el periódico de hoy. [|*He has an editorial position.* Tiene un puesto de redactor.

educate educar.

education instrucción *How much education have you had?* ¿Qué instrucción ha recibido Ud.?

eel anguila.

effect [n] efecto *What is the effect of this medicine?* ¿Qué efecto produce esta medicina? ▲efecto, resultado *His speech produced the desired effect.* Su discurso produjo el efecto deseado. •[v] efectuar, realizar *He effected the change without difficulty.* Efectuó el cambio sin dificultad. ºeffects efectos personales *His effects are still in his room.* Sus efectos personales están todavía en la habitación. ºfor effect para producir efecto *She is wearing those clothes for effect.* Lleva esos vestidos para producir efecto. ºin effect en realidad *His career began in effect when he was twelve.* Su carrera comenzó en realidad cuando tenía doce años. ºto go into effect entrar en vigor *When does this regulation go into effect?* ¿Cuándo entra en vigor este reglamento?

effective de buen efecto *That is a very effective color scheme.* Aquella combinación de colores es de muy buen efecto. ▲en vigor *The new law becomes effective immediately.* La nueva ley entrará en vigor inmediatamente.

efficiency eficiencia.

efficient eficiente.

effort esfuerzo *That job will take all your effort.* Ese empleo necesitará de todo su esfuerzo.—*All her efforts to reach him were in vain.* Todos los esfuerzos de ella para alcanzarle fueron en vano. ▲intento *That book was his first effort in the line of mystery stories.* Ese libro fue su primer intento en el género de novelas policíacas.

egg [n] huevo *How much are eggs by the dozen?* ¿Cuánto vale la docena de huevos? •[v] impulsar *He was egged on by his friends.* Fue impulsado por sus amigos. ºto put all one's eggs in one basket jugarse todo a una sola carta.

eggplant berenjena.

eight ocho.

eighteen dieciocho.

eighth octavo.

eighty ochenta.

either [pro] alguno de los dos *Does either of these roads lead to town?* ¿A hacia el pueblo alguno de estos dos caminos? ▲cualquiera de los dos *Either one is satisfactory.* Cualquiera de los dos es satisfactorio. ▲ambos, entreambos *There were trees on either side of the road.* Había árboles a ambos lados del camino. •[adv] tampoco *If you don't go, I won't either.* Si Ud. no va, yo tampoco voy. ºeither...or o...o *I'll leave either tonight or tomorrow.* Partiré o esta noche o mañana.

elaborate [adj] elaborado, con muchos detalles *They made elaborate plans for the party.* Prepararon los planes para la fiesta con muchos detalles.

elaborate [v] elaborar. ºto elaborate upon ampliar.

elapse pasar, transcurrir.

elastic [n] elástico, goma. •[adj] elástico.

elated exaltado, alborozado.

elbow codo *He hurt his elbow.* Se lastimó el codo.—*We'll have to get a new elbow for the pipe.* Tendremos que conseguir un nuevo codo para el tubo. ºto elbow one's way abrirse camino a codazos *She elbowed her way through the crowd.* Se abrió camino a codazos por entre la muchedumbre.

elect [adj] electo *The president-elect will speak tomorrow.* Mañana hablará el presidente electo. •[v] elegir *Who was elected president?* ¿Quién fue elegido presidente?

election elección.

electric eléctrico.

electrician electricista.

electricity electricidad.

electronic [n] electrónico, referente a la electrónica.

electronic data processing procesamiento electrónico de datos.

elegant elegante.

element elemento *How many elements can you name?* ¿Cuántos elementos puede Ud. nombrar?

elementary elemental.

elephant elefante.

elevate elevar.

elevator ascensor.

eleven once.

eligible elegible.

eliminate eliminar.

elm olmo.

eloquent elocuente.

else más *There is no one else here.* No hay nadie más aquí. ▲los demás *Everyone else has gone.* Todos los demás se han ido.

elsewhere en otra parte.

E-mail correo electrónico

embalm embalsamar.

embark embarcar.

embarrass poner en un aprieto *Our presence embarrassed him.* Nuestra presencia le puso en un aprieto. ▲turbar *He was embarrassed by what I said.* Se turbó por lo que dije. ºfinancially embarrassed con dificultades económicas *She found herself financially embarrassed.* Se encontró en dificultades económicas.

embarrassment turbación.

emblem emblema.

embrace abrazar *He embraced his mother tenderly.* Abrazó a su mamá con ternura. ▲abarcar *Their plan embraces all aspects of the problem.* Su plan abarca todos los aspectos del problema.

embroider bordar *She was embroidering a tablecloth.* Ella estaba bordando un mantel.

embryo embrión.

emerald esmeralda.

emergency emergencia.

emigrant emigrante.

emigrate emigrar.

E

eminent eminente.

emotion emoción.

emperor emperador.

emphasis énfasis.

emphasize recalcar, hacer hincapié, enfatizar [*Am*].

empire imperio.

employ emplear *How many workers are employed here?* ¿Cuántos obreros hay empleados aquí? ▲tener *You have to employ caution in crossing this river.* Tiene Ud. que tener cuidado al cruzar este río.

employee empleado.

employer patrón.

employment empleo.

empress emperatriz.

empty [*adj*] vacío *Do you have an empty box?* ¿Tiene Ud. una caja vacía? ▲vano, inútil *He made a few empty threats.* Hizo unas cuantas amenazas vanas. •[*v*] vaciar(se) *This tank empties in about three minutes.* Este tanque se vacía en unos tres minutos.

enable permitir *This inheritance will enable me to buy that house.* Esta herencia me permitirá comprar esa casa.

enamel [*n*] esmalte. •[*v*] esmaltar.

enchanting encantador.

encircle rodear.

enclose cercar *The property is enclosed.* La propiedad está cercada. ◦**enclosed** cerrado *The house has an enclosed porch.* La casa tiene un porche cerrado. ▲adjunto *Enclosed is the sum you requested.* Adjunto le remito la cantidad que pidió.

encounter [*n*] encuentro. •[*v*] encontrar, dar con.

encourage estimular, animar *He encouraged our efforts.* Estimuló nuestros esfuerzos. ▲fomentar *Let's not encourage that sort of conduct.* No fomentemos esa clase de conducta.

encyclopedia enciclopedia.

end [*n*] fin *Who knows what the end will be?* ¿Quién sabe cuál será el fin? ▲final *Is this the end of the street?* ¿Es éste el final de la calle? ▲fines *I'll pay you at the end of the month.* Le pagaré a fines de mes. •[*v*] terminar *When does the performance end?* ¿Cuándo termina la representación? ◦**at the other end** al otro extremo. ◦**loose ends** cabos *A few loose ends remain to be cleared up.* Quedan algunos cabos por atar. ◦**no end** un sin fin *We've had no end of trouble on the trip.* Hemos tenido un sin fin de dificultades en el viaje. ◦**to put an end to** poner fin a *Please put an end to this discussion.* Por favor, ponga Ud. fin a esta discusión.

endeavor [*n*] esfuerzo. •[*v*] esforzarse.

endless sin fin, infinito.

endorse endosar.

endorsement endoso.

endow dotar.

endurance resistencia, aguante.

enemy enemigo.

energetic enérgico.

energy energía.

enforce hacer cumplir, ejecutar.

engage comprometer *How long have they been engaged?* ¿Cuánto tiempo llevan de comprometidos? ▲tomar *I've just engaged a new maid.* Acabo de tomar una nueva

criada. ▲trabar contacto con *It was two weeks before we were able to engage the enemy.* Transcurrieron dos semanas antes de que pudiéramos trabar contacto con el enemigo. ◦**to be engaged in** dedicarse a, ocuparse de *He has been engaged in politics for years.* Hace años que se dedica a la política.

engagement compromiso, esponsales *They've just announced their engagement.* Acaban de anunciar su compromiso. ▲compromiso, cita *I have an engagement this afternoon.* Tengo un compromiso esta tarde. ▲encuentro *We had a violent engagement with the enemy.* Tuvimos un encuentro violento con el enemigo.

engine motor *The engine needs repairing.* El motor necesita reparaciones. ▲locomotora *The train has two engines.* El tren lleva dos locomotoras.

engineer [*n*] ingeniero *Is there an engineer here?* ¿Hay aquí un ingeniero? ▲maquinista *The engineer brought the train to a stop.* El maquinista paró el tren. •[*v*] llevar, dirigir *He engineered the scheme very well.* El llevó el plan muy bien.

English inglés.

engrave grabar, tallar, esculpir.

enjoy gozar de *I hope you enjoyed the party.* Espero que haya gozado de la fiesta. —*As a rule he enjoys good health.* Por lo regular goza de buena salud. ▲gustar, tener placer en *I don't enjoy doing this.* No me gusta hacer esto. ◦**to enjoy oneself** divertirse *I enjoyed myself very much.* Me divertí mucho.

enjoyment goce, placer.

enlarge ampliar, agrandar. ◦**to enlarge on** exagerar *Stop enlarging upon your troubles.* Deje Ud. de exagerar sus males.

enlargement ampliación.

enlist alistarse *He enlisted in the navy two days ago.* Se alistó en la marina hace dos días. ▲sentar plaza *He enlisted in the army.* Sentó plaza en el ejército. ▲conseguir *He enlisted the help of the teachers in that drive.* Consiguió la ayuda de los maestros en aquella campaña.

enormous enorme.

enough [*adj*] suficiente *Do you have enough money?* ¿Tiene Ud. suficiente dinero? •[*adv*] bastante *He seemed glad enough to do it.* Parecía estar bastante contento de hacerlo. ◦**to be enough** bastar *That is enough!* ¡Basta!

enrage enfurecer, encolerizar.

enroll matricularse.

entangle enredar.

enter entrar en *He entered the room.* Entró en el cuarto. ▲ingresar *When did you enter the university?* ¿Cuándo ingresó Ud. en la universidad? ▲inscribir *Who has entered in the race?* ¿Quiénes se han inscrito para la carrera? ▲disponer *The cards are entered in alphabetical order.* Las tarjetas están dispuestas por orden alfabético.

entertain divertir *He entertained the audience with his jokes.* Divirtió al público con sus chistes. ▲entretener *Will you please entertain the guest while I dress?* Haga Ud. el favor de entretener al invitado mientras me visto. ▲convidar *She entertains a lot.* Convida mucho a la gente. ▲abrigar

Whatever makes you entertain such an idea? ¿Cómo puede Ud. abrigar tal idea?

entertainment espectáculo, diversión, entretenimiento.

enthusiasm entusiasmo.

entire entero *I read the entire book in one day.* Leí el libro entero en un día. ▲todo *The entire trip is pleasant.* Todo el viaje es agradable. ▲total *Is that the entire cost?* ¿Es ese el coste total?

entitle autorizar *I'm entitled to spend fifty dollars a month.* Estoy autorizado a gastar cincuenta dólares al mes. **o**entitled titulado *(of a book).*

entrance entrada *Her sudden entrance took us by surprise.* Su entrada repentina nos cogió de sorpresa.—*Where is the entrance?* ¿Dónde queda la entrada?

entry entrada *The people cheered the entry of the players.* La gente vitoreó la entrada de los jugadores. ▲asiento, partida *How many entries are there in this account?* ¿Cuántos asientos hay en esta cuenta?

envelop [v] *The town was enveloped in smoke.* La ciudad estaba envuelta en humo.

envelope [n] sobre.

envy [n] envidia. •[v] envidiar.

epidemic epidemia.

equal [n] igual *It will be hard to find his equal.* Será difícil encontrar su igual. •[adj] igual *These are two equal objects.* Estos son dos objetos iguales. ▲mismo *All men should have equal rights.* Todos los hombres deben tener los mismos derechos. ▲parejo *They had equal luck.* Tuvieron una suerte pareja *o* Tuvieron la misma suerte. •[v] equivaler *Does this amount equal your losses?* ¿Equivale esta suma a sus pérdidas?

equator ecuador.

equip equipar *The diver was very well equipped.* El buzo estaba muy bien equipado.

equipment equipo *Our fishing equipment will all fit into one bag.* Todo nuesto equipo de pesca cabrá en una bolsa.

equivalent [adj, n] equivalente.

era época, era.

erase borrar.

eraser borrador.

erect [adj] derecho *Stand erect.* Póngase derecho. •[v] erigir *I was a child when they erected that monument.* Era yo niño cuando erigieron aquel monumento.

errand recado, mandado.

error error *There seems to be an error in the bill.* Parece que hay un error en la cuenta.

escalator escalera móvil, escalera rodante, escalera mecánica.

escape [n] fuga *The escape of the thief shocked us.* La fuga del ladrón nos impresionó. •[v] fugarse *The criminal was able to escape.* El criminal logró fugarse. ▲escaparse *Did anyone escape?* ¿Se escapó alguno? ▲evitar, escapar a *You can't escape the consequences.* No puede Ud. escapar a las consecuencias.

especially especialmente *I want this especially.* Quiero esto especialmente.

essay ensayo.

essence esencia *That was the essence of his speech.* Eso fue la esencia de su discurso.—*The dessert was flavored with essence*

of peppermint. El postre tenía sabor de esencia de menta.

essential [n] rudimento, fundamento *He taught the essentials of swimming in one lesson.* Eseñaba los rudimentos de la natación en una lección. •[adj] esencial *Good manners are essential.* Son esenciales los buenos modales.

establish establecer *I should like to establish myself here.* Quisiera establecerme aquí. ▲colocar *Are you comfortably established here?* ¿Está Ud. cómodamente colocado aquí? ▲comprobar *Can you establish your claim?* ¿Puede Ud. comprobar su reclamo?

establishment establecimiento.

estate finca, propiedad *He has a large estate in the country.* Tiene una finca muy grande en el campo. ▲herencia *His estate is valued at $10,000.* Su herencia está valorada en $10,000.

esteem [n] estima. •[v] estimar.

estimate [n] cálculo *My estimate was pretty close to the exact measurement of the room.* Mi cálculo era muy aproximado a la medida exacta de la habitación. ▲presupuesto, valuación *The painter made us an estimate.* El pintor nos hizo un presupuesto •[v] estimar.

etc. etc., etcétera.

etching grabado al agua fuerte.

eternal eterno.

ether éter.

ethics ética.

etiquette etiqueta.

evaporate evaporarse.

even [adj] liso *Is the surface even?* ¿Está lisa la superficie? ▲uniforme *The train traveled at an even speed.* El tren andaba a una velocidad uniforme. ▲equitativo *There will be an even distribution of the food.* Habrá una distribución equitativa de víveres. ▲par *Is this game played by an odd or an even number of people?* ¿Interviene en este juego un número par o impar de personas? ▲exacto *With two more we'll have an even dozen.* Con dos más tendremos una docena exacta. ▲apacible, tranquilo *He has an even disposition.* Tiene un genio tranquilo. ▲igual *The two sides were almost even.* Los dos bandos eran casi iguales. •[adv] hasta *Even the strongest were exhausted.* Hasta los más fuertes estaban agotados. ▲aun *The clothes were dirty even after they were washed.* La ropa estaba sucia, aun después de estar lavada. ▲siquiera *He couldn't even feed himself.* Ni siquiera podía alimentarse por sí mismo. ▲todavía *He can do even better if he tries.* Lo puede hacer mejor todavía si quiere. •[v] igualar *Please even the sleeves of this coat.* Haga el favor de igualar las mangas de este abrigo. **o**even if *aun cuando Even if we went at full speed it would take an hour to get there.* Aun cuando vayamos a toda velocidad tardaríamos una hora en llegar. **o**even so *no obstante Even so, I don't agree with you.* No obstante, no estoy de acuerdo con Ud. **o**even though *aunque Even though I don't like this work I must do it.* Aunque no me gusta este trabajo, tengo que hacerlo. **o**even with *al nivel de The snow was even with the window.* La nieve llegaba al nivel de la ventana. **o**to break even *cubrir los* gastos. °to get even vengarse *I'll get even with you.* Me vengaré de Ud.

evening tarde (*before sunset*); noche (*after sunset*) *We'll see you this evening.* Le veremos esta tarde. ▲noche *We had a nice evening.* Pasamos una buena noche. ‖*Good evening!* ¡Buenas tardes! (*before sunset*) ¡Buenas noches! (*after sunset*)

event acontecimiento *I always try to keep up with current events.* Trato siempre de estar informado sobre los acontecimientos del día. ▲suceso *In this town the arrival of a foreigner is an event.* En este pueblo la llegada de un extranjero es un suceso. ▲competición (*sports*) *What is the next event?* ¿Cuál es la próxima competición? °course of events curso de los acontecimientos *A thing like this couldn't happen in the normal course of events.* Una cosa como ésta no podía occurrir en el curso normal de los acontecimientos. °in any event en todo caso *I'll be there in any event.* En todo caso estaré allí.

eventually finalmente.

ever alguna vez *Have you ever seen him?* ¿Le ha visto Ud. alguna vez? ▲nunca *I like this more than ever.* Me gusta esto más que nunca. °ever since desde que *I've been taking it easy ever since she left.* Lo he estado tomando todo con calma, desde que ella se fue. °for ever and ever por siempre jamás.

every cada *Every time I see him he is busy.* Cada vez que le veo está ocupado. °every day todos los días *I see my cousins every day.* Veo a mis primos todos los días. °every now and then, every once in a while de vez en cuando *He takes a drink every now and then.* Se toma un trago de vez en cuando. °every other... un...sí y otro no *They have movies here every other day.* Aquí dan películas un día sí y otro no.

everybody todo el mundo.

everyone todos.

everything todo.

everywhere en todas partes.

evidence evidencia, testimonio *He was convicted on false evidence.* Fue condenado por falso testimonio. ▲señal, muestra *She gave no evidence of liking me.* Ella no dio muestras de que yo le gustara.

evident evidente.

evil [*n*] mal *He doesn't know the difference between good and evil.* No sabe la diferencia entre el bien y el mal. •[*adj*] malo *He is an evil man.* Es un hombre malo. °evils malas consecuencias *He lectured us on the evils of drinking.* Nos habló sobre las malas consecuencias de beber.

evil-minded ‖*She is evil-minded.* Ella tiene mucha malicia.

evolution evolución.

exact exacto.

exactly exactamente.

exaggerate exagerar.

exam examen.

examination examen *How did you make out in your examinations?* ¿Cómo salió Ud. de sus exámenes?—*I've made a careful examination of the situation.* He hecho un examen cuidadoso de la situación. °physical examination reconocimiento médico *You ought to have a thorough physical ex-*

amination. Le deberían hacer un reconocimiento médico completo.

examine examinar *Let me examine your passport.* Déjeme examinar su pasaporte. ▲reconocer *Has the doctor examined you yet?* ¿Le ha reconocido ya el médico?

example ejemplo *Is this a good example of his work?* ¿Es éste un buen ejemplo de su trabajo?—*You ought to set an example for the others.* Debería Ud. dar un ejemplo a los demás. ▲problema *What is the answer to the third example?* ¿Cuál es la respuesta al tercer problema?

exceed excederse *He exceeded the speed limit.* Se excedió en la velocidad reglamentaria.

exceeding extraordinario *She is a woman of exceeding beauty.* Es una mujer de belleza extraordinaria.

exceedingly sumamente *Your handwriting is exceedingly good.* Su letra es sumamente buena.

excel sobresalir.

excellent excelente.

except excepto *There are no rooms available except on the top floor.* No hay cuartos disponibles excepto en el último piso. °except for si no fuera por, si no fuera porque *I would have been here sooner except for the fact that I had to walk.* Hubiera llegado antes si no fuera porque tuve que venir andando.

exception excepción.

excess [*n*] sobrante, lo que sobra *Pour off the excess.* Vierta Ud. lo que sobra. •[*adj*] exceso de *Can we take any excess baggage on the plane?* ¿Podemos llevar algún exceso de equipaje en el avión? °to be in excess of exceder a *The supply of cars was never in excess of the demand.* La oferta de automóviles nunca excedió a la demanda.

excessive excesivo.

exchange [*n*] cambio *The fight began with a rapid exchange of blows.* La pelea se inició con un cambio rápido de golpes. •[*v*] cambiar *I'd like to exchange this book for another one.* Quisiera cambiar este libro por otro. ▲canjear *Prisoners of war may be exchanged within a year.* Los prisioneros de guerra se podrán canjear dentro de un año. °in exchange for a cambio de. °rate of exchange tipo de cambio.

excite excitar, agitar *Don't get excited.* No se excite Ud. ▲excitar, animar *The kids were excited about the circus.* Los niños estaban muy excitados a causa del circo. ▲provocar *The book excited much popular interest.* El libro provocó mucha curiosidad en el público.

excitement excitación, agitación *What is all the excitement about?* ¿A qué se debe tanta excitación?

exclaim exclamar.

exclamation exclamación.

exclude excluir.

exclusive selecto *This is a very exclusive club.* Este es un club selecto. °exclusive of aparte de, además de *He makes a hundred dollars a day exclusive of commissions.* El gana cien dólares diarios aparte de sus comisiones. °exclusive rights exclusiva *We have exclusive rights to his invention.* Tenemos la exclusiva de su invención.

excursion excursión.

excuse [n] razón *What is your excuse for being late?* ¿Qué razón dá Ud. por llegar tarde?

excuse [v] perdonar *Excuse me.* Perdóneme. ▲dispensar *You'll have to excuse the way the house looks.* Dispense Ud. la apariencia de la casa. ▲disculpar *Please excuse my bad pronunciation; I'm just learning the language.* Por favor disculpe Ud. mi mala pronunciación, apenas he empezado a aprender el idioma.

execute cumplir *He refused to execute the orders.* Se negó a cumplir las órdenes. ▲ejecutar *The symphony was magnificently executed.* La sinfonía fue ejecutada magníficamente.—*The murderer was executed this morning.* El asesino fue ejecutado esta mañana. ▲ejecutar, hacer *He is the artist who executed the sculptures in this park.* Es el artista que hizo las esculturas en este parque. ▲cumplir, ejecutar *The will was never executed.* El testamento nunca fue ejecutado.

execution ejecución.

executive ejecutivo *I think the executive branch of the government is exceeding its powers.* Creo que el poder ejecutivo se está tomando demasiadas atribuciones. ▲directivo *I'm interested only in getting an executive job.* Sólo me interesa un puesto directivo. Oexecutive board consejo de administración, junta directiva *The matter is coming up before the executive board tomorrow.* El asunto será sometido mañana al consejo de administración.

exempt [adj] exento *The best students are exempt from the examination.* Los mejores estudiantes están exentos del examen. •[v] exentar, eximir *Those with small incomes were exempted from paying the tax.* Los que tenían pequeños ingresos quedaron exentos de pagar el impuesto.

exercise [n] ejercicio *Each exercise should be performed fifty times.* Cada ejercicio debería hacerse cincuenta veces.—*I like to exercise at least three times a week.* Me gusta hacer ejercicio por lo menos tres veces por semana.—*Do all the exercises at the end of the lesson.* Haga Ud. todos los ejercicios al final de la lección. •[v] hacer ejercicio *We exercised the horses twice a day.* Hacíamos hacer ejercicios a los caballos dos veces al día. ▲emplear *He has exercised a great deal of ingenuity in this matter.* Ha empleado mucho ingenio en este asunto.

exert usar *He exerted influence to get his job.* Usó su influencia para obtener el empleo. ▲hacer *He exerted pressure on the edge of the box.* Hizo presión sobre el borde de la caja. Oto exert oneself esforzarse *You'll have to exert yourself to finish in time.* Tendrá Ud. que esforzarse para terminar a tiempo.

exhaust agotar *I've exhausted my funds.* He agotado mis fondos.—*His lectures on modern poetry exhausted the subject.* Sus conferencias sobre poesía moderna agotaron el tema. Oexhausted exhausto, agotado *I'm exhausted after that long trip.* Estoy exhausto después de aquel largo viaje. Oexhaust pipe tubo de escape *I'll have to get a new exhaust pipe for the car.* Tendré que conseguir un nuevo tubo de escape para el automóvil.

exhaustion agotamiento.

exhibit [n] exposición *Is the art exhibit open to the public yet?* ¿Está ya abierta al público la exposición de arte? •[v] exhibir *His wife loves to exhibit her jewelry.* A su esposa le encanta exhibir sus joyas.

exhibition exhibición *They put on a very interesting exhibition.* Montaron una exhibición muy interesante.

exile [n] destierro, exilio. ▲exilado, desterrado (*person*). •[v] exilar, desterrar.

exist existir *I doubt if such a person exists.* Dudo que exista tal persona. ‖*How does he manage to exist on what he makes?* ¿Cómo se las arregla para vivir con lo que gana?

existence existencia.

exit salida *Where is the exit?* ¿Dónde está la salida? ▲mutis *The heroine made a very awkward exit.* La heroína hizo un mutis muy deslucido.

expand dilatar, dilatarse *Iron expands with heat.* El hierro se dilata con el calor. ▲agrandar, ensanchar, extender *This business has greatly expanded.* Este negocio se ha agrandado mucho.

expansion expansión.

expect esperar *I never expected to see him again.* Nunca esperé volver a verlo.—*I'll expect you at 6 o'clock.* Le espero (or esperaré) a las seis. ▲contar con *You can't expect good weather here at this time of year.* Aquí no se puede contar con buen tiempo en esta época del año. ▲suponer *I expect you had a hard time finding the house.* Supongo que le ha sido difícil encontrar la casa.

expectant expectante.

expectation expectativa.

expedient [n] expediente. •[adj] oportuno.

expedition expedición.

expel expulsar.

expenditure gasto.

expense gasto *I'd like to do it but I can't afford the expense.* Me gustaría hacerlo pero no puedo permitirme los gastos.—*He gets a straight salary and expenses in this job.* En este trabajo gana un sueldo fijo con sus gastos pagados. Oat one's expense a costa de uno, a propia costa *He built the whole thing at his own expense.* Construyó todo a su propia costa. ▲a costa de uno *We had a good laugh at his expense.* Reímos mucho a su costa. Oexpense account cuenta de gastos.

expensive caro.

experience [n] experiencia *I've learned by experience that this is the best way.* He aprendido por experiencia que éste es el mejor camino a seguir.—*What experience do you have?* ¿Qué experiencia tiene Ud.? •[v] pasar por, sufrir *We may experience some difficulties.* Puede que pasemos por algunas dificultades.

experiment [n] experimento. •[v] experimentar.

expert [n] experto *The experts decided the document was a forgery.* Los expertos dictaminaron que el documento era una falsificación. •[adj] experto *We need an expert mechanic for this job.* Necesitamos un mecánico experto para este trabajo.

expire expirar.

E

explain explicar *Could you explain how this machine works?* ¿Puede Ud. explicar cómo funciona esta máquina?
explanation explicación.
explicit explícito.
explode volar, hacer explosión.
exploit [n] hazaña. •[v] explotar.
exploration exploración.
explore explorar.
explorer explorador.
explosion explosión.
explosive explosivo.
export [n] exportación *What are the chief exports of your country?* ¿Cuáles son las exportaciones más importantes de su país?
export [v] exportar *We haven't been able to export any spices for several years.* Desde hace varios años no hemos podido exportar ninguna especia.
expose exponer *His lack of discretion exposed him to ridicule.* Su falta de discreción le expuso al ridículo. ▲revelar *The newspaper exposed his illegal income.* El periódico reveló la fuente ilícita de sus ingresos.
exposé revelación comprometedora.
exposition exposición, exhibición.
exposure exposición *How long an exposure do you think this film should have?* ¿Cuánta exposición cree Ud. que se le debe dar a esta película?—*Try to avoid exposure to the cold.* Procure Ud. evitar la exposición al frío. ▲fotografía *I have three exposures of the same view.* Tengo tres fotografías de la misma vista.
express [v] expresar *I want you to feel free to express your opinion.* Quiero que se sienta Ud. con libertad para expresar su opinión. ᴼ**express train** tren expreso *Is the next train an express?* ¿Es expreso el próximo tren? ᴼ**to express oneself** expresarse *I have difficulty in expressing myself in Spanish.* Me es difícil expresarme en español.
expression expresión *That sounds like an old-fashioned expression.* Esa parece una expresión anticuada.—*I can tell what you're thinking by the expression on your face.* Puedo decir lo que está Ud. pensando por la expresión de su cara.—*He plays the piano without much expression.* Toca el piano sin mucha expresión. ▲muestra *I give you this book as a small expression of my gratitude.* Le doy este libro como una pequeña muestra de mi gratitud.
expressive expresivo.
exquisite exquisito.
extend extender *This estate extends for miles on all sides.* Esta propiedad se extiende muchas millas a la redonda. ▲prorrogar *Can you extend this visa?* ¿Puede Ud. prorrogar esta visa? ▲prolongar *They plan to extend the railroad to the border next year.* El año que viene proyectan prolongar el ferrocarril hasta la frontera. ▲expresar *We extend to you our heartiest congratulations.* Le expresamos nuestras más cordiales felicitaciones.
extension prolongación *The new extension was opened to traffic today.* La nueva prolongación fue abierta al tráfico hoy. ▲extensión *Please connect me with extension seven.* Comuníqueme con la extensión número siete.

extensive extensivo.
extent extensión *He owns a vast extent of land in this area.* Es propietario de una vasta extensión de tierras en esta zona. ᴼ**to a certain extent** hasta cierto punto.
exterior [adj; n] exterior.
external externo.
extinguish extinguir, apagar.
extra [n] comparsa *He worked for years as an extra before he got his first part.* Trabajó durante años como comparsa antes de conseguir su primer papel. ▲extra *The newspaper published an extra because of the late earthquake news.* El periódico publicó un extra a causa de las últimas noticias del terremoto. •[adj] de más, adicional *Do you have an extra pencil you could lend me?* ¿Tiene Ud. algún lápiz de más que pueda prestarme? ᴼ**extra expenses** gastos extraordinarios. ᴼ**extra pay** sobrepaga, paga extraordinaria.
extract [n] extracto.
extract [v] extraer.
extraction extracción.
extraordinary extraordinario.
extravagant extravagante.
extreme extremo *Such action is only necessary in extreme cases.* Tal acción es necesaria solamente en casos extremos. ▲extremado *He was reduced to extreme poverty.* Quedó reducido a una pobreza extremada. ᴼ**to go from one extreme to another** ir de un extremo a otro *He is always going from one extreme to another.* Siempre va de un extremo a otro. ᴼ**to go to extremes** tomar medidas extremas, exagerar *Let's not go to extremes.* No exageremos.
extremely sumamente.
eye ojo *I have something in my eye.* Tengo algo en el ojo. ᴼ**black eye** ojo amoratado *Have you anything good for a black eye?* ¿Tiene Ud. algo que sirva para un ojo amoratado? ᴼ**hook and eye** corchetes *This coat fastens at the top with a hook and eye.* Este abrigo se abrocha en el cuello con corchetes. ᴼ**to catch one's eye** llamar la atención a uno *I've been trying to catch your eye for the last half hour.* He estado tratando de llamarle la atención hace ya media hora. ᴼ**to keep an eye on** vigilar *Be sure to keep an eye on the children.* No dejes de vigilar a los niños. ᴼ**to see eye to eye** estar completamente de acuerdo *I don't see eye to eye with you on this question.* No estoy completamente de acuerdo con Ud. en este asunto.
eyebrow ceja.
eyeglasses lentes, gafas, anteojos.
eyelash pestaña.
eyelid párpado.
eyesight vista.
eyewitness testigo ocular o presencial.

F

fabric tela.
face [n] cara *When he gets angry he turns red in the face.* Cuando se enfada se le pone roja la cara. •[v] dar a *Our room faces the street.* Nuestro cuarto da a la calle. ▲ponerse de cara a *Face the wall.* Ponte de cara a la pared. ▲hacer frente a *Why don't you face the situation like a man?* ¿Por qué

no hace Ud. frente a la situación como un hombre? ᴼ**at face value** al pie de la letra *Don't take this news at face value.* No tome Ud. esta noticia al pie de la letra. ᴼ**face down** boca abajo *Put your cards on the table face down.* Ponga Ud. sus cartas en la mesa boca abajo. ᴼ**face to face** cara a cara *One day I met him face to face.* Un día me lo encontré cara a cara. ᴼ**face value** valor nominal *The bill is still worth its face value.* El billete conserva su valor nominal. ᴼ**on the face of it** obviamente, evidentemente *The idea is absurd on the face of it.* Evidentemente la idea es absurda. ᴼ**to make faces** hacer muecas *Stop making faces at me.* Deja de hacerme muecas. ᴼ**to one's face** en la cara de uno, en presencia de uno *I'd call him that right to his face.* Se lo llamaría en su cara. ᴼ**to show one's face** asomar la cara *I'm so ashamed I won't dare show my face.* Estoy tan avergonzado que no me atrevo a asomar la cara.

facial [n] masaje facial *I made an appointment for a facial.* Pedí hora para un masaje facial. •[adj] de la cara, facial *Watch his facial expression when you tell him the news.* Fíjese en la expresión de su cara cuando le dé la noticia.

facility facilidad *He speaks with such facility!* ¡Habla con tanta facilidad! ▲medio *What facilities do you have here for recreation?* ¿Qué medio tienen Uds. aquí para divertirse?

fact hecho verídico *It is a fact or is it just your opinion?* ¿Es un hecho verídico ó es sólo su opinión? ᴼ**as a matter of fact** en realidad *As a matter of fact, I couldn't go if I wanted to.* En realidad, no podría ir aunque quisiera. ᴼ**facts of life** cosas de la vida *It is time he learned the facts of life.* Es hora de que conozca las cosas de la vida.

faction facción.

factor elemento, factor.

factory fábrica.

faculty facultad *He doesn't seem to have all his faculties.* Parece que no tiene todas sus facultades. —*I'm having lunch with two members of the faculty.* Voy a almorzar con dos miembros de la facultad.

fad moda pasajera.

fade desteñir(se) *My stockings faded in the wash.* Se han desteñido mis medias al lavarlas. ▲desvanecerse, debilitarse *As we got farther away, the sound of the music faded.* A medida que nos alejábamos se iba desvaneciendo el sonido de la música. ▲marchitar(se) *These roses faded so quickly!* ¡Estas rosas se marchitaron tan pronto! ᴼ**to fade away** desvanecerse *The image faded away.* La imagen se desvaneció.

fail malograrse *The crops failed last year.* La cosecha se malogró el año pasado. ▲no poder *I failed to find the book I was looking for.* No pude encontrar el libro que buscaba. ▲decaer *The patient is failing rapidly.* El enfermo está decayendo rápidamente. ▲quebrar *It'll be terrible if the business fails.* Será terrible si el negocio quiebra. ▲ser suspendido *Five students in the class failed.* Han sido suspendidos cinco alumnos de la clase. ▲fallar *I won't fail you.* No le fallaré a Ud. ▲cortarse, interrumpirse *The electricity failed.* Se cortó la electricidad. ᴼ**without fail** sin falta *Be there without fail.* Esté allí sin falta.

failure fracaso *As a director he was a complete failure.* Como director ha sido un completo fracaso. —*He was very much upset by his failure in the examination.* Estaba muy disgustado por su fracaso en los exámenes. ▲falta *It was because of his failures that he was dismissed.* Fue por sus faltas que lo han despedido. ▲interrupción *The failure of telephone service affected everybody.* La interrupción del servicio telefónico afectó a todo el mundo.

faint [adj] vago *I have a faint idea of what you want.* Tengo una idea vaga de lo que Ud. quiere. ▲pálido *The color is too faint.* El color es demasiado pálido. ▲desfallecido *I feel faint.* Me siento desfallecido. •[v] desmayarse *Someone fainted.* Alguien se desmayó.

fair [n] feria *The fair opens next Monday.* La feria se abre el lunes próximo.

fair [adj] justo *They were always fair to me.* Siempre fueron justos conmigo. —*That is fair enough.* Eso es (muy) justo. ▲razonable, bueno *He offered us a fair price.* Nos ofreció un precio razonable. ▲bueno *Give me a fair amount of it.* Déme una buena cantidad. ▲ni bien ni mal, regular *The work is only fair.* El trabajo no está ni bien ni mal. ▲rubio *She has blue eyes and fair hair.* Tiene los ojos azules y el pelo rubio. ▲claro, bueno *Is the weather fair?* ¿Hace buen tiempo?

fairy hada; homosexual.

faith confianza *I've lost faith in you.* He perdido la confianza en Ud. ▲religión *I don't know what his faith is.* No sé cuál es su religión. ᴼ**in good faith** de buena fe *We acted in good faith.* Obramos de buena fe.

faithful fiel, leal.

fake [n] falsificación, copia, imitación *The watch he bought was a fake.* El reloj que compró era una imitación. •[v] fingir *He faked experience when he asked for a job.* Cuando pidió empleo fingió tener experiencia.

fall [n] descenso *There was a sudden fall in the temperature last night.* Anoche hubo un descenso repentino de temperatura. ▲cascada *There are a lot of falls on this river.* Hay muchas cascadas en este río. ▲caída, toma *They still celebrate the anniversary of the fall of the city.* Aún se celebra el aniversario de la caída de la ciudad. ▲otoño *I'll be back next fall.* Volveré el otoño que viene. •[adj] otoñal *I love fall colors.* Me gustan los colores otoñales. •[v] caer *Did you hear something fall?* ¿Oyó Ud. caer algo? —*This letter would cause trouble if it fell into the wrong hands.* Esta carta causaría mucho daño si cayera en las manos que no debe. —*The sunlight fell directly on his book.* La luz del sol caía directamente sobre su libro. —*The holiday falls on Monday this year.* Este año la fiesta cae en lunes. ▲caerse *I slipped on the ice and fell.* Me resbalé en el hielo y me caí. ▲bajar *The curtain has already fallen.* Ya ha bajado el telón. —*It is dangerous to cross the bridge unless the river falls.* Es peligroso cruzar el puente si no baja el río. —*His voice fell when he mentioned her name.* Bajó la voz al mencionar su nombre. —*Her eyes fell.* Bajó los ojos. ▲pasar *His property falls to his wife.* Sus propiedades pasan a su mujer. ᴼ**fallen** caído

He tripped over a fallen branch. Tropezó con una rama caída. O**fallen arches** pies planos *He wears special shoes because he has fallen arches.* Lleva calzado especial porque tiene los pies planos. O**to fall asleep** dormirse *Did you fall asleep?* ¿Se durmió Ud.? O**to fall back** retroceder *The enemy fell back ten miles.* El enemigo retrocedió diez millas. O**to fall back on** recurrir a *We can always fall back on our savings.* Siempre podemos recurrir a nuestros ahorros. O**to fall behind** atrasarse *Don't fall behind in your payments.* No se atrase Ud. en sus pagos. O**to fall down** fracasar *Can you be sure he won't fall down on the job?* ¿Tiene Ud. la seguridad de que él no fracasará en el trabajo? O**to fall for** prendarse de *He fell hard for her.* Se prendó de ella locamente. O**to fall in love** enamorarse *They fell in love with each other at first sight.* Se enamoraron desde el primer momento en que se vieron. O**to fall off** disminuir *His income has been falling off lately.* Sus ingresos han disminuido últimamente. ▲caerse *The cover fell off the coffee pot.* Se cayó la tapa de la cafetera.

false falso *Is this true or false?* ¿Es esto verdadero o falso?—*The tenor hit a false note.* El tenor dio una nota falsa. O**false teeth** dentadura postiza. O**under false pretenses** con engaño *She got the job under false pretenses.* Consiguió el puesto con engaño.

falsify falsificar.

falter vacilar.

fame fama.

familiar conocido, familiar *It is good to see a familiar face.* Es agradable ver una cara conocida. O**to be familiar with** estar familiarizado con *I'm not familiar with your customs.* No estoy familiarizado con las costumbres de Uds.

familiarity familiaridad.

family familia *She has to work to support her family.* Tiene que trabajar para mantener a su familia. •[*adj*] de familia *That temper of his is a family trait.* Su mal genio es cosa de familia *o* Su mal genio le viene de familia.

famine hambre; escasez, carestía.

famous famoso.

fan [*n*] abanico *She has a lovely Chinese fan.* Tiene un precioso abanico chino. ▲ventilador *Turn on the fan.* Ponga el ventilador. ▲aficionado *She is an enthusiastic baseball fan.* Es una aficionada entusiasta del béisbol. •[*v*] abanicar *She sat in the rocker and fanned herself.* Se sentó en la mecedora y se abanicó. ▲soplar *He fanned the embers into a blaze.* Sopló el rescoldo para hacer que llameara.

fanatic fanático.

fan belt correa de ventilador.

fancy [*n*] fantasía *That whole story is just a fancy.* Toda esa historia no es más que fantasía. ▲imaginación *It is all your fancy.* Todo es obra de su imaginación. •[*adj*] fino, muy bueno *He sent me a basket of fancy fruit for my birthday.* Me envió una cesta de frutas finas para mi cumpleaños. ▲elegante *That dress is too fancy to wear to work.* Ese vestido es demasiado elegante para llevarlo al trabajo.

fantastic fantástico.

far lejos *Don't go far.* No vaya Ud. lejos.—*The store is not far from our house.* La tienda no está lejos de nuestra casa.—*This joke has gone far enough.* Esta broma ha ido demasiado lejos. ▲muy *You're not far wrong.* No está Ud. muy equivocado *o* No está Ud. muy lejos de la verdad. O**as far as** hasta *We walked together as far as the gate.* Caminamos juntos hasta la entrada. ▲tan lejos como *We went as far as we could.* Fuimos tan lejos como pudimos. O**as far as I know** que yo sepa *As far as I know, he'll arrive this afternoon.* Que yo sepa, llegará esta tarde. O**as far as I'm concerned** por lo que a mí toca, en lo que a mí respecta. O**by far** con mucho, con una gran diferencia *He is by far the best writer in this country.* Es con mucho el mejor escritor de este país. O**far away** muy lejos *Is it far away?* ¿Está muy lejos? O**Far East** Lejano Oriente *Have you ever been in the Far East?* ¿Ha estado Ud. alguna vez en el Lejano Oriente? O**far into the night** hasta las altas horas de la noche. O**far more** mucho más *This is far more important than you realize.* Esto es mucho más importante de lo que Ud. cree. O**how far?** ¿a qué distancia? *How far are the mountains from here?* ¿A qué distancia de aquí están las montañas?—*How far off is it?* ¿A qué distancia está? O**on the far side of** del otro lado de *His house is on the far side of the woods.* Su casa queda al otro lado del bosque. O**so far** hasta ahora *So far you've been pretty lucky.* Hasta ahora ha tenido Ud. bastante suerte.

fare precio del boleto *What is the fare?* ¿Cuál es el precio del boleto? ||*I didn't fare very well on my last job.* No me fue muy bien en mi último empleo.

farewell [*n*] despedida.

farm [*n*] finca, granja, [*Am*] hacienda. •[*v*] cultivar, labrar.

farmer labrador, agricultor, granjero.

farmhouse granja.

farther más (lejos) *Move the chair a little farther from the fire.* Aparte Ud. la silla un poco más del fuego. ▲más *How much farther do we have to go?* ¿Cuánto más tenemos que andar?—*The post office is farther down.* El correo está más allá. O**farther than** más lejos que *Your house is farther away than mine.* Su casa está más lejos que la mía.

farthest más lejos *They wanted to see who could throw the farthest.* Querían ver quien podía tirar más lejos. ▲a más distancia *Which one of those mountains is the farthest away?* ¿Cuál de esas montañas queda a más distancia?

fascinate fascinar.

fascist fascista.

fashion moda *She dresses in the latest fashion.* Se viste a la última moda. O**after a fashion** un poco *Yes, I play tennis after a fashion.* Sí, juego al tenis un poco. O**to go out of fashion** pasarse de moda *Short hair has gone out of fashion.* Se ha pasado de moda el pelo corto.

fashionable de moda.

fast [*n*] ayuno *He broke his fast.* Rompió el ayuno. •[*adj*] rápido *If you take a fast train, you'll get there in two hours.* Si toma Ud. un tren rápido llegará allí en dos horas. ▲adelantado *My watch is ten minutes fast.* Mi reloj está adelantado diez minutos.

▲alocado *He travels in fast company.* Anda con un grupo muy alocado. ▲muy bueno, invariable *They're fast friends.* Son muy buenos amigos. ▲inflexible *There are no hard and fast rules here.* Aquí no hay reglas rígidas e inflexibles. ▲fijo, firme *Are these colors fast?* ¿Son estos colores fijos? •[adv] ligero, de prisa *Don't talk so fast, please.* No hable tan de prisa, por favor. ▲profundamente *I was fast asleep.* Estaba profundamente dormido. •[v] ayunar *Yes, I'm fasting.* Sí, estoy ayunando.

fast food comida rápida.

fat [n] grasa *There is too much fat on this meat.* Esta carne tiene demasiada grasa. ▲manteca *What is the best fat for frying?* ¿Cuál es la mejor manteca para freír? •[adj] grasiento *That meat is too fat.* Esa carne es demasiado grasienta. ▲grueso, gordo *I'm getting too fat.* Me estoy poniendo demasiado grueso *o* Estoy engordando demasiado.

fatal fatal, mortal.

fate fortuna, suerte.

father padre *How is your father?* ¿Cómo está su padre?—*We just had a visit from Father Martin.* Acaba de visitarnos el Padre Martín.

fatherhood paternidad.

father-in-law suegro.

fatherland patria.

fatigue [n] fatiga, cansancio.

faucet llave, grifo.

fault culpa *Whose fault was it?* ¿Quién tuvo la culpa? ▲defecto, falta *His worst fault is that he talks too much.* Su mayor defecto es que habla demasiado.

favor [n] favor *I want to ask you a favor.* Quiero pedirle un favor. •[v] preferir *Which side do you favor?* ¿Qué partido prefiere Ud.? ▲parecerse a *The little boy favors his father's side of the family.* El pequeño se parece a la familia de su padre. **O**to be in favor of ser partidario de *I'm in favor of immediate action.* Soy partidario de la acción inmediata.

favorable [adj.] favorable.

favorite [n] preferido, favorito *The boy is his father's favorite.* El preferido de su padre es el varón. •[adj] preferido *Who's your favorite actress?* ¿Quién es su actriz preferida?

fax [n] fax, telefax. •[v] enviar por fax *I need to fax these papers today.* Necesito enviar esos documentos por fax hoy.

fear [n] temor, miedo *He doesn't know the meaning of fear.* No sabe lo que es miedo. ▲peligro *There is no fear of anything like that happening.* No hay peligro de que pase nada de eso. •[v] temer *You have nothing to fear.* No tiene Ud. nada que temer.

fearful terrible *There was a fearful storm.* Hubo una tormenta terrible. ▲miedoso, tímido *The child was very fearful of everyone.* El niño era muy tímido con todo el mundo.

feast [n] banquete. •[v] festejar, agasajar, comer opíparamente.

feat hecho, hazaña.

feather pluma.

feature [n] facción *He isn't handsome but he has pleasant features.* No es guapo pero tiene facciones agradables. •[v] exhibir *They're featuring spring styles very early this year.* Este año están exhibiendo los modelos de primavera muy pronto. **O**main feature lo más sobresaliente *This is the main feature in the exhibit.* Esto es lo más sobresaliente de la exposición. ▲película principal *What time does the main feature go on?* ¿A qué hora empieza la película principal?

February febrero.

federal federal.

federation confederación, federación.

fee honorario; cuota (*in clubs*).

feeble débil, enclenque.

feed [n] pienso *Did you buy the feed for the horses?* ¿Ha comprado el pienso para los caballos? •[v] dar de comer *That child refused to let anyone feed her.* Esa niña no consintió que nadie le diera de comer.—*They fed us well at the hotel.* Nos dieron de comer bien en el hotel. ▲alimentar *Resentment fed his anger.* El resentimiento alimentaba su cólera. **O**fed up harto *I'm fed up with this whole business.* Estoy harto de todo este asunto.

feedback reacción, realimentación (audio).

feel [n] sensación *I don't like the feel of woolen shirts.* No me agrada la sensación que dan las camisas de lana. •[v] sentir *He felt a tap on the shoulder.* Sintió que le tocaban en el hombro. ▲tocar *Feel this cloth.* Toque Ud. esta tela. ▲tomar, sentir *Are you going to feel my pulse?* ¿Va Ud. a tomarme el pulso? ▲sentir *You know how it feels to lose an old friend.* Ud. sabe lo que se siente al perder un viejo amigo.—*I feel a pain here.* Siento un dolor aquí.—*I never feel the cold.* No siento el frío. ▲sentirse *I feel pretty well.* Me siento bastante bien. ▲estar *I feel certain of that.* Estoy seguro de eso. ▲sufrir *The city didn't feel the hardships of the flood.* La ciudad no sufrió las penalidades de la inundación. ▲creer *How do you feel about this?* ¿Qué cree Ud. de esto? **O**it feels like parece que *It feels like it is going to be a nice day today.* Parece que va a hacer hoy un buen día. **O**to feel like tener ganas de *Do you feel like taking a walk?* ¿Tiene Ud. ganas de dar un paseo? **O**to feel out averiguar *Let's feel out the situation before we do anything more.* Averigüemos la situación antes de hacer nada más. **O**to feel up to sentirse con ánimo para *I don't feel up to playing tennis right now.* Ahora no me siento con ánimo para jugar al tenis. **O**to feel the need de sentir la necesidad de *I feel the need of a good hot coffee.* Siento la necesidad de un café caliente.

feeling sensibilidad *I have no feeling in this leg.* No tengo sensibilidad en esta pierna. **O**feelings sentimientos *I didn't mean to hurt your feelings.* No tuve intención de lastimar sus sentimientos.

feet pies *My feet are sore.* Tengo los pies adoloridos.—*He is over six feet tall.* Tiene más de seis pies de estatura. **O**to stand on one's own feet independizarse *He is old enough to stand on his own feet.* Tiene ya suficientes años para independizarse.

fellow tipo *Who is that fellow over there?* ¿Quién es aquel tipo que está allí? ▲hombre *He is a pretty good fellow when you get to know him.* Es un buen hombre cuando se le conoce bien. **O**fellow citizen conciudadano. **O**fellow student compañero, condiscípulo.

fellowship confraternidad, compañerismo; beca.

felt de fieltro *He has an old felt hat he always wears in the rain.* Tiene un sombrero viejo de fieltro que se pone siempre que llueve.

female [*n, adj*] hembra.

feminine femenino.

fence [*n*] empalizada, cerca.

fencing esgrima.

fend esgrimir, resistir. ○to fend for oneself valerse, mirar por sí mismo.

fender guardafango, guardabarros.

ferment [*n*] agitación *There is a great political ferment in the country.* Hay una gran agitación política en el país.

ferment [*v*] fermentar *This grape juice has fermented.* Este jugo de uva ha fermentado.

fern helecho.

ferry [*n*] transbordador, ferry.

ferryboat transbordador.

fertile fértil (*of land*); fecundo.

festival fiesta.

fetch traer.

fever fiebre *Do you have a fever?* ¿Tiene Ud. fiebre?

few unos cuantos *I only know a few words.* No sé más que unas cuantas palabras. ▲pocos *Few people realize it, but it is true.* Pocos se dan cuenta, pero es verdad. ○few and far between poquísimos *The fish in this river are few and far between.* Hay poquísimos peces en este río. ○fewer menos *Fewer people come here every year.* Aquí cada año viene menos gente.

fiancé novio.

fiancée novia.

fiber fibra.

fickle variable, inconstante.

fiction ficción, novela *She reads nothing but fiction.* No lee más que novelas. ▲fantasía *Is that story fact or fiction?* ¿Es esa una historia real o es una fantasía?

fiddle violín ○to play second fiddle ser plato de segunda mesa *I won't play second fiddle for anyone.* No seré plato de segunda mesa para nadie.

field campo *Let's cut across this field.* Atravesemos este campo.—*The teams are coming onto the field.* Los equipos salen al campo. ▲especialidad *He is the best man in his field.* Es el mejor dentro de su especialidad. ▲campaña *This writer spent several years in the field with the troops.* Este escritor pasó varios años en campaña con las tropas.

field glasses gemelos, anteojos de campaña.

fierce feroz *He gave me a fierce look.* Me echó una mirada feroz. ▲hórrible *How can you stand that fierce heat all day?* ¿Cómo puede Ud. aguantar ese calor horrible todo el día? ▲violento *You're going to come up against fierce competition.* Va Ud. a tener una competencia violenta.

fiery ardiente, fogoso, vehemente.

fifth [*n*] quinto *This bottle holds a fifth of a gallon.* Esta botella contiene un quinto de galón. •[*adj*] quinto *He is the fifth man in line.* Es el quinto en la fila.

fifty cincuenta *He is in his fifties.* Tiene cincuenta y tantos años. ○fifty-fifty mitad y mitad.

fig higo, breva.

fight [*n*] pelea *Let's not start a fight.* No comencemos una pelea. •[*v*] pelear *Have you been fighting with the boy next door again?* ¿Has peleado con el muchacho de al lado otra vez? ▲luchar, pelear *I think I'm right, but I'm not going to fight about it.* Creo que tengo razón, pero no voy a pelear por eso. ▲combatir *You've got to fight that tendency of yours.* Debe Ud. combatir esa tendencia que tiene. ○to fight off luchar con *I fought off my desire to sleep.* Luché con mis deseos de dormir. ○to put up a fight resistir *We put up a good fight but we lost.* Resistimos mucho pero perdimos.

figure [*n*] cifra *Add up this column of figures.* Sume Ud. esta columna de cifras. ▲número *I can't make out these figures.* No entiendo estos números. ▲tipo, figura, línea *She has a nice figure.* Tiene buen tipo. ▲figura *He is one of the most important figures in modern literature.* Es una de las figuras más importantes de la literatura moderna.—*How do you like this bronze figure I picked up in my travels?* ¿Le gusta esta figura de bronce que conseguí en uno de mis viajes?—*Figure seven shows all the parts of the motor.* La figura siete muestra todas las partes del motor. ▲dibujo *The material is white with a little green figure.* La tela es blanca con un pequeño dibujo verde. •[*v*] calcular *I figure it is about time we're going.* Calculo que ya es hora de que nos marchemos. ▲figurar *This didn't figure in my plans.* Esto no figuraba en mis planes.

file [*n*] archivo *Let's move the file over to the other side of the room.* Mudemos el archivo al otro lado del cuarto. ▲lima *I need a heavy file.* Necesito una lima fuerte. •[*v*] archivar *Where should I file this correspondence?* ¿Dónde debo archivar esta correspondencia? ▲limar *I'll have time to file my nails while you're dressing.* Tendré tiempo para limarme las uñas mientras tú te vistes. ○in single file en fila *Line up in single file.* Pónganse en fila. ○nail file lima de uñas. ○on file archivado *Do we have your application on file?* ¿Tenemos su solicitud archivada? ○to file out salir en fila *The children filed out of the room.* Los niños salieron en fila del cuarto.

fill llenar *Fill this bottle full of hot water.* Llene Ud. esta botella con agua caliente.—*There are several jobs here that need to be filled.* Hay varios puestos aquí que hay que llenar. ▲llenarse *The theater was slowly filling with people.* Poco a poco el teatro se llenaba de gente. ▲ocupar completamente *The sofa just fills that end of the room.* El sofá ocupa completamente ese extremo del cuarto. ▲empastar *This tooth'll have to be filled.* Habrá que empastar esta muela. ▲despachar *This order came in yesterday, but hasn't been filled yet.* Este pedido llegó ayer, pero no se ha despachado todavía. ○to fill in rellenar *The ditch has been filled in.* Ha sido re-llenada la zanja. ○to fill out llenar *Fill out this blank.* Llene Ud. este formulario.

film [*n*] capa *This salve will act as a protective film over the burn.* Este ungüento hará de capa protectora sobre la quemadura. ▲película *I don't like modern films.* Las películas modernas no me gustan.—*Do you have any film for this camera?* ¿Tiene Ud. película para esta cámara? •[*v*] hacer una

película de, filmar *They filmed the entire ceremony*. Hicieron una película de toda la ceremonia.
filter [n] filtro •[v] filtrar.
filth suciedad.
final [n] examen final *How did you make out on your French finals?* ¿Cómo salió en los exámenes finales de francés? •[adj] último *This is the final lecture of the series*. Esta es la última conferencia de la serie.
▲final *Is that your final decision?* ¿Es esa su decisión final?
finally finalmente, por último, en fin.
finances fondos, recursos.
financial financiero.
find [n] hallazgo *I think this new salesman is a real find*. Creo que este nuevo vendedor es un verdadero hallazgo. •[v] encontrar *I just found a dollar in the street*. Acabo de encontrar un dólar en la calle.—*Can you find your way all right?* ¿Podrá Ud. encontrar el camino sin dificultad? ◦to **find out** averiguar *I finally found out where you were last night*. Por fin averigüé dónde estuviste anoche.
fine [n] multa *If he is convicted, he'll have to pay a fine*. Si es condenado, tendrá que pagar una multa. •[adj] fino *Her hair is so fine it doesn't take a good permanent*. Tiene el cabello tan fino que no puede hacerse una buena permanente.—*This pen has a very fine point*. Esta pluma tiene una punta muy fina.—*Grind this coffee very fine*. Muela Ud. este café muy fino. ▲sutil *There is no need of making such fine distinctions*. No hace falta hacer distinciones tan sutiles.
▲magnífico *That was a mighty fine thing for him to do*. Fue una cosa magnífica lo que hizo. ▲lindo *That is a fine way to treat a friend*. Esa es una linda manera de tratar a un amigo. ▲buen *It is a fine day today*. Hace hoy muy buen día. ▲muy bien *I'm feeling fine, thanks*. Me siento muy bien, gracias. •[v] multar *The judge fined him fifty dollars*. Le multó el juez con cincuenta dólares *o* El juez le puso una multa de cincuenta dólares.
finger dedo *I cut my finger peeling potatoes*. Me corté el dedo pelando papas. ◦to **put one's finger on it** dar con él *I know I have it, but I can't put my finger on it*. Lo tengo, pero no puedo dar con él. *o* Lo tengo pero no sé dónde lo puse. ◦to **slip through one's fingers** escapársele a uno de las manos.
fingernail uña.
fingerprint [n] impresión digital, huella digital.
finish [n] final *Were you there to see the finish?* ¿Estuvo Ud. allí para ver el final? ▲acabado *This table has a nice finish*. Esta mesa tiene un bonito acabado. •[v] terminar *Let's finish this job tonight*. Terminemos este trabajo esta noche.
fir abeto.
fire [n] fuego *Will you light the fire?* ¿Quiere prender el fuego? ▲incendio *There was a big fire in the store*. Hubo un gran incendio en la tienda. •[v] echar, despedir *That man was fired last week*. Despidieron a ese hombre la semana pasada. ◦to **catch on fire** incendiarse *The chimney caught on fire and the house burned down*. Se incendió la chimenea y se quemó toda la casa. ◦to **hang fire** llevar en suspenso *The*

scheme has been hanging fire for a couple of weeks*. El plan lleva dos semanas en suspenso. ◦to **open fire** abrir fuego *Wait until they open fire*. Esperen hasta que abran fuego. ◦to **play with fire** jugar con fuego *Better be careful, you're playing with fire*. Cuidado, está Ud. jugando con fuego. ◦to **set fire to, to set on fire** prender fuego a *Don't set fire to anything*. Cuidado con prenderle fuego a algo.
firecracker triquitraque, petardo.
fire engine bomba de incendios.
fire escape escalera de salvamento.
firehouse estación de bomberos.
fire insurance seguro contra incendios *How much fire insurance do you have?* ¿De cuánto es el seguro contra incendios que tiene Ud?
fireman bombero.
fireplace chimenea, hogar.
fireproof a prueba de fuego.
firewood leña.
fireworks fuegos artificiales.
firm [n] casa *Whose firm do you represent?* ¿Qué casa representa Ud.? •[adj] firme *The ground is firm here*. El suelo es firme aquí.
first [n] día primero *I get paid on the first*. Cobro el día primero. ▲primero *He is always the first to complain*. Siempre es el primero en quejarse. •[adj] primero *Do you remember the first time I came here?* ¿Recuerda Ud. la primera vez que vine aquí?—*The first good rainstorm will wash it away*. La primera lluvia fuerte que caiga se lo llevará. •[adv] primero *I have to go to the store first*. Tengo que ir primero a la tienda.—*First, let me ask you this*. Primero déjame preguntarte esto. ▲por primera vez *I went there first in 1992*. Fui allí por primera vez en 1992. ◦at **first** al principio *I didn't like him at first, but I do now*. Al principio no me gustaba, pero ahora sí. ◦at **first sight** a primera vista *The idea is better than it seems at first sight*. La idea es mejor de lo que parece a primera vista.
first aid primeros auxilios.
first class primera clase.
fish [n] pez (*alive*). ▲pescado *This fish is delicious*. Este pescado está riquísimo. •[v] pescar *Do you want to go fishing?* ¿Quieres ir a pescar?
fisherman pescador.
fishhook anzuelo.
fist puño.
fit [n] ataque *Every time I mention the incident he throws a fit*. Cada vez que menciono el incidente le da un ataque. •[v] sentar *Does it fit all right?* ¿Le sienta bien? ▲encajar *The picture just fits in this space*. El cuadro encaja perfectamente en este espacio. ▲servir para *Have you got a key to fit this lock?* ¿Tiene Ud. una llave que sirva para esta cerradura? ▲colocar *I'm going to have a new lock fitted on the door*. Voy a hacer colocar una nueva cerradura en la puerta. ◦not **fit to eat** incomible *This fish isn't fit to eat*. Este pescado está incomible. ◦to **be fit for** poder hacer *What kind of work is he fit for?* ¿Qué clase de trabajo puede hacer?
five cinco.
fix [n] lío *He has got himself in a terrible fix*. Se ha metido en un lío espantoso. •[v] componer *Can you fix this?* ¿Puede Ud.

F

componer esto? ▲fijar *All these prices are fixed by the government.* El gobierno ha fijado todos estos precios.

fixture accesorio, instalación.

flag [n] bandera *Didn't you see the red flag?* ¿No vio Ud. la bandera roja? ‖*See if you can flag a passing truck.* Mire a ver si haciendo señales puede parar algún camión.

flame [n] llama *Heat it over the flame.* Caliéntelo sobre la llama. •[v] hacer llama *He blew on the embers until they flamed up.* Sopló el rescoldo hasta que hizo llama.

flank [n] costado, flanco. •[v] ir o estar al lado de; flanquear (*military*).

flannel franela.

flap [n] cartera (*pocket*) ala de sombrero, oreja de zapato, colgajo. •[v] agitarse (*of a flag*). **Oto flap its wings** aletear.

flash [n] instante *It was all over in a flash.* Todo pasó en un instante. •[v] brillar *The windows flashed in the sun.* Los cristales brillaban al sol. ▲pasar como un relámpago *An idea just flashed through my mind.* Me acaba de pasar una idea por la cabeza como un relámpago. ▲destellar *They were flashing signals from the coast with a lantern.* Desde la costa destellaban señales con una linterna. ▲proyectar *Flash the light in this corner.* Proyecte la luz hacia este rincón.

flashlight linterna de pilas *Can you lend me your flashlight?* ¿Puede Ud. prestarme su linterna?

flashy llamativo.

flask frasco.

flat [n] apartamento. [Sp] piso *I just moved into a new flat.* Acabo de mudarme a un apartamento nuevo. ▲pinchazo *The car ran over some glass and we had a flat.* El automóvil pasó sobre unos pedazos de vidrio y tuvimos un pinchazo. •[adj] plano, horizontal *His house has a flat roof.* Su casa tiene el tejado plano. ▲plano *Put the flat side of it against the wall.* Ponga Ud. la parte plana contra la pared.—*What is in that flat package?* ¿Qué hay en ese paquete plano? ▲llano *Is the country flat?* ¿Es llano el país? ▲desinflado *The tire is flat.* El neumático está desinflado. ▲chato, [Am] ñato *He has a flat nose.* Tiene la nariz chata o Es chato. ▲insípido *This drink is pretty flat.* Esta bebida es bastante insípida. ▲sin efervescencia *This beer is flat.* Esta cerveza no tiene efervescencia.

flatten allanar, aplastar.

flatter adular *You won't get ahead by flattering me.* Ud. no conseguirá nada con adularme. ▲favorecer *That hat certainly flatters you.* Indudablemente ese sombrero le favorece.

flavor [n] sabor *The custard has a vanilla flavor.* El flan tiene sabor a vainilla. •[v] sazonar *What did you use to flavor this soup?* ¿Qué usó Ud. para sazonar esta sopa?

flaw defecto, falta.

flea pulga.

flee huir.

fleet flota.

flesh carne.

flight vuelo *They made a nonstop flight from New York to Buenos Aires.* Hicieron un vuelo sin escala de Nueva York a Buenos Aires. ▲huída, fuga *They told him about the flight of the prisoners.* Le hablaron de la fuga de los prisioneros. ▲piso *My room is two flights up.* Mi cuarto está dos pisos más arriba.

flirt [n] coqueta *She is a flirt.* Es una coqueta. •[v] flirtear *She flirts with every man she meets.* Flirtea con todos los hombres que conoce. **Oto flirt with death** jugar con la muerte.

flit volar, revolotear.

float [n] balsa *Let's swim out to the float.* Vamos a nadar hasta la balsa. ▲corcho *Some floats are missing from the net.* Le faltan algunos corchos a la red. ▲carroza *Will you be on one of the floats in the parade?* ¿Estará Ud. en una de las carrozas del desfile? •[v] flotar *He swam out to the log that was floating on the water.* Nadó hasta el madero que flotaba en el agua. ▲poner a flote *They worked a long time before they were able to float the ship.* Trabajaron mucho tiempo antes de poder poner el barco a flote.

flock [n] rebaño (*animals*); bandada (*birds*). •[v] congregarse, juntarse.

flood [n] inundación *The town was isolated by the flood.* El pueblo quedó aislado por la inundación. •[v] inundar *The whole area was flooded when the dam burst.* Toda la región se inundó cuando se rompió la presa.

floor [n] piso, suelo *I just swept the floor.* Acabo de barrer el piso. ▲piso *What floor do you live on?* ¿En qué piso vive Ud.? ▲palabra *I asked for the floor twice.* He pedido la palabra dos veces. •[v] derribar *He floored him with a blow.* Lo derribó de un puñetazo.

flop [n] fracaso *The premiere was a flop.* El estreno fue un fracaso. •[v] dejarse caer *She flopped down in the chair.* Se dejó caer en la silla. **Oto take a flop** caerse *I took a flop on the wet steps.* Me caí en las escaleras mojadas.

floppy disk diskette, disco flexible, disco magnético.

florist florista.

flounder (*fish*) [n] lenguado.

flour harina.

flourish prosperar.

flow [n] corriente, flujo. •[v] fluir.

flower flor.

flowerpot tiesto, maceta.

flu gripe.

fluent fluente, fluido.

fluid [adj, n] fluido, líquido.

flush [adj] igual, parejo *Try to make that shelf flush with the other one.* Trate de poner ese estante parejo al otro. •[v] ruborizarse *She flushed when they laughed at her.* Se ruborizó cuando se rieron de ella. ▲limpiar, desatancar *We flushed the pipes with a chemical solution.* Desatancamos la cañería con una solución química. **Oto be flush** tener dinero *Remind me some day when I'm flush.* Recuérdamelo algún día, cuando tenga dinero.

flute flauta.

flutter agitarse, temblar, revolotear.

fly [n] mosca *The flies around here are terrible.* Son terribles las moscas de aquí. •[v] volar *The birds are flying south.* Los pájaros vuelan hacia el sur.—*Have you flown before?* ¿Ha volado Ud. anteriormente? ▲ir en avión *I'd like to fly if possible.* Me gustaría ir en avión si fuese posible. ▲volar, conducir un avión *He learned to fly in three weeks.* Aprendió a volar en tres semanas. O**on the fly** en marcha *I was late and caught the train on the fly.* Llegué retrasado y cogí el tren en marcha.

flying boat hidroavión.

foam [*n*] espuma.

focus [*n*] foco, centro *The child was the focus of all eyes.* El niño era el centro de todas las miradas. •[*v*] enfocar *He focused the light on the picture so we could see it clearer.* Enfocó la luz sobre el cuadro para que pudiéramos verlo mejor. O**in focus** enfocado. O**out of focus** desenfocado.

fodder forraje.

foe enemigo.

fog neblina, niebla.

fold [*n*] pliegue *Help me fold these blankets.* Ayúdame a doblar estas mantas. ▲cruzar *The teacher held her arms and looked very stern.* La profesora cruzó los brazos y tomó un aire muy severo. O**to fold up** liquidar *The company folded up last year for lack of funds.* La compañía liquidó el año pasado por falta de fondos.

foliage follaje.

folk [*adj*] folklórico *He has a large collection of folk music.* Tiene una gran colección de música folklórica.

folks gente, familia *How are your folks?* ¿Cómo está su gente?

follow seguir *I think there is somebody following us.* Creo que alguien nos viene siguiendo.—*The hot weather was followed by several days of rain.* El calor fue seguido de varios días de lluvia.—*Be sure to follow these instructions exactly.* Siga Ud. estas instrucciones al pie de la letra. ▲entender, seguir *I can't quite follow your reasoning.* No entiendo muy bien su razonamiento. ▲estar al corriente de *I haven't been following the news lately.* Últimamente no he estado al corriente de las noticias. O**to follow in** seguir *He is following in his father's footsteps.* Sigue los pasos de su padre.

follower partidario.

following [*n*] partidarios *This bull-fighter has a large following.* Este torero tiene muchos partidarios. •[*adj*] siguiente *He came on the following Tuesday.* Llegó el martes siguiente.

folly tontería.

fond cariñoso, tierno *She has a fond expression in her eyes when she looks at him.* Tiene una expresión cariñosa en los ojos cuando le mira.

fondness cariño.

food comida *Is the food good there?* ¿Es buena la comida allí? O**food for thought** en que pensar *This news gives us food for thought.* Esta noticia nos da en qué pensar.

fool [*n*] tonto, necio *He is a fool if he believes that.* Es un tonto si cree eso. •[*v*] bromear *It is time you stopped fooling and got down to business.* Ya es tiempo de dejar de bromear y empezar a trabajar. ▲engañar *If you think you're fooling me, you're mistaken.* Si cree que me engaña, se equivoca. O**to fool around** bromear *Quit fooling around and get to work.* Déjese de bromear y póngase a trabajar. O**to fool with** jugar con *Don't fool with that radio while I'm gone.* No juegues con la radio mientras estoy fuera.

foolish tonto *Don't be foolish.* No seas tonto. O**foolish thing** tontería *I said a very foolish thing.* Dije una gran tontería.

foot [*n*] pie *I hurt my foot.* Me he hecho daño en el pie.—*He was sitting at the foot of the stairs.* Estaba sentado al pie de la escalera.—*The wall is a foot thick.* La pared tiene un pie de grueso. •[*v*] pagar *Who is going to foot the bill?* ¿Quién va a pagar la cuenta? O**on foot** a pie *We had to come most of the way on foot.* Tuvimos que venir a pie la mayor parte del camino. O**to put one's foot down** proceder enérgicamente, tomar una resolución *This has gone far enough. I'm going to put my foot down.* Esto ya es demasiado. Voy a tomar una resolución. O**to put one's foot in it** meter la pata *I really put my foot in it that time.* Esa vez sí que metí la pata.

football fútbol.

for [*prep*] para *Is it hard for you to do this?* ¿Es difícil para Ud. hacer esto?—*This problem is too difficult for me.* Este problema es demasiado difícil para mí.—*That book was too much for me.* Ese libro era demasiado para mí.—*He is tall for his age.* Está alto para su edad.—*Who is he working for now?* ¿Para quién trabaja ahora?—*When does the train leave for New York?* ¿Cuándo sale el tren para Nueva York?—*What does he do for a living?* ¿Qué hace para ganarse la vida?—*I went out for a cup of coffee.* Salí para tomar una taza de café.—*He brought some candy for the child.* Trajo unos dulces para el niño.—*I bought some fabric for a dress.* Compré tela para un vestido.—*They said he was good for nothing.* Decían que no servía para nada.—*She is too old for dancing.* Es demasiado vieja para bailar.—*The dog is too old for hunting.* El perro es demasiado viejo para cazar. ▲por *How much do you want for this book?* ¿Cuánto pide por éste libro?—*This restaurant is known for its good food.* Este restaurante es conocido por su buena comida.—*That'll be enough for the time being.* Bastará por ahora.—*He was elected for four years.* Fue elegido por cuatro años.—*At that party there were three women for every man.* En aquella fiesta había tres mujeres por cada hombre.—*I do this for the fun of it.* Lo hago sólo por gusto.—*They respect him for his honesty.* Le respetan por su honradez.—*Pray for us.* Ruegue por nosotros.—*For heaven's sake!* ¡Por Dios!—*She felt only friendship for him.* Sólo sentía amistad por él.—*I voted for him last year.* Voté por él el año pasado.—*I despise him for what he did.* Le desprecio por haber hecho lo que hizo. ▲como *What do you use for fuel?* ¿Qué usa Ud. como combustible? ▲en honor de *We're giving a dinner for him.* Vamos a dar una comida en su honor. ▲en pro *Are you for or against it?* ¿Está Ud. en pro o en contra? ▲de *It is time for dinner.* Es hora de comer. •[*conj*] porque *I think the play'll succeed, for it is what the public wants.* Creo que tendrá éxito la representación porque es lo que desea el público. O**as for** en cuanto a *As for me, I don't care what you do.* En cuanto a mí, no me importa lo que haga Ud.

forbid prohibir *Is it forbidden to smoke here?* ¿Está prohibido fumar aquí?

F

force [*n*] violencia *The trees were torn up by the force of the storm.* Los árboles fueron arrancados por la violencia de la tempestad. ▲**fuerza** *We had to take him by force.* Tuvimos que llevarlo a la fuerza.—*I see the force of your argument.* Comprendo la fuerza de su argumento.—*I go there from force of habit.* Por la fuerza de la costumbre voy allí.—*Which branch of the armed forces were you in?* ¿En qué rama de las fuerzas armadas ha servido Ud.? •[*v*] forzar *The door has been forced.* La puerta ha sido forzada. ▲**obligar** *We were forced to change our tactics.* Nos vimos obligados a cambiar nuestra táctica.—*We forced him to admit that he'd done it.* Le obligamos a confesar que lo había hecho. ○**forced** forzado, forzoso *The plane made a forced landing.* El avión hizo un aterrizaje forzoso.

forearm antebrazo.

forecast [*n*] pronóstico. •[*v*] pronosticar.

forehead la frente.

foreign extranjero *He studied at a foreign university.* Estudió en una universidad extranjera.

foreign affairs asuntos exteriores.

foreign trade comercio exterior.

foreigner extranjero *He has a prejudice against foreigners.* Tiene prejuicios en contra de los extranjeros.

foreman capataz.

forenoon mañana.

foresight previsión.

forest bosque.

forever para siempre *I'm afraid I'll be stuck in this place forever.* Temo que tendré que quedarme aquí para siempre. ▲**siempre** *He is forever telling the same story.* Siempre está contando la misma historia.

forge [*n*] fragua (*of blacksmith*). •[*v*] forjar.

forge [*v*] falsificar (*a check, etc.*)

forgery falsificación.

forget olvidar(se) *It is raining, and we forgot to close the windows.* Está lloviendo y nos hemos olvidado de cerrar las ventanas.—*She has forgotten how to do it.* Ha olvidado cómo hacerlo.

forgive perdonar.

fork tenedor *Could I have a knife and a fork, please?* ¿Puede Ud. hacer el favor de darme un cuchillo y un tenedor? ▲**bifurcación** *Turn left when you get to the fork in the road.* Doble hacia la izquierda cuando llegue Ud. a la bifurcación de la carretera.

forlorn abandonado, desamparado.

form [*n*] forma *Is this a different word or just another form of the same word?* ¿Es ésta una palabra distinta u otra forma de la misma palabra? ▲**estilo** *I play tennis, but my form is terrible.* Juego al tenis, pero tengo muy mal estilo. ▲**formulario** *You didn't even finish filling out this form.* No acabó Ud. de llenar este formulario. •[*v*] formar *I haven't formed an opinion on that subject yet.* Todavía no me he formado una opinión sobre ese tema. ○**as a matter of form** por apariencia *We had to attend just as a matter of form.* Tuvimos que asistir meramente por apariencia. ○**to be in good form** estar en buena forma.

formal [*n*] baile de etiqueta *We're invited to a formal Saturday night.* Estamos invitados a un baile de etiqueta el sábado por la noche. •[*adj*] ceremonioso *He is quite formal when he meets a stranger.* Es muy ceremonioso cuando le presentan una persona desconocida. ▲**en forma** *Did you make a formal agreement with him?* ¿Hizo Ud. un contrato en forma con él?

formation formación.

former primero *Of your two suggestions, I think I prefer the former.* De sus dos sugerencias, creo que prefiero la primera. ▲**antiguo** *He is a former student of mine.* Es un antiguo alumno mío.

formerly anteriormente, antiguamente.

formula fórmula.

forsake dejar, abandonar.

fort fuerte, fortaleza.

forth ○**and so forth** etcétera (*abbr* etc.). ○**back and forth** arriba y abajo *He kept walking back and forth.* Estaba paseando arriba y abajo.

fortunate afortunado.

fortune fortuna.

forty cuarenta.

forward [*v*] reexpedir *Please forward my mail to this address.* Haga el favor de reexpedirme el correo a esta dirección. [*adv*.] adelante, en adelante [*adj*.] delantero, listo, audaz, exagerado ○**to come forward** adelantarse *Six men came forward to volunteer for the work.* Seis hombres se adelantaron para ofrecerse para hacer el trabajo. ○**to look forward to** esperar con placer *I'm looking forward to the party.* Estoy esperando la fiesta con placer (con interés).

fossil fósil.

foster [*adj*] adoptivo *He was visiting his foster mother.* Estaba visitando a su madre adoptiva. •[*v*] alentar, fomentar *They did everything they could to foster good relations.* Hicieron todo lo que pudieron para fomentar las buenas relaciones.

foul [*adj*] sucio *It was a foul play.* Era un juego sucio. ▲**viciado** *The air in here is foul.* El aire aquí está muy viciado. ○**to have a foul mouth** ser mal hablado *That man has a foul mouth.* Ese hombre es muy mal hablado.

found fundar *This college was founded in 1843.* Esta universidad se fundó en 1843.

foundation cimientos *The foundation of this house is beginning to weaken.* Los cimientos de esta casa empiezan a ceder. ▲**fundación** *He was awarded a scholarship to do research for the foundation.* Se le dio una beca para que hiciera trabajos de investigación para la fundación.

fountain fuente.

fountain pen pluma fuente, pluma estilográfica.

four cuatro.

fourteen catorce.

fourth cuatro *I'll be there on the fourth.* Estaré allí el cuatro. ▲**cuarta parte** *Three-fourths of the people of this town don't vote.* Tres cuartas partes de la gente de este pueblo no votan.

fowl ave.

fox zorro.

fraction fracción.

fracture [*n*] fractura *The fracture wasn't as serious as we thought.* No fue tan grave la fractura como creíamos. •[*v*] fracturar

The boy fell off the bicycle and fractured his skull. El muchacho se cayó de la bicicleta y se fracturó el cráneo.

fragment fragmento.

frail frágil.

frame [*n*] armazón, armadura *The frame of the house should be finished in a day or two.* La armazón de la casa deberá terminarse en uno o dos días. ▲marco *I bought a leather frame for the picture.* Compré un marco de cuero para el retrato. ▲armadura *I'd prefer a plain frame on these glasses.* Preferiría una armadura sencilla en estos anteojos. ▲complexión, constitución *He has a heavy frame.* Es de complexión fuerte. •[*v*] redactar *They framed a constitution for the club.* Redactaron los estatutos para el club. ▲poner marco a *Have you framed those pictures I brought in last week?* ¿Ha puesto Ud. marcos a aquellas fotografías que traje la semana pasada? ○**frame of mind** estado de ánimo *It is best not to leave her alone in that frame of mind.* Es mejor que no la dejen sola en ese estado de ánimo.

franchise franquicia, privilegio, concesión, licencia.

frank [*n*] franquicia de correos *Do we have any envelopes without the frank?* ¿Tenemos algunos sobres sin franquicia de correos? •[*adj*] franco *You're just a little too frank.* Ud. es demasiado franco.

frankfurter salchicha.

fraternal fraternal.

fraternity fraternidad.

fraud fraude.

freak rareza, monstruosidad.

freckle peca.

free [*adj*] libre *This is a free country.* Éste es un país libre.—*Isn't he rather too free with his comments?* ¿No es más bien demasiado libre en sus comentarios? *You're free of all responsibility.* Ud. está libre de toda responsabilidad.—*I don't have any free time today.* Hoy no tengo ningún tiempo libre. ▲gratis *This is a free sample.* Esta es una muestra gratis. ▲en libertad *They held him for a few hours and then let him go free.* Lo detuvieron por unas horas y luego lo pusieron en libertad. •[*v*] libertar *He wants us to free the prisoners.* Quiere que libertemos a los prisioneros. ▲poner en libertad *When will he be freed?* ¿Cuándo será puesto en libertad? ○**a free hand** plena libertad, carta blanca *Will you give me a free hand in the matter?* ¿Me concederá Ud. plena libertad en este asunto? ○**free-for-all** pelea general, zafarrancho *The game ended in a free-for-all.* El juego terminó en un zafarrancho. ○**to be free from** hallarse (*o* estar) libre de *The product is guaranteed free from defects.* Garantizan que el producto se halla libre de defectos.

freedom libertad *That doesn't leave me much freedom of action.* Eso no me deja mucha libertad de acción.

freeze helar *Do you think the pond is frozen hard enough to skate on?* ¿Cree Ud. que el lago está bastante helado para patinar? ▲helarse *My feet are freezing.* Se me hielan los pies.—*He froze with fear when he saw the snake.* Se quedó helado cuando vio la serpiente. ▲congelar *The cold froze the water in the pipes.* El frío congeló el agua de las cañerías. ▲bloquear, congelar *All funds are frozen until further notice.* Todos

los fondos están congelados hasta nuevo aviso.

freight carga *How much freight did you carry in your last trip?* ¿Cuánta carga llevó en el último viaje? ▲flete *How much is the freight on this box?* ¿Cuánto es el flete de este cajón?

French [*n*] francés *Do you speak French?* ¿Habla Ud. francés? •[*adj*] francés *Do you like French wine?* ¿Le gusta a Ud. el vino francés?

French fries papas fritas.

French toast torrejas de pan.

frenzy frenesí.

frequency frecuencia.

frequent [*adj*] frecuente.

frequent [*v*] frecuentar.

frequently frecuentemente.

fresh fresco *Are these eggs fresh?* ¿Son estos huevos frescos?—*I like fresh peas better than canned.* Me gustan los guisantes frescos más que en lata.—*That fellow is very fresh.* Ese tipo es muy fresco. ▲nuevo *Let's open a fresh deck of cards.* Vamos a usar una baraja nueva. *Let's get some fresh air.* Vamos a tomar un poco de aire puro. ▲fresco, descansado *After all this work he seems as fresh as when he started.* Después de todo este trabajo, parece estar tan fresco como cuando empezó.

fresh water agua dulce *I prefer the flavor of fresh water fish.* Prefiero el sabor del pescado de agua dulce.

fret [*v*] irritarse.

friction fricción.

Friday viernes.

friend amigo *He is a good friend of mine.* Es un buen amigo mío. ○**to make friends with** hacerse amigo *I did my best to make friends with him.* Hice todo lo que pude para hacerme amigo suyo.

friendly benévolo, acogedor *He has a very friendly smile.* Tiene una sonrisa muy acogedora. ▲amistoso *Our country has always had friendly relations with yours.* Nuestro país siempre ha mantenido relaciones amistosas con el suyo.

friendship amistad.

fright susto, miedo.

frighten asustar.

frightful espantoso, terrible.

fringe fleco; borde, orilla.

fritter [*n*] fritura, frito.

frog rana.

from de *I just came from my house.* Acabo de venir de casa.—*Take a clean glass from the cupboard.* Saque un vaso limpio del aparador.—*Take a book from the shelf.* Tome un libro del estante.—*I live ten miles from the city.* Vivo a diez millas de la ciudad.—*Can you tell him from his brother?* ¿Puede Ud. distinguirlo de su hermano?—*I won't take such insults from anybody.* No toleraré tales insultos de nadie.—*Where do you come from?* ¿De dónde es Ud.? ▲por *He was tired and nervous from overwork.* Estaba cansado y nervioso por exceso de trabajo.—*From what he says, I don't think we should go.* Por lo que dice, no creo que debamos ir. ▲desde *I saw it from the window.* Lo vi desde la ventana.

F

front [n] fachada *The front of the house is painted white.* La fachada de la casa está pintada de blanco. ▲el frente *He was at the front for three months.* Estuvo tres meses en el frente. ○**front door** puerta principal *Someone is at the front door.* Hay alguien en la puerta principal. ○**in front of** delante de *Who was that sitting in front of you at the movies?* ¿Quién estaba sentado delante de Ud. en el cine?

frontier frontera *We crossed the frontier yesterday.* Cruzamos ayer la frontera.

frost escarcha.

frown [v] fruncir el entrecejo *My friend frowned as she read the letter.* Mi amiga frunció el entrecejo al leer la carta. ○to **frown on** mirar con antipatía *The whole family frowned on the match.* Toda la familia miraba con antipatía a aquel matrimonio.

fruit fruta.

fry freír.

frying pan sartén.

fuel combustible.

fugitive fugitivo.

fulfill cumplir.

full lleno *Give me a full glass of water.* Déme Ud. un vaso lleno de agua.—*That book is full of mistakes.* Ese libro está lleno de errores.—*I'm so full I can't eat anymore.* Me siento tan lleno que no puedo comer más. ▲ancho *The dress has a full skirt.* El vestido tiene una falda ancha. ▲completo *He made a full report.* Hizo un informe completo.

fully enteramente, completamente.

fume [v] encolerizarse, enojarse. ○**fumes** gases, vapores.

fun diversión, gracia *I don't see any fun in it.* No veo ninguna diversión en eso o No le veo la gracia. ○**just for fun** sólo por divertirse. ○to **have fun** divertirse *We were just having a little fun.* Nos estábamos divirtiendo un poco. ○to **make fun of** reírse de.

function [n] función.

fund fondo.

fundamental fundamental.

funeral funeral (*church*); entierro (*cemetery*).

funnel embudo (*utensil*); chimenea (*of a ship*).

funny gracioso *That is not a very funny story.* No es una historia muy graciosa. ▲extraño, raro *I have a funny feeling.* Tengo una sensación rara.

fur piel.

furious furioso.

furlough licencia.

furnace caldera.

furnish amueblar *How have you furnished your apartment?* ¿Cómo ha amueblado su apartamento? ▲proporcionar *We'll furnish you with everything you need.* Le proporcionaremos todo lo que necesita. ○**furnished room** cuarto amueblado.

furniture muebles.

furrow surco.

further [adj] nuevo *Wait for further orders.* Esperé nuevas órdenes. •[adv] más *Do you want to study it further?* ¿Quiere Ud. estudiarlo más?

fury furia.

fuse fusible, plomo *The short circuit blew a fuse.* El corto circuito fundió el fusible.

future [n] futuro *Try to do better in the future.* Procure Ud. hacerlo mejor en el futuro. ▲porvenir *This job has no future.* Este trabajo no tiene porvenir. •[adj] futuro *Introduce me to your future wife.* Presénteme Ud. a su futura esposa.

G

---

gag [n] mordaza *The bandits put a gag in his mouth.* Los bandidos le pusieron una mordaza en la boca. ▲broma *Is this a gag?* ¿Es esta una broma? •[v] amordazar *We found him bound and gagged.* Lo encontramos amarrado y amordazado. ▲dar asco a uno *The patient gagged on the heavy food.* Al enfermo le dio asco la comida pesada.

gaiety alegría.

gain [n] ganancia *Their loss is our gain.* Su pérdida supone nuestra ganancia. ▲aumento *There has been a recent gain in the population of the city.* Ha habido un aumento de población recientemente en la ciudad. •[v] adelantarse *My watch gains ten minutes a day.* Mi reloj se adelanta diez minutos al día. ▲conquistar, ganar *His sincerity gained the confidence of everyone.* Con su sinceridad ganó la confianza de todos. ▲mejorar *The doctor reports that the patient is gaining rapidly.* El doctor dice que el enfermo va mejorando rápidamente. ▲alcanzar *The men have gained the hill beyond the town.* Los hombres han alcanzado la colina que está más allá del pueblo.

gale temporal, ventarrón.

gallant [adj] valiente, valeroso.

gallery galería *We have seats in the gallery.* Tenemos asientos de galería.—*We walked through a long gallery.* Caminamos a través de una larga galería. ○**art gallery** galería de arte. ○**shooting gallery** galería de tiro al blanco.

gallon galón *Give me five gallons of gas, please.* Déme cinco galones de gasolina, por favor.

gallop [n] galope. •[v] galopar.

gamble [n] riesgo *It is an awful gamble.* Es un gran riesgo. •[v] especular *Don't gamble with other people's money.* No especule con dinero ajeno. ▲jugar *He loves to gamble but generally loses.* Le gusta jugar pero generalmente pierde. ▲jugar, arriesgar *He is gambling everything on the success of his son.* Se lo está jugando todo por el éxito de su hijo.

game partida *Let's play a game.* Vamos a jugar una partida. ▲juego *He looks upon his work as a game.* Considera su trabajo como un juego. ▲jugada *I saw through his game.* Le vi la jugada. ▲caza *Is there any big game near here?* ¿Hay caza mayor cerca de aquí? ▲actividad, asunto *How long have you been in this game?* ¿Cuánto tiempo lleva Ud. dedicado a estas actividades?

gang [n] pandilla *The gangsters of the city were organized in gangs.* Los pistoleros de la ciudad se organizaron en pandillas. ▲cuadrilla *Two work gangs were repairing the road.* Dos cuadrillas de trabajadores estaban reparando la carretera.

gap abertura, espacio, claro *There is a big gap between the planks.* Hay una gran abertura entre las tablas. ▲quebrada, barranca *Let's take a hike through the gap.* Demos una caminata por la quebrada.

gape boquear, estar con la boca abierta.

garage garaje.

garbage basura.

garden jardín *These flowers are from our garden.* Estas flores son de nuestro jardín. Obotanical garden jardín botánico. Ovegetable garden huerta *I want to plant a vegetable garden.* Quiero sembrar una huerta.

gargle [n] gárgara. •[v] gargarizar, hacer gárgaras.

garlic ajo.

garment prenda de vestir.

garret ático, buhardilla.

garter liga.

gas [n] gas *Turn off the gas.* Cierre el gas.— *Did the dentist give you gas?* ¿Le dio gas el dentista? •[v] gasear *He was gassed in the last war.* Fue gaseado en la última guerra. Ogas station gasolinera, estación de gasolina. Ogas stove cocina de gas. Ointestinal gas gases intestinales. Oto gas up llenar el tanque de gasolina *Let's stop at the next station and gas up.* Detengámonos en el próximo puesto y llenemos el tanque de gasolina.

gasoline gasolina.

gate puerta *The crowd poured out through the gate.* La gente salía en masa por la puerta. ▲entrada *The game drew a gate of three thousand.* El partido atrajo una entrada de tres mil personas. Ogates compuertas (water) *When the water rises too high, they open the gates.* Abren las compuertas cuando el agua sube demasiado.

gather recoger *He gathered up his things and left.* Recogió sus cosas y partió. ▲reunirse, congregarse *The crowd gathered around the speaker.* La multitud se congregó alrededor del orador. ▲deducir *I gather you don't like him.* Deduzco que a Ud. no le gusta. ▲ganar, aumentar *The car slowly gathered speed.* El automóvil ganó velocidad poco a poco.

gaudy llamativo, charro, chillón.

gauge [n] manómetro de aire *Is there an air gauge here?* ¿Hay un manómetro de aire aquí? ▲indicador *What does the gasoline gauge say?* ¿Qué marca el indicador de gasolina? ▲calibrador *Gauges are used to measure the thickness of wire.* Para medir el grosor de los alambres hay que usar calibradores. •[v] medir *The wind must be gauged accurately.* Hay que medir la velocidad del viento con exactitud.

gauze gasa.

gay alegre, jovial; homosexual.

gaze [n] mirada fija. •[v] mirar con fijeza, clavar la mirada.

gear engranaje *Be careful or you'll strip the gears.* Cuidado que puede romper los dientes de los engranajes. ▲equipo *We spent the afternoon cleaning our gear.* Pasamos la tarde limpiando el equipo.

gem gema, piedra preciosa.

general [n] general *Tomorrow the general will take command.* El general tomará el mando mañana. •[adj] general *They hold a general election every year.* Celebran elecciones generales todos los años. Oin general en general *In general, things are all right.* En general, las cosas están bien.

generally generalmente.

generate producir, generar.

generation generación.

generator generador.

generous generoso *Be generous; don't think only of his faults.* Sea Ud. generoso, no piense solamente en sus defectos. ▲espléndido, generoso *He is certainly generous with his money.* Verdaderamente es generoso con su dinero. ▲abundante, amplio *This restaurant serves generous portions.* Este restaurante sirve raciones abundantes.

genial cordial, afable.

genius genio.

gentle cuidadoso *The nurse has very gentle hands.* La enfermera tiene manos muy cuidadosas. ▲leve *There was a gentle knock on the door.* Dieron un golpe leve en la puerta. ▲suave *He was rowing against a gentle current.* Remaba contra una corriente suave. ▲apacible, bondadoso *Isn't he a gentle person?* ¿Verdad que es una persona bondadosa? ▲dócil, manso *That dog is very gentle.* Ese perro es muy dócil.

gentleman caballero *This way, gentlemen!* ¡Por aquí, caballeros!

genuine genuino.

geography geografía.

germ germen.

German alemán, germano.

gesture [n] gesto, acción, ademán •[v] gesticular, hacer gestos *He gestures when he speaks.* Gesticula cuando habla.

get recibir *When did you get my letter?* ¿Cuándo recibió Ud. mi carta? ▲conseguir *Can you get me another pencil?* ¿Puede Ud. conseguirme otro lápiz?—*Can you get him to come to the theater?* ¿Puede Ud. conseguir que él venga al teatro?—*They got him elected mayor.* Consiguieron que le eligieran alcalde. ▲tener *We've got enough.* Tenemos bastante. ▲llegar *I'll get there in an hour.* Llegaré allí dentro de una hora. ▲buscar *I'll go and get the book tomorrow.* Iré a buscar el libro mañana. ▲localizar, dar con *I couldn't get him by phone.* No pude localizarle por teléfono. ▲hacer llegar *We must get the message to the sales office.* Tenemos que hacer llegar el mensaje a la oficina de ventas. ▲ir por *Wait till I get my hat.* Espéreme mientras voy por mi sombrero. Oto get about mostrarse activo *For an old man, he gets about very well.* Para los años que tiene se muestra muy activo. Oto get across hacerse comprender *Finally I was able to get the meaning across.* Por fin me pude hacer comprender. Oto get along llevarse bien *Those two don't get along.* Esos dos no se llevan bien. ▲componérselas *I'll get along somehow.* Me las compondré de algún modo. ▲marcharse *It is late and I'll have to be getting along.* Tengo que marcharme porque es tarde. Oto get along in years envejecer, ponerse viejo *He is certainly getting along in years.* Ya se está poniendo viejo. Oto get around salir mucho, ir a todas partes *He gets around a lot.* Sale mucho o Va a todas partes. ▲divulgarse, difundirse *The story will get around in a few hours.* El cuento se divulgará en pocas horas. ▲pasar por alto,

G

eludir *Can you get around that regulation?* ¿Puede Ud. eludir esa disposición? ▲manejar *She gets around him.* Ella le maneja bien. ○to get at llegar hasta, alcanzar *I can't get at my luggage.* No puedo llegar hasta donde está mi equipaje. ▲descubrir, averiguar *Some day I'll get at the real reason.* Algún día descubriré la verdadera razón. ○to get away alejarse *I want to get away from the noise.* Quiero alejarme del ruido. ○to get away with something arreglárselas, componérselas *I'm sure I can get away with it.* Estoy seguro que podré arreglármelas. ○to get back regresar, volver *When did you get back?* ¿Cuándo regresó Ud.? ○to get back at desquitarse *How can I get back at him?* ¿Cómo puedo desquitarme con él? ○to get by burlar *Can I get by the guard?* ¿Podré burlar al guardia? ▲pasar *Do you think I can get by with it?* ¿Cree Ud. que podré pasarlo? ▲arreglárselas *I'll get by if I have a place to sleep.* Me las arreglaré si encuentro un lugar donde dormir. ○to get fired ser despedido *I'll get fired if they find out.* Seré despedido si lo descubren. ○to get going poner en marcha *He'll be able to get the work going.* El podrá poner el trabajo en marcha. ○to get in llegar, arribar *What time does the train get in?* ¿A qué hora llega el tren? ▲meter, entrar *Please get the clothes in before it rains.* Haga el favor de entrar la ropa antes de que llueva. ○to get in touch with comunicar con *Get in touch with me.* Comuníquese conmigo. ○to get in with congeniar con *Did you get in with our crowd?* ¿Ha congeniado Ud. con nuestro grupo? ○to get off apearse, bajarse *I want to get off at the next stop.* Quiero apearme en la parada siguiente. ▲quitar *I can't get my shoes off.* No puedo quitarme los zapatos. ▲levantarse *Please get off the couch.* Hágame el favor de levantarse del diván. ○to get off with salir con *I'll get off with very light punishment.* Saldré de esto con una pena leve. ○to get old, get on in years envejecer *He is getting old.* Está envejeciendo. ○to get on subir *Don't get on the train yet.* No suba al tren todavía. ▲proseguir, continuar *Let's get on with the meeting.* Prosigamos con la sesión. ▲irle a uno, pasarlo *How are you getting on?* ¿Cómo lo pasa Ud.? ▲llevarse *The three of us get on very well.* Nosotros tres nos llevamos muy bien. ○to get out salir, bajarse *Get out of the car.* Salga del automóvil. ▲divulgarse, hacerse público *We musn't let this news get out.* No debemos permitir que esta noticia se divulgue. ▲publicar *They are getting out a new book on that subject.* Van a publicar un nuevo libro sobre ese tema. ○to get out of sacar de *How much did you get out of the deal?* ¿Cuánto sacó Ud. del negocio? ▲librarse de, salir de *How did you ever get out of it?* ¿Cómo hizo Ud. para salir de aquello? ○to get over curarse *I got over my cold quickly.* Me curé del catarro rápidamente. ▲salvar, vencer *How did you get over the difficulty?* ¿Cómo salvó Ud. el obstáculo? ▲hacer comprender, dar a entender *I finally got the point over.* Al fin pude darles a entender lo que quería. ○to get ready prepararse, alistarse *Get ready!*

¡Prepárese! ▲tener listo, hacer *When are you going to get dinner ready?* ¿Cuándo va a tener Ud. lista la comida? ○to get something out sacar, echar *Get it out of the house.* Sáquelo de la casa. ○to get to be llegar a ser *They got to be good friends.* Llegaron a ser buenos amigos. ○to get together reunirse *Let's get together tonight at my house.* Reunámonos esta noche en mi casa. ▲ponerse de acuerdo, entenderse *They never seem to get together on anything.* Por lo visto, nunca se ponen de acuerdo en nada. ○to get up levantarse *I get up at seven every morning.* Todas las mañanas me levanto a las siete.

ghost fantasma. ‖ *He doesn't have a ghost of a chance.* No tiene ni la menor oportunidad.

giant [n] gigante *That man is a giant.* Ese hombre es un gigante. •[adj] gigantesco *There will be a giant crop of corn this year.* Este año habrá una gigantesca cosecha de maíz.

gift obsequio, regalo *Thank you for the Christmas gift.* Muchas gracias por su obsequio de Navidad. ▲talento *He has a gift for drawing.* Tiene talento para el dibujo.

giggle [n] risa tonta. •[v] reírse tontamente.

gild dorar.

ginger jengibre.

gipsy gitano.

girder viga.

girdle [n] faja. •[v] ceñir, cercar.

girl niña *The woman gave birth to a baby girl.* La mujer dio a luz a una niña. ▲muchacha *Are there any pretty girls in town?* ¿Hay muchachas bonitas en el pueblo? ▲chica, muchacha *Well, girls, it is time to go.* Bueno, chicas, ya es hora de que nos vayamos.

give dar *Please give me the letter.* Haga el favor de darme la carta. ▲pronunciar, decir *Who is giving the main speech?* ¿Quién pronunciará el discurso principal? ▲hundirse *Be careful! The step might give under your weight!* ¡Tenga cuidado! El escalón se puede hundir con su peso. ○to give a damn *I don't give a damn.* No me importa un comino. ○to give away regalar *I gave my old clothes away.* Regalé mi ropa vieja. ▲divulgar *Don't give away my secret.* No divulgue Ud. mi secreto. ○to give back devolver *Please give me back my pen.* Haga el favor de devolverme la pluma. ○to give in ceder *After a long argument, I finally gave in.* Después de una larga discusión finalmente cedí. ○to give off despedir, dar *The flowers give off a strong odor.* Las flores despiden un olor fuerte. ○to give out repartir *Who gave out the tickets?* ¿Quién repartió los boletos? ▲acabarse, agotarse *Our supplies are giving out.* Se están agotando nuestras existencias. ○to give up dejar, abandonar *The maid gave up her job.* La criada dejó el empleo. ▲darse por vencido *I tried hard but I had to give up.* Hice todo lo que pude pero tuve que darme por vencido. ▲retirarse de *I'm going to give up my business.* Me voy a retirar de mi negocio. ▲romper las relaciones con, renunciar a *After their quarrel she gave him up.* Después del disgusto ella rompió sus relaciones con él. ▲desahuciar, perder la esperanza *He was so ill, the doctor gave* *him up*. Estaba tan enfermo que el doctor le desahució.

given dado *I must finish in a given time.* Tengo que terminarlo en un tiempo dado.—*Given such a situation, what else could I do?* Dada una situación tal, ¿qué otra cosa podía hacer?

glad ○to be glad alegrarse *I'm glad to hear you're better.* Me alegra saber que está Ud. mejor.

glance [n] vistazo *I recognized him at a glance.* Lo reconocí de un vistazo. ○to glance off desviarse al chocar *The bullet glanced off his helmet.* La bala se desvió al chocar con su casco.

gland glándula.

glare [n] resplandor *The sun's glare is strong today.* Hoy está muy fuerte el resplandor del sol. •[v] deslumbrar *The lights glare terribly.* Las luces deslumbran terriblemente. ▲mirar ferozmente *The woman glared at us.* La mujer nos miró ferozmente.

glass vidrio *I cut myself on a piece of glass.* Me corté con un pedazo de vidrio. ▲vaso *May I have a glass of water?* ¿Puede Ud. darme un vaso de agua? ▲cristal, vidrio *I bought a glass vase.* Compré un florero de cristal. ○field glasses gemelos. ○glasses anteojos, [Sp] gafas *I wear glasses only for reading.* Uso anteojos solamente para leer.

gleam [n] destello, centelleo. •[v] destellar.

glee júbilo.

glide resbalar, deslizarse *The sleigh glided swiftly over the ice.* El trineo se deslizó rápidamente sobre el hielo. ▲planear (aviation) *Look how the plane is gliding toward the field!* ¡Mira como planea el avión hacia el aeródromo!

glimpse [n] ojeada, vistazo. •[v] dar un vistazo.

glitter [n] resplandor *The glitter of the sun hurts my eyes.* El resplandor del sol me lastima los ojos. •[v] brillar *Water glitters in the sunlight.* El agua brilla a la luz del sol.

globe esfera, globo.

gloomy sombrío *It is a very gloomy day.* Es un día muy sombrío. ▲triste, melancólico *Why are you so gloomy?* ¿Por qué estás tan triste? ▲pesimista *Don't be so gloomy about the future.* No seas tan pesimista sobre el porvenir.

glorious glorioso *Our country has a glorious history.* Nuestro país tiene una historia gloriosa. ▲magnífico *This is certainly a glorious day.* Verdaderamente hace un día magnífico.

glory gloria.

glove guante.

glow [n] brillo sin llama. •[v] relucir, dar luz o calor sin llama.

glue cola, pegamento.

gnat jején.

gnaw roer.

go [n] energía *For an old man, he has a lot of go.* Para su edad avanzada tiene mucha energía. •[v] ir *Go slow.* Vaya despacio. *That chair goes in the corner.* Esa silla va en el rincón.—*I am going to go right away.* Me voy a ir en seguida. ▲caminar, ir *The train is sure going fast.* El tren camina muy rápido. ▲irse *Let's go.* Vámonos.—*When did he go?* ¿Cuándo se fue? ▲acabarse *The*

brandy is all gone. Se ha acabado el coñac. ▲dejar, vender *The shopkeeper let this cloth go for almost nothing.* El tendero dejó esta tela casi por nada. ▲desaparecer *The pain has gone.* Ha desaparecido el dolor. ▲estar bien *Whatever he says goes.* Cualquier cosa que diga está bien. ▲funcionar *This typewriter won't go.* Esta máquina de escribir no funciona. ▲hacer *When you start to swim, go like this.* Cuando empiece Ud. a nadar, hágalo así. ▲pasar *Let him go hungry.* Déjele pasar hambre. ▲salir *Everything goes wrong when I leave.* Cuando me ausento todo sale mal. ▲volverse *I'll go crazy if this keeps up.* Me volveré loco si esto continúa. ▲ser *The prize will go to the best student.* El premio será para el mejor estudiante. ○Go on! ¡Qué va! *Go on! You don't mean that.* ¡Qué va! Ud. no quiere decir eso. ○on the go en movimiento *He is on the go day and night.* Está en movimiento día y noche. ○to go around alcanzar para todos *There is barely enough to go around.* Apenas alcanza esto para todos. ○to go astray extraviarse *The letter has gone astray.* Se ha extraviado la carta. ○to go away marcharse, irse *When are you going away?* ¿Cuándo se marcha Ud.? ○to go back volver *When do you expect to go back?* ¿Cuándo piensa volver? ○to go back on fallar, defraudar *I won't go back on my friends.* Yo no les fallaré a mis amigos. ○to go by usar *He goes by a false name.* Usa un nombre falso. ○to go down bajar *Let's go down to get a cup of coffee.* Bajemos a tomar una taza de café.—*Has the rate of exchange gone up or down?* ¿Ha subido o bajado el tipo del cambio? ▲ponerse *The sun goes down early in winter.* El sol se pone temprano en invierno. ○to go for a walk dar un paseo *Let's go for a walk.* Vamos a dar un paseo. ○to go from bad to worse ir de mal en peor *Things are going from bad to worse.* Las cosas van de mal en peor. ○to go in entrar en, participar en *Would you like to go in with me on this proposition?* ¿Le gustaría participar en este proyecto conmigo? ○to go in for dedicarse a *Do you go in for sports?* ¿Se dedica Ud. a los deportes? ○to go into discutir *Why go into that now?* ¿Por qué discutir eso ahora? ▲tocar *Let's not go into that subject now.* No toquemos ese asunto ahora. ▲ventilar *We should go into this matter thoroughly.* Tendremos que ventilar este asunto a fondo. ○to go off dispararse *The pistol went off accidentally.* La pistola se disparó accidentalmente. ▲llevar a cabo, resultar *The attack went off according to plan.* El ataque se llevó a cabo de acuerdo con el plan. ○to go on ir *Let's go on toward the mountain.* Vamos hacia la montaña. ▲continuar, seguir *He went on talking.* Continuó hablando.—*Let's go on working hard.* Continuemos trabajando duro. ○to go on board embarcarse, ir a bordo *You'll have to go on board before six o'clock.* Tendrán que ir a bordo antes de las seis. ○to go on with proseguir, continuar *We'll go on with the discussion after lunch.* Proseguiremos la discusión después del almuerzo. ○to go out salir *I'm going out to dinner.* Voy a salir a cenar. ▲pasar de moda *That song will go out within six months.* Esa canción pasará de moda dentro de seis meses. ▲apagarse *Suddenly the lights went out.* De pronto se apagaron las luces. ○to go out of one's way tomarse la molestia *He*

G

went out of his way to help me. Se tomó la molestia por ayudarme. ᴼto go over examinar, revisar *He went over the problem very carefully.* Examinó el problema muy cuidadosamente. ▲tener éxito *Do you think this song will go over?* ¿Cree Ud. que esta canción tendrá éxito? ᴼto go through pasar por *The soldiers go through severe training.* Los soldados pasan por un riguroso entrenamiento. ▲aprobarse *Do you think the application will go through?* ¿Cree Ud. que se aprobará la solicitud? ᴼto go to trouble molestarse *Don't go to any trouble.* No se moleste Ud. ᴼto go under arruinarse, quebrar *His business went under last year.* Su negocio quebró el año pasado. ᴼto go up subir *Apples have gone up.* Las manzanas han subido. ᴼto go with salir *They've been going with each other for years.* Salen juntos desde hace años. ▲acompañar, ir con *Do you want me to go with you?* ¿Quiere que la acompañe? ▲ir con, entonar *The curtains don't go with the other furnishings.* Las cortinas no van con los demás muebles. ᴼto let go soltar *Let go of the rope.* Suelte la cuerda.

goal meta, [Am] gol.

goat cabra.

God Dios *God knows what he'll do next!* ¡Sabe Dios lo que hará después!—*God bless you! (sneezing).* ¡Salud!

goggles anteojos.

gold oro.

golden dorado.

golf golf.

gonorrhea gonorrea.

good buen, bueno *He gave me good advice.* Me dio un buen consejo.—*This is a good meal.* Esta es una buena comida.—*Good!* ¡Bueno! ▲competente *He is a good man for that job.* Es un hombre competente para ese trabajo. ▲mucho *I haven't seen him for a good while.* No le he visto en mucho tiempo. ᴼa good deal mucho *After the operation I had a good deal of pain.* Después de la operación tuve mucho dolor. ᴼas good as casi *The job is as good as done.* El trabajo está casi terminado. ᴼbetter mejor *Give me a better pencil.* Déme Ud. un lápiz que sea mejor. ᴼfor good definitivamente, de una vez para siempre *Let's fix it for good this time.* Vamos a arreglar esto de una vez para siempre. ᴼgood and bien *Make the tea good and strong.* Haga el té bien cargado. ᴼto be good for durar *That watch is good for a lifetime.* Ese reloj le durará toda la vida. ▲pagar *He is good for the damages to your car.* El pagará los daños causados a su automóvil. ᴼto make good cumplir *He always makes good his promises.* Siempre cumple sus promesas.

good-bye adiós.

good-looking guapo, bien parecido.

goodness bondad *He is known for his goodness.* Es conocido por su bondad. ǁ*Goodness, it is cold!* ¡Ave María, qué frío hace! *o* ¡Cielos, qué frío hace!

goods mercancías *This store has a large stock of goods.* Este establecimiento tiene gran existencia de mercancías.

goose ganso.

gorge desfiladero, barranco *There is a great gorge two miles from here.* A dos millas de aquí hay un gran desfiladero.

gorge ᴼto gorge oneself darse un atracón *He gorged himself on sweets.* Se dio un atracón de dulces.

gorgeous magnífico, estupendo, espléndido.

gospel evangelio.

gossip [n] chisme *I wouldn't believe that gossip if I were you.* Si yo fuera Ud., no creería ese chisme. ▲chismoso *His friend is an old gossip.* Su amigo es un chismoso. •[v] chismear *That fellow gossips too much.* Ese tío chismea demasiado.

govern gobernar *The president has governed the country well.* El presidente ha gobernado bien el país.

government gobierno.

governor gobernador.

gown vestido *That is a beautiful gown you're wearing.* Lleva Ud. un hermoso vestido. ᴼdressing gown bata (de casa).

grab [v] agarrar.

grace gracia, ᴼto say grace bendecir la mesa.

graceful garboso, donairoso.

gracious afable, amable.

grade [n] grado *What grade do you teach?* ¿En qué grado enseña Ud.? ▲clase, calidad *We buy the best grade of milk.* Compramos leche de primera calidad. ▲notas *He received the highest grades in the class.* Recibió las mejores notas de la clase. ▲pendiente *There is quite a steep grade on the other side of the hill.* Al otro lado del cerro hay una pendiente muy pronunciada. •[v] clasificar *Oranges are graded by size and quality.* Las naranjas se clasifican según su tamaño y calidad. ▲nivelar *The workers graded the field.* Los obreros nivelaron el terreno. ᴼdown grade cuesta abajo *Business has been going down grade the last month.* En el último mes los negocios han ido cuesta abajo. ᴼto make the grade subir la cuesta *The car had trouble making the grade.* Al automóvil le costó trabajo subir la cuesta.

gradual gradual.

graduate [adj] de ampliación *He is doing graduate work in science.* Está haciendo estudios avanzados de ciencia. •[v] graduarse *When did you graduate from college?* ¿Cuándo se graduó Ud. en la universidad?

graft [n] injerto *(surgical);* peculado, latrocinio, soborno político. •[v] injertar.

grain grano *The grain is ready for harvest.* El grano está listo para la cosecha.—*How many grains are there in each pill?* ¿Cuántos granos contiene cada píldora? ▲veta *This wood has a beautiful grain.* Esta madera tiene una veta hermosa. ▲pizca *There isn't a grain of truth in the story.* No hay ni pizca de verdad en el cuento.

grammar gramática.

grand magnífico *It was grand weather for tennis.* Hacía un tiempo magnífico para jugar al tenis. ᴼgrand ballroom gran salón de baile. ᴼgrand total importe total.

grandchild nieto, nieta.

granddaughter nieta.

grandfather abuelo.

grandmother abuela.

grandparents abuelos.

grandson nieto.

granite granito.

grant [n] subvención *The school is supported by a government grant.* La escuela tiene una subvención del gobierno. •[v] conceder *Did they grant him permission to leave?* ¿Le concedieron permiso para marcharse? ○**to take for granted** tomar por cierto, dar por hecho *You take too much for granted.* Ud. da por hecho muchas cosas.

grape uva.

grapefruit toronja.

grapevine vid, parra. (*fig.*) noticia o chisme que circula por vías secretas.

graph gráfica, diagrama.

grasp [n] conocimiento *He has a firm grasp of the subject.* Tiene un buen conocimiento del tema. •[v] comprender *I don't quite grasp your meaning.* No acabo de comprender lo que Ud. quiere decir. ▲agarrarse *She grasped the strap with both hands.* Se agarró de la correa con las dos manos.

grass hierba, césped, grama *Keep off the grass.* Se prohíbe pisar la hierba.

grate [n] parrilla *The furnace has a grate.* El horno tiene parrilla. •[v] destrozar *That music grates on my nerves.* Esa música me destroza los nervios. ▲raspar, rallar *Grate some cheese.* Ralle un poco de queso.

grateful agradecido.

gratify complacer *He gratified my desires.* Complació mis deseos. ▲tener el gusto *I was gratified to meet her.* Tuve el gusto de conocerla.

gratifying serle grato a uno *It is very gratifying to hear of their success.* Me es muy grato tener noticias de su buen éxito.

gratitude gratitud.

grave [n] sepulcro, tumba *Her grave was covered with roses.* Su tumba estaba cubierta de rosas. •[adj] grave *The patient's condition is grave.* La condición del enfermo es grave.

gravel grava, cascajo.

gravity gravedad.

gravy salsa.

gray [adj] gris *The sky was gray all morning.* El cielo estuvo gris toda la mañana. •[v] encanecer *He is graying fast.* Está encaneciendo rápidamente. ○**gray-haired** de pelo cano, canoso.

graze rozar *The bullet grazed his forehead.* La bala le rozó la frente. ▲apacentar, pacer, pastar *This land is good for grazing cattle.* Este campo es bueno para apacentar el ganado.

grease [n] grasa. •[v] engrasar.

great gran *I think that is a great idea.* Creo que eso es una gran idea. ▲mucho *I was in great pain.* Sentía mucho dolor. ▲estupendo *He is a great one for telling funny stories.* Es estupendo para contar chistes. ○**a great deal** mucho *He sings a great deal.* Canta mucho.

greed codicia.

green verde *Green is not becoming to her.* El verde no le sienta bien a ella. ||*He is pretty green at that job.* Es un novato en ese empleo.

greens verduras *You don't eat enough greens.* Ud. no come suficientes verduras.

greeting saludo.

grief sentimiento, dolor.

grievance agravio, motivo de queja.

grieve afligir, lastimar; penar.

grill [n] parrilla. •[v] asar a la parrilla; interrogar severamente.

grim torvo, ceñudo *He had a grim look on his face.* Su cara tenía un aspecto torvo. ▲horrendo *The battle was grim.* La batalla fue horrenda.

grimy tiznado, sucio.

grin [n] mueca, sonrisa. •[v] hacer muecas.

grind [n] calvario *A day's work for a miner is a long grind.* Un día de trabajo para un minero es un calvario. •[v] moler *We grind our coffee by hand.* Molemos el café a mano. ▲rechinar *He ground his teeth in anger.* Rechinó los dientes de rabia.

grip apretón de mano; asidero, puño; bolsón de mano, agarrarse *The sailor gripped the railing.* El marinero se agarró a la barandilla. ||*He can't get a grip on himself.* No se puede contener.

groan [n] gemido, quejido. •[v] gemir.

grocer tendero, abacero, [Cuba] bodeguero, [Mex] abarrotero.

grocery ○**groceries** comestibles *Let's go and buy some groceries.* Vamos a comprar algunos comestibles. ○**grocery store** tienda de comestibles, [Sp] ultramarinos, [Mex] tienda de abarrotes, [Cuba] bodega, [Arg & Chile] almacén.

groom [n] novio *The bride is ready. Where is the groom?* La novia ya está lista. ¿Dónde está el novio? •[v] almohazar *The horse must be groomed.* Hay que almohazar al caballo.

groove acanaladura, estría, surco.

grope tentar.

gross [n] gruesa *A gross is twelve dozen.* Una gruesa son doce docenas. •[adj] craso *The accountant made a gross error.* El contador cometió un error craso. ▲grosero *That is a very gross way of putting it.* Esa es una manera muy grosera de decirlo. ○**gross income** ingresos totales.

ground [n] tierra *This ground is not very fertile.* Esta tierra no es muy fértil. ▲terreno *The ground was very rocky.* El terreno era muy pedregoso. ▲razón *What grounds do you have for saying that?* ¿Qué razones tiene Ud. para decir eso? •[adj] baja *I don't want a room on the ground floor.* No quiero una habitación en la planta baja. ○**from the ground up** de abajo arriba. ○**grounded** fundado *Your opinions are well grounded.* Sus juicios están bien fundados. ▲versado *They were well grounded in history.* Eran muy versados en historia. ▲permanecer en tierra *The plane was grounded by bad weather.* El avión permaneció en tierra a causa del mal tiempo. ▲conexión con tierra *Is the radio grounded?* ¿Tiene la radio conexión con tierra? ○**grounds** jardines *A gardener takes care of the grounds.* Un jardinero cuida los jardines. ▲posos *I don't like coffee grounds in my cup.* No me gustan los posos de café en mi taza. ○**to gain ground** ganar terreno. ○**to give ground** ceder terreno *When he insisted, I had to give ground.* Al insistir él, tuve que ceder terreno.

group [n] grupo *There was a group of men in the street.* Había un grupo de hombres en la calle. •[v] agrupar *Group the words according to meaning.* Agrupe las palabras según su significado.

G

grove arboleda, alameda.

grow crecer *The little boy grew very fast.* El niño creció muy rápidamente. ▲aumentar, crecer *The crowd grew rapidly.* La muchedumbre aumentó rápidamente. ▲cultivar *That farmer grows vegetables.* Ese agricultor cultiva legumbres. º**to grow cold or warm** empezar a hacer frío o calor *The weather is growing cold.* Empieza a hacer frío. º**to grow up** desarrollarse, crecer *His daughter is growing up rapidly.* Su hija se está desarrollando rápidamente.

growl [n] gruñido. •[v] gruñir, refunfuñar.

growth desarrollo, crecimiento *The dog reached full growth in a year.* El perro alcanzó su desarrollo completo en un año. ▲tumor *He has a growth on his arm.* Tiene un tumor en el brazo.

grudge envidiar *I don't grudge him his success.* No le envidio su éxito. º**to bear a grudge against someone** tener inquina a alguien, tener rabia a alguien.

gruff ceñudo, áspero.

grumble quejarse, refunfuñar.

grunt gruñir.

guarantee [n] garantía *This clock has a five-year guarantee.* Este reloj tiene una garantía de cinco años. •[v] garantizar, asegurar *I guarantee that you'll enjoy this movie.* Le aseguro que le gustará esta película.

guard [n] guardia *The guard kept me from passing.* El guardia me impidió pasar.—*For a moment his guard was down.* Descuidó la guardia por un momento. ▲vigilancia *They kept close guard of the bridge.* Guardaban una estrecha vigilancia del puente. •[v] vigilar *Guard the prisoner carefully.* Vigile con cuidado al prisionero. ▲tomar precauciones *They tried to guard against the disease spreading.* Trataron de tomar precauciones contra la propagación de la enfermedad. º**off one's guard** desprevenido, fuera de guardia *You can never catch him off guard.* Nunca le puede Ud. coger desprevenido. º**to be on guard** estar en guardia.

guardian guardián, guarda.

guerrilla guerrillero.

guess [n] suposición, conjetura *That was a good guess.* Esa fue una buena suposición. •[v] acertar, adivinar *Can you guess my age?* ¿Puede Ud. acertar mi edad?

guest huésped, convidado, invitado.

guide [n] guía *The guide took me around.* El guía me llevó a todas partes.—*Where can I buy a guide to the city?* ¿Dónde puedo comprar una guía de la ciudad? •[v] guiar *He guided the group through the woods.* Guió el grupo a través del bosque.

guilt delito, culpa.

guilty culpable *The prisoner was found guilty.* El preso fue hallado culpable.

gulf golfo.

gum chicle *Do you have any gum?* ¿Tiene Ud. chicle? ▲goma *There isn't much gum on these envelopes.* No tienen mucha goma estos sobres. ▲encía *My gums hurt.* Me duelen las encías.

gun arma de fuego, fusil *He spends a lot of time cleaning his gun.* Dedica mucho tiempo a la limpieza de su fusil. ▲cañonazo *The ship fired a salute of twenty-one guns.* El barco disparó una salva de veintiún cañonazos.

▲cañón *This is a long-range gun.* Es un cañón de largo alcance. º**to stick to one's guns** mantenerse con la suya.

gunner artillero.

gush derramar, verter, brotar, fluir, manar a borbotones.

gust ráfaga, racha.

gutter canal, gotera, cuneta.

gymnasium (*gym*) gimnasio.

gynecology ginecología.

gypsy gitano.

H

habit costumbre *I'm trying to break myself of the habit.* Estoy tratando de perder la costumbre.—*I got into that habit while I was abroad.* Adquirí esa costumbre mientras estaba en el extranjero.

habitual habitual.

haggard trasnochado, demacrado.

hail [n] granizo *The hail broke the window panes.* El granizo rompió los cristales. ▲granizada *The soldiers loosed a hail of bullets against the enemy.* Los soldados lanzaron una granizada de balas contra el enemigo.

hail [v] aclamar *The book has been hailed by all the critics.* El libro ha sido aclamado por todos los críticos. ▲llamar *I've been trying to hail a cab for the last ten minutes.* Llevo diez minutos tratando de llamar un taxi. º**to hail from** venir de *What part of the country do you hail from?* ¿De qué parte del país viene Ud.?

hailstorm granizada *The hailstorm ruined the tobacco crops.* La granizada destruyó la cosecha de tabaco.

hair pelo *There is a hair on your coat.* Tiene Ud. un pelo en el abrigo.—*He just missed me by a hair.* No me alcanzó por un pelo. ▲cabello *What color is her hair?* ¿De qué color es el cabello de ella?

haircut corte de pelo.

hairdresser peluquero.

hair net redecilla.

hairpin horquilla, ganchito.

half [n] medio *This shirt'll take a yard and a half of material.* Para esta camisa se necesita yarda y media de tela. ▲mitad *I'll give him half of my share.* Le daré la mitad de mi parte. •[adj] medio *Give me a half pound of those.* Déme Ud. media libra de aquellos. •[adv] medio, a medias *It is only half done.* Está hecho solamente a medias. ▲medio *I was lying on the couch half a-sleep.* Estaba echado en el sofá, medio dormido. º**half an hour, a half hour** media hora *I'll be back in half an hour.* Volveré dentro de media hora.—*I waited for him a good half hour.* Le esperé media hora larga. º**half past**...las...y media *We'll be there at half past eight.* Estaremos allí a las ocho y media. º**half price** mitad de precio *I got it for half price at a sale.* Lo conseguí en una liquidación a mitad de precio. º**in half** por la mitad *Shall I cut it in half?* ¿Lo corto por la mitad?

half-breed [n, adj] mestizo.

half-mast media asta.

hall vestíbulo *Please wait in the hall.* Haga el favor de esperar en el vestíbulo. ▲corredor *It is the second door down the hall.*

Es la segunda puerta del corredor. ▲salón *There were no seats, so we stood at the back of the hall.* Como no quedaban asientos, estuvimos de pie en el fondo del salón. O**city hall** ayuntamiento *His office is in city hall.* Su despacho está en el ayuntamiento.

halt hacer alto *The horses halted for a short rest.* Los caballos hicieron alto para descansar un rato. O**to come to a halt** interrumpirse, pararse *The work finally came to a halt.* Por fin se interrumpió el trabajo.

halter cabestro.

halting vacilante *Shyness made the child speak in a halting manner.* La timidez hizo que el niño hablara de una manera vacilante.

ham jamón *Bring me a nice piece of ham for dinner.* Tráigame un buen pedazo de jamón para la comida. ‖*That actor is quite a ham.* Ese actor es un maleta [*Sp*]. Ese actor es muy malo.

hamburger albóndiga, hamburguesa.

hammer [*n*] martillo *Could I borrow a hammer?* ¿Puedo pedir prestado un martillo? •[*v*] martillar *Hammer the iron over the anvil.* Martille el hierro sobre el yunque.

hammock hamaca.

hamper [*n*] canasta *Throw those dirty clothes in the hamper.* Tire esa ropa sucia en la canasta. •[*v*] impedir *He was hampered in getting a job by his lack of experience.* Su falta de experiencia le impidió conseguir un empleo.

hand [*n*] mano *Where can I wash my hands?* ¿Dónde puedo lavarme las manos?—*The affair is in my hands.* El asunto está en mis manos o Tengo el asunto entre manos.—*This is the worst hand I've had all evening.* Esta es la peor mano que me ha tocado en toda la noche. ▲manecilla *The hour hand is broken.* La manecilla que marca las horas está rota. ▲parte *Did you have a hand in this?* ¿Ha tomado Ud. parte en esto? ▲ovación *The audience gave her a big hand.* El público le dio una gran ovación. •[*v*] pasar *Will you hand me that pencil?* ¿Quiere Ud. pasarme ese lápiz? O**at first hand** directamente *I got this information at first hand.* Recibí estos informes directamente. O**by hand** a mano *All this sewing had to be done by hand.* Hubo que hacer toda esta costura a mano. O**in hand** dominado, controlado *The situation is well in hand.* La situación está controlada. O**on hand** a mano, disponible *He is never on hand when I want him.* Nunca está a mano cuando lo necesito. ▲en existencia *We haven't any soap on hand this week.* Esta semana no tenemos jabón en existencia. O**on one's hands** entre manos *I've got a lot of work on my hands today.* Hoy tengo mucho trabajo entre manos. O**on the other hand** por otra parte *He is a good man, but, on the other hand, he hasn't had much experience.* Es un buen hombre pero, por otra parte, no tiene mucha experiencia. O**on the right-hand** (*or* **left-hand**) **side** a la derecha (o izquierda) *The house is on the left-hand side as you go up the street.* Yendo calle arriba, la casa está a la izquierda. O**to be handed down** pasar de padres a hijos *These jewels have been handed down in our family for generations.* Estas joyas han pasado de padres a hijos en nuestra familia. O**to change hands** cambiar de manos, cambiar de dueño *The business has changed hands.*

El negocio ha cambiado de manos. O**to get out of hand** desmandarse, perder el control *Don't let the students get out of hand.* No permita que los estudiantes se desmanden. O**to hand out** distribuir *Take these tickets and hand them out.* Tome Ud. estos boletos y distribúyalos. O**to have one's hands full** estar ocupadísimo *He certainly has his hands full with that new job.* No hay duda de que está ocupadísimo con ese nuevo trabajo. O**to lend a hand** echar una mano, ayudar *Would you lend me a hand in moving that furniture.* ¿Me echaría Ud. una mano para mover estos muebles?

handbag cartera.

handball pelota.

handbill hoja suelta, prospecto.

handcuffs esposas.

handful puñado.

handicap impedimento, obstáculo *The lame arm will be a handicap for his work.* El brazo lisiado será un impedimento para su trabajo. ▲handicap *Who is your favorite to win the handicap?* ¿Quién cree Ud. que gane el handicap? O**to be handicapped** estar en situación de inferioridad. *He has been handicapped all his life.* Ha estado toda su vida en una situación de inferioridad.

handkerchief pañuelo.

handle [*n*] mango *This hoe needs a new handle.* A este azadón le hace falta un mango nuevo. •[*v*] manejar *Handle with care.* Manéjese con cuidado.—*Can you handle a gun?* ¿Sabe Ud. manejar un fusil?—*He handles the car very well.* Maneja muy bien el automóvil. ▲tocar, manosear *Look at it all you want but don't handle it.* Mírelo todo lo que quiera pero no lo toque. ▲saber dominar *He handled the situation very well.* Supo dominar la situación muy bien.

handsome guapo, buen mozo *I don't think he is very handsome.* No me parece que es muy guapo. ▲excelente *He made me a handsome offer for my farm.* Me hizo una oferta excelente por mi granja.

handwriting letra, escritura.

handy a la mano *Everything in the kitchen is so handy.* Todo en la cocina está a la mano. ▲útil *This can opener is very handy.* Este abrelatas es muy útil. ▲hábil *He is very handy at repairing things around the house.* Es muy hábil en reparar las cosas de la casa.

hang colgar *He hung the picture over the fireplace.* Colgó el cuadro encima de la chimenea.—*Is that your hat hanging on the hook?* ¿Es suyo el sombrero que cuelga de la percha? ▲fijar *We should hang a sign on the door.* Debemos fijar un letrero en la puerta. ▲bajar, inclinar *Why are you hanging your head?* ¿Por qué baja Ud. la cabeza? ▲ahorcar *They'll hang him for his crime.* Le ahorcarán por su crimen. O**to get the hang of** it comprender, entender *Now you're getting the hang of it.* Ahora ya lo está Ud. comprendiendo. O**to hang on** agarrarse, asirse *I hung on as tight as I could.* Me agarré lo más fuertemente que pude. O**to hang on to** guardar *Hang on to this money.* Guarde bien este dinero. O**to hang out** asomarse demasiado *Don't hang out of the window.* No se asome demasiado por la ventana. O**to hang up** colgar *Hang up your hat and coat.* Cuelgue Ud. su

II

sombrero y su abrigo. ▲colgar *He hung up on me.* Me colgó (el teléfono).

hangar hangar.

hanger (*for clothes*) colgador, gancho.

hangover malestar que sigue a la embriaguez; resaca [*Mex*].

haphazard [*adj*] casual, fortuito.

happen pasar *What happened?* ¿Qué pasó?—*What happened to the typewriter?* ¿Qué le pasó a la máquina de escribir? ▲ocurrir *Were you there when the accident happened?* ¿Estaba Ud. allí cuando ocurrió el accidente? ▲suceder *Everything happens to me.* Todas las cosas me suceden a mí. ▲acontecer *A wonderful thing happened to me last night.* Anoche me aconteció algo maravilloso. ▲lograr *How did you happen to find me?* ¿Cómo logró Ud. encontrarme?

happily felizmente *They seem to live happily together.* Parece que viven juntos felizmente.—*Happily, no one was injured in the accident.* Felizmente nadie se hizo daño en el accidente.

happiness felicidad.

happy feliz *This is one of the happiest days of my life.* Este es uno de los días mas felices de mi vida.—*The movie had a happy ending.* La película tuvo un final feliz. ▲contento, alegre *I don't feel very happy.* No estoy muy contento.

harbor [*n*] puerto. •[*v*] abrigar.

hard duro *I don't like to sleep on a hard bed.* No me gusta dormir en cama dura. ▲apretado *He tied the rope into a hard knot.* Amarró la cuerda con un nudo apretado. ▲difícil *I had a hard time getting here.* Me fue difícil llegar aquí. ▲fuerte *If you like hard work, I'll see that you get it.* Si le gusta un trabajo fuerte yo me encargaré de proporcionárselo. ▲asiduo *He is a hard worker and does a good job.* Es un trabajador asiduo y además hace un buen trabajo. ▲severo *He is a hard man.* Es un hombre severo. ▲injurioso *Those are hard words.* Esas son palabras injuriosas. ▲dura, fuerte *He has been training for two months and he is as hard as nails.* Se ha entrenado durante dos meses y está fuerte como el hierro. ○**hard-and-fast** inflexible, riguroso *We have no hard-and-fast rules here.* Aquí no hay reglas inflexibles. ○**hard of hearing** duro de oído *You'll have to speak louder because he is hard of hearing.* Tendrá Ud. que hablar más alto porque es duro de oído. ○**hard road** carretera pavimentada. ○**hard water** agua gorda. ○**to be hard up** hallarse en apuros *He is always hard up before payday.* Siempre se halla en apuros antes del día de pago.

hard-boiled duro *I like hard-boiled eggs.* Me gustan los huevos duros. ▲duro, severo *The boss is pretty hard-boiled.* El jefe es muy duro.

hard disk disco duro.

hardly apenas *He had hardly begun to speak when he was interrupted.* Apenas empezó a hablar, cuando le interrumpieron.—*I hardly think so.* Apenas lo creo. ▲casi *There were hardly any people there when the show started.* Casi no había gente allí cuando comenzó el espectáculo.

hardware ferretería; (*computer*) los componentes físicos de una computadora.

harm [*n*] daño *The dry weather has done a lot of harm to the crop.* La sequía ha hecho mucho daño a la cosecha. •[*v*] dañar *Be careful not to harm him.* Cuidado de no dañarle.

harmony armonía. *I like the harmony of this composition.* Me agrada la armonía de esta composición.—*There was perfect harmony between the two families.* Había una completa armonía entre las dos familias. ○**to be in complete harmony** estar completamente de acuerdo *The delegates are in complete harmony on everything.* Los delegados están completamente de acuerdo en todo.

harness [*n*] arnés, arreos. •[*v*] guarnicionar.

harp arpa *This symphony requires two harps.* Esta sinfonía requiere dos arpas. ○**to harp on** machacar sobre *I'm tired of hearing you harp on the same subject.* Estoy cansado de oírle machacar sobre el mismo tema.

harsh áspero, riguroso.

harvest [*n*] cosecha. •[*v*] cosechar.

hash [*n*] picadillo *We had the best hash for dinner!* ¡Tuvimos un magnífico picadillo para la cena! ▲lío, confusión *You sure made a hash of this!* ¡Qué lío ha hecho Ud. de esto. •[*v*] picar, desmenuzar ○**to hash up** enredar, echar a perder *Your intentions may have been good, but you've certainly hashed up everything.* Podrán haber sido buenas sus intenciones, pero lo cierto es que lo ha enredado todo.

haste prisa.

hasten darse prisa.

hasty hecho a la ligera *It is only a hasty job.* Es sólo un trabajo hecho a la ligera. ▲rápido, precipitado *They had to beat a hasty retreat.* Tuvieron que hacer una retirada precipitada. ▲impulsivo, irreflexivo *He is very hasty in everything he does.* Es muy impulsivo en todo lo que hace.

hat sombrero.

hatch empollar, incubar *Can't these eggs be hatched artificially?* ¿No se pueden incubar estos huevos artificialmente? ▲tramar, fraguar *I wonder what those two are hatching.* ¿Qué estarán tramando esos dos?

hatchet hacha pequeña.

hate [*n*] odio *You could see hate in her eyes.* Se notaba el odio en sus ojos. •[*v*] aborrecer *She hated her husband because he had left her.* Aborrecía a su marido porque lo había abandonado.

hatred odio.

haul [*n*] redada *We brought in a big haul of fish this morning.* Trajimos una buena redada de peces esta mañana. •[*v*] tirar de, arrastrar *How are you going to haul it?* ¿Cómo lo va a arrastrar? ○**to haul the flag down** arriar la bandera.

haunt [*v*] frecuentar, rondar ○**haunted house** casa embrujada.

have tener *I have two tickets to the theater.* Tengo dos boletos para el teatro.—*He has a fine library.* Tiene una excelente biblioteca.—*I had some money with me.* Tenía algún dinero conmigo.—*Do you have any brothers and sisters?* ¿Tiene Ud. hermanos?—*I have the idea clearly in mind.* Tengo la idea clara en mi mente.—*When do you have your vacation?* ¿Cuándo vas a tener tus vacaciones? ▲desear *What'll* *you have?* ¿Qué desea Ud.? ▲tomar *I have piano lessons twice a week.* Tomo lecciones de piano dos veces por semana.—*I've had one drink too many.* He tomado un trago más de la cuenta. ▲echar, tomar *Let's have a drink.* Vamos a tomar un trago *o* Vamos a tomar algo. ▲jugar *Let's have a game.* Vamos a jugar un partido. ▲hacerse *I have my teeth cleaned twice a year.* Me hago hacer una limpieza de dientes dos veces al año. ▲hacer, mandar hacer *I had my typewriter cleaned.* Hice limpiar mi máquina de escribir. ▲hacer que *I'll have the boy take the package.* Haré que el muchacho lleve el paquete. ▲mandar *I had it made to order.* Lo mandé hacer a la medida.—*He has the laundry do his shirts.* Manda sus camisas a la lavandería. ▲querer *I'll have it that way.* Lo quiero así. ▲permitir *I won't have noise in this room any longer.* No permitiré más ruido en esté cuarto. ▲haber *Has he done his job well?* ¿Ha hecho bien su trabajo?—*He'll have finished by that time.* Habrá terminado para entonces.—*Has he gone home?* ¿Ha ido a casa?—*If I had known that, I wouldn't have come at all.* Si hubiera sabido eso, no hubiese venido. Oto **have a baby** dar a luz *My wife is going to have a baby in June.* Mi esposa va a dar a luz en junio. Oto **have a mind to** pensar, tener intención de *I have a mind to go there tomorrow.* Pienso ir allí mañana. Oto **have breakfast** desayunar. Oto **have dinner** comer *Let's have dinner at six o'clock.* Comamos a las seis. Oto **have it in for** tenérselas juradas a uno *I'll have it in for him if he does it.* Se las tengo juradas si lo hace. Oto **have it out** poner las cosas en claro, plantear la cuestión *It is better to have it out now than later.* Más vale poner las cosas en claro ahora que más tarde. Oto **have lunch** almorzar. Oto **have supper** cenar. Oto **have to** tener que *You don't have to do anything you don't want to.* No tienes que hacer nada que no quieras.—*I had to leave early.* Tuve que salir temprano.—*She has to go home now.* Ella tiene que irse a casa ahora. Oto **have to do with** tener que ver con *I have nothing to do with it.* No tengo nada que ver con ello.

haven abrigo, asilo.

havoc estrago.

hawk halcón.

hay heno *They saw field after field of hay.* Vieron campos y campos de heno. Oto **hit the hay** dormir *I'm tired; let's hit the hay.* Estoy cansado; vamos a dormir. Oto **make hay while the sun shines** aprovechar la racha.

hay fever fiebre de heno.

haystack hacina de heno.

hazardous arriesgado, peligroso.

he él *Who is he?* ¿Quién es él?

head cabeza [f] *My head hurts.* Me duele la cabeza.—*He has a good head for business.* Tiene buena cabeza para los negocios.—*We want some nails with larger heads.* Queremos algunos clavos con la cabeza más grande.—*You're at the head of the list.* Ud. está a la cabeza de la lista.—*How many head of cattle are on the farm?* ¿Cuántas cabezas de ganado hay en la hacienda? ▲cabeza [m] *Who is the head of the family?* ¿Quién es el cabeza de familia? ▲tapa *We'll have to take off the head of the*

barrel. Tendremos que quitar la tapa del barril. ▲principio *Begin at the head of the page.* Empiece al principio de la página. ▲director *I want to speak to the head of the organization.* Deseo hablar con el director de la organización. ▲nacimiento, cabecera *How far is it to the head of the river?* ¿A qué distancia queda el nacimiento del río? •[adj] a proa, de proa *A head wind delayed our landing.* El viento de proa retrasó nuestro desembarque. •[v] estar a la cabeza de, ir a la cabeza *The boy heads his class at school.* El muchacho está a la cabeza de su clase en la escuela. ▲conducir *The pilot headed the plane into the wind.* El piloto condujo el avión de cara al viento. ▲dirigirse *They are heading for the city.* Se dirigen a la ciudad. Ohead **of hair** cabello, cabellera *She has a fine head of hair.* Tiene un cabello hermoso. Ohead**-on** de frente *It was a head-on collision.* Fue un choque de frente. Ohead **over heels** locamente *My friend is head over heels in love.* Mi amigo está locamente enamorado. Oheads cara *Heads I win, tails I lose.* Cara, yo gano; cruz, pierdo. Oout **of one's head** estar fuera de sí *The man is positively out of his head.* El hombre está realmente fuera de sí. Oover **one's head** fuera de alcance *That subject is over my head.* Ese asunto está fuera de mi alcance. ▲por encima de uno *It may be necessary to go over his head on this.* Quizás será necesario saltar por encima de él en este asunto. Oto **come to a head** llegar a un punto decisivo *Matters are coming to a head.* Los asuntos van llegando a su punto decisivo. Oto **go to one's head** subírsele a uno a la cabeza *The success has gone to his head.* El éxito se le ha subido a la cabeza. Oto **hit the nail on the head** dar en el clavo *You hit the nail on the head that time.* Esa vez dio Ud. en el clavo. Oto **keep one's head** mantener la calma *Everyone kept his head in the excitement.* Todos mantuvieron la calma en la conmoción. Oto **lose one's head** perder los estribos *She got angry and lost her head.* Ella se enfadó y perdió los estribos. Oto **put heads together** cambiar impresiones *Let's put our heads together and figure it out.* Cambiemos impresiones para solucionarlo. Oto **take it into one's head** metérsele a uno en la cabeza *The maid took it into her head to leave suddenly.* De pronto a la sirvienta se le metió en la cabeza marcharse.

headache dolor de cabeza.

head first de cabeza *I fell head first.* Caí de cabeza.

heading encabezamiento; membrete (*stationery*).

headlight faro delantero.

headline titular, epígrafe.

headman jefe *Mr. Smith is the headman.* El señor Smith es el jefe.

headquarters oficina central, oficina principal, jefatura, cuartel general.

heal sanar.

health salud *How is your health?* ¿Cómo está Ud. de salud?—*Here is to your health.* ¡A su salud!

healthy bien de salud *I feel healthy enough.* Me siento bastante bien de salud. ▲saludable *This isn't a healthy place to be in.* Este no es un sitio saludable para estar

H

heap [*n*] montón *Throw all this stuff in a rubbish heap.* Tire Ud. estos cachivaches en el montón de la basura. O**heaped** repleto *The table was heaped with all kinds of foods.* La mesa estaba repleta de toda clase de manjares. O**in a heap** amontonado *Don't leave those things in a heap.* No dejen esas cosas amontonadas.

hear oír *I hear someone coming.* Oigo que alguien viene.—*I just heard the telephone ring.* Acabo de oír sonar el teléfono.—*Hear me to the end.* Óyeme hasta el final.—*I never heard of such a thing.* Jamás oí cosa igual.—*They offered to put me up for the night, but I wouldn't hear of it.* Me ofrecieron alojarme durante la noche, pero no quise ni oírles. ▲escuchar *I hear good music every night.* Todas las noches escucho buena música. ▲oír decir *I hear that the play was a success.* Oigo decir que la representación tuvo éxito. ▲saber *What do you hear from home?* ¿Qué sabe Ud. de su casa? ▲enterarse *Did you hear of his arrival?* ¿Se enteró Ud. de su llegada? ▲informarse *The judge hears different kinds of cases every day.* El juez se informa de distintos casos todos los días.

hearing audiencia *The judge gave both sides a hearing.* El juez concedió audiencia a las dos partes. ‖*The old man's hearing is poor.* El viejo no oye bien. O**public hearing** vistas públicas.

heart corazón *His heart is weak.* Tiene el corazón débil.—*She has a soft heart.* Ella tiene un corazón blando.—*I haven't the heart to do it.* No tengo corazón para hacerlo *o* No podría hacerlo. ▲centro *The store was located in the heart of town.* La tienda estaba situada en el centro de la ciudad. ▲compasión *Have a heart.* Tenga Ud. compasión. ▲fondo, meollo *I intend to go to the heart of this matter.* Intento llegar al fondo de este asunto. O**at heart** en el fondo *At heart he is really a nice fellow.* En el fondo es un buen chico. O**by heart** de memoria *He learned the poem by heart.* Se aprendió la poesía de memoria. O**to break one's heart** destrozarle el corazón *He broke her heart when he left.* Le destrozó el corazón al marcharse. O**to do one's heart good** alegrarle el corazón *It does my heart good to see them happy.* Me alegra el corazón verlos felices. O**to lose heart** descorazonarse, perder valor *In spite of everything, I didn't lose heart.* A pesar de todo, no me descorazoné.—*Don't lose heart.* No pierda valor. O**to take something to heart** tomar algo a pecho *Don't take it to heart.* No lo tome a pecho.

heart attack ataque al corazón.

heartbeat latido del corazón.

heartburn acedía, pirosis, [*Am*] vinagrera.

hearth hogar.

hearty cordial *We were given a hearty welcome as we stepped off the train.* Nos dieron un cordial recibimiento al bajar del tren. O**hale and hearty** sano y fuerte *My father is still hale and hearty at sixty.* Mi padre está todavía sano y fuerte a los sesenta años. O**hearty eater** comilón *He is a hearty eater, but he stays thin.* Es un comilón pero se mantiene delgado.

heat [*n*] calor *I can't stand the heat in this room.* No puedo aguantar el calor en este cuarto.—*In July the heat is intense in Puerto Rico.* En julio el calor es intenso en Puerto Rico. ▲calefacción *The heat should be turned on.* Deberían abrir la calefacción. ▲acaloramiento *In the heat of the argument he struck him.* En el acaloramiento de la discusión le golpeó. •[*v*] calentar *She heated the iron.* Calentó la plancha.

heater calentador.

heave [*n*] empujón *One more heave and we'll have the car out of the mud.* Un empujón más y sacaremos el carro del lodo. •[*v*] empujar *Will you help me heave these trunks over in the corner?* ¿Quiere Ud. ayudarme a empujar estos baúles hasta el rincón? ▲lanzar *How far can you heave this rock?* ¿A qué distancia puede Ud. lanzar esta piedra? ▲remar *Let's all heave together and we'll reach shore in a few minutes.* Rememos todos juntos y llegaremos a la costa en pocos minutos. ▲exhalar, dar *She heaved a sigh of relief when he left.* Dio un suspiro de alivio cuando él se marchó.

heaven cielo. ▲Dios *Heaven forbid!* ¡No quiera Dios! *o* ¡Dios me (te, le, *etc.*) libre! ‖*Good heaven!* ¡Cielo santo! *o* ¡Dios mío!

heavy pesado *Is that too heavy for you?* ¿Es eso demasiado pesado para Ud.? ▲fuerte *In the morning there was a heavy rain.* Hubo un aguacero fuerte en la mañana. ▲duro *My duties are heavy this week.* Mis ocupaciones son muy duras esta semana.

hedge [*n*] seto, cerca.

heed atender, prestar atención.

heel [*n*] talón *I cut my heel on a stone.* Me herí el talón con una piedra.—*There are holes in the heels of these socks.* Estos calcetines tienen agujeros en los talones. O**down at the heels** desvalido, desaliñado.

height altura *What is the height of those hills?* ¿Qué altura tienen esos cerros?—*This plane can fly at great heights.* Este avión puede volar a grandes alturas. ▲pináculo *He has reached the height of success.* Alcanzó el pináculo del éxito. ▲crisis *The fever has passed its height.* La crisis de la fiebre ha pasado. ▲colmo *What he said was the height of stupidity.* Fue el colmo de la estupidez lo que dijo.

heir heredero.

heiress heredera.

hell infierno.

hell-bent resuelto, decidido.

hello hola *Hello, how are you?* ¡Hola! ¿Cómo estás? *o* ¡Hola! ¿qué tal?

helm timón.

helmet casco, yelmo.

help [*n*] ayuda *Do you need any help?* ¿Necesita Ud. ayuda? ▲socorro *Help!* ¡Socorro! ▲criados, sirvientes; empleados (*store*) *It is difficult to get help these days.* En estos tiempos es difícil conseguir empleados. •[*v*] ayudar *I helped the old man cross the street.* Ayudé al anciano a cruzar la calle. ▲remediar *Sorry, it can't be helped.* Lo siento pero no se puede remediar. ▲evitar *I can't help it.* No lo puedo evitar. ▲auxiliar *Please help me!* ¡Auxílienme! O**can't help but** no poder dejar de, no poder menos de *I couldn't help but tell him.* No pude dejar de decírselo. O**to help oneself** servirse *Help yourself.* Sírvase Ud.

helper ayudante.

helpful útil.
helping porción.
helpless inútil.
hem dobladillo.
hemisphere hemisferio.
hemp cáñamo.
hen gallina.
hence por lo tanto, en consecuencia *He is guilty, hence he must be punished.* Es culpable, por lo tanto se le debe castigar.
henceforth de aquí en adelante.
her [*pron*] la *I saw her last week.* La vi la semana pasada. ▲ella *Give this to her.* Déle esto a ella. •[*adj*] su *Her umbrella is here.* Su paraguas está aquí.
herb hierba.
herd [*n*] manada, hato *Herds of wild horses were roaming about the plains.* Manadas de caballos salvajes andaban errantes por los llanos. ▲multitud *You can follow the herd if you like.* Ud. puede seguir a la multitud si quiere. •[*v*] apiñarse *The animals herded together to keep warm.* Los animales se apiñaban unos contra otros para calentarse. ▲reunir *The dogs help herd the cattle.* Los perros ayudan a reunir el ganado.
here aquí *Meet me here at six o'clock.* Véame aquí a las seis. ▲acá *Come here, young man.* Venga Ud. acá, joven. ▲presente *Only six of the men answered "here."* Sólo seis de los hombres contestaron "presente".
hereafter en adelante, en lo futuro.
hereditary hereditario.
heretofore hasta ahora, hasta aquí.
herewith adjunto.
heritage herencia.
hermit ermitaño.
hero héroe.
heroine heroína.
herring arenque.
hers suyo, de ella *This is hers.* Esto es suyo.
herself ella misma *She did it herself.* Lo hizo ella misma. ▲la misma *She is not herself today.* Hoy no es la misma. ▲se *She fell and hurt herself.* Ella se cayó y se lastimó.
hesitate vacilar *The officer in charge hesitated before making the decision.* El comandante vaciló antes de tomar la decisión.—*Don't hesitate to call me up if you need me.* No vacile en llamarme si me necesita.
hiccup hipo.
hidden oculto, secreto *Did you have any hidden reason?* ¿Tenía alguna razón oculta?
hide [*n*] cuero *They are selling hides in the market.* Venden cueros en el mercado. •[*v*] esconder *He hid his money in a bureau drawer.* Escondió su dinero en un cajón de la cómoda. ▲ocultar *The tree hides the view.* El árbol oculta la vista.—*Are you hiding anything from me?* ¿Me oculta Ud. algo?
hideous horrible.
high [*n*] subida *Prices have reached a new high.* Los precios han experimentado una nueva subida. ▲directa *He shifted the gears into high.* Puso los cambios en directa. •[*adj*] de altura *This building is two hundred feet high.* Este edificio tiene doscientos pies de altura. ▲elevado *The temperature will be pretty high today.* Hoy estará bastante elevada la temperatura.—*I have a high opinion of him.* Tengo una opinión elevada de él. ▲alto *This price is too high.* Este precio es demasiado alto. ▲fuerte *The airplane met high winds.* El avión se encontró con vientos fuertes. ▲agudo *She sang a high note.* Cantó una nota aguda. ▲bueno *Why is he in such high spirits today?* ¿Por qué está de tan buen ánimo hoy? O**high and dry** plantado *She was left high and dry.* La dejaron plantada. O**high and low** por todas partes *I looked high and low but couldn't find it.* Busqué por todas partes pero no pude encontrarlo.
high chair silla alta.
highly altamente, sumamente.
high school escuela de segunda enseñanza, instituto.
high-strung nervioso.
highway carretera, camino real.
hike caminata *The boys went on a twenty-mile hike today.* Los muchachos dieron hoy una caminata de veinte millas.
hill colina *What is beyond the hill?* ¿Qué hay más allá de la colina?
him le *I've seen him.* Le he visto. ▲él *Give this to him.* Déle esto (a él).—*"To whom shall I give this?" "To him." "¿A quién tengo que dar esto?" "A él."*
himself él mismo *Did he do it himself?* ¿Lo hizo él mismo? ▲se *He hurt himself in the leg.* Se lastimó la pierna.
hinder impedir.
hinge [*n*] gozne, bisagra *The hinge on the door is broken.* Está rota la bisagra de la puerta. •[*v*] depender de *My final decision hinges on what the family says.* Mi última decisión depende de lo que diga la familia.
hint [*n*] indicio *Can you give me a hint as to how the picture ends?* ¿Me puede Ud. dar un indicio de cómo termina la película? •[*v*] insinuar *My father hinted that it was time to go to bed.* Mi padre insinuó que ya era la hora de acostarse.
hip cadera.
hire alquilar *Let's hire the boat for the day.* Alquilemos el bote para todo el día. ▲emplear *I was hired only temporarily.* Me emplearon sólo temporalmente. O**to hire out** alquilar *The store hires out bicycles on Sundays.* La tienda alquila bicicletas los domingos.
his suyo, de él *This is his.* Esto es suyo. ▲su *Do you have his address?* ¿Tiene Ud. su dirección?
hiss [*n*] silbido, siseo [*v*] sisear, rechiflar.
historian historiador.
historic histórico.
history historia *The history of this country is very interesting.* La historia de este país es muy interesante. ▲libro de historia *He is writing a history book.* Está escribiendo un libro de historia.
hit [*n*] blanco *He made four hits and missed the rest.* Dio en el blanco cuatro veces y erró las demás. •[*v*] pegar, dar *The ball hit the fence.* La pelota pegó en la valla. ▲golpearse *I hit my knee against the door.* Me golpeé la rodilla contra la puerta. ▲dar *The light hit his eyes.* Le dio la luz en los ojos. ▲afectar *The news hit me very hard.* La noticia me afectó mucho. O**hit or miss** descuidado *He works in a hit or miss fashion.* Es muy descuidado en su manera de trabajar. O**to be a hit** ser sensacional *That*

H

movie was a hit. Esa película fue sensacional. ᴼ**to hit it off** entenderse bien *They hit it off well from the beginning.* Se entendieron bien desde el principio. ᴼ**to hit on** ocurrírsele algo *How did you hit on that?* ¿Cómo se le ocurrió eso?

hitch [n] impedimento *There is a hitch in our plans.* Hay un impedimento en nuestros planes. • [v] enganchar *Hitch the horse to the wagon.* Enganche Ud. el caballo al carro.

hive colmena.

hives urticaria, ronchas.

hoard [n] cúmulo *They have a great hoard of silk articles.* Tienen un gran cúmulo de artículos de seda. ▲tesoro escondido *The old miser has a hoard of money.* El viejo avaro tiene un tesoro escondido. • [v] acaparar *The government has asked everyone not to hoard food.* El gobierno ha pedido a todos que no acaparen los alimentos.

hobby pasatiempo, afición.

hobo vagabundo.

hock [v] empeñar *I've hocked my watch.* He empeñado mi reloj.

hockey hockey.

hoe [n] azada.

hog [n] cerdo *Do you know where I can buy good hogs?* ¿Sabe Ud. dónde puedo conseguir buenos cerdos? ▲comilón, tragón *You're an awful hog.* Ud. es un gran comilón. • [v] atribuirse méritos *He hogs all the credit for the work we do together.* El se atribuye todos los méritos por el trabajo que hacemos juntos.

hoist [v] alzar, elevar; izar *(a flag).*

hold [v] tener *She held the baby in her arms.* Tenía el bebé en los brazos.—*They held the land under a ten-year lease.* Tenían el terreno arrendado por diez años. ▲retener *She held the check for a long time.* Retuvo el cheque mucho tiempo. ▲sostener, apoyar *Hold him, or he'll fall.* Sosténgalo, o se caerá. ▲aguantar, contener *He held his breath till he got to the surface.* Aguantó la respiración hasta que llegó a la superficie. ▲sujetar *The pin holds her dress in place.* Tiene el vestido sujetado con un alfiler. ▲estar *He held himself ready for all emergencies.* Estaba preparado para cualquier emergencia. ▲acomodar *The car holds five people.* El automóvil acomoda a cinco personas. ▲contener *This coffee pot can hold four cups.* Esta cafetera puede contener cuatro tazas de café. ▲ocupar *He held that office for a long time.* El ocupó ese puesto durante mucho tiempo. ▲celebrarse *The club meetings are held once a week.* Las reuniones del club se celebran una vez por semana. ▲sostener *I hold that your opinion is unsound.* Sostengo que su opinión es errónea.—*She held a high C for a long time.* Sostuvo por largo rato el "do" agudo. ▲juzgar *The court held him guilty.* La corte le juzgó culpable. ᴼ**to hold back** refrenarse *I wanted to go but held myself back.* Quería ir pero me refrené. ▲detenerse *Hold that crowd back!* ¡Detenga a ese gentío! ᴼ**to hold on** aguantar *Try to hold on a little longer.* Trate de aguantar un poco más. ▲detenerse, esperarse *Hold on a minute, I want to talk to you.* Deténgase un momento que quiero hablarle. ▲agarrarse *Hold on to him.* Agárrese a él. ᴼ**to hold on to** mantenerse firme en *He'll hold on to his post.* Se mantendrá firme en su puesto. ᴼ**to hold out** resistir *They held out against the enemy.* Resistieron al enemigo. ᴼ**to hold over** dejar (en suspenso) *Let's hold this over until the next meeting.* Dejemos esto (en suspenso) hasta la reunión siguiente. ᴼ**to hold up** parar, detener *The work was held up for three weeks.* El trabajo estuvo parado durante tres semanas. ▲atracar, asaltar para robar *I was held up last night.* Anoche me atracaron.

holder agarrador, asidero.

holdup asalto, atraco.

hole agujero *There is a hole in that glove.* Ese guante tiene un agujero.—*The mouse ran into his hole.* El ratón se metió en su agujero. ▲apuro, aprieto *She found herself in a hole financially.* Se encontraba en un apuro de dinero.

holiday día festivo, día de fiesta *Is today a holiday?* ¿Es hoy día de fiesta? ▲vacación *I want to take a holiday.* Quiero tomarme unas vacaciones. ᴼ**holiday season** fiestas *When does the holiday season begin?* ¿Cuándo empiezan las fiestas?

hollow hueco, vacío.

holy sagrado.

home casa *She lives at home with her parents.* Ella vive en la casa de sus padres.—*They have a beautiful home in the country.* Tienen una hermosa casa en el campo. ▲hogar *You can always find a home with us.* Siempre encontrará Ud. un hogar en nuestra casa. ▲asilo *There is a home for senior citizens up on the hill.* En el cerro hay un asilo de ancianos.—*I have to go home.* Tengo que irme a casa. ᴼ**at home** en casa *I was at home all day yesterday.* Ayer estuve en casa todo el día. ▲en su casa *Make yourself at home.* Está Ud. en su casa.

homely feo *She has a homely face but she is a very nice person.* Es fea de cara, pero es una persona muy buena. ▲simple *He always uses homely expressions.* Siempre usa expresiones simples.

homesick nostálgico.

home town pueblo natal, patria chica *He went back to his home town.* Regresó a su pueblo natal.

homicide homicidio.

honest honrado, honesto *That wouldn't be honest.* Eso no sería honrado. ▲honrado *He has an honest face.* Tiene cara de honrado. ▲equitativo *That is an honest bargain.* Ese es un convenio equitativo.

honestly honradamente, honestamente.

honesty honradez.

honey miel *I'd like some bread and honey.* Quisiera un poco de pan con miel. ▲encanto *That is a honey of a dress.* Ese vestido es un encanto.

honeymoon luna de miel.

honor [n] honor *It is an honor to be elected.* Es un honor ser elegido.—*You are a man of honor.* Ud. es un hombre de honor.—*I swear on my honor.* Juro por mi honor. ▲honra *He is an honor to his family.* El es una honra para su familia. • [v] honrar *I was honored by the invitation.* Me sentí honrado con la invitación.—*They gave a dinner to honor the heroes.* Celebraron una comida para honrar a los héroes. ▲aceptar *We can't honor this check.* No podemos aceptar este cheque. **^ohonors** honores *He expects to graduate with honors.* Espera graduarse con honores.

honorable honorable.

honorary honorario.

hood capota, capucha.

hoodlum pillo, rufián.

hoof casco.

hook [*n*] gancho *Is there a hook to hang my coat on?* ¿Hay un gancho para colgar mi abrigo? ▲anzuelo *We went fishing with a hook and line.* Fuimos a pescar con caña y anzuelo. ▲puñetazo *He gave him a left hook to the jaw.* Le soltó un puñetazo en la mandíbula con la izquierda. •[*v*] pescar *I hooked a big fish.* Pesqué un pez grande. ▲abrochar *Help me hook this.* Ayúdeme a abrochar esto. ▲enganchar *The two parts of this buckle hook together.* Las dos piezas de este broche enganchan.

hookup circuito.

hop [*n*] brinco. •[*v*] brincar.

hope [*n*] esperanza *Don't give up hope.* No pierda Ud. la esperanza.—*Is there any hope?* ¿Hay alguna esperanza? ▲salvación, esperanza *The new player is the only hope of the team.* El nuevo jugador es la única salvación del equipo. •[*v*] esperar *I hope you can come.* Espero que pueda Ud. venir.

hopeful esperanzado, lleno de esperanza.

hopeless desahuciado, desesperanzado.

horizon horizonte.

horizontal horizontal.

horn asta, cuerno *Be careful, the bull has sharp horns.* Tenga cuidado que el toro tiene las astas puntiagudas. ▲trompa *He played a horn solo.* Tocó un solo de trompa. ▲bocina *Don't blow the horn so much.* No toque Ud. tanto la bocina.

horrible horrible.

horrid hórrido.

horse caballo *Where can I get a horse?* ¿Dónde puedo conseguir un caballo?— *Let's go to the horse races.* Vamos a las carreras de caballos. ‖*That is a horse of a different color.* Eso ya es algo diferente.

horseback **^oon horseback** a caballo *You can get there quicker on horseback.* Ud. puede llegar allí más ligero a caballo.

hose medias, calcetines *The store is having a sale on men's hose.* La tienda tiene una liquidación de calcetines de hombre. ▲manguera *Get out the hose, and water the garden.* Saque Ud. la manguera y riegue el jardín.

hospitable hospitalario.

hospital hospital.

hospitality hospitalidad.

host anfitrión.

hostage rehén.

hostess anfitriona.

hostile hostil.

hostilities hostilidades.

hot caliente *Do you have hot water?* ¿Tiene Ud. agua caliente?—*I want a hot dinner.* Quiero una comida caliente.—*His forehead is hot.* Tiene la frente caliente. ▲picante *I don't like hot foods.* No me gustan las comidas picantes. ▲violento, furioso *He has a hot temper.* Tiene un genio violento. ▲fresco, reciente *The dog followed the hot scent.* El perro siguió el rastro fresco.

▲de cerca *We thought we were hot on the trail.* Creímos que les seguíamos de cerca.

hot dog perro caliente

hot-blooded de malas pulgas *He is a hot-blooded individual.* Es una persona de malas pulgas.

hotel hotel.

hot-water bottle bolsa de agua caliente.

hound [*n*] sabueso.

hour hora *I'll be back in an hour.* Volveré en una hora.—*Are you available at all hours?* ¿Está Ud. disponible a todas horas?—*When do you take your lunch hour?* ¿Cuál es su hora de almorzar? o ¿A qué hora almuerza Ud.?—*How many hours of French are you taking?* ¿Cuántas horas de francés toma Ud.?—*This is after hours.* Esto es fuera de horas. **^oto keep late hours** recogerse tarde, acostarse tarde *He keeps late hours.* Se recoge tarde o Se acuesta tarde.

hourly a cada hora.

house [*n*] casa *I want to rent a house.* Quiero alquilar una casa.—*The whole house turned out to greet him.* Todos los de la casa salieron a saludarle.—*Their house sells clothing.* Su casa vende ropa.—*He belongs to the house of Aragon.* Desciende de la casa de Aragón. ▲público *The whole house enjoyed the play.* Todo el público gozó del espectáculo. **^ohouse-to-house** casa por casa *We made a house-to-house search.* Hicimos un registro casa por casa. **^omovie house** cine. **^oto keep house** mantener casa *I'm not used to keeping house.* No estoy acostumbrado a mantener casa. **^oupper house** senado *The law was just passed by the upper house.* El senado acaba de aprobar la ley. •[*v*] alojar *Where are the visitors to be housed?* ¿Dónde se pueden alojar los invitados?

household familia *The household gathered around the radio.* La familia se agrupó alrededor de la radio. ▲casa *Everyone chipped in and helped with the household tasks.* Todos arrimaron el hombro y ayudaron en las tareas de la casa.

housekeeper ama de llaves.

housewife ama de casa.

how cómo *How shall I do it?* ¿Cómo lo haré?—*How are you?* ¿Cómo está Ud.? **^ohow is it?** ¿por qué? *How is it you did not come?* ¿Por qué no vino Ud.? **^ohow much?** ¿cuánto? *How much did he pay?* ¿Cuánto pagó?

however [*adv*] por muy *However good he may be, I don't want him here.* Por muy bueno que sea, no le quiero aquí. ▲por mucho *However cold it gets, I won't wear my fur coat.* Por mucho frío que haga no me pondré el abrigo de piel. ▲como quiera *However you do it, do it well.* Como quiera que lo haga, hágalo bien. •[*conj*] no obstante *However, forget it.* No obstante, olvídelo.

howl [*n*] aullido *At night you can hear the howl of wolves.* De noche se puede oír el aullido de los lobos. ▲alarido *He let out a howl.* Dio un alarido. ▲gritos *He was greeted with a howl of protest.* Fue recibido con gritos de protesta. •[*v*] aullar *The dog is howling.* El perro está aullando. **^oto be a howling success** tener un éxito ruidoso *The play was a howling success.* La obra tuvo un éxito ruidoso. **^oto howl with laughter** reírse a carcajadas *The audience howled* *with laughter.* El público se reía a carcajadas.

huddle acurrucarse *The children were huddled in the corner.* Los niños estaban acurrucados en un rincón.

hue matiz.

hug [*n*] abrazo. •[*v*] abrazar.

huge enorme.

hull (*of ship*) casco.

hum [*n*] zumbido *They could hardly hear the hum of the motor.* Casi no podían oír el zumbido del motor. •[*v*] tararear *What is that tune you're humming.* ¿Cómo se llama esa melodía que estás tarareando? ▲estar activo *The factory is really humming.* La fábrica está muy activa. O**humming** zumbido *The humming of that bee annoys me.* Me molesta el zumbido de esa abeja.

human [*n*] ser humano *There were more animals than humans on this island.* En esta isla había más animales que seres humanos. •[*adj*] humano *I'm only human.* Soy humano.—*It is only human to make mistakes.* Es muy humano equivocarse. O**human being** ser humano.

humane humanitario.

humanity humanidad.

humble humilde.

humid húmedo.

humidity humedad.

humiliate humillar.

humor [*n*] gracia *I don't see any humor in the situation.* No veo ninguna gracia en la situación.—*You're in good humor today.* Hoy está Ud. de buen humor. •[*v*] seguir la corriente *You'll have to humor him.* Tendrá Ud. que seguirle la corriente.

humorous divertido.

hunch O**to have a hunch** tener un presentimiento *I have a hunch something is wrong.* Tengo el presentimiento de que ocurre algo malo.

hunger hambre *The woman fainted from hunger.* La mujer se desmayó de hambre. •[*adj*] de hambre *The child has a hungry look.* El niño tiene cara de hambre. O**to be hungry** tener hambre *I'm hungry.* Tengo hambre.

hunt [*n*] cacería *Are you going on the hunt?* ¿Va Ud. a ir a la cacería? •[*v*] cazar *Do you like to hunt?* ¿Le gusta a Ud. cazar?—*They're out hunting deer.* Están cazando ciervos. ▲perseguir *They hunted the fugitive from city to city.* Persiguieron al fugitivo de ciudad en ciudad. ▲buscar *I hunted high and low but couldn't find it.* Busqué por todas partes pero no lo pude encontrar. O**to hunt down** cazar *They hunted him down.* Le persiguieron hasta capturarlo. O**to hunt up** inventar *He could always be counted on to hunt up an excuse.* Para inventar excusas, siempre se podía contar con él.

hunter cazador.

hunting caza *There is a great deal of hunting in this forest.* Hay mucha caza en este bosque.

hurl lanzar.

hurrah! ¡viva!

hurricane huracán.

hurry [*n*] prisa *I'm in a hurry.* Tengo prisa, o *Estoy de prisa.*—*What is the hurry?* ¿Qué prisa hay? •[*v*] apresurarse, darse prisa *Don't hurry.* No se dé Ud. prisa.—*Hurry up!* ¡Dése prisa! ▲acelerar *Don't hurry the decision.* No acelere Ud. la decisión. ∥*Hurry them out of here.* Déles prisa para que se vayan.

hurt [*adj*] ofendida *She has a hurt look.* Tiene cara de ofendida. •[*v*] dañarse *He fell and hurt his leg.* Se cayó y se dañó la pierna. ▲herir *Where are you hurt?* ¿Dónde está Ud. herido? ▲lastimarse *Was anyone hurt?* ¿Se ha lastimado alguien? ▲doler se *My arm hurts.* Me duele el brazo. ▲doler *Where does it hurt?* ¿Dónde le duele? ▲resentir *I hope your feelings aren't hurt.* Espero que no esté Ud. resentido. ▲perjudicar *This will hurt business.* Esto perjudicará los negocios.

husband esposo *Is your husband living?* ¿Se ha lastimado su esposo? ▲marido *Where is your husband?* ¿Dónde está su marido?

hush [*n*] silencio *A hush came over the crowd.* Un silencio se apoderó de la multitud.

husk cáscara.

husky fuerte, fornido *What a fine husky boy your son has turned out to be.* Su hijo se ha convertido en un mocetón fornido. ▲ronco *My voice sounds husky since I caught this cold.* Mi voz está ronca desde que me resfrié.

hustle apurarse *Hustle or we'll miss the movie.* Apúrese o perderemos la película. ▲echar *The police hustled the bums out of town.* La policía echó a los vagabundos del pueblo.

hustler buscavidas, prostituta.

hut choza, [*Am*] bohío.

hydrant boca de agua, boca de riego.

hygiene higiene.

hymn himno.

hypocrite hipócrita.

hypodermic hipodérmico.

hysterical histérico.

hysterics histeria.

I

I yo *It is I.* Soy yo.—*I am older than him.* Soy más viejo que él. ∥*I'll do it if he asks me.* Lo haré si me lo pide.

ice [*n*] hielo *Put some ice in the glasses.* Eche un poco de hielo en los vasos. ▲sorbete, granizado *I'll have an orange ice, please.* Quiero un granizado de naranja, por favor. •[*v*] enfriar *The drinks ought to be iced.* Hay que enfriar las bebidas. ▲bañar *Ice the cake as soon as it's cool.* Bañe Ud. la torta en cuanto se enfríe. O**to break the ice** romper el hielo *She broke the ice by telling a joke.* Rompió el hielo contando un chiste. O**to skate on thin ice** comprometerse *He is certainly skating on thin ice when he says that.* Indudablemente se está comprometiendo al decir eso.

icebox nevera.

ice cream helado *Would you like to have ice cream for dessert?* ¿Le gustaría de postre un helado?

iced helado *Let's order iced drinks.* Pidamos bebidas heladas.

iceman vendedor de hielo.

icicle carámbano.

icing baño de azúcar.

icy helado.

idea idea *Have you any ideas on the subject?* ¿Se le ocurren algunas ideas sobre el asunto? ▲intención, propósito *My idea is to go by train.* Tengo la intención de ir en tren.

ideal [n] modelo *His father has always been his ideal.* Su padre le ha servido siempre de modelo. ▲ideal *He was willing to fight for his ideals.* Estaba dispuesto a luchar por sus ideales. •[adj] ideal, magnífico *This is an ideal place to spend the summer.* Es un sitio ideal para pasar el verano.

identical idéntico.

identification identificación.

idiom modismo.

idiot idiota.

idle desocupado *Are you idle at the moment?* ¿Está Ud. desocupado en este momento? ▲vano, infundado *Stop tormenting yourself with idle fears.* Deje Ud. de atormentarse con temores infundados.

idol ídolo.

if si *If I had any plans, I'd tell you.* Si tuviera algún plan, se lo diría.—*If anyone asks for me, say I'll be right back.* Si alguien pregunta por mí, diga que volveré en seguida.—*See if there is any mail for me.* Mire si hay correo para mí. ○*as if* como si *He talked as if he had been there.* Hablaba como si hubiera estado allí. ○*even if* aunque *I'll go even if it rains.* Iré aunque llueva.

ignorance ignorancia.

ignorant ignorante. ○*to be ignorant of* ignorar. ▲no estar al tanto de *He is ignorant of the details.* No está al tanto de los detalles.

ill enfermo *He has been seriously ill.* Ha estado gravemente enfermo. ○*to be ill at ease* no estar a gusto *He is ill at ease with such people.* No está a gusto con esa gente.

illegal ilegal.

illegitimate ilegítimo.

illiterate analfabeto.

illness enfermedad.

illogical ilógico.

illuminate iluminar.

illusion ilusión.

illustrate ilustrar *The book is illustrated with photographs.* El libro está ilustrado con fotografías.

illustration ilustración.

image imagen *He knelt before the image.* Se arrodilló ante la imagen.—*His description of the city was full of poetic images.* Su descripción de la ciudad estaba llena de imágenes poéticas. ▲vivo retrato *He is the image of his father.* Es el vivo retrato de su padre.

imaginary imaginario.

imagination imaginación *Don't let your imagination run away with you.* No se deje Ud. llevar por la imaginación.

imagine imaginarse *I can't imagine what you mean.* No me puedo imaginar lo que quiere Ud. decir.—*He was imagining all sorts of things.* Se imaginaba toda clase de cosas. ▲creer *I imagine so.* Creo que sí.

imitate imitar *His work isn't original; he just imitates what other people have done.* Su obra no es original; meramente imita lo que han hecho otros.

imitation imitación.

immediate inmediato *The immediate result was not what they expected.* El resultado inmediato no fué el que esperaban. ▲urgente *The need is immediate.* La necesidad es urgente.

immediately inmediatamente.

immense inmenso, enorme *The living room has an immense fireplace.* La sala tiene una chimenea inmensa.

immigrant inmigrante.

immigrate inmigrar.

immoral inmoral.

immortal inmortal.

impartial imparcial.

impassable intransitable *This time of year the roads are impassable.* En esta época del año los caminos están intransitables.

impatient impaciente *Don't be impatient.* No sea impaciente.

imperial imperial.

impersonal impersonal.

impetuous impetuoso.

imply dar a entender *He implied he'd take the job if the pay was right.* Dio a entender que aceptaría el puesto si le pagaran lo suficiente.

impolite descortés.

import [n] importación *Imports from foreign countries have been stopped because of the war.* A causa de la guerra se han suspendido las importaciones del extranjero. •[v] importar *Is this wine imported or domestic?* ¿Es este vino importado o del país?

importance importancia.

important importante *I want to see you about an important matter.* Quiero verle para un asunto importante.—*He was the most important man in town.* Era el hombre más importante de la ciudad.

impose imponer *He tried to impose his ideas on us.* Trató de imponernos sus ideas. ○*to impose on* molestar *I hope I'm not imposing on you.* Espero que no le estoy molestando.

impossible imposible *Don't try to do the impossible.* No trate de hacer lo imposible.—*That is impossible.* Eso es imposible. ▲inaguantable, insufrible *That man is absolutely impossible.* Ese hombre es absolutamente inaguantable.

impress impresionar *Aren't you impressed?* ¿No está Ud. impresionado? ▲convencer *We tried to impress on him the importance of the job.* Tratamos de convencerle de la importancia del puesto.

impression impresión *He gives the impression of knowing more than he really does.* Da la impresión de saber más de lo que sabe. ▲huella *She left the impression of her feet in the cement.* Dejó la huella de sus pies en el cemento.

imprison encarcelar.

improve mejorar *Do you think his health has improved?* ¿Cree Ud. que su salud ha mejorado? ▲perfeccionar *He improved his knowledge of Spanish.* Perfeccionó su conocimiento del español.

improvement mejoría *Has the patient shown any signs of improvement today?* ¿Ha dado el enfermo alguna señal de mejoría hoy? ▲mejora *We've made a lot of*

I

improvements in the house. Hemos hecho muchas mejoras en la casa.

impulse impulso.

in en There is no heat in my room. No hay calefacción en mi cuarto.—The dress is in that pile of clothes. El vestido está en ese montón de ropa.—Say it in English. Dígalo en inglés.—Is he in Europe? ¿Está en Europa?—I can finish this in a week. Podré terminar esto en una semana. ▲a His boys are in college. Sus hijos van a la universidad. ▲con Write in ink. Escriba con tinta. ▲de He broke it in anger. Lo rompió de rabia.—This is the best hotel in New York. Este es el mejor hotel de Nueva York. ▲dentro de I'll be back in a week. Volveré dentro de una semana. ▲durante It gets hot here in the daytime. Hace mucho calor aquí durante el día. ▲para Are you good in arithmetic? ¿Tiene Ud. aptitud para la aritmética? ▲por Cut it in half. Pártalo por la mitad.—Please put that in writing. Haga Ud. el favor de ponerlo por escrito.—I'll see you in the morning. Le veré mañana por la mañana.

incense incienso.

inch pulgada This ruler is fifteen inches long. Esta regla tiene quince pulgadas de largo. ○within an inch of a punto de He came within an inch of being run over. Estuvo a punto de ser atropellado por un automóvil.

incident [n] incidente.

incline [n] pendiente How steep is the incline? ¿Qué inclinación tiene la pendiente? •[v] inducir The incident inclined him to drive more slowly. Lo ocurrido le indujo a manejar más despacio.

include incluir Include this in my bill. Incluya Ud. esto en mi cuenta. ▲comprender The course includes some laboratory work. El curso comprende trabajo de laboratorio. ○including incluso Everyone came, including the president. Vinieron todos, incluso el presidente.

income ingresos; renta (other than wages).

incompetent incompetente.

inconvenience [n] molestia, incomodidad. •[v] incomodar, estorbar.

increase [n] aumento Do you expect an increase in salary? ¿Espera Ud. un aumento de sueldo? •[v] aumentar His business has increased a great deal lately. Sus negocios han aumentado mucho últimamente.

incredible increíble.

indeed verdaderamente, claro Indeed not! ¡Claro que no!

indefinite indefinido, vago.

independent separado Her financial interests are independent of her husband's. Tiene sus bienes separados de los de su marido. ▲independiente I used to live with my parents, but now I'm independent. Antes vivía con mis padres, pero ahora soy independiente.—Every nation wants to be independent. Todas las naciones quieren ser independientes.

index [n] índice. ○index finger dedo índice.

indicate indicar The policeman indicated the street we were looking for. El policía nos indicó la calle que buscábamos.—His ex-

pression did not indicate his feelings. Su expresión no indicaba lo que sentía. ▲mostrar This indicates that he is innocent. Esto muestra su inocencia.

indifferent indiferente He is completely indifferent to everything that doesn't concern his work. Es completamente indiferente a todo lo que no se relaciona con su trabajo.

indigestion indigestión.

indignation indignación.

indirect indirecto The banker asked several indirect questions. El banquero hizo varias preguntas indirectas.

indiscreet indiscreto.

individual [n] persona He is a peculiar individual. Es una persona rara. •[adj] original She has very individual taste in clothes. Tiene un gusto muy original para vestirse.

indoors en casa You had better stay indoors today. Sería mejor que se quedara hoy en casa.

induce inducir, incitar.

indulge mimar Don't indulge the child so much. No mime tal. tanto al niño. ‖ "Have a drink?" "No thanks, I don't indulge." "¿Quiere beber algo?" "No gracias, no bebo."

industry industria Steel is one of the main industries here. La fabricación del acero es una de las industrias principales de aquí.

inequality desigualdad.

inexperience inexperiencia.

infant criatura.

infantry infantería.

infect infectar The doctor will clean out that cut for you so it won't get infected. El médico le limpiará la cortadura para que no se infecte. ▲contagiar He infects everybody with his enthusiasm. Contagia a todo el mundo con su entusiasmo.

infection infección.

infer deducir We inferred from his remarks that he didn't like his work. Deducimos de lo que dijo que no le gustaba su trabajo.

inferior [adj, n] inferior.

inferiority inferioridad.

infinite infinito.

inflame inflamar My throat is inflamed. Tengo la garganta inflamada. ▲enardecer, excitar The crowd was inflamed by the speech. Se enardeció el público con el discurso.

inflict infligir.

influence [n] influencia His teacher had a tremendous influence on him. Su maestro ha ejercido mucha influencia en él.

inform avisar, informar I was not informed in time. No me avisaron a tiempo. ○informed informado, enterado I'm not very well informed on local politics. No estoy muy bien informado de la política local.

informal de confianza, familiar We had an informal party. Tuvimos una reunión de confianza.

informatic informática, ciencia de la información.

information información I want some information about train schedules. Deseo información sobre el horario de trenes.

ingenuity inventiva.

ingratitude ingratitud.

ingredient ingrediente.

inhabit habitar.

inhabitant habitante.

inherit heredar *Who is going to inherit all his money when he dies?* ¿Quién heredará todo su dinero cuando muera?

inheritance herencia.

initial [n] inicial *Please write your initials.* Haga el favor de escribir sus iniciales. •[adj] inicial *His initial investment was small.* Su inversión inicial fue pequeña. •[v] poner las iniciales *Please initial this memorandum.* Haga Ud. el favor de poner sus iniciales en este memorandum.

inject inyectar.

injection inyección.

injure herir *Was he badly injured?* ¿Fue herido gravemente?—*She was injured by my remark.* Se sintió herida por mi observación.

injury herida *He still suffers from the injury he received five years ago.* Sufre todavía de la herida que recibió hace cinco años.

ink [n] tinta *Please write in ink.* Haga el favor de escribir con tinta. •[v] echar tinta, entintar *Don't ink the pad too heavily.* No eches demasiada tinta a la almohadilla.

inkwell tintero.

inland tierra adentro *They traveled inland for three days.* Viajaron tierra adentro durante tres días. O**inland navigation** navegación fluvial, navegación interior.

inn posada.

inner interior.

innocent inocente.

inoculate vacunar *Have you been inoculated against diphtheria?* ¿Le han vacunado a Ud. contra la difteria?

input entrada de información en un computador.

inquire preguntar *Let's inquire if he is in.* Vamos a preguntar si está en casa. ▲indagar *We inquired a great deal before we found out where he was.* Hemos indagado mucho antes de saber dónde estaba.

inquiry averiguación.

insane loco *The poor man went insane.* El pobre se volvió loco. O**insane asylum** manicomio.

insanity locura.

insect insecto.

insert [n] circular, anuncio. [v] añadir *Several new maps have been inserted in the later editions of the book.* A las últimas ediciones del libro se le han añadido varios mapas nuevos.

inside [n] interior *May I see the inside of the house?* ¿Puedo ver el interior de la casa? •[adj] interior *Give me an inside room.* Déme Ud. un cuarto interior. •[adv] adentro *Leave it inside.* Déjalo adentro. O**inside of** dentro de, en menos de *See that it is done inside of five minutes.* Procure que eso esté hecho en menos de cinco minutos. O**inside out** del revés, al revés *She wore her stockings inside out.* Se puso las medias al revés. O**to turn inside out** dar la vuelta.

insignificant insignificante.

insist insistir, porfiar.

inspect inspeccionar.

inspection inspección.

inspector inspector.

inspiration inspiración.

inspire inspirar.

install instalar *The library is going to install a new lighting system.* La biblioteca va a instalar un nuevo sistema de iluminación.

installment plazo *How many more installments do you have to pay on this furniture?* ¿Cuántos plazos más tiene Ud. que pagar sobre estos muebles? ▲parte *The next installment of this story will come out in the July issue.* La próxima parte de esta novela saldrá en la edición de julio.

instance ocasión *In that instance he was found stealing money.* En esa ocasión se le sorprendió robando dinero. ▲ejemplo *Give me a particular instance.* Déme Ud. un ejemplo. O**for instance** por ejemplo. O**in the first instance** en primer lugar.

instant [n] momento *Let me know the instant he arrives.* Avíseme en el momento que llegue o Notifíqueme tan pronto como llegue. O**this instant** ahora mismo *Come this instant.* Venga ahora mismo. •[adj] inmediato *The play had instant success.* La obra tuvo un éxito inmediato.

instantly al instante.

instead en lugar de eso, de esto, *etc. What do you want instead?* ¿Qué desea en lugar de eso? O**instead of** en vez de *Can I pay you later instead of now?* ¿Puedo pagarle más tarde en vez de hacerlo ahora?

institute [n] instituto.

institution institución.

instruct enseñar *How do you instruct your pupils?* ¿Cómo enseña Ud. a sus alumnos? ▲dar órdenes *I have been instructed to deliver the message at once.* Me han dado órdenes de entregar el mensaje inmediatamente.

instruction instrucción, enseñanza.

instructor maestro.

instrument instrumento *Does any one here play an instrument?* ¿Hay aquí alguien que toque algún instrumento? ▲medio *He'll use any instrument to get what he wants.* Se valdrá de cualquier medio para obtener lo que quiere.

insult [n] insulto *That sounds like an insult.* Eso suena a insulto. •[v] ofender *She felt insulted.* Se sintió ofendida.

insurance seguro.

insure asegurar *The soldiers were picked carefully to insure the success of the expedition.* Seleccionaron con mucho cuidado a los soldados para asegurar el éxito de la expedición.—*My father's life is insured for twenty-five thousand dollars.* La vida de mi padre está asegurada en veinte y cinco mil dólares.

intellectual [n, adj] intelectual.

intelligence inteligencia (*brains*); información (*service*).

intelligent inteligente.

intend intentar *What do you intend to do?* ¿Qué intenta Ud. hacer? ▲querer *I intend you to come.* Quería que vinieras. ‖*Is this package intended for me?* ¿Es este paquete para mí?

intense intenso.

intent [n] intento *He was charged with intent to kill.* Fue acusado de intento de asesinato. •[adj] resuelto, decidido *My*

I

brother is very intent on becoming a naval officer. Mi hermano está muy decidido a hacerse oficial de marina.

intention intención, propósito.

intercept interceptar.

interchange [n] intercambio. •[v] cambiar.

intercourse comunicación *The island was cut off from intercourse with the outside world.* La isla quedó sin comunicaciones con el resto del mundo. ▲relaciones íntimas *He was charged with having intercourse with a minor.* Se le acusó de haber tenido relaciones íntimas con una menor.

interest [n] interés *He listened with great interest.* Escuchaba con mucho interés.— *Do you have an interest in the business?* ¿Tiene Ud. algún interés en el negocio?— *How much interest does it pay? ¿Cuánto da de interés?—It is to your interest to do this.* Por su propio interés le conviene hacer esto. •[v] interesar *Does this interest you?* ¿Le interesa esto? Obusiness interests vida comercial, negocios *The business interests in the city want a new bridge.* La vida comercial de la ciudad requiere un nuevo puente. Ointerests intereses *While he was away, a lawyer took care of his interests.* Durante su ausencia, se ocupó un abogado de sus intereses.

interesting interesante.

interfere meterse *Don't interfere in my affairs.* No se meta en mis asuntos. ▲intervenir *If they quarrel about it, don't you interfere.* Si se pelean por eso, no intervenga Ud. Oto interfere estorbar *I hope that won't interfere with my plans.* Espero que eso no estorbará mis planes.

interior [adj, n] interior.

intermediate intermedio.

intermission intermedio, descanso.

internal interno.

international internacional.

interpret interpretar.

interpreter intérprete, exponente.

interpretation interpretación.

interrupt interrumpir.

interruption interrupción.

interval intervalo.

interview [n] entrevista. •[v] entrevistar.

intimate [adj, n] íntimo.

into en *Get into the car and wait for me.* Entre en el carro y espéreme.—*I got into trouble.* Me metí en un lío. ▲a *They went into the house.* Entraron a la casa. ▲*Can you translate that into English?* ¿Puede Ud. traducir eso al inglés?

introduce presentar *I'd like to introduce you to my father.* Me agradaría presentarle a mi padre.—*Who introduced that law?* ¿Quién presentó ese proyecto de ley?

introduction prefacio, introducción *(to a book);* presentación *(to a person).* Oletter of introduction carta de presentación.

invariable invariable.

invasion invasión.

invent inventar *Who invented this machine?* ¿Quién inventó esta máquina?— *Did you invent that story?* ¿Inventó Ud. esa historia?

invention invento; invención *(fabrication).*

invest invertir.

investigate investigar.

investigation investigación.

investment inversión.

invitation invitación *I did not receive your invitation.* No recibí su invitación.

invite convidar, invitar *Who is invited for the weekend?* ¿A quién se ha invitado para el fin de semana? ▲provocar *His suggestion invited a lot of criticism.* Su sugestión provocó mucha crítica. Oinviting tentador, atractivo *The water is very inviting.* El agua está muy tentadora.

involve complicado *They have a very involved system of bookkeeping in this office.* En esta oficina tienen un sistema muy complicado de llevar los libros. Oto be involved verse envuelto *He was involved in a scandal.* Se vio envuelto en un escándalo.

iodine yodo.

iron [n] hierro *This stove is made of iron.* Esta estufa es de hierro. ▲plancha *Have you got an iron I can borrow?* ¿Tiene Ud. una plancha que pueda prestarme? •[v] planchar *Iron my dress carefully, please.* Haga el favor de plancharme el vestido con cuidado. Oto iron out resolver *They ironed out the difficulties.* Resolvieron las dificultades.

ironing board tabla de planchar.

irregular irregular *His behavior was a little irregular.* Su conducta era algo irregular.

irritate molestar, irritar *His foolish questions irritate me.* Me molestan sus preguntas tontas. ▲irritar *This loose bandage will irritate the wound.* Esta venda floja irritará la herida.

irritation irritación.

island isla.

isolate aislar.

issue [n] edición *When does the next issue of the paper come out?* ¿Cuándo sale la próxima edición del periódico? ▲emisión *Do you approve the issue of government bonds?* ¿Aprueba Ud. la emisión de bonos del gobierno? ▲problema *I don't want to make an issue of it.* No quiero hacer un problema de ello. ▲tema *What issues are covered in the article?* ¿Qué temas se discuten en el artículo? •[v] publicar *When is the paper issued?* ¿Cuándo se publica el periódico? Oat issue en cuestión, en litigio *That is the point at issue.* Ese es el punto en cuestión. Oto take issue oponerse, disentir *Why do you always take issue with what I say?* ¿Por qué disiente Ud. siempre de lo que digo?

it lo, la *I can't do it.* No lo puedo hacer. ‖*Were you on the boat when it left?* ¿Estaba Ud. en el barco cuando zarpó? ‖*It was that house that I saw yesterday.* Esa es la casa que vi ayer. ‖*It is impossible to get there by two o'clock.* Es imposible llegar allí para las dos.

itch [n] picor, picazón, prurito. •[v] picar.

its su *What is its number?* ¿Cuál es su número? ‖*Did the cat drink all its milk?* ¿Se tomó el gato toda la leche? ‖*Did you explore all of its possibilities?* ¿Examinó Ud. todas las posibilidades?

itself sí mismo *That speaks for itself.* Eso habla por sí mismo *o* Eso es evidente. ▲mismo, propio *The motor itself provides the heat.* El propio motor suministra la calefacción. ▲se *The baby hurt itself.* El niño se ha lastimado.

ivory marfil.

ivy hiedra.

J

jack gato *I need a jack to change my tire.* Necesito un gato para cambiar el neumático. ▲sota *Play the jack of hearts.* Juegue la sota de corazones. ○to **jack up** alzar con gato *You'll have to jack up the car.* Tiene Ud. que alzar el carro con el gato. ▲subir *Prices were suddenly jacked up.* Los precios subieron de repente.

jacket chaqueta, saco.

jackknife navaja, cortaplumas.

jail cárcel.

jam (*preserves*) mermelada. ○**jammed** atascado *I can't open the window; it is jammed.* No puedo abrir la ventana; está atascada. ▲atestado *The station was jammed with people.* La estación estaba atestada de gente.

janitor portero.

January enero.

jar [n] tarro *I want a jar of preserves.* Quiero un tarro de conservas. ▲sacudida *The fall gave me quite a jar.* La caída me produjo una sacudida. •[v] mover *Don't jar the table.* No muevas la mesa. ○**jarring** discordante *Her manner was a jarring note.* Su comportamiento era una nota discordante. ○to **jar on** irritar *The noise of the city jars on my nerves.* El ruido de la ciudad me irrita los nervios.

jaw quijada, mandíbula.

jealous celoso *He is jealous of his younger brother.* Está celoso de su hermano menor.

jelly jalea.

jest broma.

jet [n] azabache *The horse is jet black.* El caballo es color azabache. ▲chorro *A water jet sprout from the ground.* Un chorro de agua brotó del suelo. ▲avión de reacción. *Jets revolutioned air transportation.* Los aviones de reacción revolucionaron el transporte aéreo. [v] transportar por avión de reacción *The airline will jet you to México.* La aerolínea lo transportará a México.

Jew judío.

jewel joya, alhaja *I have no jewels to declare.* No tengo joyas que declarar. ▲piedra preciosa *She has a beautiful pair of jeweled earrings.* Ella tiene un lindo par de pendientes con piedras preciosas.

jewelry joyería.

jewelry store joyería.

job empleo *Do you want a job?* ¿Desea Ud. un empleo? ▲deber *My job is to wash the dishes.* Mi deber es lavar los platos. ▲trabajo *It is going to be an awful job to file these letters.* Va a ser un enorme trabajo archivar estas cartas.

join juntar *Let's join hands.* Juntemos las manos. ▲acoplar *Join these pipes together.* Acople estos tubos. ▲juntarse *Where do the roads join?* ¿Dónde se juntan los caminos? ▲incorporarse, ingresar *When are you joining the faculty?* ¿Cuándo se incorporó Ud. a la facultad? ▲ir con, unirse a *Do you want to join us?* ¿Quiere Ud. ir con nosotros?

joint [n] empalme, juntura *The pipe is leaking at the joints.* Se sale el agua por los empalmes de la cañería. ▲coyuntura, articulación *It hurts me in the joints.* Me duelen las coyunturas. ▲buchinche [*Cuba*] *What is the name of the joint we went to last night?* ¿Cómo se llama el buchinche donde fuimos anoche? •[adj] mancomunado *My husband and I have a joint bank account.* Mi marido y yo tenemos una cuenta mancomunada en el banco. ○to **throw out of joint** desarticularse, descoyuntarse *The athlete threw his arm out of joint.* El atleta se desarticuló el brazo.

joke chiste *He is always telling jokes.* Siempre está contando chistes. ▲broma *This is no time for joking.* Este no es el momento para bromas. ○to **play a joke** bromear *I was only playing a joke on you.* Solamente estaba bromeando contigo.

jolly alegre, jovial.

jolt [n] choque *The news gave me an awful jolt.* La noticia me causó un choque tremendo. •[v] traquetear, dar saltos *Why does the car jolt so?* ¿Por qué da tantos saltos el coche?

journal revista, periódico.

journey [n] jornada, viaje. •[v] viajar.

joy alegría *She was filled with joy.* Estaba llena de alegría. ▲gozo *It is a joy to hear him play.* Da gozo oírle tocar.

joyful alegre, gozoso, regocijado.

judge [n] juez *Where is the judge?* ¿Dónde está el juez? ▲perito *I am no judge of art.* No soy perito en arte. •[v] arbitrar *Who judged the race?* ¿Quién arbitró la carrera? ▲juzgar *Don't judge me too harshly.* No me juzgue tan severamente.

judgment juicio *He always shows good judgment.* Siempre muestra buen juicio. ▲fallo *What was the judgment of the court?* ¿Cuál fue el fallo de la corte? ‖*Don't pass judgment too quickly.* No juzgue muy a la ligera.

jug jarro.

juice zumo, jugo *I want some orange juice.* Quiero jugo de naranja.

July julio.

jumble [n] revoltillo, enredo.

jump [n] salto *He made a jump of twenty feet.* Dio un salto de veinte pies. ▲cambio *There has been quite a jump in the temperature.* Ha habido un cambio brusco en la temperatura. •[v] saltar *See how high you can jump.* Vea hasta qué altura puede saltar Ud. ○to **jump at** apresurarse a aceptar, saltar sobre *He jumped at the offer.* Se apresuró a aceptar la oferta.

junction cruce.

June junio.

jungle selva.

junior menor *His boss is three years his junior.* Su jefe es tres años menor que él. •[adj] juvenil *Is your son entering the junior tournament?* ¿Tomará parte su hijo en el torneo juvenil? ○**Jr.** hijo *John Paul Jones Jr.* John Paul Jones, hijo.

junk broza, desecho (*scraps*); trasto (*furniture*); chatarra, hierro viejo (*metal*).

junk food comida poco alimenticia.

juror jurado (individuo).

jury jurado *The jury returned a verdict of guilty.* El jurado le declaró culpable.

J

just [*adj*] justo *His decisions are always just.* Sus decisiones son siempre justas. ▲merecido, justo *His punishment was just.* Su castigo era merecido. ▲exacto *He gave a just account of what happened.* Dio un informe exacto de lo que ocurrió. •[*adj*] apenas *At this rate we'll just get there.* A este paso apenas llegaremos. ▲precisamente, justamente *That is just what I want.* Eso es precisamente lo que quiero. ▲no más que *He is just a little boy.* No es más que un niño. ▲sólo *Just a minute and I'll be with you.* Sólo un minuto y estaré con Ud. O**just as** *He arrived just as I was leaving.* Llegó en el momento en que yo salía. ▲tal como *Write me just as he would.* Escríbame tal como él lo haría. O**just beyond** un poco más allá de. O**just now** ahora mismo.

justice justicia *Don't expect justice from him.* No espere que le haga justicia. O**justice of the peace** juez de paz. O**to do justice to** hacer justicia a, apreciar *Are you doing justice to his talents?* ¿Hace Ud. justicia a su talento? ▲estar a la altura de *This work doesn't do justice to your abilities.* Este trabajo no está a la altura de sus habilidades.

justify justificar.

jut sobresalir.

juvenile juvenil.

K

keel quilla *When was the keel of that ship laid?* ¿Cuándo pusieron la quilla de ese barco? O**to keel over** desplomarse *I only hit him once and he keeled over.* Solamente le di un golpe y se desplomó. ▲desmayarse *She suddenly keeled over from the heat.* De repente se desmayó a causa del calor.

keen afilado *This knife would cut better if it had a keener edge.* Este cuchillo cortaría mejor si estuviera más afilado. ▲aguzado *He has a keen mind for mathematics.* Tiene la mente muy aguzada para las matemáticas. ▲perspicaz *Her actions show how keen she is.* Sus acciones demuestran lo perspicaz que es. O**to be keen about** tener entusiasmo por *The boss is very keen about the new program.* El jefe tiene mucho entusiasmo por el nuevo programa.

keep quedarse *May I keep this picture?* ¿Puedo quedarme con esta foto? ▲guardar *I kept this for you.* Guardé esto para Ud.—*Can you keep a secret?* ¿Puede Ud. guardar un secreto?—*Keep dinner warm for me.* Guárdeme la comida caliente. ▲guardarse, quedarse con *Keep the change.* Guárdese el cambio o Quédese con el cambio. ▲seguir *Do I keep to the left or right?* ¿Debo seguir por la izquierda o por la derecha? ▲proseguir, continuar *Keep on the job.* Continúe con su trabajo. ▲mantenerse *Keep in touch with me.* Manténgase en contacto conmigo. ▲conservar(se) *This milk won't keep till tomorrow.* Esta leche no se conservará hasta mañana. ▲llevar *Can you keep accounts?* ¿Puede Ud. llevar la contabilidad? ▲mantener *Do you earn enough to keep your family?* ¿Gana Ud. lo suficiente para mantener a su familia? ▲tener *Why don't you keep boarders?* ¿Por qué no tiene Ud. huéspedes? O**to earn one's keep** ganarse la vida *Does he earn his keep?* ¿Se gana la vida? O**to keep an eye on** vigilar *Keep an eye on my coat.* Vigile Ud. mi abrigo. O**to keep cool** tener calma *Keep cool.* Tenga calma. O**to keep in stock** tener en existencia *What do you keep in stock?* ¿Qué tiene Ud. en existencia? O**to keep on** seguir, continuar *Keep on working.* Siga trabajando.—*Keep on trying.* Continúe Ud. esforzándose. O**to keep one's temper** no perder la calma *Keep your temper.* No pierda Ud. la calma. O**to keep one's word** cumplir su palabra *I always keep my word.* Siempre cumplo mi palabra. O**to keep on with** continuar con *Keep on with what you're doing.* Continúe Ud. con lo que está haciendo. O**to keep out of** no meterse en *I'll try to keep out of trouble.* Trataré de no meterme en líos. O**to keep up** sostener *It is expensive to keep up a car.* Resulta caro mantener un automóvil. O**to keep up with** ir al paso de *Did you have any trouble keeping up with the others?* ¿Tuvo Ud. alguna dificultad en ir al paso de los demás? O**to play for keeps** ir de veras, jugar de veras *We're playing for keeps.* Estamos jugando de veras.

kerosene kerosén, keroseno.

ketchup salsa de tomate.

kettle caldera, marmita.

key llave *I've lost the key to my room.* He perdido la llave de mi cuarto. ▲clave *Do you know the key to the code?* ¿Conoce Ud. la clave del código?—*The symphony is written in the key of G.* La sinfonía está escrita en clave de Sol. ▲tecla *The typewriter keys are terribly stiff.* Las teclas de la máquina de escribir están muy duras. O**key man** principal, el más importante *He is the key man in the plant.* El es el principal de la fábrica. O**to be keyed up** estar excitado *He was all keyed up for the race.* Estaba muy excitado por la carrera.

keyboard teclado.

keyword palabra clave

khaki caqui.

kick [*n*] patada *Give the ball a kick.* Déle una patada al balón. •[*v*] dar coces, cocear *I hope this horse doesn't kick.* Espero que este caballo no dé coces. ▲quejarse *He is always kicking about something.* Siempre se está quejando de algo. ▲dar un puntapié a, dar una patada a *Kick the ball!* ¡Dé Ud. un puntapié a la pelota! O**to get a kick out of** gozar con, pasarlo bien con *He gets a big kick out of sports.* Goza mucho con los deportes.

kid [*n*] cabrito *We'll have to separate the kids from the goats.* Tendremos que separar los cabritos de las cabras. ▲pequeño, niño *We'll feed the kids first.* Les daremos de comer a los pequeños primero. •[*adj*] de cabritilla *She was very proud of her kid gloves.* Estaba muy orgullosa de sus guantes de cabritilla. •[*v*] bromear *Are you kidding?* ¿Está Ud. bromeando?

kidney riñón.

kidney bean frijol [*Am*], judía [*Sp*], porotó [*Am*].

kill [*n*] caza *The hunters brought home the kill.* Los cazadores se llevaron la caza a sus casas. •[*v*] matar *Be careful with that pistol, you might kill someone.* Tenga cuidado con esa pistola que puede matar a alguien.—*Let's take a walk to kill some time.* Caminemos un rato para matar el tiempo.

▲vetar*The committee killed the bill.* El comité vetó el proyecto de ley. ▲quitar *Too much salt will kill the flavor of the soup.* Demasiada sal le quitará el sabor a la sopa.

kilogram kilogramo.

kilometer kilómetro.

kind [*n*] clase *What kind of person is he?* ¿Qué clase de persona es él? ▲raza *What kind of a dog is he?* ¿De qué raza es ese perro? ▲especie *It is a kind of medicine he is taking.* Es una especie de medicina que toma. •[*adj*] amable *The people here are very kind.* La gente de aquí es muy amable. O**all kinds of** toda clase de *I like all kinds of food.* Me gusta toda clase de comida. O**in kind** en especie *The farmer pays his workers in kind.* El agricultor paga a sus trabajadores en especie. O**kind of** más bien *I felt kind of sorry for him.* Sentía más bien lástima por él.

kindle encender.

kindly [*adj*] bondadoso *Her grandmother is a kindly old lady.* Su abuela es una viejecita bondadosa. •[*adv*] amablemente *He will be treated kindly.* Será tratado amablemente. ▲haga el favor de *Kindly mind your own business.* Haga el favor de no meterse en lo que no le importa.

kindness ||*She always showed kindness to the children.* Se mostró siempre cariñosa con los niños.

king rey.

kingdom reino.

kiss [*n*] beso. [*v*] besar.

kitchen cocina *Do you mind eating in the kitchen?* ¿Le importa a Ud. comer en la cocina?—*Who is in charge of the school kitchen?* ¿Quién está encargado de la cocina de la escuela?

kitten gatito.

knee rodilla.

kneel arrodillarse.

knife [*n*] cuchillo *Give me the big knife to cut the bread.* Déme el cuchillo grande para cortar el pan. •[*v*] apuñalar, dar una cuchillada (*o* puñalada) *He was knifed in a street fight.* Le dieron una cuchillada en una pelea callejera.

knit tejer.

knitting needle aguja de tejer.

knob perilla, botón tirador.

knock [*n*] golpe, ruido *Did you hear a knock?* ¿Oyó Ud. un golpe? •[*v*] llamar a la puerta *Knock before you go in.* Llame a la puerta antes de entrar. ▲tropezar *Try not to knock against the table.* Trate de no tropezar con la mesa. O**to knock down** desarmar *Knock down the scaffolding.* Desarmen el andamiaje. ▲subastar *He knocked down the painting for a hundred dollars.* Subastó el cuadro por cien dólares. ▲rebajar *Can't you knock down the price a couple of dollars?* ¿No podría rebajar el precio un par de dólares? O**to knock off** suspender *Let's knock off at five o'clock.* Suspendamos el trabajo a las cinco. ▲rebajar *Knock something off the price.* Rebaje un poco el precio. O**to knock out** poner fuera de combate *He was knocked out in the tenth round.* Fue puesto fuera de combate en el décimo asalto.

knot [*n*] nudo *Can you untie this knot?* ¿Puede desatar este nudo?—*I can't saw through this knot.* No puedo aserrar este nudo de la madera.—*This ship can make fifteen knots.* Este barco puede hacer quince nudos. •[*v*] amarrar *He knotted the rope securely.* Amarró la cuerda fuertemente.

know saber *I know he is ill.* Sé que él está enfermo.—*I knew you were coming today.* Sabía que Ud. vendría hoy.—*I know only French and English.* Solamente sé francés e inglés.—*I don't know how to drive a car.* No sé conducir un automóvil. ▲conocer *Wait until all the facts are known.* Espere hasta que todos los detalles sean conocidos.—*Do you know him by sight?* ¿Le conoce Ud. de vista? ▲reconocer *I knew him immediately when I met him after two years.* Le reconocí en seguida cuando le vi a los dos años.

knowledge conocimiento *Do you have any knowledge of this matter?* ¿Tiene Ud. algún conocimiento de este asunto? ||*To the best of my knowledge, no.* Según mi leal saber y entender, no.

knuckle nudillos, articulación de los dedos.

L

label [*n*] rótulo, etiqueta. •[*v*] rotular.

labor [*n*] trabajo *Mining is very heavy labor.* El trabajo en las minas es muy pesado. ▲proletariado, clase obrera *Labor favored an eight-hour day.* El proletariado fue partidario de la jornada de ocho horas. •[*adj*] obrero *Do you know the labor laws?* ¿Conoce Ud. la legislación obrera? •[*v*] trabajar *They labored from morning till night.* Trabajaban de la mañana a la noche. ▲esforzarse *He labored to finish the book before summer.* Se esforzaba en terminar el libro antes del verano. ▲dar importancia *Don't labor the point.* No le dé importancia al asunto. O**to be in labor** estar de parto *She was in labor nine hours.* Estuvo de parto durante nueve horas.

laboratory laboratorio.

laborer peón, jornalero.

lace encaje.

lack [*n*] falta *His lack of knowledge was obvious.* Era evidente su falta de conocimientos. •[*v*] no tener, faltar *He lacks enthusiasm.* Le falta entusiasmo.

lad mozo, muchacho.

ladder escalera.

lady señora, dama *Is that lady at the door your mother?* ¿Es su madre la señora que está en la puerta?—*Act like a lady.* Condúzcase como una dama. O**ladies' room** lavabo de señoras [*Sp*], baño de señoras, cuarto de señoras, tocador [*Am*] *Where is the ladies' room?* ¿Dónde está el lavabo de señoras? O**lady of the house** dueña de la casa. *Do you wish to speak to the lady of the house?* ¿Desea Ud. hablar con la dueña de la casa?

lag [*n*] retraso. •[*v*] retrasarse.

lake lago.

lamb cordero.

lame cojo, [*Arg*] rengo *The little boy is lame.* El niño es cojo. ▲molido, lastimado *I was lame after the horseback ride.* Estaba molido después de montar a caballo. O**lame excuse** disculpa pobre.

lament [*n*] lamento. •[*v*] lamentar.

K
L

lamp lámpara.

lamp shade pantalla de lámpara.

land [*n*] tierra *The land here is poor for farming.* La tierra aquí es mala para el cultivo.—*He inherited a great deal of land.* Heredó muchas tierras.—*When do we expect to reach land?* ¿Cuándo cree Ud. que tocaremos tierra? ▲campo *He always wanted to get back to the land.* Siempre había deseado volver al campo. •[*v*] atracar *The ship should land within the next hour.* El barco debería atracar dentro de una hora. ▲aterrizar *The pilot landed the plane at night.* El piloto aterrizó de noche. ▲pisar tierra firme *You don't know how eager I am to land.* Ud. no puede figurarse los deseos que tengo de pisar tierra firme.

landlady propietaria, casera.

landlord propietario, casero.

landscape paisaje.

lane senda, vereda.

language idioma *I don't know what language he speaks.* No sé qué idioma habla.

lantern linterna, farol.

lap [*n*] regazo *She held the baby in her lap.* Tenía al niño en su regazo. •[*v*] lamer *The kitten lapped up the milk.* El gatito lamía la leche.

lapel solapa.

lard manteca de puerco.

large grande *This room is not large enough.* Este cuarto no es suficientemente grande. ºat **large** en general *The country at large is interested in the problem.* El país en general está interesado en el problema. ºlarge **scale** gran escala.

lark [*n*] travesura.

laryngitis laringitis.

laser printer impresor o impresora láser.

lash [*n*] azote, látigo. •[*v*] azotar.

lasso lazo, mangana. •[*v*] lazar.

last [*adj*] último *He was the last to leave.* Fue el último en marcharse.—*This is my last day here.* Este es mi último día aquí.—*Did you see the name of the last station?* ¿Vio Ud. el nombre de la última estación? ▲pasado *I saw him last week.* Le vi la semana pasada. •[*v*] durar *How long does this ride last?* ¿Cuánto dura este trayecto? ▲resistir *Do you think you can last another mile?* ¿Cree Ud. que puede Ud. resistir una milla más? ▲bastar, alcanzar *I don't think my money will last.* No creo que me alcance el dinero. ºat **last** por último, finalmente. ºlast **night** anoche *Last night I went shopping.* Anoche fui de compras. ºnight **before last** anteanoche.

lasting profundo *It created a lasting impression on me.* Me causó una profunda impresión.

latch aldaba, picaporte, cerrojo.

late difunto *Her late husband was fond of sports.* Su difunto esposo era aficionado a los deportes. ▲tarde *It was late when she came.* Era tarde cuando llegó.

lately recientemente.

lathe torno.

lather [*n*] espuma. •[*v*] enjabonar.

latter reciente, último *He was very successful in the latter part of his life.* Fue muy afortunado en la última parte de su vida. ºthe **latter** el más reciente, el segundo

▲éste *The latter is better than the former.* Este es mejor que aquél.

laugh [*n*] risa. •[*v*] reír(se). ºto **laugh at** reírse de.

laughter risa.

launch [*n*] lancha. •[*v*] botar, echar al agua *Who is going to speak when they launch that new battleship?* ¿Quién será el orador cuando echen ese nuevo acorazado? ▲lanzar, desencadenar *The offensive was launched at dawn.* Se desencadenó la ofensiva en la madrugada.

launder lavar.

laundry lavandería *These clothes must go to the laundry.* Esta ropa hay que mandarla a la lavandería. ▲ropa limpia *My laundry just came back.* Acaban de mandarme la ropa limpia. ▲ropa sucia *They came to take my laundry.* Han venido a buscar la ropa sucia.

laundryman lavandero.

lava lava.

lavatory lavabo, baño *Where is the men's lavatory?* ¿Dónde está el lavabo de caballeros?

lavish [*adj*] pródigo. •[*v*] prodigar.

law ley *Is there a law against speeding?* ¿Hay una ley que prohíba ir a mucha velocidad? ▲leyes, derecho *He is studying law.* Está estudiando derecho.

lawful lícito, legal.

lawless ilegal.

lawn césped.

lawyer abogado.

laxative laxante.

lay dejar *Lay the book here.* Deje aquí el libro. ▲poner *Lay the baby on the bed gently.* Ponga cuidadosamente el niño en la cama.—*He didn't lay the bricks carefully.* No ponía los ladrillos con cuidado.—*This hen lays a lot of eggs.* Esta gallina pone muchos huevos. ▲colocar, situar *He laid the scene of his last play in Europe.* Ha situado la acción de su última comedia en Europa. ▲preparar *They laid their plans carefully, but failed.* Prepararon sus planes con cuidado, pero fracasaron. ▲apostar *I lay ten dollars to one that you succeed.* Apuesto diez dólares contra uno a que tiene Ud. éxito. ºto **lay aside** ahorrar *He laid aside a good sum of money.* Ha ahorrado mucho dinero. ºto **lay down one's life** dar la vida *He laid down his life for his country.* Dio la vida por su país. ºto **lay down on the job** abandonarse mucho en el trabajo. ºto **lay eyes on** echar la vista encima *I never laid eyes on him.* Nunca le he echado la vista encima. ºto **lay in** proveerse de *They laid in supplies for the winter.* Se proveyeron de víveres para el invierno. ºto **lay off** despedir *He laid off ten employees today.* Ha despedido hoy a diez empleados. ºto **lay oneself open** exponerse *He laid himself open to a lot of criticism.* Se expuso a las críticas. ºto **lay out** trazar *They laid out the town in the shape of a rectangle.* Trazaron la ciudad en forma rectangular. ▲gastar *I just laid out ten dollars.* Acabo de gastar diez dólares.

layer capa.

layman profano *I'm a layman in questions of medicine.* Soy un profano en materia médica.

layout trazado *How do you like the layout of this town?* ¿Qué le parece a Ud. el trazado de esta ciudad?

laziness pereza.

lazy perezoso.

lead [*n*] delantera, ventaja *How much of a lead does our candidate have?* ¿Qué delantera lleva nuestro candidato? ▲papel principal *She has the lead in the play.* Tiene el papel principal de la obra. ▲sugestión *When I was looking for a job he gave me a good lead.* Cuando estaba buscando trabajo me hizo una buena sugerencia. •[*v*] llevar, conducir *I'll lead the horse to the stable.* Llevaré el caballo a la cuadra. ▲llevar *This street leads to a dead end.* Esta calle lleva a un callejón sin salida. ▲causar, dar lugar a *The information led to his arrest.* La información causó su arresto. ▲ir a la cabeza, ir al frente *The general was leading the parade.* El general iba a la cabeza del desfile. ▲dirigir *He led the orchestra.* Dirigió la orquesta. ○to lead a ... life llevar una vida...*He leads a busy life.* Lleva una vida ocupada. ○to lead astray llevar por mal camino. ○to lead up to conducir a *What are these events leading up to?* ¿A qué conducirán estos acontecimientos?

lead mina *I need lead for my pencil.* Me hacen falta minas para mi lápiz. ▲plomo (metal). ‖ *Some types of gasoline contain lead.* Algunas clases de gasolinas contienen plomo.

leader líder *Who are the leaders of the political parties here?* ¿Quiénes son aquí los líderes de los partidos políticos? ▲director *The leader of the band was a very tall man.* El director de la banda era un hombre muy alto.

leadership dirección.

leaf hoja *I like to see the leaves on the trees change color.* Me gusta ver cambiar de color a las hojas de los árboles.—*The leaves of this book are torn.* Las hojas de este libro están rotas. ▲tabla *Add another leaf to the table.* Añádale otra tabla a la mesa. ○to turn over a new leaf cambiar de modo de ser.

league liga, confederación.

leak [*n*] gotera *There is a leak in the roof.* Hay una gotera en el techo. ▲vía de agua *The boat has a leak.* El buque tiene una vía de agua. •[*v*] salirse *The pot is leaking.* La olla se sale. ○to leak out descubrirse *Keep your mouth shut or our secret will leak out.* Cállese la boca o nuestro secreto se descubrirá.

lean [*adj*] magro *I like lean meat.* Me gusta la carne magra. ▲delgado *Who is the tall, lean individual over there?* ¿Quién es ese individuo alto y delgado que está allá? ▲malo *It has been a lean year for farmers.* Ha sido un año malo para los agricultores. •[*v*] apoyarse *I want to lean on your arm.* Quiero apoyarme en su brazo. ▲inclinarse *If you lean forward you can see.* Si Ud. se inclina hacia delante, podrá ver. ▲apoyar *Lean this picture against the wall.* Apoye este cuadro contra la pared. ▲depender *She leans on her mother in everything.* Depende de su madre para todo.

leap [*n*] salto *The frog made a big leap.* La rana dio un gran salto. •[*v*] saltar *The dog leaped the fence.* El perro saltó la valla.

learn aprender *Are you learning how to type?* ¿Está Ud. aprendiendo a escribir a máquina? ▲saber *Have you learned of any good restaurant around here?* ¿Sabe Ud. de algún buen restaurante por aquí cerca?

learned culto, erudito.

lease [*n*] arriendo *Did they sign the lease?* ¿Firmaron el arriendo? •[*v*] arrendar *I've leased a cottage from him for the summer.* He arrendado una casita suya para el verano. ○new lease on life nuevo plazo de vida *The bill just passed gave the committee a new lease on life.* El decreto que acaban de aprobar dio un nuevo plazo de vida a la comisión.

leash correa, traílla.

least menor *The work has to be done in the least possible time.* Hay que hacer el trabajo en el menor tiempo posible. ○at least por lo menos *You might at least have written to me.* Por lo menos podría Ud. haberme escrito. ○the least lo menos *That is the least you can do.* Eso es lo menos que puede Ud. hacer.

leather cuero.

leave [*n*] licencia *He went home on leave.* Fue a su casa con licencia. •[*v*] dejar *Leave a note saying we called.* Deje Ud. una nota diciendo que hemos venido a verle.—*I left my coat upstairs.* He dejado el abrigo arriba.—*Leave it to me.* Déjelo de mi cuenta.—*I'm leaving my job.* Voy a dejar mi trabajo.—*She'll leave the house to her son.* Dejará la casa a su hijo. ▲salir *I must leave now to catch my train.* Tengo que salir ahora para tomar el tren. ○to be left quedar *Are there any tickets left for tonight?* ¿Quedan boletos para esta noche? ○to leave out omitir *When you copy it, don't leave anything out.* Cuando lo copie Ud., no omita nada.

lecture [*n*] conferencia *That was a pretty interesting lecture.* Fue una conferencia bastante interesante. •[*v*] hablar *I haven't heard anyone lecture so well in a long time.* Hace mucho que no he oído a nadie hablar tan bien. ▲regañar *Don't lecture me so much.* No me regañe tanto.

ledge borde, saliente.

left [*n*] izquierda *Turn to the left.* Voltee hacia la izquierda.—*Politically, he has always been on the left.* Siempre ha sido un político de izquierda. •[*adj*] izquierdo *Take the other bag with your left hand.* Coja la otra maleta con la mano izquierda.

left-handed zurdo.

leftovers sobras.

leg pierna *I have a pain in my right leg.* Me duele la pierna derecha. ▲pierna, (of trousers) pernera *I've torn the leg of my trousers.* Me he roto la pierna del pantalón o Me he roto la pernera. ▲pata *The dog hurt his leg.* El perro se ha hecho daño en una pata.

legal legal.

legend leyenda.

legible legible.

legion legión.

legislation legislación.

legislature legislatura, asamblea.

legitimate legítimo.

leisure horas libres *I don't have much leisure nowadays.* No tengo muchas horas libres en estos días. ○at leisure lentamente, con tranquilidad *He ate his dinner at leisure.* Comió la cena lentamente. ○at

L

one's **leisure** en los ratos libres *There is no rush; you can write it at your leisure.* No es urgente, puede Ud. escribirlo en los ratos libres. ᴼto **be at leisure** estar desocupado *When will you be at leisure to see me?* ¿Cuándo estará Ud. desocupado para verme?

lemon limón.

lemonade limonada.

lend prestar *Can you lend me a dollar?* ¿Puede Ud. prestarme un dólar? ᴼto **lend color** dar color *She lent color to the occasion by her presence.* Dio color al acto con su presencia.

length largo *Is the length of the sleeves all right?* ¿Está bien el largo de las mangas? ▲largo, longitud *The length of the room is twice its width.* El largo del cuarto es el doble del ancho. ᴼat **length** por fin *At length he came.* Por fin vino. ▲detalladamente, extensamente *She described the party at length.* Describió la fiesta detalladamente.

lengthen alargar *Tell the tailor to lengthen these trousers three inches.* Diga al sastre que alargue estos pantalones tres pulgadas.

lengthwise a lo largo.

lengthy largo.

less menos *I have less money than I thought.* Tengo menos dinero de lo que pensaba.—*I've always paid less for my gloves.* Siempre he pagado menos por los guantes.

lesser menor *Which is the lesser of the two evils?* De los dos males, ¿cuál es el menor? ▲de menos categoría *The speaker is one of the lesser officials of the town.* El orador es uno de los funcionarios de menos categoría en el pueblo.

lesson lección.

let dejar *Will the customs officials let us go through?* ¿Nos dejarán pasar los empleados de la aduana?—*Let me by.* Déjeme pasar. ▲alquilar *Have you rooms to let?* ¿Tiene Ud. habitaciones para alquilar? ᴼto **let alone** dejar en paz *Please let me alone for a while.* Haga el favor de dejarme en paz un rato. ᴼto **let down** bajar, descuidar *They let down a lot in their work.* Han bajado mucho en su trabajo. ▲fallar, no cumplir *I counted on his help, but he let me down.* Contaba con su ayuda, pero me falló. ▲dejar plantado *I'll wait for you, but don't let me down.* Te esperaré, pero no me dejes plantado. ᴼto **let go of** vender *Don't let go of your property yet.* No venda Ud. todavía la propiedad. ▲soltar *Don't let go of the rope till I tell you.* No suelte la cuerda hasta que yo le diga. ᴼto **be let off** salir bien librado *The criminal was let off with a light sentence.* El criminal salió bien librado con una condena muy leve. ᴼto **let up** cesar *The rain hasn't let up for two days.* La lluvia no ha cesado en dos días.

letter [n] carta *Are there any letters for me?* ¿Hay alguna carta para mí? ▲letra *Have you learned all the letters in the alphabet?* ¿Ha aprendido Ud. todas las letras del alfabeto? •[v] escribir *Letter the signs carefully.* Escriba el letrero con cuidado. ᴼto **keep to the letter** seguir al pie de la letra.

lettuce lechuga.

level [n] nivel *The level is a very useful tool.* El nivel es una herramienta muy útil.—*He is below the general level of the class.* Está por debajo del nivel medio de la clase.—*The river rose almost to the level of the dam.* El río llegó casi hasta el nivel de la presa. •[adj] llano *Is the country level or mountainous?* ¿Es el país llano o montañoso? •[v] igualar *Their aim is to level all classes.* Su propósito es igualar todas las clases sociales. ▲arrasar *The shelling leveled the town.* El bombardeo arrasó la ciudad. ᴼto **be level** ser de la misma altura *The book shelves are level with the table.* Las estanterías y la mesa son de la misma altura.

lever palanca.

liable ||*Don't rock the boat; it is liable to tip over.* No mueva Ud. la barca porque se puede volcar.

liar mentiroso.

liberal generoso *She is very liberal with her money.* Es muy generosa con su dinero. ▲liberal *The doctor has very liberal views.* El doctor tiene ideas muy liberales.

liberate libertar, librar.

liberty libertad *The prisoner got his liberty.* El prisionero fue puesto en libertad. ᴼto **take liberties** tomarse libertades *He took too many liberties when he was here.* Se tomó demasiadas libertades cuando estuvo aquí.

librarian bibliotecario.

lice piojos.

license [n] licencia *Have you got your hunting license yet?* ¿Consiguió Ud. ya su licencia de caza?

lick [v] lamer *The dog licked the plate.* El perro lamió el plato. ▲vencer *I had a tough time but I finally licked him.* Me costó mucho trabajo pero al fin lo pude vencer. ▲pegar *His father licked him when he caught him stealing.* Su padre le pegó cuando le encontró robando.

lid tapa, tapadera.

lie [n] mentira *Everything he says is a lie!* ¡Todo lo que dice es mentira! •[v] mentir *There is no doubt that he is lying about it.* No hay duda de que en eso está mintiendo. ▲echarse *Don't lie on the damp grass.* No se eche sobre la hierba húmeda. ▲yacer *His body lies in the cemetery.* Su cuerpo yace en el cementerio. ▲estar, consistir en *The book's appeal lies in its humor.* El mérito del libro está en su humorismo. ▲estar echado, [Am] estar recostado *He lay on the couch and read the paper.* Estaba echado en el diván leyendo el periódico. ▲estar situado, quedar a *The river lies to your right.* El río queda a su derecha. ᴼto **lie down** acostarse *I want to lie down for a few minutes.* Quiero acostarme unos minutos.

lieutenant teniente.

life vida *Are there any signs of life in him?* ¿Da señales de vida?—*The average life of a dog is ten years.* Diez años es el término medio de vida de un perro.—*The children are full of life.* Los niños están llenos de vida.—*Life in the country is dull.* La vida en el campo es muy aburrida.

lifeboat lancha salvavidas.

life insurance seguro de vida.

life preserver salvavidas.

lift levantar *It is too heavy to lift.* Es demasiado pesado para levantarlo. ▲disipar *The fog lifted quickly.* La niebla se ha disipado muy rápidamente. ||*His letter really gave me a lift.* Su carta me ha reanimado mucho. ‖*Will you give me a lift here?* ¿Quiere echarme una mano?

light [n] luz *The light was so strong that he had to shut his eyes.* La luz era tan fuerte que tuvo que cerrar los ojos.—*Please turn on the light.* Haga el favor de encender la luz.—*The investigation brought many facts to light.* La investigación sacó muchos hechos a la luz. ▲lumbre, fuego *Give me a light.* Déme Ud. lumbre. •[adj] claro *I want a light blue hat.* Quiero un sombrero azul claro. ▲ligero, leve *Our losses in the battle were light.* Nuestras pérdidas en la batalla fueron ligeras. ▲ligero *A light snow fell last night.* Anoche cayó una nevada ligera.—*I had a light lunch today.* Hoy he tomado un almuerzo ligero.—*Please give me some light wine.* Déme Ud. un poco de vino ligero. •[v] encender *Please light the lamp.* Haga el favor de encender la lámpara.— *Light the fire.* Encienda Ud. el fuego. °**lighter** más liviano, menos pesado *The big suitcase is lighter than the little one.* La maleta grande es más liviana que la pequeña. °**to be light** hacerse de día *Wake me up as soon as it is light.* Despiérteme en cuanto se haga de día. °**to light up** iluminar *The candle lit up the table.* La vela iluminaba la mesa.—*A smile lit up her face.* Una sonrisa iluminó su cara.

lighthouse faro.

lightning relámpago.

like [n] igual *I've never met his like.* Nunca he encontrado su igual. •[v] querer *Would you like another cup of coffee?* ¿Querría Ud. otra taza de café? ▲gustarle a uno *This is the kind of food I like.* Esta es la clase de comida que me gusta. •[prep] como *He ran like mad.* Corría como loco.—*He treated me like a brother.* Me trató como un hermano. °**to be like** ser propio de *It is not like you to be so irritable.* No es propio de Ud. ser tan irritable. ▲parecerse *People here are very much like Americans.* La gente de aquí se parece mucho a los norteamericanos. °**to feel like** tener ganas de *Do you feel like dancing?* ¿Tiene Ud. ganas de bailar?

likely verosímil *That is not a likely story.* No es un relato verosímil. ‖*Are we likely to arrive on time?* ¿Llegaremos a tiempo?

likeness semejanza, parecido *There is a great likeness between the child and his father.* Hay un gran parecido entre el niño y su padre. ▲retrato *He painted a likeness of my grandmother.* Pintó un retrato de mi abuela.

likewise asimismo, igualmente.

lily lirio.

limb rama *The lightning split the limb from the tree.* El relámpago desgajó la rama del árbol. ▲miembro *His limbs are very long for his body.* Sus miembros son muy largos en relación con el cuerpo.

limbo limbo, lugar de olvido, cárcel.

lime cal (*chemical substance*); lima (*fruit*).

limit [n] límite *What are the city limits?* ¿Cuáles son los límites de la ciudad? •[v] limitar *We have to limit our expenses this month.* Tenemos que limitar nuestros gastos este mes.

limitation limitación.

limp [n] cojera *He has a slight limp.* Tiene una ligera cojera o Es un poco rengo [Arg]. •[adj] flojo, débil *I feel quite limp from the heat.* Me siento flojo por el calor. •[v] cojear

He limped across the room. Cruzó el cuarto cojeando.

line [n] cuerda *Hang the clothes on the line.* Cuelgue la ropa en la cuerda. ▲línea *Draw a line between these two points.* Trace una línea entre estos dos puntos.—*How long is this railroad line?* ¿Qué longitud tiene esta línea férrea?—*The bandits cut the telephone lines.* Los bandidos cortaron las líneas telefónicas.—*Which bus line do you use to go home?* ¿Qué línea de autobuses usa Ud. para ir a su casa? ▲raya *Divide the court with a chalk line.* Divida Ud. el campo con una raya de tiza. ▲renglón *Skip a line.* Deje un renglón en blanco. ▲fila *There is a long line of cars ahead of us.* Hay una fila larga de autos delante de nosotros. ▲surtido *We have a nice line of dresses.* Tenemos un bonito surtido de vestidos. ▲conversación *He has a very good line.* Tiene una conversación muy persuasiva. •[v] forrar *Her coat is lined in red.* Su abrigo está forrado en rojo. ▲rayar *Use lined paper.* Use Ud. papel rayado. °**along this line** en estos términos, de esta manera *Do it along this line.* Hágalo de esta manera. °**in line** disciplinado *He managed to keep the whole party in line.* Consiguió mantener el partido disciplinado. °**in line with** de acuerdo con *What you are doing is not in line with our policy.* Lo que hace no está de acuerdo con nuestras normas. °**to be in one's line** ser de la especialidad de uno *This is not in my line.* Eso no es de mi especialidad. °**to bring into line** poner de acuerdo *Try to bring the whole committee into line.* Trate de poner de acuerdo a la comisión. °**to line up** alinearse *They lined up in front of the post office.* Se alinearon en frente de la oficina de correos. °**to stand in line** hacer cola *I had to stand in line to get cigarettes.* Tuve que hacer cola para conseguir cigarrillos. ‖*Drop me a line if you have time.* Mándeme unas líneas si tiene tiempo.

linen [n] ropa blanca *What laundry do you send your linen to?* ¿A qué lavandería envía Ud. su ropa blanca? •[adj] de lino, de hilo *Where can I buy linen handkerchiefs?* ¿Dónde puedo comprar pañuelos de hilo?

liner (*ship*) vapor.

linger demorarse.

lining forro.

link [n] eslabón, vínculo. •[v] enlazar (*se*), eslabonar (*se*).

linkage eslabonamiento, encadenamiento

lion león.

lip labio *Your lip is swollen.* Tiene Ud. un labio hinchado. ▲pico *The lip of the pitcher is broken.* El pico de la jarra está roto.

lipstick barra de labios, lápiz labial.

liquid [n, adj] líquido.

liquor licor(es), bebidas alcohólicas.

list [n] lista *Is my name written on the list?* ¿Está mi nombre escrito en la lista? •[v] hacer una lista de *Please list the places I should visit.* Haga el favor de hacer una lista de los lugares que debo visitar.

listen (to) oír *I like to listen to good music.* Me gusta oír buena música. ▲escuchar *Listen to what I'm telling you.* Escucha lo que te digo.

liter litro.

literal literal.

literary literario.

L

literature obras literarias *The library has collected the best literature.* La biblioteca ha reunido las mejores obras literarias. ▲literatura *He is taking a course in English literature.* Está estudiando un curso de literatura inglesa.

litter camada (*animals*); camilla (*stretcher*).

little pequeño *This dress is for a little girl.* Este traje es para una niña pequeña. ▲poco *He has little influence.* Tiene poca influencia. ᴼa little un poco de *I can speak a little French.* Hablo un poco de francés.

live [*v*] vivir *The doctor says that the patient will live.* El doctor dice que el enfermo vivirá.—*How can people live on this food?* ¿Cómo puede vivir la gente con esta alimentación?—*I expect to live here for two months.* Espero vivir aquí dos meses. ▲tener *He lived a happy life.* Tuvo una vida feliz. ᴼto live up to llenar *He did not live up to my hopes.* No llenó mis esperanzas.

live [*adj*] vivo *Is that a live snake?* ¿Está viva esa culebra? ▲cargado de electricidad *Don't touch that, it's a live wire.* No toque eso, es un alambre cargado de electricidad. ▲vital *It is a live issue in some places.* Es una cuestión vital en algunos sitios.

livelihood medios de vida.

lively vivo, animado *She is a lively girl.* Es una muchacha muy animada. ‖*Step lively!* ¡Vayan de prisa!

liver hígado.

living [*n*] sustento *Can he make a living for his family?* ¿Puede ganar el sustento de su familia? •[*adj*] vivo *Haven't you ever studied a living language?* ¿Ha estudiado Ud. alguna vez una lengua viva?

living room sala.

load [*n*] carga *That is too great a load for the donkey.* Es una carga demasiado pesada para el burro. •[*v*] cargar *Are the men loading or unloading the vessel?* ¿Están los hombres cargando o descargando el barco?—*The gun was loaded.* El fusil estaba cargado. ▲abrumar *They loaded us with work.* Nos abrumaron de trabajo.

loaf [*n*] pan *Slice three loaves for sandwiches.* Corte Ud. tres panes para emparedados. •[*v*] holgazanear *We spent the whole day loafing.* Estuvimos todo el día holgazaneando. ᴼmeat loaf carne en molde *We had meat loaf for dinner.* Cenamos carne en molde.

loan [*n*] préstamo *It was nice of you to arrange that loan for me.* Ha sido muy amable en conseguirme ese préstamo. •[*v*] prestar *Can you loan me the book when you finish it?* ¿Puede Ud. prestarme el libro una vez que lo haya leído? ᴼloan shark prestamista, usurero.

loathe detestar, abominar.

lobby vestíbulo.

lobster langosta.

local local *You'll need only a local anesthetic for that operation.* No necesitará más que una anestesia local para esa operación. ▲regional, local *This is a local custom.* Esta es una costumbre regional. ᴼlocal train tren local.

locality localidad.

locate situar *Where is the house located?* ¿Dónde está situada la casa? ▲hallar *Can you locate the hill on this map?* ¿Puede Ud. hallar la colina en este mapa?

location ubicación, sitio, localidad.

lock [*n*] cerradura *He cut a hole in the door for the lock.* Hizo un agujero en la puerta para colocar la cerradura. ▲candado *Do you have a lock for a trunk?* ¿Tiene Ud. un candado para un baúl? ▲mechón *She kept a lock of the baby's hair.* Guardó un mechón del pelo del niño. ▲esclusa *The ship has to stay in the locks an hour.* El barco estará en las esclusas una hora. •[*v*] cerrar con llave *Be sure to lock the door when you leave.* Fíjese en cerrar la puerta con llave cuando salga. ▲encerrar *Lock these prisoners in their cells.* Encierre a estos prisioneros en sus celdas.

locomotive locomotora.

lodge [*n*] posada *We stopped at the lodge overnight.* Nos alojamos en la posada por la noche. ▲logia *What lodge do you belong to?* ¿A qué logia pertenece Ud.? •[*v*] alojarse *The bullet lodged in his lung.* La bala se alojó en su pulmón. ᴼto lodge a complaint dar queja *He lodged his complaint with the mayor.* Dio queja al alcalde.

log tronco; libro de bitácora (*navigation*).

logic lógica.

logical lógico.

loin lomo *Give me some loin of pork.* Déme lomo de cerdo.

lone solitario, solo.

lonely solitario *He lives a lonely life.* Lleva una vida solitaria. ▲solo *Aren't you lonely without your friends?* ¿Se siente Ud. solo sin sus amigos?

lonesome solo y triste.

look [*n*] mirada *Take a look at this report.* Échele una mirada a este informe. •[*v*] parecer *It looks all right to me.* Me parece muy bien.—*It looks like snow.* Parece que va a nevar. ▲estar *She looks very pretty today.* Está muy bonita hoy. ᴼto look after cuidar *Did you get someone to look after the child?* ¿Ha encontrado Ud. a alguien que cuide al niño. ᴼto look at mirar *Look at the beautiful sunset!* ¡Mira la hermosa puesta de sol! ᴼto look for buscar *We are looking for an apartment.* Estamos buscando un apartamento.—*He is always looking for trouble.* Siempre está buscando camorra. ᴼto look forward to aguardar con impaciencia, esperar con ilusión *We are looking forward to our vacation.* Estamos aguardando las vacaciones con impaciencia. ᴼto look into estudiar *We will look into the matter.* Estudiaremos el asunto. ᴼto look on mirar *The others played, but he just looked on.* Los demás jugaban, pero él no hacía más que mirar. ᴼto look out dar a *The big window looks out on a garden.* La ventana grande da a un jardín. ᴼto look to buscar *He always looked to his father for help.* Siempre buscaba la ayuda de su padre. ᴼto look up venir a ver, ir a ver *Look me up when you come back.* Venga a verme cuando Ud. vuelva. ▲buscar *Look up his telephone number.* Busque Ud. el número de su teléfono. ▲mejorar *Things are looking up.* Las cosas van mejorando. ᴼto look up to respetar, estimar *I can't help looking up to him.* No puedo menos de respetarle. ‖*Look out!* ¡Cuidado!

looking glass espejo.

looks aspecto, aire *I don't like his looks.* No me gusta su aspecto.

loop [*n*] lazada (*rope*); curva, vuelta (*road*). •[*v*] dar una vuelta.

loose flojo *There is a loose button on your shirt.* Tiene un botón flojo en la camisa.— *Put a loose bandage on his arm.* Póngale una venda floja en el brazo. ▲suelto *The dog is loose again.* El perro está suelto otra vez.—*Look for it among the loose papers on my desk.* Búsquelo entre los papeles sueltos que hay en mi escritorio.—*Do you sell coffee in packages or loose?* ¿Vende Ud. el café en paquetes o suelto? ▲libre *He made a loose translation of the original.* Hizo una traducción libre del original. ▲licencioso *She leads a loose life.* Lleva una vida licenciosa. Oloose **character** perdido *That man is a loose character.* Aquel hombre es un perdido. Oto **cut loose** soltarse el pelo *He certainly cut loose at that party.* Realmente se soltó el pelo en aquella fiesta. Oto **cut loose from** independizarse de *I finally cut loose from my family.* Por fin me independicé de mi familia.

loosen soltar.

lord señor. OThe **Lord** Dios. OHouse of **Lords** Cámara de los Lores.

lose perder *I've lost my purse again.* He perdido mi bolsa otra vez.—*Try to lose your accent.* Procure perder su acento.—*He lost his wife five years ago.* Perdió a su esposa hace cinco años.—*The horse lost the race.* El caballo perdió la carrera.—*I don't want to lose anymore time here.* No quiero perder más tiempo aquí. ▲hacer perder *That speech lost him the election.* Ese discurso le hizo perder la elección. Olost perdido *Where is the Lost and Found Department?* ¿Dónde queda la sección de objetos perdidos? Oto **lose heart** desanimarse. Oto **lose one's heart** enamorarse. Oto **lose one's mind** volverse loco. Oto **lose one's temper** perder los estribos, enfadarse. Oto **lose one's way** perderse, extraviarse *He lost his way in the woods.* Se perdió en el bosque.

loss pérdida *The loss of his wife was a great blow.* La pérdida de su esposa fue un gran golpe.—*The drought caused a great loss of crops.* La sequía causó grandes pérdidas en la cosecha.—*There was no reason for the loss of time.* No había razón que justificara la pérdida de tiempo. Oat a **loss** perdiendo, con pérdida *He sold his house at a loss.* Vendió su casa perdiendo. Oto **be at a loss** no saber cómo *I am at a loss to explain his absence.* No sé cómo explicar su ausencia.

lot grupo *They are a fine lot of soldiers.* Forman un grupo de buenos soldados. ▲lote *He bought a lot at the edge of town.* Compró un lote a las afueras del pueblo.—*I'll send the books in three different lots.* Mandaré los libros en tres lotes diferentes. Oa **lot** mucho *She is a lot better than people think.* Es mucho mejor de lo que la gente piensa. Oa **lot of** mucho *The trucks make a lot of noise.* Los camiones hacen mucho ruido. Oto **draw lots** echar a suertes *They drew lots to see who would go first.* Echaron a suertes para ver quién iba primero.

lotion loción.

loud [*adj*] fuerte *We heard a loud noise.* Oímos un ruido fuerte.—*There were loud criticisms in the press.* Hubo fuertes críticas en la prensa. ▲chillón *His ties are always too loud.* Sus corbatas son siempre demasiado chillonas. •[*adv*] alto *Please*

speak loud enough to be heard. Por favor hable bastante alto para que le puedan oír.

loudspeaker altoparlante, altavoz.

louse piojo.

lousy piojoso; astroso, miserable.

love [*n*] amor *His love probably won't last.* Probablemente su amor no durará. ▲recuerdo *Give my love to all my friends.* Déles recuerdos a todos mis amigos. •[*v*] querer *Do you love your mother very much?* ¿Quiere Ud. mucho a su madre? ▲gustarle a uno *I love apples.* Me gustan las manzanas. Oto **fall in love** enamorarse *He fell in love with the captain's daughter.* Se enamoró de la hija del capitán. Oto **be in love with** estar enamorado Oto **make love** hacer el amor.

lovely bello, hermoso *There is a lovely view from the bridge.* Hay una hermosa vista desde el puente.

lover amante.

low bajo *The tide is low in the morning.* La marea está baja por la mañana.—*The temperature is very low today.* La temperatura es muy baja hoy.—*The singer has a very low voice.* El cantante tiene una voz muy baja.—*That plane is flying too low.* Ese avión vuela demasiado bajo. ▲débil *She gave a low moan.* Dio un débil quejido. ▲humilde *He is not ashamed of his low birth.* No se avergüenza de su humilde cuna. Olow **(gear)** primera (velocidad) *Put the car in low to climb the hill.* Ponga el automóvil en primera para subir la cuesta. Olow **opinion** mala opinión *I have a low opinion of him.* Tengo mala opinión de él. Oto **feel low** sentirse abatido, sentirse deprimido *I feel very low today.* Hoy me siento muy deprimido.

lower [*adj*] más bajo *Have you a room on a lower floor?* ¿Tiene Ud. un cuarto en un piso más bajo? •[*v*] arriar *They are lowering the flag.* Están arriando la bandera. ▲poner más bajo *Please lower that shelf in the bookcase.* Haga el favor de poner más baja esa repisa de la estantería.

loyal leal.

loyalty lealtad.

lubricant lubricante.

lubricate lubricar.

luck suerte *He said his failure was due to bad luck.* Dijo que su fracaso se debió a su mala suerte.

lucky afortunado, con suerte.

luggage equipaje.

lumber madera *Where can I buy lumber and nails?* ¿Dónde puedo comprar madera y clavos?

lump bola, grumo *There are lumps in the cream.* La crema tiene grumos. ▲terrón (*sugar*) *Put two lumps of sugar in my tea, please.* Haga el favor de poner dos terrones en mi té. Olump **on the head** chichón *He has a lump on his head where he bumped into the door.* Se pegó con la puerta y le salió un chichón. [*He paid for the work in a lump sum.* Pagó el trabajo de una sola vez.

lunch [*n*] almuerzo *It is almost time for lunch.* Es casi la hora del almuerzo. •[*v*] almorzar *Will you lunch with me?* ¿Quiere Ud. almorzar conmigo?

lung pulmón.

luxury lujo; gastos superfluos.

L

M

macaroni macarrones.

machine máquina, aparato.

machine gun ametralladora.

machinery maquinaria *The machinery is out of order.* La maquinaria no funciona.

mad enfadado, enojado *He is mad at me for something I did to him.* Está enfadado conmigo por algo que le hice. ▲loco *The heat drove him mad.* Le volvió loco el calor. ▲rabioso *Watch out for the mad dog.* Tenga cuidado con el perro rabioso. ○like mad como loco, como un loco. *He drove like mad.* Manejaba como un loco ○to be mad about tener locura por *My husband is mad about ice cream.* Mi marido tiene locura por el helado. ○to get mad enfadarse *There is no reason to get mad.* No hay razón para enfadarse.

madam señora.

magazine revista.

magic magia.

magical mágico.

magistrate magistrado.

magnet imán.

magnetic magnético.

magnetic disk disco magnético.

magnificent magnífico.

magnify ampliar, aumentar de tamaño.

mahogany caoba.

maid criada, sirvienta *Where can I get a maid?* ¿Dónde puedo encontrar una sirvienta? ○old maid solterona *Two old maids live there.* Dos solteronas viven allí.

maiden [*adj*] soltera *I have a maiden aunt.* Tengo una tía soltera. ○maiden voyage primer viaje *This is the ship's maiden voyage.* Este es el primer viaje que hace el barco.

mail [*n*] correo *Did I get any mail this morning?* ¿Tuve correo esta mañana? •[*v*] echar al correo *Where can I mail this letter?* ¿Dónde puedo echar esta carta al correo?

mail carrier cartero.

mailbox buzón.

main [*n*] cañería madre *The water main has burst.* Se ha reventado la cañería madre del agua. •[*adj*] principal *Where is the main street?* ¿Dónde queda la calle principal? ○in the main en general *I agree with him in the main.* En general, estoy de acuerdo con él.

mainframe computador u ordenador principal, de tamaño grande, que puede ejecutar varias funciones a la vez y al cual se le pueden conectar computadores más pequeños.

maintain mantener, sostener.

maintenance mantenimiento.

major [*n*] comandante *Has anyone seen the major?* ¿Ha visto alguien al comandante? ▲especialidad *What was your major in college?* ¿Cuál fue su especialidad en la universidad? •[*adj*] principal *It was the major event of the year.* Fue el principal acontecimiento del año. ▲mayor *The piece is in a major key.* La pieza está en clave mayor.

majority mayoría.

make [*n*] modelo *He has a car of an old make.* Tiene un automóvil de modelo an-
tiguo. ▲marca *What make is your car?* ¿De qué marca es su automóvil? •[*v*] hacer *He made a bookcase for his apartment.* Hizo un librero para su apartamento.—*They made that man president of the club.* A ese hombre le hicieron presidente del club.—*Don't make me do that.* No me haga hacer eso.—*Are they willing to make peace?* ¿Están dispuestos a hacer las paces?—*That car can make eighty miles an hour.* Ese auto puede hacer ochenta millas por hora. ▲cometer *He hardly ever makes a mistake.* Rara vez comete errores. ▲adquirir, hacerse *He made his reputation early in life.* Desde muy joven adquirió buena reputación. ▲ganar *How much do you make a week?* ¿Cuánto gana Ud. por semana? ▲hacer, ganar *Who made the highest score?* ¿Quién hizo el mayor número de tantos? ▲hacer *That makes the tenth load today.* Con ésta van diez cargas hoy. ▲calcular *I make it to be eight o'clock.* Calculo que son las ocho. ▲llegar *Can we make our destination by evening?* ¿Podemos llegar a nuestro destino para la noche? ▲alcanzar *Do you think we'll make the train?* ¿Cree Ud. que alcanzaremos el tren? ○to make a fool of poner en ridículo. ○to make a hit causar buena impresión. ○to make a living ganarse la vida. ○to make a move moverse. ○to make a point dar importancia a *Does he make a point of being on time?* ¿Da importancia a la puntualidad? ○to make a success of tener éxito en *He is making a success of his business.* Tiene éxito en su negocio. ○to make a wish desear, pensar en algo que se desea. ○to make believe fingir, hacer creer *She is only making believe that she doesn't know.* Solamente está fingiendo que no lo sabe. ○to make clear poner en claro, aclarar. ○to make fast amarrar. ○to make for ir hacia *Let's make for that tree.* Vayamos hacia aquel árbol. ▲hacer *Her company made for a pleasant afternoon.* Su compañía hizo la tarde agradable. ○to make friends conquistar amigos. ○to make fun of burlarse de. ○to make good time ganar tiempo *We can make good time on this road.* Podemos ganar tiempo por esta carretera. ○to make headway adelantar. ○to make into convertir en. ○to make it right arreglar, corregir. ○to make known hacer saber. ○to make love enamorar, hacer el amor. ○to make of sacar de *What do you make of this?* ¿Qué saca Ud. de esto? ▲pensar de *I don't know what to make of it.* No sé qué pensar de eso. ○to make off with irse con, llevarse *Don't make off with my book.* No te vayas con mi libro. ○to make oneself sick enfermarse *He made himself sick by drinking too much.* Se enfermó por beber demasiado. ○to make out entender *Can you make out what he means?* ¿Puede Ud. entender lo que dice? ▲llenar *Have you made out the check yet?* ¿Ha llenado Ud. ya el cheque? ▲hacer *Please make out our bill.* Háganos la cuenta, por favor. ▲hacer ver *They tried to make out that we were to blame.* Trataron de hacer ver que éramos culpables. ▲arreglárselas, salir bien *Don't worry, I'll make out.* No se apure Ud., ya me las arreglaré. ○to make over reformar *She is having her old coat made over.* Ha mandado que le reformen su abrigo viejo. ○to make ready preparar, alistar. ○to make room for dar lugar, hacer lugar. ○to make sense tener sentido *Does this make sense?* ¿Tiene sentido esto? ○to

make sick fastidiar *Their complaints make me sick.* Sus quejas me fastidian. ▲enfermar *This food makes me sick.* Esta comida me enferma. ○to make sure cerciorarse. ○to make terms arreglarse. ○to make the acquaintance of conocer a. ○to make up hacer, preparar *We must make up a list of employees.* Tenemos que hacer una lista de los empleados. ▲inventar *Is it true, or did he make that story up?* ¿Es verdad ese cuento o se lo inventó él? ▲hacer las paces, reconciliarse *Do you think they'll make up?* ¿Cree Ud. que harán las paces? ▲pagar, compensar *I want to make up my share of the bill.* Quiero pagar lo que me toca de la cuenta. ▲pintarse *She takes a lot of time to make up.* Tarda mucho en pintarse. ○to make up one's mind resolverse, determinar. ○to make use of servirse de, hacer uso de. ○to make way abrir paso.

make-believe [*adj*] fingido, falso.

maker fabricante.

makeup cosméticos *She never uses makeup.* Ella nunca usa cosméticos.

malaria paludismo, malaria.

male macho *Is this dog male or female?* ¿Es este perro macho o hembra?

malice malicia.

malicious malicioso.

mamma mamá.

man [*n*] hombre *How many men are there here?* ¿Cuántos hombres hay aquí?—*What a man!* ¡Qué hombre!—*I need a man to mow the lawn.* Necesito un hombre para cortar el césped.—*He spoke like a man.* Habló como un hombre. ▲hombre, caballero *Where is the men's room?* ¿Dónde está el lavabo de caballeros? ▲uno *A man has to get used to this climate.* Uno tiene que acostumbrarse a este clima. •[*v*] tripular *He is having trouble manning his ship.* Encuentra dificultades para tripular el barco. ○man and wife marido y mujer.

manage manejar *They say he is difficult, but I can manage him.* Dicen que él es difícil, pero yo puedo manejarlo. ▲llevar, cargar *Can you manage those packages by yourself?* ¿Puede Ud. llevar todos esos paquetes? ▲arreglárselas, componérselas *I'll manage, thanks.* Yo me las arreglaré, gracias.

management administración, dirección *I'll complain to the management about the poor service.* Me quejaré del mal servicio a la dirección.

manager gerente, director, administrador *I want to see the manager.* Quiero hablar con el gerente. ▲administrador *He doesn't make much money, but his wife is a good manager.* No gana mucho pero su mujer es buena administradora.

mane melena, crin (*horse*).

maneuver maniobra.

manger pesebre.

manhood virilidad.

mania manía.

manifest manifiesto.

mankind humanidad.

manly varonil.

manner manera *He answered in a sharp manner.* Contestó de una manera brusca. ○in a manner of speaking hasta cierto punto, en cierto modo. ○manners cos-

tumbres *Their manners are different from ours.* Sus costumbres son diferentes de las nuestras. ▲modales, costumbres *We must be careful of our manners.* Debemos cuidar nuestros modales.

mansion mansión.

manual [*adj, n*] manual.

manufacture [*n*] fabricación. *He has invented a new method of manufacture.* Ha inventado un nuevo procedimiento de fabricación. •[*v*] fabricar *What do you manufacture here?* ¿Qué fabrica Ud. aquí? ▲inventar *He'll be able to manufacture a story for the occasion.* Ya inventará algún cuento para el caso.

manure abono.

many muchos *I have many reasons for doing so.* Tengo muchas razones para proceder así.—*There weren't very many at his house.* No había muchos en su casa. ○a good many mucho *He knows a good many people in this city.* Conoce a mucha gente en esta ciudad. ○a great many muchísimos, un gran número de *A great many people use that bank.* Muchísimas personas utilizan ese banco. ○as many tantos como *I have as many books as he does.* Tengo tantos libros como él. ○how many cuántos *How many tickets do you want?* ¿Cuántos boletos quiere? ○many a time a menudo, muchas veces *I've passed you on the street many a time.* Le he encontrado en la calle muchas veces. ○too many de más, de sobra *He has two cars too many.* Tiene dos autos de más.

map [*n*] mapa *Can you show me the town on the map?* ¿Puede Ud. mostrarme el pueblo en el mapa? •[*v*] levantar un plano de, hacer un mapa de *My assistant is mapping the coastline.* Mi ayudante está levantando un plano de la costa. ▲planear, hacer planes de *The guide is mapping our route now.* El guía está ahora planeando nuestro itinerario.

maple arce. ○maple syrup jarabe de arce.

mar estropear, desfigurar, echar a perder.

marble mármol.

March marzo *I plan to stay through March.* Pienso quedarme hasta fines de marzo.

march [*n*] marcha *We had a tough march this morning.* Esta mañana hicimos una marcha penosa.—*The band started the concert with a march.* La banda comenzó el concierto con una marcha.—*The march of events.* La marcha de los acontecimientos. •[*v*] marchar *We marched for five miles.* Marchamos cinco millas. ▲hacer marchar *They march the prisoners every afternoon.* Todas las tardes hacen marchar a los presos.

mare yegua.

margarine margarina.

margin margen.

marine [*adj*] marino.

maritime marítimo.

mark [*n*] seña, señal, marca *Make a mark after the names of those present.* Ponga una seña en los nombres de los que están presentes. ▲propósito, fin *Do you think he'll reach the mark he has set for himself?* ¿Cree Ud. que alcanzará el fin que se propone? •[*v*] calificar *When will you have our exams marked?* ¿Cuándo habrá calificado Ud. nuestros exámenes? ▲marcar, señalar *I've*

M

marked the important parts of the contract. He marcado las partes importantes del contrato. Oto **mark down** apuntar, anotar I've marked down the items I want. He apuntado las cosas que quiero. ▲rebajar (los precios) We shall have to mark down the prices on these coats. Tendremos que rebajar los precios de estos abrigos. Oto **mark time** matar el tiempo, pasar el tiempo I am just marking time in this job. No hago más que matar el tiempo en este empleo.

market [n] mercado The market is very lively today. El mercado está muy animado hoy.—Is there a good market for cotton cloth in this city? ¿Hay un buen mercado para los tejidos de algodón en esta ciudad? ▲comprador He is trying to find a market for his house. Está tratando de encontrar un comprador para su casa. •[v] poner a la venta He'll market the fruit this month. Este mes pondrá la fruta a la venta. Oon the **market** en la bolsa Is there anything new on the market today? ¿Hay alguna novedad hoy en la bolsa? Oto **be in the market for** estar dispuesto a comprar Are you in the market for a good car? ¿Está Ud. dispuesto a comprar un buen automóvil? Oto **do the marketing** hacer las compras She does her marketing in the morning. Hace sus compras por la mañana.

marketing mercadeo.

marmalade mermelada.

maroon [n] rojo obscuro [v] abandonar, aislar.

marriage matrimonio.

marry casarse Do you know when she is getting married? ¿Sabe Ud. cuándo se casa ella? ▲casar He married his daughter to an old friend. Casó a su hija con un viejo amigo.

marsh pantano.

marshal mariscal.

marvelous maravilloso.

masculine masculino.

mash majar, machacar Omashed **potatoes** puré de papas [Am], puré de patatas [Sp].

mask máscara, careta.

mason albañil; masón (lodge).

mass [n] masa Look at that mass of molten iron! ¡Mira aquella masa de hierro fundido! ▲montón There was a mass of flowers on the stage. Había un montón de flores en el escenario. ▲misa Are you going to Mass this morning? ¿Va Ud. a misa esta mañana? •[v] congregar, reunir All the delegates were massed together on the platform. Todos los delegados se hallaban congregados en la tribuna. Ogreat **mass** mayoría The great mass of these farmers have small farms. La mayoría de estos granjeros tienen granjas pequeñas. Omass **meeting** asamblea popular. Omass **production** producción en serie. Othe **masses** las masas, el pueblo.

massacre [n] matanza. [v] matar en masa.

mast mástil.

master [n] señor Is the master of the house in? ¿Está el señor de la casa? ▲amo, dueño He always tries to be master of the situation. Siempre trata de ser el amo de la situación. ▲ Capitán The master of the ship is on the top deck. El capitán del barco está en la cubierta superior. •[v] dominar I find this language difficult to master. Encuentro que este idioma es difícil de dominar. Omaster **key** llave maestra.

masterpiece obra maestra.

mat felpudo, estera Wipe your feet on the mat. Límpiese los pies en el felpudo. Omatted enredado My hair is all matted from the wind. El viento me ha enredado todo el pelo.

match [n] fósforo, cerilla Have you got a match? ¿Tiene Ud. un fósforo? ▲igual He met his match. Se encontró con su igual. ▲partido Would you like to see a tennis match? ¿Le gustaría ver un partido de tenis? ▲pareja They're a good match. Hacen una buena pareja. •[v] igualar Can we match their speed? ¿Podemos igualar su velocidad?

matchbox caja de fósforos.

mate compañero Have you seen the mate to my brown shoe? ¿Ha visto Ud. el compañero de mi zapato marrón? ▲consorte, marido o mujer She had a hard time finding a mate. Le fue difícil conseguir consorte. ▲primer oficial The captain told the mate to take over. El capitán le dijo al primer oficial que se encargara del mando.

material [n] tela, material Do you have enough of this material to make me a suit? ¿Tiene Ud. suficiente tela de ésta para hacerme un traje? ▲material, datos He is collecting material for a book. Está reuniendo datos para escribir un libro. •[adj] material It is a material and not a spiritual problem. Es un problema material y no espiritual.—Give him enough to take care of his material needs. Déle lo suficiente para satisfacer sus necesidades materiales. Omaterials **material** What materials do you need to make a bookcase? ¿Qué material necesita Ud. para hacer un librero? Omaterial **witness** testigo presencial, testigo de presencia. Oraw **material** materia prima The factory is short of raw materials. Escasean las materias primas en la fábrica. Owriting **materials** efectos de escritorio Do you carry writing materials here? ¿Vende Ud. efectos de escritorio?

maternal maternal.

maternity maternidad.

mathematics matemáticas.

matron ama de llaves I'd like to speak to the matron. Quisiera hablar con el ama de llaves.

matter materia He has no gray matter. No tiene materia gris. ▲material This reading matter will last me a week. Con este material de lectura tendré para una semana. ▲tema The subject matter of his talk is very interesting. El tema de su discurso es muy interesante. ▲asunto Will you look into the matter? ¿Quiere Ud. estudiar el asunto? ▲cosa You take matters too seriously. Ud. toma las cosas muy en serio. ▲cosa, asunto You are only making matters worse. Lo único que hace Ud. es empeorar las cosas. ▲causa His leaving is a matter of great concern to us. Su partida es causa de mucha preocupación para nosotros. Oas a **matter of fact** en realidad. Ofor that **matter** en cuanto a eso. Oprinted **matter** impresos Must I declare this printed matter? ¿Debo declarar estos impresos? ‖It doesn't matter. No importa. ‖What is the matter? ¿Qué sucede?

mattress colchón.

mature [*adj*] juicioso *He seems like a mature sort of person.* Da la impresión de ser una persona juiciosa. •[*v*] madurar *They did not act until their plans matured.* No actuaron hasta que maduraron los planes. ▲desarrollarse *After his fourteenth birthday he matured very rapidly.* Después de cumplir los catorce años se desarrolló rápidamente. ▲vencer *The bond will be worth twenty-five dollars when it matures.* El bono valdrá veinticinco dólares cuando venza.

maximum [*adj, n*] máximo.

May mayo *I was born in May.* Nací en mayo.

may poder *That may be true.* Puede que eso sea verdad.—*You might try to reach him at home.* Podría Ud. tratar de ponerse en comunicación con él en su casa.—*I may go if my money holds out.* Puede que vaya si me queda dinero. ||*May I have this dance?* ¿Quiere Ud. concederme este baile?

maybe tal vez, quizás.

mayonnaise mayonesa.

mayor alcalde.

me me *He gave me some candy.* Me dio unos cuantos dulces.—*Give me some of that.* Déme Ud. un poco de aquello. ▲mí *Is this for me?* ¿Es esto para mí? ○with me conmigo.

meadow pradera, prado.

meal comida *We eat three meals a day.* Hacemos tres comidas al día. ▲harina *This pudding is made of corn meal.* Este pudín es de harina de maíz.

mean [*adj*] malo *Her husband was mean to her.* Su marido era malo con ella. ▲avaro, egoísta *I'd borrow some of his books if he weren't so mean about it.* Le pediría prestados algunos libros si no fuera tan egoísta. ▲indigno *I felt mean about hurting her feelings that way.* Me sentí indigno por haberla ofendido de ese modo. •[*v*] proponerse, intentar *Do you mean to see him before you go?* ¿Se propone Ud. verle antes de partir? ▲quiere decir *Do you mean this is for me?* ¿Quiere Ud. decir que esto es para mí?—*What do you mean by that?* ¿Qué quiere decir Ud. con eso? ▲tener objeto *What is this meant for?* ¿Qué objeto tiene esto? ▲significar *What do those signs mean?* ¿Qué significan esos anuncios? ▲tener importancia, tener significación *This means a lot to me.* Esto tiene gran importancia para mí. ○to mean well tener buenas intenciones.

meaning sentido *I don't get the meaning of this poem.* No comprendo el sentido de este poema. ▲significado *What is the meaning of this word?* ¿Cuál es el significado de esta palabra?

means medios *I have no means of transportation.* No tengo medios de transporte. ▲dinero *She married a man of means.* Se casó con un hombre de dinero. ○by all means a todo trance, sin falta. ○by means of por medio de, debido a. ○by no means de ningún modo, de ninguna manera.

meantime, meanwhile [*adj*] mientras tanto, entretanto.

measles sarampión.

measure [*n*] medida *This is a liquid measure.* Esta es una medida para líquidos.—*We'll have to take strong measures.* Tendremos que tomar medidas enérgicas. ▲compás *Begin singing after four measures.* Comience a cantar después de cuatro compases. •[*v*] medir *The tailor has measured my suit.* El sastre me ha medido el traje.

measurement medida *The dressmaker took her measurements.* La costurera le tomó las medidas.

meat carne *Do you have any meat today?* ¿Tiene Ud. carne hoy? ▲contenido *There is very little meat in that book.* Ese libro tiene muy poco contenido. ○meat market carnicería.

mechanic mecánico.

mechanical mecánico.

medal medalla.

meddle meterse, entremeterse.

medical médico.

medicine medicina *Did the doctor give you any medicine for your cold?* ¿Le ha dado el médico alguna medicina para el catarro? ○medicine chest botiquín. ○to take one's medicine pagar las consecuencias.

meditate meditar.

medium [*n*] medio *We sold a lot of our products through the medium of advertising.* Vendimos muchos de nuestros productos por medio de anuncios. •[*adj*] *This is the medium size.* Este es el tamaño medio. •[*adv*] medio *I'd like my steak medium rare.* Me gustaría el bistec medio crudo. ○happy medium término medio *If we could only strike a happy medium!* ¡Si pudiéramos llegar a un término medio!

meek manso, humilde.

meet [*n*] concurso, competencia *Are you going to the swimming meet?* ¿Va Ud. al concurso de natación? •[*v*] encontrar *Did you meet anyone on the road?* ¿Encontró Ud. alguien en el camino? ▲encontrar, hallar *She met her death in a street accident.* Halló la muerte en un accidente callejero. ▲encontrar, recibir a alguien *Is anybody going to meet them at the train station?* ¿Va alguien a recibirlos a la estación de trenes? ▲encontrarse, confluir *The rivers meet below the town.* Los ríos confluyen más allá del pueblo. ▲conocer *I want you to meet my father.* Quiero que conozca a mi padre o *Quiero presentarle a mi padre.* ▲reunirse *The court will not meet again until next week.* El tribunal no volverá a reunirse hasta la semana próxima. ▲empalmar *Will the bus meet the train?* ¿Empalmará el ómnibus con el tren? ▲hacer frente a *We have enough to meet this month's expenses.* Tenemos suficiente dinero para hacer frente a los gastos de este mes. ▲satisfacer *Can you meet their demands?* ¿Puede Ud. satisfacer sus exigencias?

meeting sesión, junta *Tonight there will be a meeting of the Spanish Club.* Esta noche habrá sesión en el Club Español. ▲mitin *Who is going to address the meeting?* ¿Quién va a hablar en el mitin? o *¿Quién va a dirigir la palabra en el mitin?* ||*He proposed to her immediately after their meeting.* Le propuso matrimonio inmediatamente después de haberla conocido.

melancholy melancólico.

M

mellow blando, suave, meloso.
melody melodía.
melon melón.
melt derretir *The sun has melted the snow.* El sol ha derretido la nieve. ▲derretirse *The ice in my glass has melted.* Se ha derretido completamente el hielo de mi vaso. ▲desvanecerse, disolverse *The crowd melted away when the police came.* La muchedumbre se disolvió cuando llegó la policía.
member socio, miembro *Only members allowed.* Sólo para socios.
membership afiliados *What is the membership of this club?* ¿Cuántos afiliados tiene este club?
membrane membrana.
memorandum memorándum.
memorial [n] monumento conmemorativo. •[adj] conmemorativo.
memory memoria *My memory for names is not very good.* No tengo buena memoria para los nombres.—*This monument is in memory of George Washington.* Este monumento es en memoria de Jorge Washington. ▲recuerdo *I'll have pleasant memories of this town.* Tendré gratos recuerdos de este pueblo.
menace [n] amenaza. •[v] amenazar.
mend remendar *Where can I get these pants mended?* ¿Dónde puedo mandar a remendar estos pantalones? ▲restablecerse *He is mending slowly after his operation.* Está restableciéndose poco a poco después de la operación. Oon **the mend** mejorando *It looks as if their relations are on the mend.* Parece que sus relaciones van mejorando. O**to mend one's way** reformarse *She told him he'd better mend his ways.* Ella le dijo que fuera mejor que se reformara.
mental mental.
mention [n] mención *Have you heard any mention of him recently?* ¿Ha oído Ud. que hagan mención de él últimamente? •[v] mencionar *He didn't mention the price.* No mencionó el precio. ||*Don't mention it.* No hay de qué.
menu menú, lista de platos.
merchandise mercadería.
merchant [n] comerciante *Who are the leading merchants in town?* ¿Quiénes son los comerciantes más importantes de esta ciudad? •[adj] mercante *Our merchant ships usually dock here.* Nuestros barcos mercantes suelen atracar aquí. O**merchant marine** marina mercante.
merchantman buque mercante.
merciful misericordioso.
mercury mercurio.
mercy misericordia, clemencia.
mere mero, puro *This is a mere formality.* Esto no es más que una mera formalidad.
merely solamente, meramente.
merge unir, fundir.
meridian meridiano.
merit [n] mérito *His painting was of little merit.* Sus cuadros tenían muy poco mérito. •[v] merecer *I think he merits a raise in salary.* Creo que merece un aumento de sueldo.
merry alegre *She is a very merry person.* Es una persona muy alegre. ▲feliz *Merry Christmas!* ¡Felices Pascuas!

mess lío *What a mess!* ¡Qué lío! ▲comida *The soldiers complain about the mess.* Los soldados se quejan de la comida. ▲cantidad *I caught a fine mess of fish last night.* Anoche cogí una buena cantidad de pescado. •[v] enredar *You're always messing things up.* Siempre lo enreda todo. Oin **a mess** desarreglado, revuelto *The house is in a complete mess.* La casa está completamente desarreglada. O**to mess up** ensuciar *I'm sorry the dog messed up your floor.* Siento que el perro le haya ensuciado el piso.
message recado, mensaje *I want to leave a message.* Quiero dejar un recado. O**to take a message** dar un recado.
messenger mensajero.
metal metal.
meteor meteoro.
meter metro.
method método.
microchip microchip, plaqueta pequeña de silicio que ejecuta funciones en un computador.
microcomputer microcomputador, microordenador, computador pequeño.
microphone micrófono.
microscope microscopio.
microprocessor microprocesador.
midday mediodía.
middle [n] centro, medio *Set the vase in the middle of the table.* Ponga Ud. el florero en el centro de la mesa. ▲mediados *I'm going about the middle of August.* Iré a mediados de agosto. ▲cintura *He has put on weight around the middle.* Ha aumentado de cintura. •[adj] medio *He is a man of middle height.* Es un hombre de estatura media. Oin **the middle of** en pleno *I'm in the middle of my work.* Estoy en pleno trabajo.
middle-aged de edad madura.
middle class clase media.
midnight medianoche.
midst Oin **the midst of** en medio de.
midwife partera, comadrona.
might poder, fuerza *He pulled with all his might.* Tiró con todas sus fuerzas.
mighty poderoso *He made a mighty effort.* Hizo un poderoso esfuerzo. ||*He has done mighty little work today.* Ha hecho poquísimo trabajo hoy.
mild suave *She has a very mild disposition.* Ella tiene un carácter muy suave. ▲templado *It is very mild today.* Hoy hace un día muy templado. ▲blando, fresco *I'm quite fond of mild cheese.* Me gusta mucho el queso blando.
mildew añublo, moho.
mile milla.
military militar.
milk [n] leche *I want two liters of milk.* Quiero dos litros de leche. •[v] ordeñar *Do you know how to milk a cow?* ¿Sabe Ud. ordeñar vacas? ▲chupar *The officials milked the treasury year after year.* Los funcionarios chupaban año tras año del erario público.
milkman lechero.
mill [n] molino *There is a flour mill just above the bridge.* Hay un molino de harina un poco más allá del puente. ▲molinillo *Do you have a coffee mill at home?* ¿Tiene Ud.

un molinillo de café en su casa? ▲fábrica *How many people work in the mill?* ¿Cuántas personas trabajan en la fábrica? •[v] moler *The baker mills his own flour.* El panadero muele su propia harina. ◦to go **through the mill** pasar por muchas cosas en la vida. ◦to **mill around** moverse con impaciencia *The crowd milled around waiting for the parade to begin.* La multitud se movía con impaciencia esperando que comenzara el desfile.

miller molinero.

millimeter milímetro.

million millón.

mind [n] mente, inteligencia *He has a very quick mind.* Tiene una mente muy ágil. ▲memoria *My mind isn't clear on what happened.* Mi memoria no está clara sobre lo que pasó. •[v] tener cuidado *Mind how you cross the street.* Tenga Ud. cuidado al cruzar la calle. ▲cuidar *Mind the store while I'm gone.* Cuide Ud. la tienda en mi ausencia. ▲obedecer, guiarse por, hacer caso *You have to mind the traffic rules here.* Aquí hay que obedecer las reglas del tráfico. ◦never mind no se moleste *Never mind, I'll do it myself.* No se moleste Ud., lo haré yo mismo. ▲no importa *Never mind what he says.* No le importe lo que diga. ◦to be out of one's mind estar como loco *She is out of her mind with worry.* Está como loca de ansiedad. ◦to call to mind recordar, traer a la memoria *That calls to mind a story I know.* Eso me trae a la memoria un cuento que sé. ◦to change one's mind mudar (o cambiar) de opinión *I thought I'd go along with them, but changed my mind.* Pensé ir con ellos, pero mudé de opinión. ◦to have a mind estar por, tener ganas de *I've a mind to come along.* Estoy por acompañarles. ◦to have in mind pensar en *Have you anyone in mind for the job?* ¿Piensa Ud. en alguien para ese puesto? ◦to keep in mind tener presente *I'll keep you in mind.* Le tendré presente. ◦to know one's mind saber lo que uno quiere *He doesn't know his own mind.* El mismo no sabe lo que quiere. ◦to lose one's mind volverse loco, perder el juicio *I thought I'd lose my mind with all that noise.* Creí que me iba a volver loco con todo aquel ruido. ◦to make up one's mind decidir, resolver *Have you made up your mind about him yet?* ¿Ya ha decidido Ud. acerca de él? ◦to my mind a mi parecer *To my mind that job will take at least a week.* A mi parecer se tardará por lo menos una semana en hacer ese trabajo. ◦to set one's mind on estar resuelto a *She has her mind set on going shopping today.* Está resuelta a ir de compras hoy. ◦to slip one's mind escaparse de la memoria, olvidarse *I planned to do it, but it slipped my mind.* Pensaba hacerlo, pero se me olvidó.

mine [n] mina *Who owns this coal mine?* ¿De quién es esta mina de carbón? •[v] extraer minerales *What do they mine here?* ¿Qué mineral extraen de aquí?

mine mío *Those books are all mine.* Esos libros son todos míos. ▲el mío, la mía *Your room is on the right and mine is on the left.* Su cuarto queda a la derecha, el mío a la izquierda.

miner minero.

mineral [adj, n] mineral.

mingle mezclar(se).

minimum [adj, n] mínimo.

minister [n] pastor protestante, ministro *We have a new minister.* Tenemos un nuevo pastor. ▲ministro *I want to see the Minister of Education.* Deseo ver al Ministro de Educación. •[v] atender *The nurse ministers to the patient's wants.* La enfermera atiende a los deseos del enfermo.

minor [n] menor de edad *No liquor will be served to minors.* No se venderán bebidas alcohólicas a menores de edad. •[adj] de poca importancia *Don't bother me with those minor matters.* No me moleste Ud. con esas cosas de poca importancia.

mint [n] menta *I like mint in my iced tea.* Me gusta la menta en mi té helado. ▲pastilla de menta *Have some mints.* Tome Ud. algunas pastillas de menta. ▲casa de la moneda *My uncle works in the mint.* Mi tío trabaja en la casa de la moneda. ▲dineral, cantidad grande de dinero *That guy made a mint in the clothing business.* Ese individuo ha hecho un dineral en el negocio de ropa. •[v] acuñar *I understand the government has stopped minting gold coins.* Tengo entendido que el gobierno ha dejado de acuñar monedas de oro.

minus menos, sin *How much will the ticket cost minus the tax?* ¿Cuánto costará la entrada menos el impuesto?

minute [n] minuto *I'll be back in five minutes.* Regresaré en cinco minutos.— *The ship is five degrees and forty minutes off its course.* El barco se ha desviado de su ruta cinco grados y cuarenta minutos. ▲momento *Wait a minute.* Espere un momento. ◦minutes acta *Who is taking the minutes of the meeting?* ¿Quién hace el acta de la reunión? ◦up-to-the-minute de última hora *The news in this paper is up-to-the-minute.* Las noticias de este periódico son de última hora.

minute [adj] menudo, diminuto *It is hard to read the minute print in this book.* Es difícil leer la letra menuda de este libro.

miracle milagro.

mirror [n] espejo *I'd like to buy a small mirror.* Quisiera comprar un espejo pequeño. •[v] reflejar *The trees on the bank are mirrored in the lake.* Los árboles de la orilla se reflejan en el lago.

mischief travesura.

miser avaro.

miserable desdichado *I've never seen a man so miserable.* Nunca he visto un hombre tan desdichado. ▲pésimo, muy mal *I feel miserable.* Me siento muy mal.

misery miseria.

mislead extraviar *Our guide misled us and we got lost.* El guía nos extravió y nos perdimos. ▲descaminar *His companions misled him.* Sus compañeros le descaminaron.

misprint errata, error de imprenta.

miss [n] señorita *Will you wait on me, Miss?* ¿Quiere Ud. atenderme, señorita? •[v] perder *Do you think I'll miss my train?* ¿Cree Ud. que perderé el tren?—*He never misses a chance to do a little business.* Nunca pierde la oportunidad de hacer algún negocio. ▲no encontrar *I missed him at the hotel.* No lo encontré en el hotel. ▲e-

M

quivocarse, dejar de encontrar *You can't miss the house if you follow this street.* No puede Ud. equivocarse de casa si sigue por esta calle. ▲errar *You can't miss.* No puede Ud. errar. ▲salirse de *The speaker misses the point entirely.* El orador se sale del tema completamente. ▲hacer falta, echar de menos *I'll miss you.* Me hará Ud. falta *o* Le echaré de menos. ▲dejar de *Don't miss the museum before you leave town.* No deje de visitar el museo antes de partir de la ciudad.

mission misión.

missionary misionero.

mist niebla, neblina.

mistake [n] error, culpa, falta *Sorry, my mistake.* Lo siento, ha sido culpa mía. ▲equivocación, error *There must be some mistake.* Debe haber alguna equivocación. •[v] confundir *You can't mistake it.* No lo puede Ud. confundir. ▲interpretar mal *Please don't mistake me.* Por favor, no me interprete Ud. mal. ▲tomar *I mistook her for a friend of mine.* La tomé por una amiga mía. ᴼby mistake sin querer *Did you do this by mistake?* ¿Hizo Ud. esto sin querer?

mistaken equivocado *This is a case of mistaken identity.* Esto es un caso de identificación equivocada.

mister señor *This is Mister Smith.* Este es el señor Smith.

mistress señora, dueña *The mistress of the house is very charming.* La dueña de la casa es muy agradable. ▲amante, concubina *She was the king's mistress.* Era la amante del rey.

misunderstand entender mal.

misunderstanding equivocación *He came too early because of a misunderstanding.* Por una equivocación llegó demasiado temprano. ▲desavenencia, mal entendido *They haven't spoken since their misunderstanding.* Ellos no se hablan desde que tuvieron aquel mal entendido.

mittens mitones, manoplas.

mix mezclar *Don't mix too much sand with the concrete.* No mezcle Ud. demasiada arena con el cemento. ▲preparar *Who is mixing the drinks?* ¿Quién está preparando las bebidas? ▲relacionarse, llevarse *They don't mix well with other people.* No se llevan bien con la gente. ▲combinar, ir bien *These two foods don't mix well.* Estos dos alimentos no van bien juntos. ᴼto mix up confundir *Don't mix me up.* No me confunda Ud. ᴼto get mixed up in mezclarse en *I don't want to get mixed up in their arguments.* No quiero mezclarme en sus disputas.

mixed mixto, mezclado. ᴼmixed chorus coro mixto. ᴼmixed drinks bebidas mezcladas.

mixture mezcla, mixtura.

mix-up confusión.

moan [n] quejido.

mob [n] multitud, muchedumbre, gentío *There was a mob of people in the park.* Había una gran muchedumbre en el parque. •[v] asaltar *The singer was mobbed by autograph hunters.* La cantante fue asaltada por los coleccionistas de autógrafos.

mobilize mobilizar.

mock burlar.

mode modo.

model [n] modelo *He is making a model of the bridge.* Está haciendo un modelo del puente.—*That car is last year's model.* Ese automóvil es un modelo del año pasado. •[adj] modelo, ejemplar *Ours is a model town.* La nuestra es una ciudad modelo. •[v] planear *We're modeling our house after that picture.* Estamos planeando nuestra casa según esa fotografía.

modem módem, modulador-demodulador.

moderate [adj] moderado.

moderation moderación.

moderator moderador, árbitro.

modern moderno.

modest modesto.

moist húmedo.

molasses melaza.

mold [n] moho *This bread is covered with mold.* Este pan está cubierto de moho. ▲molde *You use these molds for jelly.* Puede usar estos moldes para la jalea. •[v] moldear *His character was molded by his experience.* La experiencia moldeó su carácter.

mole topo *The moles have ruined our garden.* Los topos nos han arruinado la huerta. ▲lunar *He has a mole on his face.* Tiene un lunar en la cara. ▲espía.

molest molestar.

moment momento, instante *Wait a moment.* Espere Ud. un momento. ᴼat a moment's notice de un momento a otro *Be ready to leave at a moment's notice.* Esté preparado para partir de un momento a otro.

monarch monarca.

Monday lunes.

money dinero *Where can I change my dollars?* ¿Dónde puedo cambiar mis dólares?

money order giro postal *Where can I get this money order cashed?* ¿Dónde puedo hacer efectivo este giro postal?

monk monje, fraile.

monkey [n] mono. •[v] meterse a arreglar *Don't monkey with the radio.* No te metas a arreglar la radio. ᴼmonkey wrench llave inglesa.

monopoly monopolio.

monotonous monótono.

monster monstruo.

month mes.

monthly [adj] mensualmente.

mood humor, genio.

moon luna *Is there a full moon tonight?* ¿Hay luna llena esta noche? ᴼmoonstruck lunático, loco.

moor amarrar.

Moor moro (*Mohammedan*).

mop [n] trapeador, fregona *Where is the mop?* ¿Dónde está el trapeador? •[v] fregar *What can I mop the floor with?* ¿Con qué friego el piso? ᴼto mop up secar, limpiar *Mop up the water on the floor.* Seque el agua del piso.

moral [n] moraleja *I don't get the moral of this story.* No le veo la moraleja al cuento. •[adj] moral, ético *That is not a very moral thing to do.* No es muy ético el hacer eso.

morale moral, estado de ánimo.

more más *I need more money than I have on me.* Necesito más dinero de lo que llevo encima.—*The more the merrier.* Cuantos más, mejor.—*This cost me more than I expected.* Esto me ha costado más de lo que esperaba. O**more and more** cada vez más *He likes her more and more.* La quiere cada vez más. O**more or less** más o menos *I believe that the report is more or less true.* Creo que el informe es más o menos cierto. O**once more** una vez más *Try once more.* Pruebe Ud. una vez más. O**what is more** además, es más *What is more, I don't believe you.* Además, no le creo a Ud.

moreover además, además de eso.

morning [*n*] mañana *I'll see you in the morning.* Le veré en la mañana *o* Le veré por la mañana. •[*adj*] de la mañana *Is there a morning train?* ¿Hay un tren de la mañana? *o* ¿Hay un tren por la mañana? O**morning paper** diario de la mañana. ‖*Good morning.* Buenos días.

morphine morfina.

morsel bocado, manjar.

mortal mortal.

mortar mortero.

mortgage [*n*] hipoteca. •[*v*] hipotecar. O**to pay off a mortgage** redimir una hipoteca.

mosquito mosquito.

mosquito net mosquitero.

moss musgo.

most lo máximo, lo más *That is the most I can pay.* Eso es lo máximo (*o* más) que puedo pagar. ▲la mayoría *What do most people do here in the evening?* ¿Qué hace aquí la mayoría de la gente por la noche? ▲casi todo, mayor parte *She has already been to most of the stores in town.* Ya ha estado en casi todas las tiendas de la ciudad.—*He is brighter than most of the others.* Es más inteligente que la mayor parte de los demás. ▲mayor *You can get there most easily by bus.* Puede Ud. llegar allí con mayor facilidad en autobús. ▲de lo más *The talk was most interesting.* El discurso fue de lo más interesante. ▲el más, la más, lo más *She is the most beautiful girl I've ever seen.* Es la muchacha más linda que he visto en mi vida. O**at most** todo lo más *The hotel is four blocks from here, at most.* Todo lo más que hay de aquí al hotel son cuatro cuadras. O**for the most part** por lo general *For the most part he does a good job.* Por lo general hace un buen trabajo. O**the very most** lo más que *That is the very most I can do.* Eso es lo más que puedo hacer. O**to make the most of** aprovechar lo mejor posible. *We'd better make the most of the time we have.* Más nos valdría aprovechar el tiempo lo mejor posible.

mostly en su mayor parte, por lo común.

moth polilla.

mother [*n*] madre *Do you live with your mother?* ¿Vive Ud. con su madre? •[*adj*] materno *What is your mother tongue?* ¿Cuál es su lengua materna? •[*v*] cuidar como una madre, cuidar como a un hijo *She mothered him all through his illness.* Le cuidó como a un hijo durante su enfermedad. O**mother country** madre patria *Did the colonies send representatives to the mother country?* ¿Enviaban las colonias representantes a la madre patria? O**mother-in-law** suegra.

motion [*n*] movimiento *The motion of the boat has made me seasick.* El movimiento del barco me ha mareado. ▲proposición,

moción *I want to make a motion.* Quiero presentar una moción. •[*v*] hacer señas *Will you motion to that bus to pick us up?* ¿Quiere Ud. hacer señas a ese autobús para que nos recoja? ▲indicar *I motioned him to take a seat.* Le indiqué que tomara asiento. O**motion picture** película (cine).

motionless inmóvil.

motive motivo *What was the motive for the crime?* ¿Cuál fue el motivo del delito? O**motive power** fuerza motriz.

motor motor.

motorcade procesión de automóviles.

motorcycle motocicleta.

mould See mold.

mound túmulo, montón, montículo.

mount [*n*] monte *Have you seen Mount Everest?* ¿Ha visto Ud. el monte Everest? •[*v*] subir *He mounted the platform.* Subió a la plataforma. ▲subir, aumentar *Our debts are mounting fast.* Nuestras deudas aumentan rápidamente.

mountain montaña, monte *How high is that mountain?* ¿Qué altura tiene esa montaña? ▲montón *I've got a mountain of work to do.* Tengo un montón de cosas que hacer.

mountainous montañoso.

mouse ratón.

mouth boca *I've got a bad taste in my mouth.* Tengo mal sabor de boca. ▲entrada *The dog stopped at the mouth of the cave.* El perro se detuvo a la entrada de la cueva. ▲embocadura, desembocadura *How far is it to the mouth of the river?* ¿A qué distancia queda la desembocadura del río? O**down in the mouth** cariacontecido *Why are you so down in the mouth?* ¿Por qué está Ud. tan cariacontecido? *o* ¿Por qué está Ud. tan cabizbajo? O**from mouth to mouth** de boca en boca *The story passed from mouth to mouth.* La historia pasó de boca en boca. O**to keep one's mouth shut** tener la boca cerrada, guardar un secreto *He can't keep his mouth shut.* No sabe nunca tener la boca cerrada.

move [*n*] paso *He can't make a move without his partner.* No puede dar un paso sin su socio. ▲turno *Whose move is it now?* ¿De quién es el turno ahora? ▲acción *That was a wasted move.* Esa fue una acción inútil. ▲paso, movimiento *He made a move toward the door.* Dio un paso hacia la puerta. ▲jugada *The chess player made a fine move.* El jugador de ajedrez hizo una buena jugada. •[*v*] mover *Move your car back a little.* Mueva su coche hacia atrás un poco. ▲moverse *I can't move.* No me puedo mover. ▲circular *The police are keeping the crowds moving.* La policía hace circular a la multitud. ▲marchar *The new director has got things moving.* El nuevo director hace marchar las cosas. ▲funcionar, moverse *This machine moves only by hand.* Esta máquina funciona solamente a mano. ▲mudarse *Do you know where they're moving to?* ¿Sabe Ud. dónde se mudan? ▲emocionar *I am very much moved by what you say.* Me emociona mucho lo que Ud. dice. ▲alternar con, andar con, tratarse con *They like to think that they move in the best circles.* Se hacen la ilusión de que alternan con la mejor sociedad. ▲proponer *I move that we accept him as a member.* Propongo que le

M

aceptemos como socio. ▲tener salida *These coats are not moving as they did last year.* Estos abrigos no tienen la salida que tuvieron el año pasado. ○**to be on the move** estar de acá para allá *They're forever on the move.* Siempre están de acá para allá. ○**to move along** ir a gran velocidad *Our train is really moving along.* Nuestro tren realmente va a gran velocidad. ○**to move away** quitar, poner en otro sitio *Move the table away, please.* Quite Ud. la mesa de aquí, por favor. ○**to move off** alejarse *He moved a few inches off.* Se alejó unas pulgadas.

movie película *Let's go to a movie.* Vamos a ver una película *o* Vamos al cine.

mow segar.

Mr. señor, Sr. *How are you, Mr. Jones?* ¿Qué tal, Sr. Jones?

Mrs. señora, Sra. *This is for Mrs. Smith.* Esto es para la señora Smith.

much mucho *Did you spend much last night?* ¿Gastó Ud. mucho anoche?—*I don't have much faith in what they say.* No tengo mucha fe en lo que dicen.—*Thank you very much.* Muchas gracias. ○**how much** cuánto *How much will it cost me?* ¿Cuánto me costará? ○**so much** tanto *I don't think that car is worth so much.* No creo que ese coche valga tanto.

mud fango, cieno, barro *Don't step in the mud.* No pise Ud. en el barro.

muffler bufanda.

mulatto mulato.

mule mula.

multiply multiplicar.

mumps paperas.

murder [n] asesinato *The prisoner had committed a murder.* El preso había cometido un asesinato. •[v] asesinar.

muscle músculo.

museum museo.

mushroom seta, hongo.

music música *Where is the music coming from?* ¿De dónde viene la música? ○**to face the music** hacer frente a la situación.

musical musical.

muslin muselina.

must tener que *We must do what we can to help him.* Tenemos que hacer lo que podamos para ayudarle. ▲deber *He must be there by now.* Ya debe estar allí.

mustache bigote.

mustard mostaza.

mute mudo.

mutiny [n] motín, sublevación. •[v] amotinarse, sublevarse.

mutter refunfuñar, gruñir.

mutton carnero.

mutual mutuo.

my (vea **I, me**) mi *This is my picture.* Este es mi retrato. ▲mío *That is my pen!* ¡Esa pluma es mía! ▲mis *Are these my gloves?* ¿Son éstos mis guantes? ▲caramba, caray *My, it is hot!* ¡Caray, qué calor hace!

myself yo mismo *I'll do this myself.* Esto lo haré yo mismo. ▲el mismo *I'm not myself today.* Hoy no soy el mismo. ▲mí *As for myself, I don't know.* En cuanto a mí, no lo sé. ▲me *I cut myself shaving this morning.* Me corté afeitándome esta mañana. ○**by myself, all by myself** completamente solo [Sp], íngrimo y solo [Am] *I took the trip all*

by myself. Hice el viaje completamente solo.

mystery misterio.

N

nag [n] jaca. •[v] regañar, machacar.

nail [n] clavo *This nail is bent.* Este clavo está torcido. ▲uña *I've broken my nail.* Me he roto la uña. •[v] clavar *Have you nailed the top on the box yet?* ¿Ha clavado Ud. ya la tapa del cajón? ○**to hit the nail on the head** dar en el clavo.

nail file lima para las uñas.

nail polish esmalte para las uñas.

naked desnudo.

name [n] nombre *Give me the names of the employees.* Déme Ud. los nombres de los empleados. ▲nombre, fama *That company has a good name.* Esa compañía tiene buena fama. ▲título *What is the name of that book?* ¿Cuál es el título de ese libro? •[v] poner—-a *We named the dog Fido.* Al perro le pusimos Fido. ▲nombrar *Can you name all the players?* ¿Puede Ud. nombrar a todos los jugadores? ○**by name** de nombre *I know him only by name.* Le conozco solamente de nombre. ○**in name only** solamente de nombre. ○**in the name of** en nombre de *Open the door in the name of the law.* Abra la puerta en nombre de la ley. ○**to be named after** llamarse lo mismo que *Is the baby named after his father?* ¿Se llama el niño lo mismo que el padre?

namely a saber.

nap [n] sueñecillo, siesta. ○**to catch one napping** cogerle a uno desprevenido. •[v] dormir la siesta.

napkin servilleta.

narcotic narcótico.

narrative narración.

narrow [adj] estrecho *This is a narrow road.* Este es un camino estrecho.—*His decision showed a narrow interpretation of the law.* Su resolución mostró una estrecha interpretación de la ley. ▲estrecho, limitado *His views on the subject are very narrow.* Su punto de vista con respecto al asunto es muy limitado. •[v] estrecharse *The road narrows just beyond the bridge.* El camino se estrecha al otro lado del puente. ○**to narrow down** reducirse *The question narrows down to this: do you want to go or not?* La pregunta se reduce a esto: ¿Quiere Ud. ir o no?

nasty antipático *He is a nasty boy.* Es un muchacho antipático. ▲obsceno, mal pensado *What a nasty mind you've got!* ¡Qué mente más obscena tiene Ud.! *o* ¡Qué mal pensado es Ud.! ○**nasty weather** mal tiempo.

nation nación *Five nations were represented at the conference.* Cinco naciones estaban representadas en la conferencia.

national nacional.

nationality nacionalidad.

native [n] indígena *What kind of clothes do the natives wear?* ¿Qué clase de trajes llevan los indígenas? •[adj] materno *What is your native language?* ¿Cuál es su lengua materna? ▲oriundo *Olive oil is native to Spain.* El aceite de oliva es oriundo de España.

natural natural *There is a natural lake there.* Hay un lago natural en ese lugar.— *He died a natural death.* Falleció de muerte natural.—*He is a very natural person.* Es una persona muy natural.

naturalist naturalista.

naturally naturalmente, por supuesto.

nature naturaleza *You can't go against nature.* No puede Ud. ir contra la naturaleza. ▲naturaleza, modo de ser *It is not his nature to forget.* No está en su naturaleza olvidar. ▲índole *What was the nature of the crime?* ¿Cuál fue la índole del crimen? ○**by nature** por naturaleza *He is a lazy person by nature.* Es un perezoso por naturaleza.

naughty díscolo, desobediente.

nausea náusea.

naval naval.

navel ombligo.

navigate navegar.

navigator navegante.

navy marina de guerra, armada.

near [adj] cercano *He is a near relative.* Es un pariente cercano. •[prep] cerca de *Is there a hotel near here?* ¿Hay un hotel cerca de aquí? ○**near at hand** próximo, cerca *The hour of attack is near at hand.* La hora del ataque está próxima. ○**to come near** estar a punto de, estar próximo a *I came near getting lost.* Estuve a punto de perderme.

nearby cerca *Is there a bookstore nearby?* ¿Hay una librería cerca?

nearly aproximadamente, casi.

neat aseado, limpio.

necessary necesario.

necessity necesidad.

neck nuca *He broke his neck playing football.* Se rompió la nuca jugando al fútbol. ▲cuello *Pick up the bottle by the neck.* Agarre la botella por el cuello.—*She wore a dress with a high neck.* Llevaba un vestido con un cuello alto. ○**neck and neck** al mismo tiempo *The two horses finished neck and neck.* Los dos caballos llegaron al mismo tiempo.

necktie corbata.

need [n] necesidad *There is a great need for nurses.* Hay una gran necesidad de enfermeras. •[v] necesitar *I need money.* Necesito dinero.—*He needs to get a haircut.* Necesita un corte de pelo. ▲hacer falta *These clothes need to be washed.* Hace falta lavar esta ropa.

needle [n] aguja *Have you a needle and thread?* ¿Tiene Ud. hilo y aguja?—*Change the needle before playing that record.* Cambie la aguja antes de tocar ese disco. ▲brújula *The needle is pointing toward the north.* La brújula señala al norte. ○**pine needles** hojas de pino, pinochas *We made a bed of pine needles.* Hicimos un lecho con hojas de pino. ○**hypodermic needle** aguja hipodérmica, inyector •[v] herir o punzar con aguja; aguijonear, atormentar

needless inútil, innecesario.

needy necesitado.

negative [n] negativo *Can you lend me the negative of that picture?* ¿Puede Ud. prestarme el negativo de esa fotografía? •[adj] negativo *Was the result of your examination negative?* ¿Fue negativo el resultado de su examen?—*You have such a negative approach to life!* ¡Tiene Ud. una actitud negativa ante la vida! ▲mediocre, nulo *She has a negative personality.* Tiene una personalidad mediocre.

neglect [n] abandono, descuido *The house shows signs of neglect.* La casa da señales de abandono. •[v] descuidar *He has been neglecting his work lately.* Ha estado descuidando su trabajo últimamente. ▲olvidarse *I neglected to lock the door.* Me olvidé de cerrar la puerta con llave.

negligence negligencia, descuido.

negotiation negociación.

neighbor vecino *He is my next-door neighbor.* Es mi vecino de al lado.

neighborhood vecindad, barrio.

neither ninguno de los dos *Neither of us can be there.* Ninguno de los dos puede estar allí. ○**neither...nor** ni...ni *Neither he nor I feel like doing it.* Ni él ni yo tenemos ganas de hacerlo.

nephew sobrino.

nerve nervio. ▲valor *Try not to lose your nerve.* Procure no perder el valor. ‖*He has got a lot of nerve.* Es un fresco.

nervous nervioso.

nest [n] nido. •[v] anidar.

net [n] red *The nets were loaded with fish.* Las redes estaban llenas de pescados. •[adj] neto *The net weight is two pounds.* Tiene un peso neto de dos libras.—*We made a net profit of one hundred dollars.* Obtuvimos un beneficio neto de cien dólares. ▲neto, líquido *What was your net profit last year?* ¿Cuáles fueron sus ganancias líquidas el año pasado?

neutral neutral.

never nunca, jamás *I never said any such thing.* Yo nunca dije tal cosa. ‖*He never even opened the book.* Ni siquiera abrió el libro.

nevertheless no obstante, sin embargo.

new nuevo *This building is new.* Este edificio es nuevo.—*I feel like a new man.* Me siento como nuevo. ‖*What is new?* ¿Qué hay de nuevo?

news noticias *What is the latest news?* ¿Cuáles son las últimas noticias? ▲nuevo *That is news to me.* Eso es nuevo para mí. ○**to break the news** dar la noticia *Who is going to break the news to him?* ¿Quién va a darle la noticia?

newsboy vendedor de periódicos.

newsman (woman) periodista, reportero.

newspaper periódico.

newsstand puesto de periódicos.

next [adj] siguiente, de al lado *The next house is mine.* La casa de al lado es la mía. ▲próximo *The next train leaves in half an hour.* El próximo tren sale dentro de media hora.—*I'll tell him that the next time I see him.* Le diré eso la próxima vez que le vea. •[adv] después *What shall I do next?* ¿Qué hago después? ○**next door** al lado *Who lives next door?* ¿Quién vive al lado? ○**next door to** al lado de *We live next door to the school.* Vivimos al lado de la escuela. ○**next to** al lado *She sat next to me at the theater.* Ella se sentó a mi lado en el teatro.

nice agradable *Did you have a nice time?* ¿Pasó un rato agradable? o *Se divirtió Ud.?* ▲bonito *She wears nice clothes.* Ella usa bonitos trajes. ‖*It is nice and warm here.* Aquí hace un calor agradable.

N

nick [n] muesca. •[v] hacer muescas en. ᴼin the nick of time en el momento preciso, a buen tiempo.

nickel níquel; moneda de cinco centavos.

nickname apodo, mote.

niece sobrina.

night noche *Good night.* Buenas noches.—*He spent the night on the train.* Pasó la noche en el tren. ᴼto make a night of it pasar una buena noche.

nightcap gorro de dormir *(fam.)* trago que se toma antes de acostarse.

nightclub cabaret.

nimble listo, ágil, veloz.

nine nueve.

nineteen diecinueve.

ninety noventa.

ninth noveno.

nip [n] pellizco; traguito. •[v] pellizcar, cortar. ᴼto nip in the bud cortar en flor.

no no *Answer yes or no.* Conteste Ud. sí o no. ‖*No Smoking.* Prohibido Fumar *o* Se Prohíbe Fumar.

nobody nadie.

nod [n] signo o seña con la cabeza ᴼto get the nod recibir el visto bueno. [v] afirmar con la cabeza; dormitar.

noise ruido.

noisy ruidoso.

nomination postulación.

none ningún, ninguno *They have none of the opportunities you have.* Ellos no tienen ninguna de las oportunidades que tiene Ud. ᴼnone of it nada de eso, nada de ello *They told him of the plan, but he'd have none of it.* Le hablaron del plan, pero él no quiso saber nada de ello.

nonentity nulidad, persona sin importancia, cosa inexistente.

nonsense tontería.

noon mediodía.

nor ni *I'm neither for it nor against it.* No estoy ni en favor ni en contra de ello.

normal normal.

north norte *Which way is north?* ¿Dónde queda el norte?

northern del norte, al norte.

nose [n] nariz, hocico ▲nariz, proa *The airplane has a cannon mounted in the nose.* El avión tiene un cañón emplazado en la nariz. ᴼa nose for news olfato para las noticias *That reporter has a good nose for news.* Ese reportero tiene buen olfato para las noticias. [v] rastrear, descubrir, husmear.

not no *He is not going to be home today.* Él no estará hoy en casa.—*Not everyone can go to college.* No todos pueden ir a la universidad.

notable [adj, n] notable.

notary notario.

note [n] anotación *His notes on the lecture are very good.* Sus anotaciones sobre la conferencia son muy buenas. ▲nota *Today's paper has a note about the ship's arrival.* El periódico de hoy da una nota sobre la llegada del barco.—*He just had time to write a short note.* Sólo tuvo tiempo de escribir una breve nota.—*There was a note of anxiety in her voice.* En su voz había una nota de ansiedad.—*She sang the high notes very well.* Ella dio muy bien las notas altas. ▲pagaré *I took a note for the amount of*

money he owed me. Acepté un pagaré por la cantidad que me debía. •[v] darse cuenta *He noted that there was a mistake.* Se dio cuenta que había una equivocación. ᴼnotes guión, apuntes, notas *He can't give a speech without using notes.* No puede hacer un discurso sin guión.

notebook cuaderno, libreta.

noted célebre.

nothing no...nada *I have nothing to do.* No tengo nada que hacer. ᴼnothing less than nada menos que, por lo menos. ᴼall or nothing todo o nada.

notice [n] atención *That paragraph escaped my notice.* Aquel párrafo escapó mi atención. ▲aviso *The police posted a notice about the missing persons.* La policía fijó un aviso acerca de las personas desaparecidas.—*The office will be closed until further notice.* La oficina permanecerá cerrada hasta nuevo aviso. ▲crítica *Did you see the notices about the new play?* ¿Vio Ud. las críticas sobre la nueva comedia? •[v] darse cuenta de *I didn't notice the sign until you spoke of it.* No me di cuenta del letrero hasta que Ud. lo mencionó. ▲fijarse en *I want you to notice this.* Quiero que se fije en esto. ᴼat a moment's notice en el momento, en cualquier momento *I can be ready at a moment's notice.* Puedo estar listo en cualquier momento.

notify notificar.

notion noción, idea ᴼnotions mercería.

notorious notorio.

noun nombre, substantivo.

novel [n] novela. [adj.] nuevo, novedoso.

November noviembre.

now ahora *The doctor can see you now.* El doctor puede verle ahora.—*Now that the rain has stopped we can leave.* Ahora que ha cesado la lluvia podemos marcharnos. ▲ahora bien *Now, you listen to me!* ¡Ahora bien, escúcheme! ᴼby now ya *He ought to be there by now.* Debe haber llegado allí ya. ᴼfrom now on de ahora en adelante *From now on the work'll be difficult.* De ahora en adelante el trabajo será difícil. ᴼjust now ahora mismo *I saw him on the street just now.* Le vi en la calle ahora mismo. ᴼnow and then de vez en cuando *I hear from him now and then.* Tengo noticias suyas de vez en cuando.

nuisance lata, fastidio, molestia.

numb [adj] aterido, entumecido. [v] entumecer, adormecer.

number [n] número *What is the number of your house?* ¿Cuál es el número de su casa?—*There were five numbers on the program.* Había cinco números en el programa. ▲ejemplar, número *The latest number of the magazine came today.* Hoy llegó el último número de la revista. •[v] numerar *He numbered the pages carefully.* Numeró las páginas cuidadosamente. ▲ascender a *The population numbered 2,000 in 1998.* La población ascendió a 2.000 habitantes en 1998.

numerous numeroso.

nun monja.

nurse [n] enfermera *I want a nurse.* Quiero una enfermera. ▲niñera *The nurse took the children for a walk.* La niñera llevó a los niños de paseo. •[v] cuidar *They nursed him through his illness.* Le cuidaron durante su enfermedad. ▲curarse *I'm nursing a cold.* Me estoy curando de un resfriado. ▲amamantar *She was nursing the baby when I came in.* Estaba amamantando al nene cuando entré. ▲guardar *He is nursing a grudge against me.* Me guarda rencor.

nut nuez *That store sells candy and nuts.* .En esa tienda se venden dulces y nueces. ▲tuerca *This board is held in place by a nut and bolt.* Esta tabla queda fija con perno y tuerca. ▲loco, chiflado *He is a nut.* Es un chiflado. ᴼto go nuts volverse loco *If this keeps up, I'll go nuts.* Si esto sigue así, me volveré loco.

nutcracker cascanueces.

nutmeg nuez moscada.

nutshell cáscara de nuez. ᴼin a nutshell en pocas palabras.

nuzzle hocicar, frotar la nariz contra; mimar.

nymph ninfa, mujer joven y bella.

O

oak roble.

oath juramento.

oat avena.

obedient obediente.

obey [v] obedecer *He wants to be obeyed immediately.* Quiere que le obedezcan inmediatamente.

object [n] objeto *What is that strange-looking object?* ¿Qué es ese objeto tan raro?—*What is the object of that?* ¿Qué objeto tiene eso? ▲propósito *My object is to become an aviator.* Mi propósito es hacerme aviador. ᴼobject lesson lección práctica *Let this be an object lesson to you.* Que esto le sirva de lección práctica.

object [v] oponerse *Would you object to his marriage?* ¿Se opondría Ud. a su matrimonio?

objection objeción.

obligation obligación.

oblige obligar *His contract obliged him to go through with it.* Su contrato le obligó a hacerlo. ▲complacer *I'm always glad to oblige you.* Siempre me es grato complacerle. ᴼto be obliged to tener que *She was obliged to go to work.* Tuvo necesidad de trabajar. ‖*Much obliged.* Muy agradecido.

observation observación.

observe advertir, darse cuenta de *Did you observe her reaction?* ¿Se dio Ud. cuenta de su reacción? ▲celebrar, guardar *What holidays do you observe?* ¿Qué fiestas celebra Ud.? ▲observar *The students were observing bacteria under the microscope.* Los estudiantes observaban los microbios bajo el microscopio. ▲cumplir, observar, obedecer *Observe the rules.* Cumpla las reglas.

obstacle obstáculo.

obstinate terco, obstinado.

obtain obtener, adquirir.

obvious obvio, evidente.

occasion [n] ocasión *Were you there on that occasion?* ¿Estuvo Ud. allí en esa ocasión? • [v] causar, ocasionar *What do you suppose occasioned that remark?* ¿Qué

cree Ud. que ha podido causar esa observación?

occasionally a veces, de vez en cuando, ocasionalmente.

occupation ocupación, trabajo, oficio.

occupy ocupar *Every seat was occupied.* Todos los asientos estaban ocupados.—*What room do you occupy?* ¿Qué cuarto ocupa Ud.?—*Is this seat occupied?* ¿Está ocupado este asiento?

ocean océano, mar *How near are we to the ocean?* ¿A qué distancia estamos del mar?

o'clock ᴼat...o'clock a la(s)...*The train leaves at seven o'clock.* El tren sale a las siete.

odd raro *He's an odd person.* Es una persona rara. ▲impar *The committee has to have an odd number of members.* La comisión tiene que tener un número impar de miembros. ▲desparejado, suelto *Have you run across an odd glove?* ¿Ha encontrado Ud. por casualidad un guante suelto? ᴼodd job trabajito *He had to do some odd jobs.* Tuvo que hacer algunos trabajitos.

odor olor.

of de *We're within ten miles of our destination.* Estamos a diez millas de nuestro destino.—*He is a man of means.* Es un hombre de recursos.—*I've never heard of him.* No he oído nunca hablar de él.—*None of us has ever been there.* Jamás ha estado allí ninguno de nosotros.—*I'm getting tired of this delay.* Me estoy cansando de esta tardanza.—*My house is on the other side of the church.* Mi casa está al otro lado de la iglesia.—*There is a hole in the roof of this house.* Hay un agujero en el tejado de esta casa.—*Could I have a glass of water, please?* Puede darme un vaso de agua, por favor.—*Please give me a piece of that cake.* Déme, por favor, un pedazo de esa torta.—*Three of the prisoners escaped.* Se escaparon tres de los prisioneros.—*Where is the driver of this car?* ¿Dónde está el conductor de este coche? ▲acerca de *I don't know him personally but I've heard of him.* No le conozco personalmente, pero he oído hablar acerca de él.

off ᴼa mile off a una milla de distancia. ᴼoff and on de vez en cuando, a intervalos. ᴼto be well off tener dinero, estar acomodado. ᴼway off muy lejos. ‖*Are you taking a week off?* ¿Va a tomar una semana libre? ‖*I'm to have a week off soon.* Voy a tener pronto una semana de vacaciones. ‖*June is still three months off.* Todavía faltan tres meses para junio. ‖*It is all off.* No hay nada de lo dicho. ‖*It is an off year for crops.* No es un buen año para la cosecha. ‖*Keep off the grass.* No pise el césped.

offend ofender.

offense ofensa *It was hard to forgive such an offense.* Fue difícil perdonar tal ofensa. ▲culpa, delito *What offense did he commit?* ¿Qué delito ha cometido?

offer [n] oferta *They made him a good offer.* Le hicieron una buena oferta. • [v] ofrecer *I'm willing to offer one hundred dollars for it.* Estoy dispuesto a ofrecer cien dólares por ello.—*Did they offer any resistance?* ¿Ofrecieron resistencia? ‖*May I offer my congratulations?* ¿Me permite que le felicite?

office oficina *You can see me in my office.* Me puede ver en mi oficina. ▲cargo *What office does he hold?* ¿Qué cargo desempeña? ▲personal, gente de la oficina *He invited the whole office.* Invitó a toda la gente de la oficina.

officer oficial *Were you an officer in the army?* ¿Fuè Ud. oficial del ejército? ▲directivo *Yesterday this club elected its officers.* Ayer eligió este club sus directivos. ○**police officer** policía, agente de policía *Where can I find a police officer?* ¿Dónde puedo hallar un policía?

official [*n*] funcionario *He is a government official.* Es un funcionario público. •[*adj*] oficial *Is this official business?* ¿Es un asunto oficial?

off-line fuera de línea.

often a menudo, con frecuencia *Does this happen often?* ¿Pasa esto a menudo? ○**how often?** ¿cada cuánto tiempo? ¿con qué frecuencia? *How often do trains leave?* ¿Con qué frecuencia salen los trenes?

oil [*n*] aceite *What kind of oil is in that can?* ¿Qué clase de aceite hay en esa lata? ▲óleo, cuadro al óleo *I prefer oils to watercolors.* Prefiero los cuadros al óleo a las acuarelas. •[*v*] engrasar, aceitar *This machine needs oiling.* Es necesario engrasar esta máquina.

O.K. bien *Everything is O.K. now.* Todo está bien ahora.

old viejo *I'm too old for that.* Soy demasiado viejo para eso.—*Wear old clothes.* Lleve ropa vieja. ▲antiguo *He is an old student of mine.* Es un antiguo discípulo mío. ○**old man** viejo, anciano *His grandfather is a very old man.* Su abuelo es muy viejo. ‖*How old are you?* ¿Cuántos años tiene Ud.?

olive aceituna, oliva.

olive oil aceite de oliva.

omelet tortilla.

omit omitir.

on a, hacia *It is on the left.* Está a la izquierda. ▲a *The bell rings on the hour.* El timbre suena exactamente a la hora.—*On the contrary.* Al contrario. ▲acerca, sobre *What are your ideas on the subject?* ¿Qué opina Ud. sobre el asunto? ▲de, sobre *It is a book on biology.* Es un libro de biología. ▲de *When are you on duty?* ¿Cuándo está Ud. de servicio?—*I got this on good authority.* Lo supe de buena tinta *o* Lo supe de buena fuente.—*I'm going away on my vacation next Monday.* Me voy de vacaciones el lunes próximo.—*He got on his feet.* Se puso de pie. ▲en *Who is on the team?* ¿Quiénes están en el equipo?—*The house is on fire.* La casa está en llamas *o* La casa está ardiendo. ▲por cuenta (de) *This is on me.* Esto corre por mi cuenta. ▲sobre, encima de *Put it on the table.* Póngalo sobre la mesa. ▲sobre, en *Put it on ice.* Póngalo en hielo. ○**on credit** al fiado *Do you sell on credit?* ¿Vende Ud. al fiado? ○**on end** de pie *Stand the book on end.* Ponga Ud. el libro de pie. ○**on foot** a pie *Can we go on foot?* ¿Podemos ir a pie?

once una vez *Let's try to make the call once more.* Tratemos de llamar una vez más.—*If you once read it, you'll never forget it.* Si lo lee Ud. una vez, nunca lo olvidará. ▲en otro tiempo, antiguamente *I was in the army once.* En un tiempo pertenecí al ejército. ○**at once** en seguida, inmediatamente

Come at once. Venga Ud. en seguida. ○**once in a while** de vez en cuando *You might be nice to me once in a while.* Podrías ser amable conmigo de vez en cuando.

one uno *One or two will be enough.* Uno o dos será bastante.—*One of us can buy the tickets while the others wait here.* Uno de nosotros puede comprar los boletos mientras los demás esperan aquí.—*One has to make the best of it.* Uno tiene que sacar el mejor partido posible. ▲alguno *If there is one, it should be around here.* Si hay alguno, debería estar cerca de aquí.

onion cebolla.

on-line [*adj.*] en línea.

only [*adj*] único *He is the only one there.* Es el único que está allí. •[*adv*] únicamente *This is only for you.* Esto es únicamente para Ud. ▲solamente *I only want a little.* Solamente quiero un poco. •[*conj*] sólo que, pero *I was going to buy it, only you told me not to.* Iba a comprarlo, pero Ud. me dijo que no.

open [*n*] campo abierto *They walked out into the open.* Salieron a campo abierto. •[*adj*] abierto *Is the door open?* ¿Está abierta la puerta?—*Do you stay open on Sundays?* ¿Está abierto los domingos?—*Is the road open?* ¿Está abierto el camino?—*Is the park open to the public?* ¿Está el parque abierto al público?—*The newspaper was open at page five.* El periódico estaba abierto en la página quinta. ▲franco, sincero *Can't you be more open?* ¿No puede Ud. ser más franco? ▲sin resolver, pendiente *That is still an open question.* Esa es una cuestión todavía sin resolver. ▲en pie *Is your offer still open?* ¿Está todavía en pie la oferta? •[*v*] abrir *Open the door, please.* Haga el favor de abrir la puerta.—*What time do you open the shop?* ¿A qué hora abre Ud. la tienda?—*They opened the road to traffic.* Abrieron al tráfico la carretera. ▲comenzar, empezar *When will they open the meeting?* ¿Cuándo comenzará la reunión? ○**open air** aire libre *I love to walk in the open air.* Me gusta pasear al aire libre. ○**to open onto** dar a *What do the windows open onto?* ¿A dónde dan las ventanas? ○**to open up** abrir *Open up the package.* Abra Ud. el paquete. ▲abrirse *All the flowers opened up overnight.* Todas las flores se abrieron durante la noche.

opening [*n*] abertura *That skirt opening isn't big enough.* La abertura de esa falda no es bastante grande. ▲brecha *They made an opening in the wall.* Hicieron una brecha en el muro. ▲vacante *Is there an opening in this office?* ¿Hay alguna vacante en esta oficina? ▲claro *The house is in an opening in the woods.* La casa está en un claro en el bosque. ▲oportunidad *He never gave us an opening to bring up the subject.* Nunca nos dio oportunidad para plantear la cuestión. ▲inauguración, apertura *Will you be at the opening of the exhibition?* ¿Estará Ud. en la inauguración de la exposición? •[*adj*] de introducción *I liked the opening number on the program.* Me gustó mucho la apertura del programa.

opera ópera. ○**soap opera** melodrama, telenovela.

operate hacer funcionar *How do you operate this machine?* ¿Cómo funciona esta máquina? ▲operar, hacer una operación *The doctor says it is necessary to operate.* El médico dice que es necesario operar. ᴼto operate on operar *She is so ill they're going to have to operate on her.* Está tan enferma que van a tener que operarla.

operation funcionamiento *He supervises the operation of the machines.* Inspecciona el funcionamiento de las máquinas. ▲trabajo *Fixing it will be a simple operation.* El arreglarlo será un trabajo sencillo. ▲operación *They kept the military operations a secret.* Mantuvieron en secreto las operaciones militares.—*Do I have to have an operation?* ¿Me tienen que hacer una operación? ᴼto be in operation estar funcionando.

operator telefonista (*telephone*); operario (*machine*); ascensorista (*elevator*).

opinion opinión.

opportunity oportunidad.

opposite [*n*] contrario *This is the opposite of what I expected.* Esto es lo contrario de lo que esperaba. •[*adj*] contrario, opuesto *You should go in the opposite direction.* Debe Ud. ir en la dirección opuesta. •[*prep*] enfrente *What is that building opposite here?* ¿Qué es ese edificio de enfrente?

opposition oposición.

oppression opresión.

or o *Could I have two or three more cookies?* ¿Puede darme dos o tres galletas más?—*Hurry or we'll be late.* Apúrese o llegaremos tarde. ▲u (before *o* or *ho*) *Choose one or the other.* Elija uno u otro.

orange naranja.

orangeade naranjada.

orchard huerto.

orchestra orquesta (*musicians*); [*Sp*] patio de butacas, [*Mex*] lunetario (*part of theater*). ᴼorchestra seat butaca, [*Mex*] luneta.

order [*n*] orden [*m*] *Put these papers in order.* Ponga en orden estos papeles.—*Are these papers in order?* ¿Están en orden estos papeles?—*In what order should these cards go?* ¿En qué orden deben ir estas tarjetas?—*You'll have to keep order in this hall.* Ud. tendrá que mantener el orden en esta sala. ▲orden [*f*] *Did the captain give you that order?* ¿Le ha dado el capitán esa orden?—*He joined the Franciscan order.* Entró en la orden franciscana. ▲pedido *Did you fill the order?* ¿Ha enviado Ud. el pedido? •[*v*] ordenar *He ordered their arrest.* Ordenó que fueran arrestados. ▲mandar *Who ordered you to do this?* ¿Quién le mandó hacer eso? ▲pedir *This is not what I ordered.* Esto no es lo que pedí. ▲encargar *May I order dinner now?* ¿Puedo encargar la comida ahora? ᴼin order reglamentario *Is this motion in order?* ¿Es reglamentaria esta proposición? ᴼin order to para, a fin de *I came all the way just in order to see you.* He venido desde tan lejos solamente para verlo. ᴼto be in order estar en regla *Everything is in order.* Todo está en regla.

orderly [*n*] asistente en un hospital. [*adj*] ordenado.

ordinary ordinario, corriente.

organ órgano *He plays the organ in our church.* Toca el órgano en nuestra iglesia.—*This newspaper is the organ of our party.* Este periódico es el órgano de nuestro partido.

organization organización.

organize organizar.

Oriental [*adj, n*] oriental.

origin origen.

original [*n*] original *Is this the original?* ¿Es éste el original? •[*adj*] primero, primitivo *Who were the original inhabitants?* ¿Quiénes fueron los primeros habitantes?

originally al principio.

other otro *Sorry, I have other things to do.* Dispénseme, tengo otras cosas que hacer.—*I don't want this one but the other.* No deseo éste, sino el otro.—*Where are the others?* ¿Dónde están los otros? ᴼevery other day un día sí y otro no.

otherwise de otro modo *He couldn't do otherwise.* No lo pudo hacer de otro modo. ▲si no *You'd better hurry; otherwise you'll be late.* Tiene que darse prisa, si no, va a llegar tarde.

ought deber, tener que *He ought to leave before it rains.* Debe salir antes de que llueva. ▲deber *You ought to be ashamed of yourself.* Debía darle vergüenza.

ounce onza.

our nuestro *Where are our seats?* ¿Dónde están nuestros asientos?

ours nuestros *These are ours.* Estos son nuestros.

ourselves nosotros mismos *Let's do it ourselves.* Vamos a hacerlo nosotros mismos. ‖*We fell and hurt ourselves.* Nos caímos y nos hicimos daño.

out [*adv*] fuera *We went to see him yesterday, but he was out.* Fuimos a verle ayer, pero estaba fuera. •[*prep*] por *Please, throw the ball out the window.* Haga el favor de tirar la pelota por la ventana. ᴼout-and-out perfecto, completo *You're an out-and-out liar.* Eres un perfecto mentiroso. ᴼout for en plan *He is out for a good time.* Está en plan de divertirse. ᴼout of por *I did it out of gratitude.* Lo hice por agradecimiento. ᴼout of fashion pasado de moda. ᴼout of place fuera de lugar, impropio *That remark was quite out of place.* Ese comentario estaba muy fuera de lugar. ▲fuera de su sitio *This book is out of place.* Este libro está fuera de su sitio. ᴼout of the question imposible *My staying here is out of the question.* Es imposible que me quede aquí. ᴼout-of-the-way apartado *He lives in an out-of-the-way place.* Vive en un sitio muy apartado. ᴼout of work sin trabajo. ᴼto be out of no tener, estar sin *We are out of milk.* No nos queda leche. ᴼto be out of step no llevar el paso.

outdoors al aire libre *The children are playing outdoors.* Los chicos están jugando al aire libre. ▲allá fuera, fuera de la casa *Where is your mother? She is outdoors.* ¿Dónde está tu mamá? Está allá fuera.

outfit [*n*] traje *I can't afford a new outfit this spring.* No me puedo comprar un traje nuevo esta primavera. •[*v*] equipar *The team was outfitted by one of the local stores.* Una de las tiendas del barrio equipó a los jugadores.

outlet desagüe *The outlet is clogged up.* El desagüe está obstruido. ▲enchufe (*electrical*) *We need another outlet in this room.* Nos hace falta otro enchufe en este cuarto. ▲salida *Do you think there'll be much of an*

outlet *for this product?* ¿Cree Ud. que tendrá mucha salida este producto?

outline [*n*] silueta, contorno *She drew the outline of the building from memory.* Dibujó de memoria el contorno del edificio. ▲resumen *Here is a brief outline of his speech.* Aquí tiene Ud. un pequeño resumen de su discurso. •[*v*] hacer un resumen de *Don't bother to outline every chapter.* No se moleste en hacer un resumen de cada capítulo.

output producción, salida de información.

outrage [*n*] atrocidad.

outside [*n*] parte de fuera, exterior *Is there a label on the outside of the box?* ¿Hay un rótulo en la parte de fuera de la caja? •[*adj*] exterior *Do you have an outside room?* ¿Tiene Ud. un cuarto exterior? •[*adv*] fuera *Wait outside.* Espere fuera. •[*prep*] fuera de *Is this outside your jurisdiction?* ¿Está esto fuera de su jurisdicción? ᴼon the outside por fuera.

outsider forastero, extraño, intruso.

outstanding destacado.

outward [*adj*] externo, exterior *To all outward appearances they were friends.* Según todas las apariencias eran amigos. •[*adv*] fuera *They tried to move outward from the crowd.* Trataron de salir fuera de la multitud.

over sobre *The fan is over my head.* El ventilador está sobre mi cabeza. ▲por *It is silly to fight over it.* Es tonto pelearse por eso.— *She threw a shawl over her shoulders.* Se echó un chal por los hombros. ▲de *We'll laugh over this some day.* Algún día nos reiremos de esto. ▲a más de *Is it over three miles?* ¿Está a más de tres millas? ▲encima de *Are you going to wear a coat over your dress?* ¿Va Ud. a llevar un abrigo encima del vestido? ▲en *Don't trip over the rug.* No tropiece con la alfombra. ᴼall over por todo *He traveled all over the country.* Ha viajado por todo el país. ᴼover again otra vez *Do it over again.* Hágalo Ud. otra vez. ᴼover and over (again) repetidas veces, una y otra vez *He read it over and over again.* Lo leyó repetidas veces. ᴼover that way en esa dirección *It is ten miles over that way.* Está a diez millas en esa dirección. ᴼover there allí *What is going on over there?* ¿Qué pasa allí? ᴼto be over terminar, acabar *What time was the play over?* ¿A qué hora terminó la comedia?

overalls mono de mecánico, [*Am*]. overols.

overboard ||*Man overboard!* ¡Hombre al agua! ᴼto go overboard tirar la casa por la ventana, exagerar.

overcome vencer *They had to overcome a great deal of prejudice.* Tuvieron que vencer muchos prejuicios. ▲agotar, rendir *She was overcome by the heat.* Estaba agotada por el calor.

overdo exagerar *Exercise is all right if you don't overdo it.* El ejercicio está bien si no se exagera. ᴼto be overdone estar muy hecho *I ordered a rare steak; this is overdone.* He pedido un filete bastante crudo y éste está muy hecho.

overdose [*n*] dosis excesiva. •[*v*] dar una dosis excesiva.

overdue retrasado.

overhear oír por casualidad.

overlook dar a, mirar *Our house overlooks the river.* Nuestra casa da al río. ▲olvidar, pasar por alto *We overlooked her name when we sent out the invitations.* Se nos olvidó incluirla cuando enviamos las invitaciones. ▲tolerar, pasar *I'll overlook it this time, but don't let it happen again.* Lo toleraré por esta vez, pero que no pase de nuevo.

overnight ᴼto stop overnight pasar la noche, pernoctar *I intend to stop there overnight.* Tengo intención de pasar allí la noche.

oversight descuido *He claimed that the mistake was due to an oversight.* Sostenía que el error fue por un descuido.

oversleep [*v*] dormir demasiado.

overtake alcanzar *Do you think we can overtake them before they get across the border?* ¿Cree Ud. que podremos alcanzarlos antes de que crucen la frontera?

overtime horas extras *I don't want to work overtime.* No quiero trabajar horas extras.

overwork [*v*] trabajar demasiado. ᴼto be overworked estar agotado de tanto trabajar, estar exhausto por el trabajo.

owe deber *How much do I owe you?* ¿Cuánto le debo?

owl lechuza, búho.

own [*adj*] propio *He didn't recognize his own father.* No reconoció a su propio padre. •[*v*] tener *Do you own any land?* ¿Tiene Ud. tierras? ᴼmy own mío *It is not my own.* No es el mío.

owner propietario *Who is the owner?* ¿Quién es el propietario?

ox buey.

oxen bueyes.

oyster ostra.

P

pace [*n*] paso *We must quicken our pace.* Tenemos que acelerar el paso. •[*v*] pasearse *Why are you pacing up and down?* ¿Por qué se pasea de un lado a otro? ᴼto keep pace with mantener el mismo paso que.

pack [*n*] carga *The donkeys were carrying heavy packs.* Los burros llevaban cargas pesadas. ▲montón *That story is a pack of lies.* Ese cuento es un montón de mentiras. ▲manada *A pack of wolves attacked our sheep.* Una manada de lobos atacó a nuestras ovejas. ▲compresa *The ice pack made him feel better.* La compresa de hielo le alivió la garganta. •[*v*] empaquetar *Have you packed your books yet?* ¿Ha empaquetado Ud. ya sus libros? ᴼpack of cards baraja *Where is that new pack of cards?* ¿Dónde está esa baraja nueva? ᴼto be packed estar abarrotado, estar atestado *The theater was packed long before the performance began.* El teatro estaba atestado mucho antes de comenzar la función. ᴼto pack down apisonar *They're packing the earth down.* Están apisonando la tierra. ᴼto pack off enviar, despachar *He packed his books off to college.* Envió sus libros a la universidad. ᴼto pack up hacer el equipaje, [*Am*] empacar *He packed up his things and left.* Hizo su equipaje y partió.

package paquete *Has a package arrived for me?* ¿Ha llegado un paquete para mí?

pad [n] bloc de papel *Here is a pad to keep notes on.* Aquí hay un bloc de papel para tomar notas. ○**padded** relleno *I don't like men's suits with the shoulders padded.* No me gustan los trajes de hombre con relleno en las hombreras.

page [n] página *The book is 200 pages long.* El libro tiene 200 páginas. [v] buscar llamando |||*If you want me, page me in the dining room.* Si me necesita, llámeme en el comedor.

pail cubo, balde.

pain [n] dolor *I have a pain in my side.* Tengo un dolor en el costado. •[v] doler *Do you feel any pain?* ¿Le duele algo?—*It pains me to tell you the bad news.* Me duele darle la mala noticia. ○**to take pains** esmerarse, poner esmero *Take pains to do your work well.* Esmérese en su trabajo para hacerlo bien.

painful doloroso *The operation was very painful.* La operación fue muy dolorosa. ▲penoso *It is my painful duty to tell you that the work has to be done all over again.* Tengo el penoso deber de comunicarle que tiene que hacer el trabajo de nuevo.

painless sin dolor.

paint [n] pintura *Look out, that is fresh paint!* ¡Cuidado, la pintura está fresca! •[v] pintar *He paints very well.* Pinta muy bien.

painting pintura, cuadro.

pair par *Where can I get a pair of shoes?* ¿Dónde puedo conseguir un par de zapatos? ▲pareja *They make a nice pair.* Hacen una buena pareja. ○**to pair off** emparejarse *The boys and girls paired off for the dance.* Los muchachos y las muchachas se emparejaron para el baile.

pajamas pijama.

pal compañero, amigo *We've been pals for years.* Hemos sido amigos por muchos años.

palace palacio.

pale [adj] pálido.

palm palma *I have a splinter in the palm of my hand.* Tengo una astilla en la palma de la mano.

palm tree palmera.

pamphlet folleto.

pan cacerola, olla *Put a pan of water on the stove.* Ponga una cacerola con agua en la lumbre.

pancake panqueque [Am].

panel panel, tablero.

pang dolor. ▲remordimiento *He suffered the pangs of conscience.* Tuvo remordimiento de conciencia.

panic pánico, terror.

pant jadear.

pantry despensa.

pants pantalones.

papa papá.

paper [n] papel *Have you some good writing paper?* ¿Tiene Ud. un buen papel de escribir? ▲periódico *Where is the morning paper?* ¿Dónde está el periódico de la mañana? ▲artículo *He has written a very good paper on the production of rubber.* Ha escrito un artículo muy bueno sobre la producción de caucho. •[v] empapelar *This room hasn't been papered in five years.* Hace cinco años que este cuarto no ha sido empapelado. ○**on paper** en teoría, sobre el papel *My profits were just on paper.* Mis ganancias sólo lo eran en teoría. ○**paper clip** sujetapapeles, [Am] presilla. ○**paper money** papel moneda.

parachute paracaídas.

parade [n] parada, desfile. •[v] desfilar.

paradise paraíso.

paragraph párrafo.

parallel paralelo *The road runs parallel to the river.* El camino va paralelo al río. ○**to draw a parallel** establecer un paralelo.

paralyze paralizar.

parcel paquete, bulto *I am expecting a parcel from the store.* Estoy esperando un paquete de la tienda. ○**parcel post** servicio de paquete postal.

parch secar, abrasar *The grass is parched this summer.* Este verano se ha secado el césped.

pardon [n] indulto, perdón *The president granted him a pardon.* El presidente le concedió el indulto. •[v] perdonar *Pardon me, could you tell me the time, please?* Perdone, ¿podría Ud. decirme la hora, por favor? ▲indultar *The governor refused to pardon him.* El gobernador se negó a indultarle. |||*I beg your pardon ("Excuse me").* Perdone Ud. o Dispense Ud.

pare pelar, mondar.

parents padres *My parents are still living.* Mis padres viven todavía.

parish parroquia.

parishioner feligrés.

park [n] parque *The city has many beautiful parks.* La ciudad tiene muchos parques hermosos. •[v] estacionar, dejar *Where can we park the car?* ¿Dónde podemos estacionar el auto? ▲dejar, poner *You can park your things here.* Puede Ud. poner sus cosas aquí. ○**parking** estacionamiento *No parking.* Prohibido estacionar.

Parliament parlamento.

parlor salón, sala.

parrot papagayo, loro, cotorra.

parson párroco, clérigo.

part [n] parte *What part of town do you live in?* ¿En qué parte de la ciudad vive Ud.?—*Mix two parts of rum with one part of lemon juice.* Mezcle dos partes de ron con una de jugo de limón.—*The fence is part wood and part stone.* La cerca es parte de madera y parte de piedra. ▲papel *The actor plays his part well.* El actor hace su papel bien. ▲repuesto, pieza de repuesto *Where can I get some new parts for the car?* ¿Dónde puedo conseguir algunos repuestos nuevos para el automóvil? ▲parte, lado *In arguments he always takes his brother's part.* En las discusiones siempre se pone de parte de su hermano. ▲raya del pelo *The part in your hair isn't straight.* No está derecha la raya de su pelo. •[v] romperse *The cables parted under the strain.* Los cables se rompieron bajo el peso. ▲separarse *We parted without ceremony.* Nos separamos sin cumplidos. ○**for the most part** por lo general. ○**part-time work** trabajo por horas. ○**to part with** desprenderse de *I wouldn't part with that book at any price.* No me desprendería de ese libro a ningún precio. ○**to take part** tomar parte, participar *He refused to take part in the game.* Rehusó participar en el juego.

partial parcial *I can only make a partial payment.* Solamente puedo hacer un pago parcial. ‖*He is partial to blondes.* Tiene predilección por las rubias.

participate participar.

particle partícula.

particular [*n*] detalle *This work is complete in every particular.* No falta detalle en este trabajo. •[*adj*] particular *He also has his own particular work to do.* Tiene además su trabajo particular que hacer.—*Is he a particular friend of yours?* ¿Es un amigo particular suyo? ᴼ**in particular** en particular *I remember one person in particular.* Me acuerdo en especial de una persona.

parting partida, despedida.

partition partición, división.

partly en parte, en cierto modo.

partner compañero *He was my partner in the card game.* Era mi compañero en la partida de cartas. ▲socio *My partner and I just closed a deal.* Acabamos de cerrar un negocio, mi socio y yo.

partridge perdiz.

party fiesta *Let's have a party for him before he goes.* Démosle una fiesta antes de que se marche. ▲grupo *A party of soldiers arrived in a car.* Un grupo de soldados llegó en automóvil. ▲partido *Which party won the last election?* ¿Qué partido ganó las últimas elecciones? ▲parte *Both parties failed to appear.* No comparecieron las partes interesadas.

pass [*n*] pase, permiso *You'll need a pass to get by the gate.* Necesitará un pase para pasar por la puerta. ▲paso *You can't get through the mountain pass at this time of year.* No puede franquear el paso de la montaña en esta época del año. •[*v*] pasar *Will you please pass the bread?* ¿Quiere pasarme el pan, por favor?—*Pass the rope through here and tie it firmly.* Pase la cuerda por aquí y amárrela fuertemente.—*The days pass quickly when you're busy.* Los días pasan rápidamente cuando uno está ocupado.—*I had very poor cards and decided to pass.* No tenía juego y decidí pasar. ▲pasar por *I pass the bank every day on the way to work.* Todos los días cuando voy al trabajo paso por el banco. ▲atravesar, cruzar, pasar por *How long will it take us to pass through the tunnel?* ¿Cuánto tiempo tardaremos en atravesar el túnel? ▲pasar, aprobar *Did you pass your examination?* ¿Pasó el examen?—*The senate passed the bill yesterday.* El Senado aprobó la ley ayer. ▲pronunciar *The court passed sentence today.* Hoy pronunció su sentencia el tribunal. ᴼ**to let pass** dejar pasar, pasar por alto *He shouldn't have said that, but let it pass.* No ha debido decir eso, pero dejémoslo pasar. ᴼ**to pass around** circular *The story passed around that we were to leave immediately.* Circuló el rumor de que nos marchábamos inmediatamente. ᴼ**to pass away** fallecer *Her mother passed away last week.* Su madre falleció la semana pasada. ᴼ**to pass off** pasar, hacer pasar *He tried to pass off this fake money on me.* Trató de pasarme esta moneda falsa. ᴼ**to pass out** desmayarse, caer redondo *If you give him another drink he'll pass out.* Si le das otra copa caerá redondo. ᴼ**to pass up** pasar por alto *You ought not to pass up*

an opportunity like that. No debía pasar por alto una ocasión como esa.

passage pasillo *Put the light on in the passage.* Encienda la luz del pasillo. ▲pasaje *I want to book passage on the next ship.* Deseo reservar pasaje en el próximo barco.

passenger pasajero.

passing [*n*] muerte *We mourned his passing.* Sentimos su muerte. •[*adj*] pasajero, transitorio *This is just a passing fancy.* Esto es solamente un capricho pasajero.

passion pasión *He loved her with passion.* La amaba con pasión. ▲cólera, rabia. *She flew into a passion.* De repente se encendió en cólera.

passion fruit parcha [*Puerto Rico*], frutilla [*Am*].

passionate apasionado, ardiente, impetuoso.

passport pasaporte.

past [*n*] pasado *Do you know anything about her past?* ¿Sabe Ud. algo de su pasado? •[*adj*] pasado *We've been expecting rain for the past week.* Desde la semana pasada estamos esperando que llueva. ᴼ**in the past** antes *It has been very difficult to get tickets in the past.* Antes era muy difícil conseguir boletos.

password contraseña

paste [*n*] pasta de pegar *Has anyone seen the paste?* ¿Ha visto alguien la pasta de pegar? ▲pasta (de dulce) *Would you like some guava paste?* ¿Le gustaría un poco de pasta de guayaba. •[*v*] pegar *Paste these labels on the jars.* Pegue estas etiquetas a los tarros.

pastime pasatiempo.

pastor pastor protestante.

pastry pastelería, pasteles.

pasture pasto, dehesa.

pat [*n*] palmadita *She gave the child a pat on the shoulder.* Le dio al niño una palmadita en el hombro. •[*v*] acariciar, dar palmadas *I don't like people to pat my cheek.* No me gusta que la gente me acaricie la cara.

patch [*n*] remiendo *The only way you can fix that is to put a patch on it.* La única manera de arreglar esto es poniéndole un remiendo. ▲parche *He wore a patch on his eye.* Llevaba un parche en un ojo. ▲mechón *He has a patch of gray in his hair.* Tiene un mechón blanco en el pelo. •[*v*] remendar *Mother had to patch his pants.* Mi madre tuvo que remendarle los pantalones. ᴼ**to patch things up** hacer las paces, reconciliarse *They patched things up after their fight.* Han hecho las paces después de la pelea.

patent patente.

paternal paternal.

path sendero, camino *Take the path that runs along the river.* Tome el camino que va a lo largo del río.

pathetic patético, conmovedor.

patience paciencia.

patient [*n*] enfermo, paciente *How is the patient this morning?* ¿Cómo está el enfermo esta mañana? •[*adj*] paciente *He'd be a better teacher if he were more patient.* Sería mejor profesor si fuera más paciente.

patriot patriota.

patriotic patriótico.

patrol [n] patrulla *The captain sent out a patrol to scout the terrain.* El capitán envió una patrulla para reconocer el terreno. •[v] hacer la ronda, patrullar *That watchman patrols this street.* Aquel guardia hace la ronda en esta calle.

patron parroquiano, cliente.

pattern dibujo *This rug has a nice pattern.* Esta alfombra tiene un bonito dibujo. ▲patrón, molde *Where did you get the pattern for your new dress?* ¿Dónde consiguió el patrón de su nuevo vestido?

pause [n] descanso, parada *After a brief pause she continued her work.* Después de un breve descanso continuó su trabajo. •[v] hacer una pausa *He paused before continuing his story.* Hizo una pausa antes de continuar el relato.

pave pavimentar *They've finally paved our street.* Por fin han pavimentado nuestra calle. ᵒto pave the way for someone preparar el camino a alguien.

pavement pavimento, empedrado.

paw garra, pata (de animal).

pawn empeñar, dar en prenda.

pay [n] paga, sueldo *What pay do you get in your new job?* ¿Cuánto es el sueldo en su nuevo empleo? •[v] pagar *How much did you pay for your car?* ¿Cuánto pagó Ud. por su auto? ▲valer la pena *It doesn't pay to spend much time on this work.* No vale la pena gastar demasiado tiempo en este trabajo. ᵒpaid up pagado, cancelado *The bills are all paid up.* Todas las facturas están canceladas. ᵒto pay attention prestar atención. ᵒto pay a visit hacer una visita *We ought to pay him a visit before he leaves.* Deberíamos hacerle una visita antes de que se marche. ᵒto pay back devolver *Give me a dollar now and I'll pay you back on Monday.* Présteme un dólar ahora y se lo devolveré el lunes. ᵒto pay cash pagar al contado. ᵒto pay off pagar *Pay him off and get rid of him.* Páguele y despídalo.

payment pago.

pea guisante [Sp], chícharo [Mex], arveja, alverja [S.A.].

peace paz.

peaceful tranquilo, pacífico.

peach melocotón.

peacock pavo real.

peak cima, cúspide.

peal estruendo, estrépito.

peanut cacahuete, cacahuate, maní.

pear pera.

pearl perla.

peasant campesino, labriego.

peck (at) picotear.

peculiar peculiar, raro.

pedal pedal.

peel [n] cáscara, pellejo. •[v] pelar *Peel me an apple.* Pélame una manzana. ▲pelarse, despellejarse *My face is peeling.* Se me está despellejando la cara.

peep [n] mirada, ojeada *Have a peep at the baby.* Eche Ud. una ojeada al niño. •[v] atisbar *He is peeping through the curtains.* Está atisbando a través de las cortinas.

peephole mirilla, atisbadero.

peg clavija.

pen pluma *I left my pen at home.* Dejé mi pluma en casa. ᵒfountain pen pluma fuente, estilográfica.

pen corral ᵒpig pen chiquero. ᵒto pen up acorralar.

penalty castigo (*punishment*); multa (*fine*).

penance penitencia.

pencil lápiz.

peninsula península.

penitent [adj, n] penitente.

penny centavo.

pension [n] pensión *He gets a government pension.* Recibe una pensión del gobierno. •[v] pensionar *The company pensioned him for life.* La compañía le pensionó de por vida.

pensive pensativo.

people gente *Were there many people at the meeting?* ¿Había mucha gente en la reunión? ▲pueblo *The government doesn't have the support of the people.* El gobierno no tiene el apoyo del pueblo.

pepper pimiento *I cut some peppers for the salad.* Corté unos pimientos para la ensalada. ▲pimienta *Pass me the pepper, please.* Páseme la pimienta, por favor.

per por *How much do they charge per person?* ¿Cuánto cobran por persona?

perceive percibir.

percent por ciento.

perch [n] percha; perca (*fish*).

perfect [adj] perfecto *She gave a perfect performance.* Su actuación fue perfecta. ‖*He is a perfect stranger to me.* Me es totalmente desconocido.

perfect [v] perfeccionar *The method hasn't been perfected yet.* Aún no se ha perfeccionado el método.

perfection perfección.

perform hacer *That magician can perform miracles.* Ese mago puede hacer milagros. ▲ejecutar *The doctor is performing a difficult operation.* El cirujano está ejecutando una operación delicada.

performance función, representación *Did you enjoy the performance?* ¿Le gustó la representación? ▲desempeño *He has been careless in the performance of his job.* Se ha descuidado en el desempeño de su cargo. ▲rendimiento *What is the plane's performance at high altitude?* ¿Cuál es el rendimiento del avión a gran altura?

perfume perfume.

perhaps quizás *Perhaps it'll rain today.* Quizás llueva hoy.

peril peligro.

period período *This country has enjoyed a long period of peace.* Este país ha disfrutado de un largo período de paz. ▲punto *You forgot to put a period here.* Se le olvidó poner un punto aquí. ▲hora *I have no classes the third period.* No tengo clases en la tercera hora. ▲tiempo *He worked here for a short period.* Trabajó aquí por poco tiempo.

perish perecer.

permanent [n] permanente *My hair needs a permanent.* Mi pelo necesita un permanente. •[adj] estable, permanente *Is your job permanent?* ¿Es su trabajo estable?

permission permiso *I got permission to leave early.* Me dieron permiso para salir temprano.

permit [n] permiso *You'll have to get a permit to visit that factory.* Necesitará un permiso para visitar esa fábrica.
permit [v] permitir *Such behavior shouldn't be permitted.* No se debería permitir! semejante comportamiento.
perpendicular [adj, n] perpendicular.
perpetual perpetuo.
persecute perseguir.
persecution persecución.
persist insistir.
person persona *What sort of person is she?* ¿Qué clase de persona es ella? **Oin person** personalmente, en persona *Please deliver this to him in person.* Haga el favor de entregarle esto personalmente.
personal personal *He asked too many personal questions.* Hizo demasiadas preguntas personales.
personal computer computador personal, computador pequeño para uso individual.
personality modo de ser *I don't like his personality.* No me gusta su modo de ser. ▲personaje *He is a famous personality of the screen.* Es un personaje famoso del cine.
persuade persuadir.
persuasion persuasión.
pertain pertenecer, atañer, concernir.
pervert [n] pervertido.
pervert [v] pervertir.
pestilence pestilencia.
pet [n] animal (doméstico) *Pets are forbidden in this house.* No se admiten animales en esta casa. •[v] consentir, mimar *She petted him on the head.* Le acarició la cabeza. **Opet name** diminutivo o epíteto cariñoso.
petal pétalo.
petition [n] petición. •[v] suplicar.
petroleum petróleo.
petticoat enagua, refajo [Sp], fustán [Am].
petty mezquino *Don't be so petty.* No sea tan mezquino. **Opetty cash** gastos menores de caja. **Opetty things** pequeñeces *Overlook petty things.* ¡No repare en pequeñeces!
pheasant faisán.
philosophy filosofía.
phone [n] teléfono. •[v] telefonear *I must phone the doctor.* Tengo que telefonear al doctor. **Ophone call** llamada telefónica *I want to make a phone call.* Quiero hacer una llamada telefónica.
phonograph fonógrafo.
photograph [n] retrato, fotografía *You'll need a passport photograph.* Necesitará una fotografía para su pasaporte. •[v] retratar, fotografiar *He photographed these buildings for the exhibit.* Fotografió estos edificios para la exposición.
photographer fotógrafo.
phrase frase *You can omit that phrase.* Puede omitir esa frase. ▲expresión *That is a common phrase in this country.* Esa es una expresión corriente en este país. ‖*Can you phrase your question differently?* ¿Puede hacer la pregunta en otra forma?
physical físico, examen físico.
physician médico, doctor.
physics física.
piano piano.

pick [n] pico *The men were working with picks and shovels.* Los hombres trabajaban con picos y palas.
pick [v] coger, recoger [Am] cortar *Is the fruit ripe enough to pick?* ¿Está suficientemente madura la fruta para recogerla? ▲escoger *I picked a winner that time.* Esa vez escogí un ganador. ▲abrir con ganzúa, [Am] falsear *We'll have to pick the lock to get into the house.* Habrá que abrir la cerradura con ganzúa para entrar en la casa. **Oto pick a quarrel** buscar camorra. ▲meterse con *Pick on someone your own size.* Métase con alguien de su mismo tamaño. **Oto pick one's teeth** mondarse (o limpiarse) los dientes *He knows he shouldn't pick his teeth in public.* El sabe que no debe mondarse los dientes en público. **Oto pick out** escoger *He picked out a very nice gift for his wife.* Escogió un regalo muy bonito para su esposa. **Oto pick to pieces** hacer trizas *They picked his argument to pieces.* Hicieron trizas su argumento. **Oto pick up** recoger *Please pick up the papers.* Recoja Ud. los papeles, por favor. ▲ganar *The train will pick up speed in a minute.* El tren ganará velocidad en seguida.
pickle encurtido, pepinillo (en vinagre). ‖*He found himself in quite a pickle.* Se encontró en un lío.
picnic picnic [Am.] jira [Sp.]. **Oto go on a picnic** ir de campo, ir de jira campestre.
picture [n] cuadro *They have some beautiful pictures for sale.* Tienen en venta unos hermosos cuadros. ▲fotografía, retrato *I haven't had my picture taken for years.* No me había hecho sacar una fotografía desde hace años. ▲película *I like to see a good picture once in a while.* Me gusta ver una buena película de vez en cuando. •[v] imaginarse *I can't quite picture you as a politician.* No me lo puedo imaginar a Ud. como un político.
pie pastel, tarta *Do you have any apple pie today?* ¿Tienen Uds. hoy pastel de manzana?
piece pieza *There is a piece missing from the chess set.* Le falta una pieza al juego de ajedrez.—*What is the name of the piece the orchestra is playing?* ¿Cuál es el nombre de la pieza que está tocando la orquesta? ▲pedazo, trozo *Write your name on this piece of paper.* Escriba su nombre en este pedazo de papel. ▲moneda *I just found a fifty-cent piece.* Acabo de encontrar una moneda de cincuenta centavos. **Oto fall to pieces** hacerse pedazos *It just fell to pieces all at once.* Se hizo pedazos de una vez.
pier muelle.
pierce perforar.
piety piedad.
pig cerdo, puerco, cochino, marrano, [Am] chancho.
pigeon paloma.
pile [n] pila, rimero *There is a pile of letters on my desk.* Hay una pila de cartas en mi escritorio. ▲montón *He has piles of money.* Tiene un montón de dinero. ▲pilote *The piles on this bridge are rotten.* Los pilotes de este puente están podridos. •[v] apilar *Let's pile up these boxes.* Apilemos estas cajas.
piles almorranas, hemorroides.
pill píldora.

pillar pilar, columna. **o**from pillar to post de la Ceca a la Meca *He goes from pillar to post.* Anda de la Ceca a la Meca.

pillow almohada.

pillowcase funda (de almohada).

pilot [*n*] piloto. •[*v*] pilotear.

pimple grano, barro.

pin [*n*] prendedor, broche *She wore a silver pin on her coat.* Llevaba un prendedor de plata en el abrigo. •[*v*] prender(se) *Pin the flower on your lapel.* Préndase la flor en la solapa. ▲fijar *Will you pin this notice up, please?* ¿Quiere Ud. fijar este aviso, por favor? **o**pinned aprisionado *The two men were pinned under the wreckage.* Los dos hombres estaban aprisionados debajo de los escombros. **o**safety pin imperdible [*Sp*], alfiler de gancho [*Am*]. **o**straight pin alfiler. **o**to pin down hacer concretar *You can't pin him down to facts.* No se le puede hacer concretar los hechos.

pinch [*n*] pellizco *He gave me a pinch on the arm.* Me dio un pellizco en el brazo. ▲pizca *This stew needs a pinch of salt.* Este guiso necesita una pizca de sal. •[*v*] pellizcar *Stop pinching me.* Deje de pellizcarme.

pine pino.

pineapple piña.

Ping-Pong ping-pong.

pink [*adj*] rosado. •[*n*] color de rosa.

pint pinta (medida líquida).

pioneer pionero, iniciador.

pious piadoso.

pipe tubo, cañería. *There is a leak in that pipe.* En esa cañería hay un escape. ▲pipa *Do you smoke a pipe?* ¿Fuma Ud. en pipa? •[*v*] traer por cañería *They pipe the water here from a spring.* Traen el agua por cañería desde el manantial.

pistol pistola.

pit hoyo *We'll burn our rubbish in the pit.* Quemaremos la basura en el hoyo. ▲hueso *Be careful not to swallow the pit of the cherry.* Tenga cuidado de no tragarse el hueso (o semilla) de la cereza. **o**pit of the stomach boca del estómago.

pitch [*n*] tono *That singer doesn't have the right pitch.* Ese cantante no da el tono exacto. •[*v*] lanzar, tirar *Pitch the ball to me.* Tíreme la pelota. ▲armar *Where shall we pitch the tent?* ¿Dónde armaremos la tienda de campaña? **o**to pitch in poner manos a la obra *Pitch in and get some work done.* Manos a la obra y hagamos algún trabajo.

pitcher jarro, jarra [*Am*] pichel *Send me up a pitcher of ice water.* Tráigame un jarro de agua helada. ▲lanzador, [*Am*] picher *Who is the pitcher for today's game?* ¿Quién es el lanzador en el partido de hoy?

pitiful lastimoso.

pity [*n*] lástima *It is a pity we can't go with you.* Es una lástima que no podamos ir con Ud. ▲lástima, compasión, pena *I don't feel any pity for him.* No siento ninguna lástima por él. •[*v*] compadecer *He wants people to pity him.* Quiere que la gente lo compadezca.

place sitio, lugar *Be sure to put it back in the same place.* Acuérdese de volver a ponerlo en su sitio. ▲parte *The play is weak in several places.* La obra teatral es floja en algunas partes. ▲puesto *He should be put in his place.* Hay que ponerlo en su puesto. •[*v*] colocar, poner *The table can be placed* over there for now. Por ahora, se puede colocar la mesa allí.—*The woman was placed in the office as a manager.* Colocaron a la mujer de gerente en la oficina. **o**in the first place en primer lugar. **o**to take place tener lugar, ocurrir *That must have taken place while I was away.* Eso debe haber ocurrido cuando yo estaba ausente.

placid apacible, plácido, sereno.

plague plaga.

plain [*n*] llanura, pradera *I've lived most of my life on the plains.* He vivido la mayor parte de mi vida en la pradera. •[*adj*] corriente *She is plain-looking but she has a lot of character.* Su tipo es muy corriente pero tiene mucho carácter. ▲sencillo *We have a very plain house.* Tenemos una casa muy sencilla. ‖*I'll put it in the plainest language I can.* Se lo diré lo más claro que pueda.

plan [*n*] plano *Do you have a plan of the house?* ¿Tiene un plano de la casa? ▲plan *What are your plans for tomorrow?* ¿Cuáles son sus planes para mañana? •[*v*] planear, pensar *Where do you plan to spend the summer?* ¿Dónde piensa Ud. pasar el verano? ▲planear, proyectar *I planned the whole thing this way.* Planeé todo en esta forma.

plane [*n*] avión *Have you ever been up in a plane?* ¿Ha volado alguna vez en un avión? •[*adj*] plano *That is not a plane surface.* Esto no es una superficie plana.

planet planeta.

plank tablón.

plant [*n*] planta *No plants will grow in this cold climate.* No crece ninguna planta en este clima tan frío. ▲fábrica, planta *The manager offered to show me around the plant.* El director ofreció mostrarme toda la fábrica. •[*v*] sembrar, plantar *The seeds I planted last week are just beginning to come up.* Comienzan a nacer las semillas que sembré la semana pasada.

plaster [*n*] revocar, repellar *Have they finished plastering the walls?* ¿Han terminado de repellar las paredes? **o**in a plaster cast enyesado *She has her arm in a plaster cast.* Tiene el brazo enyesado.

plastic plástico, sintético.

plastics materiales plásticos.

plate [*n*] plato *Pass your plate and I'll give you some more food.* Pase su plato y le daré más comida.—*This plate of meat will be enough.* Bastará con este plato de carne. ▲plancha, lámina *The sides of the truck have steel plates on them.* Los lados del camión llevan planchas de acero. **o**plated chapeado, enchapado *I have a gold-plated watch.* Tengo un reloj enchapado de oro.

platform plataforma.

platter fuente.

play [*n*] representación, obra teatral *Are there any good plays in town?* ¿Representan alguna buena obra en la ciudad? •[*v*] jugar *The boys are playing in the yard.* Los muchachos están jugando en el patio.—*He played his highest card.* Jugó su carta más alta. ▲bromear *You mustn't take it to heart because he was just playing.* No debe tomarlo a pecho, pues sólo estaba bromeando. ▲hacer el papel de *He plays (the part of) the king.* Hace el papel del rey. ▲tocar *The orchestra is playing now.* Ahora está tocando la orquesta. **ºto be played out** estar agotado o rendido *After a hard day's work he is played out.* Está agotado después de un día de trabajo duro. **ºto play a joke** hacer una broma, gastar una broma *He played a joke on his friend.* Le gastó una broma a su amigo. **ºto play around** divertirse *You've been playing around long enough.* Ha estado Ud. divirtiéndose bastante tiempo. ▲estar perdiendo el tiempo *Stop playing around and get to work.* Deje de estar perdiendo el tiempo y póngase a trabajar. **ºto play fair** jugar limpio. **ºto play on** estimular *The movies always play on your emotions.* Las películas siempre estimulan las emociones. **ºto play up** elogiar, ensalzar *He played up the good things about the job instead of the bad ones.* Sólo elogiaba las ventajas del empleo en lugar de mencionar sus inconvenientes.

player jugador.

playground patio de recreo.

playmate compañero de juego.

plea declaración *What was the plea of the accused?* ¿Cuál fue la declaración del acusado? ▲alegato *The lawyer made a plea in defense of his client.* El abogado presentó un alegato en defensa de su cliente.

plead suplicar, pedir (*beg*); defender (*a lawsuit*). **ºto plead guilty** (**not guilty**) declararse culpable (inocente).

pleasant agradable.

please agradar, gustar *Does this please you or do you want something else?* ¿Le gusta esto o desea otra cosa? ▲complacer, contentar *She is a hard person to please.* Es una persona difícil de complacer. ▲gustar *Do as you please; it makes no difference to me.* Haga Ud. como guste; a mí me da lo mismo.

pleasing complaciente.

pleasure placer.

pledge [n] compromiso para ayudar *Have you signed your pledge to the Red Cross?* ¿Ha firmado su compromiso para ayudar a la Cruz Roja? •[v] prometer *We pledge our support to your organization.* Prometemos nuestro apoyo a su organización. **ºto pledge allegiance** prestar juramento *Have you pledged allegiance to the flag?* ¿Ha prestado Ud. juramento a la bandera?

plentiful copioso, abundante.

plenty bastante *I have plenty of matches, thanks.* Tengo bastantes fósforos, gracias. ▲mucho *There is plenty more in the kitchen.* Hay mucho más en la cocina.

pliers alicates, tenazas.

plight apuro, aprieto.

plot [n] conspiración, complot *He was mixed up in a plot against the president.* Se hallaba complicado en una conspiración contra el presidente. ▲trama *Did the play have a good plot?* ¿Era buena la trama del drama? •[v] conspirar *Who is plotting against us now?* ¿Quién está conspirando contra nosotros ahora? **ºplot of land** solar, lote *I'm going to buy a plot of land in the country.* Voy a comprar un lote de terreno en el campo.

plow [n] arado. •[v] arar.

pluck [n] valor, ánimo *For a sick man he has a lot of pluck.* Tiene mucho ánimo para ser un hombre enfermo. •[v] desplumar *Have the chickens been plucked?* ¿Han desplumado los pollos?

plug tapón; enchufe (*electricity*).

plum ciruela.

plume pluma, plumaje, penacho.

plump rollizo, regordete.

plunge zambullir, zambullirse.

plural plural.

plus más.

pneumonia neumonía.

poached escalfado *I want some poached eggs on toast.* Quiero huevos escalfados en tostadas.

pocket [n] bolsillo *Will you keep this in your pocket for me?* ¿Quiere Ud. guardarme esto en su bolsillo? •[v] guardarse *He paid the bill with my money and pocketed the change.* Pagó la cuenta con mi dinero y se quedó con el cambio. **ºair pocket** bolsa de aire. **ºpocket knife** cortaplumas, cuchilla.

pocketbook cartera [*Am*.] bolso [*Sp*.] bolsa [*Mex*.].

poem verso, poema.

poet poeta.

poetry poesía.

point [n] punta *He broke the point of his knife.* Rompió la punta de su cuchillo.— ▲punto *I disagree on almost every point.* Estoy en desacuerdo con casi todos los puntos. ▲punto, lugar *The train stopped at a point halfway between the two stations.* El tren se paró en un lugar a medio camino entre las dos estaciones. ▲rumbo (*of mariner's compass*). ▲tanto, punto *Our team made 23 points.* Nuestro equipo hizo veintitrés tantos. •[v] apuntar *The gun is pointed north.* El cañón apunta hacia el norte. ▲señalar *He pointed to where the house is located.* Señaló hacia donde está la casa. **ºdecimal point** punto decimal *Where should we put the decimal point?* ¿Dónde debemos poner el punto decimal? **ºon the point of** a punto de *We were on the point of leaving when some visitors arrived.* Estábamos a punto de salir cuando llegó una visita. **ºpoint of view** punto de vista. **ºto be beside the point** no venir al caso, estar fuera del tema. **ºto make a point of** esmerarse *He makes a point of being polite.* Se esmera en ser cortés. **ºto point out** indicar, mostrar *Point out the place you told me about.* Muéstreme el lugar de que me habló. **ºto point toward** indicar, mostrar *All the signs point toward a hard winter.* Todo indica que vamos a tener un invierno muy crudo. **ºto the point** al grano *Let's get to the point!* ¡Vamos al grano!

poise [n] aplomo, serenidad, porte.

poison [n] veneno *This bottle contains poison.* Esta botella contiene veneno. •[v] envenenar *Our dog has been poisoned.* Han envenenado a nuestro perro. **ºpoison gas** gas asfixiante.

poisonous venenoso.

poke empujón *He gave me a poke in the back.* Me dio un empujón en la espalda. •[v] puyar [*Am*], dar codazos *Stop poking me with your elbow.* Deje de estarme puyando con el codo. **ºto poke fun at** burlarse de. **ºto poke up** atizar *Poke up the fire.* Atice el fuego. ‖*He pokes his nose into everybody's business.* Se mete en todo.

pole poste, palo; polo (*geography*). **ºthe North Pole** el Polo Norte. **ºthe South Pole** el Polo Sur.

police [n] policía *The police were called in to stop the fight.* Llamaron a la policía para que pusiera fin a la pelea. •[v] vigilar *This street is well policed, at night especially.* Esta calle está bien vigilada, especialmente de noche. ○**police station** comisaría, prefectura, delegación de policía, [Am] estación de policía.

policeman, policewoman agente de policía, policía.

policy política *Their foreign policy has changed in recent years.* Han cambiado su política exterior en los últimos años. ▲costumbre, norma *It is the policy of our company never to cash checks.* Nuestra compañía tiene la norma de no cambiar cheques. ○**insurance policy** póliza de seguro.

polish [n] barniz *Where can I buy some polish for the furniture?* ¿Dónde puedo comprar barniz para los muebles? •[v] lustrar, limpiar *I must get my shoes polished.* Necesito lustrar mis zapatos.

polite cortés.

political político.

politician político.

politics política.

poll encuesta *We'll have to take a poll to see what the public opinion is.* Hay que hacer una encuesta para conocer la opinión pública.

polls (*voting place*) colegio electoral [Sp], urnas [Am.].

pollute contaminar.

pomp pompa.

pond charca.

ponderous pesado.

pony jaca, caballito, poni, [Arg] petiso.

pool [n] charco *There was a pool of water on the floor.* Había un charco en el piso. ▲billar *Let's play a game of pool.* Juguemos una partida de billar. •[v] reunir *We pooled our money to buy a car.* Reunimos nuestro dinero para comprar un carro. ○**swimming pool** piscina, alberca, pileta.

poor pobre *Many poor people live in this neighborhood.* En este barrio vive mucha gente pobre.—*The poor fellow is blind.* El pobre hombre es ciego. ▲malo *This is poor soil for potatoes.* Esta tierra es mala para las patatas. ○**the poor** los pobres *We are taking up a collection for the poor.* Estamos haciendo una colecta para los pobres.

pop [n] papá *His pop takes him to the movies every Saturday.* Su papá le lleva al cine todos los sábados. ▲taponazo *The bottle opened with a loud pop.* Se abrió la botella de un fuerte taponazo. •[v] asomar de repente *She popped her head out of the window.* De repente asomó la cabeza fuera de la ventana. ○**pop music** música popular. ○**soda pop** bebida gaseosa. ○**to pop the question** pedir la mano *She doubted that it was his intention to pop the question.* Dudaba que él tuviera la intención de pedirle la mano.

popcorn palomitas de maíz.

poplar álamo.

popular popular.

population población.

porcelain porcelana.

porch porche, portal.

pore [n] poro *After a hot bath your pores are open.* Después de un baño caliente se abren los poros.

pore [v] leer (*o* estudiar) atentamente *He is poring over his book.* Estudia atentamente en su libro *o* Lee atentamente su libro.

pork carne de puerco.

port puerto *When do you expect this ship to get into port?* ¿Cuándo espera que el barco llegue a puerto? ○**port side** babor *Man overboard, on the port side!* ¡Hombre al agua, por babor!

port oporto *Port is my favorite wine.* Oporto es mi vino favorito.

portable portátil.

porter maletero, mozo de cuerda, cargador.

portion parte, porción.

portrait retrato.

position posición *If you are not comfortable, change your position.* Cambie de posición si no está cómodo. ▲sitio *From this position you can see the whole field.* Desde este sitio se puede ver todo el campo. ▲puesto, empleo *He has a good position with a wholesale house.* Tiene un buen empleo en una casa de venta al por mayor. ▲posición, situación *This places me in a very difficult position.* Esto me coloca en una posición muy difícil.

positive positivo; seguro (*certain*).

possess poseer.

possession posesión *This island is a possession of the United States.* Esta isla es una posesión de los Estados Unidos. ▲posesión, poder *I have in my possession a book with your name on it.* Tengo en mi poder un libro con su nombre escrito. ○**possessions** bienes *He gave away all his possessions before he went into the army.* Donó todos sus bienes antes de entrar en el ejército.

possibility posibilidad.

possible posible *Be here by nine, if possible.* Esté aquí a las nueve, si le es posible.

possibly posiblemente.

post [n] poste, pilar *The fence needs some new posts.* La cerca necesita unos postes nuevos. ▲puesto *He guarded his post.* Guardó su puesto. ▲puesto, cargo *He has just been appointed to a new post in the government.* Acaba de ser designado para un nuevo cargo en el gobierno. ▲campamento, guarnición *The whole post was notified of the change in rules.* Se comunicó al campamento la modificación del reglamento. •[v] apostar *Troops were posted to guard the bridge.* Se apostaron fuerzas para guardar el puente. ▲fijar, colocar *Post it on the bulletin board.* Fíjelo en el tablero de anuncios. ▲fijar *Post no bills.* Prohibido fijar carteles. ○**post card** tarjeta postal.

postage franqueo.

postal postal.

postdate [n] posfecha, fecha posterior. •[v] posfechar. *My friend gave me a postdated check.* Mi amigo me dio un cheque posfechado.

poster cartel.

postmark sello de la oficina de correos.

post office correos, oficina de correo.

postpone posponer, aplazar, postergar.

posture postura.
pot olla *There is a pot of soup on the stove.* Hay una olla de sopa sobre la estufa. O
potato patata [*Sp*], papa [*Am*].
pottery cerámica.
pouch saquito, faltriquera, bolsa.
poultry aves de corral.
pound [*n*] libra *Give me a pound of sugar, please.* Déme una libra de azúcar, por favor. ▲libra esterlina *He owes me six pounds.* Me debe seis libras esterlinas.
pound [*v*] aporrear, golpear *We pounded on the door for five minutes.* Estuvimos golpeando la puerta durante cinco minutos.
pour echar *Pour the water into these glasses.* Eche agua en estos vasos. ▲servir *Please pour me a cup of coffee.* Sírvame una taza de café, por favor. ▲llover a cántaros *Don't go out; it is pouring.* No salgas, está lloviendo a cántaros. Oto pour out vaciar *He poured out the water in the pitcher.* Vació la jarra de agua.
poverty pobreza.
powder [*n*] polvos *I need some powder and lipstick.* Necesito polvos y lápiz de labios. ▲pólvora *There's enough powder here to blow up the whole town.* Aquí hay suficiente pólvora para volar el pueblo entero. •[*v*] empolvarse *Pardon me, I have to go powder my nose.* Perdóneme, tengo que ir a empolvarme.
power potencia, fuerza motriz *How much power does this machine have?* ¿Qué potencia tiene esta máquina? ▲potencia *That country was once a great world power.* Ese país fue una vez una gran potencia mundial. ▲poder *I'll do everything in my power.* Haré todo lo que esté en mi poder. Ohorsepower caballo de fuerza.
powerful poderoso.
practical práctico.
practically prácticamente, de una manera práctica *Try to do things more practically.* Trate de hacer las cosas de una manera más práctica.
practice práctica *I'm a little out of practice.* Estoy un poco fuera de práctica o Estoy un poco desentrenado. ▲costumbre *We make it a practice to get to work on time.* Tenemos por costumbre llegar a tiempo al trabajo. ▲clientela *That doctor has a rather small practice.* Ese médico tiene una clientela más bien pequeña. •[*v*] hacer ejercicios, practicar, estudiar *He is practicing on the piano.* Está haciendo ejercicios de piano. ▲ejercer *He practiced law for five years.* Ejerció la abogacía durante cinco años.
praise [*n*] elogio, alabanza. •[*v*] alabar, elogiar.
pray rezar, orar.
prayer oración, plegaria.
preach predicar.
preacher predicador.
precede preceder.
precinct precinto, distrito.
precious valioso, precioso.
precipice precipicio.
precise preciso.
precision precisión.
predecessor predecesor.
predict predecir, pronosticar.
preface prefacio.

prefer preferir.
preference preferencia.
pregnant preñada, encinta, embarazada. Opregnant with repleto de, lleno de.
prejudice prejuicio (*bias*); perjuicio (*harm*). •[*v*] prejuzgar.
preliminary preliminar.
premium prima. Oat a premium difícil de obtener; escasear.
preparation producto, preparación *Can you recommend a good preparation for dry hair?* ¿Puede recomendarme un buen producto para el pelo seco? ▲preparativo *Have you made all the preparations for the trip?* ¿Ha hecho todos los preparativos para el viaje?
prepare preparar, prepararse.
prepay pagar por adelantado.
prescribe prescribir *We must do what the law prescribes.* Debemos hacer lo que prescribe la ley. ▲recetar *The doctor prescribed tranquilizers.* El doctor recetó calmantes.
prescription prescripción, receta.
presence presencia.
present [*n*] presente *The future can't be any worse than the present.* El futuro no puede ser peor que el presente. ▲regalo, presente *Did you give him a present for his birthday?* ¿Le hizo Ud. un regalo para su cumpleaños? Oat present ahora *He is too busy to see you at present.* Está demasiado ocupado para verle a Ud. ahora. Ofor the present por ahora *That'll be enough for the present.* Eso bastará por ahora. Oto be present asistir *How many people are expected to be present?* ¿Cuántas personas se espera que asistan?
present [*v*] presentar *The students presented a good appearance.* Los estudiantes presentaron buen aspecto. ▲regalar *They presented him with a gold watch.* Le regalaron un reloj de oro.
preserve [*v*] preservar, conservar *To preserve this meat it must be kept on ice.* Para conservar esta carne hay que guardarla en hielo. ‖*Do you like strawberry preserves?* ¿Le gustan las fresas en conserva?
preside presidir.
president presidente.
press [*n*] prensa *There are three steel presses in the factory.* Hay tres prensas de acero en la fábrica.—*Will the press be admitted to the conference?* ¿Se admitirá a la prensa en la conferencia? ▲tirada *The edition is ready to go to press.* Esta edición está lista para la tirada. •[*v*] planchar *Where can I get my suit pressed?* ¿Dónde me pueden planchar el traje? ▲apretar, tocar *Press the button and see what happens.* Apriete el botón y vea lo que pasa. ▲empujar, agolparse *The crowd pressed against the gates.* La muchedumbre se agolpaba contra las puertas. ▲insistir en o sobre *I wouldn't press the matter any further if I were you.* Yo en su caso no insistiría más sobre el asunto. Opressing urgente *I have a pressing engagement elsewhere.* Tengo un compromiso urgente en otro sitio.
pressure presión *Check the tire pressure.* Mire cómo están de presión las llantas. ▲urgencia, prisa *I don't work well under pressure.* No trabajo bien con prisa.
pretense pretensión.

P

pretty [adj] bonito *She is a very pretty girl.* Es una niña muy bonita. •[adv] bastante *I've been pretty busy since I saw you last.* He estado bastante ocupado desde la última vez que lo vi.

prevail prevalecer, predominar.

prevent impedir, evitar, prevenir.

previous previo.

price [n] precio.

prick [n] punzada •[v] punzar, pinchar, [Am] puyar.

pride [n] orgullo *His pride won't let him admit he is wrong.* Su orgullo no le permitirá admitir que está equivocado. ᴼto **pride oneself** enorgullecerse *He prides himself on his taste.* Se enorgullece de su buen gusto.

priest sacerdote, cura.

primary [adj] primario, primero.

prime [n] flor *That man is in the prime of life.* Ese hombre está en la flor de la vida. •[adj] capital *That job is of prime importance.* Ese trabajo es de capital importancia.

primitive primitivo.

prince príncipe.

princess princesa.

principal [n] capital, [Sp] principal *The principal was five hundred dollars.* El capital era de quinientos dólares. ▲director *The principal called the teachers into his office.* El director llamó a los profesores a su despacho. •[adj] principal *This is one of the principal arguments against it.* Este es uno de los principales argumentos en contra.

principle principio *I admire a man who has such principles.* Admiro a un hombre que tenga tales principios. ▲teoría *What principle does this machine work on?* ¿En qué teoría se basa el funcionamiento de esta máquina? ᴼin **principle** en principio.

print [n] tipo, letra *The print in this book is too small.* La letra de este libro es demasiado pequeña. ▲grabado *The museum has a fine collection of prints.* El museo tiene una magnífica colección de grabados. ▲estampado *We're selling a lot of cotton prints.* Estamos vendiendo muchos estampados de algodón. ▲copia *How many prints do you want from this negative?* ¿Cuántas copias quiere Ud. de este negativo? •[v] imprimir, tirar *Where was this book printed?* ¿Dónde imprimieron este libro? ▲publicar *The letter was printed in yesterday's paper.* Ayer se publicó la carta en el periódico. ▲escribir en letra de imprenta *Please print your name.* Escriba su nombre en letra de imprenta, por favor. ||*That book is hard to get because it is out of print.* Es difícil conseguir ese libro porque la edición está agotada.

printer impresor, impresora.

printout [n] documento impreso por un computador.

prior previo, anterior. ᴼprior to antes de.

prison cárcel, prisión.

prisoner preso *A prisoner has just escaped.* Acaba de escaparse un preso.

privacy condición de estar solo y poder obrar privadamente||*Can't we have any privacy around here?* ¿No podemos estar solos por aquí?

private [n] soldado raso *He was a private in the last war.* Fue soldado raso en la última guerra. ⸱[adj] privado*This is a private beach.* Esta es una playa privada. ᴼin **private** en privado.

privilege privilegio.

privileged privilegiado.

prize [n] premio *There'll be a fifty-dollar prize for the best short story.* Habrá un premio de cincuenta dólares para el mejor cuento. •[adj] premiado *The prize story was written by a friend of mine.* El cuento premiado fue escrito por un amigo mío. ▲mejor, que merece premio *That is the prize movie of the year.* Esa es la mejor película del año. ᴼprized preciado, estimado *This is one of my most prized possessions.* Esta es una de mis posesiones más preciadas.

probable probable.

probably probablemente.

problem problema.

procedure proceder, procedimiento.

proceed proceder, continuar.

proceeds producto.

process proceso.

procession procesión.

proclaim proclamar.

proclamation proclamación.

procure lograr, conseguir.

produce [n] productos agrícolas *There is no market for our produce.* No hay mercado para nuestros productos agrícolas.

produce [v] presentar *Can you produce the facts to prove your argument?* ¿Puede Ud. presentar las pruebas que justifiquen su alegato? ▲producir *How many computers does the factory produce a month?* ¿Cuántos computadores produce la fábrica al mes? ▲montar *How much will it cost to produce the play?* ¿Cuánto costará montar la obra?

production película, producción teatral *Who is directing this production?* ¿Quién dirige esta película? ▲producción *Production of the factory is slowing up.* Está disminuyendo la producción de la fábrica.

productive productivo.

profane profano.

profession profesión. *What is your profession?* ¿Cuál es su profesión? ▲profesión, protesta *I'm not sure of her professions of friendship.* Dudo de sus protestas de amistad.

professional [adj, n] profesional.

professor profesor universitario, catedrático.

profile perfil.

profit [n] beneficio, ganancia *The profits from the business will be divided equally.* Los beneficios del negocio se dividirán equitativamente. •[v] aprovechar, sacar provecho *I hope he profits by this experience.* Espero que saque provecho de esta experiencia.

profitable provechoso, beneficioso.

profound profundo.

profuse profuso.

program programa.

program language lenguaje de programación, lenguaje usado para escribir un programa de computador.

programmer programador, programadora.

progress [n] progreso(s) *That country has made great progress recently.* Ese país ha progresado últimamente. **O**in **progress** en curso, en marcha *This work is still in progress.* El trabajo está aún en marcha.

progress [v] progresar *We've progressed since those days.* Hemos progresado desde aquellos días. ▲marchar, andar *How are things progressing?* ¿Cómo marchan las cosas?

progressive [adj] progresivo.

prohibit prohibir.

prohibition prohibición.

project [n] proyecto *Let's work on this project.* Trabajemos en este proyecto.

project [v] proyectar *Moving pictures here are projected on the wall.* Las películas aquí son proyectadas en la pared. ▲sobresalir, resaltar *That balcony projects too far from the wall.* Ese balcón sobresale demasiado de la pared.

projection proyección.

prolong prolongar.

prominent prominente, eminente.

promise [n] promesa *You've broken your promise.* Ha faltado Ud. a su promesa. •[v] prometer *We promised the child a present.* Le hemos prometido un regalo al niño.

promote ascender, promover; fomentar (*help to grow*).

promotion ascenso, promoción.

prompt [v] impulsar *What prompted you to say that?* ¿Qué le impulsó a decir eso? ‖ *She sent a prompt reply to my letter.* Me contestó en seguida la carta. ▲apuntar (teatro).

pronoun pronombre.

pronounce pronunciar *How do you pronounce this word?* ¿Cómo pronuncia Ud. esta palabra? ▲declarar *The judge pronounced him guilty of murder.* El juez le declaró culpable de asesinato.

pronunciation pronunciación.

proof prueba *What proof do you have that he is the man we want?* ¿Qué pruebas tiene Ud. de que él es el que buscamos?

proofread corregir (un texto) ‖ *We finished proofreading the book.* Hemos terminado la corrección de pruebas del libro.

propaganda propaganda.

propagate propagar.

propeller hélice.

proper propio *His office is not in the building proper.* La oficina no está en el propio edificio. ▲correcto *What is the proper way to address a business letter?* ¿Cuál es la manera correcta de dirigir una carta comercial?

properly propiamente, apropiadamente.

property propiedad.

prophecy [n] profecía.

prophesy [v] profetizar.

prophet profeta.

proportion proporción, parte, porcentaje.

proposal propuesta.

propose proponer matrimonio *When did you propose to her?* ¿Cuándo le propuso matrimonio? ▲

proposition proposición, propuesta *Will you consider my proposition?* ¿Considerará Ud. mi propuesta?

proprietor propietario, dueño.

prose [n] prosa.

prosecute proseguir (*carry on*); acusar (*law*).

prosecution prosecución.

prospect perspectiva, probabilidad.

prosperity prosperidad.

prostitute [n] prostituta. •[v] prostituir(se).

protect proteger.

protection protección.

protector protector.

protest [n] protesta *He ignored her protest.* Ignoró su protesta. **O**under **protest** contra la voluntad de uno *I'll go only under protest.* Iré contra mi voluntad. •[v] quejarse, protestar *Let's protest to the landlord about the noise.* Quejémonos al dueño acerca del ruido.

Protestant [adj, n] protestante.

protrude sobresalir.

proud orgulloso.

prove probar, demostrar *I can prove I didn't do it.* Puedo probar que no lo hice.

proverb proverbio.

provide poner, proporcionar, proveer *If you provide the materials, I'll build you a bookcase.* Si Ud. pone el material yo le construiré un estante. ▲establecer *The rules provide that you can't leave the camp without permission.* El reglamento establece que no puede salir del campamento sin permiso. **O**provided con tal que *I'll go, provided you come with me.* Iré con tal que Ud. me acompañe. **O**to **provide for** asegurar *The family was provided for in the will.* La familia estaba asegurada en el testamento.

province provincia *He comes from the provinces.* Viene de las provincias. ▲incumbencia, competencia *Administrative problems aren't within my province.* No son de mi incumbencia los problemas administrativos.

provision provisión *We need many provisions for the trip.* Necesitamos muchas provisiones para el viaje. ▲preparativos *What provisions have been made for his visit?* ¿Qué preparativos se han hecho para su visita? ▲estipulación *The provisions of the contract are not in our favor.* Las estipulaciones del contrato no nos favorecen.

provoke provocar *That game always provokes an argument.* Ese juego provoca siempre pleitos. ▲irritar *That fellow provokes me.* Ese tipo me irrita.

prudence prudencia.

prudent prudente.

prune ciruela pasa.

psalm salmo.

psychologist psicólogo.

psychology psicología.

public [n] público *Is this building open to the public?* ¿Está abierto al público! este edificio? •[adj] público *This is a public meeting and admission is free.* Esta es una reunión pública y la entrada es gratis.

publication publicación.

publish publicar.

publisher editor.
pudding pudín, budín.
puddle charco.
puff [n] bocanada *Did you see that puff of smoke?* ¿Vio esa bocanada de humo? •[v] jadear *He always puffs when he runs.* Siempre jadea cuando corre. ᴼ**powder puff** mota, borla. ᴼ**puff of wind** ráfaga. ᴼ**to be puffed up** hincharse (*to be swollen*); engreírse (*to be proud*).
pull [n] tirón *If you give too hard a pull, the rope will break.* Si da Ud. un tirón demasiado fuerte se romperá la cuerda. ▲influencia, [Sp] mano, [Am] cuello *You have to have a lot of pull to get a job here.* Hay que tener mucha influencia para conseguir un puesto aquí. •[v] sacar, extraer *This tooth must be pulled.* Hay que sacar esta muela. ▲tirar (de) *If you pull this cord, the driver will stop the bus.* Si tira Ud. de este cordón, el conductor parará el autobús. ᴼ**to pull down** bajar *Pull the shades down.* Baje Ud. las persianas. ▲derribar, tumbar *They're going to pull the building down and build another.* Van a derribar el edificio para construir otro. ᴼ**to pull in** tirar de *Let's pull in the line.* Tiremos de la cuerda. ▲llegar *We pulled in at three o'clock in the morning.* Llegamos a las tres de la mañana. ᴼ**to pull off** sacar(se), quitar(se) *Help me pull off my sweater.* Ayúdeme a quitarme el suéter. ᴼ**to pull oneself together** arreglarse *Pull yourself together and let's get going.* Arréglese y vámonos. ᴼ**to pull out** salir *The train pulled out on time.* El tren salió a tiempo. ᴼ**to pull through** salir adelante, resistir *She was pretty sick and we were afraid she might not pull through.* Estaba muy enferma y temíamos que no saliera adelante. ᴼ**to pull to pieces** hacer pedazos, desbaratar *The dog pulled the cushion to pieces.* El perro hizo pedazos el cojín. ᴼ**to pull up** arrancar *They pulled the plants up by the roots.* Arrancaron las plantas de raíz. ▲arrimar, acercar *Pull up a chair; I'd like to talk to you.* Arrime una silla, quiero hablar con usted. ▲parar *The car pulled up in front of the house.* El auto paró enfrente de la casa.
pulley polea.
pulp pulpa.
pulpit púlpito.
pulse pulso *I'm going to take your pulse.* Voy a tomarle el pulso.
pump [n] bomba *Is there a pump in the house?* ¿Hay una bomba en la casa? •[v] bombear *You'll have to pump water for a bath.* Tiene que bombear agua para bañarse. ᴼ**to pump up** inflar *This tire needs pumping up.* Hay que inflar esta llanta.
pumpkin calabaza, [Am] ayote, [Arg] zapallo.
punch [n] ponche *Will you have some fruit punch?* ¿Quiere tomar ponche de frutas?
punch [n] puñetazo *He gave me a punch in the ribs.* Me dio un puñetazo en las costillas. ▲vigor, fuerza *His speech didn't have any punch.* A su discurso le faltó vigor. •[v] dar un puñetazo *I'll punch you in the nose.* Le daré un puñetazo en la nariz. ▲picar, marcar *The conductor forgot to punch my ticket.* El conductor olvidó marcar mi boleto.
punctual puntual.
puncture [n] pinchazo, punzada. •[v] pinchar.

punish castigar.
punishment castigo, pena *The punishment for this crime is death.* Este crimen tiene pena de muerte.
pupil (*student*) discípulo, alumno; pupila, niña del ojo.
puppy cachorro, perrito.
purchase [n] compra *I have a few purchases to make in this store.* Tengo que hacer unas compras en esta tienda. •[v] comprar *I'm trying to purchase some land in this area.* Estoy tratando de comprar un terreno en esta área.
pure puro *The dress is pure silk.* El vestido es de pura seda.
purge [n] purga. •[v] purgar.
purify purificar.
purple [n] púrpura. •[adj] morado.
purpose objeto, propósito *What is your purpose in coming here?* ¿Qué objeto tiene su venida aquí? o ¿A qué vino Ud. aquí? ᴼ**on purpose** a propósito *I asked on purpose to see what you'd say.* Lo pregunté a propósito para ver qué decían Uds.
purse bolso, [Am] bolsa *How much money do you have in your purse?* ¿Cuánto dinero tiene Ud. en la bolsa? ▲premio *The purse was divided among the winners.* El premio se repartió entre los ganadores.
pursue perseguir *They pursued the enemy as far as the river.* Persiguieron al enemigo hasta el río.
pus pus.
push [n] empujón *Give the car a push.* Dé un empujón al coche. •[v] empujar *Push the table over by the window.* Empuje la mesa hasta la ventana. ▲llevar adelante, dar impulso a *I intend to push my claim.* Pienso llevar adelante mi reclamación. ᴼ**to push off** alejarse, separarse *The boat pushed off from shore.* El barco se alejó de la orilla.
put poner *Put your suitcase over here.* Ponga su maleta aquí. ▲exponer *The report puts the facts very clearly.* El informe expone los hechos con mucha claridad. ᴼ**to put an end** *or* **stop to** poner fin a *The news put an end to our hopes.* La noticia puso fin a nuestras esperanzas. ᴼ**to put aside** *or* **away** ahorrar, apartar *She has been putting aside a little money each month.* Ha estado ahorrando un poco de dinero todos los meses. ᴼ**to put back** poner otra vez *Put the book back where you found it.* Ponga el libro otra vez donde lo encontró. ᴼ**to put down** apuntar *Put down your name and address.* Apunte su nombre y dirección. ▲dominar *The revolt was put down with little trouble.* La revolución fue dominada fácilmente. ᴼ**to put in an appearance** hacer acto de presencia, aparecer. ᴼ**to put in order** poner en orden. ᴼ**to put in writing** poner por escrito. ᴼ**to put off** dejar *Let's put off the decision until tomorrow.* Dejemos la decisión para mañana. ᴼ**to put on** ponerse *Wait till I put on my coat.* Espere que me ponga el abrigo. ▲afectar *That accent isn't real, it is put on.* Ese acento no es natural, es afectado. ᴼ**to put on airs** darse importancia. ᴼ**to put oneself out** molestarse *Don't put yourself out on my account.* No se moleste por mí. ᴼ**to put out** apagar *Put out the lights before you leave.* Apague las luces antes de marcharse. ▲publicar *This publisher puts out some very good books.* Esta editorial publica muy buenos libros.

Oto put to a vote someter a votación. Oto put to bed acostar *I have to put the kids to bed.* Tengo que acostar a los niños. Oto put to death ejecutar *He has already been put to death.* Ya lo han ejecutado. Oto put to expense hacer gastar *This will put me to considerable expense.* Esto me hará gastar mucho. Oto put to use emplear *You can be sure this money will be put to good use.* Puede Ud. tener la seguridad de que este dinero será bien empleado. Oto put up construir *This building was put up in six months.* Este edificio se construyó en seis meses. ▲dar alojamiento a, alojar *Can you put up two guests for the night?* ¿Puede dar alojamiento a dos huéspedes esta noche? Oto put up for sale poner a la venta. Oto put up with soportar, aguantar *I can't put up with this noise any longer.* No puedo aguantar más este ruido.

puzzle [n] rompecabezas *Can you solve this puzzle?* ¿Puede Ud. resolver este rompecabezas? ▲enigma *It is a puzzle to me how she gets her work done.* Es un enigma para mí como logra ella hacer su trabajo. •[v] dejar perplejo *What he said puzzled us.* Nos dejó perplejos lo que dijo. Oto puzzle out resolver, descifrar.

pyramid pirámide.

Q

quack [n] charlatán, farsante *That doctor is a quack.* Ese médico es un charlatán.

quack [n] graznar *Do you hear the ducks quacking?* ¿Oye cómo graznan los patos?

quail codorniz.

quake terremoto, temblor *Last year we had a terrible quake.* El año pasado tuvimos un terremoto violento.

qualification preparación. *What are your qualifications?* ¿Qué preparación tiene Ud.? ▲requisito, requerimiento *What are the qualifications for this job?* ¿Cuáles son los requisitos para este empleo?

qualify modificar *I think you should qualify your statement.* Creo que debe Ud. modificar su declaración. Oqualified preparado *We think he is qualified for the position.* Pensamos que es una persona preparada para el cargo.

quality calidad *Prices vary according to the quality of the goods.* Los precios varían según la calidad de los artículos.

quantity cantidad *Quantities of coal have been found in this region.* Se han hallado grandes cantidades de carbón en esta región.

quarantine [n] cuarentena *He was in quarantine for two weeks.* Estuvo en cuarentena por dos semanas. •[v] aislar *The doctor quarantined the whole family.* El médico aisló a toda la familia.

quarrel [n] disgusto *They haven't been friends since their quarrel.* Dejaron de ser amigos desde que tuvieron aquel disgusto. •[v] disputar, reñir *I don't want to quarrel with you.* No quiero reñir con Ud.

quarry cantera *There is a marble quarry not far from here.* Hay una cantera de mármol no muy lejos de aquí.

quart cuarto de galón.

quarter [n] cuarta parte *Each son received a quarter of the estate.* Cada hijo recibió una cuarta parte del patrimonio. ▲cuarto de dólar, veinticinco centavos ▲cuarto *The train leaves at a quarter to three.* El tren sale a las tres menos cuarto. ▲círculo, lugar *He has a very bad reputation in certain quarters.* Tiene muy mala fama en ciertos círculos. ▲cuartel *We gave no quarter to the enemy.* No se le dio cuartel al enemigo. •[v] acantonar, alojar *The soldiers were quartered in an old house near the fort.* Alojaron a los soldados en una casa vieja cerca del fuerte. Oquarters morada, vivienda *His quarters are near the camp.* Su vivienda está cerca del campamento.

quarterly trimestral.

quash sofocar, reprimir, aplastar.

queen reina.

queer extraño, raro.

quench apagar, extinguir, mitigar.

question [n] pregunta *They asked a lot of questions.* Hicieron muchas preguntas. ▲cuestión *It is a question of knowing what to do.* Es cuestión de saber lo que hay que hacer. •[v] dudar *I question the sincerity of what he says.* Dudo de la sinceridad de lo que dice. Obeyond question indudable, fuera de duda *His honesty is beyond all question.* Su honradez está fuera de toda duda. Oquestioning interrogatorio *The questioning is going on now.* El interrogatorio se está efectuando ahora. Oto be beside the question no venir al caso, estar fuera del tema *What you say is beside the question.* Lo que Ud. dice no viene al caso. Oto be out of the question no haber que pensar en, ser inadmisible *To take a vacation is out of the question.* No hay posibilidad alguna de tomar vacaciones. Owithout question indiscutiblemente *He'll be there tomorrow without question.* Indiscutiblemente estará mañana allí. ||*It is entirely out of the question.* Es del todo imposible.

quick [adj] rápido *He is a man of quick decisions.* Es un hombre de decisiones rápidas.—*His answer was quick and to the point.* Su respuesta fue rápida y precisa. •[adv] pronto *I'll be there as quick as I can.* Estaré allí lo más pronto que pueda.

quickly rápidamente.

quiet [n] tranquilidad *I'm looking for peace and quiet.* Busco paz y tranquilidad. •[adj] quieto, tranquilo *I live in a quiet neighborhood.* Vivo en un barrio muy tranquilo. ▲silencioso, callado *He is so quiet you never know he is around.* El es tan callado que nunca se sabe que está por aquí. •[v] aquietar, calmar *His speech quieted the crowd.* Su discurso calmó a la multitud. Oto keep or be quiet callarse, no hacer ruido. Oto quiet down calmarse *After a while the baby quieted down.* Después de un rato, el bebé se calmó. ||*Quiet, please!* ¡Silencio, por favor!

quilt edredón.

quinine quinina.

quit dejar de *Quit bothering the dog.* Deje de molestar al perro. ▲renunciar a, dejar *He quit his job yesterday.* Ayer dejó su empleo.

quite completamente *Are you quite sure that you can go?* ¿Está Ud. completamente seguro de que puede ir? ▲exactamente, realmente *That is not quite what I wanted.*

Eso no es exactamente lo que quería. ▲realmente *The news was quite a surprise to us.* La noticia fue realmente una sorpresa para nosotros.

quiver [v] temblar.

quiz [n] examen. •[v] examinar, interrogar.

quote citar *She is always quoting poetry.* Siempre está citando versos. ▲cotizar *I cannot quote prices on these articles.* No le puedo cotizar precios en estos artículos. ▲mencionar o citar el nombre de uno *You can quote us all as being in favor of the plan.* Puede Ud. mencionar nuestros nombres a favor del plan.

R

rabbit conejo, coneja.

race [n] carrera *The races will be held next week.* Las carreras se celebrarán la semana próxima.—*It was a race to get to the station on time.* Hubo que ir a la carrera para llegar a la estación a tiempo. ▲regata *Which boat won the race?* ¿Qué barco ganó la regata? ▲raza *People from different races live in the United States.* Personas de diferentes razas viven en los Estados Unidos. •[v] echar una carrera *Let's race to the barn.* Vamos a echar una carrera hasta el granero.

rack rejilla, percha *Put your baggage up on the rack.* Ponga su equipaje en la percha. Oto rack one's brains devanarse los sesos.

racket bulla, estruendo (*noise*); raqueta (*tennis*).

radar [n] radar.

radiant radiante.

radiator radiador.

radio [n] la radio [Sp], el radio [Am] *Will he speak over the radio?* ¿Hablará por la radio? •[v] radiar, transmitir *The news was radioed to us.* Nos han transmitido la noticia. Oradio set aparato de radio *The radio set will come tomorrow.* Llegará mañana el aparato de radio.

radish rábano.

rag trapo. Oin rags en harapos.

rage rabia, ira.

rail baranda *Hold on to the rail.* Agárrese a la baranda. ▲riel *The train had to stop because one of the rails was damaged.* El tren tuvo que detenerse porque uno de los rieles estaba dañado. Oby rail por ferrocarril.

railing baranda.

railroad ferrocarril Orailroad track rieles, vía *Don't walk on the railroad track.* No camine por los rieles.

rain [n] lluvia *The rains started late this year.* Este año las lluvias han llegado tarde. •[v] llover *It rained hard this morning.* Llovió mucho esta mañana.

rainbow arco iris.

raincoat impermeable.

rainstorm aguacero.

rainy lluvioso.

raise [n] aumento *He asked for a raise in pay.* Pidió un aumento de sueldo. ▲criar *They raised a big family.* Criaron muchos hijos. ▲cultivar (*vegetable products*); criar (*animals*) *This farmer raises wheat and hogs.* Este campesino cultiva el trigo y cría puercos. ▲recoger, recaudar *How large a sum did they raise?* ¿Cuánto dinero

recogieron? ▲reclutar *The country raised a large army.* El país reclutó un gran ejército. ▲subir *He has raised prices since we were here.* Ha subido los precios desde que estuvimos aquí la última vez. ▲izar *The students raised the flag.* Los estudiantes izaron la bandera. ▲quitarse *When she came by he raised his hat.* Cuando ella se acercó él se quitó el sombrero. •[v] levantar *If you want a ticket, please raise your hand.* El que quiera un boleto que levante la mano.

raisin pasa.

rake [n] rastrillo. •[v] rastrillar.

rally [n] reunión, mitin. •[v] reunir *The captain rallied his scattered troops.* El capitán reunió sus tropas dispersas.—*The government is rallying all its energies to conquer the epidemic.* El gobierno está reuniendo todas sus fuerzas para conquistar la epidemia. ▲rehacerse, reponerse *The invalid rallied after his operation.* El enfermo se repuso después de la operación.

ranch hacienda.

range [n] escala *What is his range of prices?* ¿Cuál es su escala de precios? ▲pastos *They drove the horses out to the range.* Sacaron los caballos a los pastos. ▲cocina *Light the range.* Encienda la cocina. •[v] ir *Prices range from one to five dollars.* Los precios van desde uno a cinco dólares. Orange of mountains cordillera, cadena de montañas. Orifle range tiro al blanco. Oto be within range estar a tiro *Wait till the deer is within range.* Espere a que el venado esté en línea de tiro. ‖*Are we out of range of hearing?* ¿Estamos bastante lejos para que no nos oigan?

rank [n] fila *Only the first rank had guns.* Solamente la primera fila tenía fusiles. ▲grado *He has the rank of captain.* Tiene el grado de capitán. Orank and file tropa *This order is for the rank and file.* Esta orden es para la tropa.

rap [n] golpe. •[v] golpear.

rapid rápido *He made a rapid journey.* Hizo un viaje rápido. Orapids rápidos del río *The rapids are stronger this year than last.* Los rápidos del río son más fuertes este año que el pasado.

rapidly rápidamente.

rare raro. Orare meat carne medio cruda.

rash [n] erupción (*skin*).

rash [adj] imprudente (*reckless*).

raspberry frambuesa.

rat rata.

rate [n] velocidad *This car can go at the rate of ninety miles per hour.* Este automóvil puede ir a una velocidad de noventa millas por hora. ▲tarifa *The postage rate is thirty two cents per ounce.* La tarifa postal es de treinta y dos centavos por onza. •[v] merecer *He rates a reward for that.* Merece un premio por eso. Oat any rate en todo caso *He arrived today; at any rate his baggage is here.* Llegó hoy; en todo caso aquí está su equipaje. Oat the rate of a razón de *You can pay the bill at the rate of five dollars a week.* Ud. puede pagar la cuenta a razón de cinco dólares por semana. Oat this (that) rate a este paso. Ofirst-rate de primera *This book is definitely first-rate.* Sin duda es un libro de primera.

rather un poco, algo *It is rather cold on deck.* Hace un poco de frío sobre cubierta.

▲más bien, mejor dicho *He was running or, rather, walking fast.* Iba corriendo o, mejor dicho, andando de prisa.

rattle [*n*] sonajero *Give the baby his rattle.* Dale el sonajero al niño. •[*v*] batir *The window rattled all night.* La ventana estuvo batiendo toda la noche.

rave delirar *He raved like a madman.* Deliraba como un loco. Oto **rave about** comentar con admiración *Everyone raved about my gown.* Todos comentaron mi traje con admiración.

raw crudo *This meat is nearly raw.* Esta carne está casi cruda. ▲en rama *The ship is carrying raw cotton.* El barco lleva algodón en rama. ▲novato, bisoño *He had only raw soldiers to use for the work.* No tenía más que soldados bisoños para el trabajo. ▲desapacible *There is a raw wind today.* Hoy hace un viento muy desapacible. ▲despellejado *Her face is raw because of the wind.* Tiene la cara despellejada por el viento. O**raw material** materia prima *The raw materials must be shipped in.* Las materias primas tienen que ser importadas.

ray rayo.

rayon rayón, seda artificial.

razor navaja de afeitar. O**razor blade** hoja de afeitar, navajilla.

reach alcanzar *Can you reach the sugar?* ¿Puede Ud. alcanzar el azúcar? ▲llegar hasta *Her gown reaches the floor.* El traje le llega hasta el suelo. ▲llegar *Tell me when we reach the city.* Avíseme cuando lleguemos a la ciudad. O**within one's reach** al alcance de uno; dentro del poder de uno *Solving the problem is not within his reach.* La solución al problema no está a su alcance. O**out of reach** fuera del alcance *The job he wanted was out of his reach.* El puesto que quería estaba fuera de su alcance.

react reaccionar.

reaction reacción.

read leer *Please read the instructions.* Haga el favor de leer las instrucciones.— *Please read it to me.* Haga el favor de leérmelo.

reader lector (*person*); libro de lectura (*book*).

ready preparado *When will dinner be ready?* ¿Cuándo estará preparada la comida? ▲listo, preparado *I'll be ready in ten minutes.* Estaré listo dentro de diez minutos. ▲dispuesto *I am ready to go anywhere I am sent.* Estoy dispuesto a ir a donde me manden. O**ready-made** hecho *I bought a ready-made suit.* Compré un traje hecho.

real verdadero *Is this real marble or imitation?* ¿Es mármol o imitación?—*What was his real reason?* ¿Cuál era la razón verdadera que tenía? ▲real *That never happens in real life.* Eso nunca sucede en la vida real. O**real estate** bienes raíces, inmuebles.

reality realidad.

realize darse cuenta de, comprender *I did not realize that you were interested in that.* No me di cuenta de que Ud. estaba interesado en eso. ▲realizar *He has never realized his desire to own a house.* Nunca ha realizado su deseo de tener casa propia. ▲ganar, obtener *She has realized a profit.* Ha obtenido ganancias.

really verdaderamente, en realidad. *He is really younger than he looks.* En realidad es más joven de lo que parece.

rear [*n*] parte de atrás, parte de detrás *Please move to the rear of the bus.* Por favor, pasen a la parte de atrás del autobús. •[*adj*] de atrás *You'll have to use the rear door while the house is being painted.* Tendrá que usar la puerta de atrás mientras pintan la casa. •[*v*] criar *I was born and reared on a farm.* Nací y me crié en una granja.

reason [*n*] razón *I can't figure out why he did it.* No me explico por qué razón lo hizo.—*He was stubborn, but we brought him to reason.* Estaba testarudo pero le hicimos entrar en razón. ▲motivo *I have reason to think that we will never see him again.* Tengo motivos para pensar que nunca volveremos a verle. •[*v*] razonar *The child cannot reason.* El niño no puede razonar. ▲discutir *We reasoned with her until she changed her mind.* Discutimos con ella hasta que cambió de modo de pensar. O**to lose one's reason** perder la razón *If this goes on, I'll lose my reason.* Si sigue esto, voy a perder la razón. O**to reason out** resolver *I tried to reason it out.* Traté de resolverlo. O**to stand to reason** ser lógico. ||*Please listen to reason.* Sea razonable.

reasonable razonable, justo.

rebel [*n*] rebelde *He was always a rebel.* Siempre fue rebelde.

rebel [*v*] rebelarse *Didn't anyone rebel against his decision?* ¿No se rebeló nadie contra su decisión?

recall recordar *Your face is familiar, but I can't recall your name.* Su cara me es familiar, pero no puedo recordar su nombre. ▲retirar *The ambassador was recalled.* Retiraron al embajador.

receipt [*n*] recibo *Be sure to get a receipt when you deliver the package.* No olvide de pedir un recibo cuando entregue el paquete. •[*v*] poner el recibí *Please receipt this bill.* Haga Ud. el favor de poner el recibí en esta cuenta. O**receipts** ingresos, entradas *Our receipts will just pay for our expenses.* Los ingresos cubren exactamente nuestros gastos.

receive recibir *Have you received the letter?* ¿Ha recibido Ud. la carta?—*The speech was well received by the audience.* El discurso fue bien recibido por la audiencia.

receiver receptor.

recent reciente.

reception recibimiento (*greeting*); recepción (*party*).

recess recreo (*rest*); nicho.

recipe receta.

recite recitar.

reckless imprudente, temerario.

reckon creer *I reckon I'll go to supper now.* Creo que voy a cenar ahora. O**reckon with** contar con *They didn't reckon with their father's opposition.* No contaron con la oposición de su padre.

recognize reconocer *I recognize him by his voice.* Le reconozco por la voz.—*Have they recognized the new government?* ¿Han reconocido el nuevo gobierno? ▲dar la palabra *Wait till the chairman recognizes you.* Espere hasta que el presidente le dé la palabra. ▲percibir, reconocer *No one*

recognized his genius while he was alive.
Ninguno reconoció su talento mientras
vivió.

recommend recomendar *Can you recommend a good restaurant?* ¿Puede recomendarme un buen restaurante?

recommendation recomendación.

reconcile reconciliar *Were they reconciled after their quarrel?* ¿Se han reconciliado después de la pelea? **Oto become reconciled** resignarse *Has he become reconciled to his misfortune.* ¿Se ha resignado con su suerte?

record [n] registro *They looked for his name in the church records.* Buscaron su nombre en los registros de la iglesia. ▲récord, marca *He broke all speed records.* Batió todos los récords de velocidad. ▲disco *Do you have many jazz records?* ¿Tiene Ud. muchos discos de jazz? ▲antecedentes *He has a criminal record.* Tiene antecedentes penales. •[adj] extraordinario *We had a record crop this year.* Hemos tenido una cosecha extraordinaria este año. **Oon record** registrado *This is the worst earthquake on record.* Este es el terremoto más fuerte que se ha registrado.

record [v] llevar el registro *Where do they record births?* ¿Dónde llevan el registro de los nacimientos? ▲grabar *What company records your songs?* ¿Qué compañía graba sus canciones?

recover restablecerse *How long did it take you to recover from your operation?* ¿Cuánto tiempo tardó Ud. en restablecerse de la operación? ▲recobrar *I recovered my watch within a week.* Recobré mi reloj en menos de una semana.

recreation recreo.

recruit [n] recluta. •[v] reclutar.

red rojo.

Red Cross Cruz Roja.

redeem salvar *Generosity is his only redeeming feature.* La generosidad es la única cualidad que le salva. ▲recuperar *Did you redeem your watch?* ¿Ha recuperado el reloj?

red tape papeleo burocrático.

reduce reducir *They're selling out all their stock at reduced prices.* Están vendiendo las existencias a precios reducidos. ▲adelgazar *I am on a reducing diet.* Sigo un régimen para adelgazar. **Oto be reduced to** verse obligado a *They were reduced to begging.* Se vieron obligados a pedir limosna.

reduction reducción.

refer referirse *This law refers only to foreigners.* Esta ley se refiere sólo a los extranjeros. **Oto refer to** hablar de *I won't have you refer to my friend that way.* No quiero que hable Ud. de mi amigo de esa manera.

reference referencia.

refine refinar.

reflect [v] reflejar, reflexionar.

reform [n] reforma *The mayor has made many reforms.* El alcalde ha hecho muchas reformas. •[v] corregir, reformar *Don't try to reform him.* No trate de corregirle. **Oreform school** reformatorio *These boys should be sent to a reform school.* Habría que mandar a estos muchachos a un reformatorio.

refrain [n] estribillo. •[v] reprimir. ▲evitar *They have to refrain from making so much noise.* Tienen que evitar hacer tanto ruido.

refresh refrescar.

refreshment refresco.

refrigerator refrigerador, refrigeradora, nevera.

refuge refugio.

refugee refugiado.

refund [n] reembolso, reintegro. •[v] reembolsar, devolver.

refuse [n] basura, desecho. •[v] rechazar, no querer aceptar *I offered him a drink, but he refused it.* Le ofrecí un trago, pero no quiso aceptarlo. ▲negarse a *The committee refused to accept his resignation.* La junta se negó a aceptar su dimisión. ▲rechazar, decir que no *She has refused him again.* Le ha dicho que no otra vez.

regard [n] consideración, respeto *Show some regard for your parents.* Tenga Ud. consideración con sus padres. •[v] considerar *He is regarded as a great pianist.* Es considerado como un gran pianista. **Oregarding** acerca de. **Oregards** memorias, recuerdos *Send my regards to your mother.* Envíele recuerdos de mi parte a su madre. **Owith regard to, in regard to** con respecto a.

regardless sin tener en cuenta, sin hacer caso.

region región.

register [n] registro *Write your name in the register.* Escriba su nombre en el registro. •[v] certificar *He got a registered letter.* Ha recibido una carta certificada. ▲matricularse *Have you registered for the course yet?* ¿Se ha matriculado ya en ese curso? ▲registrar, inscribir *They're registered in the hotel.* Están registrados en el hotel. **Ocash register** caja registradora.

regret [n] pena *He was tormented by regret.* Estaba atormentado por la pena. •[v] sentir *I've always regretted not having traveled.* Siempre he sentido no haber viajado. **Oto send regrets** excusarse *Everyone sent their regrets.* Todos se excusaron.

regular regular, corriente *This is the regular procedure.* Este es el procedimiento corriente. ▲metódico *He lives a very regular life.* Lleva una vida muy metódica. ▲regular *Is there regular bus service to town?* ¿Hay un servicio regular de autobuses a la ciudad?

regularly con regularidad.

regulate regular.

regulation regla, reglamento.

rehearsal ensayo.

rehearse ensayar.

reign [n] reinado. •[v] reinar.

rein rienda, refrenamiento, moderación.

reject [v] rechazar.

rejoice gozar, regocijarse.

relate relatar, contar *Can you relate some of your adventures?* ¿Puede Ud. contar algunas de sus aventuras? **Oto be related to** con relación a, con respecto a *You must judge his work in relation to the circumstances.* Hay que juzgar su trabajo con relación a las circunstancias.

relative [n] pariente *They are close relatives.* Son parientes cercanos. •[adj]

relativo *Everything in life is relative.* Todo es relativo en la vida. ᴼto be **relative to** depender de *The merits of this proposal are relative to particular conditions.* Las ventajas de esta propuesta dependen de condiciones especiales.

relax descansar, relajar, aflojar.

relay [n] relevo. •[v] retransmitir, enviar.

release [v] soltar *Release the brake.* Suelte el freno. ▲relevar *You're released from your promise.* Queda relevado de su promesa.

relegate relegar, desterrar.

reliable seguro, digno de confianza, confiable.

relic reliquia.

relief alivio *Did you get any relief from the medicine I gave you?* ¿Ha notado Ud. alivio con la medicina que le di? ▲descanso *I'll finish the work while you take your relief.* Terminaré el trabajo mientras Ud. se toma un descanso. ▲socorros *Relief has been sent to the flooded villages.* Han enviado socorros a los pueblos inundados.

relieve aliviar *Can you give me something to relieve this headache?* ¿Me puede dar algo que me alivie este dolor de cabeza? ▲sustituir *Will you relieve me for a few minutes?* ¿Quiere sustituirme unos minutos? ▲disminuir *What can we do to relieve the monotony?* ¿Qué podemos hacer para disminuir la monotonía?

religion religión.

religious religioso.

rely ᴼto **rely on** depender de, contar con *I'd hate to rely on him for anything I want done in a hurry.* Me molestaría tener que depender de él para algo que se tenga que hacer con prisa.

remain quedar *Will he remain in school another year?* ¿Se quedará en la escuela otro año? *o* ¿Se quedará en la escuela un año más? ▲quedar, faltar *Nothing else remains to be done.* No queda nada más por hacer.

remainder resto.

remains restos, sobras *Clear away the remains of dinner.* Quite los restos de la cena. ▲restos *Where did they bury his remains?* ¿Dónde han enterrado sus restos?

remark [n] observación *That was an unkind remark.* Esa ha sido una observación desagradable. •[v] hacer comentarios *He remarked on her appearance.* Hizo comentarios sobre su aspecto.

remarkable notable.

remedy [n] remedio *Try this remedy for your cough.* Pruebe esté remedio para la tos. •[v] remediar *Complaining won't remedy the situation.* Las quejas no remediarán la situación.

remember acordarse de *Do you remember when he said that?* ¿Se acuerda Ud. de cuando dijo eso? —*Remember to turn off the lights.* Acuérdese de apagar las luces. ▲recordar *I can't remember his name.* No puedo recordar su nombre. ▲tener presente, incluir *I'll remember you in my will.* Le tendré presente en mi testamento. ▲dar recuerdos *Remember me to your mother.* Déle recuerdos de mi parte a su madre.

remembrance recuerdo.

remind recordar *She reminds me of my mother.* Me recuerda a mi madre.—*If you*

don't remind me, I'll forget. Si Ud. no me lo recuerda, se me olvidará.

remit remitir.

remnant retazo *I bought a silk remnant for a blouse.* He comprado un retazo de seda para una blusa.

remorse remordimiento.

remote remoto.

remove quitar *Remove the lamp from the table.* Quite la lámpara de la mesa. ▲quitarse *Please remove your hats.* Hagan el favor de quitarse los sombreros. ▲extirpar *They operated on him to remove a growth.* Le hicieron una operación para extirparle un tumor. ▲suprimir *Try to remove the cause of the disease.* Procuren suprimir la causa de la enfermedad.

render dejar, volver *The shock rendered him speechless.* La impresión le dejó mudo. ▲prestar *For services rendered, ten dollars.* Por servicios prestados, diez dólares. ᴼto **render assistance** prestar ayuda *You have rendered invaluable assistance.* Ha prestado Ud. una ayuda inestimable.

renew renovar, reanudar.

rent [n] alquiler *How much rent do you pay for the apartment?* ¿Cuánto paga de alquiler por su piso? •[v] alquilar *He rented a house for the summer.* Alquiló una casa durante el verano.—*He rents boats to tourists.* Alquila barcas a los turistas.

repair [n] reparación *A complete repair job will take ten days.* Se tardarán diez días en hacer todas las reparaciones. •[v] arreglar *Can you repair my shoes in a hurry?* ¿Puede Ud. arreglarme los zapatos en seguida?

repairman reparador, restaurador.

repeal [v] derogar, revocar, rescindir.

repeat repetir *He repeated what he had just said.* Repitió lo que acababa de decir.—*Repeat this after me.* Repita Ud. lo que yo diga. ▲volver a representar *The play will be repeated next week.* Volverán a representar la comedia la semana que viene.

repel repeler, rechazar.

repent arrepentirse.

repetition repetición.

replace reemplazar *We haven't been able to get anyone to replace her.* No hemos encontrado a nadie que la reemplace. ▲volver a colocar *Replace those books on the shelf when you're done with them.* Vuelva a colocar esos libros en el estante cuando termine de usarlos.

reply [n] respuesta *What can you say in reply to this?* ¿Qué respuesta puede Ud. dar a esto? •[v] contestar *He replied that they would be glad to go.* Contestó que tendrían mucho gusto en ir. ▲responder *I refuse to reply to these charges.* Me niego a responder a estas acusaciones.

report [n] informe *He gave the report in person.* Dio un informe en persona. ▲rumor *I've heard a report that you're leaving.* He oído un rumor de que Ud. se va. ▲estampido, escopetazo *The gun went off with a loud report.* Al dispararse la escopeta dio un estampido muy fuerte. •[v] hacer un informe, informar *I will report on this matter tomorrow.* Mañana haré un informe sobre este asunto. ▲dar cuenta de *He reported that everything was in order.* Dio cuenta de que todo estaba como debía. ▲decir *It is reported that you're wasting money.* Se dice que Ud. malgasta el dinero. ▲hacer un reportaje *He reported the fire for his paper.* Hizo un reportaje sobre el incendio para el periódico. ▲denunciar *They reported him to the police.* Le denunciaron a la policía.

reporter repórter, reportero.

repose [n] reposo, calma, quietud. •[v] reposar.

represent representar *He has represented us in Congress for years.* Nos ha representado en el Congreso durante muchos años.

representative diputado, [Am] representante *Who is the representative from your district?* ¿Quién es el diputado de su distrito? ▲típico *This sketch is representative of his style.* Este dibujo es típico de su estilo.

reproach [n] reproche *They met him with tears and reproaches.* Le recibieron con lágrimas y reproches. •[v] reprochar *My mother is always reproaching me for my extravagance.* Mi madre siempre me reprocha por mi extravagancia.

reproduce reproducir.

republic república.

reputation reputación, fama.

request [n] petición *Please file a written request.* Haga el favor de presentar una petición escrita.—*I'm writing you at the request of a friend.* Le escribo a Ud. a petición de un amigo. •[v] pedir *He requested us to take care of his child.* Nos pidió que cuidásemos de su hijo.

require requerir *You are required by law to appear in person.* La ley requiere que se presente en persona. ▲necesitar *How much do you require?* ¿Cuánto necesita Ud?

requirement exigencia, necesidad *He doesn't give her enough money to meet all her requirements.* No le da bastante dinero para satisfacer todas sus necesidades. ▲requisito, condición *Our college won't admit him until he meets all the requirements.* No será admitido en nuestra universidad hasta que llene todos los requisitos.

research investigación.

resemble parecerse (a).

reservation reserva *I accept your suggestion without reservation.* Acepto su sugestión sin reservas. ‖*We phoned ahead to the hotel for reservations.* Llamamos al hotel con anticipación para reservar habitaciones.

reserve [n] reserva *We'll have to fall back on our reserves.* Tendremos que recurrir a nuestras reservas.—*You're among friends, so you can speak without reserve.* Está Ud. entre amigos, puede hablar sin reserva. •[v] reservar *Is this seat reserved?* ¿Está reservado este asiento? ᴼreserved reservado *I found him very reserved.* Me pareció muy reservado.

reservoir represa.

reside residir.

residence residencia, domicilio.

resign dimitir, renunciar *He resigned because they refused to give him a raise.* Dimitió porque no le quisieron aumentar el sueldo. ▲resignar *I'll have to resign myself to being alone while you're away.* Me tendré que resignar a estar solo mientras estés fuera.

resignation dimisión, renuncia *We heard that he was going to hand in his resignation.* Hemos oído que va a presentar su dimisión. ▲resignación *He accepted the loss of his property with resignation.* Aceptó la pérdida de sus bienes con resignación.

resist resistir.

resistance resistencia.

resolute resuelto.

resolution resolución.

resolve [v] resolver.

resort [n] lugar (de veraneo) *This resort has a fine beach for the children.* Este lugar tiene una playa estupenda para los niños. ▲recurso *As a last resort he tried to bribe them.* Como último recurso trató de sobornarlos. ᴼto resort to recurrir a *We'll have to resort to force if he won't come quietly.* Tendremos que recurrir a la fuerza si no quiere venir por las buenas.

resound resonar.

resource recurso.

respect [n] respeto *He has the respect of everyone he works with.* Tiene el respeto de todos los que trabajan con él. •[v] respetar *I respect your opinion.* Respetó su opinión.—*They should respect our rights.* Deben respetar nuestros derechos. ᴼin many respects en muchos puntos *In many respects, I agree with you.* En muchos puntos estoy de acuerdo con Ud. ᴼin what respect desde qué punto de vista *In what respect is this true?* ¿Desde qué punto de vista es esto verdad?

respectable respetable.

respectful respetuoso.

respectfully respetuosamente.

respective respectivo.

respond responder.

response respuesta, contestación.

responsibility responsabilidad.

responsible responsable *He was declared not responsible for his acts.* Se le ha declarado no responsable de sus acciones. ▲de responsabilidad *It is a most responsible position.* Es un puesto de mucha responsabilidad. ▲de fiar *I consider him a thoroughly responsible individual.* Le tengo por una persona muy de fiar. ᴼresponsible for causa de *His strategy was responsible for the victory.* Su estrategia fue causa de la victoria.

rest [n] descanso *A little rest would do you a lot of good.* Un poco de descanso se sentará muy bien. •[v] descansar *Rest awhile.* Descanse un rato.—*Let the matter rest.* Deje descansar el asunto. ▲dejar descansar *Rest your eyes for a few days.* Deje descansar la vista por unos días. ▲apoyar *She rested her head on the pillow.* Apoyó la cabeza en la almohada. ▲apoyarse *The ladder is resting against the house.* La escalera está apoyada contra la casa.—*This argument rests on insufficient evidence.* No hay suficientes pruebas para apoyar su argumento. ▲estar *Rest assured that I will take care of it.* Puede estar seguro de que yo me ocuparé de todo. ᴼ(as) for the rest por lo demás *For the rest, I'm satisfied with the present situation.* Por lo demás, estoy satisfecho con esta situación. ᴼat rest parado *Wait till the pointer is at rest.* Espere hasta que el indicador esté parado.

R

restaurant restaurante *Where is a good cheap restaurant?* ¿Dónde hay un restaurante bueno y barato?

restless inquieto, impaciente.

restore restaurar, restablecer.

restrain refrenar, contener *I had to restrain myself from insulting him.* Me tuve que contener para no insultarle.

restrict restringir *My parents restricted me too much when I was young.* Mis padres me restringieron mucho cuando era muchacho.

result [n] resultado *The results were very satisfactory.* Los resultados fueron muy satisfactorios. •[v] terminar *The elections resulted in victory for the opposition.* Las elecciones resultaron victoriosas para la oposición.

retail al por menor, al detalle.

retain retener.

retire retirarse.

retreat [n] retiro. •[v] retirarse, retroceder.

return [n] vuelta, regreso *I'll take the matter up on my return.* Trataré el asunto a mi regreso. ▲provecho, ganancia *How much of a return did you get on your investment?* ¿Qué ganancia obtuvo Ud. de su inversión? •[adj] de vuelta *I didn't use the return half of the ticket.* No usé el boleto de vuelta. •[v] devolver *Will you return it when you are through?* ¿Lo devolverá cuando haya terminado? ▲reelegir *He has been returned to Congress several times.* Ha sido reelegido varias veces miembro del congreso. ▲regresar, volver *When did he return home?* ¿Cuándo volvió a su casa? ○by **return mail** a vuelta de correo *Try to answer these letters by return mail.* Procure contestar estas cartas a vuelta de correo. ○**returns** resultados *Have the election returns come in yet?* ¿Han llegado ya los resultados de las elecciones.

reveal revelar, dar a conocer.

revelation revelación.

revenge vengaza.

revenue rentas públicas, ingreso.

reverence reverencia, veneración.

reverse [n] lo contrario, lo opuesto *What he does is always the reverse of what he says.* Lo que hace es siempre lo contrario de lo que dice. ▲respaldo, dorso *The explanation continues on the reverse side of the page.* La explicación continúa al dorso de la página. [v] revocar *Do you think the judge will reverse his decision?* ¿Cree Ud. que el juez revocará su decisión? ▲dar vuelta *We reversed our seat in the train so we could stretch our feet.* Dimos vuelta a nuestro asiento en el tren para poder estirar las piernas. ○**reverses** contratiempos, reveses *Our business met with reverses this year.* Hemos tenido muchos reveses en los negocios este año. ○**to put (a car) in reverse** dar marcha atrás.

review [n] repaso *I hope we have a review in history.* Ojalá tengamos un repaso en historia. ▲revista *Today there will be a review of the troops.* Hoy pasarán revista a las tropas.—*Let's get tickets for the review.* Vamos a comprar boletos para la revista. •[v] reseñar *Who is reviewing the book for the paper?* ¿Quién reseñará el libro para el periódico? ▲repasar *We reviewed our class notes for the test.* Repasamos nuestros apuntes para el examen.

revise revisar.

revive hacer volver en sí, reanimar *The doctor is trying to revive the lady who fainted.* El doctor trata de hacer volver en sí a la señora que se desmayó. ▲restablecer *The president helped revive business.* El presidente ayudó a restablecer los negocios.

revolt [n] sublevación, rebelión. •[v] sublevarse.

revolution revolución.

revolve girar, dar vueltas. ○**revolving door** puerta giratoria *We went through the revolving door.* Pasamos por la puerta giratoria.

revolver revólver.

reward hacer gratificación *You may get it back if you offer a reward.* Puede que se lo devuelvan si ofrece una gratificación. ▲recompensa *You deserve a reward for all your hard work.* Merece Ud. una recompensa por haber trabajado tanto. •[v] premiar, recompensar *He was rewarded with a promotion.* Le recompensaron con un ascenso.

rheumatism reumatismo.

rhyme [n] rima. ○**without rhyme or reason** sin ton ni son. •[v] rimar.

rhythm ritmo.

rib costilla.

ribbon cinta *I bought a yard of white ribbon.* Compré una yarda de cinta blanca.

rice arroz *Please give me a pound of rice.* Haga el favor de darme una libra de arroz.

rich rico *He was adopted by a very rich family.* Una familia riquísima le adoptó. ▲fuerte *I have to be careful about rich foods.* Tengo que tener cuidado con las comidas fuertes. ▲fértil, bueno *This is very rich wheat land.* Son unos campos de trigo muy buenos.

riches riqueza, bienes, opulencia.

rid librar, eliminar *If you'd keep the door closed we could rid the house of these flies.* Si mantuviera la puerta cerrada, podríamos evitar que entraran las moscas en la casa. ○**to get rid of** quitarse *Rest is what you need to get rid of that cold.* Ud. necesita descanso para quitarse ese catarro. ▲librarse de *Can't you get rid of the nuisance?* ¿No se puede Ud. librar de ese estorbo?

riddle acertijo.

ride [n] paseo *We went for a ride in his car.* Dimos un paseo en su auto. ▲viaje *It is a short bus ride.* Es un viaje corto en autobús. •[v] montar, andar *Do you know how to ride a bike?* ¿Sabe montar en bicicleta? ▲pasear, ir *We rode in a beautiful car.* Fuimos de paseo en un auto espléndido. ▲molestar *Oh, stop riding me.* Oh, deje de molestarme.

rider jinete.

ridicule [n] burla *They greeted his suggestion with ridicule.* Recibieron su sugerencia con burlas. •[v] ridiculizar, poner en ridículo.

ridiculous ridículo.

rifle rifle.

right [n] el bien *You seem to have no idea of right and wrong.* Parece que Ud. no distingue el bien del mal. ▲derecho *I have a right to go if I want to.* Tengo derecho a ir si quiero. •[adj] correcto *This is the right answer.* Esta es la respuesta correcta. ▲bueno *We'll leave tomorrow if the weather is right.* Nos iremos mañana si el tiempo está bueno. ▲derecho *He wears a ring on his right hand.* Lleva un anillo en la mano derecha. •[adv] bien *Do it right or not at all.* Hágalo bien o no lo haga. ▲mismo *The book is right there on the shelf.* El libro está ahí mismo en el estante. ▲all right bien *He does his work all right.* Hace su trabajo bien.—*Everything will turn out all right.* Todo saldrá bien. ▲está bien, bueno *All right, I'll do it if you want me to.* Bueno, lo haré si Ud. quiere. ○in ... right mind en sus cabales *You're not in your right mind.* No está Ud. en sus cabales. ○on the right de la derecha *Take the road on the right.* Tome el camino de la derecha. ○right angle ángulo recto. ○right away ahora mismo *Let's go right away or we'll be late.* Vamos ahora mismo, si no llegaremos tarde. ○right now en este momento *I'm busy right now.* En este momento estoy ocupado. ○right side el derecho *Which is the right side of this material?* ¿Cuál es el derecho de esta tela? ○to be right tener razón *He is right about everything.* Tiene razón en todo. ○to right a wrong corregir un abuso. ||*Go right ahead.* Siga Ud. |||*I'll be right there.* Ahora mismo voy.

rigid rígido.

rind corteza.

ring [n] anillo *This ring is too small even for my little finger.* Este anillo me está pequeño hasta en el dedo meñique. ▲círculo *They formed a ring around the speaker.* Se colocaron en círculo alrededor del orador. ▲ring, cuadrilátero *We had seats near the ring.* Estábamos sentados cerca del ring. ▲boxeo *He has just retired from the ring.* Acaba de retirarse del boxeo.

ring [n] timbre *His voice has a familiar ring.* Su voz tiene un timbre familiar. •[v] sonar *The phone rang.* Sonó el teléfono. ▲tocar *Ring the bell.* Toque el timbre. ▲resonar *The hall rang with applause.* Los aplausos resonaron en el salón. ▲parecer *His offer rings true.* Su propuesta parece sincera. ○to give a ring llamar por teléfono *Give me a ring tomorrow.* Llámeme mañana. ○to ring out sonar *Two shots rang out.* Sonaron dos tiros. ○to ring up llamar por teléfono *Ring him up some night next week.* Llámele una noche de la semana próxima.

rinse enjuagar.

riot [n] tumulto, motín *He was injured in the riot.* Le hirieron en el motín. •[v] amotinarse *The people rioted in the streets.* La gente se amotinó en las calles. ||*That movie is a riot.* Esa película es divertidísima.

rip [n] rasgón *You have a rip in your sleeve.* Tiene Ud. un rasgón en la manga. •[v] rasgar *I ripped my pants climbing the fence.* Me rasgué el pantalón al saltar la cerca. ▲descoser *Rip the hem and I'll shorten the skirt for you.* Descosa el dobladillo y le acortaré la falda.

ripe maduro *The strawberries should be ripe in another week or two.* Las fresas estarán maduras dentro de una o dos semanas. ||*He lived to a ripe old age.* Vivió hasta una edad muy avanzada.

ripple [n] rizo, onda. •[v] rizar, ondear.

rise [n] alza *The people protested against the rise in prices.* La gente protestó por el alza de los precios. ▲elevación del terreno, altura *The house is on a little rise.* La casa está situada en una pequeña elevación del terreno. •[v] crecer *The river is rising fast.* El río está creciendo rápidamente. ▲levantarse *When will the curtain rise?* ¿A qué hora levantarán el telón? ▲ponerse de pie *The men all rose as we came in.* Los hombres se pusieron de pie cuando entramos. ▲subir *Prices are still rising.* Los precios siguen subiendo. ▲ascender *He rose to an important post.* Ascendió a un puesto importante. ▲salir *The sun rises early at this time of year.* El sol sale temprano en esta época del año. ○to give rise to dar origen a, originar *The rumor gave rise to a lot of unnecessary worry.* El rumor originó muchas preocupaciones innecesarias. ○to rise to the occasion hacer frente a, estar a la altura de *You can depend on her to rise to the occasion.* Puede Ud. confiar en que ella sabrá hacer frente a las circunstancias.

risk [n] riesgo. •[v] arriesgarse.

rite rito.

rival [n] rival. •[v] competir *Her beauty rivaled that of the queen's.* Su hermosura competía con la de la reina.

river río.

rivet [n] remache. •[v] remachar. ○to rivet the attention on fijar la atención.

roach cucaracha.

road carretera, camino *The road is getting steadily worse.* La carretera está cada vez peor. ▲camino, vía *He is well on the road to recovery.* Está en camino de restablecerse. ○to go on the road ir de gira *When does the show go on the road?* ¿Cuándo saldrá de gira la obra?

roam vagar.

roar [n] rugido *The lion let out a roar.* El león lanzó un rugido. ▲estruendo *Do you hear the roar of the motors?* ¿Oye el estruendo de los motores? •[v] rugir *The lion was roaring in his cage.* El león rugía en la jaula. ||*They roared with laughter.* Se morían de risa.

roast [n] carne para asar *Buy a big roast.* Compre un pedazo grande de carne para asar. •[adj] asado *Do you like roast duck?* ¿Le gusta el pato asado? •[v] asar *That chicken should be roasted longer.* Ese pollo hay que asarlo más.

roast beef rosbif, carne de res asada.

rob robar *They'll rob you of everything you've got.* Le robarán todo lo que tiene.

robber ladrón.

robbery robo.

robe bata (*dressing gown*); toga.

robin petirrojo.

robot robot, autómata.

robotics robótica.

rock [n] roca *Their house is built on solid rock.* Su casa está construida sobre la roca. ▲escollo *The ship was wrecked on a rock.* El barco naufragó contra un escollo. ▲piedra *That is no stone, that is a rock.* No es una piedra, es una roca.

rock [v] vibrar, temblar *The earthquake made the whole house rock.* El terremoto hizo vibrar la casa entera. ▲mecer *Rock the baby to sleep.* Meza el niño hasta que se

R

duerma. ▲balancearse, mecerse *Stop rocking in that chair.* Deja de mecerse en la silla.

rod varilla, barra *We need new curtain rods.* Necesitamos varillas nuevas para las cortinas. ▲caña *I bought a new fishing rod.* He comprado una nueva caña de pescar.

roll [n] rollo *Did you buy a roll of wrapping paper?* ¿Compró Ud. un rollo de papel de envolver? ▲lista *Have they called the roll yet?* ¿Han pasado ya lista? ▲fajo *He took out a big roll of bills.* Sacó un fajo grande de billetes. ▲panecillo *I like coffee and rolls for breakfast.* Me gusta desayunar café y panecillos. •[v] hacer rodar *Roll the barrel over here.* Haga rodar el barril hasta aquí. ▲rodar *The ball rolled down the hill.* La pelota rodó cuesta abajo. ▲enrollar, hacer *He rolls his own cigarettes.* El mismo enrolla sus cigarillos. ▲pasar el rodillo *The tennis court needs rolling.* Hay que pasar el rodillo por el campo de tenis. ▲balancearse, moverse *The ship rolled heavily.* El barco se balanceaba mucho. Oroll by pasar *I get more homesick as the months roll by.* Tengo más nostalgia a medida que pasan los meses. Oto roll along andar, ir *This car rolls along smoothly.* Este auto anda suavemente. Oto roll into a ball hacer una bola *Roll the paper into a ball for the kitten to play with.* Haga una bola de papel para que el gatito juegue con ella. Oto roll out extender (con el rollo) *Roll the dough out thin.* Extienda la masa muy delgada. Oto roll up enrollar *We rolled up the rug.* Enrollamos la alfombra.

roller rodillo.

romance amor *He was the one romance in her life.* Fue el único amor de su vida. ▲novela romántica *She was reading a romance.* Estaba leyendo una novela romántica.

romantic romántico.

roof tejado *The tin roof is only temporary.* El tejado de hojalata es provisional. Oroof of the mouth paladar *I burned the roof of my mouth.* Me quemé el paladar.

room [n] cuarto, habitación *Where can I rent a furnished room?* ¿Dónde puedo alquilar un cuarto amueblado? ▲sitio *Is there room for one more?* ¿Hay sitio para uno más? •[v] alojarse *Where is he rooming?* ¿Dónde se aloja? Oroom and board pensión completa *What do they charge for room and board?* ¿Cuánto piden por la pensión completa?

rooming house pensión.

rooster gallo.

root raíz *This tree has very deep roots.* Este árbol tiene las raíces muy profundas. ▲origen *Let's get at the root of the matter.* Encontremos el origen del asunto. Oby the roots de raíz *The hurricane pulled up the trees by the roots.* El huracán arrancó los árboles de raíz. Oto take root arraigar *Has the rosebush taken root yet?* ¿Arraigó ya el rosal?

rope cuerda, soga *He slid down the rope.* Se deslizó por la cuerda. Oto give (one) rope dar libertad, dejar suelto *His father gave him too much rope.* Su padre le dio demasiada libertad. Oto know the ropes estar al tanto de las cosas.

rose rosa *They presented the singer with a bouquet of roses.* Le regalaron a la cantante un ramo de rosas. Obed of roses lecho de

rosas *His life is no bed of roses!* ¡Su vida no es un lecho de rosas!

rosebush rosal *How do you like my rosebushes?* ¿Le gustan a Ud. mis rosales?

rosy rosado.

rot pudrir(se).

rotation rotación.

rotten podrido *The peaches in the bottom of the basket are rotten.* Los melocotones del fondo del cesto están podridos.

rouge colorete.

rough [adj] tempestuoso, agitado *The water is pretty rough today.* El agua está hoy muy agitada. ▲quebrado *How well can this truck take rough ground?* ¿Marcha bien este camión por un terreno quebrado? ▲áspero *The bark of this tree is very rough.* La corteza de este árbol es muy áspera. ▲sin pulimentar *This table is made of rough planks.* Esta mesa está hecha de tablas sin pulimentar. ▲aproximado *This will give you a rough idea.* Esto le dará una idea aproximada. ▲duro, malo *They had a rough time of it.* Las pasaron muy duras o *Pasaron una mala temporada.* ▲brusco *The teacher was rough with the students.* El maestro fue brusco con sus alumnos. •[adv] duramente, con dureza *Treat him rough!* ¡Trátale con dureza! Orough draft borrador *Here is a rough draft of my speech.* Aquí está el borrador de mi discurso. Oto rough it vivir sin comodidades *He didn't enjoy roughing it last summer.* No le gustó vivir sin comodidades el verano pasado.

round [n] asalto (boxeo) *In what round was the boxer knocked out?* ¿En qué asalto quedó fuera de combate el boxeador? ▲ronda *He ordered another round of drinks.* Pidió otra ronda. ▲recorrido *The newsboy is on his rounds.* El chico de los periódicos está haciendo su recorrido. •[adj] redondo *They have a round table in the living room.* Tienen una mesa redonda en la sala. ▲*I'm speaking in round numbers.* Hablo en números redondos. ▲lleno *What nice, round, rosy cheeks!* ¡Qué mejillas más llenas y rosadas! •[v] dar la vuelta a *As soon as you round the corner you will see the store.* En cuanto dé la vuelta a la esquina verá la tienda. •[prep] a la vuelta de *He is just coming around the corner.* Ahora mismo llega a la vuelta de la esquina. ▲alrededor *The handkerchief has lace round the edge.* El pañuelo tiene un borde de encaje. Oall the year round todo el año *I live here all year round.* Vivo aquí todo el año. Oto go round dar la vuelta a *I'll go round the block with you.* Daré la vuelta a la manzana con Ud. Oto go round and round dar vueltas *They were waltzing round and round.* Daban vueltas bailando el vals.

round-trip viaje de ida y vuelta. Oround-trip ticket boleto de ida y vuelta [Am], billete de ida y vuelta [Sp].

rouse despertar.

rout [n] derrota; destrozo. •[v] derrotar, destrozar, arrancar Orout out forzar, echar, hacer salir.

route ruta, vía.

routine [n] marcha *You've been disturbing the office routine.* Ha estado Ud. entorpeciendo la marcha de la oficina. •[adj] rutinario *That is just a routine job.* Es un trabajo rutinario.

row [n] pelea, bochinche *We had quite a row on our street last night.* Anoche se armó un bochinche bastante grande en nuestra calle.

row [n] fila *They stood in a row awaiting their turn.* Estaban en fila esperando su turno.

row [v] remar *You'll have to row too.* También tiene Ud. que remar.

royal real, regio.

rub [n] fricción *The nurse gave him an alcohol rub.* La enfermera le dio una fricción con alcohol. •[v] rozar *The back of the chair is rubbing against the wall.* El respaldo de la silla roza contra la pared. ▲frotar *He rubbed his hands together.* Se frotó las manos. ▲restregar *Better rub the clothes hard or they won't get clean.* Hay que restregar bien la ropa o no quedará limpia. O to **rub in** machacar *I know I'm wrong; don't rub it in.* Sé que no tengo razón, no me lo vuelvas a decir. O to **rub out** borrar *You forgot to rub out your name.* Usted se olvidó de borrar su nombre.

rubber caucho, [Am] hule *They used a lot of rubber in these tires.* Han usado mucho caucho en estos neumáticos. ▲condón.

rubbers zapatos de hule [Mex and C.A.], chanclos [Sp], zapatones [Col].

rubbish basura.

rude descortés *Don't be so rude!* ¡No sea Ud. tan descortés!

rug alfombra *I like oriental rugs.* Me gustan las alfombras orientales.

ruin [n] ruina *He caused the ruin of his family.* Causó la ruina de su familia.— *You'll be the ruin of me.* Tú vas a ser mi ruina. •[v] estropear *This material is ruined.* Esta tela está estropeada. ▲dañar *The frost will ruin the crop.* La escarcha va a dañar la cosecha. ▲arruinar *He is ruining his health.* Está arruinando su salud. O **ruins** ruinas *Did you ever visit the ruins of the Coliseum?* ¿Ha visitado las ruinas del Coliseo? ▲ruinas, escombros *They were hunting for bodies among the ruins.* Buscaban cadáveres entre los escombros.

rule [n] regla *What are the rules of the game?* ¿Cuáles son las reglas del juego? ▲dominio, mando *This island has been under foreign rule for years.* Hace muchos años que esta isla está bajo dominio extranjero. •[v] rayar *I want a tablet of ruled writing paper.* Necesito un bloc de papel rayado. ▲llevar, guiar *He is ruled by his emotions.* Se deja llevar por sus emociones. ▲regir, gobernar *The same family has been ruling for generations.* La misma familia gobierna hace muchos años. O **as a rule** por regla general *As a rule, I don't drink.* Por regla general, no bebo. O to **rule out** excluir *This doesn't entirely rule out the other possibility.* Esto no excluye enteramente la otra posibilidad.

ruler regla *Measure this line with a ruler.* Mida esta línea con una regla. ▲gobernante *The new ruler of this country is well liked.* El nuevo gobernante de este país es muy querido.

rum ron.

rumba rumba.

rumble [n] ruido, sordo. •[v] retumbar.

rumor rumor, chisme.

run [n] carrera *He is coming on the run.* Viene a la carrera. ▲*There is a run in your stocking.* Tiene Ud. una carrera en la media. ▲viaje *The truck goes a hundred miles on each run.* El camión hace cien millas en cada viaje. ▲racha *That run of luck pulled him out of debt.* Esa racha de suerte lo sacó de sus deudas. •[v] correr *You'll have to run if you want to catch the train.* Tiene que correr si quiere alcanzar el tren. ▲*I let the water run down my back.* Dejé que el agua me corriera por la espalda. ▲trepar *Ivy is running up the wall.* La yedra trepa por la pared. ▲pasar *The road runs right by my house.* El camino pasa por delante de mi casa. ▲andar, marchar *That engine hasn't run well since we bought it.* Ese motor no anda bien desde que lo compramos. ▲manejar *Can you run a computer?* ¿Sabe Ud. manejar un ordenador? ▲estar en vigor *This law runs until next year.* Esta ley estará en vigor hasta el año próximo. ▲llegar *My horse ran last.* Mi caballo llegó último. ▲clavarse *I ran a splinter into my finger.* Me clavé una astilla en el dedo. ▲pasar *Run the rope through this ring.* Pase la soga por este anillo. ▲correrse, desteñirse *These colors are guaranteed not to run.* Se garantiza que estos colores no se destiñen. ▲decir *How does the first line run?* ¿Qué dice el primer renglón? ▲hacerse carreras *Do rayon stockings run worse than silk?* ¿Se le hacen más carreras a las medias de rayón que a las de seda natural? O **in the long run** a la larga *You're bound to succeed in the long run.* Es seguro que a la larga tendrá Ud. éxito. O **run-down** agotado de salud *She looks terribly run-down.* Parece muy agotada. ▲abandonado *The house is run down.* La casa está muy abandonada. O to **have a running nose** estar mocoso *The baby's nose has been running for the last few days.* El niño está mocoso en estos días. O to **run across** (o **into**) encontrar *When did you last run across him?* ¿Cuál fue la última vez que le encontró Ud? O to **run a risk** correr un riesgo. O to **run around with** ir en compañía de, andar con *He is running around with a fast crowd.* Anda por ahí con unos juerguistas. O to **run away** huir, escaparse *My dog ran away.* Mi perro se escapó. ▲huir *He ran away when he saw me.* Huyó al verme. O to **run away with** llevarse *He ran away with my best suit.* Se llevó mi mejor traje. O to **run down** acabarse la cuerda, pararse *Wind up the clock before it runs down.* Dé cuerda al reloj antes de que se pare. ▲atropellar *He was run down by a truck.* Fue atropellado por un camión. ▲hablar mal de *He ran his brother down to all her friends.* Habló mal de su hermano a todos sus amigos. O to **run dry** secarse *The well never runs dry.* El pozo nunca se seca. O to **run for** presentarse *Who ran for president that year?* ¿Qué candidatos se presentaron para la presidencia aquel año? ▲postularse, ser candidato para, aspirar a *Do you think he will run for mayor?* ¿Cree Ud. que se postulará para la alcaldía? O to **run in the family** ser de familia *That trait runs in the family.* Es un rasgo de familia. O to **run into** chocar con *The car ran into a tree.* El auto chocó contra un árbol. O to **run off** fugarse *He ran off with the money.* Se fugó con el dinero. O to **run out** acabarse *Our supply of sugar has*

R

run out. El azúcar se nos ha acabado. ▲echar
They ran him out of the country. Le echaron
del país. ○to run out of acabársele a uno
We ran out of sugar. Se nos acabó el azúcar.
○to run over derramarse, salirse The bathtub is running over. Se está derramando el
agua de la bañera. ▲repasar Run over your
part before the rehearsal. Repase su papel
antes del ensayo.

rung peldaño, travesaño Is the top rung
strong enough? ¿Es bastante fuerte el
peldaño superior?

runner corredor There were five runners
in the race. Hubo cinco corredores en la
carrera. ▲patín One of the runners of my
sled is broken. Uno de los patines de mi
trineo está roto.

running board estribo (de auto o camión.)

rush [n] aglomeración At 5 o'clock there
is always a rush. A las cinco siempre hay
mucha aglomeración. ▲prisa What is your
rush? ¿Por qué tiene tanta prisa? ▲junco
That swamp was full of rushes. Ese pantano
estaba lleno de juncos. ▲ruido You could
hear the rush of water. Se oía el ruido de la
corriente. •[v] darse prisa They rushed to the
bank. Se dieron prisa para llegar al banco.
▲enviar con rapidez, inmediatamente Rush
him to the hospital. Llévelo inmediatamente al hospital. ○to rush through hacer
de prisa They rushed through their work.
Hicieron de prisa el trabajo.

rust [n] orín, herrumbre The knives are
covered with rust. Los cuchillos están
cubiertos de herrumbre. •[v] oxidarse Oil
the parts or they will rust. Lubrique las
piezas o se oxidarán.

rusty mohoso, herrumbroso.

rut surco, rodada This road is full of ruts.
Este camino está lleno de surcos. ○to be in
a rut no progresar.

rye centeno.

S

sack saco I want a sack of potatoes. Quiero
un saco de papas. ○to get the sack ser
despedido How many in the office got the
sack? ¿A cuántos despidieron de la oficina?

sacred sagrado.

sacrifice [n] sacrificio. •[v] sacrificar.

sad triste What happened to him was very
sad. Fue muy triste lo que le sucedió.
▲pobre That is a sad excuse. Esa es una
excusa pobre.

saddle [n] silla de montar. •[v] ensillar.

sadness tristeza.

safe [n] caja fuerte, caja de caudales Please
put this in the safe. Haga el favor de poner
esto en la caja de caudales. •[adj] seguro
Is the bridge safe? ¿Es seguro el puente?
▲He is safe in jail. Está seguro en la cárcel.
▲a salvo You are safe now. Ahora está Ud.
a salvo. ▲bien fundado That is a safe guess.
Es una suposición bien fundada. ○safe and
sound sano y salvo. ○to be on the safe side
para mayor seguridad Let's take ten dollars
with us just to be on the safe side. Llevemos
diez dólares para mayor seguridad.

safely sin peligro, a salvo.

safety [n] protección, seguridad This is for
your safety. Esto es para su protección. ▲de

seguridad Miners use safety lamps. Los
mineros usan lámparas de seguridad.

safety pin imperdible.

sail [n] vela That boat has very pretty sails.
Ese barco tiene muy bonitas velas. •[v] zarpar, hacerse a la mar When do we sail?
¿Cuándo zarpamos? ▲navegar This boat is
sailing slowly. Este barco navega lentamente. ▲embarcarse We sail for Europe
today. Hoy nos embarcamos para Europa.

sailor marinero.

saint santo.

sake razón This is for the sake of economy.
Es por razón de economía. ○for my sake
por mí. ○for your sake por su bien, por
consideración a Ud. |||For God's sake! ¡Por
Dios!

salad ensalada.

salary salario, sueldo.

sale venta Our sales doubled this year.
Nuestras ventas se duplicaron este año.
▲saldo When are you holding a sale?
¿Cuándo va Ud. a tener un saldo?

salesgirl vendedora.

salesman vendedor.

salmon salmón.

salon salón.

saloon taberna, cantina.

salt [v] sal I want some salt for my meat.
Quiero sal para la carne. •[adj] salado I like
to swim in salt water. Me gusta nadar en
agua salada. ○salt pork cerdo en salazón
Do you have salt pork? ¿Tiene Ud. cerdo
en salazón? ○to put salt poner sal Did you
put salt in the soup? ¿Ha puesto Ud. sal en
la sopa? ○to salt away guardar, conservar
I understand he has salted away a good deal
for his old age. Tengo entendido que ha guar-
dado mucho dinero para su vejez. ○to take
with a grain of salt tomar con reserva, no
tomar en serio I always take what she says
with a grain of salt. Siempre tomo lo que
ella dice con reserva.

salt shaker salero de mesa.

salute saludar.

salve emplasto, ungüento.

same mismo Can you go and be back on
the same day? ¿Puede Ud. ir y volver en el
mismo día?—He is not the same as he was
ten years ago. Ya no es el mismo que era
hace diez años.—I got up and he did the
same. Me levanté y él hizo lo mismo. ▲igual
Is this the same as the other chair? ¿Es esta
silla igual a la otra?

sample [n] muestra Here is a sample of the
material I want. Aquí hay una muestra de
la tela que quiero. •[v] probar Won't you
sample some of this wine? ¿No quiere Ud.
probar un poco de este vino?

sand arena.

sandal sandalia.

sandwich emparedado, sandwich.

sandy arenoso.

sane cuerdo, sano.

sanitarium sanatorio.

sanitary higiénico.

sap [n] savia This branch has no sap. Esta
rama no tiene savia. ▲estúpido, topo He is
an awful sap. ¡Es un estúpido! o ¡Es un
topo! •[v] agotar That work sapped our
strength. Aquel trabajo agotó nuestras fuerzas.

sapphire zafiro.

sarcasm sarcasmo.
sat *See* **sit.**
sateen satén.
satin raso.
satire sátira.
satisfaction satisfacción.
satisfactory satisfactorio *Is everything satisfactory?* ¿Es todo satisfactorio?
satisfy satisfacer *I am not satisfied with my new apartment.* No estoy satisfecho con mi nuevo apartamento.—*Does this answer satisfy you?* ¿Le satisface esta respuesta? ᴼto **be satisfied** estar seguro, estar convencido *I'm not satisfied that he is guilty.* No estoy convencido de que sea culpable.
Saturday sábado.
sauce salsa.
saucer platillo, paila [*Am*].
sauerkraut col agria.
sausage salchicha.
savage salvaje.
save guardar *Could you save this for me?* ¿Puede Ud. guardarme esto? ▲reservar *Is this seat being saved for anybody?* ¿Está reservado este asiento? ▲cuidar, cuidarse *Save your voice.* Cuídese la voz. ▲salvar *He saved her life.* Le salvó la vida. ▲ahorrar, evitar *You can save yourself the trouble.* Puede Ud. ahorrarse la molestia. ▲coleccionar *He saves stamps.* El colecciona sellos.
saving ahorro.
savings ahorros. ᴼ**savings bank** banco *o* caja de ahorros.
savor [*n*] sabor, gusto. •[*v*] saborear.
saw [*n*] sierra, serrucho *Could I borrow a saw?* ¿Podría pedir prestado un serrucho? •[*v*] aserrar *He sawed the logs in half.* Aserró los leños por la mitad.
say [*n*] opinión *I insist on having my say.* Insisto en expresar mi opinión. •[*v*] decir *What did you say?* ¿Qué dijo Ud.?—*I said what I thought.* Díjelo que pensaba.
scald escaldar.
scale [*n*] escama *The fish has shiny scales.* El pez tiene las escamas brillantes. ▲escala, graduación *The scale of this barometer is hard to read.* Es difícil leer la escala en este barómetro. ▲escala *What is the wage scale in this factory?* ¿Cuál es la escala de jornales en esta fábrica?—*This map has a scale of one inch to a hundred miles.* La escala de este mapa es de una pulgada por cien millas. •[*v*] escamar *Please scale the fish.* Haga el favor de escamar el pescado. ▲escalar *They scaled the cliff with difficulty.* Escalaron la peña con dificultad. ᴼon **a large scale** en gran escala *They've planned improvements on a large scale.* Han proyectado hacer mejoras en gran escala. ᴼ**platform scale** báscula. ᴼ**scale** balanza *Put the meat on the scale.* Ponga la carne en la balanza.
scalp [*n*] cuero cabelludo. •[*v*] escalpar.
scan [*v*] escudriñar, buscar, otear
scandal escándalo.
scar cicatriz.
scarce escaso *Apples are scarce this year.* Las manzanas están escasas este año.
scare [*n*] susto. •[*v*] asustar.
scarf bufanda.

scarlet escarlata. ᴼ**scarlet fever** escarlatina.
scatter esparcir, echar *The boy scattered the papers all over the room.* El niño esparció los papeles por toda la habitación. ▲dispersar *Wait until the crowd scatters.* Espere Ud. hasta que la multitud se disperse. ᴼscattered en desorden *I found everything scattered around.* Encontré todo en desorden.
scenario argumento escénico, libreto.
scene vista, paisaje *That is a beautiful scene.* Esa es una hermosa vista. ▲escena *This is the third scene of the second act.* Esta es la tercerca escena del segundo acto. ᴼbehind the **scenes** entre bastidores *I met him behind the scenes.* Le encontré entre bastidores. ▲bajo cuerda, entre bastidores *The details were worked out behind the scenes.* Se acordaron los pormenores bajo cuerda. ᴼto **make a scene** hacer escenas *Don't make a scene.* No haga Ud. escenas.
scenery paisaje; decoración, escenografía (*theater*).
scent [*n*] olor *These flowers have a wonderful scent.* Estas flores tienen un olor maravilloso. ▲olfato *His hunting dogs have very keen scent.* Sus perros de caza tienen un olfato muy agudo. •[*v*] husmear, rastrear *The dogs have scented the fox.* Los perros han husmeado la zorra.
schedule programa, plan; horario.
scheme [*n*] proyecto, esquema. •[*v*] proyectar, idear.
scholar escolar, estudiante; sabio, erudito, hombre de letras (*learned man*).
scholarship beca *He won a scholarship for a year's study abroad.* Ganó una beca para estudiar un año en el extranjero.
school escuela *Do you go to school?* ¿Asiste Ud. a la escuela?—*He went to the School of Mines.* Fue a la Escuela de Mineralogía.—*The whole school turned out to welcome him back.* Toda la escuela le dio la bienvenida a su regreso.—*He belongs to a new school of thought.* Pertenece a una nueva escuela de ideas. ▲las clases *When is school out?* ¿Cuándo se terminan las clases? ▲banco *We were directly above a school of fish.* Estábamos exactamente encima de un banco de peces. ᴼto **school** enseñar *He was schooled to control his temper.* Se le enseñó a dominar el mal genio.
school books libros de texto.
science ciencia.
science fiction ciencia ficción.
scientific científico.
scientist hombre de ciencia.
scissors tijeras.
scold regañar.
scope alcance; plan (*coverage*). ᴼto **be within the scope of** estar comprendido en, estar al alcance de.
scorch chamuscar.
score [*n*] tantos *What is our score?* ¿Cómo estamos de tantos? ▲partitura *He never uses a score when he conducts.* Nunca usa la partitura cuando dirige. ▲veintena (*twenty*). •[*v*] hacer tantos *He scored five points.* Hizo cinco tantos. ▲marcar los tantos *How does one score this game?* ¿Cómo se marcan los tantos en este juego? ▲instrumentar *This work is scored for piano and orchestra.*

Esta obra está instrumentada para piano y orquesta. **O** **to settle the score** desquitarse *I'll settle the score with him.* Voy a desquitarme con él.

scorn [n] desprecio. •[v] despreciar.

scotch whiskey *A scotch and water, please.* Un whiskey con agua, por favor.

scout [n] explorador. •[v] explorar.

scramble [n] rebatiña *There was a terrific scramble to buy up the best stock.* Hubo una rebatiña terrible para adquirir el mejor surtido. •[v] trepar *The monkey scrambled up the tree to get the fruit.* El mono trepó al árbol para coger la fruta. **O** **scrambled eggs** huevos revueltos.

scrap [n] pizca *There isn't a scrap of food in the icebox.* No hay ni pizca de comida en la nevera. ▲riña *Did you hear about the scrap the neighbors had last night?* ¿Oyó la riña que tuvieron anoche los vecinos? •[v] reñir, pelear *Why are they always scrapping?* ¿Por qué están riñendo siempre? ▲desechar *The government plans to scrap some of the older planes.* El gobierno se propone desechar algunos de los aviones más viejos. **O** **scrap metal** chatarra, hierro viejo *They'll probably turn these old cars into scrap metal.* Probablemente harán chatarra de estos coches viejos. **O** **scrap paper** papel borrador. **O** **scraps** sobras *Give the scraps to the dog.* Déle las sobras al perro.

scrape [n] lío, enredo *He is always getting into scrapes.* Siempre está metiéndose en líos. •[v] raspar *How can we scrape the paint off the door?* ¿Cómo podemos raspar la pintura de la puerta? ▲restregar *Don't scrape your feet on the floor.* No restriegue los pies en el piso. ▲rasguñar, arañar *He scraped his knee.* Se rasguñó la rodilla. **O** **to scrape together** juntar poco a poco.

scratch [n] raspadura, arañazo *Who made this scratch on the desk?* ¿Quién hizo este arañazo en el escritorio? ▲rasguño *Where did you get that scratch on your cheek?* ¿Dónde se hizo Ud. ese rasguño en la mejilla? •[v] raspar, rayar *Be careful not to scratch the furniture.* Tenga cuidado de no rayar los muebles. ▲arañar *This pen scratches the paper.* Esta pluma araña el papel. **O** **from scratch** sin nada, de cero *That man started his business from scratch.* Ese hombre empezó su negocio sin nada. **O** **scratch out** quitar, suprimir *You'd better scratch out that paragraph.* Mejor será que quite Ud. ese párrafo.

scream [n] grito *I thought I heard a scream.* Creí haber oído un grito. •[v] gritar *Don't scream!* ¡No grite Ud! ▲reventar de risa *Everybody simply screamed at his jokes.* Todos reventaban de risa con sus chistes. ‖*That movie is a scream.* Esa película es divertidísima.

screen [n] tela metálica *We'd better get the holes in the screen fixed.* Sería mejor arreglar los agujeros de la tela metálica. ▲mampara *You can change your clothes in back of that screen.* Puede cambiarse la ropa detrás de esa mampara. ▲pantalla *I don't like to sit too close to the screen.* No me gusta sentarme demasiado cerca de la pantalla.

screw [n] tornillo *These screws need tightening.* Hace falta apretar estos tornillos. •[v] atornillar *Screw the bolt.* Atornille

el perno. ▲enroscar *Screw the nut on carefully.* Enrosque bien la tuerca.

screwdriver destornillador.

Scripture Escritura, Biblia.

scrub fregar, restregar.

scrupulous escrupuloso.

sculptor escultor.

sculpture escultura.

sea mar *How far are we from the sea?* ¿A qué distancia estamos del mar?—*Have you ever been to the Red Sea?* ¿Ha estado Ud. alguna vez en el Mar Rojo? **O** **at sea** confuso *Her answers left me completely at sea.* Sus respuestas me dejaron completamente confuso. **O** **to be at sea** navegar *They have been at sea for the past three weeks.* Han estado navegando las tres últimas semanas. **O** **to go to sea** zarpar *When is that boat going to sea?* ¿Cuándo va a zarpar ese barco?

seacoast costa, costa marítima.

seafood mariscos.

seal [n] sello *I like the seal on your ring very much.* Me gusta mucho el sello de su anillo. ▲foca *Let's feed the seals.* Vamos a dar de comer a las focas. •[v] cerrar *Let me add a few words before you seal the letter.* Déjeme añadir unas palabras antes de que cierre la carta. ▲confirmar, decidir, determinar *The court's decision sealed the prisoner's fate.* La sentencia confirmó la suerte del prisionero.

seam costura.

seaman marinero.

sear chamuscar, tostar.

search [n] registro *We'll have to make a thorough search.* Tendremos que hacer un registro minucioso. •[v] buscar *I've searched everywhere for her.* La he buscado por todas partes. ▲registrar *We'll have to search you.* Tendremos que registrarle. **O** **in search of** en busca de *He went in search of gold.* Salió en busca de oro.

season [n] estación *Fall is my favorite season.* El otoño es mi estación favorita. ▲temporada *This is the best season for hiking.* Esta es la mejor temporada para hacer excursiones a pie.—*The hotel-keeper said this was their best season in many years.* El hotelero dijo que ésta había sido la mejor temporada desde hacía muchos años. •[v] curar *Has this wood been seasoned long enough?* ¿Ha sido curada suficientemente esta madera? ▲sazonar, condimentar *The food is too heavily seasoned.* La comida está demasiado sazonada. **O** **in season** de temporada, de estación *Are strawberries in season yet?* ¿Las fresas son de estación?

seasoning condimento; madurez, aclimatación.

seat [n] asiento *This seat needs fixing.* Este asiento necesita ser arreglado.—*I beg your pardon, sir, I believe this is my seat.* Perdóneme, señor, creo que éste es mi asiento.—*He has a seat in Congress.* Ocupa un asiento en el Congreso. ▲localidad *I want two seats for the play.* Quiero dos localidades para la función. ▲residencia *Where is the seat of government?* ¿Dónde es la sede del gobierno? •[v] sentarse, tomar asiento *May I be seated?* ¿Puedo sentarme? ▲tener capacidad para *This theater seats several hundred people.* Este teatro tiene capacidad para varios cientos de personas.

second [n] segundo *He ran a hundred yards in ten seconds.* Hizo las cien yardas en diez segundos.—*Wait a second.* Espere un segundo. ▲defectuoso, inferior, [Cuba] segunda *The stockings are seconds.* Estas medias son defectuosas. •[adj] segundo *He is second in command.* Es el segundo en mando. •[v] apoyar, secundar *I second the motion.* Apoyo la moción. ▲secundar *He seconded everything she did.* Secundó todo lo que ella hizo. O**second-rate** de segunda clase, de segunda categoría. O**to have a second helping** repetir de una cosa *May I have a second helping?* ¿Puedo repetir? o ¿Me permite repetir?

second-hand de segunda mano, de ocasión.

secret [n] secreto *Can you keep a secret?* ¿Puede Ud. guardar un secreto? •[adj] secreto *It was a secret agreement.* Fue un acuerdo secreto.

secretary secretaria *I need a secretary.* Necesito una secretaria. ▲ministro *He is the Secretary of the Treasury.* Es el Ministro de Hacienda.

section parte *Cut the cake into equal sections.* Corte el pastel en partes iguales. ▲sección *What section of the class is he in?* ¿En qué sección de la clase está él?—*The part I'm referring to is in chapter 1, section 3.* La parte a que me refiero se encuentra en el capítulo 1, sección 3. ▲barrio *I was brought up in this section of town.* Me crié en este barrio de la ciudad.

secure [adj] seguro *Is this bolt secure?* ¿Es seguro este cerrojo?—*I feel secure in my new job.* Me siento seguro en mi nuevo empleo. •[v] asegurar *Secure the latch before you leave.* Asegure el cerrojo antes de irse. ▲garantizar *Is your loan secured?* ¿Está garantizado su préstamo? ▲obtener, conseguir *Can you secure a seat on the plane for me?* ¿Puede Ud. conseguirme un asiento en el avión?

security seguridad, garantía.

seduce seducir.

see ver *May I see your pass?* ¿Puedo ver su pase?—*We've just seen a good movie.* Acabamos de ver una buena película.—*Can you see in this light?* ¿Puede Ud. ver con esta luz?—*See what can be done about it.* Vea Ud. lo que se puede hacer sobre ello.—*I'd like to see more of you.* Me gustaría verle más a menudo.—*Come to see me tomorrow.* Venga a verme mañana.—*I don't see it that way.* Yo no lo veo de esa manera.—*He has seen a lot in his time.* Ha visto mucho durante su vida. ▲ver, presenciar *Who saw the accident?* ¿Quién vio el accidente? ▲encargarse de *Please see that this letter is mailed.* Encárguese de que se eche esta carta al correo. ▲comprender *I see what you mean.* Comprendo lo que Ud. quiere decir. ▲rendir *These boots have seen plenty of service.* Estas botas han durado mucho. O**to see someone off** despedir a alguien *Will anyone see her off?* ¿Vendrá alguien a despedirla? O**to see someone to** acompañar a alguien *Let me see you to the door.* Permítame le acompañe hasta la puerta. O**to see through** llevar a cabo, ver hasta el fin *I intend to see the project through.* Me propongo llevar a cabo el proyecto.

seed [n] semilla *This store sells all kinds of seeds.* Esta tienda vende toda clase de semillas. •[v] quitar la semilla, despepitar *These raisins have been seeded.* A estas pasas les han quitado las semillas. ▲sembrar *When did you seed the lawn?* ¿Cuándo sembró Ud. el césped?

seek buscar *I didn't seek this job.* Yo no busqué este empleo. ▲tratar *He seeks to persuade everybody.* Trata de persuadir a todo el mundo. O**sought after** solicitado *He is much sought after.* Es una persona muy solicitada.

seem parecer *I seem to be interrupting.* Me parece que estoy interrumpiendo.—*How does that seem to you?* ¿Qué le parece a Ud. eso?

seize agarrar *He seized the reins and mounted the horse.* Agarró las riendas y montó el caballo. ▲confiscar *The authorities seized all property owned by enemy aliens.* Las autoridades confiscaron todas las propiedades que pertenecían al enemigo. ▲aprovechar *He seized every opportunity that came his way.* Aprovechaba todas las oportunidades que se le presentaban. ▲detener *The police seized everyone in the place.* La policía detuvo a todo el mundo en el lugar. ▲apoderarse de, capturar *We seized the town after a short battle.* Nos apoderamos del pueblo después de una batalla corta.

seldom raramente, rara vez.

select [adj] escogido *These are select peaches.* Estos son melocotones escogidos. ▲selecto *She went to a select school.* Asistió a una escuela selecta. •[v] seleccionar *Please select a few of the best oranges for me.* Hágame el favor de seleccionarme algunas de las mejores naranjas.

selection selección.

self [adj] mismo; igual, uniforme. •[n] yo, uno mismo, sí mismo. O**all by one's self** por sí mismo, por su propia cuenta. ‖*His better self won out.* Pudo en él más su lado bueno.

self-assured seguro de sí mismo.

self-conscious consciente de sí mismo, tímido.

selfish egoísta.

self-starting de arranque eléctrico, de arranque automático *It is a self-starting motor.* Es un motor de arranque eléctrico.

self-supporting ‖*She is self-supporting.* Se mantiene a sí misma.

sell vender *I sold the piano for two hundred dollars.* Vendí el piano por [o en] doscientos dólares.—*They sell furniture.* Venden muebles. O**to sell one on an idea** convencer *If you had been more tactful you might have sold him on the idea.* Si Ud. hubiera tenido más tacto, quizás le habría convencido. O**to sell out** traicionar, vender *Someone sold us out to the enemy.* Alguien nos traicionó al enemigo. ▲liquidar, vender *They sold out their whole stock before closing.* Liquidaron sus existencias antes de cerrar.

semester semestre.

semicolon punto y coma.

senate senado.

senator senador.

send mandar, poner *I want to send a letter.* Quiero mandar una carta. ▲enviar, mandar *Could you send this to me?* ¿Podría Ud.

mandarme esto? ᐤto send for llamar *We will send for you when we need you.* Le llamaremos cuando le necesitemos. ᐤto send in hacer, entrar, hacer pasar *Send him in.* Hágale entrar *o* Que entre.

sensation sensación.

sensational sensacional.

sense [*n*] sentido *Have you lost your sense of hearing?* ¿Ha perdido Ud. el sentido del oído?—*He doesn't have any sense of responsibility.* No tiene ningún sentido de la responsabilidad.—*In what sense do you mean what you just said?* ¿Qué sentido le da Ud. a lo que acaba de decir?—*That doesn't make sense.* Eso no tiene sentido. ▲juicio *He has sense enough to stay out of trouble.* Tiene suficiente juicio para no provocar dificultades. •[*v*] sospechar *Do you sense something unusual?* ¿Sospecha Ud. algo extraordinario?

sensible [*n*] sensato, cuerdo.

sentence [*n*] frase *I didn't understand that last sentence.* No entendí la última frase. ▲sentencia *The sentence which the judge gave was unjust.* La sentencia que pronunció el juez fue injusta. •[*v*] condenar, sentenciar *He was sentenced to five years in prison.* Le condenaron a cinco años de cárcel.

sentiment sentimiento.

sentimental sentimental.

separate [*adj*] separado, aparte *We want separate rooms if possible.* Queremos habitaciones separadas si es posible. ▲por separado *I'd like to make a separate settlement.* Me gustaría hacer un arreglo por separado.

separate [*v*] dividir *Separate the class into five sections.* Divida la clase en cinco secciones. ▲separar *We'd better separate the two boys who are fighting.* Es mejor que separemos a los dos niños que están peleando. ▲separarse *When did she separate from her husband?* ¿Cuándo se separó ella de su marido?

September septiembre.

serene sereno, sosegado.

sergeant sargento.

series serie.

serious verdadero *Did you make a serious attempt to find him?* ¿Hizo Ud. un verdadero esfuerzo por encontrarle? ▲serio *Why are you so serious?* ¿Por qué está Ud. tan serio? ▲grave *Is his illness serious?* ¿Es grave su enfermedad?

sermon sermón.

servant criado *I want to hire a servant.* Quiero tomar un criado. ▲funcionario *He made his career as a public servant.* Hizo su carrera como funcionario público.

serve servir *Please serve dinner now.* Haga el favor de servir la comida ahora. —*How long did you serve in that capacity?* ¿Cuánto tiempo sirvió Ud. en ese cargo?—*Can I serve you in anyway?* ¿Puedo servirle en algo? ▲merecer *It serves you right.* Lo tiene Ud. muy merecido. ▲cumplir *He is serving a life term in prison.* Está cumpliendo condena perpetua. ▲hacer *He served the summons on us.* Nos hizo una citación judicial. ▲servir, sacar *Whose turn is it to serve* (*tennis*)? ¿A quién le toca servir?

service servicio *I'd like to offer my services.* Me gustaría ofrecer mis servicios.—*I*

want to complain about the service. Quiero quejarme del servicio.—*He enlisted in the service.* Se alistó en el servicio. ▲servicio religioso *When do they hold services?* ¿Cuándo celebran servicios religiosos? ▲saque, servicio *He has an excellent service* (*tennis*). Tiene un saque magnífico. ᐤcivil service administración pública, servicio público *Did she get a civil service job?* ¿Consiguió ella un puesto en la administración pública? ᐤservice station estación de gasolina, estación de servicio *Let's stop at the next service station.* Paremos en la próxima estación de gasolina. ᐤto be of service ser útil *Will this book be of service to you?* ¿Le será útil este libro? ᐤto be serviced reparar *I'm leaving my car here to be serviced.* Dejo mi automóvil aquí para que lo reparen.

set [*n*] colección *Do you have the complete set of his works?* ¿Tiene Ud. la colección completa de sus obras? ▲juego *I want a chess set.* Quiero un juego de ajedrez. ▲medio *He doesn't fit in our set.* El no encaja en nuestro medio. ▲equipo, aparato *I have just purchased a stereo set.* Acabo de comprar un equipo estereofónico. •[*adj*] terco, obstinado *He is very set in his ways.* Es muy terco. ▲dispuesto *Are you all set to go?* ¿Tiene Ud. todo dispuesto para marchar? •[*v*] poner, colocar *Set it over there.* Póngalo allí. ▲poner *I want to set my watch.* Quiero poner mi reloj en hora.—*The prisoner will be set free.* El prisionero será puesto en libertad.—*I set my heart on going today.* He puesto todo mi empeño en marcharme hoy.—*They set him to counting the money.* Le pusieron a contar el dinero.—*Can you set words to this music?* Puede Ud. ponerle letra a esta música? ▲componer *Set this paragraph in italics.* Componga este párrafo en cursiva. ▲fijar *He set the price at fifty dollars.* Fijó el precio en cincuenta dólares. ▲dar *Try to set an example.* Procure dar el ejemplo. ▲cuajar *Has the pudding set yet?* ¿Se ha cuajado ya el budín? ▲ponerse *The sun sets at six o'clock tonight.* Esta tarde el sol se pone a las seis. ᐤsets decoraciones *Who designed the sets for the play?* ¿Quién hizo las decoraciones para la obra? ᐤto set aside apartar, separar *Set this aside for me.* Aparte esto para mí. ▲desechar, rechazar *The judge's decision was set aside.* La decisión del juez fue desechada. ᐤto set back hacer retroceder, regular *Fascism set Italy back fifty years.* El fascismo hizo que Italia retrocediera cincuenta años. ᐤto set down poner por escrito *Set down the main arguments.* Ponga por escrito los argumentos principales. ▲aterrizar *He set the plane down in the center of the runway.* Aterrizó el avión en medio de la pista. ᐤto set forth exponer, dar a conocer *He set forth his position quite clearly.* Expuso su punto de vista con toda claridad. ᐤto set in comenzar *The rainy season set in early this year.* La estación de lluvias comenzó temprano este año. ᐤto set off salir *We're setting off on our hike tomorrow morning.* Saldremos de caminata mañana por la mañana. ▲hacer resaltar, realzar *A red belt will set off the colors of this dress nicely.* Un cinturón rojo hará resaltar los colores del vestido. ▲hacer estallar *He set off the firecracker.* Hizo estallar el triquitraque. ᐤto set one straight on aclararse *Set me straight on this.* Acláreme esto. ○to set out salir *They were lucky for having set out on time.* Tuvieron bastante suerte por haber salido a tiempo. ○to set up poner, montar, establecer *When did they set up housekeeping?* ¿Cuándo pusieron casa? ▲montar *When will the exposition be set up?* ¿Cuándo se montará la exposición? ▲edificar *I intend to set up a house on this spot.* Pienso edificar una casa en este lugar.

settle establecer *In what part of the country did they settle?* ¿En qué parte del país se han establecido? ▲colocarse, instalarse *He settled himself in that chair.* Se instaló en esa silla. ▲posarse *Wait until the tea leaves settle to the bottom.* Aguarde a que las hojas del té se posen en el fondo. ▲ceder *The road has settled a little.* La carretera ha cedido un poco. ▲solucionar *Can you settle this question?* ¿Puede Ud. solucionar esta cuestión? ▲satisfacer *All legitimate claims will be settled.* Todos los reclamos legítimos serán satisfechos. ○settled firme *He seems to be very settled in his convictions.* Parece ser muy firme en sus convicciones. ○to settle down sentar la cabeza *Hasn't he settled down yet?* ¿No ha sentado cabeza todavía? ▲establecerse *He has settled down in New York.* Se ha establecido en Nueva York. ▲ponerse a hacer *The boy couldn't settle down to do his homework.* El niño no podía ponerse a hacer los deberes. ○to settle on ponerse de acuerdo *They settled on the terms of the treaty.* Se pusieron de acuerdo sobre los términos del tratado.

settlement acuerdo *Haven't they reached a settlement yet?* ¿No han llegado todavía a un acuerdo? ▲arreglo, ajuste *They made a friendly settlement.* Hicieron un arreglo amistoso. ▲caserío *You'll find a native settlement about ten miles upstream.* Encontrará Ud. un caserío a unas diez millas río arriba.

seven siete.

seventeen diecisiete.

seventh séptimo.

seventy setenta.

several varios.

severe grave *He just got over a severe illness.* Acaba de pasar una enfermedad grave. ▲duro *Are the winters here severe?* ¿Son muy duros aquí los inviernos? ▲severo *Don't be so severe with the child.* No sea tan severo con el niño. ▲austero *The dress has very severe lines.* Es un vestido de líneas muy austeras.

sew coser *She makes her living by sewing.* Se gana la vida cosiendo.—*Please sew the buttons on.* Haga el favor de coser los botones.

sewer alcantarilla, cloaca.

sewing costura. ○sewing machine máquina de coser.

sex sexo.

shack choza, cabaña.

shade [n] sombra *Let's stay in the shade.* Quedémonos a la sombra.—*Light and shade are well balanced in this painting.* Las sombras y los claros están bien combinados en este cuadro. ▲tono *Can you match this shade of red?* ¿Puede Ud. dar un tono rojo como éste? ▲persiana *Pull down the shades.* Baje las persianas. •[v] resguardarse, protegerse *Shade your eyes*

from the glare. Protéjase los ojos del resplandor. ▲sombrear *Shade this part a little more.* Sombree esta parte un poco más.

shadow [n] sombra *That tree casts a long shadow.* Ese árbol da una gran sombra.—*He clings to him like his shadow.* Le sigue como su sombra.—*He is just a shadow of his former self.* No es más que una sombra de lo que fue. ▲asomo, sombra *There is not a shadow of a doubt about the truth of the story.* No hay ni asomo de duda acerca de la verdad del relato.

shake [n] movimiento *He answered with a shake of his head.* Contestó con un movimiento de cabeza. •[v] sacudir *He took the child by the shoulders and shook him.* Agarró al niño por los hombros y lo sacudió. ▲agitar *Shake well before using.* Agítese antes de usarlo. ▲tiritar *He was shaking with cold.* Estaba tiritando de frío. ▲temblar *That accident made me shake with fright.* Aquel accidente me hizo temblar de miedo. ▲conmoverse *I was deeply shaken by her death.* Me conmovió profundamente su muerte. ○to shake hands estrechar la mano. ○to shake off sobreponerse *He shook off his sorrow and continued his work.* Se sobrepuso a su dolor y continuó su trabajo. ▲quitarse *The mud will shake off your shoes easily when it dries.* El barro se quitará fácilmente de sus zapatos cuando se seque. ▲desprender *The wind has shaken all the leaves off the trees.* El viento ha desprendido todas la hojas de los árboles. ○to shake out; to shake off sacudir *Shake the dust out of that rug.* Sacuda el polvo de esa alfombra. ○to shake out of sacar de *The news shook him out of his indifference.* Las noticias le sacaron de su indiferencia.

shall ∥*Shall I wait?* ¿Espero? *o* ¿Debo esperar? ∥*Shall I close the window?* ¿Cierro la ventana? ∥*I shall do it.* Lo haré. ∥*Let's have dinner now, shall we?* ¿Le parece que comamos ahora? *o* Vamos a comer ahora, ¿le parece?

shallow superficial, poco profundo.

shame vergüenza *He'll never live down the shame of his disgrace.* Jamás podrá sobrevivir la vergüenza de su desgracia. ▲lástima *Isn't it a shame he couldn't come?* ¿No es una lástima que no pudo venir?

shampoo champú.

shape [n] forma *His head has a very funny shape.* Su cabeza tiene una forma muy rara. ▲estado *What shape is the car in?* ¿En qué estado está el coche? •[v] modelar, dar forma *He shaped the clay into a bust.* Modeló un busto con la arcilla. ○in shape en orden, arreglado *Is the room in shape?* ¿Está la habitación arreglada? ○to shape up marchar, ir *How are things shaping up?* ¿Cómo van las cosas?

share [n] acción *How many shares of stock do you hold in that company?* ¿Cuántas acciones tiene Ud. en esa empresa? ▲parte *You'll have to do your share.* Tendrá Ud. que hacer su parte.—*You'll have to pay your share of the bill.* Tendrá Ud. que pagar su parte de la cuenta. •[v] compartir *May I share your seat?* ¿Puedo compartir con Ud. el asiento? ▲repartir *Let's share the pie.* Vamos a repartir el pastel. ▲compartir, participar *They shared the secret.* Participaron del secreto.

S

sharp afilado *Is there a sharp knife in the drawer?* ¿Hay un cuchillo afilado en la gaveta? ▲agudo *He has got a sharp mind.* Tiene una mente muy aguda.—*I have a sharp pain in my side.* Tengo un dolor agudo en el costado. ▲acerbo, duro *What you say is a very sharp criticism.* Lo que Ud. dice es una crítica muy acerba. ▲en punto *We have to be there at five o'clock sharp.* Tenemos que estar allí a las cinco en punto.

sharpen afilar.

shatter destrozar, hacer pedazos.

shave afeitar *They had to shave his head for the operation.* Tuvieron que afeitarle la cabeza para operarle. ▲afeitarse *I have to shave before dressing.* Tengo que afeitarme antes de vestirme. ▲raspar *If you shave the soap, it will melt faster.* Si raspa Ud. el jabón se derretirá más pronto. O**to shave off** cepillar *Use a plane to shave off the edge of the door.* Use un cepillo para cepillar el borde de la puerta.

shawl chal, pañolón, mantón.

she ella *She is not the one I met.* Ella no es la persona que conocí.—*Find out what she wants.* Averigüe qué es lo que ella quiere. ▲hembra *Is the puppy a he or a she?* ¿Es un perrito macho o hembra?

shed [*n*] cobertizo, [*Am*] galpón. •[*v*] quitarse, desprenderse de; mudar (de piel).

sheep oveja *How many sheep have you?* ¿Cuántas ovejas tiene Ud.? O**black sheep** oveja negra *He is the black sheep of the family.* El es la oveja negra de la familia.

sheet pliego, hoja *I want a hundred sheets of paper.* Quiero cien pliegos de papel. ▲sábana *Put clean sheets on the bed.* Ponga sábanas limpias en la cama.

shelf estante, anaquel, repisa.

shell [*n*] concha *He has a pretty collection of shells.* Tiene una linda colección de conchas. ▲cáscara *I can't break the shell of this coconut.* No puedo romper la cáscara de este coco. ▲proyectil *A shell nearly hit him.* Por poco le alcanza un proyectil. •[*v*] desgranar, desvainar *Are the peas all shelled?* ¿Están desgranados todos los guisantes? ▲bombardear *We shelled the enemy positions for hours.* Bombardeamos las posiciones del enemigo durante horas.

shelter [*n*] albergue *He only wants shelter for tonight.* Quiere solamente albergue para esta noche. ▲refugio *Where is the shelter?* ¿Dónde está el refugio? •[*v*] albergar *Who sheltered the refugees?* ¿Quién albergó a los refugiados?

shepherd pastor.

sherbet sorbete.

sherry jerez.

shield [*n*] escudo. •[*v*] proteger, amparar. O**police shield** chapa de policía.

shift [*n*] tanda, turno *Which shift do you work on?* ¿En qué turno trabaja Ud? ▲cambio *There is a shift in the plans.* Hay un cambio en los planes. •[*v*] cambiar de dirección *The wind has shifted.* El viento ha cambiado de dirección. ▲cambiar, meter *You'd better shift into second.* Es mejor que cambie Ud. a segunda *o* Es preferible que meta Ud. la segunda. ▲mudar *They shifted the furniture from one room to another.* Mudaron los muebles de una habitación a otra. O**to shift for oneself** arreglárselas solo

You'll have to shift for yourself now. Ahora tendrá que arreglárselas solo.

shin espinilla.

shine [*n*] brillo *Your shoes haven't got enough shine on them.* Sus zapatos no tienen suficiente brillo. •[*v*] brillar *Her face is shining with joy.* Su rostro brilla de alegría. ▲alumbrar, proyectar *Shine the light over here.* Proyecte la luz hacia aquí. ▲lustrar, limpiar *I want my shoes shined.* Quiero lustrarme los zapatos. ▲sobresalir, distinguirse *He shone in his studies.* Sobresalió en sus estudios.

shiny brillante, brilloso, lustroso.

ship [*n*] barco *When does the ship leave?* ¿Cuándo zarpa el barco? •[*v*] despachar, enviar *I want to ship this.* Quiero enviar esto.

shipment embarque, cargamento, remesa.

shipshape en buen orden, bien arreglado.

shipwreck naufragio.

shirt camisa.

shiver tiritar.

shock choque, shock *The wounded man is suffering from shock.* El herido padece un choque traumático. ▲choque *When the two trains collided there was a terrible shock.* Al topar los dos trenes se produjo un terrible choque. ▲corriente, descarga *Don't touch that wire or you'll get a shock.* No toque Ud. ese alambre que le dará una corriente. ▲emoción, impresión *His death was a great shock to us all.* Su muerte nos causó a todos una gran impresión. O**to be shocked** escandalizarse *I'm shocked to hear you say that.* Me escandaliza oírle decir eso.

shoe [*n*] zapato *I want a pair of shoes.* Quiero un par de zapatos. •[*v*] herrar *Who is going to shoe the horse?* ¿Quién va a herrar el caballo? O**in someone else's shoes** en el lugar de otro *Put yourself in his shoes.* Póngase Ud. en su lugar.

shoehorn calzador.

shoelace cordón de zapato.

shoemaker zapatero.

shoe polish betún, pasta, crema para los zapatos.

shoot [*n*] tallo, renuevo, vástago *The new shoots are coming up fast.* Están brotando rápidamente los nuevos tallos. •[*v*] disparar, tirar *Don't shoot!* ¡No dispare Ud.! ▲hacer, disparar *He shot a million questions at us.* Nos hizo un millón de preguntas. ▲salir disparado *The car shot down the street.* El automóvil salió disparado calle abajo. ▲tomar *I wish I could learn to shoot action pictures.* Me gustaría aprender a tomar instantáneas fotográficas. O**to shoot up** crecer *How fast that child has shot up in the last year!* ¡Con qué rapidez ha crecido ese niño en este último año!

shop [*n*] tienda *I'm going to the shop next to the movies.* Voy a la tienda al lado del cine. •[*v*] ir de compras *Let's go shopping.* Vamos de compras. O**tobacco shop** estanco, [*Am*] tabaquería. O**to shop around** ir de tiendas *I want to shop around before I buy the present.* Quiero ir de tiendas antes de comprar el regalo. O**to talk shop** hablar de los quehaceres o negocios de uno.

shore orilla *How far is it to the other shore?* ¿Qué distancia hay a la otra orilla? ▲tierra *Let's pull the boat farther up on shore.*

Arrastremos el bote más hacia tierra. ▲costa, playa *I want to go to the shore for a vacation.* Quiero ir de vacaciones a la playa.

short [*adj*] corto *I want my hair cut short.* Quiero que me corte el pelo corto.—*This coat is too short.* Este abrigo es demasiado corto. ▲tosco, brusco *You are too short with the child.* Ud. es demasiado brusco con el niño. •[*adj*] repentinamente *He stopped short when he saw us.* Se detuvo repentinamente al vernos. ᴼ**in a short time** dentro de poco *I'll be back in a short time.* Volveré dentro de poco. ᴼ**in short** en una palabra, en suma, en resumen *I have neither the time nor the inclination; in short, I refuse.* No tengo tiempo ni ganas; en una palabra, rehuso. ᴼ**short circuit** corto circuito. ᴼ**short of** falto de *We have run short of supplies.* Estamos faltos de provisiones. ᴼ**to cut short** interrumpir *Her mother's illness cut their vacation short.* La enfermedad de su madre les interrumpió las vacaciones. ᴼ**to fall short** no alcanzar *The factory fell short of its goal.* La fábrica no alcanzó el rendimiento fijado. ᴼ**to fall short of one's expectation** defraudar una esperanza *The results fell short of our expectations.* Los resultados defraudaron nuestras esperanzas. ᴼ**to run short** quedarse falto, hallarse falto *We ran short of paper.* Nos quedamos cortos de papel.

short cut atajo *Is there a short cut home?* ¿Hay algún atajo de aquí a casa?

shorten acortar, abreviar.

shorthand taquigrafía.

shortly en breve, dentro de poco *We're leaving for the country shortly.* Nos iremos al campo dentro de poco.

shorts (*underwear*) calzoncillos *He asked for six pairs of shorts.* Pidió seis pares de calzoncillos.

short story cuento.

shot [*n*] disparo *Did you hear a shot?* Oyó Ud. un disparo? *Good shot!* ¡Buen tiro! ▲tirador *He is a good shot.* Es un buen tirador. ▲instantánea *That is a good shot of the mountain.* Esa es una buena instantánea de la montaña. ▲trago, sorbo *I want a shot of whiskey.* Quiero un trago de whisky.

should ‖*I should like to start early.* Me gustaría empezar temprano. ‖*I told them that I should be able to come in time.* Les dije que podría llegar a tiempo. ‖*What should I do?* ¿Qué debo hacer? ‖*How should I know?* ¿Cómo iba yo a saber?

shoulder [*n*] hombro *My shoulder hurts.* Me duele el hombro. ▲borde de carretera *The shoulder of the road is slippery.* El borde de la carretera está resbaladizo. •[*v*] cargar al hombro, llevar a hombros *He shouldered the pack.* Cargó el fardo al hombro. ▲cargar con, asumir *Who'll shoulder the blame for this?* ¿Quién cargará con la culpa de esto? ᴼ**shoulder pad** hombrera. ᴼ**straight from the shoulder** sin rodeo, cara a cara *He gave it to him straight from the shoulder.* Se lo dijo sin rodeos. ᴼ**to give the cold shoulder** tratar con frialdad *Why did you give him the cold shoulder?* ¿Por qué le trató Ud. con frialdad?

shout [*n*] grito *Did you hear a shout just now?* ¿Oyó Ud. un grito ahora mismo? •[*v*] gritar *You don't have to shout.* No hay necesidad de gritar.

shove [*n*] empujón, empellón *He gave the man a shove.* Le dio un empujón al hombre. •[*v*] empujar *We shoved the rowboat into the water.* Empujamos el bote àl agua. ᴼ**to shove off** marcharse, irse *Well, it is time to shove off.* Ya es hora de que me marche. ᴼ**to shove someone around** *Quit shoving me around.* Deje de empujarme de un lado para otro.

shovel [*n*] pala. •[*v*] palear.

show [*n*] espectáculo, función *At what time does the show go on?* ¿A qué hora empieza el espectáculo? ▲ostentación *She made too much of a show of her jewels.* Hizo demasiada ostentación de sus joyas. •[*v*] indicar *Could you show me the way?* ¿Qodría Ud. indicarme el camino? ▲enseñar, mostrar *Have you shown this to anyone?* ¿Le ha enseñado Ud. esto a alguien?—*Show me how to do it.* Enséñeme cómo hacerlo. ▲mostrar *His work showed great care.* Su trabajo mostraba mucho esmero. ▲mostrarse *He showed great kindness to me when I was in trouble.* Se mostró generoso conmigo en momentos difíciles. ▲probar, justificar *They weren't able to show why they needed more time.* No pudieron probar por qué necesitaban más tiempo. ▲representar, dar *What are they showing at the theater?* ¿Qué están representando en el teatro? ᴼ**to show off** presumir *Don't you think he shows off a good deal?* ¿No cree Ud. que él presume demasiado? ᴼ**to show up** presentarse, aparecer *He never showed up.* Nunca se presentó. ▲destacarse *This color shows up well against the dark background.* Este color se destaca bien contra el fondo obscuro. ▲descubrir, exponer *I intend to show up your dishonesty.* Tengo intención de exponer su falta de honradez.

showcase escaparate, vidriera, vitrina.

shower [*n*] chubasco, aguacero *Wait until the shower is over.* Aguarde hasta que pase el chubasco. ▲ducha *You can take a shower here after the game.* Puede darse una ducha aquí después del partido. ▲lluvia *We were caught in a shower of sparks from the burning building.* Nos cayó una lluvia de chispas del edificio en llamas. •[*v*] inundar *Their friends showered them with presents.* Sus amigos les inundaron de regalos.

shrewd astuto, perspicaz.

shrill agudo, penetrante.

shrimp camarón, gamba.

shrink encogerse.

shrub arbusto, mata.

shrug ᴼ**shrug one's shoulders** encogerse de hombros.

shuffle arrastrar los pies *Stop shuffling and walk properly.* Deje de arrastrar los pies y camine correctamente. ᴼ**to shuffle the cards** barajar *Whose turn is it to shuffle the cards?* ¿A quién le toca barajar?

shun evitar, rehuir.

shut cerrar *Is it shut tight?* ¿Está bien cerrado?—*Shut the door and sit down.* Cierre la puerta y siéntese. ᴼ**to be shut out of** quedarse fuera de *Don't forget your key or you'll be shut out of the house.* No olvide la llave, o se quedará Ud. fuera de la casa. ᴼ**to shut down** cerrar, clausurar *For how long will the factory be shut down?* ¿Por cuánto tiempo va a estar cerrada la fábrica? ᴼ**to shut in** encerrar *They shut the dog in* *the house.* Encerraron al perro en la casa. ^o**to shut off** cerrar *Shut off the water.* Cierre la llave del agua. ^o**to shut up** cerrar *When they went to the country, they shut their house.* Cuando se fueron al campo cerraron la casa. ▲callarse *We told him to shut up.* Le dijimos que se callara.

shutter persiana.

shy tímido.

sick enfermo *He is sick in bed with pneumonia.* Está enfermo en cama con pulmonía.—*I'm going to get sick.* Me voy a poner enfermo. ▲enfermizo *The child has a sick look.* El niño tiene un aspecto enfermizo. ▲aburrido, cansado *I'm sick of working.* Estoy aburrido de trabajar.

side [*n*] lado *The label is on one side of the box.* El rótulo está en un lado de la caja.—*They crossed to the other side of the river.* Cruzaron al otro lado del río.—*Look at every side of the matter.* Estudie todas las partes del asunto.—*He has no relatives living on his father's side.* No le queda ningún pariente del lado paterno. ▲parte *His store is on the east side.* Su tienda está en la parte este.—*It is an error on your side.* Es una equivocación de su parte. ▲costado *I have a pain in my side.* Tengo un dolor en el costado. ▲partido *Whose side are you on?* ¿De parte de quien está usted? • [*adj*] lateral *Please use the side door.* Haga el favor de utilizar la puerta lateral. ^o**on all sides** por todas partes. ^o**on the side** *He makes some money working on the side.* Gana dinero haciendo otros trabajos. ^o**right side** lado derecho *I can't tell the right side from the wrong.* No puedo distinguir el lado derecho del revés. ^o**side issue** cuestión secundaria *The point you are bringing up is a side issue.* Lo que Ud. plantea es una cuestión secundaria. ^o**side of a hill** ladera *They ran down the side of the hill.* Bajaron corriendo por la ladera. ^o**to side with someone** ponerse de parte de alguien, tomar partido por *She used to side with us in our discussions.* Ella acostumbraba ponerse de nuestra parte en las discusiones. ^o**to take sides** tomar partido *It is difficult to take sides on this question.* Es difícil tomar partido en este asunto.

side dish plato secundario, entremés.

sidewalk acera, [*Mex*] banqueta, [*Am*] vereda.

siege asedio, sitio.

siesta siesta.

sigh [*n*] suspiro. • [*v*] suspirar.

sight [*n*] vista *I have poor sight.* Tengo mala vista.—*Don't lose sight of that man.* No pierda Ud. de vista a ese hombre.—*At first sight I didn't recognize you.* A primera vista no le reconocí. ▲escena, espectáculo *It was a terrible sight.* Fue un espectáculo horrible. ▲lugar interesante, objeto de interés *Did you see the sights in New York?* ¿Ha visitado Ud. los lugares interesantes de Nueva York? • [*v*] divisar *When do you expect to sight land?* ¿Cuándo esperan divisar tierra? ^o**by sight** de vista *I know him only by sight.* Le conozco solamente de vista. ^o**in sight** a la vista, visible *There was no one in sight.* No había nadie a la vista. ^o**to catch sight of** ver, alcanzar a ver *I caught sight of you in the crowd.* Le vi entre el gentío.

sightseeing ‖*Let's take a sightseeing bus.* Tomemos el ómnibus para turistas.

sign [*n*] letrero, cartel *What does that sign say?* ¿Qué dice ese letrero? ▲indicio, huella *Have you seen any sign of my friend?* ¿Ha visto Ud. algún indicio de mi amigo? ▲seña *The waiter gave us a sign to follow him.* El mozo nos hizo seña para que le siguiéramos. ▲señal *Does he show any signs of improvement?* ¿Muestra alguna señal de mejoría? ▲muestra *Have you seen any sign of affection between them?* ¿Ha visto Ud. alguna muestra de cariño entre ellos? • [*v*] firmar *He forgot to sign the letter.* Se le olvidó firmar la carta. ^o**to sign away** firmar la cesión o el traspaso *He signed away all his property to the bank.* Firmó la cesión de todas sus propiedades al banco. ^o**to sign off** terminar las emisiones *Radio stations here sign off early in the evening.* Aquí las estaciones de radio terminan sus emisiones temprano por la noche. ^o**to sign on** contratar, alistar, enrolar *The ship in the harbor is still signing on men.* El barco en el puerto está aún contratando tripulantes. ^o**to sign over** traspasar *He signed over control of the business to his son.* Traspasó la dirección del negocio a su hijo. ^o**to sign up** firmar *He signed up for three years.* Firmó por tres años. ▲inscribirse, alistarse *He signed up for volunteer work.* Se alistó para hacer trabajo voluntario.

signal [*n*] señal *I'll give you the signal when we are ready to leave.* Le haré una señal cuando estemos listos para salir. • [*v*] hacer señales *Signal that taxi!* ¡Haga Ud. señales a aquel taxi!

signature firma.

significant significante, significativo.

signify significar, dar a entender.

silence silencio *Silence!* ¡Silencio!—*His silence about the price surprised us.* Su silencio acerca del precio nos sorprendió. • [*v*] hacer callar *He silenced the audience and went on speaking.* Hizo callar al público y continuó hablando.

silent silencioso, callado *Why are you so silent?* ¿Por qué está Ud. tan callado?—*She is too silent to be good company.* Es demasiado callada para ser buena compañía.

silk seda.

silly tonto; ridículo.

silver [*n*] plata *This country produces a great deal of silver.* Este país produce mucha plata. ▲cubiertos de plata *She received some beautiful silver for a wedding present.* Recibió como regalo de boda unos lindos cubiertos de plata. ▲dinero suelto, sencillo [*Am*] *Can you give me some silver for these bills?* ¿Puede cambiarme estos billetes por dinero suelto? • [*adj*] de plata *She is wearing a silver ring.* Lleva un anillo de plata. ▲blanco *Her hair is all silver.* Tiene el pelo blanco.

silverware cubiertos de plata.

similar semejante, similar.

simple sencillo *His manners are simple.* Tiene modales sencillos.—*That is a simple matter.* Ese es un asunto sencillo. ▲fácil, sencillo *The work here is fairly simple.* El trabajo aquí es bastante fácil. ▲simple *He had a simple fracture of the arm.* Tenía una simple fractura en el brazo. ▲simple, torpe *I may seem simple, but I don't understand it.* Pareceré torpe, pero no lo comprendo.

simplicity sencillez.

simply sencillamente, simplemente.

sin pecado, culpa; transgresión.

since desde *I've had no fun since I got here.* No me he divertido desde que llegué aquí.—*He hasn't been here since Monday.* No ha estado aquí desde el lunes. ▲puesto que *Since you don't believe me, look for yourself.* Puesto que no me cree, compruébelo Ud. mismo. ᴼever **since** desde entonces *He broke his leg and has had it in a cast ever since.* Se fracturó la pierna y la tiene enyesada desde entonces.

sincere sincero.

sincerely sinceramente. ‖*Yours sincerely.* Le saluda atentamente *o* Su atento y seguro servidor.

sincerity sinceridad.

sing cantar *I can't sing very well.* No puedo cantar muy bien.—*The canaries have been singing all morning.* Los canarios han estado cantando toda la mañana. ▲cantar, arrullar *Try singing the baby to sleep.* Procure arrullar al niño para que se duerma.

singer cantante.

single solo *I haven't a single thing to eat.* No tengo un solo bocado de comida. ▲sencillo, para uno *I want a single room if possible.* Quiero una habitación sencilla, si es posible. ▲soltero *Are you married or single?* ¿Es Ud. casado o soltero? ᴼsingles individuales *Let's play singles.* Juguemos individuales. ᴼto **single** out escoger, seleccionar *They singled him out for honorable mention.* Le seleccionaron para una mención honorífica.

singular singular.

sink [*n*] fregadero *The sink is full of dirty dishes.* El fregadero está lleno de platos sucios. •[*v*] hundirse *I'm afraid the boat will sink if we take more than seven people.* Temo que este bote se hunda si llevamos más de siete personas. ▲esconderse *Take that picture before the sun sinks behind the clouds.* Tome esa fotografía antes de que el sol se esconda detrás de las nubes. ▲abrir, excavar *Can you suggest a good place to sink a well?* ¿Puede Ud. sugerir un buen sitio para abrir un pozo? ▲invertir sin provecho *He sank all his money in the business.* Invirtió sin provecho todo su dinero en el negocio. ᴼto **sink** in tener efecto *He paused a few minutes to let his remarks sink in.* Hizo una pausa para que sus observaciones tuvieran efecto. ᴼto **sink** into entrar en, penetrar *I hope that lesson has sunk into your head.* Espero que esa lección te haya entrado en el cerebro.

sinus seno, cavidad.

sip [*n*] sorbo, trago. •[*v*] sorber, chupar.

sir señor *Yes, sir.* Sí, señor.

siren sirena.

sirloin lomo de vaca, lomo de res.

sister hermana *Do you have any sisters?* ¿Tiene Ud. hermanas? ▲hermana, monja *Two sisters from the convent came to ask for a donation.* Dos monjas del convento vinieron a pedir un donativo. ᴼsister ship barco gemelo.

sister-in-law cuñada.

sit sentarse *Where are we sitting tonight?* ¿Dónde nos sentamos esta noche? ▲posar *She made arrangements to sit for her portrait.* Convino en posar para su retrato.—*There are some pigeons sitting on*

the fence. Hay unas palomas posadas en la cerca. ▲celebrar sesión, estar en audiencia *The court is sitting.* El tribunal está celebrando sesión. ᴼto **be sitting** estar sentado *They were sitting when we arrived.* Estaban sentados cuando llegamos. ᴼto **be sitting on** estar colocado en *That vase has been sitting on the shelf for years.* Ese jarrón ha estado colocado en el estante durante años. ᴼto **sit down** sentarse *Sit down there.* Siéntese allí. ᴼto **sit in on** tomar parte, participar de *He sat in on all the conferences that day.* Tomó parte en todas las conferencias ese día. ᴼto **sit out** dejar de, pasar por alto *Let's sit this dance out.* Dejemos de bailar esta pieza. ▲aguantar *I couldn't sit that play out.* No pude aguantar la función hasta el final. ᴼto **sit up** incorporarse *He sat up suddenly.* De repente se incorporó.

situated situado.

situation situación.

six seis.

sixteen dieciséis.

sixth sexto.

sixty sesenta.

size tamaño, talla, número *What size are the shoes?* ¿De qué tamaño son los zapatos? ▲talla *Try this for size.* Pruébese esto para ver la talla. ▲extensión *What is the size of the property?* ¿Cuál es la extensión de la propiedad? ▲estatura *He is a medium-sized man.* Es un hombre de mediana estatura. ᴼto **size up** darse cuenta de, justipreciar *I sized up the situation at a glance.* Me di cuenta de la situación a primera vista.

skate [*n*] patín. •[*v*] patinar.

skater patinador.

skating rink pista de patinar.

skeleton esqueleto.

skeptical escéptico.

sketch [*n*] croquis, esbozo, bosquejo *Draw me a sketch of the first floor.* Hágame un croquis del primer piso. ▲(teat.) pieza corta o ligera •[*v*] hacer croquis, dibujar *This is a good place to sketch.* Este es un buen lugar para hacer croquis.

skill habilidad, destreza.

skilled diestro, experto.

skin piel *She has a very white skin.* Tiene una piel muy blanca.—*These shoes are made of alligator skin.* Estos zapatos son de piel de cocodrilo. ▲piel, corteza *The best part of a potato is near the skin.* Lo mejor de la papa está cerca de la piel. •[*v*] desollar *The hunter was skinning the deer.* El cazador estaba desollando el ciervo. ᴼby the skin of one's teeth por un pelo *I made the train by the skin of my teeth.* Alcancé el tren por un pelo.

skip saltar *The little girl skipped down the sidewalk.* La niña iba saltando por la acera. ▲saltarse, pasar por alto *Skip that chapter.* Salte ese capítulo.

skirt falda, [*Arg*] pollera *Her skirt is too long.* Su falda es demasiado larga.

skull cráneo.

skunk zorrillo, mofeta.

sky cielo *How does the sky look today?* ¿Cómo está el cielo hoy?—*The sky is overcast.* El cielo está nublado. ᴼto the skies por las nubes *He praised her to the skies.* La puso por las nubes.

skyscraper rascacielo.

S

slack flojo *That rope is very slack.* Esa cuerda está muy floja.—*Business is slack.* Los negocios están flojos. ▲descuido, negligente *She is very slack in her work.* Es muy descuidada en su trabajo.

slacken aminorar, disminuir *Slacken your speed!* ¡Disminuya la velocidad! ▲ceder, cejar *Don't slacken your efforts until you've gotten what you want.* No ceda en su empeño hasta que haya conseguido lo que quiere.

slacks pantalones.

slander [n] calumnia. •[v] calumniar.

slang jerga, argot.

slap [n] palmada, bofetada. •[v] dar una palmada, dar una bofetada.

slash tirar tajos y reveses (*sword*); azotar, dar latigazos (*whip*).

slaughter [n] matanza. •[v] matar, masacrar.

slaughter house matadero.

slave esclavo.

sled trineo.

sleep [n] sueño. •[v] dormir *Did you sleep well?* ¿Durmió Ud. bien?—*I slept well, thanks.* Dormí bien, gracias. ᴼto **be sleepy** tener sueño. ᴼto **sleep away** pasar el tiempo durmiendo *He slept the afternoon away.* Se pasó la tarde durmiendo. ᴼto **sleep off** dormir la mona *Go home and sleep off your drunk.* Vaya Ud. a su casa a dormir la mona.

sleeping car coche dormitorio, [Am] pullman.

sleet [n] cellisca. •[v] cellisquear.

sleeve manga.

sleeveless sin mangas.

slender delgado, esbelto.

slice [n] tajada, rebanada. •[v] rebanar; cortar en lonchas, cortar en tajadas (*meat*).

slide deslizarse, resbalar.

slight [n] desprecio, desaire *She resented the slight.* Ella se ofendió por el desaire. •[adj] leve, ligero *I have a slight cold.* Tengo un leve catarro. ▲pequeño *There is a slight difference.* Hay una pequeña diferencia. ▲delicado *She has a rather slight figure.* Tiene una figura más bien delicada. •[v] desairar *I didn't intend to slight you.* No fue mi intención desairarle.

slim delgado.

slip [n] combinación, sayuela *She sent me a beautiful lace slip for my birthday.* Para mi cumpleaños me envió una preciosa combinación de encaje. ▲desliz, imprudencia, metida de pata *Did I make a slip?* ¿Cometí una imprudencia? ▲trozo, tira *He wrote the message on a slip of paper.* Escribió el mensaje en un trozo de papel. ▲esqueje, gajo *This rosebush grew from a slip.* Este rosal creció de un esqueje. •[v] echar *He slipped the letter into the mailbox.* Echó la carta en el buzón. ▲deslizar *The drawer slips in easily.* La gaveta se desliza fácilmente. ▲resbalar *Don't slip on the ice.* No se resbale en el hielo. ▲ponerse *Wait until I slip into a coat.* Espere Ud. hasta que me ponga el abrigo. ▲escapar, escabullirse *Don't let the chance slip.* No deje escapar la oportunidad. ▲olvidarse *The matter slipped my mind completely.* El asunto se me olvidó completamente. ᴼpillow **slip** funda *Please wash the pillow slips.* Haga el favor de lavar las fundas. ᴼto **give the slip** dar esquinazo *The thief gave his pur-*

suers the slip. El ladrón les dio el esquinazo a los que le perseguían. ▲dejar plantado *She gave me the slip.* Me dejó plantado. ᴼto **slip away** escabullirse *Let's slip away quietly.* Escabullámonos silenciosamente. ᴼto **slip one's clothes on** vestirse de prisa. ᴼto **slip up** meter la pata, colarse *I slipped up badly, didn't I?* Metí la pata, ¿verdad?

slipper zapatilla, pantufla, chinela.

slippery resbaladizo, resbaloso.

slope [n] declive *The hill has about a thirty degree slope.* La colina tiene cerca de treinta grados de declive. ▲pendiente *They raced down the slope.* Bajaron la pendiente corriendo. •[v] estar inclinado *The floor slopes badly.* El piso está muy inclinado.

sloppy descuidado *He is a sloppy writer.* Es un escritor descuidado. ▲desaliñado *He is very sloppy in his appearance.* Es un hombre muy desaliñado.

slot ranura, abertura; tira de madera.

slow lento *Is it a slow train?* ¿Es un tren lento?—*Cook the soup on a slow fire.* Ponga a cocinar la sopa a fuego lento. ▲blando, mojado (*horse racing*). *The horses are racing on a slow track today.* Los caballos están corriendo hoy en una pista blanda. ▲retrasado *The teacher is in charge of a class of slow pupils.* La maestra tiene a su cargo una clase de alumnos retrasados. ▲despacio, lento *Don't drive so slow.* No maneje tan despacio [Am] o No conduzca tan despacio [Sp]. ᴼslow-**witted** torpe, estúpido. ᴼto **be slow** atrasar *My watch is an hour slow.* Mi reloj está atrasado una hora. ᴼto **slow down** ir más despacio *Slow down!* ¡Vaya más despacio! ▲retardar *It looks as if he is trying to slow down the negotiations.* Parece que está tratando de retardar las negociaciones. ᴼto **slow up** ir más despacio *Slow up when you come to a crossing.* Vaya más despacio al llegar a los cruces.

slowly despacio *Can't you drive a little more slowly?* ¿No puede Ud. conducir un poco más despacio? ▲lentamente *He walks slowly.* Anda lentamente.

sluggish indolente, dejado.

slum barrio pobre.

sly astuto, taimado.

smack [n] manotada *He gave me a smack in the face.* Me dio una manotada en la cara. •[v] chocar *The car smacked into a tree.* El coche chocó contra un árbol.

small pequeño *The room is quite small.* El cuarto es bastante pequeño.—*Her folks are small farmers.* Es de familia de pequeños agricultores. ▲menudo *Please gather some small wood.* Haga el favor de recoger leña menuda.—*Chop it up small.* Píquelo muy menudo. ▲mezquino, ruin *That was an awfully small thing to do.* Fue muy ruin hacer eso. ᴼsmall **arms** armas portátiles. ᴼsmall **change** menudo, suelto *I haven't any small change.* No tengo suelto o No tengo menudo. ᴼsmall **fry** pequeño, gente menuda (*unimportant people*).

smallpox viruela.

smart [adj] listo *She is a very smart child for her age.* Es una niña muy lista para su edad. ▲elegante *She wears very smart clothes, don't you think?* Lleva vestidos muy elegantes, ¿verdad? •[v] escocer *This burn is beginning to smart.* Esta quemadura empieza a escocerme.

smash aplastar, hacer pedazos, hacer añicos.

smear [v] untar, ensuciar, tiznar.

smell [n] olfato *The dog has very keen hearing and smell.* El perro tiene el oído y el olfato muy aguzados. ▲olor *What is that smell?* ¿Qué olor es ése?—*I don't like the smell.* No me gusta el olor. •[v] oler *Do you smell smoke?* ¿Huele Ud. humo?—*That perfume smells good.* Ese perfume huele bien. ○**to smell a rat** darse cuenta de que hay gato encerrado. *As soon as she mentioned it, I smelled a rat.* Tan pronto lo mencionó, me di cuenta de que había gato encerrado.

smile [n] sonrisa *He always has a smile on his face.* Siempre tiene la sonrisa en los labios.—*You have a pretty smile.* Ud. tiene una bonita sonrisa. •[v] sonreír *I like the way she smiles.* Me gusta su manera de sonreír. ▲sonreírse *She smiled unhappily.* Se sonreía tristemente.

smoke [n] humo *Open the windows; there is too much smoke in here.* Abra las ventanas; aquí hay demasiado humo. •[v] fumar *Do you smoke?* ¿Fuma Ud.?—*I smoke cigars.* Fumo cigarros. —*No smoking.* Prohibido fumar. ▲despedir humo *That stove smokes too much.* Esa estufa despide demasiado humo. ▲ahumar *The fishermen here smoke most of their fish.* Los pescadores aquí ahuman la mayor parte del pescado.

smooth [adj] llano *Is this road smooth?* ¿Es éste camino llano? ▲tranquilo *The sea was very smooth.* El mar estaba muy tranquilo.—*We had a very smooth ride.* Dimos un paseo tranquilo en coche. ▲suave *This is a smooth wine.* Este es un vino suave. ▲lisonjero *He is a smooth salesman.* Es un vendedor lisonjero. •[v] alisar *Smooth out the paper before you wrap the package.* Alise el papel antes de envolver el paquete. ▲preparar, allanar *Send him ahead to smooth the way.* Mándele adelante para preparar el terreno.

smother sofocar, asfixiar; (coc.) estofar.

snail caracol.

snake culebra, serpiente.

snap [n] corchete, broche de presión *I have to sew snaps on my dress.* Tengo que coser unos corchetes en mi vestido. ▲instantánea *I want to take a few snaps of you.* Quiero tomar unas instantáneas de Ud. ○**to snap out of something** despabilarse *Snap out of your laziness and do something!* ¡Despabílese, haga algo!

snapshot instantánea.

sneakers zapatos de tenis.

sneeze [n] estornudo. •[v] estornudar.

snore [n] ronquido. •[v] roncar.

snow [n] nieve *How deep is the snow?* ¿Cuánta nieve hay? o ¿Qué altura tiene la nieve? ▲nevada *This is the first snow of the year.* Esta es la primera nevada del año. •[v] nevar *It snowed a lot last winter.* Nevó mucho el invierno pasado.—*It is snowing.* Está nevando. ○**to snow in** estar incomunicado o detenido por la nieve *They were snowed in for a whole week.* Estuvieron incomunicados por la nieve toda una semana. ○**to snow under** agobiar, abrumar *We were snowed under with bills.* Estábamos abrumados de deudas.

snowfall nevada.

so [adj] así *So they say.* Así dicen.—*I think so.* Así lo creo o Creo que sí.—*I've heard so.* Así lo he oído decir o Eso es lo que he oído.—*I suppose so.* Así me parece o Supongo que sí.—*It is all right now.* I hope it will remain so. Está bien ahora. Espero que continúe así. ▲cierto *That is not so!* ¡Eso no es cierto!—*Is that so?* ¿Es cierto eso?—*I think he left a letter.* Es cierto. Creo que él dejó una carta. Es cierto. ▲tan *Why are you so gloomy?* ¿Por qué está Ud. tan triste? ▲muy *You're so clever!* ¡Es Ud. muy listo! o ¡Qué listo es Ud.! ▲mucho *I'm so glad to meet you!* ¡Mucho gusto en conocerle! ▲también *If I can do it, so can you.* Si yo lo puedo hacer, también puede Ud.—*They're very nice, and so are their children.* Son muy simpáticos, y también lo son sus hijos. ▲tanto *I'd better not go out, my head aches so.* Me duele tanto la cabeza que es mejor que no salga. ▲ya *The door is open. So I see.* La puerta está abierta. Ya lo veo. ▲así es *I'm not feeling well, so I don't think I'd better go.* No me siento bien, así es que no creo que debo ir. •[interj] conque *So you've finally come home!* ¡Conque por fin vuelve Ud. a casa! ○**and so** así es *They left early, and so I missed them.* Se fueron temprano, así es que no pude verlos. ○**and so forth** y así por el estilo, y así de lo demás. ○**and so on, and so forth** etcétera, etcétera. ○**it so happens** da la casualidad *It so happens that I am responsible for the work.* Da la casualidad de que yo soy responsable del trabajo. ○**just so** de esta manera *Do it just so.* Hágalo de esta manera. ▲al pelo, perfectamente *She does everything just so.* Todo lo hace al pelo. ○**or so** poco más o menos, o cosa así *I need a pound or so of sugar.* Necesito poco más o menos una libra de azúcar. ○**so and so** tal por cual, fulano de tal. ○**so as to** de modo que, de suerte que *Say it so as not to hurt her.* Dígaselo de modo que no se ofenda. ▲para, a fin de *I did some of the work so as to make things easier for her.* Hice parte del trabajo a fin de facilitarle su labor. ○**so...as to** tan...como para que *I hope the suits aren't all so worn as to be useless.* Espero que los trajes no estén tan viejos como para que no puedan usarse. ○**so-called** supuesto; así llamado. ○**so far** hasta aquí, hasta ahora *So far I'm bored.* Hasta ahora me estoy aburriendo. ○**so far as I know** que yo sepa *So far as I know, I have nothing to declare.* Que yo sepa, no tengo nada que declarar. ○**so much** tanto *Not so much pepper, please.* No tanta pimienta, por favor.—*He ran so much he got all out of breath.* Corrió tanto que se quedó sin aliento. ○**so-so** así así; medianamente, regular. ○**so that** a fin de que, para que *I fixed things so that you could come.* Arreglé las cosas a fin de que Ud. pudiera venir. ○**so...that** tan...que *I am so tired that I can hardly stand up.* Estoy tan cansado que apenas puedo tenerme en pie.

soak empapar, remojar.

soap jabón. ○**shaving soap** jabón de afeitar. ○**toilet soap** jabón de tocador.

soap opera telenovela.

sob [n] sollozo *I was wakened by the child's sobs.* Me despertaron los sollozos del niño. •[v] sollozar, llorar *The baby sobbed himself to sleep.* El nené lloró hasta dormirse.

sober sobrio; serio.

social social.

socialist socialista.

society sociedad.

sock [n] calcetín *I want three pairs of socks.* Quiero tres pares de calcetines.

sock [n] puñetazo *I'd like to give him a sock on the jaw.* Me gustaría darle un puñetazo en la mandíbula. •[v] dar puñetazos *If you do it again, I'll sock you.* Si lo vuelves a hacer, te daré un puñetazo.

socket enchufe, portalámpara.

soda sosa (*sodium*); soda (*water*); gaseosa (*pop*). º**ice-cream soda** refresco de gaseosa con helado. º**soda fountain** mostrador de refrescos, fuente de soda. º**soda water** agua de sifón, soda.

sofa sofá, canapé.

soft blando *This pillow is too soft for my taste.* Esta almohada es demasiado blanda para mi gusto.—*You're too soft to be an executive.* Es Ud. demasiado blando para mandar. ▲fino, no grueso *That material is not soft enough for a dress.* Esa tela no es lo suficientemente fina para un vestido. ▲suave *She has very soft skin.* Tiene un cutis muy suave. ▲fofo *I'll get soft if I don't have any exercise.* Si no hago ejercicio voy a ponerme fofo. º**soft-boiled eggs** huevos pasados por agua. º**soft drink** refresco. º**soft-hearted** de buen corazón. º**soft-spoken** de hablar meloso, de hablar suave.

soften ablandar (*make softer*); suavizar (*make smooth*).

softly sin ruido, con cuidado *Walk softly so as not to wake up the baby.* Ande con cuidado para no despertar al bebé.

software programas para computadoras.

soil [n] tierra *What will grow in this soil?* ¿Qué se puede cultivar en esta tierra?

soil [v] manchar, ensuciar º**soiled** sucio, manchado *My clothes are soiled.* Mi ropa está sucia. º**to get soiled** emporcarse, ensuciarse *Don't let it get soiled.* No deje Ud. que se ensucie.

soldier soldado.

sole [n] suela *I need new soles on these shoes.* Necesito suelas nuevas en estos zapatos. ▲lenguado *We had fillet of sole for lunch.* Comimos filete de lenguado en el almuerzo. •[adj] único *Are we the sole occupants?* ¿Somos los únicos ocupantes? •[v] poner suelas *These shoes need to be soled.* Hace falta poner suelas a estos zapatos.

sole º**for the sole purpose of** con el fin exclusivo de *He reads for the sole purpose of amusing himself.* Sólo lee con el fin exclusivo de distraerse.

solemn solemne.

solicit solicitar.

solid [n] sólido *The doctor told him not to eat solids for a few days.* El doctor le dijo que no comiera sólidos durante unos días. •[adj] sólido *Is the ice solid?* ¿Está sólido el hielo? ▲firme, sólido *This chair doesn't feel very solid to me.* Esta silla no me parece muy firme. ▲macizo *Is the beam solid or hollow?* ¿Es la viga maciza o hueca? ▲entero, todo *He talked to me for a solid hour.* Me habló durante toda una hora. ▲liso *I want a solid blue material.* Quiero una tela azul lisa.

some algo *Take some meat.* Tome algo de carne o Tome Ud. carne. ▲poco *Give me some more water.* Déme un poco más de agua. ▲cierto *He is a man of some reputation.* Es un hombre de cierta fama.—*Some types are better suited to this purpose.* Ciertos tipos de personas cuadran mejor para este fin. ▲algún *I've been working for some time.* He estado trabajando por algún tiempo.—*I hope I can see you again some day.* Espero verle de nuevo algún día.—*I've seen you some place.* Le he visto a Ud. en algún sitio.—*There must be some way of finding out.* Debe haber alguna manera de averiguarlo. ▲unos, algunos *Could I have some oranges?* ¿Puede darme unas naranjas? ▲algunos *Take some of these books.* Tome algunos de estos libros.—*Some of you may disagree with me.* Quizás algunos de Uds. no estén de acuerdo conmigo. ▲unos *Some friends were looking for you.* Unos amigos vinieron a buscarle. º**some... and some** unos...y otros *Some will go by train and some by boat.* Unos irán por tierra y otros por mar. º**some of** de *I want some of that material.* Quiero de esa tela. º**some...or other** uno...u otro *Try to get some typist or other to do the job.* Consiga una u otra mecanógrafa para que haga el trabajo. ▲uno de esos *It is in some book or other on that shelf.* Está en uno de esos libros de la estantería. º**to some extent** hasta cierto punto *To some extent that is true.* Hasta cierto punto eso es verdad.

somebody alguien, alguna persona. º**somebody else** algún otro.

somehow de algún modo. º**somehow or other** de un modo u otro.

someone alguien.

someplace en alguna parte.

something algo *He knows something about medicine.* Sabe algo de medicina.—*Is something the matter?* ¿Sucede algo?—*If you want something, ring the bell.* Si quiere algo, toque el timbre.—*That is really something.* Eso sí que es algo.—*There is something peculiar here.* Aquí hay algo extraño.—*There is something in what you say.* Hay algo en lo que Ud. dice. ▲algo, un poco *He is something of a musician.* Tiene algo de músico. º**something else** algo más *There is something else I want.* Hay algo más que yo quiero.

sometime algún día *Can I have a date with you sometime?* ¿Podríamos salir juntos algún día? ▲durante, en el curso de *It happened sometime last October.* Sucedió durante el pasado octubre.

sometimes a veces *I get mixed up sometimes.* A veces me atolondro. ▲algunas veces *Sometimes I wonder if it is worthwhile to work so hard.* Algunas veces dudo si vale la pena trabajar tan duro. º**sometimes...sometimes** a veces... otras veces *Sometimes I sleep late, sometimes I get up early.* A veces duermo hasta muy tarde, otras veces me levanto temprano.

somewhat algo *This differs somewhat from the usual type.* Esto difiere algo del tipo corriente. ▲un poco, algo *That is somewhat too expensive.* Eso es algo caro.

somewhere alguna parte *Haven't we seen each other somewhere before?* ¿No nos hemos visto antes en alguna parte?

son hijo.

song canción *That is a pretty song.* Esa es una bonita canción. º**for a song** por una bicoca, por una nada *We bought the chair for a song.* Compramos la silla por una bicoca.

son-in-law yerno.

sonnet soneto.

soon pronto *I'll be back soon.* Volveré pronto.—*Come again soon.* Vuelva Ud. pronto.—*It is too soon to tell what is the matter with him.* Es demasiado pronto para saber lo que tiene. O**as soon as** tan pronto como *I told you as soon as I knew myself.* Se lo dije tan pronto como lo supe. O**as soon as possible** cuanto antes, lo antes posible. O**no sooner...than** apenas...cuando *He no sooner said her name than she came in sight.* Apenas pronunció su nombre cuando apareció ella. O**soon after** poco después que *He came soon after I left.* Vino poco después de que yo me marché. O**sooner or later** tarde o temprano *I'll have to see him sooner or later.* Tendré que verle tarde o temprano.

soot hollín.

soothe calmar, tranquilizar.

sore [n] llaga, erosión *There is a sore on my foot.* Tengo una llaga en el pie. •[adj] mal *My throat is sore.* Estoy mal de la garganta o Me duele la garganta. ▲lastimado *That is the sore toe.* Ese es el dedo lastimado. O**to be sore** doler *This bruise is sore to the touch.* Esta herida duele al tocarla. O**to get sore** ofenderse *Don't get sore; I didn't mean anything.* No se ofenda que no quise decir nada. O**to make sore** desesperar, ofender *That makes me sore.* Eso me desespera.

sore throat inflamación de la garganta, dolor de garganta.

sort tipo *She has beauty of a different sort.* Su belleza es de otro tipo.—*She is not the sort of girl you can forget easily.* No es el tipo de muchacha que se olvida fácilmente. ▲clase *They have books of all sorts.* Tienen libros de todas clases.—*What sort of man is he?* ¿Qué clase de hombre es? ▲especie *It is a sort of gift some people have.* Es una especie de don que tiene alguna gente. O**all sorts** toda clase *I need all sorts of things.* Necesito toda clase de cosas. O**a sort of** cierto *You cannot help but feel a sort of admiration for a man like that.* Uno no puede menos que sentir cierta admiración por un hombre como ese. O**nothing of the sort** nada de eso *You'll do nothing of the sort.* Ud. no hará nada de eso. O**sort of** más bien *I'm sort of glad things happened the way they did.* Estoy más bien contento por la manera como ocurrieron las cosas. ▲en cierto modo *I'd sort of like to go.* En cierto modo me gustaría ir. O**to sort out** clasificar, ordenar por clases *I must sort out the mail.* Tengo que clasificar la correspondencia.

soul alma.

sound [n] sonido *I thought I heard a funny sound.* Creí oír un sonido extraño.—*Is that sound always represented by the same letter?* ¿Está ese sonido siempre representado por la misma letra? ▲estrecho *Let's go for a sail on the sound.* Vamos a navegar por el estrecho. •[adj] firme *The floor is old but very sound.* El piso es viejo pero muy firme. ▲sano *Did you get home safe and sound?* ¿Llegó Ud. a su casa sano y salvo? ▲bueno *His constitution is still sound.* Su estado de salud es bueno todavía. ▲seguro *Do you*

think that this is a sound business? ¿Cree Ud. que éste es un negocio seguro? ▲sólido, razonable, de peso *That is a sound argument.* Ese es un argumento de peso. ▲legítimo *Have you got sound title to the property?* ¿Tiene Ud. un título legítimo de la propiedad? •[v] sonar *That shot sounded very close.* Ese tiro sonó muy cerca.—*His name sounds just like hers.* Su nombre suena muy parecido al de ella. ▲tocar, sonar *The bugle sounded retreat.* El corneta tocó retreta. ▲parecer *It sounds impossible.* Parece imposible. ▲sondear *They sounded the lake.* Sondearon el lago. O**to sound someone out** sondear, tantear *I sounded him out on his ideas.* Le tanteé para ver que ideas tenía. ||*How does that sound to you?* ¿Qué le parece eso?

soup sopa.

soup plate plato sopero, plato hondo.

sour agrio, ácido, rancio, huraño.

source fuente *What is your source of information?* ¿Cuál es su fuente de información? ▲motivo *His success has been a source of great pride to all of us.* Su éxito ha sido motivo de gran orgullo para todos nosotros. ▲origen, causa *Have you found the source of the trouble?* ¿Ha encontrado Ud. el origen de ese problema?

source book libro de consulta, libro de referencia.

south [n] sur *This farm runs about a mile from north to south.* La extensión de la finca de norte a sur es de una milla.—*We traveled through the south of France.* Viajamos por el sur de Francia. •[adj] *It is on the south side.* Está en el lado sur.

southeast sudeste.

southern meridional *Southern Europe.* Europa meridional. ▲al sur, del sur *I'd prefer a room with a southern exposure.* Preferiría un cuarto que dé al sur.

southwest sudoeste.

souvenir recuerdo.

sovereign soberano.

sow [n] puerca, marrana.

sow [v] sembrar.

soybean soya.

space [n] espacio *Is there any space for my luggage?* ¿Hay espacio para mi equipaje?—*Leave a double space after each sentence.* Deje doble espacio después de cada frase.—*He just sat there staring out into space.* Estaba sentado con la mirada fija en el espacio.—*He did the work in the space of a day.* Hizo el trabajo en el espacio de un día.—*How much space does the building occupy?* ¿Cuánto espacio ocupa el edificio?—*Write small and save space.* Escriba apretado para ahorrar espacio. O**space flight** vuelo espacial. •[v] espaciar, separar *The posts are spaced a foot apart.* Los postes están separados entre sí un pie de distancia.

spade [n] pala, azada *I have to get this spade fixed.* Tengo que hacer arreglar esta pala. ▲espada *I have two spades and three hearts.* Tengo dos espadas y tres corazones. •[v] cavar con pala, remover la tierra *Will you help me spade my garden?* ¿Quiere ayudarme a remover la tierra de mi jardín? O**to call a spade a spade** llamar al pan, pan y al vino, vino.

S

span [v] atravesar, extenderse sobre *The bridge spans the river at its narrowest point.* El puente atraviesa el río por su punto más estrecho. Obridge span ojo de puente, tramo, luz. Olife span promedio de vida *What is the life span of a man?* ¿Cuál es el promedio de vida de un hombre?

Spaniard español.

Spanish español.

spank zurrar, pegar, dar una paliza.

spanking zurra, paliza.

spare [n] rueda de repuesto *Hand me the spare, please.* Haga el favor de darme la rueda de repuesto. •[adj] disponible / *haven't a spare minute.* No tengo un minuto disponible. •[v] perdonar, salvar *Luckily his life was spared.* Por fortuna se le perdonó la vida. ▲ahorrar *Spare me the details.* Ahórreme los detalles.—*You can spare yourself the trouble.* Puede Ud. ahorrarse la molestia. ▲escatimar *I've spared no expense in building the house.* No escatimé gastos al edificar la casa. ▲prestar *I can spare you some money.* Le puedo prestar algún dinero. ▲sobrar *Can you spare a stamp?* ¿Le sobra una estampilla? *o* ¿Me puede dar Ud. una estampilla? ▲conceder *Can you spare a minute?* ¿Puede concederme un minuto? Ospare parts piezas de repuesto *Do you have any spare parts for your radio?* ¿Tiene piezas de repuesto para su radio? Ospare time momentos libres, rato de ocio *I'll do it in my spare time.* Lo haré en mis momentos libres. Oto spare de tiempo *I got to the station with five minutes to spare.* Llegué a la estación con cinco minutos de tiempo.

spark chispa.

spark plug bujía.

sparkle [n] fulgor, brillo, destello. •[v] relucir, brillar (*shine*); chispear, echar chispas (*spark*).

sparkling chispeante, brillante; vivaz (*lively*). Osparkling wine vino espumoso.

sparrow gorrión.

speak hablar *Do you speak Spanish?* ¿Habla Ud. español?—*We were just speaking of you.* Precisamente estábamos hablando de Ud.—*Who spoke last night?* ¿Quién habló anoche?—*To speak plainly, you're a thief.* Hablando claramente, Ud. es un ladrón. ▲decir *Go ahead and speak your piece.* Ande, diga lo que quiere decir. Ogenerally speaking generalmente *Generally speaking, he is home every evening.* Generalmente está en casa todas las noches. Oso to speak por decirlo así. Oto speak for hablar en nombre de *I'm speaking for my friend.* Hablo en nombre de mi amigo. ▲comprometer *Next Saturday is already spoken for.* El sábado que viene ya está comprometido.

speaker orador, conferencista; bocina.

spear [n] lanza. •[v] alanzar.

special especial *I have a special reason.* Tengo una razón especial.—*Have you anything special in mind for tonight?* ¿Tiene Ud. pensado algo especial para esta noche?

special delivery entrega inmediata, urgente.

specialist especialista.

specialize especializar.

specialty especialidad.

species especie.

specific específico.

specify especificar.

specimen muestra, espécimen.

speck motita.

spectacle espectáculo.

spectacles gafas, anteojos, lentes.

spectator espectador.

speech discurso *That was a very good speech.* Ese discurso fue muy bueno. ▲modo de hablar *You can often tell where a person comes from by his speech.* Con frecuencia se puede saber de dónde es una persona por su modo de hablar.

speechless mudo, sin habla.

speed velocidad *This car has four speeds.* Este automóvil tiene cuatro velocidades.—*The train is moving at a very slow speed.* El tren marcha a muy poca velocidad.—*Speed limit 55 miles per hour.* Velocidad máxima 55 millas por hora. ▲rapidez *The job will be finished with all speed.* El trabajo se terminará con la mayor rapidez. ▲prisa *Do it with all speed.* Hágalo a toda prisa. Oto speed up acelerar *Speed up the work.* Acelere Ud. el trabajo.

spell [n] ataque *He had a coughing spell.* Tuvo un ataque de tos. ▲racha *This hot spell won't last long.* Esta racha de calor no durará mucho. ▲intervalo *He worked in that office for a short spell.* Trabajó en esa oficina por un corto intervalo. •[v] deletrear *He doesn't know how to spell yet.* Todavía no sabe deletrear.

spelling deletreo; ortografía (*orthography*).

spend gastar *I haven't much to spend.* No tengo mucho que gastar. ▲pasar *I want to spend the night here.* Quiero pasar la noche aquí.

sphere esfera.

spice especia.

spick-and-span nuevo, flamante; limpio.

spider araña.

spill derramar *Who spilled the milk?* ¿Quién derramó la leche?

spin [n] giro, vuelta. •[v] hilar.

spinach espinaca.

spine espinazo, columna vertebral.

spirit espíritu.

spiritual espiritual.

spit [n] saliva *The baseball player rubbed his hands with spit.* El jugador de béisbol se restregó las manos con saliva. ▲asador *I like meat roasted on a spit.* Me gusta la carne al asador. •[v] escupir *No spitting.* Se prohíbe escupir. Oto spit out escupir *If it tastes bad, spit it out.* Si sabe mal, escúpalo.

spite [n] despecho *She did that just for spite.* Lo hizo sólo por despecho. Oin spite of a pesar de, a despecho de *I failed in spite of all my efforts.* Fracasé a pesar de todos mis esfuerzos.

splash [n] salpicadura. •[v] salpicar, chapotear.

splendid espléndido *This is splendid weather for swimming.* Hace un tiempo espléndido para nadar. ▲lujoso *Their house is a little too splendid for my taste.* Para mi gusto su casa es demasiado lujosa.

splendor esplendor.

splinter [n] astilla. •[v] astillar, hacer astillas.

split [n] escisión *There was a split in the party after elections.* Hubo una escisión en el partido después de las elecciones. •[v] dividir, repartir *Let's split the profits.* Dividamos las ganancias. ^O**splitting** tremendo, terrible *I have a splitting headache.* Tengo un tremendo dolor de cabeza. ^O**to split hairs** pararse en pelillos. ^O**to split one's sides with laughter** desternillarse de risa.

spoil echar a perder *He spoiled my plans.* Echó a perder mis planes. ▲echarse a perder *Food spoils quickly in hot weather.* La comida se echa a perder muy pronto con el calor. ^O**spoiled** consentido, mimado *He is a very spoiled child.* Es un niño muy consentido.

spoils botín *They got their share of the spoils.* Recibieron su parte del botín.

spoke radio, rayo *This wheel has a broken spoke.* Esta rueda tiene un radio roto.

spokesman, spokesperson portavoz, vocero.

sponge [n] esponja. •[v] limpiar con esponja; comer de gorra.

sponger gorrista, sablista.

sponsor [n] patrocinador *The only one who voted in favor of that law was its sponsor.* El único que votó en favor de esa ley fue su patrocinador. •[v] costear, suscribir *Which program will you sponsor?* ¿Qué programa costeará Ud.? ▲patrocinar *It would be a great favor to us if you would sponsor the bill.* Nos haría un gran favor si patrocinara Ud. el proyecto de ley.

spontaneous espontáneo.

spool [n] carrete, carretel, bobina. •[v] ovillar.

spoon cuchara.

sport [n] deporte *Do you like sports?* ¿Le gustan los deportes? ‖*This is fine sport.* Esto es muy divertido. ‖*She is a poor sport.* No sabe perder.

sports [adj] de sport *I have to wear sports clothes.* Tengo que llevar ropa de sport. ▲deportivo *I always read the sports page first.* Lo primero que leo siempre es la página deportiva.

spot [n] mancha *Can you get these spots out of my pants?* ¿Puede quitarme estas manchas del pantalón? ▲lugar, punto *Show me the exact spot you mean.* Enséñeme el lugar exacto a qué se refiere Ud. ▲lugar *I was right on the spot when the accident happened.* Estaba precisamente en el lugar cuando ocurrió el accidente. •[v] reconocer, distinguir *I spotted you in the crowd as soon as I saw your hat.* Le reconocí entre el gentío tan pronto divisé su sombrero. ^O**on the spot** en el acto, al punto *They hired him on the spot.* Le emplearon en el acto.

spotlight reflector, proyector. ^O**to be in the spotlight** estar en posición conspicua.

spout [n] borbotón, chorro; pico (*of teapot*); espita (*beer barrel*). •[v] borbotar, salir a borbotones, correr a chorros.

sprain [n] torcedura *Is that sprain very painful?* ¿Le duele mucho esa torcedura? •[v] torcerse *She sprained her ankle.* Se torció el tobillo.

spray [n] rociada, rociador; ramillete. •[v] rociar.

spread [n] propagación *They tried to check the spread of the disease.* Trataron de evitar la propagación de la enfermedad. •[v] extender *Spread the rug out and let me look at it.* Extienda la alfombra y déjeme verla. ▲extenderse *The fire spread rapidly.* El incendio se extendió rápidamente. ▲propagar *Spread the news.* Propague la noticia. ▲poner, untar *Spread the honey on the bread.* Úntele miel al pan. ▲espaciar, distribuir *He repaid me in small amounts, spread over several years.* Me pagó en pequeños plazos distribuidos a lo largo de varios años. ^O**to spread the table** poner la mesa.

spreadsheet hoja de cálculo.

spring [n] resorte, muelle *The spring seems to be broken.* Parece ser que el resorte está roto. ▲manantial *Let's have a drink of nice cool spring water.* Bebamos un poco de agua fresca del manantial. ▲primavera *We won't be leaving town before spring.* No saldremos de la ciudad antes de la primavera. •[v] lanzarse *The cat sprang at the mouse.* El gato se lanzó sobre el ratón. ^O**to spring up** aparecer, surgir *Towns began to spring up all along the river.* Empezaron a surgir poblaciones a lo largo del río.

sprinkle [v] rociar (*spray*); lloviznar (*rain*).

sprinkler regadera.

sprout brotar, germinar.

spry ágil.

spur [n] espuela. ^O**on the spur of the moment** de repente, al impulso, sin pensarlo del momento.

spy [n] espía. •[v] espiar.

squab pichón.

square [n] plaza *How far are we from the square?* ¿A qué distancia estamos de la plaza? ▲cuadrado *They cut the cake into small squares.* Cortaron el bizcocho en cuadritos. •[adj] cuadrado *How many square feet does the building cover?* ¿Cuántos pies cuadrados ocupa el edificio?—*I want a square box.* Quiero una caja cuadrada. ▲honrado, íntegro *He is a pretty square fellow.* Es un chico bastante honrado. •[v] arreglar, ajustar *I'll square things with you later.* Más adelante arreglaremos cuentas. ^O**carpenter's square** escuadra de carpintero. ^O**square deal** juego limpio, buen trato.

squash [n] calabaza, [Am] ayote *We had squash for lunch.* Comimos calabaza en el almuerzo. •[v] despachurrar, aplastar *I'm afraid I squashed the cake.* Temo haber despachurrado el pastel.

squeak [n] chirrido. •[v] chirriar.

squeeze [v] apretar, estrujar *He squeezed her hand until she screamed.* Le apretó la mano hasta hacerla gritar. ▲exprimir *Squeeze some lemons for the lemonade.* Exprima unos limones para la limonada. ^O**to squeeze through** abrirse paso a la fuerza *He squeezed his way through the crowd.* Se abrió paso a la fuerza por entre la multitud.

squirrel ardilla.

stab [n] punzada *As he turned, he felt a sudden stab of pain in his side.* Al volverse, sintió repentinamente una punzada de dolor en el costado. •[v] apuñalar, dar de puñaladas *He was stabbed to death.* Lo mataron a puñaladas o Murió apuñalado. ^O**stab in the back** puñalada trapera.

S

stable [n] caballeriza *Where are the stables?* ¿Dónde están las caballerizas?

stable [adj] equilibrado, juicioso *She is a pretty stable person.* Es una persona bien equilibrada. ▲estable *They haven't had a stable government for centuries.* Hace siglos que no han tenido un gobierno estable.

stack [n] pila, montón. •[v] apilar, amontonar.

staff estaca, palo, cayado. ▲personal *The staff of that office is very efficient.* El personal de esa oficina es muy eficiente. ᴼeditorial staff cuerpo de redacción. ᴼgeneral staff estado mayor.

stage [n] período *He is in an advanced stage in his studies.* Está en un período avanzado de sus estudios. ▲escenario *I can't see the stage from this seat.* No puedo ver el escenario desde este asiento. ▲teatro *My sister is trying to get on the stage.* Mi hermana está tratando de actuar en el teatro. •[v] representar *The plot was good but the play was poorly staged.* La trama era buena pero la comedia estuvo mal representada.

stagger zigzaguear, hacer eses, tambalearse; colocar al tres, bolillo (*arrange in zigzag order*).

stain [n] mancha. •[v] manchar.

stairs escalera *Take the stairs to your right.* Tome la escalera a la derecha.

stale rancio, viejo.

stalk tallo (*flower*); caña (*wheat*).

stall [n] pesebre *Put the horse in the stall.* Ponga el caballo en el pesebre. ▲tenderete, puesto *They're putting up the stalls for the fair.* Están instalando los tenderetes para la feria. •[v] atascar *The motor has stalled again, damn it!* ¡Demonio! Se ha atascado de nuevo el motor. ▲entretener *Stall the crowd until I can get away.* Entretenga al populacho hasta que yo pueda escaparme. ᴼto stall for time demorar intencionadamente.

stammer tartamudear.

stamp [n] estampilla, sello *I want five thirty-two cent stamps.* Déme cinco estampillas de treinta y dos centavos. ▲sello *Please buy me a rubber stamp.* Haga el favor de comprarme un sello de goma. •[v] pisar, golpear con los pies *Stamp on that cigarette butt.* Pise esa colilla. ▲patalear *Teach the child not to stamp his feet.* Enséñele al niño a que no patalee. ▲marcar, sellar *Please stamp this "fragile."* Haga el favor de marcar esto con la palabra "frágil". ▲poner sello, franquear *Did you stamp the envelope?* ¿Ha puesto un sello en el sobre?

stand [n] mostrador, mesita *Put the magazines on the stand.* Ponga las revistas sobre el mostrador. ▲tribuna, plataforma *The president and his family were on the stand.* El presidente y su familia estaban en la tribuna. ▲puesto, tiendecilla ambulante *He has a vegetable stand.* Tiene un puesto de verduras. ▲resistencia *The Forty-sixth Division made a gallant stand.* La división 46 ofreció una resistencia heroica. •[v] levantarse, [Am] pararse *The audience stood when they saw the conductor come in.* El público se levantó al entrar el director de la orquesta. ▲estar de pie *The ladder is standing in the corner.* La escalera está de pie en el rincón. ▲estar situado *The house stands in an open field.* La casa está situada

en campo abierto. ▲quedarse *Stand where you are.* Quédese donde está. ▲estar *The old clock has stood on that shelf for years.* El viejo reloj ha estado en ese estante durante años.—*The front door stood wide open.* La puerta principal estaba abierta de par en par.—*As things now stand, I'll have to go.* En vista de como están las cosas, ahora tendré que irme. ▲reposar *Let the milk stand overnight.* Deje reposar la leche durante la noche. ▲resistir *This cloth won't stand much washing.* Esta tela no resistirá mucho el lavado. ▲soportar, aguantar *I can't stand your friend.* No puedo soportar a su amigo. ▲poner de pie *He stood the box in the corner.* Puso la caja de pie en el rincón. ▲poner *Stand it over there.* Póngalo allí. ᴼas it stands tal como está *How much for it as it stands?* ¿Cuánto quiere por ello, tal como está? ᴼto stand a chance tener probabilidad *I'm afraid you don't stand a chance of getting a job here.* Me parece que no tiene ninguna probabilidad de conseguir un puesto aquí. ᴼto stand alone ser el único *In this opinion I do not stand alone.* No soy el único que piensa así. ᴼto stand aside apartarse, ponerse a un lado *Stand aside, please.* Apártese, por favor. ᴼto stand back retroceder, retirarse *Stand back and give her air.* Retírense, no le quiten el aire. ᴼto stand by estar cerca *He was standing by the door when we arrived.* Estaba cerca de la puerta cuando llegamos. ▲hallarse presente, asistir *I stood by during the operation.* Me hallaba presente durante la operación. ▲estar al lado de uno *I'll always stand by you in case of trouble.* Estaré siempre a su lado en cualquier dificultad. ▲estar atento *Stand by for the latest news.* Esté atento a las noticias de última hora. ▲hacer honor a, mantener *You can count on him to stand by his word.* Puede confiar en que él mantendrá su palabra. ᴼto stand fast no ceder, mantenerse firme. *The others gave in, but she stood fast.* Los otros cedieron, pero ella se mantuvo firme. ᴼto stand for tolerar *I don't have to stand for such behavior.* No tengo por qué tolerar tal comportamiento.—*I can't stand for things like that.* No puedo tolerar tales cosas. ▲representar *In this code each number stands for a letter.* En esta clave cada número representa una letra. ▲estar del lado de, ser partidario de, estar por *He stands for democracy.* Es partidario de la democracia. ᴼto stand in the way hallarse en el camino, obstruir el paso. ᴼto stand off mantenerse distanciado, mantenerse a distancia. ᴼto stand on insistir en *I'm going to stand on my rights.* Voy a insistir en mis derechos. ᴼto stand on one's own feet valerse por sí mismo. ᴼto stand on tiptoe ponerse de puntillas. ᴼto stand out resistir *They stood out against the enemy for months.* Resistieron al enemigo durante meses. ▲destacarse *Her clothes make her stand out in a crowd.* Se destaca de los demás por su manera de vestir. ᴼto stand to reason ser lógico *It stands to reason that she wouldn't do that.* Es lógico que ella no haga eso. ᴼto stand up levantarse, ponerse en pie *Don't bother standing up.* No se moleste en levantarse. ▲resistir *Do you think these shoes will stand up under hard wear?* ¿Cree Ud. que estos zapatos resistirán mucho uso? ▲dejar plantado *She stood me up at the last minute.* Me dejó plantado en el último momento.

ᴼ**to stand up for** sacar la cara por, salir en defensa de *If we don't stand up for him, nobody will.* Si nosotros no sacamos la cara por él, nadie lo hará.

standard [*n*] norma *Who sets the standard of work here?* ¿Quién establece la norma del trabajo a hacer aquí? ▲nivel *Our standard of living is lower than yours.* Nuestro nivel de vida es más bajo que el de Uds. •[*adj*] corriente *This is the standard size.* Este es el tamaño corriente.—*This is the standard price.* Este es el precio corriente. ᴼ**gold standard** patrón oro. ᴼ**standard rate** precio de tasa. ᴼ**standard weight** peso legal.

standing reputación, crédito *This is a firm of good standing.* Esta es una casa de buena reputación. ᴼ**of long standing** de mucho tiempo *Their friendship is of long standing.* Son amigos de hace mucho tiempo.

star [*n*] estrella *The sky is full of stars tonight.* Esta noche el cielo está lleno de estrellas.—*She is the star of that picture.* Es la estrella de esa película. •[*v*] figurar como estrella *She has starred in every picture she has been in.* Ha figurado como estrella en todas las películas en que ha tomado parte. ᴼ**starred** marcado con asterisco *Omit the starred passages.* Suprima los pasajes marcados con asteriscos.

starch [*n*] fécula *You have too much starch in your diet.* Ud. tiene demasiada fécula en su dieta. ▲almidón *Don't put too much starch in the collars.* No ponga demasiado almidón en los cuellos. •[*v*] almidonar *Did you remember to starch the shirts?* ¿Se acordó de almidonar las camisas?

stare [*v*] mirar fijamente, clavar la mirada.

start [*n*] principio *It was a failure from start to finish.* Fue un fracaso desde el principio hasta el fin. •[*v*] comenzar *Has the performance started yet?* ¿Ha comenzado ya la función? ▲empezar (a) *It is starting to rain.* Está empezando a llover.—*The baby started crying.* El niño empezó a llorar.—*We start work tomorrow.* Empezaremos el trabajo mañana. ▲partir, ponerse en camino *We started off early in the morning.* Partimos de madrugada. ▲lanzar *Who started that rumor?* ¿Quién lanzó ese rumor? ▲poner en marcha *Start the engine.* Ponga el motor en marcha. ▲causar *What started the fire?* ¿Qué fue lo que causó el incendio? ᴼ**to get one's start** empezar *He got his start in a small office.* Empezó en una pequeña oficina.

startle espantar, asustar; alarmar.

starve morir de hambre; matar *o* hacer morir de hambre (*starve somebody*).

state [*n*] estado *I'm worried about the state of her health.* Estoy preocupado por el estado de su salud.—*The railroads are owned by the state.* Los ferrocarriles son propiedad del Estado.—*We have to go through three states to get to our summer home.* Tenemos que atravesar tres estados para llegar a nuestra casa de verano. ▲situación *This is a fine state of affairs!* ¡Bonita situación es ésta!—*Anything is better than the present state of things.* Cualquier cosa es mejor que la presente situación.—*He works in the State Department.* Trabaja en el Departamento de Estado. •[*v*] decir *State your business.* Diga lo que quiere *o* ¿Qué desea?

▲declarar *He stated that she had not been present on that day.* Declaró que ella no había estado presente aquel día.

statement declaración, aseveración *Do you wish to make any statement to the press?* ¿Quiere hacer alguna declaración a la prensa? ▲cuenta. ᴼ**statement of account** estado de cuentas.

stateroom camarote.

static estática, perturbaciones atmosféricas que interfieren con la recepción.

station [*n*] estación *Where is the railroad station?* ¿Dónde está la estación del ferrocarril?—*Get off at the next station.* Apéese en la siguiente estación.—*What stations can you get on your radio?* ¿Qué estaciones puede Ud. oír con su radio?—*There is an agricultural experiment station near here.* Cerca de aquí hay una estación de experimentación agrícola. •[*v*] estacionar *Where are you stationed?* ¿Dónde está Ud. estacionado? ▲apostar *The police stationed a man at the door.* La policía apostó un hombre en la puerta. ᴼ**police station** comisaría, estación de policía *I want the police station.* Quiero comunicarme con la comisaría.

stationary estacionario, fijo.

stationery papel de escribir ᴼ**stationery store** papelería.

statistics estadística.

statue estatua.

status condición; estado legal.

stay [*n*] unos días, temporada, estancia *We had a very pleasant stay at their house.* Pasamos unos días muy agradables en su casa. •[*v*] permanecer, quedarse *I intend to stay for a week.* Pienso permanecer una semana. ▲quedarse *I'm sorry we can't stay any longer.* Siento que no podamos quedarnos más tiempo.—*Stay with him.* Quédate con él. ▲quedar *When I fix a thing, it stays fixed.* Cuando arreglo una cosa, queda arreglada. ▲parar, hospedarse *I always stay in his house when I'm in town.* Cuando estoy en la ciudad siempre paro en su casa. ▲alojarse *Where are you staying?* ¿Dónde se aloja Ud.? ▲vivir *I'm staying with friends.* Vivo con unos amigos. ᴼ**to stay away** estar ausente *You've stayed away a long time.* Ha estado Ud. ausente mucho tiempo. ᴼ**to stay in** quedarse en casa, no salir. ᴼ**to stay out of** no meterse en. ᴼ**to stay up** acostarse tarde *Don't stay up late.* No te acuestes tarde.

steady [*adj*] firme *This needs a steady hand.* Esto necesita una mano firme.—*Is the ladder steady enough?* ¿Es bastante firme la escalera? ▲estable, permanente *He got a steady job.* Ha conseguido un empleo estable. ▲regular *We kept up a fairly steady pace.* Mantuvimos una marcha bastante regular. ▲habitual *I'm a steady customer of this store.* Soy un cliente habitual de esta tienda. ▲constante *He has made steady progress.* Ha hecho progresos constantes.—*She is a steady person.* Es una persona constante. •[*v*] sostener *Steady the ladder so I won't fall.* Sostenga la escalera para que no me caiga. ᴼ**to steady oneself** conservar el equilibrio *She tried to steady herself by grabbing the railing.* Trató de conservar el equilibrio agarrándose a la barandilla.

steak bistec, biftec.

S

steal [n] robo, hurto; (fam.) barato, ganga *At three dollars the yard, it was a steal.* A tres dólares la yarda fue una ganga. •[v] robar *I didn't steal anything from you.* No le he robado nada a Ud.—*He stole my book.* Me robó el libro. ▲entrar a hurtadillas *The children stole into the room.* Los niños entraron a hurtadillas en el cuarto. oto **steal away** escabullirse *They stole away through the woods.* Se escabulleron a través de los bosques.

steam [n] vapor *Does it run by steam or electricity?* ¿Funciona a vapor o con electricidad? o**steam heat** calefacción a vapor *Is there steam heat in their new house?* ¿Hay calefacción a vapor en su nueva casa? oto **steam out** zarpar *He watched the ship steam out of the harbor.* Observaba el vapor mientras zarpaba del puerto.

steamer vapor, barco.

steel [n] acero *The bridge is made of steel.* El puente está hecho de acero. •[adj] de acero *The bullet bounced off his steel helmet.* La bala rebotó en su casco de acero. •[v] fortalecerse *Steel yourself for what is coming.* Fortalézcase para lo que ha de venir.

steep escarpado, empinado *That slope is steeper than it looks.* Esa cuesta es más empinada de lo que parece. ▲exorbitante *That is a steep price for that house.* Ese es un precio exorbitante por esa casa.

steer [v] gobernar, dirigir (*ship*); conducir, manejar (*car*).

stem [n] tallo, tronco, rabillo *Do you want long stems on these flowers?* ¿Quiere Ud. estas flores con los tallos largos?

stem [v] detener, contener, parar *Can't we do something to stem that campaign in the papers?* ¿No podemos hacer algo para detener esa campaña en los periódicos?

stenographer estenógrafo, taquígrafo.

step [n] paso *He took one step forward.* Dio un paso adelante.—*I don't know the steps of that dance.* No conozco los pasos de ese baile.—*We thought we heard steps.* Creíamos haber oído pasos.—*Keep in step with me.* Lleve el paso conmigo.—*That was the wrong step to take.* Ese fue un paso en falso.—*This is a great step forward.* Este es un gran paso hacia adelante.—*They had to retrace their steps.* Tuvieron que volver sobre sus pasos. ▲escalón *I sat down on the top step.* Me senté en el último escalón. •[v] poner el pie, pisar *I stepped in a puddle.* Pisé un charco. o**step by step** paso a paso. o**steps** escalones *He ran up the steps to the porch.* Subió corriendo los escalones del porche. oto **step aside** ponerse a un lado *Step aside.* Póngase a un lado. oto **step back** retirarse *Step back a little.* Retírese un poco. oto **step in** entrar *I just stepped in for a moment.* Entré por un momento nada más. oto **step off** bajarse, apearse *He just stepped off the train.* Acaba de apearse del tren. oto **step on** pisar *Don't step on the flowers.* No pise las flores. oto **step up** subir *Step up here!* ¡Suba aquí! ▲aumentar *Try to step up the sale of gloves.* Procure aumentar la venta de guantes. oto **take steps** tomar medidas *I'll have to take*

steps to stop that gossip. Tendré que tomar medidas para poner fin a ese chisme.

stepbrother hermanastro.

stepchild hijastro.

stepdaughter hijastra.

stepfather padrastro.

stepmother madrastra.

stepsister hermanastra.

stepson hijastro.

stereo estéreo, estereofónico, equipo de sonido estereofónico.

sterile (*barren*) estéril.

sterilize esterilizar.

stern [n] popa *Sit in the stern while I row.* Siéntese en la popa mientras yo remo. •[adj] duro *You shouldn't be so stern with him.* No debe ser tan duro con él.

stew [n] guisado *Who wants a second helping of stew?* ¿Quién quiere más guisado? •[v] guisar, estofar, (fam.) encolerizarse, agitarse.

stick [n] palo *I hit him with a stick.* Le golpeé con un palo. ▲bastón *He knocked on the door with his stick.* Llamó a la puerta con su bastón. ▲pedazo *Do you want a stick of gum?* ¿Quiere Ud. un pedazo de goma de mascar? o**the sticks** (fam.) las afueras, despoblado. •[v] prenderse *Stick this pin in your lapel.* Préndase este alfiler en la solapa. ▲ponerse *She stuck a flower in her hair.* Se puso una flor en el pelo. ▲pinchar *That pin is sticking me.* Ese alfiler me está pinchando. ▲meter *Don't stick your nose into other people's business.* No meta la nariz en asuntos ajenos. ▲poner *Stick it over behind the couch.* Póngalo detrás del sofá. ▲atenerse *Stick to the original.* Aténgase al original. ▲atrancarse *This door sticks in hot weather.* Esta puerta se atranca con el calor. ▲pegar *Stick it together with glue.* Péguelo con cola.—*This glue doesn't stick.* Esta goma no pega. ▲pegarse *The paper sticks to my fingers.* El papel se me pega a los dedos. o**sticks** leña menuda *Pick up the sticks in the yard.* Recoja la leña menuda en el patio. oto **stick it out** aguantar *Try and stick it out a little longer.* Procure Ud. aguantar un poco más. oto **stick out** sacar *Don't stick out your tongue at people.* No saques la lengua a la gente. ▲sobresalir *There is something sticking out of the window.* Hay algo que sobresale de la ventana. oto **stick to** seguir en, no abandonar *Stick to your job.* No abandone su trabajo. ▲persistir en *He stuck to his story.* Persistía en su versión. oto **stick to one's guns** mantenerse firme. oto **stick together** mantenerse junto *Let's stick together.* Mantengámonos juntos.

stick up atraco.

sticky pegajoso *What a sticky day!* ¡Qué día tan pegajoso!—*My fingers are sticky from the honey.* La miel me ha puesto los dedos pegajosos.

stiff duro *Use a stiff brush.* Use un cepillo duro. ▲tieso *Don't be so stiff.* No esté tan tieso. ▲difícil, duro *Is it a stiff examination?* ¿Es un examen difícil? ▲antipático *What a big stiff!* ¡Qué hombre tan antipático! ▲agujetas *My legs feel stiff.* Tengo agujetas en las piernas. o**stiff breeze** brisa fuerte, viento fuerte. o**stiff drink** bebida fuerte *Please pour me a stiff drink.* Sírvame una bebida fuerte. O**stiff neck** tortícolis. O**stiff price** precio elevado o caro.

stifle sofocar *I'm stifling in this room.* Me estoy sofocando en éste cuarto. ▲contener *He tried to stifle his cough.* Trató de contener la tos.

still [n] alambique *That rum came from this still.* Ese ron ha sido destilado en éste alambique. •[adj] quieto *The air is very still.* El aire está muy quieto o No corre ningún viento.—*Hold still a minute.* Estése quieto un momento. ▲silencioso *The whole house was still.* Toda la casa estaba silenciosa. •[adv] todavía *I am still waiting to hear from him.* Todavía estoy esperando noticias de él.—*There is still a lot of work to be done.* Queda todavía mucho trabajo por hacer. ▲aún *He asked for still more books.* Pidió aún más libros. •[conj] no obstante, sin embargo *Still, I think you did the right thing.* No obstante, yo creo que Ud. hizo lo correcto. O**to stand still** no moverse, permanecer quieto.

stilt zanco; soporte.

stimulant estimulante.

stimulate estimular.

sting [n] picadura *The sting was very painful.* La picadura era muy dolorosa. •[v] picar *He was stung on the arm by a bee.* Una abeja le picó en el brazo. O**to be stung** by sentirse herido por *He was stung by her remark.* Se sintió herido por lo que ella le dijo.

stink [n] hedor. •[v] heder, apestar.

stipulate estipular, especificar.

stir [n] conmoción *There was a stir in the crowd when the speaker approached the platform.* Hubo una conmoción en el público cuando el orador se acercó a la tribuna. •[v] moverse *I can't stir from this chair; I ate too much.* No puedo moverme de esta silla; he comido demasiado. ▲provocar, excitar *He is always stirring up everybody with his arguments.* Siempre está provocando a todo el mundo con sus opiniones. ▲revolver, mover, menear, dar vueltas *If you'd stirred the cereal it wouldn't have stuck to the pot.* Si hubiera Ud. revuelto el cereal no se hubiera pegado a la olla. O**to stir up** atizar, avivar *Stir up the fire!* ¡Atice el fuego!

stirrup estribo.

stitch [n] puntada *What sort of stitch is this?* ¿Qué clase de puntada es ésta? •[v] coser *These handkerchiefs were stitched by hand.* Estos pañuelos fueron cosidos a mano.

stock [n] surtido *Do you have a good stock of men's wear?* ¿Tiene Ud. un buen surtido de ropa de caballero? ▲acción *I advise you not to buy those stocks.* Le aconsejo que no compre esas acciones. ▲raza *Are these animals of healthy stock?* ¿Son estos animales de buena raza? ▲ganado *He keeps all kinds of stock on his ranch.* Tiene toda clase de ganado en su hacienda. •[v] tener en existencia *We don't stock that brand.* No tenemos en existencia esa marca. O**in stock** en existencia *What do you have in stock?* ¿Qué tiene Ud. en existencia? O**stock list** cotización de bolsa. O**stock market** bolsa *Do you speculate in the stock market?* ¿Especula Ud. en la bolsa? O**to be out of stock** estar faltos de surtido, haberse agotado las existencias *We're temporarily out of stock.* Se nos han agotado de momen-

to las existencias. O**to be stocked up** estar abastecido, estar equipado *Are you well stocked up for the winter?* ¿Está Ud. bien equipado para el invierno? O**to lay in a stock** proveerse, surtirse, hacer provisión. O**to put stock in** tener fe en *I don't put much stock in his promise.* No tengo mucha fe en su promesa. O**to take stock** hacer inventario *Next week we're taking stock.* La próxima semana vamos a hacer inventario. ▲hacer un estudio, examinar *Why don't you first take stock of the situation?* ¿Por qué no hace antes un estudio de la situación? O**stock broker** corredor de bolsa.

stockings medias *I want three pairs of stockings.* Quiero tres pares de medias.

stomach [n] estómago. O**on an empty stomach** en ayunas. O**stomach ache** dolor de estómago. •[v] tragar; sufrir, aguantar.

stone [n] piedra. •[v] apedrear. O**precious stones** piedras preciosas. ‖ *The old man is stone-deaf.* El viejo está completamente sordo.

stool banquillo, taburete. O**stools** materia fecal. O**stool pigeon** delator , espía.

stoop [n] joroba, inclinación de hombros; escalinata de entrada. •[v] agacharse, encorvarse; rebajarse, humillarse.

stop [n] parada *Get off the bus at the next stop.* Apéese del ómnibus en la próxima parada. •[v] parar *Stop the car.* Pare el automóvil. ▲suspender *Why have you stopped my pay?* ¿Por qué me ha suspendido Ud. el sueldo? ▲detener *If anyone tries to stop you, let me know.* Si alguien trata de detenerle, hágamelo saber. ▲impedir *You can't stop me from thinking about it.* No puede Ud. impedir que piense en ello. ▲dejar de *I've stopped worrying about it.* He dejado de preocuparme por eso. ▲pararse *My watch just stopped.* Mi reloj se acaba de parar.—*I stopped for a drink on the way.* Me paré en el camino para tomar un trago. O**stop sign** señal de parada. O**to put a stop to** poner término a, poner fin a *You'll have to put a stop to this unpleasant situation.* Tendrá Ud. que poner término a esta situación desagradable. O**to stop someone from doing something** impedir que, hacer que alguien deje de *Can't you stop him from talking that way?* No puede Ud. procurar que deje de hablar en esa forma? O**to stop off** detenerse un rato *Let's stop off at the beach.* Detengámonos un rato en la playa. O**to stop over** detenerse, quedarse *Stop over at my place for a few days when you return.* Quédese unos días en mi casa a su regreso. O**to stop payment** suspender el pago. O**to stop short** pararse repentinamente *He stopped short and turned around.* Se paró repentinamente y dio la vuelta.

stopover escala, parada intermedia.

storage depósito *We put all our things in storage for the summer.* En verano ponemos todas nuestras cosas en depósito. ▲almacenaje *How much did you pay for storage?* ¿Cuánto pagó Ud. de almacenaje?

store [n] tienda *I know a store where you can buy that.* Conozco una tienda donde puede Ud. comprar eso. ▲provisión *We've quite a store of food in the pantry.* Tenemos una gran provisión de comestibles en la despensa. •[v] guardar *Where shall I store the potatoes?* ¿Dónde guardaré las papas?

S

Odepartment store almacén *Where is a good department store?* ¿Dónde hay un buen almacén? Oin store for lo que le espera *I wonder what is in store for us.* ¿Qué será lo que nos espera? Oto set store by confiarse en *I don't set much store by what she says.* No confío mucho en lo que ella dice. Oto store away acumular *He has a lot of money stored away.* Tiene mucho dinero acumulado.

storeroom bodega, almacén.

stork cigüeña.

storm [n] tormenta, tempestad *We had a big storm yesterday.* Ayer tuvimos una gran tormenta. •[v] asaltar *We stormed the enemy positions.* Asaltamos las posiciones enemigas.

stormy tempestuoso, borrascoso.

story relato, información *The whole story of the case is in the paper.* El periódico trae toda la información sobre el caso. ▲cuento *I read an interesting story yesterday.* Ayer leí un cuento interesante. ▲chisme, hablilla *Have you heard the new story going around about them?* ¿Ha oído Ud. el nuevo chisme que se cuenta de ellos? ▲versión, relato *Their stories don't agree.* Sus relatos no coinciden. ▲chiste *This is a funny story indeed.* Realmente éste es un chiste divertidísimo. Oas the story goes según se dice. Oto make a long story short en resumidas cuentas. Otrue story historia verídica, anécdota verídica.

story piso *She lives on the second story.* Vive en el segundo piso.

stout [adj.] gordo, corpulento. •[n] cerveza fuerte.

stove hornilla, hornillo *Put the beans on the stove.* Ponga los frijoles sobre la hornilla. ▲estufa *It is nice sitting around the stove on a winter day.* Verdad que es agradable sentarse alrededor de la estufa en un día de invierno.

straight [adj] recto *It is a straight road.* Es un camino recto. ▲derecho *Stand up straight.* Póngase derecho. ▲bien puesto *Is my hat on straight?* ¿Tengo bien puesto el sombrero? ▲solo *I'll take my whiskey straight.* Tomaré mi whisky solo. ▲honrado *He has always been straight with me.* Siempre ha sido honrado conmigo. ▲seguido *We worked fifteen hours straight.* Trabajamos quince horas seguidas. •[adv] directamente *Go straight home.* Vaya directamente a casa.

straighten colocar bien, enderezar *Why don't you straighten your tie?* ¿Por qué no se coloca bien la corbata? ▲poner en orden *It'll take me about a week or so to straighten out my affairs.* Necesito más o menos una semana para poner en orden mis cosas.

strain [n] disposición hereditaria *There is a strain of madness in his family.* Hay en su familia una disposición hereditaria a la locura. ▲indicio *There is a strain of meanness in him.* Hay un indicio de maldad en él. •[v] tirar con fuerza *The dog was straining at the leash.* El perro tiraba con fuerza de la correa. ▲hacerse daño *Don't strain yourself lifting that trunk.* No se haga daño levantando ese baúl. ▲colar *Will you strain the tea, please?* ¿Quiere Ud. hacer el favor de colar el té?

strait [adj] estrecho, angosto; estricto, riguroso. Ostrait jacket camisa de fuerza.

Ostrait-laced ceñido; estricto, mojigato. •[n] (geog) estrecho.

strand [n] hebra, hilo (*thread or rope*); sarta (*of pearls*). Oto be stranded encallar(se) (*ship*).

strange extraño *This house looks strange, though I'm sure I've been here before.* Esta casa me parece extraña, aunque estoy seguro de haber estado aquí antes. ▲raro *He is a strange character.* Es una persona rara.

stranger forastero, extranjero *He is a stranger in this town.* Es un forastero en este pueblo. ▲desconocido *She is a complete stranger to me.* Me es completamente desconocida.

strangle estrangular.

strap correa.

straw paja, pajilla, [Mex] popote *Will you ask the waitress to bring me a straw?* ¿Quiere Ud. decir a la camarera que me traiga una paja? ▲paja *Do you like my new straw hat?* ¿Le gusta mi nuevo sombrero de paja? Othe last straw el acabóse, el colmo *That is the last straw! I'm going home to mother.* ¡Eso ya es el colmo! Me voy a casa de mi madre.

strawberry fresa.

stray [adj] callejero, vagabundo *There are many stray dogs in this city.* Hay muchos perros callejeros en esta ciudad. •[v] desviarse, extraviarse *The pilot strayed off his course.* El piloto se desvió de su ruta. Ostray away escaparse *The cat strayed away from home.* El gato se escapó de la casa.

streak [n] señal, huella *The tears have left streaks on her face.* Tiene señales de haber llorado. ▲lado, fondo *That person has a serious streak you'd never suspect.* Aunque no se crea, esa persona tiene un fondo serio. ▲racha *We've had a streak of awfully hot weather.* Hemos tenido una racha de mucho calor. Ostreak of dirt tizne *Wash that streak of dirt off your face.* Límpiese ese tizne de la cara.

stream corriente, río, arroyo *Where can we cross the stream?* ¿Por dónde podemos cruzar la corriente? ▲desfile continuo *There has been a stream of cars on the highway all day.* Ha habido un desfile continuo de automóviles en la carretera durante todo el día. Oto stream out salir en avalancha, salir a torrentes *The people streamed out of the theater when the show ended.* El público salió en avalancha del teatro al terminar el espectáculo.

street calle *Be careful when you cross the street.* Tenga cuidado al cruzar la calle. Omain street calle mayor, calle principal. Oone-way street calle de dirección única.

streetcar tranvía *You can get a streetcar on this corner.* Ud. puede tomar un tranvía en esta esquina.

strength fuerza(s) *I haven't the strength to lift that box.* No tengo bastante(s) fuerza(s) para levantar ese cajón. ▲fuerzas *We haven't tried to judge the strength of the enemy.* No hemos tratado de calcular las fuerzas del enemigo.—*I'm afraid this medicine has lost its strength.* Temo que esta medicina haya perdido su fuerza. ▲resistencia *Steel has more strength than almost any other metal.* El acero tiene más resistencia que casi todos los metales.

stress [n] esfuerzo (*effort*); énfasis (*emphasis*); tensión. •[v] recalcar, subrayar. Oto **lay stress on** dar importancia a.

stretch [n] trecho *The next stretch of road is not bad.* El próximo trecho de la carretera no es malo. •[v] tender *He stretched the rope between the trees.* Tendió la cuerda entre los árboles. ▲extender *The wheat fields stretch out for miles and miles.* Los trigales se extienden por millas y millas. ▲estirarse, desperezarse *Stop yawning and stretching.* Deje de bostezar y de estirarse. ▲ensanchar *Can you stretch my shoes?* ¿Puede Ud. ensancharme los zapatos? ▲dar de sí *Will this sweater stretch when I wash it?* ¿Dará de sí este suéter al lavarlo? Oat **a stretch** de un tirón *I can walk about three miles at a stretch.* Puedo caminar más o menos tres millas de un tirón. Oto **stretch a point** hacerse de la vista gorda *The judge stretched a point and let the man go.* El juez se hizo de la vista gorda y puso al hombre en libertad. Oto **stretch out** echarse a lo largo *He stretched out on the couch.* Se echó a lo largo sobre el sofá.

stretcher camilla.

strict estricto.

stride [n] zancada, tranco *You take such long strides I can't keep up with you.* Da tales zancadas que no le puedo seguir. •[v] dar zancadas, andar a trancos *We saw him striding down the street.* Le vimos dando zancadas por la calle. Oto **hit one's stride** ponerse en forma *It was a few weeks before he hit his stride.* Pasaron algunas semanas hasta que él volviera a ponerse en forma. Oto **make great** (*or* **rapid**) **strides** hacer grandes progresos *We weren't surprised to hear that you made great strides in your new job.* No nos sorprendió oír que Ud. ha hecho grandes progresos en su nuevo empleo. Oto **take in one's stride** tomarlo tranquilamente, tomarlo como si nada *Anyone else would have been very upset, but he took it in his stride.* Cualquier otra persona se hubiera alterado mucho, pero él lo tomó tranquilamente.

strife conflicto, disputa.

strike [n] huelga *How long did the miner's strike last?* ¿Cuánto tiempo duró la huelga de los mineros? ▲pegar *He struck him in self-defense.* Le pegó en defensa propia. ▲chocar con *The ship struck a rock.* El barco chocó con una roca. ▲atropellar *He was struck by a car.* Fue atropellado por un auto. ▲caer *That tree has been struck by lightning.* Cayó un rayo en ese árbol. ▲dar la hora *Did the clock strike?* ¿Dio la hora el reloj? ▲dar *It just struck seven.* Acaban de dar las siete. ▲encender *Strike a match and look at the time.* Encienda un fósforo y mire qué hora es. ▲producir *That speech struck a wrong note.* Ese discurso produjo un mal efecto. Oto **be on strike** estar en huelga *Why are they on strike?* ¿Por qué están en huelga? Oto **go on strike** declararse en huelga, ir a la huelga *They promised not to go on strike.* Prometieron no declararse en huelga. Oto **strike a bargain** llegar a un acuerdo, cerrar un trato *We finally struck a bargain.* Por fin llegamos a un acuerdo. Oto **strike off** tachar, borrar *Strike his name off the list.* Tache su nombre de la lista. Oto **strike oil** encontrar petróleo *Has anyone ever struck oil around here?* ¿Han encontrado petróleo por aquí alguna vez? Oto

strike one's eye llamar la atención *It is just the first thing that struck my eye.* Es precisamente la primera cosa que me llamó la atención. Oto **strike out** suprimir *Strike out the last paragraph.* Suprima el último párrafo. Oto **strike the colors** arriar la bandera.

striker huelguista.

string cuerda, cordel *This string is too short.* Esta cuerda es demasiado corta. ▲fila *There is a long string of buses waiting.* Hay una larga fila de autobuses esperando. ▲serie, sarta *He asked a long string of questions.* Hizo una larga serie de preguntas. •[v] enhebrar *Where can I have my amber beads strung?* ¿Dónde podrán enhebrarme las cuentas de ámbar? ▲tender *They strung the electric wire from pole to pole.* Tendieron el cable eléctrico de poste en poste. Ostring **of pearls** collar de perlas *She is wearing a beautiful string of pearls.* Lleva un lindo collar de perlas. Oto **pull strings** valerse de influencias *I never was good at pulling strings.* Nunca supe valerme de influencias.

string bean judía verde, frijol verde, habichuela verde.

strip [n] tira, franja *Paste a strip of paper around the box.* Pegue una tira de papel alrededor de la caja. •[v] desnudarse *The doctor wants you to strip to the waist.* El médico quiere que se desnude hasta la cintura. ▲despojar *He was stripped of all his possessions.* Le despojaron de todos sus bienes. ▲descortezar, quitar la corteza *Who has been stripping the bark from this tree?* ¿Quién ha estado quitando la corteza de este árbol?

stripe raya, lista.

stripes galones (*military*).

strive esforzarse, empeñarse en.

stroke [n] brazada *I saw her swim and I think she has an excellent stroke.* La vi nadar y creo que tiene una brazada excelente. ▲ataque *I'm worried; my father had another stroke last night.* Estoy preocupado; mi padre ha sufrido anoche otro ataque. •[v] acariciar *Stroke the dog and he'll become friendly.* Acaricie el perro y se hará su amigo. Ostroke **of luck** suerte *It was a stroke of luck to get this apartment.* Fue una suerte conseguir este apartamento.

stroll [n] paseo. •[v] pasear. Oto **go for a stroll** dar un paseo, pasearse.

strong fuerte *He has strong hands.* Tiene manos fuertes.—*This party isn't very strong yet.* Este partido todavía no es muy fuerte.—*He showed a strong desire to see it.* Mostró un fuerte deseo de verlo.—*This drink is too strong.* Esta bebida es demasiado fuerte.

structure estructura.

struggle [n] lucha. •[v] luchar. ‖*Struggle for life.* Lucha por la vida.

stub [n] cabo *I can't write with this pencil stub.* No puedo escribir con este cabo de lápiz. Oticket stub contraseña de salida, talón. Oto **stub one's toe** tropezar *I stubbed my toe on a rock.* He tropezado con una piedra.

stubborn terco, testarudo, contumaz.

stucco estuco.

stuck-up presuntuoso, presumido *He is very stuck-up.* Es muy presumido.

S

student alumno *That is one of my best students.* Ese es uno de mis mejores alumnos. ▲estudiante *He is a student at the university.* Es un estudiante en la universidad.

studio estudio.

study [n] estudio *This book requires careful study.* Este libro requiere un estudio cuidadoso.—*He has published several studies in that field.* Ha publicado varios estudios sobre ese tema. •[v] estudiar *I've studied the situation carefully.* He estudiado la situación cuidadosamente.

stuff [n] eso *What is that stuff you're eating?* ¿Qué es eso que come Ud.? ▲cosas *Get your stuff out of my room.* Llévese sus cosas de mi cuarto.—*I don't like the stuff he has been writing lately.* No me gustan las cosas que ha estado escribiendo últimamente. •[v] llenar *She keeps her handbag stuffed full of junk.* Tiene su bolso lleno de cosas inútiles. ▲rellenar *Did you stuff the chicken?* ¿Rellenó Ud. el pollo? ▲meter, embutir *He stuffed his things in a suitcase.* Metió sus cosas en una maleta. ▲disecar *He stuffs animals for the museum.* Diseca animales para el museo.

stuffing relleno.

stumble tropezar.

stump tronco *Be careful not to hit that stump.* Tenga cuidado de no tropezar con ese tronco. ||*This problem has me stumped.* Este problema me tiene confundido.

stun aturdir, pasmar.

stupid tonto, estúpido.

sturdy fuerte, robusto.

stutter tartamudear.

style manera, estilo *She does everything in elegant style.* Hace todas las cosas de una manera elegante. ▲moda *It is the latest style.* Es la última moda. ▲estilo *My style isn't so good.* Mi estilo no es tan bueno. ○**style of address** tratamiento, título de cortesía.

stylish elegante *She is very stylish.* Es muy elegante.

suave fino, de modales corteses, afable.

subdue dominar, sojuzgar.

subject [n] tema *This is a good subject for conversation.* Este es un buen tema para conversar. ▲asignaturas, materias *What subjects did you study in school last year?* ¿Qué asignaturas estudió Ud. en la escuela el año pasado? ▲súbdito *He is a British subject.* Es súbdito británico. ○**subject to** sujeto a *These rates are subject to change without notice.* Estos precios están sujetos a cambio sin previo aviso. ▲bajo, sujeto a *We're all subject to the same laws.* Todos nosotros estamos bajo las mismas leyes. ○**to be subject to** someterse a *All of my actions are subject to his approval.* Todo lo que yo haga tiene que someterse a su aprobación.

subject [v] exponer *Such behavior will subject you to criticism.* Tal comportamiento le expondrá a críticas. ▲someter *The thief was subjected to severe punishment.* El ladrón fue sometido a un castigo severo.

sublet subarrendar, subalquilar.

submarine submarino.

submit someter.

subordinate [n] subordinado. •[v] subordinar.

subscribe suscribir. ○**to subscribe to** suscribirse, abonarse a.

subscription suscripción.

substance sustancia.

substantial sustancial, sustancioso.

substitute [n] sustituto. •[v] reemplazar, sustituir.

subtle sutil.

subtract sustraer, restar.

suburb suburbio.

subversive subversivo.

subway metro, subterráneo.

succeed lograr *Did you succeed in getting him on the phone?* ¿Logró Ud. hablar con él por teléfono? ▲tener éxito *The plan didn't succeed equally well in all cases.* El proyecto no tuvo el mismo éxito en todos los casos. ▲suceder *Who succeeded him in office?* ¿Quién le sucedió en el cargo?

success éxito *Did you have any success with him?* ¿Tuvo Ud. algún éxito con él?— *His play was an instant success.* Su comedia tuvo un éxito inmediato.

successful afortunado, próspero *He hasn't been successful in business.* No ha sido afortunado en los negocios. ▲de éxito, de fama *He is a successful writer.* Es un escritor de éxito.

succession sucesión.

successive sucesivo.

such tal *Such statements are exaggerated.* Tales declaraciones son exageradas.— *Conduct such as this is inexcusable.* Tal comportamiento no tiene excusa.—*There is no such thing.* No hay tal cosa. ▲semejante *I've never seen such beauty.* Nunca he visto belleza semejante. ▲así *Such is life!* ¡Así es la vida! ▲tan, tanto *It has been such a long time since we last met.* Hace tanto tiempo desde que nos vimos la última vez. ○**such...as** la...que *I'll give you such information as is necessary.* Le daré la información que Ud. necesite. ○**such as** tal como *Her conduct was such as might have been expected under the circumstances.* Su comportamiento fue tal como era de esperar en aquellas circunstancias. ▲tal como, tales como *It is too cold here for certain fruit trees, such as the peach.* Hace demasiado frío aquí para ciertos árboles frutales, tal como el durazno.

suck chupar, mamar.

sudden repentino, súbito *He died a sudden death.* Murió de repente *o* Falleció de muerte repentina. ○**all of a sudden** de repente *All of a sudden I remembered that I had to mail a letter.* De repente me acordé que tenía que echar una carta al correo.

suddenly de repente, repentinamente.

suds jabonadura, espuma.

sue demandar, entablar demanda.

suffer sufrir *Did you suffer much after your operation?* ¿Sufrió mucho después de su operación?—*The buildings along the river suffered severe damage from the flood.* Los edificios a lo largo del río sufrieron grandes daños a consecuencia de la inundación. ▲sentir *Are you suffering any pain?* ¿Siente Ud. algún dolor?

suffice bastar.

sufficient suficiente.

suffocate sofocar, asfixiar.

suffrage sufragio.

sugar azúcar.

suggest sugerir *Can you suggest anyone for the job?* ¿Puede Ud. sugerir a alguien para el puesto?—*Does this suggest anything to you?* ¿Esto le sugiere algo? ▲insinuar *Are you suggesting that I'm wrong?* ¿Insinúa Ud. que estoy equivocado? ▲proponer *I suggest that we go swimming today.* Propongo que vayamos a nadar hoy.

suggestion sugestión, sugerencia.

suicide suicidio (*act*); suicida (*person*).

suit [*n*] traje *This suit doesn't fit him very well.* Este traje no le sienta muy bien. ▲pleito *Who is the lawyer handling the suit?* ¿Quién es el abogado encargado del pleito? •[*v*] satisfacer, agradar *Does the program suit you?* ¿Le satisface el programa? ▲venir bien, convenir *Does nine o'clock suit you?* ¿Le viene bien a las nueve? ▲ir, caer *This color doesn't suit you.* Este color no le va bien a Ud. ▲adaptar al gusto *Try to suit the play to the audience.* Trate de adaptar la comedia al gusto del público.

suitable apropiado, adecuado.

suitcase maleta.

sum suma *I want to deposit a large sum of money.* Quiero depositar una suma grande de dinero. ○sum total todo *And that is the sum total of my experience with him.* Y esa es toda mi experiencia con él. ○to sum up resumir *He summed up the situation in very few words.* Resumió la situación en pocas palabras. ○total sum suma total, importe total.

summary resumen, compendio.

summer verano. ○to spend the summer veranear.

summit cima, cumbre.

summon citar, emplazar; llamar, convocar.

summons citación.

sun [*n*] sol *The sun just went down.* Acaba de ponerse el sol.—*I've been out in the sun all day.* He estado todo el día al sol. •[*v*] tomar el sol *We spent the whole day sunning ourselves.* Estuvimos todo el día tomando el sol.

sunburn quemadura de sol.

Sunday domingo.

sunglasses gafas de sol, anteojos para el sol.

sunny soleado *This is a fine sunny room.* Este es un cuarto bien soleado.

sunrise amanecer, salida del sol.

sunset crepúsculo, puesta del sol.

sunshine luz del sol.

superficial superficial.

superfluous superfluo.

superintendent portero, conserje (*building*); capataz, superintendente (*factory*). ○superintendent of schools director general de primera y segunda enseñanza.

superior superior.

superstition superstición.

supervise supervisar, vigilar y dirigir.

supper cena *Supper is ready.* La cena está lista. ○The Last Supper La Última Cena.

supply [*n*] provisión *We need a fresh supply of potatoes.* Necesitamos una nueva provisión de papas. ▲abastecimiento *Our troops are getting their supplies without much difficulty.* Nuestras fuerzas están recibiendo sus abastecimientos sin mucha dificultad. ▲existencia *The supply of silk stockings can't meet the demand.* La existencia de medias de seda no puede satisfacer la demanda. ▲surtido *We've just received a good supply of novelties.* Acabamos de recibir un buen surtido de bisutería. •[*v*] suplir *The store has enough shoes on hand to supply any normal demand.* La tienda dispone de suficientes zapatos para suplir cualquier demanda normal. ▲proporcionar, proveer de *That company supplies us with ice.* Esa compañía nos proporciona el hielo. ○supplies provisiones *We're running out of supplies.* Se nos están acabando las provisiones.

support [*n*] soporte, sostén *This lamp has a strong support.* Esta lámpara tiene un soporte sólido. ▲sustento, mantenimiento *Several relatives depend on him for their support.* Varios parientes dependen de él para su mantenimiento. •[*v*] aguantar, resistir *That bridge isn't strong enough to support so much weight.* Ese puente no es lo bastante fuerte para aguantar tanto peso. ▲mantener *Are you supporting a family?* ¿Mantiene Ud. una familia? ▲apoyar *I'll support your claims.* Yo apoyaré sus peticiones.

suppose suponer *Let's suppose he turns up, what then?* Supongamos que se presente, y entonces ¿qué?—*I suppose so.* Supongo que sí.—*Supposing it rains, can we use that road?* Suponiendo que llueva, ¿podremos utilizar ese camino? ▲tener por, considerar *He is supposed to be the richest man in town.* Se le tiene por el hombre más rico del pueblo. ○to be supposed to deber de *I'm supposed to go home early tonight.* Debo ir a casa temprano esta noche.

suppress suprimir; reprimir.

supreme supremo.

sure [*adj*] seguro *This method is slow but sure.* Este método es lento pero seguro.—*He is sure to be back by nine o'clock.* Está seguro que regresará a las nueve. •[*adv*] claro, por supuesto *Sure, I'll do it.* Claro que lo haré. ▲ciertamente, seguro que *I'd sure like to see them, but I won't have time.* Seguro que me gustaría verles, pero no tendré tiempo. ○for sure con seguridad *Do you know that for sure?* ¿Sabe Ud. eso con seguridad? ○sure enough efectivamente *You said it would rain, and sure enough it did.* Ud. dijo que llovería, y efectivamente así fue. ○to be sure estar seguro *Are you sure of that?* ¿Está Ud. seguro de eso? ▲no haber duda, no caber duda *It is a bad day to be sure, but we've seen worse.* No cabe duda de que hace mal día, pero los hemos tenido peores. ○to be sure and no dejar de *Be sure and wear your overcoat.* No deje de ponerse su abrigo.

surely ciertamente, seguramente, sin duda.

surety seguridad, fianza.

surf resaca, marejada.

surface [*n*] superficie. •[*v*] emerger, salir a la superficie.

surgeon cirujano.

surgery cirugía.

surname apellido.

surpass sobrepasar, superar.

surplus sobrante, superávit.

surprise [*n*] sorpresa *I've got a surprise for you in this package.* Tengo una sorpresa

S

para Ud. en este paquete.—*Your behavior took me by surprise.* Su comportamiento me cogió de sorpresa. •[v] sorprender *We surprised the boys stealing apples.* Sorprendimos a los muchachos robando manzanas.

surrender [n] rendición, capitulación. •[v] rendir, capitular.

surround rodear.

surroundings ambiente, medio ambiente *She comes from poor surroundings.* Viene de un ambiente pobre. ▲alrededores, cercanías *The surroundings of the city are beautiful.* Las cercanías de la ciudad son muy hermosas.

survey [n] examen, estudio, encuesta *Let's make a survey of the food situation.* Hagamos un examen de la situación alimenticia. •[v] medir, deslindar *Before this land can be sold it must be surveyed.* Antes de poder vender esta tierra es necesario medirla.

surveyor agrimensor.

survive sobrevivir.

suspect [n] persona, sospechosa. •[v] sospechar.

suspend colgar, suspender *These decorations will be suspended from the ceiling.* Estos adornos se colgarán del techo. ▲reservar *I would prefer to suspend judgment until we know all the facts.* Preferiría reservarme la opinión hasta que conozcamos todos los hechos. ▲suspender *The company's director was suspended from office.* El director de la compañía fue suspendido en sus funciones.

suspenders tirantes.

suspense suspensión, duda, incertidumbre. ○to keep in suspense dejar en la incertidumbre.

suspicion sospecha, recelo. ○to be above suspicion Estar fuera de toda sospecha.

sustain sustentar, mantener.

swallow [n] golondrina. •[v] tragar.

swamp [n] pantano *There are many mosquitoes here because of the swamp.* Aquí hay muchos mosquitos a causa del pantano. •[v] hundir, hacer zozobrar *Be careful not to swamp the boat.* Tenga cuidado de no hundir el bote. ○to be swamped estar abrumado *I've been swamped with work.* He estado abrumado de trabajo.

swampy pantanoso.

swan cisne.

swarm [n] (*of bees*) enjambre. (*fig.*) multitud. •[v] enjambrar; pulular

sway [n] bamboleo, movimiento, vaivén *The sway of the train makes me sick.* El movimiento del tren me marea. •[v] bambolearse *Look at the way that car is swaying.* Mire cómo se bambolea aquel auto.

swear jurar *That fellow has a bad habit of swearing.* Ese tipo tiene la mala costumbre de jurar.—*She swears she is telling the truth.* Jura que está diciendo la verdad. ○to swear in jurar, prestar juramento, tomar posesión. ○to swear off renunciar a, renegar de.

sweat [n] sudor. •[v] sudar.

sweater suéter.

sweep barrer *Will you sweep this room?* ¿Quiere Ud. barrer este cuarto? ○to sweep away arrastrar.

sweet dulce *Do you have any sweet oranges?* ¿Tiene naranjas dulces?—*Her voice is very sweet.* Tiene la voz muy dulce. ▲fresco *Is the milk still sweet?* ¿Está todavía fresca la leche? ▲amable *She has a very sweet disposition.* Tiene un carácter muy amable. ○sweets dulces *I don't care much for sweets.* No me gustan mucho los dulces.

sweetheart novio, novia.

sweet potato batata [Sp], camote [Am], boniato.

swell [adj] estupendo, excelente *He is a swell fellow.* Es un tipo estupendo. •[v] hinchar *His wrist was swollen.* Tenía la muñeca hinchada. ▲aumentar *Their numbers are swelling fast.* Aumentan rápidamente en número. ▲crecer *The river is badly swollen after the spring rains.* El río está muy crecido después de las lluvias de primavera. ○to get a swelled head envanecerse, engreírse *Don't get a swelled head.* No vaya Ud. a envanecerse o ¡Que no se le suba a la cabeza! ○to swell up hincharse *My foot is beginning to swell up.* Se me está hinchando el pie.

swelling hinchazón, inflamación.

swift rápido, veloz.

swim [n] nadada [Am] *I'm going out for a swim.* Voy a nadar un rato. •[v] nadar *Do you know how to swim?* ¿Sabe Ud. nadar? ▲cruzar a nado *We'll have to swim the river.* Tendremos que cruzar el río a nado. ○to make the head swim aturdir, hacer perder la cabeza *The blow made my head swim.* El golpe me aturdió.

swine marrano, puerco, cerdo.

swing [n] columpio *They're sitting in the swing.* Están sentados en el columpio. •[v] mecer, balancear *She swings her arms when she walks.* Balancea los brazos cuando camina. ○in full swing en plena actividad *The factory is in full swing.* La fábrica está en plena actividad.

switch [n] varita, varilla *I'm going to cut a switch to use on my horse.* Voy a cortar una varita para darle a mi caballo. •[v] cambiar de sitio *Let's switch the furniture around.* Cambiemos los muebles de sitio. ○electric switch interruptor, conmutador. ○railroad switch aguja de ferrocarril.

switchboard centralilla (*telephone*); cuadro conmutador, cuadro de distribución (*electricity*).

swivel [n] torniquete, eslabón giratorio. •[v] girar, hacer girar sobre un eje. ○swivel chair silla giratoria.

swollen hinchado.

sword espada.

syllable sílaba.

symbol símbolo.

sympathize condolocerse, compadecerse. ▲convenir, estar de acuerdo *I don't sympathize with his point of view.* No estoy de acuerdo con su punto de vista.

sympathy lástima *I don't have any sympathy for such a fool.* No le tengo ninguna lástima a semejante tonto. ▲pésame, condolencia *We sent them a letter of sympathy.* Les escribimos dándoles el pésame.

symphony sinfonía.

symptom síntoma.

synonym sinónimo.

synthetic sintético.

syphilis sífilis.

syringe jeringa.

syrup jarabe (*cough syrup*); almíbar (*pancake syrup*).

system sistema *Do you have a good communication system in this country?* ¿Tienen Uds. un buen sistema de comunicaciones en este país?

systematic sistemático.

T

table [*n*] mesa *Push the table against the wall.* Empuje la mesa contra la pared. ᴼ**table of contents** índice, tabla de materias *He is looking it up in the table of contents.* Lo está buscando en el índice. ᴼ**to table** dar carpetazo, aplazar *They tabled the motion.* Dieron carpetazo a la moción.

tablecloth mantel.

tablespoon cuchara.

tablet tableta, pastilla (*pill*).

tack [*n*] tachuela *I need four tacks to fasten the poster.* Me hacen falta cuatro tachuelas para clavar el cartel. •[*v*] clavar *Tack his picture on the wall.* Clave su retrato en la pared.

tackle [*v*] agarrar *The policeman tackled the thief.* El policía agarró al ladrón. ▲abordar *It is about time we tackled that problem.* Ya es hora de que abordemos el problema. ᴼ**fishing tackle** avíos de pescar.

tact tacto.

tag [*n*] rótulo, etiqueta. •[*v*] alcanzar y tocar.

tail rabo, cola *The dog wagged his tail.* El perro meneaba la cola. ᴼ**at the tail end** al final *We arrived at the tail end of the first act.* Llegamos al final del primer acto. ᴼ**tails** cruz *Tails, you lose.* Cruz y pierde Ud. ᴼ**heads or tails** cara o cruz.

tailor [*n*] sastre *Where can I find a good tailor?* ¿Dónde puedo encontrar un buen sastre? •[*v*] cortar *This skirt is well tailored.* Esta falda está bien cortada.

take [*v*] coger *She took the baby in her arms.* Cogió al niño en sus brazos. ▲coger, llevarse *Don't take my hat.* No se lleve mi sombrero.—*Who took my pen?* ¿Quién cogió mi pluma? ▲llevar *Take this letter to the post office.* Lleve esta carta al correo.— *Who is taking her to the station?* ¿Quién la va a llevar a la estación?—*Where will that road take us?* ¿Adónde lleva ese camino? ▲tomar *I'll take the room with bath.* Tomaré el cuarto con baño.—*Did the doctor take your temperature?* ¿Le ha tomado el doctor la temperatura?—*The soldiers took the town in two hours.* Los soldados tomaron el pueblo en dos horas.—*Take a seat, please.* Tome asiento, por favor. ▲sacar, tomar *Are you allowed to take pictures here?* ¿Se pueden sacar fotografías aquí? ▲aceptar *Do you take checks?* ¿Aceptan Uds. cheques? ▲seguir *Take my advice and stay home tonight.* Siga mi consejo y quédese en casa esta noche. ▲durar *How long will the trip take?* ¿Cuánto durará el viaje? ▲tardar *How long will it take to press my suit?* ¿Cuánto tardará en plancharme el traje? ▲hacer falta, necesitarse *It'll take three men to move this safe.* Harán falta tres hombres para mover la caja de caudales. ▲ganar *Who do you think will take the tennis match?* ¿Quién cree Ud. que ganará el partido de tenis? ▲soportar, sufrir *It won't be pleasant, but you'll have to take it.* No será agradable, pero tendrá Ud. que soportarlo. ▲aguantar, tolerar *I can't take any more from him.* No puedo aguantarle más. ᴼ**to take a bath** bañarse *I'd like to take a bath before dinner.* Me gustaría bañarme antes de comer. ᴼ**to take advantage of** aprovechar *Thanks, I'll take advantage of your offer.* Gracias, aprovecharé su oferta. ▲aprovecharse de *He took advantage of his position.* Se aprovechó de su posición. ᴼ**to take after** parecerse a *Who do you take after, your mother or your father?* ¿A quién se parece Ud., a su madre o a su padre? ᴼ**to take a nap** dormir la siesta *I always take a nap after dinner.* Siempre duermo la siesta después de comer. ᴼ**to take a seat** sentarse *Take a seat, please.* Siéntese, por favor. ᴼ**to take a walk** dar un paseo *Would you like to take a walk in the park?* ¿Le gustaría dar un paseo por el parque? ᴼ**to take back** retractarse de, retirar *I take back what I said a minute ago.* Me retracto de lo que dije hace un minuto. ▲recoger, llevarse *I won't need your book, so why don't you take it back?* No me hace falta su libro, ¿por qué no se lo lleva Ud.? ᴼ**to take care of** cuidar *Take care of yourself.* Cuídese Ud. ᴼ**to take charge of** encargarse de *Who is taking charge of the office while you're away?* ¿Quién se encarga de la oficina mientras está Ud. ausente? ᴼ**to take down** bajar, descolgar *Take the picture down.* Descuelgue Ud. el cuadro. ▲tomar nota de *Will you take this down, please?* ¿Quiere tomar nota de esto, por favor? ᴼ**to take for** tomar a uno por *Sorry, I took you for someone else.* Perdón, le tomé a Ud. por otra persona. ᴼ**to take for granted** dar por sentado *I took it for granted that he wanted the job.* Di por sentado que quería el trabajo. ᴼ**to take in** visitar *We haven't enough time to take in all the museums.* No tenemos suficiente tiempo para visitar todos los museos. ▲ganar *How much do you take in every month?* ¿Cuánto gana Ud. al mes? ▲engañar *He certainly took us in with his stories.* Indudablemente nos engañó con sus cuentos. ▲estrechar, reducir, hacer más pequeño *Will you take this dress in at the waist?* ¿Me puede estrechar la cintura de este vestido? ᴼ**to take it** suponer, asumir *I take it you're in trouble.* Supongo que está Ud. en dificultades. ᴼ**to take it easy** tomar con calma *Take it easy; there's no hurry.* Tómelo con calma, no hay prisa. ▲no apurarse *Take it easy; don't get so excited.* No se apure, no se excite. ᴼ**to take off** quitarse *Take off your hat and stay a while.* Quítese el sombrero y quédese un rato. ▲despegar *When does the plane take off?* ¿Cuándo despega el avión? ▲imitar *My friend can take off almost any actor you name.* Mi amigo puede imitar a casi todos los actores que Ud. nombre. ᴼ**to take offense** ofenderse *You shouldn't take offense at what was said.* No debiera ofenderse por lo que han dicho. ᴼ**to take on** emplear, tomar *I hear the factory is taking on new men.* Me dicen que la fábrica está empleando nuevos obreros. ▲empezar *We took on a new job yesterday.* Ayer empezamos un nuevo trabajo.

▲desafiar *I'll take you on for some tennis.* Le desafío a Ud. a una partida de tenis. ○**to take one's time** hacerlo despacio, hacerlo con calma *Can I take my time?* ¿Puedo hacerlo con calma? ○**to take out** sacar *Take the fruit out of the bag.* Saque la fruta de la bolsa. ▲quitar *Can you take this spot out of my blouse?* ¿Me puede quitar esta mancha de la blusa? ○**to take place** ocurrir, tener lugar *Where did the accident take place?* ¿Dónde ocurrió el accidente? ○**to take sick** caer enfermo *When did he take sick?* ¿Cuándo cayó enfermo? ○**to take the blame** hacerse responsable, tomar la responsabilidad *I won't take the blame for his mistake.* No me quiero hacer responsable de su error. ○**to take to** tomar cariño *They took to him as soon as they met him.* Le tomaron cariño desde el momento en que le conocieron. ○**to take up** tomar, estudiar *I think I'll take up French this year.* Creo que voy a estudiar francés este año. ▲tomar la palabra *I'll take you up on that.* Le tomo la palabra en eso. ▲consultar *You'll have to take up that matter with someone else.* Tendrá que consultar ese asunto con otra persona.

taken tomado, ocupado *Is this seat taken?* ¿Está ocupado este asiento?

talcum powder polvos de talco.

tale cuento.

talent aptitud, talento.

talk [n] discurso *His talk was long and dull.* Su discurso fue largo y aburrido. ▲rumor, comentario *Her actions have caused a lot of talk.* Sus actos han provocado muchos comentarios. •[v] hablar *Don't you think he talks too much?* ¿No cree Ud. que él habla demasiado? ○**talk of the town** comidilla del pueblo *Their house is the talk of the town.* Su casa es la comidilla del pueblo. ○**to talk back** replicar *For once he dared to talk back to her.* Por una vez se atrevió a replicarle. ○**to talk into** convencer de *Do you suppose we can talk them into coming with us?* ¿Cree Ud. que podremos convencerles de que vengan con nosotros? ○**to talk over** discutir, tratar acerca de *Let's talk this over.* Discutamos este asunto.

tall alto *Her husband is that tall man over there.* Su marido es aquel hombre alto que está allí. ‖*That is a pretty tall order, but I'll try to do it.* Eso es mucho pedir, pero intentaré hacerlo.

tame [adj] domesticado *The squirrels are so tame they'll eat out of your hand.* Las ardillas están tan domesticadas que comen en la mano. ▲soso *The movie is tame compared to the play.* La película es muy sosa comparada con la comedia. •[v] domesticar *They tamed a monkey.* Domesticaron un mono.

tan [adj] color canela *She wore a tan blouse and a brown skirt.* Llevaba una blusa color canela y una falda marrón. •[v] curtir *These hides have to be tanned.* Hay que curtir estas pieles. ▲tostarse *She has a dark skin that tans easily.* Tiene la piel oscura y se tuesta muy fácilmente.

tangle [n] enredo. •[v] enredar.

tank tanque.

tap [n] golpe *Don't drive it in too hard; just give it a few taps.* No lo clave mucho, déle sólo unos golpes. ▲grifo *Better get the plumber to fix that tap in the bathtub.* Es

mejor que llamemos al plomero para que arregle el grifo del baño. •[v] dar golpecitos *We tapped on the window.* Dimos unos golpecitos en la ventana. ▲intervenir *The police tapped their telephone wires.* La policía ha intervenido su teléfono.

tape [n] cinta engomada; cinta magnetofónica. •[v] atar o sellar con cinta; grabar en cinta magnetofónica. ○**tape measure** metro, cinta métrica. ○**tape recorder** grabadora magnetofónica.

tapestry tapiz.

tar [n] alquitrán. •[v] alquitranar.

target blanco.

tarnish [v] deslustrarse, enmohecerse.

tart [n] tarta *Let's have strawberry tarts for dessert.* Vamos a tomar de postre tartas de fresa. •[adj] agrio *This rhubarb is too tart for me.* Este ruibarbo está demasiado agrio para mí.

task tarea.

tassel borla.

taste [n] sabor, gusto *This meat has a strange taste.* Esta carne tiene un gusto raro. •[v] probar *Just taste this coffee.* Pruebe este café. ▲saber *This wine tastes sour.* Este vino sabe agrio. ▲probar bocado *She hasn't tasted anything since yesterday.* No ha probado bocado desde ayer. ○**in poor taste** de mal gusto *That remark was in very poor taste.* Esa observación fue de muy mal gusto.

tavern taberna.

tax [n] impuesto, contribución *I hope I can get my taxes in on time this year.* Espero poder pagar mis impuestos a tiempo este año. ▲esfuerzo *Reading this small print is a great tax on the eyes.* El leer esta letra tan pequeña es un esfuerzo muy grande para los ojos. •[v] poner impuestos *I think they're taxing us too much for the property.* Creo que nos están poniendo demasiados impuestos sobre la propiedad. ▲agotar *This heat is taxing my strength.* Este calor me está agotando la fuerza. ○**tax collector** cobrador, recaudador de impuestos o contribuciones.

taxi taxi, taxímetro.

taxpayer contribuyente.

tea té.

teach enseñar *Will you teach me Spanish?* ¿Me quiere Ud. enseñar español?

teacher maestro.

team equipo *They make a very good team for that work.* Constituyen un buen equipo para ese trabajo. ○**to team up** unirse, asociarse *We'll go places if we team up with them.* Llegaremos lejos si nos asociamos con ellos.

teapot tetera.

tear lágrima *Tears won't do you any good.* De nada te servirán las lágrimas.

tear [n] rasgadura, roto *Can the tear in this blanket be repaired?* ¿Se puede remendar el roto de esta sábana? •[v] romper *My shirt is torn at the elbows.* Tengo la camisa rota por los codos. ○**to tear down** derribar *They're going to tear down that old hotel next month.* Van a derribar ese viejo hotel el mes próximo. ○**to tear out** arrancar *I see a page has been torn out of this book.* Veo que han arrancado una página de este libro. ○**to tear up** romper *I hope you tore up my* *last letter.* Espero que haya roto mi última carta.

tease embromar, fastidiar *We've been teasing him about his accent.* Hemos estado embromándole por su acento.

teaspoon cucharita.

technical técnico.

teeth dientes, dentadura *I have to get my teeth fixed.* Tengo que hacerme arreglar los dientes.

telegram telegrama *I want to send a telegram to Montreal.* Quiero enviar un telegrama a Montreal.

telegraph [*adj*] de telégrafo(s) *Where is the telegraph office?* ¿Dónde está la oficina de telégrafos? •[*v*] telegrafiar *I'm going to telegraph my folks for some money.* Voy a telegrafiar a mi familia para pedirle dinero.

telephone [*n*] teléfono *Can I use your telephone, please?* ¿Puedo usar su teléfono, por favor? •[*v*] telefonear *Did anyone telephone me?* ¿Me ha telefoneado alguien?

telephone book guía de teléfonos, [*Am*] directorio telefónico.

telephone booth cabina del teléfono.

tell decir *Tell me your name.* Dígame su nombre.—*Tell them not to make so much noise.* Dígales que no hagan tanto ruido.—*I told you so.* Ya se lo dije. ▲contar *Tell me all about it.* Cuéntemelo todo. ▲distinguir *How do you tell one of the twins from the other?* ¿Cómo distingue Ud. a los dos gemelos? ○*to tell off* poner en su sitio *I'm going to tell him off one of these days.* Le voy a poner en su sitio uno de estos días.

teller cajero.

temper [*n*] mal genio *Control your temper.* Domine su mal genio. ○*to lose one's temper* perder la paciencia *She lost her temper and spanked the child.* Perdió la paciencia y le dio unos azotes al chico.

temperamental nervioso, emocional.

temperate moderado.

temperature temperatura *What is the temperature today?* ¿Qué temperatura tenemos hoy?

temporary temporal.

temptation tentación.

ten diez.

tenant inquilino.

tend ser en general *This kind of apple tends to be sour.* En general las manzanas de esta clase son agrias. ▲tender, propender *Prices tend to increase now because of high costs.* Los precios propenden a subir ahora a causa de los altos costos. ○*to tend to* atender *Stop talking and tend to your work.* Deje de hablar y atienda su trabajo.

tender [*adj*] tierno *The meat is so tender you can cut it with a fork.* La carne está tan tierna que se puede cortar con un tenedor.— *She watched the children with a tender expression in her eyes.* Miraba a los niños con una expresión tierna en sus ojos. ▲dolorido *His arm is still tender where he hurt it.* Tiene el brazo dolorido todavía en el sitio en que se lastimó. •[*v*] presentar *The chairman is planning to tender his resignation at the next meeting.* El presidente va a presentar su renuncia en la reunión próxima.

tennis tenis.

tense [*adj*] tenso *His nerves were tense from the strain.* Tenía los nervios tensos por el esfuerzo. •[*v*] tensar.

tension tensión.

tent tienda de campaña, [*Am*] carpa.

tenth [*n*] día diez *I get paid on the tenth of the month.* Me pagan el día diez de cada mes. •[*adj*] décimo *She lives on the tenth floor.* Vive en el décimo piso.

term [*n*] nombre *Do you know the term for this part of the machine?* ¿Sabe Ud. cuál es el nombre de esta parte de la máquina? ▲semestre *When does the new term begin at school?* ¿Cuándo comienza el nuevo semestre en la escuela? ▲período *His jail term was five years.* Estuvo en prisión por un período de cinco años. •[*v*] llamar *He is what might be termed a wealthy man.* Es lo que se llama un potentado. ○*terms* condiciones de venta *What are the terms on this automobile?* ¿Cuáles son las condiciones de venta de este automóvil?

terrace terraza.

terrible terrible *Wasn't that a terrible storm last night?* ¿Verdad que fue terrible la tormenta de anoche?

territory territorio.

terror espanto, terror.

terrorize aterrorizar.

test [*n*] examen *You'll have to take a test before you can get your driving license.* Tendrá Ud. que pasar un examen antes de que le den el permiso de conducir. ▲prueba *We'll hire you for a week's test.* Le tomaremos a prueba por una semana. •[*v*] analizar, examinar *I think we'd better test this water before we use it.* Creo que es mejor analizar esta agua antes de usarla.

testify declarar, testificar.

textbook texto, libro de texto.

than que *Have you something better than this?* ¿Tiene algo mejor que esto?

thank dar las gracias *We thanked her for the gift.* Le dimos las gracias por su regalo. ○*thanks* gracias *Thanks for coming.* Gracias por haber venido.

thankful agradecido.

that [*pron*] ese *That is the book I've been looking for.* Ese es el libro que buscaba. ▲eso *That is what I want.* Eso es lo que yo quiero. ▲que *Who is the lady that just came in?* ¿Quién es la señora que acaba de entrar?—*When was the last time (that) I saw you?* ¿Cuándo fue la última vez que la vi? •[*adj*] ese *Do you like that painting?* ¿Le gusta ese cuadro? ▲aquel *Just look at that magnificent view.* Fíjese en aquella magnífica vista. •[*conj*] que *I'm sorry (that) this happened.* Siento que haya ocurrido esto. ○*so that* para que *Let's finish this today so that we can do something else tomorrow.* Acabemos hoy esto para que podamos hacer otra cosa mañana. ○*that much* tanto *I don't want that much milk.* No quiero tanta leche.

thaw [*n*] deshielo. •[*v*] descongelar.

the el *The sky is cloudy today.* El cielo está nublado hoy. ▲ese *He is the man for the job.* Es el hombre indicado para ese trabajo. ○*the...the...* cuanto...tanto... *The sooner we're paid, the better.* Cuanto antes nos paguen, tanto mejor.

theater teatro.

theft robo.

their su, de ellos *Do you know their address? ¿*Sabe Ud. su dirección? *o ¿*Sabe Ud. la dirección de ellos?

theirs de ellos, de ellas *Is this boat yours or theirs? ¿*Es suyo este bote o de ellos? ᴼ**of theirs** suyo *Are you a friend of theirs? ¿*Es amigo suyo?

them ellos *Let them decide.* Deje que decidan ellos.

theme tema.

themselves ellos mismos *They did it themselves.* Lo hicieron ellos mismos. ▲se *Don't let the children hurt themselves playing.* No permita que los niños se lastimen jugando. ᴼ**by themselves** ellos mismos *Did they really do all that work by themselves? ¿*Realmente hicieron todo el trabajo ellos mismos?

then entonces, luego, después *Then what happened?* Y después ¿qué pasó? ▲además *Then there is the trunk that we have to take down to the lobby.* Además está el baúl que tenemos que bajar al vestíbulo. ᴼ**by then** para entonces *Wait until next Tuesday; I hope uo know by then.* Aguarde hasta el próximo martes, que para entonces espero saber algo.

theory teoría.

there allí *I've never been there.* Nunca he estado allí. ▲ahí *Her house is right there.* Su casa está al lado. ▲allá *Can you get there by car? ¿*Se puede ir allá en automóvil? ▲en eso *You're wrong there.* En eso está Ud. equivocado. ▲¡vaya! *There! I wouldn't worry so much.* ¡Vaya! no me preocuparía tanto.

therefore por lo tanto.

thermometer termómetro.

these [*pron*] éstos, éstas *Do you want those roses or these? ¿*Quiere Ud. esas rosas o éstas? •[*adj*] estos *Have you met all these people? ¿*Conoce Ud. a todas estas personas?

they ellos, ellas *Where are they? ¿*Dónde están ellos?

thick grueso *Is the ice thick enough for skating? ¿*Está suficientemente grueso el hielo para patinar? ▲de espesor *I need a piece of wood about three inches thick.* Necesito un trozo de madera como de tres pulgadas de espesor. ▲espeso *I don't like such thick soup.* No me gusta la sopa tan espesa. ▲fuerte *He has a very thick accent.* Tiene un acento muy fuerte. ▲torpe, [*Am*] tupido *He is too thick to know what you're talking about.* Es demasiado torpe para enterarse de lo que está Ud. hablando.

thief ladrón.

thigh muslo.

thimble dedal.

thin [*adj*] delgado *Cut the bread thin.* Corte el pan delgado. ▲flaco *You're too thin; you ought to eat more.* Está Ud. muy flaco, debiera comer más. ▲claro, [*Am*] ralo *This soup is too thin.* Esta sopa está muy clara. •[*v*] ponerse ralo *My hair is thinning.* El pelo se me está poniendo ralo.

thing cosa *What are those things you're carrying there? ¿*Qué son esas cosas que lleva Ud. ahí?—*We've heard a lot of nice things about you.* Hemos oído muchas cosas buenas de Ud.—*How are things? ¿*Cómo van las cosas? ᴼ**a thing or two** algo *He certainly knows a thing or two about*

business. Ciertamente sabe algo de negocios. ᴼ**of all things** qué sorpresa *Well, of all things, what are you doing here?* Bueno, qué sorpresa, ¿qué hace Ud. aqui? ᴼ**the poor thing** el pobre, la pobre *When her parents died, the poor thing didn't know what to do.* Cuando murieron sus padres, la pobre no sabía qué hacer. ᴼ**things** cosas *I have to go now; did you see where I put my things?* Tengo que irme ahora; ¿se fijó Ud. dónde dejé mis cosas? ᴼ**to see things** ver visiones *I think you've been seeing things since you heard that story.* Creo que está viendo visiones desde que oyó esa historia.

think pensar *What are you thinking about? ¿*En qué piensa Ud?—*What do you think of that guy? ¿*Qué piensa Ud. de ese tipo?—*I thought you weren't coming along.* Pensé que Ud. no venía con nosotros. ▲creer *I think so, too.* Eso creo *o* Yo también lo creo.— *"Are they leaving today?" "I think so." "¿*Se van hoy?" "Creo que sí". ▲parecérle a uno *What do you think of going to the movies tonight? ¿*Le parece que vayamos al cine esta noche? ▲recordar, acordarse *I can't think of his address.* No me puedo acordar de su dirección. ᴼ**to think better of** tener mejor opinión acerca de *We think better of him since we've learned the facts.* Tenemos mejor opinión acerca de él desde que conocemos los hechos. ▲pensar mejor *You're taking a big chance and I'd think better of it, if I were you.* Ud. está corriendo un gran riesgo; yo, en su lugar, lo pensaría mejor. ᴼ**to think twice** pensarlo dos veces *I'd think twice about that, if I were you.* Si yo fuera Ud., lo pensaría dos veces. ᴼ**to think up** inventar *You'd better think up a good excuse for being late.* Mejor es que invente una buena excusa por haber llegado tarde.

third [*n*] tercio, tercera parte *A third of that'll be sufficient.* Un tercio de eso será suficiente.—*I can do a third of the work.* Puedo hacer una tercera parte del trabajo. •[*adj*] tercer *I didn't care for the third act of the play.* No me gustó el tercer acto de la función.

thirst sed.

thirsty sediento, ᴼ**to be thirsty** tener sed. ᴼ**to make one thirsty** darle a uno sed *These sandwiches make me thirsty.* Estos emparedados me han dado mucha sed.

thirteen trece.

thirty treinta.

this [*pron*] esto *What is this? ¿*Qué es esto? ▲éste *Who is this? ¿*Quién es éste? •[*adj*] este *Do you know this man? ¿*Conoce Ud. a este hombre?—*I like this room.* Me gusta esta habitación. •[*adv*] tan *Since it is this late already, why go at all?* Puesto que ya es tan tarde, ¿para qué ir? ᴼ**this far** hasta aquí *As long as we've come this far, we might as well go on.* Puesto que hemos llegado hasta aquí, creo que podríamos seguir adelante. ᴼ**this much** tanto, todo esto *I can't eat this much.* No puedo comer tanto.

thorn espina.

thorough completo, cuidadoso *I'll make a thorough investigation.* Haré una investigación cuidadosa. ▲concienzudo *That fellow is very thorough in everything he does.* Ese hombre es muy concienzudo en todo lo que hace.

thoroughfare vía publica; paso, tránsito. ||*No thoroughfare. Prohibido el paso.*

thoroughly enteramente, completamente.

those [*pron*] esos *Give me some of those.* Déme algunas de esas. •[*adj*] esos *Those children are making a lot of noise.* Esos niños están haciendo mucho ruido. ▲aquellos *What is the name of those mountains?* ¿Cómo se llaman aquellas montañas?

though aunque *I'll attend, though I may be late.* Asistiré, aunque puede ser que llegue tarde. ▲aunque, a pesar de que *I asked her to the party, though we're not good friends.* La invité a la fiesta, aunque no somos muy amigos. ○as though como si *It looks as though it may rain.* Parece que va a llover.

thought pensamiento *I was trying to guess his thoughts.* Trataba de adivinar sus pensamientos. ▲consideración *We'll have to give some thought to this matter.* Tendremos que tomar en consideración este asunto *o* Tendremos que pensar un poco en este asunto.

thoughtful pensativo *He was thoughtful for a long time before he answered.* Se quedó pensativo un largo rato antes de contestar. ▲meditado *This is a very thoughtful article.* Es un artículo muy meditado. ▲considerado *He has always been very thoughtful of his parents.* Siempre ha sido muy considerado con sus padres.

thousand mil, millar.

thread [*n*] hilo *If you'll get a needle and thread, I'll sew your button on.* Si consigue aguja e hilo le coseré el botón. ▲rosca *We can't use this screw; the thread is damaged.* No podemos usar este tornillo, tiene la rosca estropeada. •[*v*] enhebrar *I'll thread the needle for you.* Le enhebraré la aguja.

threat amenaza.

threaten amenazar *He threatened to leave if he didn't get a raise.* Amenazó con irse si no le aumentaban el sueldo.—*It is threatening to rain.* Amenaza lluvia.

three tres.

thrifty económico, frugal.

thrill [*n*] emoción *We got quite a thrill out of seeing the president.* Sentimos mucha emoción al ver al presidente. •[*v*] emocionar *I was thrilled by the music.* La música me emocionó.

thrive prosperar.

throat garganta *I have a sore throat.* Tengo dolor de garganta. ○lump in the throat nudo en la garganta *Every time I see this town, I get a lump in my throat.* Siempre que veo esta ciudad se me hace un nudo en la garganta. ○to stick in one's throat clavársele (*o* quedársele) a uno algo en la garganta *The fishbone stuck in his throat.* Se le clavó la espina en la garganta.

throb [*n*] latido, palpitación. •[*v*] latir, palpitar.

throttle [*n*] acelerador de mano. •[*v*] (*strangle*) ahogar.

through por *Who is the lady coming through the door?* ¿Quién es la señora que entra por la puerta? ▲a través de *We came in through the garden.* Vinimos a través del jardín. ▲por medio de *I got the information through him.* Obtuve la información por medio de él. ▲a causa de *Through his negligence the work will have to be held up two weeks.* A causa de su negligencia el trabajo se retrasará dos semanas. ○through and through de punta a cabo *He knows his business through and through.* Conoce su trabajo de punta a cabo. ○through train tren directo. ○to be through with terminar *Are you through with this book?* ¿Ha terminado Ud. este libro?

throughout durante *It rained throughout the night.* Llovió durante toda la noche. ▲en todo *This writer is famous throughout the world.* Este escritor es famoso en todo el mundo.

throw [*n*] tirada, tiro *That was some throw.* Ese fue un buen tiro. •[*v*] tirar, derribar *Be careful your horse doesn't throw you.* Tenga cuidado de que el caballo no le tire. ▲tirar *Who threw that?* ¿Quién tiró eso? ○to throw away tirar *Throw these papers away.* Tire estos papeles. ○to throw on echarse *I'll throw a coat on and go down to the store.* Me echaré un abrigo y bajaré a la tienda. ○to throw oneself at asediar *Oh, stop throwing yourself at her.* Oh! No la asedie Ud. más. ○to throw out echar *We'd better pay our rent soon or they'll throw us out on the street.* Tenemos que pagar el alquiler en seguida o nos echarán a la calle. ○to throw over dejar *He threw her over for a blonde.* La dejó por una rubia. ○to throw up vomitar *I throw up every time I ride on the train.* Vomito siempre que viajo en tren.

thumb [*n*] pulgar, dedo gordo *I burned my thumb with a match.* Me quemé el pulgar con un fósforo. ○to be thumbs down estar desanimado *Everybody was thumbs down on the picnic.* Todos estaban desanimados para ir a merendar en el campo. ||*He is too much under the thumb of his wife.* Está demasiado dominado por su mujer *o* Su mujer lo tiene en un puño.

thunder [*n*] trueno *Don't be afraid of thunder.* No se asuste de los truenos. ▲estruendo *The speaker couldn't be heard above the thunder of applause.* No se podía oír al orador entre el estruendo de los aplausos. •[*v*] tronar *It is beginning to thunder.* Comienza a tronar.

thunderstorm tormenta.

Thursday jueves.

thus así, de este modo.

tick [*n*] tic tac (*sound*); garrapata (*bug*).

ticket boleto, [*C.A.*] tiquete *I want a round-trip ticket to Chicago.* Quiero un boleto de ida y vuelta para Chicago. ▲candidatura *Are there any women candidates on the ticket?* ¿Hay algunas mujeres en la candidatura?

tickle [*n*] picor *I have an annoying tickle in my throat.* Tengo un picor de garganta muy molesto. •[*v*] hacer cosquillas *We tickled the baby to make her laugh.* Hicimos cosquillas a la niña para que se riera.

ticklish ○to be ticklish tener cosquillas.

tide [*n*] marea ○high tide marea alta. ○low tide bajamar, marea baja. ○to tide over llegar *Will this money tide you over until payday?* ¿Le llegará este dinero hasta el día de pago?

tidy [*adj*] limpio, aseado, ordenado. •[*v*] limpiar, arreglar.

tie [*n*] corbata *Is my tie all right?* ¿Tengo bien puesta la corbata? ▲lazo *Our family ties are very strong.* Los lazos que unen a mi familia son muy fuertes. •[v] amarrar, atar *Please tie this for me.* Por favor, áteme esto. **Oto tie the score** empatar *I don't think we can tie the score now.* No creo que podamos empatar ahora. **Oto be tied up** estar ocupado *Are you tied up this coming evening?* ¿Estará Ud. ocupado esta noche?

tiger tigre.

tight tirante *Pull the rope tight.* Ponga la cuerda tirante. ▲estrecho *This suit is too tight for me.* Me está demasiado estrecho este traje. ▲apretado *These shoes are too tight on me.* Estos zapatos me están muy apretados. ▲tacaño, agarrado *He is plenty tight with his money.* Es muy agarrado. ▲borracho *Boy, was I tight last night after that party!* Chico, ¡cómo estaba de borracho anoche después de la fiesta! **Otight spot** dificultad *I've been in tight spots before.* He pasado por dificultades antes de ahora. **Oto hold tight** agarrarse bien *Hold on tight to the rail, or you'll fall.* Agárrese bien a la baranda porque se puede caer. **Oto sit tight** estarse quieto *Sit tight; it'll only take a minute.* Estése quieto; es sólo un momento.

tighten apretar.

tile azulejo (*wall*); teja (*roof*).

till [*prep*] hasta *Let's work till ten tonight.* Trabajemos hoy hasta las diez de la noche. •[*conj*] hasta que *Wait till I come back.* Espéreme hasta que vuelva.

till [v] cultivar *That soil hasn't been tilled for at least five years.* Ese terreno no ha sido cultivado desde hace por lo menos cinco años.

tilt [n] inclinación. •[v] inclinar.

time [n] hora *What time is it?* ¿Qué hora es? ▲vez *This is the last time I'll ever come here.* Esta es la última vez que vengo aquí. ▲tiempo *It has been a long time since I've seen you.* Ha pasado mucho tiempo desde la última vez que le vi. *I wonder if we'll have time to see them before they go.* No sé si tendremos tiempo de verles antes de que se marchen. ▲rato *Did you have a nice time?* ¿Pasó Ud. un rato agradable? ▲horas de trabajo *We'll have to make up our time on Sunday.* Tendremos que completar las horas de trabajo el domingo. ▲época, tiempo *I'd like to know more about the time in which he lived.* Me gustaría saber más sobre la época en que vivió. **Oat the same time** al mismo tiempo *You're right, but at the same time something can be said for him too.* Ud. tiene razón, pero al mismo tiempo se puede decir algo a su favor también. **Ofrom time to time** de vez en cuando. **Oin no time** en muy poco tiempo, en un momento *We can finish the job in no time at all.* Podemos terminar el trabajo en muy poco tiempo. **Oin time** a tiempo *Do you think we'll be in time to catch the train?* ¿Cree Ud. que llegaremos a tiempo para coger el tren? **Oon time** a la hora *Is the noon express on time?* ¿Va a llegar a la hora el expreso de las doce? ▲a plazos *Do you want to pay cash for this radio, or will you take it on time?* ¿Quiere pagar al contado este radio, o lo pagará a plazos? **Otime after time** una y otra vez *He made the same mistake time after time.* Ha cometido el mismo error una y otra vez.

timely oportuno.

timetable guía, itinerario [*Am*] horario.

timid tímido.

tin lata, hojalata.

tinge [n] tinte, matiz. •[v] colorar, matizar.

tingle picar, hormiguear.

tint [n] matiz, tono *Her hair has a reddish tint.* Su pelo tiene un tono rojizo. •[v] teñir *She tinted her white dress blue.* Tiñó de azul su traje blanco.

tiny chiquito, menudo.

tip [n] extremo *The best swimming is at the northern tip of the island.* El mejor sitio para nadar está en el extremo norte de la isla. ▲propina *How large a tip should I give the waiter?* ¿Cuánto debo dar al camarero de propina? ▲punta *I have it on the tip of my tongue.* Lo tengo en la punta de la lengua. •[v] dar propina *Did you tip the porter that carried our bags?* ¿Le dio Ud. propina al mozo que trajo nuestras maletas? ▲ladear *You're apt to fall over if you tip your chair like that.* Se puede Ud. caer si ladea la silla de esa manera. **Oto tip off** informar *The police were tipped off as to where the thieves were hiding.* La policía fue informada donde se escondían los ladrones.

tiptoe **Oon tiptoe** de puntillas *She was walking on tiptoe so as not to wake him.* Andaba de puntillas para no despertarlo.

tire [n] llanta, cubierta, neumático *Check my tires.* Repase los neumáticos o Mire a vér cómo están de aire las llantas.

tire [v] cansar *I'm afraid the trip will tire me out too much.* Temo que el viaje me va a cansar demasiado.—*Are you tired?* ¿Está Ud. cansado?

tiresome pesado, aburrido.

tissue tejido (*anat.*). **Otissues** pañuelos de papel.

tissue paper papel de seda; papel higiénico.

title título *Do you know the title of that book?* ¿Sabe Ud. cuál es el título de ese libro? ▲campeonato *Who do you think will win the tennis title this year?* ¿Quién cree Ud. que ganará el campeonato de tenis este año? ▲título de propiedad *Do you have title to this house?* ¿Tiene Ud. el título de propiedad de esta casa?

to [*prep*] a, al *Let's go to the movies.* Vamos al cine.—*We won 6 to 2.* Ganamos 6 a 2. ▲en *His work has gone from bad to worse.* Su trabajo ha ido de mal en peor.—*Apply this cream to your face.* Póngase esta crema en la cara. ▲con *You're very kind to me.* Es Ud. muy amable conmigo.—*To our great surprise, he turned up anyway.* Con gran sorpresa nuestra se presentó. ▲de *What do you say to this?* ¿Qué dice Ud. de esto?—*Is this apartment to your liking?* ¿Es de su gusto este apartamento? ▲según *To my way of thinking, you don't know what you're talking about.* Según mi modo de pensar, Ud. no sabe de lo que está hablando. ▲a, para *I came here especially to see you.* He venido aquí especialmente para verle. ▲para *It is ten minutes to four.* Faltan diez minutos para las cuatro o Son las cuatro menos diez.

toast [n] tostadas (*bread*); brindis (*drink*). •[v] tostar; brindar.

toaster tostador.

tobacco tabaco *Do you have any tobacco?* ¿Tiene Ud. tabaco?

today hoy *What do you have on the menu today?* ¿Qué tienen hoy en el menú?

toe dedo del pie *My toes are frozen.* Tengo los dedos de los pies helados. ᴼon one's toes de pie, [Am] parado *In this job you've got to be on your toes all day long.* En este trabajo hay que estar de pie todo el día.

together juntos *They work together very well.* Trabajan muy bien juntos. ᴼto get together reunirse *Do you suppose we can get together some evening?* ¿Cree Ud. que podremos reunirnos alguna noche?

toilet excusado, retrete, baño *Where is the toilet?* ¿Dónde está el excusado?

toilet paper papel higiénico.

token muestra, prueba; ficha *We gave her a gift as a token of our affection.* Le hicimos un regalo como muestra de nuestro cariño.

tolerance tolerancia.

tolerant tolerante.

toll bridge puente de peaje.

tomato tomate, [Mex] jitomate.

tomb tumba.

tombstone lápida.

tommy gun pistola ametralladora.

tomorrow mañana *I'll be back tomorrow.* Volveré mañana.—*I'll see you tomorrow morning.* Le veré mañana por la mañana.

ton tonelada.

tone [n] sonido *I don't like the tone of this radio.* No me gusta el sonido de esta radio. ▲tono *She spoke in an angry tone.* Hablaba ,en un tono irritado.—*The room was decorated in a soft blue tone.* La habitación estaba decorada en un tono azul pálido. ᴼto tone down suavizar *He had to tone down his speech before he could give it over the radio.* Tuvo que suavizar su discurso antes de darlo por la radio.

tongs tenazas.

tongue lengua *How do you hold your tongue to make that sound?* ¿Cómo coloca la lengua para producir ese sonido?—*What is your native tongue?* ¿Cuál es su lengua materna? ᴼon the tip of one's tongue en la punta de la lengua *Just a minute; I have his name on the tip of my tongue.* Un momento, tengo su nombre en la punta de la lengua. ᴼto hold one's tongue callar, no decir nada.

tonic tónico.

tonight esta noche *What shall we do tonight?* ¿Qué haremos esta noche?—*Have you seen tonight's paper?* ¿Ha visto el periódico de esta noche?

too también *May I come too?* ¿Puedo ir yo también? ▲demasiado *The soup is too hot.* La sopa está demasiado caliente.—*You're going too far.* Va Ud. demasiado lejos.

tool herramienta *Could I borrow your tools?* ¿Podría Ud. prestarme sus herramientas? ▲instrumento *The mayor is only a tool of the party.* El alcalde es solamente un instrumento del partido. ᴼtool chest caja de herramientas.

tooth muela (*molar*), diente (*front tooth*) *This tooth hurts.* Me duele esta muela. ▲diente *This saw has a broken tooth.* Esta sierra tiene un diente roto.

toothache dolor de muelas.

toothbrush cepillo de dientes.

toothpaste pasta dentífrica, crema dentífrica.

top [n] cima, cumbre *How far is the top of the mountain?* ¿A qué distancia está la cima de la montaña? ▲capota *Are you going to put down the top of your automobile?* ¿Va Ud. a bajar la capota del automóvil? ▲trompo *The boy got a new top for his birthday.* Al niño le regalaron un trompo nuevo el día de su cumpleaños. •[adj] máximo *We drove at top speed all the way.* Llevamos el coche a la velocidad máxima durante todo el trayecto. ▲último *He lives on the top floor.* Vive en el último piso. ᴼfrom top to bottom de arriba abajo *We searched the house from top to bottom.* Registramos la casa de arriba abajo. ᴼon top of encima de, sobre *I'm sure my wallet was on top of the dresser.* Estoy seguro de que mi cartera estaba encima de la cómoda. ᴼtop man principal *Who is the top man here?* ¿Quién es el principal aquí?

topcoat abrigo de entretiempo.

topic tópico, asunto.

torch antorcha.

torment [n] tormento. •[v] atormentar.

tornado tornado, huracán.

torpedo torpedo.

torrent torrente. ‖*It rained in torrents.* Llovía a cántaros.

torture [n] tortura. •[v] lastimar *These shoes torture me.* Estos zapatos me lastiman. ▲torturar. *He was tortured in prison.* Lo torturaron en la cárcel.

toss [v] tirar, lanzar *Toss me the ball.* Tíreme la pelota. ▲lanzar *The bullfighter was tossed in the air by the bull.* El toro lanzó al torero por el aire. ᴼto toss about jugar con, sacudir *The tornado tossed the plane about like a feather.* El huracán sacudía el avión como si fuese una pluma. ▲dar vueltas *She tossed about in bed.* Daba vueltas en la cama. ᴼto toss (up) a coin echar a cara o cruz *Let's toss a coin.* Echémoslo a cara o cruz.

total [n] total *Add it up and give me the total.* Haga la suma y dígame el total. •[adj] total, completo *The house was a total loss.* Fue total la destrucción de la casa. ᴼto total up, sumar, hacer la suma (de) *Let's total up our expenses for the month.* Hagamos la suma de los gastos del mes.

totter tambalearse.

touch [n] tacto *That cloth feels nice to the touch.* Esa tela es agradable al tacto. ▲brochazo, toque *This chair needs a few more touches of paint.* Esta silla necesita unos cuantos brochazos más de pintura. ▲pizca, poquito *This soup needs a touch of salt.* Esta sopa necesita una pizca de sal. ▲nota *There was a touch of humor in his speech.* Había una nota de humorismo en su discurso. •[v] tocar *Please don't touch those books.* Por favor no toque esos libros.—*His pants almost touch the ground.* Sus pantalones casi tocan el suelo. ▲afectar *The depression didn't touch him at all.* La depresión no le afectó nada. ▲conmover *His story really touched us.* Su relato realmente nos conmovió. ᴼin touch en comunicación, en contacto *Keep in touch with me.* Manténgase en comunicación conmigo. ᴼto touch at hacer escala en *What ports did your boat touch on your trip?* ¿En qué puertos hizo escala su barco durante el viaje? ᴼto touch off provocar *Her remarks touched off a violent argument.* Sus observaciones provocaron una discusión violenta.

tough duro *This meat is very tough.* Esta carne está muy dura. ᴼ**tough luck** mala suerte.

tour [*n*] gira. •[*v*] viajar, hacer una gira.

tourist turista.

tournament torneo.

tow remolcar.

toward hacia.

towel toalla.

tower torre.

town pueblo *I'd rather live in a town than a city.* Prefiero vivir en un pueblo que en una ciudad. ▲ciudad *I won't be in town this weekend.* No estaré en la ciudad este fin de semana.

toy [*n*] juguete. •[*adj*] de juego, diminuto. •[*v*] jugar.

trace [*n*] huella, rastro *Did you see any traces of a dog around here?* ¿Ha visto Ud. las huellas de un perro por aquí? ▲rastro *He left without a trace.* Se marchó sin dejar ni rastro. ▲señal *There are plenty of traces of a camp here.* Hay muchas señales de que existe un campamento por aquí. ▲algo *I smell a trace of liquor on your breath.* Le noto algo de olor a licor en el aliento. •[*v*] marcar, señalar *Trace the route in pencil on the map.* Marque el camino con lápiz en el mapa.

track [*v*] seguir la pista a *The police are trying to track the criminal.* La policía está tratando de seguirle la pista al criminal. ᴼ**to keep track of** acordarse de, ocuparse de *I hope you don't expect me to keep track of all the details.* Espero que no pretenderá que me ocupe de todos los detalles. ᴼ**to lose track of** perder la pista *I'm afraid I've completely lost track of him.* Temo que le he perdido la pista por completo. ᴼ**to make tracks** irse pronto, irse de prisa *It is getting rather late, so we'd better make tracks for home.* Se está haciendo tarde, de modo que es mejor que nos vayamos pronto a casa. ᴼ**to track down** averiguar el origen de *Could you track that story down for me?* ¿Podría averiguarme el origen de esa historia? ᴼ**to track up** dejar pisadas en *Clean off your shoes, you're tracking up the kitchen.* Límpiese los zapatos, está dejando pisadas en la cocina. ᴼ**tracks** huellas, pisadas *Let's follow his tracks to see where he went.* Sigamos sus huellas para ver adonde fue. ▲rieles, vía *Wait for the train before you cross the tracks.* Espere que pase el tren antes de cruzar la vía.

tract trecho, terreno *That man owns a large tract of land.* Ese hombre posee una gran extensión de terreno.

tractor tractor.

trade [*n*] comercio *Is there any trade across the border?* ¿Hay comercio a través de la frontera? ▲oficio *What is your trade?* ¿Cuál es su oficio? ▲canje, cambio *Let's make a trade.* Hagamos un cambio. ▲clientela *I think my product will appeal to your trade.* Creo que mi producto tendrá éxito entre su clientela. •[*v*] comprar *I don't trade at that store.* No compro en esa tienda. ▲cambiar, canjear *My brother and I traded ties.* Mi hermano y yo cambiamos nuestras corbatas. ᴼ**to trade in** cambiar *I want to trade this car in for a new one.* Quiero cambiar este automóvil por uno nuevo.

trademark marca de fábrica, marca registrada.

tradition tradición.

traffic tráfico.

traffic light luz de tráfico, semáforo.

tragedy tragedia.

trail [*n*] sendero, vereda *The trail through the woods will be made into a road.* El sendero que atraviesa el bosque será convertido en carretera. ▲huellas, rastro *The invaders have left a bloody trail behind them.* Los invasores han dejado huellas sangrientas tras ellos. •[*v*] seguir la pista, rastrear *The police are trailing the criminal.* La policía le sigue la pista al criminal. ▲arrastrar *Your coat is trailing on the ground.* Su abrigo se está arrastrando por el suelo. ▲rezagarse, ir rezagado *That boy is always trailing along behind his brother.* Aquél muchacho siempre va rezagado detrás de su hermano.

train [*n*] tren *When does this train leave?* ¿Cuándo sale este tren? •[*v*] entrenarse *I hope you've been training for our tennis match.* Espero que se haya entrenado Ud. para nuestra partida de tenis. ᴼ**to be trained** tener práctica, estar preparado *Have you been trained in business?* ¿Ha tenido Ud. práctica en los negocios?

training instrucción (*education*); entrenamiento (*sports*).

traitor traidor.

tramp [*n*] vagabundo *There is a tramp at the back door asking for food.* Hay un vagabundo que pide comida en la puerta trasera. ▲ruido de pisadas *We heard the tramp of soldiers' feet.* Oímos el ruido de las pisadas de los soldados. (*fam.*) ▲mujer de la vida, prostituta. •[*v*] patear, pasearse pateando, andar pesadamente *Someone is tramping around in the room overhead.* Alguien se pasea pateando por la habitación de arriba.

tranquil tranquilo.

transfer [*n*] traspaso, traslado *Have you arranged for my transfer to the new job?* ¿Ha arreglado Ud. mi traslado al nuevo trabajo? ▲boleto de transbordo, transferencia *Could I have a transfer?* ¿Me podría dar un boleto de transbordo?

transfer [*v*] trasladar *He asked to be transferred to another town.* Pidió que le trasladaran a otra ciudad.

transfusion transfusión.

transient [*adj*] pasajero, transitorio. [*n*] transeúnte, viajero de paso.

transit tránsito.

transition transición.

translate traducir *How do you translate this?* ¿Cómo se traduce esto?

translation translación, traducción.

transport [*n*] transporte *This ship is a war transport.* Este barco es un transporte de guerra.

transport [*v*] transportar *All our supplies are transported by planes.* Todas nuestras provisiones son transportadas en aviones.

transportation transporte.

trap [*n*] trampa, cepo *This is a bear trap.* Esta es una trampa para osos. •[*v*] atrapar *The police have trapped the thief in that old house.* La policía atrapó al ladrón en aquella casa vieja.

trash basura.

travel [n] tráfico *Travel on this road is always light.* Esta carretera no tiene mucho tráfico. •[v] viajar *I prefer to travel by plane.* Prefiero viajar en avión.

traveler viajero.

tray bandeja, azafate, [Am] charola.

treacherous traicionero.

tread [n] cubierta *The tread on my tires is badly worn.* Está muy gastada la cubierta de mis neumáticos. •[v] pisar *Don't tread on the snake in the grass.* No pise la culebra que está en la yerba. ○to **tread water** pedalear en el agua.

treason traición.

treasurer tesorero.

treasury tesorería.

treat [n] placer *It'll be a treat to hear the new concert.* Será un placer oír el nuevo concierto. •[v] tratar *Has the doctor been treating you long?* ¿Hace mucho tiempo que le está tratando el médico?—*You're not treating me fairly.* Ud. no me trata justamente. ▲tratar (de) *Can you recommend a book that treats current social problems?* ¿Puede Ud. recomendarme algún libro que trate de problemas sociales de actualidad? ▲tomar *You shouldn't treat that as a laughing matter.* Usted no debe tomar esto como broma. ▲convidar *How about treating me for a change?* ¿Por qué no me convida Ud. una vez para variar?

treatment tratamiento.

treaty tratado, pacto.

tree árbol. ○up a tree entre la espada y la pared.

tremble [v] temblar.

tremendous tremendo, formidable.

trench trinchera.

trench coat trinchera, impermeable.

trespass [v] entrar sin derecho, infringir ‖*Trespassing on that property is not allowed.* Se prohíbe pasar por esta propiedad. ‖*No trespassing!* ¡Prohibido el paso!

trial prueba *We'll take this machine on trial.* Tomaremos esta máquina a prueba. ▲proceso, juicio *You'll be given a fair trial.* Se le hará a Ud. justicia en el proceso. ▲mortificación *You know, you've been a great trial to me.* Sabes qué has sido para mí una gran mortificación.

triangle triángulo.

tribe tribu.

tributary tributario.

tribute tributo.

trick [n] maña *She is full of tricks, isn't she?* Está llena de mañas. ¿no es cierto?—*She has got a trick of frowning when she is thinking.* Tiene la maña de fruncir el ceño cuando piensa.—*There is a trick to making a pie.* Se necesita maña para hacer un pastel. ▲jugada *That is a mean trick to play on me.* Esa es una mala jugada que me hacen. ▲truco *He knows some pretty good tricks with cards.* Sabe hacer muy buenos trucos con las barajas. •[v] engañar *Just my luck, tricked again!* ¡Qué mala suerte, me engañaron otra vez!

trickle escurrir, gotear.

trifle [n] baratija *Here is a little trifle I picked up in China.* Esta es una baratija que traje de China. ▲bagatela *This ring cost me only a trifle.* Este anillo me costó sólo una bagatela. ▲poco, poquito *This book is a trifle too serious for me.* Este libro es un poquito serio para mí. •[v] jugar *You'd better not trifle with that girl's affection.* No debe jugar con los sentimientos de esa muchacha.

trigger [n] gatillo, disparador.

trim [n] buenas condiciones físicas *He looks trimmer than last year.* Luce en mejores condiciones que el año pasado. •[v] emparejar, igualar *Let's trim the bushes in the yard.* Vamos a emparejar los arbustos del patio. ▲cortar un poco *She had her hair trimmed.* Le cortaron un poco el pelo. ○to **trim the sails** orientar las velas.

trip [n] viaje *How was your trip?* ¿Cómo le fue de viaje? •[v] tropezar *Don't trip on the stairs.* No tropiece Ud. en la escalera. ▲brincar *She trips along her way as though she were happy.* Va brincando por el camino como si estuviera muy contenta. ▲poner la zancadilla *Who tripped me?* ¿Quién me puso la zancadilla?

triumph [n] triunfo. •[v] triunfar.

triumphant triunfante.

trivial trivial.

trolley tranvía.

troop [n] tropa *The enemy troops have surrendered.* Se han rendido las tropas del enemigo. ▲compañía (actors). •[v] apiñarse *The crowd trooped through the streets.* La multitud se apiñaba en las calles.

trophy trofeo.

tropical tropical.

tropics trópico.

trot [n] trote. •[v] trotar.

trouble [n] apuro, dificultad *I'm in trouble.* Estoy en un apuro. ▲lío *Did you get into trouble?* ¿Se metió Ud. en algún lío? ▲dificultades *I've had trouble with this man before.* He tenido antes dificultad con este hombre. ▲molestia *No trouble at all!* ¡No es molestia! ▲barullo *The boys are causing a lot of trouble here.* Los muchachos están armando aquí mucho barullo. ▲camorra *Are you asking for trouble?* ¿Está Ud. buscando camorra? •[v] molestar, incomodar *Sorry to trouble you.* Siento molestarle. ▲molestar *My arm has been troubling me ever since the accident.* Me molesta el brazo desde el accidente.

trough abrevadero, [Am] bebedero.

trousers pantalones.

trout trucha.

truce tregua.

truck camión.

truck driver chofer de camión.

trudge caminar con dificultad.

true verdadero *He is a true scientist.* Es un verdadero hombre de ciencia. ▲leal, verdadero *You'll find him a true friend.* Ud. se dará cuenta de que es un amigo leal. ▲verídico, cierto *Is that story true?* ¿Es verídica esa historia? ▲cierto, verdad *Is it true that you got a new car?* ¿Es cierto que Ud. compró un nuevo automóvil? ▲seguro *These dark clouds are a true sign of rain.* Estos nubarrones son anuncio seguro de lluvia. ▲fiel *He is always true to his word.* Siempre es fiel a su palabra. ○true **north** norte verdadero.

T

truly sinceramente, de verdad *I'm truly sorry for what happened.* Siento sinceramente lo ocurrido.

trump (*card playing*) [*n*] triunfo. •[*v*] triunfar.

trumpet [*n*] tompeta.

trunk tronco *Nail that notice on the trunk of that tree.* Fije el aviso en el tronco de ese árbol. ▲baúl *Has my trunk come yet?* ¿Ha llegado ya mi baúl? ▲(*of body*) tronco, torso. O*trunks* bañador, pantalón de baño *These trunks are too tight.* Este bañador me queda muy ajustado.

trust [*n*] confianza *He holds a position of great trust.* Tiene un puesto de mucha confianza. •[*v*] tener confianza en *Don't you trust me?* ¿No tiene Ud. confianza en mí? ▲confiar *They trusted the money to his care.* Le confiaron el dinero. ▲confiar, esperar *I trust you slept well.* Espero que haya dormido bien. ▲dar crédito *Can you trust me until payday?* ¿Puede darme crédito hasta el día de pago? O**in trust** en depósito *Shall I hold this money in trust for you?* ¿Le guardo este dinero en depósito?

trustee síndico, fiduciario.

truth verdad *That is the truth.* Esa es la verdad.

try [*n*] intento *Let's give another try at getting up this hill.* Hagamos un nuevo intento para subir la loma. •[*v*] tratar *Let's try to get there on time.* Tratemos de llegar a tiempo. ▲probar *Did you try the key?* ¿Probó Ud. la llave? ▲tomar *I think I'll try some soup.* Creo que tomaré un poco de sopa. ▲juzgar *Who is going to try your case?* ¿Quién va a juzgar su caso? O**to try on** probarse *I'd like to try that suit on again.* Me gustaría probarme ese traje otra vez. O**to try one's patience** exasperar *Sometimes you try my patience too much.* A veces Ud. me exaspera. O**to try out** hacer una prueba *With his voice, he ought to try out for radio.* Con su voz, debe hacer una prueba en la radio.

trying difícil *This has been a trying day.* Este ha sido un día difícil.

tub bañera (*bathtub*), tina (*washtub*, [*Am*] *bathtub*).

tube tubo.

tuberculosis tuberculosis.

tuck [*n*] alforza, pliego *I'm going to take a tuck in my sleeves.* Voy a hacer un pliego en las mangas. •[*v*] meter *Tuck this package in your bag.* Meta este paquete en la bolsa. O**to tuck in** remeter *Tuck the blankets in carefully when you go to bed.* Remeta las mantas con cuidado cuando se acueste.

Tuesday martes.

tuft manojo (*grass*); moño (*hair*); penacho (*feathers*).

tug [*n*] remolcador *A tug pulled the barge up the river.* Un remolcador arrastró la barcaza río arriba. ▲tirón *Give the rope a good tug.* Dé un buen tirón a la cuerda. •[*v*] tirar de *The dog tugged at his leash.* El perro tiró de la correa.

tulip tulipán.

tumble [*n*] tumbo, caída. •[*v*] caer, derribar. O**to tumble down** derrumbarse (*building*); caerse (*person*).

tumor tumor.

tumult tumulto.

tune [*n*] melodía, tonada *What is that tune you're singing?* ¿Cuál es esa melodía que

está cantando? •[*v*] afinar *Has your violin been tuned?* ¿Está afinado su violín? O**out of tune** desafinado *The piano is out of tune.* El piano está desafinado. O**to tune in** sintonizar.

tunnel túnel.

turbulent turbulento.

turf césped (*grass*).

turkey pavo, [*Mex*] guajolote.

turn [*n*] vuelta *Give the wheel a turn.* Dé una vuelta a la rueda. ▲turno *You'll have to wait your turn in line.* Tiene que esperar su turno en fila. ▲aspecto *I've heard that story before, but you gave it a new turn.* Conocía ya ese cuento, pero Ud. le dio un nuevo aspecto. •[*v*] dar vuelta a *Try to turn the key.* Trate de dar vuelta a la llave. ▲volverse *He turned and motioned to us to follow him.* Se volvió y nos indicó que le siguiéramos. ▲doblar *She just turned the corner.* Acaba de doblar la esquina. ▲revolver *That spoiled cheese is enough to turn one's stomach.* Ese queso descompuesto es capaz de revolverle a uno el estómago. ▲torcer *She turned her ankle.* Se torció el tobillo. ▲ponerse *She turned pale when she heard the news.* Se puso pálida cuando oyó la noticia. ▲cambiar *Looks like the wind is turning.* Parece que el viento está cambiando. O**at every turn** en todo momento *He met with resistance at every turn.* En todo momento encontró resistencia. O**in turn** por turno *Each one of you tell me your story in turn.* Cada uno de Uds. me contará su historia por turnos. O**to a turn** perfectamente *This meat is cooked to a turn.* Esta carne está cocinada perfectamente. O**to take a turn** dar una vuelta *Let's take a turn around the park.* Demos una vuelta por el parque. O**to take a turn for the better** mejorar *He was very ill, but he is taking a turn for the better.* Estaba muy enfermo, pero ya está mejorando. O**to take a turn for the worse** empeorar. O**to turn around** dar vuelta a *Let's turn the table around.* Démosle vuelta a la mesa. O**to turn aside** desviarse *He turned aside to talk to me.* Se desvió para hablar conmigo. O**to turn away** rechazar *We had to turn hundreds of people away.* Hemos tenido que rechazar a centenares de personas. O**to turn back** regresar. O**to turn down** doblar *Turn down the blanket.* Doble la manta. ▲rechazar *My application for a job was turned down.* Mi solicitud para un empleo fue rechazada. O**to turn gray** encanecer *Her hair is turning gray.* Está encaneciendo. O**to turn in** dar la vuelta y entrar *Turn in at the next farm.* Dé la vuelta y entre en la próxima finca. ▲acostarse *We ought to turn in early tonight.* Debemos acostarnos temprano esta noche. ▲entregar *Let's turn these old clothes in to the Red Cross.* Entreguemos esta ropa vieja a la Cruz Roja. O**to turn into** cambiar por *You can always turn your bonds into cash.* Siempre se puede cambiar los bonos por dinero. O**to turn off** cerrar la llave de (*gas, water*); apagar (*light*). O**to turn on** abrir (*gas, water*); encender (*light*). ▲volverse contra *I didn't expect you'd turn on me also.* No esperaba que Ud. también se volviera contra mí. ▲depender de *All our plans turn on whether he gets back in time.* Todos nuestros planes dependen de que él regrese a tiempo. O**to turn one's nose up at** mirar con desprecio. Oto turn out apagar *Turn out the lights.* Apague Ud. las luces. ▲resultar *How did the party turn out?* ¿Cómo resultó la fiesta? ▲echar *I have been turned out of my room.* Me echaron de mi cuarto. ▲levantarse *What time do you turn out in the morning?* ¿A qué hora se levanta Ud. por la mañana? ▲venir, acudir *A large crowd turned out for the meeting.* Un gran gentío acudió a la reunión. ▲fabricar producir *This company turns out fine products.* Esta compañía fabrica buenos productos. Oto turn over volcar *Watch out! We almost turned over that time.* ¡Cuidado! Esta vez casi nos volcamos. ▲transferir, traspasar *He turned his business over to his son.* Le transfirió el negocio a su hijo. Oto turn over a new leaf empezar vida nueva, enmendarse. Oto turn tail volver la espalda *The little boy turned tail and ran.* El niñito volvió la espalda y se echó a correr. Oto turn the tables invertir los papeles. Oto turn the tide cambiar el curso *The arrival of fresh troops turned the tide of the battle.* La llegada de tropas frescas cambió el curso de la batalla. Oto turn to recurrir a, acudir a *I have no one to turn to.* No tengo a quien recurrir. ▲buscar en *You'll find those figures if you turn to page fifty.* Ud: encontrará esas cifras si busca en la página cincuenta. Oto turn up poner más alto *Turn the radio up, will you?* ¿Quiere poner más alto la radio? ▲aparecer *He is always turning up when least expected.* Siempre aparece cuando menos se le espera. ▲salir, presentarse *Maybe something will turn up next week.* Puede que algo se presente la semana próxima.

turnip nabo.

turpentine trementina.

turret torrecilla, torreta, torre blindada.

turtle tortuga.

tuxedo esmoquin.

tweezers pinzas.

twelve doce.

twenty veinte.

twice dos veces *I have been here twice already.* Ya he estado aquí dos veces.

twig ramita.

twilight crepúsculo.

twin gemelo, mellizo *I can't tell those twins apart.* No puedo distinguir a esos gemelos.

twin beds camas gemelas.

twine [n] cordel, [Am] pita. •[v] retorcer, enroscar.

twinkle [n] brillo *Can you see the twinkle of that light through the fog?* ¿Puede ver el brillo de aquella luz a través de la niebla? •[v] brillar *His eyes twinkled when he spoke.* Le brillaban los ojos cuando hablaba.

twirl [v] girar, dar vueltas a.

twist [v] torcer, retorcer.

two dos *Can you lend me two dollars?* ¿Me puede Ud. prestar dos dólares? Oby twos de dos en dos. Oin two en dos *Let's cut this cake in two.* Partamos este pastel en dos.

type [n] tipo *I don't like that type of boy.* No me agrada ese tipo de muchacho. ▲tipo de letra *The type in this book is too small.* El tipo de letra de este libro es demasiado pequeño. ▲clase, estilo *What type of shoes do you want?* ¿Qué clase de zapatos desea

Ud.? •[v] escribir a máquina *Can you type?* ¿Sabe Ud. escribir a máquina?

typewriter máquina de escribir.

typical típico.

U

ugly feo *The painting looks ugly to me.* Me parece feo el cuadro. ▲malo *That man has an ugly disposition.* Ese hombre tiene mal carácter.

ulcer úlcera.

ultimate último.

ultraviolet ultravioleta, ultraviolado.

umbrella paraguas.

umpire árbitro, juez.

unable incapaz. Oto be unable no poder, no ser capaz de, verse en la imposibilidad de.

unacceptable inaceptable.

unanimous unánime.

unauthorized desautorizado, sin autorización.

unavoidable inevitable, ineludible.

unaware que ignora, no enterado. Oto be unaware of ignorar, no saber, no estar enterado de.

uncertain incierto *Our future is uncertain.* Nuestro futuro es incierto. ▲inseguro, variable *In springtime the weather is uncertain.* En (la) primavera el tiempo es variable. Oto be uncertain no estar seguro *We're uncertain how things will turn out.* No estamos seguros de cómo saldrán las cosas.

uncertainty incertidumbre.

uncivil descortés, desatento.

unclaimed sin reclamar.

uncle tío. Oaunt and uncle tíos.

uncomfortable incómodo, molesto.

unconditional incondicional.

unconscious inconsciente, sin conocimiento.

under [adj] inferior *The underside of the boat needs painting.* Se necesita pintar la parte inferior del barco. • [prep] debajo de *Slip the letter under the door.* Meta la carta por debajo de la puerta. ▲bajo *Is everything under control?* ¿Está todo bajo control? o ¿Está todo en orden? Oto be under an obligation deber favores. Ounder discussion en discusión *The matter is under discussion.* El asunto está en discusión. Ounder oath bajo juramento.

underage menor de edad.

undercover secreto, clandestino. Oundercover agent agente secreto.

underdog el más débil, el que tiene menos posibilidades de ganar.

undergo sufrir, padecer, experimentar.

underline subrayar.

underling subordinado.

undermine socavar, minar, debilitar.

underneath [adv] por debajo *The box is wooden on top and iron underneath.* La caja es de madera por arriba y de hierro por debajo. • [prep] debajo de *The garage is underneath the house.* El garage está debajo de la casa.

undershirt camiseta.

T
U

understand comprender, entender *I don't understand what you mean.* No comprendo lo que quiere decir. ▲entender *I understand you're going away.* Tengo entendido que se va Ud.

undertake emprender *I hope you're not planning to undertake such a long trip alone.* Espero que no estará pensando emprender solo un viaje tan largo. ▲comprometerse a, encargarse de *I undertook to do the work for him.* Me comprometí a hacerle el trabajo.

underwear ropa interior.

undo desatar *Help me undo this package.* Ayúdeme a desatar este paquete. ▲deshacer *Take care or you'll undo everything that I have done.* Tenga cuidado porque si no deshará todo lo que yo he hecho. ○**undone** por hacer, sin hacer *The work remained undone.* El trabajo quedó sin hacer.

undoubtedly sin duda, indudablemente.

undress desnudarse, desvestirse.

uneasiness inquietud, desasosiego.

uneasy inquieto, intranquilo *Why are you so uneasy?* ¿Por qué está Ud. tan inquieto? ○**to make uneasy** inquietar *That news makes me uneasy.* Esa noticia me inquieta.

unemployed desempleado, sin trabajo.

unemployment falta de trabajo, desempleo.

unexpected inesperado.

unfit inepto, no apto. ○**to be unfit for** no servir para.

unfortunate desafortunado, infeliz.

unfriendly poco amistoso, seco, nada amable (*unpleasant*); hostile (*hostile*).

unhappy infeliz, desdichado.

unhealthy malsano, insalubre *This place is unhealthy.* Este lugar es malsano. ▲enfermizo *He has an unhealthy look.* Tiene un aspecto enfermizo.

uniform [*adj, n*] uniforme.

unimportant poco importante, sin importancia.

union unión *In union there is strength.* La unión hace la fuerza. ▲sindicato *Is there a labor union in the factory?* ¿Hay un sindicato de obreros en la fábrica?

unit unidad.

unite unir.

universal universal.

universe universo.

university universidad.

unjust injusto.

unkind poco amable, duro.

unknown desconocido.

unless a menos que, a no ser que.

unlike diferente, distinto.

unload descargar.

unlock abrir *Unlock the door.* Abra la puerta.

unlucky de mala suerte, desafortunado.

unnecessary innecesario.

unpleasant desagradable.

unsettled indeciso *She is unsettled as to whether she'll go or not.* Está indecisa si irá o no. ▲pendiente *The workers' disputes are still unsettled.* Siguen pendientes las cuestiones obreras. ▲inseguro, inestable, fluctuante *The weather is very unsettled.* El tiempo está muy inestable. ○**unsettled account** cuenta sin saldar.

untie desatar.

until [*prep*] hasta *It rained until four o'clock.* Llovió hasta las cuatro. • [*conj*] hasta que *Wait until you hear from me.* Espere hasta que yo le avise.

untrue falso, infiel.

unusual raro, poco corriente *This is unusual weather.* Hace un tiempo poco corriente. ▲extraordinario *He certainly had an unusual experience.* Realmente ha tenido una aventura extraordinaria.

unwilling renuente, desinclinado, sin ganas *o* sin querer.

unworthy indigno.

up arriba *What are you doing up there?* ¿Qué está Ud. haciendo allá arriba? ▲levantado *He wasn't up yet when we called.* Todavía no se había levantado cuando le llamamos. ○**to be up to** ser conforme a, igual a *This isn't up to standard.* Esto no es conforme a la norma. ○**to burn up** quemar *Burn up those papers.* Queme esos papeles. ○**to run up against** pasar por *He ran up against a lot of trouble before he was elected.* Pasó por muchas dificultades antes de ser elegido. ○**up against** it en apuros *That family is really up against it.* Esa familia está realmente en apuros. ○**up and down** de arriba abajo, de acá para allá *We were just walking up and down.* Estuvimos caminando de acá para allá. ○**up to** capaz de *Do you feel up to making this trip?* ¿Se siente capaz de hacer este viaje? ○**up to date** hasta hoy, hasta la fecha *Up to date we haven't been able to finish our work.* Hasta la fecha no hemos podido terminar nuestro trabajo.

upgrade [*adj*] ascendente. • [*adv*] hacia arriba. • [*n*] cuesta arriba, ascenso. ‖*Business is on the upgrade.* Los negocios van para arriba.

uphold sostener, apoyar.

uplift levantar, exaltar.

upon See (Vea) **on**.

upper de arriba, superior *I'd just as soon take the upper berth.* Me da lo mismo tomar la cama de arriba.

upright erecto, recto *How long must we keep an upright position?* ¿Cuánto tiempo debemos quedarnos en posición erecta? ▲honrado *She married an upright young man.* Se casó con un joven honrado.

uproar tumulto, alboroto.

uproot desarraigar, arrancar de raíz.

upset [*n*] sorpresa *Their victory was quite an upset.* Su victoria fue verdaderamente una sorpresa.

upset [*adj*] mal, desarreglo *What should I take for an upset stomach?* ¿Qué puedo tomar para un mal de estómago? • [*v*] volcar, voltear *Be careful not to upset the pitcher of water.* Tenga cuidado de no volcar el jarro de agua. ▲perturbar, contrariar, trastornar *The bad news upset him greatly.* Las malas noticias le contrariaron enormemente. ▲desarreglar *Don't upset things around here.* No desarregle las cosas por aquí.

upside parte o lado superior.

upside down patas arriba *The chair is upside down.* La silla está patas arriba. ▲al revés *You've put the tablecloth upside down.* Ha puesto Ud. el mantel al revés. ▲revuelto, en desorden *Everything is up-*

side down in this room. Todo está revuelto en esta habitación.

upstairs arriba, los altos / *I live upstairs.* Vivo arriba.

upward hacia arriba.

urge [n] impulso, deseo *He felt a great urge to go back home.* Sintió un gran impulso de volver a casa. • [v] instar *We urged him to take a vacation.* Le instamos a que tomara unas vacaciones.

urgent urgente.

urinate orinar.

us nos *My friend has invited both of us to the concert.* Mi amigo nos ha invitado a los dos al concierto. ▲nosotros *This gift is for us.* Este regalo es para nosotros.

use uso *He has lost the use of his right arm.* Ha perdido el uso del brazo derecho. ▲manejo, uso *Are you sure you know the proper use of this machine?* ¿Está seguro de que conoce el manejo de esta máquina? Oin use en uso *This type of machine is now in use.* Este tipo de máquina ya está en uso. Oto be of no use ser inútil, no servir para nada *That book is of no use to me.* Ese libro no me sirve para nada. Oto have no use for *I have no use for that man at all.* Ese hombre no me gusta para nada. Oto make use of aprovechar *Make good use of this opportunity.* Aproveche bien esta oportunidad.

use [v] usar *May I use your telephone?* ¿Puedo usar su teléfono? Oto be used to acostumbrar *Are you used to driving in heavy traffic?* ¿Está Ud. acostumbrado a conducir con mucho tráfico? Oto use up gastar *I've used up all my money.* Me he gastado todo el dinero.

useful útil.

useless inútil.

usher acomodador.

usual usual, acostumbrado, de costumbre *Let's go home the usual way.* Vamos a casa por el camino de costumbre. Oas usual como siempre, como de costumbre, sin novedad *Everything here is the same as usual.* Aquí todo está como de costumbre.

usually usualmente, por lo regular, por lo común.

utensil utensilio.

utility utilidad.

utmost sumo *This is of the utmost importance.* Esto es de suma importancia. Oto do one's utmost hacer uno lo más que pueda *He did his utmost to succeed.* Hizo lo más que pudo para triunfar. Oto the utmost a más no poder *He enjoyed himself to the utmost.* Se divirtió a más no poder.

utter [adj] completo *We were left in utter darkness.* Nos dejaron en completa oscuridad.

utter [v] proferir, dar *He uttered a cry of pain.* Dio un grito de dolor.

V

vacancy vacancia, vacante.

vacant vacante, desocupado *Are there any vacant apartments for rent?* ¿Hay algún apartamento desocupado para alquilar? ▲vacío, libre *Can you find me a vacant seat?* ¿Puede encontrarme un asiento libre?

vacation vacación.

vaccinate vacunar.

vaccination vacuna.

vague vago, indefinido.

vain vano. Oin vain en vano, en balde.

valid válido, valedero.

valise valija, maleta.

valley valle.

valor valor, valentía.

valuable valioso *They gave us valuable information.* Nos dieron una información valiosa. Ovaluables objetos de valor.

value [n] valor *What is the value of the American dollar in this country?* ¿Qué valor tiene el dólar americano en este país? • [v] valuar, valorar *What do you value your property at?* ¿En cuánto valora Ud. su propiedad?

valve válvula.

vanilla vainilla.

vanish desvanecerse.

vanity vanidad.

vapor vapor.

variable variable.

variety variedad.

various varios, diversos.

varnish [n] barniz. • [v] barnizar.

vary variar, cambiar.

vase florero.

vaseline vaselina.

vast vasto.

vault bóveda. Obank vault caja de caudales.

veal carne de ternera.

vegetable legumbre, verdura.

vehicle vehículo.

veil [n] velo. • [v] velar, cubrir con velo.

vein vena.

velocity velocidad.

velvet terciopelo.

venetian blinds persianas.

vengeance venganza.

venom veneno.

vent respiradero, salida.

ventilate ventilar.

ventilation ventilación.

ventilator ventilador.

venture [n] riesgo, ventura. • [v] aventurar, arriesgar.

verb verbo.

verdict veredicto, fallo

verge borde. Oto be on the verge of estar al borde de.

verify verificar, comprobar.

verse verso.

version versión.

vertical vertical.

very [adj] mismo *The very day I arrived war was declared.* Se declaró la guerra el mismo día que llegué. ▲solo, simple *The very thought of leaving is unpleasant to me.* La sola idea de marcharme me disgusta. • [adv] muy *He is a very nice person.* Es una persona muy simpática.

vessel vasija *(container)*; barco *(ship).* Oblood vessel vaso sanguíneo.

vest chaleco.

vestibule vestíbulo.

veteran veterano.

veterinary veterinario.

veto veto.

U
V

vex irritar, molestar.
via por la vía de, por.
vibrate vibrar.
vice vicio.
vice versa viceversa.
vicinity vecindad.
vicious depravado, malvado (people); mañoso, malo (animal).
victim víctima.
victor vencedor.
victorious victorioso.
victory victoria.
video video.
videocassette videocasete, cartucho.
videocassete recorder aparato para grabar programas de televisión en una cinta magnética, VCR.
videotape cinta de video, videocinta.
view [n] vista This room has a fine view of the park. Este cuarto tiene una linda vista del parque. ▲opinión What is your view on the subject? ¿Qué opina Ud. sobre el asunto? o ¿Cuál es su opinión sobre el asunto? • [v] mirar The sergeant viewed the recruits with disgust. El sargento miraba con mala cara a los reclutas. Oin view of en vista de. Oon view en exhibición, expuesto The picture will be on view at the end of the week. El cuadro estará en exhibición a fines de la semana.
viewpoint punto de vista, opinión.
vigor vigor.
vigorous vigoroso.
vile bajo, vil.
village aldea, pueblo.
villain villano.
vine vid, parra.
vinegar vinagre.
vineyard viña, viñedo.
violate violar.
violation violación.
violence violencia.
violent violento.
violet violeta.
violin violín.
virgin virgen.
virtue virtud.
visa visa, visado.
visible visible.
vision visión.
visit [n] visita. • [v] visitar.
visitor visita, visitante.
vital vital.
vitamin vitamina.
vivid vivo, vívido, intenso.
vocabulary vocabulario.
vocal vocal.
vocation ocupación, oficio, profesión.
voice voz.
void [n] vacío (emptiness). • [adj] nulo, sin efecto (null). • [v] anular.
volcano volcán.
volley salva, descarga, andanada.
volt voltio.
volume volumen.
voluntary voluntario.
volunteer [n, adj] voluntario. • [v] ofrecerse a hacer algo, ofrecerse para servir como voluntario.

vomit vomitar.
vote [n] voto This candidate got 2,000 votes. Este candidato obtuvo 2.000 votos. ▲votación Let's decide this by a vote. Decidamos esto por votación. • [v] votar Have you voted in this election? ¿Ha votado en estas elecciones?
vow [n] voto, promesa. • [v] hacer voto.
vowel vocal.
voyage viaje por mar.
vulgar vulgar.
vulnerable vulnerable.
vulture buitre.

W

wade vadear.
wafer barquillo (biscuit).
wag mover, menear.
wage Odaily wage jornal. Oto wage war hacer guerra. Owages sueldo, salario What wages does this factory pay? ¿Qué sueldos paga esta fábrica?
wagon carro de cuatro ruedas [Sp], carretón [Am].
waist cintura.
wait [n] espera There'll be an hour's wait. Habrá que hacer una espera de una hora. • [v] esperar I'll wait for you until five o'clock. Le esperaré hasta las cinco. Oto lie in wait estar en acecho. Oto wait on atender Is anyone waiting on you? ¿Le atiende alguien? Oto wait up esperar desvelándose My parents waited up for me last night. Anoche mis padres se desvelaron esperándome.
waiter camarero, mozo.
waiting room sala de espera.
waitress camarera.
wake [n] estela We crossed the wake of the ship. Cruzamos la estela del barco. ▲velorio.
wake [v] despertar Please wake me at seven o'clock. Por favor, despiérteme a las siete. Oto wake up abrir los ojos It is high time you woke up to the facts. Es hora de que Ud. abra los ojos a la realidad.
waken despertar I don't want to be wakened till nine o'clock. No quiero que me despierten hasta las nueve.
walk [n] paseo Let's go for a walk in the park. Vamos a dar un paseo por el parque. ▲paseo, camino They planted flowers on both sides of the walk. Sembraron flores a ambos lados del camino. ▲modo de andar You can always tell him by his walk. Siempre se le conoce por el modo de andar. • [v] caminar, andar, ir a pie Do you think we can walk it in an hour? ¿Cree Ud. que podremos llegar en una hora yendo a pie?
wall [n] pared Hang the picture on this wall. Cuelgue el cuadro en esta pared. ▲tapia He built a high wall around his garden. Construyó una tapia alta alrededor de su jardín. • [v] tapiar They've just walled up the entrance to the cave. Acaban de tapiar la entrada de la cueva.
wallet billetera.
walnut nuez (nut); nogal (tree).
waltz vals.
wander vagar.

want [n] necesidad *My wants are very simple.* Tengo pocas necesidades. • [v] querer *I want to go swimming.* Quiero ir a nadar. ▲buscar *He was wanted by the police.* Lo buscaba la policía. Oto be in want estar necesitado.

war guerra. Oat war en guerra.

wardrobe ropero, guardarropa (*clothes*); armario (*closet*); ajuar.

warehouse almacén, depósito, bodega.

warm [adj] calor *It gets very warm here in the afternoon.* Hace mucho calor aquí por las tardes. ▲caluroso, afectuoso, cariñoso *She sends you warm greetings.* Le envía saludos cariñosos. ▲cálido *She looks best in warm colors.* Le quedan mejor los colores cálidos. ▲caliente *The room is warm.* El cuarto está caliente. • [v] confortar *His kind words warmed our hearts.* Sus palabras amables confortaron nuestro espíritu. Oto be warm hacer calor *It is not warm today.* Hoy no hace calor. ▲tener calor *I'm too warm in this dress.* Tengo demasiado calor con este vestido. ▲to warm oneself calentarse *Come in and warm yourself by the fire.* Entre Ud. y caliéntese cerca del fuego. Oto warm up calentar *We'll have supper as soon as the soup is warmed up.* Comeremos en cuanto calienten la sopa. ▲entrar en calor *The players are warming up before the game.* Los jugadores están entrando en calor antes del juego.

warmth calor moderado (*weather*); cordialidad (*feeling*).

warn advertir.

warp torcer, combar, alabear.

warrant [n] decreto, mandamiento, poder, documento. • [v] garantizar, certificar, justificar.

wash [n] ropa (lavada) *The wash hasn't come back from the laundry.* No han traído la ropa de la lavandería. • [v] lavar *Who is going to wash the dishes?* ¿Quién va a lavar los platos? ▲batir, golpear *Listen to the waves washing against the boat.* Oiga cómo golpean las olas contra el barco. Oto be washed up haber fracasado *Our vacation plans are all washed up.* Han fracasado nuestros planes para las vacaciones. Oto wash away llevarse *Last spring the flood washed away the dam.* La inundación se llevó la presa la primavera pasada. Oto wash up arrojar, llevar *A lot of shells were washed up on the beach.* Había muchas conchas arrojadas por las olas en la playa.

washcloth paño para lavarse.

wasp avispa.

waste [n] desperdicio, desechos *Put all the waste in the garbage can.* Ponga todos los desechos en la lata de la basura. • [v] perder *He wastes a lot of time talking.* Pierde mucho tiempo hablando. Oa waste of money gasto inútil, despilfarro, tirar el dinero *This seems like a waste of money.* Eso es tirar el dinero *o* Esto parece un gasto inútil. Oto go to waste echarse a perder *The food went to waste because it wasn't put on ice.* La comida se echó a perder porque no la pusieron en hielo. Oto lay waste asolar, arruinar *The army laid waste the entire area.* El ejército asoló toda la zona. Oto waste away consumirse *He wasted away during his illness.* Se consumió durante la enfermedad.

wastebasket cesto para papeles [Sp], papelera [Am].

waste paper papel de desecho.

watch [n] reloj *My watch is fast.* Tengo el reloj adelantado. ▲servicio, guardia *Every sailor on this ship has to stand a four-hour watch.* Todos los marineros en este barco tienen que hacer cuatro horas de guardia. • [v] observar *We watched the planes land at the airport.* Observamos el aterrizaje de los aviones en el aeropuerto. Oto watch out for tener cuidado con *Watch out for cars when you cross the street.* Tenga cuidado con los automóviles al cruzar la calle. ▲velar por *Don't worry; he is watching out for his own interests.* No se preocupe, él vela por sus intereses. Oto watch over guardar *The dog watched over the sheep all night.* El perro guardó las ovejas toda la noche.

watchman vigilante, sereno, guardia.

water [n] agua *Please give me a glass of water.* Déme un vaso de agua, por favor. • [v] dar de beber a *Don't forget to water the horses.* No se le olvide dar de beber a los caballos. ▲regar *When did you water the flowers?* ¿Cuándo regó Ud. las flores? ▲aguar *This wine tastes like it was watered.* Parece que este vino está aguado.

watercolor acuarela.

waterfall cascada, catarata.

waterproof impermeable.

wave [n] ola, onda *Be careful of the waves when you go swimming.* Tenga cuidado con las olas cuando vaya a nadar. ▲onda *She was afraid that the rain would spoil her waves.* Temía que la lluvia le estropeara las ondas. • [v] ondear *They watched the flags waving in the breeze.* Miraban las banderas ondeando en el aire. ▲hacer señas, agitar las manos *We waved to attract his attention.* Agitamos las manos (*o* Le hicimos señas) para llamarle la atención. Oheat wave ola de calor.

wavelength longitud de onda *On what wavelength is station WLW found?* ¿A qué longitud de onda se encuentra la estación WLW?

wax [n] cera. [v] encerar.

way camino *Is this the right way to town?* ¿Es éste el camino que va al pueblo? ▲modo *I don't like the way he acts.* No me gusta su modo de comportarse. ▲aspecto *In some ways this plan is better than the other one.* En algunos aspectos este plan es mejor que el otro. ▲manera *He still hasn't found a way to make a living.* Todavía no ha encontrado una manera de ganarse la vida. Oacross the way enfrente de, frente a *His house is just across the way from ours.* Su casa está exactamente enfrente de la nuestra. Oa long way muy lejos *These students are a long way from home.* Estos estudiantes están muy lejos de sus hogares. Oby the way a propósito *By the way, are you coming with us tonight?* A propósito, ¿viene Ud. con nosotros esta noche? Oby way of por el camino de *We'll come back by way of the mountain road.* Volveremos por el camino de la montaña. Oin a way hasta cierto punto *In a way we're lucky to be here.* Hasta cierto punto tenemos suerte de estar aquí. Oout-of-the-way apartado, retirado *He lives on an out-of-the-way street.* Vive en una calle retirada. Oto be in the way estorbar *He tried*

W

to help but he was just in the way. Trató de prestar ayuda pero no hizo más que estorbar. Ounder way en camino, en marcha The work is under way. El trabajo está en marcha. Oway off a lo lejos I see them way off. Los veo a lo lejos. Oways distancia The village is quite a ways off. El pueblo queda a bastante distancia.

we nosotros.

weak débil.

wealth riqueza.

wealthy rico.

weapon arma.

wear [n] ropa, trajes Do you sell men's wear? ¿Venden Uds. ropa para caballeros? • [v] llevar, usar What are you wearing to dinner tonight? ¿Qué traje llevará Ud. en la comida esta noche? ▲durar This coat will wear longer than a cheap one. Este abrigo durará más que uno barato. ▲hacer The eraser wore a hole in the paper. El borrador hizo un agujero en el papel. Oevening wear traje de noche. Oto wear off pasar, desaparecer The effect of the drug will wear off in a few hours. El efecto de la droga desaparecerá en unas horas. Oto wear out gastar He wears out shoes very fast. Gasta muy pronto los zapatos. ▲agotar He was worn out after the conference. Estaba agotado después de la reunión.

weary cansado, rendido.

weather tiempo We've had a lot of rainy weather lately. Hemos tenido un tiempo muy lluvioso últimamente. Oto be under the weather sentirse mal.

weave [n] tejido, textura. [v] tejer.

web tela (cloth); tela de araña (spider).

web address dirección de la página web

wed casar, casarse, contraer matrimonio.

wedding matrimonio, boda.

wedge cuña.

Wednesday miércoles.

weed [n] maleza, mala hierba. • [v] escardar, desyerbar, desherbar.

week semana.

weekday día de trabajo.

weekend fin de semana.

weekly semanal.

weep llorar.

weigh pesar Please weigh this package for me. Haga el favor de pesarme este paquete. Oto weigh anchor levar anclas. Oto weigh on preocupar The responsibility of his job doesn't weigh on him much. La responsabilidad de su puesto no le preocupa mucho.

weight [n] peso The weight of the trunk is 200 pounds. El peso del baúl es de 200 libras.—You've just lifted a weight off my mind. Acaba de quitarme un peso de encima. ▲importancia Don't attach too much weight to what he says. No le dé mucha importancia a lo que dice.

welcome [n] bienvenida, recibimiento They gave us a warm welcome when we came back. Nos dieron un cariñoso recibimiento cuando volvimos. • [v] acoger, recibir bien They welcomed us to the club. Nos acogieron muy bien en el club.

weld soldar.

welfare bienestar. OWelfare Department Departamento de Beneficencia.

well [n] pozo Get some water from the well. Traiga un poco de agua del pozo.

well [adj] sano He doesn't look like a well man. No parece un hombre sano. • [adv] bien They do their work very well. Hacen su trabajo muy bien.—Is your father feeling well these days? ¿Se siente bien su padre en estos días?—Do you want your steak well-done? ¿Desea Ud. el bistec bien cocido?—He could very well have gone by train. Bien podía haber ido en tren. • [interj] bueno Well, just as you say. Bueno, como Ud. diga. Oas well también She sings and plays the piano as well. Canta y también toca el piano. Oas well as además, y también She bought a hat as well as a new dress. Compró un sombrero y además un vestido nuevo. Ohow well qué tal How well did you enjoy your vacation? ¿Qué tal pasó Ud. las vacaciones? Ojust as well mejor It was just as well that you came. Es mejor que haya Ud. venido.

west oeste, poniente The road leads to the west. El camino se dirige hacia el oeste.

western occidental, oeste They live in the western part of the state. Viven en la parte occidental del estado.

wet [adj] mojado You better take off your wet clothes. Es mejor que se quite la ropa mojada. ▲fresco Be careful of the wet paint. Tenga cuidado con la pintura fresca. • [v] mojar They wet the street to keep the dust down. Mojaron la calle para quitar el polvo. Oto get wet mojarse.

whale ballena.

wharf muelle.

what [pron] qué What do you want for supper? ¿Qué quiere Ud. de comida? ▲lo que He always says what he thinks. Siempre dice lo que piensa. • [adj] What things are missing? ¿Qué cosas faltan? —What nonsense! ¡Qué tontería!—We knew what ships were in the harbor. Sabíamos qué barcos estaban en el puerto. • [interj] ¡Cómo! What! Isn't he here yet? ¡Cómo! ¿No está aquí todavía? Owhat . . . for por qué What are you hurrying for? ¿Por qué se apresura Ud.? Owhat if y si What if your friends don't get here at all? ¿Y si sus amigos no vienen? Owhat of qué hay de What of that job you asked for? ¿Qué hay de aquel empleo que pidió Ud.?

whatever [pron] lo que Do whatever you want, I don't care. Haga lo que quiera, á mí no me importa. • [adj] cuanto, todo el. . . que She lost whatever respect she had for him. Perdió todo el respeto que le tenía. ▲ninguno He has no money whatever. No tiene ningún dinero.

whatnot y cualquier otra cosa You can buy supplies and whatnot at the village store. Se pueden comprar las provisiones y cualquier otra cosa en la tienda del pueblo.

wheat trigo.

wheel [n] rueda The wheels of the car need to be tightened. Hay que apretar las ruedas del auto. • [v] conducir, llevar They were wheeling the baby carriage through the park. Conducían el coche del bebé por el parque. Oto wheel around o about volverse rápidamente He wheeled around to speak to me. Se volvió rápidamente para hablarme.

when cuándo When can I see you again? ¿Cuándo le puedo volver a ver? ▲en que

There are times when I enjoy being alone.
Hay ocasiones en que me gusta estar solo.
whenever siempre que *Come to see us
whenever you have time.* Venga a vernos
siempre que tenga tiempo. ▲cómo *Whenever did you find time to write?* ¿Cómo ha
podido tener tiempo para escribir?

where donde, por donde *Go where you
please, I won't stop you.* Vaya a donde quiera,
yo no se lo impediré. ▲dónde *Where is the
nearest hotel?* ¿Dónde queda el hotel más
cercano? ▲donde, en donde *The house
where I used to live is on this street.* La casa
en donde vivía está en esta calle. ▲adonde
*The nurses will be sent where they are
needed.* Enviarán a las enfermeras adonde
sea preciso. Owhere . . . from de dónde
Where does your friend come from? ¿De
dónde es su amigo?

wherever dondequiera que.

whether si *I don't know whether they will
come.* No sé si vendrán.

which [*pron*] cuál *Which one did you pick
out?* ¿Cuál ha elegido Ud.? ▲que *The old
car, which I sold yesterday, was excellent.*
El carro viejo, que vendí ayer, era excelente.
•[*adj*] qué *Which instrument do you play
best?* ¿Qué instrumento toca Ud. mejor?
Owhich is which cuál es cuál, quién es
quién. Owhich way por dónde *Which way
did she go?* ¿Por dónde se fue ella?

whichever cualquiera, cualquiera que.

while [*n*] rato *You'll have to wait a while
before you can see him.* Tendrá Ud. que
esperar un rato antes de verle. •[*conj*]
mientras *Let's see a movie while we have
time.* Veamos una película mientras
tenemos tiempo. ▲mientras que, en cambio
*Some of the students are serious, while
others are not.* Algunos de los estudiantes
son serios, mientras que otros no lo son.

whine gemir, lloriquear, aullar.

whip [*n*] látigo. • [*v*] azotar.

whirl girar, remolinar, remolinear.

whirlpool vórtice, vorágine.

whirlwind torbellino, remolino.

whisk broom escobilla.

whiskey whisky.

whisper [*n*] susurro. [*v*] susurrar.

whistle [*n*] silbido. • [*v*] silbar.

white blanco. Owhite of egg clara de
huevo.

who quién *Who used the book last?* ¿Quién
fue el último que usó el libro? ▲que *The
man who just came in is the owner of the
store.* El hombre que acaba de entrar es el
dueño de la tienda.

whoever cualquiera que, quienquiera que.

whole [*n*] totalidad *Look at this matter as
a whole.* Considere Ud. este asunto en su
totalidad. • [*adj*] todo *The bookkeeper was
dismissed at noon.* Despidieron al tenedor
de libros al mediodía. ▲entero *Is the plate
broken or still whole?* ¿Se rompió el plato
o está todavía entero? Oon the whole en
general *On the whole, I agree with you.* En
general, estoy de acuerdo con Ud.

wholesale por mayor.

wholesome sano, saludable.

whole-wheat bread pan integral.

wholly enteramente, totalmente.

whom quien, cual *This is the man of whom
I was speaking.* Este es el hombre de quien
hablaba.

whose de quién *Whose watch is this?* ¿De
quién es este reloj? ▲cuyo *Is this the man
whose picture you saw?* ¿Es éste el hombre
cuyo retrato vio Ud.?

why [*adv*] por qué *Why is the train so
crowded this morning?* ¿Por qué está tan
lleno el tren esta mañana? • [*interj*] pues,
cómo *Why not?* ¿Cómo no? • [*conj*] por el
cual, por el que *I can't imagine any reason
why he refused to come.* No se me ocurre
ninguna razón por la que no haya querido
venir.

wicked malo, malvado.

wide [*adj*] ancho *Is the street wide enough
for two-way traffic?* ¿Es bastante ancha la
calle para el tráfico en dos direcciones?
▲extenso, amplio *This newspaper has a
wide circulation.* Este periódico tiene una
extensa circulación. • [*adj*] de par en par
Open the window wide. Abra la ventana de
par en par.

widen ensanchar.

widow viuda.

widower viudo.

width ancho, anchura.

wife esposa, señora, mujer.

wig peluca.

wild salvaje *Are there wild animals in the
woods?* ¿Hay animales salvajes en el
bosque? ▲silvestre *She is in the woods
gathering wildflowers.* Está en el bosque
cogiendo flores silvestres. ▲bárbaro *We
had a wild time at the party last night.* Nos
divertimos de una manera bárbara en la fiesta anoche. Oto run wild desbocarse (*horse*);
correr fuera de control de los mandos (*car*);
volverse salvaje (*children*). Owild shot tiro
errado.

wilderness desierto.

will [*n*] voluntad *That man certainly has a
strong will.* No cabe duda que ese hombre
tiene mucha voluntad. ▲testamento *He died
without leaving a will.* Murió sin dejar testamento. • [*v*] querer *Will you reserve a
room for me tomorrow?* ¿Quiere Ud. reservarme un cuarto para mañana? —*Won't you
come in for a moment?* ¿No quiere entrar
un momento? ▲deber *The orders read: you
will proceed at once to the next town.* La
orden dice: debe Ud. seguir inmediatamente al próximo pueblo. ▲testar, hacer testamento *He willed everything to his
children.* Testó a favor de sus hijos. Oat will
a voluntad.

willing Oto be willing estar dispuesto.

willow sauce.

wilt marchitar.

win ganar *He won first prize in the contest.*
Ganó el primer premio en el concurso.

wind [*n*] viento *There was a violent wind
during the storm last night.* Durante la tormenta de anoche hubo un viento my fuerte.
▲respiración *His wind is bad because he
smokes too much.* Su respiración es deficiente porque fuma demasiado. • [*v*] dejar
sin aliento *That run upstairs winded me.* El
subir la escalera corriendo me dejó sin
aliento. Ointo the wind contra el viento *The
plane flew into the wind.* Condujo el avión
contra el viento. Oto get wind of olfatear el
rastro *The dogs got wind of the deer.* Los

W

perros olfatearon el rastro del venado. ▲descubrir, husmear *I got wind of their plans yesterday.* Descubrí sus planes ayer. O*to take the wind out of one's sails It certainly took the wind out of his sails when he lost his job.* Se desanimó de veras cuando perdió su empleo. ‖*Something is in the wind.* Algo se está tramando.

wind [*v*] dar cuerda a *I forgot to wind my watch.* Se me olvidó darle cuerda al reloj. ▲torcer *The road winds through the mountains.* El camino tuerce por las montañas. O*to wind oneself* enroscarse *The snake wound itself around a tree.* La serpiente se enroscó en un árbol. O*to wind up* enrollar *Wind up the string.* Enrolle la cuerda. ▲terminar *Let's wind up our work and go home.* Terminemos nuestro trabajo y vámonos a casa.

windmill molino de viento.

window ventana. O**window sill** repisa de ventana.

windowpane vidrio de ventana.

windpipe tráquea.

windshield parabrisas.

windy ventoso.

wine vino.

wing ala *The pigeon broke its wing.* La paloma se rompió el ala. ▲bastidor (*of a theater*). O**on the wing** al vuelo. O**under one's wing** bajo la protección de uno *She took the newcomer under her wing.* Tomó a la recién llegada bajo su protección.

wink [*n*] guiño. • [*v*] guiñar.

winter invierno.

wipe secar (*to dry*); limpiar (*to clean*).

wire [*n*] alambre *He bought a roll of copper wire.* Compró un rollo de alambre de cobre. ▲cable *The telephone wires were blown down by the storm.* La tempestad echó abajo los cables del teléfono. ▲telegrama *Send him a wire to tell him we're coming.* Envíele un telegrama para decirle que iremos. • [*v*] telegrafiar *I'll wire if I can.* Si puedo, telegrafiaré. O**by wire** por telégrafo *You'll have to send her money by wire.* Tendrá que mandarle dinero por telégrafo.

wireless inalámbrico, teléfono sin hilos.

wiretap aparato para interceptar llamadas telefónicas.

wisdom sabiduría (*learning*); juicio (*judgment*).

wise sensato, juicioso *He made a wise choice.* Hizo una elección juiciosa. ▲listo *He is a pretty wise fellow.* Es un tipo muy listo. ▲sabio, erudito. O**to get wise to** caer en cuenta, darse cuenta *He never got wise to the joke they played on him.* Nunca se dio cuenta de la broma que le hicieron. O**to put one wise** poner al tanto. O**The Three Wise Men** Los Tres Reyes Magos.

wish [*n*] deseo *Her wish came true.* Se realizó su deseo. ▲voto *We sent him our best wishes.* Le enviamos nuestros mejores votos. • [*v*] gustar, desear *I wish I could stay here longer.* Me gustaría quedarme aquí más tiempo.

wit agudeza, ingenio.

witch bruja.

witchcraft brujería.

with con *I want a room with bath.* Quiero un cuarto con baño. *With him, it is all a matter of money.* Con él todo es cuestión de

dinero.—*Why did you break up with him?* ¿Por qué rompió Ud. con él?—*He took a lot of money with him.* Llevó mucho dinero consigo.—*He went to the movies with me.* Fue al cine conmigo. ▲de *Do you know that man with the straw hat?* ¿Conoce Ud. aquel hombre del sombrero de paja? ▲en *The new treatment has worked wonders with the child.* El nuevo tratamiento ha obrado maravillas en el niño.

withhold suspender (*payment*). ▲negarse a conceder *The government has withheld permission to travel abroad.* El gobierno se ha negado a conceder permisos para viajar al extranjero.

within dentro de, en el interior de *Speeding is forbidden within the city limits.* Se prohíbe el exceso de velocidad dentro de los límites de la ciudad. ▲dentro de *I'll be back within a few hours.* Volveré dentro de unas horas. O**within walking distance** *Are we within walking distance of the beach?* ¿Estamos bastante cerca de la playa para ir a pie?

without [*adv*] por fuera *The house needs painting within and without.* La casa necesita pintura por dentro y por fuera. ▲[*prep*] sin *Can I get into the theater without a ticket?* ¿Puedo entrar en el teatro sin boleto?

withstand resistir, aguantar.

witness [*n*] testigo. • [*v*] presenciar.

witty ingenioso, agudo.

wolf lobo.

woman mujer.

wonder [*n*] admiración *They watched the plane with wonder.* Contemplaban el avión con admiración. ▲maravilla *That teacher works wonders with children.* Esa maestra hace maravillas con los niños. • [*v*] preguntarse *I was just wondering what you were doing.* Acababa de preguntarme lo que Ud. estaría haciendo. O**for a wonder** por un milagro *He has got a clean shirt on today, for a wonder.* Por milagro lleva hoy una camisa limpia.

wonderful maravilloso.

wood madera (*lumber*); leña (*fire-wood*).

wooden de madera.

woods bosque.

wool lana.

woolen de lana.

word [*n*] palabra *How do you spell that word?* ¿Cómo se escribe esa palabra? ▲noticia *Have you had any word from your son lately?* ¿Ha recibido noticias de su hijo recientemente? ▲orden *The word was given that we would attack at dawn.* Nos dieron la orden de atacar al amanecer. • [*v*] redactar *How do you want to word the letter?* ¿Cómo quiere redactar la carta? O**by word of mouth** de palabra. *We got the message by word of mouth.* Recibimos la noticia de palabra. O**man of his word** hombre de palabra. O**to put in a good word for** recomendar a *Will you put in a good word for me with the boss?* ¿Quiere recomendarme al jefe? O**to take a person at his word** tomar la palabra a una persona.

word processor procesador de palabras.

work [*n*] trabajo *What kind of work do you do?* ¿Qué clase de trabajo hace Ud.? ▲obra *That bridge is a nice piece of work.* Ese puente es una buena obra arquitectónica.—

All of his works are very popular. Todas sus obras son muy populares.—*That is a work of art.* Es una obra de arte. • [v] trabajar *I'm not working this summer.* No trabajo este verano. —*Work the dough thoroughly with your hands.* Trabaje bien la masa con las manos. ▲hacer trabajar *He works his employees very hard.* Hace trabajar mucho a sus empleados. ▲colocar *They finally worked the box into place.* Por fin lograron colocar la caja en su sitio. ▲intercalar *Can you work this quotation into your speech?* ¿Puede intercalar esta cita en su discurso? ▲funcionar *The elevator isn't working.* El ascensor no funciona. ▲dar resultado *We tried to use the plan, but it didn't work.* Tratamos de utilizar el plan, pero no dio ningún resultado. ᴼto work loose aflojarse *We almost had an accident when the steering wheel worked loose.* Casi sufrimos un accidente cuando se aflojó el volante. ᴼto **work one's way** abrirse paso *We worked our way through the crowd.* Nos abrimos paso a través del gentío. ᴼto **work out** preparar, planear *The coach is working out a plan of attack.* El entrenador está preparando un plan de ataque. ▲resolver *It took us a long time to work out the problem.* Tardamos mucho en resolver el problema. ▲resultar *How do you think this idea would work out?* ¿Cómo le parece que resultaría esta idea? ᴼto **work up** excitar, estimular *All that exercise worked up my appetite.* Tanto ejercicio estimuló mi apetito.

worker trabajador, obrero.

world mundo *He has traveled all over the world.* ᴼa **world of good** la mar de bien *It'll do him a world of good to get away from home.* Le hará la mar de bien salir fuera de su casa. ᴼfor the world por nada del mundo *I wouldn't hurt him for the world.* Por nada del mundo quisiera hacerle daño.

worm gusano.

worn agotado (*tired*); usado (*used*). ▲ajado *Her face is tired and worn.* Su cara está cansada y ajada.

worry [n] preocupación *Most of his worries are about money.* La mayor parte de sus preocupaciones son de dinero. • [v] preocupar *Your actions worry your parents.* Su conducta preocupa a sus padres. ▲ⁿ Preocuparse *They worry a lot about their children.* Se preocupan mucho por sus hijos. ᴼto be worried estar preocupado *We were worried when you didn't get here on time.* Estábamos preocupados cuando Ud. no llegó a tiempo.

worse peor *The patient felt worse this morning.* El enfermo se sentía peor esta mañana. ᴼto get worse empeorar *The road got worse as we went along.* A medida que avanzábamos la carretera empeoraba. ᴼworse and worse de mal en peor *Her condition got worse and worse.* Su estado iba de mal en peor.

worship adorar.

worst [n] peor *But wait, I haven't told you the worst.* Espere, no le he dicho lo peor. • [adj] peor *This was the worst accident in the city's history.* Este ha sido el peor accidente que registra la historia de la ciudad. ᴼat worst a lo más *At worst, the storm may last a week.* A lo más, la tempestad puede durar una semana.

worth [n] valor, mérito *He was never aware of his secretary's worth.* Nunca se dio cuenta del mérito de su secretaria. ᴼmoney's worth valor *We certainly got our money's worth out of our car.* Seguramente hemos sacado ya el valor del carro. ᴼto be worth compensar *Will the result be worth all this trouble?* ¿Compensará el resultado tanta molestia?

worthless sin valor, sin ningún valor, falto de mérito.

worthwhile valer la pena.

worthy digno *I don't feel worthy of all that praise.* No me siento digno de tanto elogio. ▲meritorio *Contributing to the Red Cross is helping a worthy cause.* Dar dinero para la Cruz Roja es ayudar a una causa meritoria. ᴼto be worthy merecer, valer la pena *This plan is not worthy of further consideration.* Este plan no merece más consideración.

would ‖*He said he would go if I would.* Dijo que si yo iba él iría también. ‖‖*He wouldn't take the job for any amount of money.* No quiso aceptar el cargo a ningún precio.

wound [n] *Has the wound in his leg healed?* ¿Se le ha curado la herida de la pierna? • [v] herir *She was wounded by his indifference.* Su indiferencia la hirió.

wounded herido.

wrap envolver *Will you wrap this package?* ¿Quiere Ud. envolver este paquete?

wreath corona (*funeral*); guirnalda (*decoration*).

wreck [n] destrucción, ruina *The cyclone left the town in a wreck.* El ciclón ha dejado la ciudad en ruinas. • [v] destrozar, destruir *The robbers wrecked the store.* Los ladrones destrozaron la tienda. ᴼautomobile wreck accidente de automóvil. ᴼshipwreck naufragio. ᴼtrain wreck accidente ferroviario. ᴼwrecked arruinado *His health was wrecked after the war.* Su salud ha quedado arruinada después de la guerra.

wrench llave para tuercas. ᴼmonkey wrench llave inglesa.

wrestle luchar, luchar a brazo partido.

wrestling lucha.

wretched miserable, desdichado, calamitoso.

wring retorcer, escurrir.

wrinkle [n] arruga. • [v] arrugar.

wrist muñeca.

wristwatch reloj de pulsera.

write escribir *Write your name at the bottom of the page.* Escriba su nombre al pie de la página. ᴼto write down apuntar *Write down that telephone number before you forget it.* Apunte ese número de teléfono antes de que se le olvide. ▲poner por escrito *Write down your complaints.* Ponga por escrito sus quejas. ᴼto write off condonar, cancelar *The bank wrote off his debts.* El banco condonó sus deudas. ᴼto write up escribir sobre *Write up an account of your war experiences.* Escriba una crónica sobre sus experiencias en la guerra.

writer escritor.

wrong [adj] equivocado *The operator gave me the wrong number.* La operadora me dio el número equivocado. ▲incorrecto *Did I say the wrong thing?* ¿He dicho alguna cosa incorrecta? • [adv] mal I added these figures up wrong. He sumado mal estas cantidades.—Did I do wrong to wait so long? ¿He hecho mal esperando tanto? • [v] ofender, agraviar They think that they've been wronged. Se consideran ofendidos. Oto be in the wrong ser culpable He admitted he was in the wrong and paid the fine. Admitió que era culpable y pagó la multa. Oto be wrong no tener razón, estar equivocado You're wrong. Ud. no tiene razón. Owrong side (of material) revés.

X

xenon xenón
xenophobIa xenofobia
Xmas variante de Christmas, Navidad.
X-rated pornográfico.
X-ray rayos X; radiografía (picture).

Y

yam ñame
yank tirar de, halar de
Yankee yanqui.
yap ladrido
yard yarda How much is this material by the yard? ¿A cómo es la yarda de esta tela? ▲patio Does this house have a yard where the children can play? ¿Tiene ésta casa un patio en el que puedan jugar los niños?
yarn hilo, hilado.
yatch yate, velero
yawn [n] bostezo. • [v] bostezar.
year año I hope to be back next year. Espero regresar el año próximo. Oyears edad, años She is beginning to show her years. Ya se le empiezan a ver los años.
yearbook anuario
yearly [adj] anual. •[adv] anualmente, cada, año.
yearn anhelar.
yeast levadura.
yell [n] grito, alarido When he cut himself he let out a yell. Dio un grito cuando se cortó. • [v] gritar, dar alaridos When I hit him he started yelling. Cuando le pegué empezó a gritar.
yellow [n, adj] amarillo. Oyellow fever fiebre amarilla.
yelp aullido
yes sí.
yesterday ayer.
yet todavía, aún He hasn't arrived yet. No ha llegado todavía. ▲sin embargo, con todo He is a sick man and yet he continues to work. Es un hombre enfermo y, sin embargo, sigue trabajando. Oas yet hasta ahora, todavía. Onot yet todavía no, aún no.
yield [n] cosecha What is the annual yield of potatoes from this land? ¿Cuál es la cosecha anual de papas que produce esta tierra? • [v] producir This mine yields a good supply of copper. Esta mina produce una gran cantidad de cobre. ▲rendirse The

enemy finally yielded to our infantry. Al fin el enemigo se rindió a nuestra infantería.
yoke yugo
yolk yema (de huevo)
yonder allá.
you usted (Ud.), ustedes (Uds.) What do you want? ¿Qué quiere Ud.? ▲tú, vosotros You're a good boy. Tú eres un buen chico. ▲le, la, te, les, las Let me help you with your overcoat. Permítame que le ayude a ponerse el abrigo. ▲te I love you, darling. Yo te amo, querida. ▲uno You can't help but laugh at his jokes. Uno no puede menos que reírse de sus chistes. ▲se You can never tell what may happen. Nunca se sabe lo que puede pasar.
young [n] cachorros, crías Look at that lioness with her young. Mira esa leona con sus cachorros. • [adj] joven You are very young for your age. Está Ud. muy joven para su edad. Oyoung fellow joven. Oyoung girl chica, mozuela, muchacha. Oyoung lady señorita
younger más joven. Oyounger brother hermano menor.
your su Is this your seat? ¿Es éste su asiento? ▲sus These are your shirts. Estas son sus camisas. ▲tu, [plural] tus What have you done with your doll? ¿Qué has hecho con tu muñeca? ▲vuestro, [plural] vuestros You can go now and play with your little friends. Podéis salir ahora a jugar con vuestros amiguitos.
yours el tuyo, la tuya, el suyo, la suya el de Ud.; [plural] los tuyos, las tuyas, los suyos, las suyas, los de Uds. My tie looks like yours. Mi corbata se parece a la suya. ▲el tuyo, el vuestro; [plural] los tuyos, los vuestros I want to buy a hat where you bought yours. Quiero comprar un sombrero donde compraste el tuyo.
youth joven, muchacho He is a mere youth. No es nada más que un muchacho. ▲juventud How does she keep her youth? ¿Cómo hace ella para conservar su juventud?
youthful juvenil.

Z

zeal celo.
zealot fanático
zealous celoso.
zebra cebra
zero cero.
zigzag [n] zigzag The lightning made a zigzag across the sky. El relámpago hizo un zigzag en el cielo. • [v] zigzaguear The road zigzags back and forth. El camino zigzaguea de un lado a otro.
zinc zinc.
Zionism sionismo
zip [n] zumbido como de bala; (fam.) energía, rigor. • [v] zumbar como una bala.
zip code código postal.
zipper cremallera This bag has a zipper. Esta bolsa tiene cremallera.
zoom (aer.) subir de pronto, levantar el vuelo rápidamente; (fotog.) acercar o alejar el sujeto con el lente.
zone zona, región.

PART II

SPANISH PRONUNCIATION GUIDE

Both the sounds and the spelling of Spanish are simple, and will be described together, with the Spanish letters as a starting point.

Vowels are five in number:

SPELLING	DESCRIPTION	EXAMPLES
i	like English *i* in *machine* or *ee* in *beet*	*fino* "fine"; *mí* "me"
u	like English *oo* in *boot*	*puro* "pure"; *tú* "you"

These two vowels may occur unstressed before or after a stressed vowel, in which case they are pronounced like English *y* and *w* respectively: *bien* "well"; *bueno* "good"; *automóvil* "automobile."

SPELLING	DESCRIPTION	EXAMPLES
e	like the *e* of English *they*, if no consonant follows in the same syllable; like *e* in *bed*, if a consonant follows in the same syllable	*pero* "but"; *puesto* "put"
o	like the *o* of English *know*, if no consonant follows in the same syllable; like *au* in *taut*, if a consonant follows in the same syllable	*todo* "all"; *corte* "court"
a	like the *a* of English *father*	*mano* "hand"; *parte* "part"

Consonants are:

SPELLING	DESCRIPTION	EXAMPLES
p	like English *p*	*Pepe* "Joe"
t	like English *t*, but with tongue against upper teeth instead of gum ridge	*tanto* "so much"

qu	like English *k* or "hard *c*"	*que* "that";
(before *e, i*) *c*		*carro* "cart"
(elsewhere)		

These three sounds are never pronounced with the puff of breath after them, as the corresponding English sounds often are.

SPELLING	DESCRIPTION	EXAMPLES
b, v	like English *b*	*bebe* "he drinks"
d	like English *d*	*dedo* "finger"
gu	like English "hard *g*"	*pague Usted* "(you)
(before *e, i*)		pay"; *pagar* "pay"
g (elsewhere)		

The above three sounds, when they come between two vowels, are not pronounced with a full closure of lips or tongue (as are English *b, d, g*) but with the breath forcing its way out between the lips, or between the tongue and teeth, or between the tongue and top of the mouth.

SPELLING	DESCRIPTION	EXAMPLES
m	like English *m*	*mano* "hand"
n	like English *n*, but with the tip of the tongue against the front teeth	*nada* "nothing"
ñ	like *ni* in English *onion*, but a single sound (beginning like *n* and ending like *y*)	*año* "year"
f	like English *f*	*fuerte* "strong"
c	like *th* in English *thick*	*cierto* "certain";
(before *e, i*)		*zorra* "fox";
z (elsewhere)		*conozco* "I know"

The above sound is not used by speakers of American Spanish, who replace it by "s."

SPELLING	DESCRIPTION	EXAMPLES
s	like English *s*	*seso* "brain"
l	like English *l*, but with the tip of the tongue against the front teeth	*lado* "side"

184

SPELLING	DESCRIPTION	EXAMPLES
ll	like *lli* in English *million*, but a single sound beginning like *l* and ending like *y*; in Latin America, generally like English *y*	*llano* "plain": *milla* "mile"
r	single flap of the tongue against the front teeth, somewhat like our American English *d*	*caro* "dear"
rr	several repeated flaps of the tongue against the front teeth, like the telephone operator's "th-r-r-ee"	*carro* "cart"
y	like English *y*	*reyes* "kings"
g (before *e, i*) *j* (elsewhere)	like English *h*	*gente* "people"; *junto* "together"
h	stands for no sound at all, but is written in a number of words	*haba* "bean"; *hierba* "grass"

Syllables:

A single consonant sound (and, in writing, two letters representing a single sound), or a consonant followed by *l* or *r*, belongs to the same syllable as the vowel following it: *ca-ro, ca-rro, mi-lla*. Other groups of two consonants are broken up, the first consonant belonging with the preceding vowel and the second with the following vowel: *juz-gar* "to judge"; *rec-tor* "rector."

Stress:

Words ending in a vowel or in -*n* or -*s* are normally stressed on the next to the last syllable; words ending in any other consonant are stressed on the last syllable. Words having this type of stress bear no written accent mark: *cosa* "thing"; *cantan* "they sing"; *cantas* "you sing" (Fam); *cantar* "to sing." If a word does not conform to this pattern, an accent mark is written over the vowel letter of the syllable which is stressed: *vámonos* "let's go"; *jardín* "garden." In a few cases, a written accent serves only to mark the difference between one word and another written like it but having a different meaning: *¿cuándo?* "when?" (interrogative), but *cuando* "when" (relative).

SPANISH/ENGLISH DICTIONARY

A

a to *Voy a Barcelona.* I'm going to Barcelona.—*Vamos a casa.* Let's go home. — *Se lo dimos al hombre.* We gave it to the man. ▲on, upon *Al salir de la casa, la vimos.* We saw her on leaving the house. ▲later *Nos marchamos a los cuatro días.* We left four days later. ▲by *La carta estaba escrita a mano.* The letter was written by hand. ▲on *Fuimos a pie.* We went on foot.

abajo below, down, downstairs *Estoy aquí abajo.* I'm down here. ○boca abajo facedown. ○cuesta abajo downhill *No vaya Ud. tan de prisa en la cuesta abajo.* Don't drive so fast downhill. ○de abajo lower *Los pisos de abajo son muy oscuros.* The lower floors are very dark. ○de arriba abajo from top to bottom, from head to foot *Lo examinó de arriba abajo.* He examined it from top to bottom.

abandonado (see **abandonar**) [adj] negligent, sloppy *Es muy abandonado en su manera de vestir.* He is very sloppy in his dress.

abandonar to abandon, leave *Abandonó a su mujer.* He left his wife. ▲to neglect *Abandona su trabajo a menudo.* He frequently neglects his work.

abanicar(se) to fan (oneself) *Como hacía calor, se abanicaba.* As it was warm, she was fanning herself.

abanico fan *Compró un abanico chino.* She bought a Chinese fan.

abarrotes [m pl] ○tienda de abarrotes grocery store [Mex].

abatir to depress *Las noticias le han abatido mucho.* The news depressed him very much.

abeja bee.

abertura opening (of material) *La abertura de este suéter es pequeña y no me cabe la cabeza.* The opening in this sweater is small and my head won't go through.

abierto (see **abrir**) open *Las ventanas están abiertas.* The windows are open.

ablandar to soften *El asfalto se ablandó con el calor.* The asphalt was softened by the heat.

abogado lawyer.

abolir to abolish.

abollar to dent, batter *El guardabarros quedó todo abollado.* The fender was badly dented.

abonar to pay *Abonaremos la diferencia.* We'll pay the difference. ▲to fertilize *Esta es la mejor época de abonar los campos.* This is the best time to fertilize the fields. ○abonarse to subscribe *Me voy a abonar a estos conciertos de música de cámara.* I'm going to subscribe to these chamber music concerts.

abono commutation ticket; subscription; fertilizer.

abrasar to burn *La casa se abrasó.* The house burned to the ground.

abrazar to embrace, hug.

abrelatas [m sg] can opener.

abreviar to shorten; to abbreviate.

abreviatura abbreviation.

abrigar to warm *Estas mantas abrigan mucho.* These blankets are very warm. ▲to shelter, protect *La pared me abrigaba de la lluvia.* The wall protected me from the rain.

abrigo overcoat.

abril [m] April.

abrir [irr] to open *Haga el favor de abrir la puerta.* Please open the door.—¿Cuándo han abierto el cajón? When was the box opened? ▲to unlock *Con esta llave abra el armario.* Unlock the cabinet with this key.

abrochar to buckle, button *Abróchale el cinturón al niño.* Buckle the child's belt.— *Tengo que abrocharme la chaqueta.* I have to button my jacket.

absoluto ○en absoluto (not) at all *"¿Le molesta a Ud.?" "No, en absoluto."* "Do you mind?" "Not at all."

absorber to absorb.

absurdo absurd; absurdity.

abuela grandmother.

abuelo grandfather.

abundancia abundance.

abundante abundant.

aburrir to bore *Aburre a todo el mundo.* He bores everybody.

abusar de to abuse *El gobernador abusó de su autoridad.* The governor abused his authority. ▲to betray *Abusó de mi confianza.* He betrayed my confidence.

abuso abuse (of power); betrayal (of confidence).

acá here, this way *Venga Ud. acá.* Come here. ○por acá around here *Espero que le veamos por acá pronto.* I hope we'll be seeing you around here soon.

acabado (see **acabar**) [adj] *Este mueble está muy bien acabado.* This piece of furniture has a fine finish. ▲exhausted, worn out [Am] *Estoy acabado.* I'm worn out.

acabar to finish, end, terminate *Acabe su trabajo pronto.* Finish your work quickly. ▲to put an end to *Acabemos esta discusión.* Let's put an end to this discussion. ○acabar con to exhaust, use up *Han acabado con todos los recursos del país.* They exhausted all the resources of the country. ▲to wipe out *Acabaron con los insectos.* They wiped out the insects.

academia academy.

acalenturado feverish [Am] *El enfermo está acalenturado esta tarde.* The patient is feverish this afternoon.

acalorarse to become heated *or* excited *La discusión se acaloró.* The argument became heated. ▲to get overheated *Me* *acaloré jugando al béisbol.* I got overheated playing baseball.

acariciar to caress, pet *Acariciaba al perro.* He was petting the dog.

acarrear to carry (*a load*).

acaso perhaps, maybe *Acaso venga mañana.* Maybe he'll come tomorrow. ▲by chance *¿Acaso lo tiene Ud.?* Do you have it by any chance? ○**por si acaso** just in case *Por si acaso lo necesita, lleve Ud. dinero.* Take some money just in case you need it.

accidental accidental.

accidente [*m*] accident, mishap, chance.

acción [*f*] action *Esas tropas van a entrar en acción.* Those troops are going into action. ▲plot (*of a drama*) *La acción se desarrolla rápidamente.* The plot develops rapidly.

aceite [*m*] oil.

aceituna olive.

acento stress, accent *Esta palabra tiene el acento en la última sílaba.* This word is stressed on the last syllable. ▲accent, pronunciation *Tiene buen acento.* He has a good accent.

acentuar to accent.

aceptar to accept.

acera sidewalk.

acerca de about, concerning *No sé nada acerca de eso.* I don't know anything about that.

acercar to bring near *Acérqueme una silla, por favor.* Bring up a chair for me, please.

acero steel.

acertar [*rad-ch I*] to guess right *Gana el que acierte el número.* Whoever guesses the number wins. ○**acertar con** to locate, find *No acertó con la casa.* He couldn't find the house.

ácido sour *Estas naranjas son muy ácidas.* These oranges are very sour. ▲[*m*] acid.

acierto good judgment, good choice *Es un acierto este traje que se ha comprado.* That suit you bought is a good choice.

aclamación [*f*] acclamation.

aclarar to make clear, clarify *Hay que aclarar este asunto.* This matter must be clarified. ▲to brighten, clear up *Parece que el día aclara.* It seems to be clearing up.

acogida reception *Tuvieron una calurosa acogida.* They got a warm reception.

acometer to attack.

acomodado (see **acomodar**) well-to-do *Es una familia acomodada.* It is a well-to-do family.

acomodador [*m*] usher.

acomodar to put, place *Acomode bien las maletas en la red.* Put the suitcases carefully on the rack. ○**acomodarse** to adapt oneself *Se acomoda a las circunstancias.* She adapts herself to circumstances. ▲to make oneself comfortable *Acomódense, que tenemos tiempo de sobra.* Make yourselves comfortable, for we have plenty of time.

acomodo job, position *Está buscando acomodo.* He is looking for a job.

acompañar to accompany.

aconsejar to advise.

acontecimiento event.

acorazado battleship.

acordar [*rad-ch I*] to agree to, on, *or* upon *Lo acordaron por unanimidad.* They

agreed to it unanimously. ○**acordarse de** to remember, recollect *¿Se acuerda de esto?* Do you remember this?

acortar to shorten *Haga el favor de acortar la chaqueta.* Would you please shorten the jacket?

acostar [*rad-ch I*] to put to bed *Ya es hora de acostar a los niños.* It is time to put the children to bed. ▲to lay *Se puso enfermo y lo acostaron en un banco.* He became sick and they laid him on a bench.

acostumbrarse a to get accustomed to, to get used to.

acreditado accredited *Es un representante acreditado del gobierno francés.* He is an accredited representative of the French government. ▲of good reputation *Es un médico acreditado.* He is a doctor of good reputation.

acreedor [*m*] creditor *Le persiguen los acreedores.* His creditors are after him.

actitud [*f*] attitude.

actividad [*f*] activity *En la oficina ha habido mucha actividad esta mañana.* There has been a lot of activity around the office this morning. ○**actividades** activities *Además de su empleo tiene otras muchas actividades.* In addition to his regular job, he has a lot of other activities.

activo active.

acto act *Fue un acto de valor.* It was an act of courage. ▲ceremony *El acto tuvo lugar por la tarde.* The ceremony took place in the afternoon. ▲act (*of a play*) *Ahora va a empezar el tercer acto.* The third act is about to begin. ○**en el acto** right away *Lo hizo en el acto.* He did it right away.

actor [*m*] actor.

actriz [*f*] actress.

actual present, current *Las circunstancias actuales son desfavorables.* Present circumstances are unfavorable.

actualidad [*f*] present time *En la actualidad escasea el café.* Nowadays coffee is scarce.

actualmente at present, at the present time *Actualmente está en Chicago.* At the present time he is in Chicago.

actuar to act.

acudir to rush, to go to *Acudieron en su ayuda.* They rushed to his aid. ▲to keep (*an appointment*) *No acudió a la cita.* He didn't keep his appointment.

acuerdo agreement *Llegaron a un acuerdo.* They came to an agreement. ○**de acuerdo** of the same opinion *Estamos de acuerdo.* We're of the same opinion.

acumular to accumulate.

acusación [*f*] accusation.

acusado (see **acusar**) [*adj*] accused. ▲[*n*] defendant.

acusar to accuse *Le acusaron de homicidio.* They accused him of manslaughter. ▲to acknowledge (*in business correspondence*) *Acusamos recibo de su carta.* We acknowledge receipt of your letter.

adaptar to adapt.

adecuado adequate, suitable.

adelantado (see **adelantar**) ○**por adelantado** in advance *En ese hotel hay que pagar por adelantado.* You have to pay in advance in that hotel.

adelantar to surpass, take the lead *Este muchacho adelanta al resto de la clase.* This boy surpasses the rest of the class. *—Adelantaron a todos los demás.* They went ahead of all the others. ▲to pass *Iban a ochenta kilómetros y nos adelantaron.* They were doing eighty kilometers and they passed us. ▲to gain time *Su reloj se adelanta.* Your watch gains time.

adelante Go ahead. *Siga Ud. adelante.* °en **adelante** from now on *De ahora en adelante lo haremos así.* From now on we'll do it this way. °**más adelante** later on *Más adelante lo comprenderás.* You'll understand it later on.

adelanto advance, improvement *Esta casa tiene todos los adelantos.* This house has all the latest improvements.

adelgazar to make thin; to lose weight.

además moreover, furthermore *No tengo ganas de ir y además ya es muy tarde.* I don't want to go, and besides it is too late. °**además de** in addition to, besides *Además de fruta vamos a tomar helado.* Besides fruit we're going to have ice cream.

adentro within, inside *Voy a ir adentro.* I'm going inside. || *¡Adentro!* Come in!

adiós good-bye, so long.

adivinar to guess *¿A qué no adivina Ud. lo que me ha ocurrido hoy?* I'll bet you can't guess what happened to me today.

adjunto attached, enclosed. (*Used in correspondence.*)

administración [f] administration, management.

administrador [m] manager; superintendent (*of a building*).

administrar to manage, administer.

admirable admirable, excellent, wonderful.

admiración [f] admiration, wonder.

admirar to amaze *Me admira su descaro.* I'm amazed at his nerve. ▲to admire *Admiraba el trabajo de su amigo.* He admired his friend's work.

admitir to admit *Le han admitido en la escuela de ingenieros.* He was admitted to the engineering school. ▲to accept *No se admiten propinas.* Tips not accepted.

adolescencia adolescence, youth.

adolescente [adj, n] adolescent.

adonde where, to what place *Adonde voy tú no puedes ir.* You can't go where I'm going. °**¿adónde?** where? where to? *¿Adónde va Ud.?* Where are you going?

adoptar to adopt *Adoptaron una niña.* They adopted a little girl. *Han adoptado un nuevo plan.* They've adopted a new plan. ▲to assume *Adoptó un aire de gran importancia.* He assumed an air of great importance.

adorar to worship, adore.

adornar to decorate, fix up *El salón está muy bien adornado para la fiesta.* The room is nicely fixed up for the party.

adorno ornament, trimming.

adquirir to acquire.

adquisición [f] acquisition.

aduana custom house. ▲customs *Pagaron derechos de aduana(s).* They paid customs duties.

adulación [f] flattery.

adular to flatter.

adulto [n, adj] adult.

adversario opponent.

adversidad [f] adversity, misfortune.

advertencia warning.

advertir [rad-ch II] to notice, observe *Advertí algunos errores en su informe.* I noticed some mistakes in his report. ▲to advise, warn *Te advierto que no lo hagas otra vez.* I'm warning you not to do it again.—*Ya se lo advertí a Ud.* I told you so.

aéreo aerial, (of the) air *Envíelo por correo aéreo.* Send it airmail.

aerolínea airline.

aeroplano airplane.

aeropuerto airport.

afable affable, pleasant.

afán [m] anxiety, eagerness.

afanarse to be eager *Muchachos, no se afanen tanto.* Don't be so eager, boys.

afectado (see **afectar**) affected, unnatural.

afectar to move *La noticia le afectó mucho.* The news moved him deeply.

afecto affection, regard *Les tiene afecto a todos sus compañeros de oficina.* He has regard for all his co-workers.

afeitar to shave. °**afeitarse** to shave (oneself).

afiche poster.

afición [f] fondness; inclination.

aficionado, aficionada fan *Soy un gran aficionado al béisbol.* I'm a great baseball fan. ▲amateur *Esta es una compañía de aficionados.* This is an amateur company.

aficionarse a to become fond of *Se ha aficionado a los deportes.* He has become fond of sports.

afilar to sharpen.

afinidad [f] affinity; relationship by marriage *Es pariente mío por afinidad.* He is one of my in-laws.

afirmar to affirm, assert, maintain.

afirmativo [adj] affirmative.

aflicción [f] affliction, sorrow, grief.

afligir to grieve (*someone*) *Les afligió mucho la pérdida de su madre.* The loss of their mother grieved them very much.

aflojar to loosen, relax *Afloje un poco la venda.* Loosen the bandage a little. ▲to slacken *No aflojen el trabajo mientras el maestro está fuera.* Don't slacken while the teacher is out. ▲to decrease, let up, subside *La tormenta aflojó.* The storm let up.

afortunadamente fortunately.

afortunado fortunate, lucky.

afuera out, outside *Vamos afuera.* Let's go out. °**afueras** [fpl] suburbs, outskirts *Viven en las afueras de la ciudad.* They live in the suburbs. || *¡Afuera!* Get out!

agachar to lower, bend down *Agachen la cabeza, que el techo es muy bajo.* Bend down; the ceiling is very low.

agarradero handle.

agarrar to hold, grasp *Agarre bien la cuerda.* Hold the rope tight. ▲to catch or contract (*illness*) *He agarrado un catarro atroz.* I caught an awful cold. ▲to take [Arg].

agencia agency (*except governmental*).

agente [m] agent *Es agente de una gran compañía de seguros.* He is an agent for a big insurance company. ▲representative *La compañía ha enviado varios agentes para* *tratar el asunto.* The company has sent several representatives to discuss the matter. °**agente (de policía)** policeman [*Am*] *Pregunte al agente dónde está la iglesia.* Ask the policeman where the church is.

ágil quick, agile *Es ágil de movimientos.* He is quick in his movements. *Tiene una inteligencia muy ágil.* She has a very quick mind.

agitación [*f*] excitement, agitation.

agitar to shake *Agítese bien antes de usarlo.* Shake well before using. ▲to stir up, excite *El político agitó a los trabajadores.* The politician stirred up the workers.

agosto August.

agotar to run through, use up, exhaust *Agotaron rápidamente la herencia.* They quickly ran through the inheritance. °**agotarse** to wear oneself out *Con tanto trabajo se está agotando.* He is wearing himself out working so much. ▲to go out of print *La edición se agotó rápidamente.* The edition went out of print quickly.

agradable agreeable, pleasant.

agradar to be pleasing to *Es un tipo que no me agrada.* I don't like this type.

agradecer [-zc-] to appreciate *Le agradezco mucho su amabilidad.* I appreciate your kindness very much. ▲to thank for *Le agradecí mucho su ayuda.* I thanked him very much for his help.

agradecimiento gratitude.

agrado liking *Esto no es de su agrado.* This is not to his liking.

agrandar to enlarge *Van a agrandar su tienda.* They're going to enlarge their store. ▲to let out (*a garment*).

agravar to aggravate, make worse *Esto agrava la situación.* This makes the situation worse.

agregado (see **agregar**) ▲[*m*] attaché *Vimos al agregado militar de la Embajada Americana.* We saw the military attaché of the American Embassy.

agregar to add *Hace falta agregar más detalles al informe.* You have to add more details to the report.

agresión [*f*] aggression.

agresivo aggressive.

agresor [*m*] aggressor.

agricultor [*m*] farmer.

agricultura agriculture.

agrio sour *La toronja está muy agria.* The grapefruit tastes very sour.

agrupar to group.

agua water *Quiere un vaso de agua fresca.* He wants a glass of cold water. ▲rain *Ahora hace un tiempo de agua.* We're having a rainy spell. °**agua de coco** coconut water. °**más claro que el agua** clear as crystal *Tiene Ud. razón, eso está más claro que el agua.* You're right, that is as clear as crystal.

aguacate [*m*] avocado, alligator pear.

aguacero [*m*] rainstorm *El aguacero de anoche ha cortado el camino.* Last night's storm washed out the road.

aguado watery, diluted °**manos aguadas** butterfingers [*Am*] *¡Tienes las manos aguadas!* You have butterfingers.

aguafiestas [*m*,*f*; *sg*] wet blanket, kill-joy *No seas aguafiestas.* Don't be a wet blanket.

aguantar to bear, endure, stand *Es asombroso como puede aguantar tanto.* It is amazing how much he can stand.

aguardar to expect *Le aguardamos mañana a las diez.* We expect him tomorrow at ten o'clock. ▲to wait for *Te estoy aguardando hace horas.* I've been waiting for you for hours.

aguardiente [*m*] firewater, whiskey.

agudo sharp, keep *El cuchillo tenía la punta muy aguda.* The knife had a very sharp point. ▲clever *Es un muchacho muy agudo.* He is a very clever boy. ▲high-pitched *Tiene una voz muy aguda.* She has a very high-pitched voice. ▲witty *¡Siempre tiene dichos tan agudos!* He is always making such witty remarks!

águila [*f*] eagle.

agüita agüita (*water flavored with aromatic leaves*) [*Am*] *¿Qué quiere Ud. después de la comida, café, té o agüita de menta?* What would you like after dinner—coffee, tea, or mint water?

aguja needle *¿Tiene Ud. una aguja para coser estos botones?* Do you have a needle to sew on these buttons? ▲hand (*of watch, compass*) *A mi reloj se le ha caído una aguja.* One of the hands has fallen off my watch.

agujero hole.

aguzar to sharpen to a point *Aguce un poco la estaca.* Sharpen the end of the stick a little. ‖*Aguzó el oído.* He pricked up his ears.

¡ah! oh!

ahí there *Ahí está su amigo.* There is your friend.—*¿Qué tiene Ud. ahí en el bolsillo?* What have you got there in your pocket? °**por ahí** that way *Por ahí, haga el favor.* That way, please.

ahijada goddaughter.

ahijado godson.

ahogar to choke *Trató de ahogarle.* He tried to choke him. °**ahogarse** to drown; to be drowned *Muchos animales se ahogaron en la inundación.* Many animals were drowned in the flood. ▲to be suffocated *Me ahogo en esta habitación tan pequeña y tan caliente.* This room is so small and hot that I'm suffocating.

ahora now, right now *Ahora voy a casa.* I'm going home now. ▲now *¿Ahora, qué piensa Ud.?* Now, what do you think? °**ahora bien** now, now then *Ahora bien, hay que aclarar este problema.* Now then, let's get this problem cleared up. °**ahora mismo** at once, right away *Hágalo ahora mismo.* Do it right away. ▲just, just now *Salió ahora mismo.* He just left.

ahorcar to hang (execute) *Lo ahorcaron el mismo día.* They hanged him the same day.

ahorita right now [*Am*] *Ahorita vamos a verle.* We're going to see him right now.

ahorrar to save *¿Cuánto dinero hemos ahorrado este mes?* How much money have we saved this month?

aire [*m*] air *El aire de esta habitación está muy cargado.* The air in this room is very stuffy. ▲wind *Sopla un aire muy fuerte.* There is a very strong wind blowing. ▲look, appearance *Tiene aire de millonario.* He looks like a millionaire.

aislamiento isolation.

A

aislar to isolate, cut off.

¡ajá! ‖*¡Ajá! ¿Conque esas tenemos?* So that is what is going on!

ajedrez [*m*] chess.

ajeno another's, someone else's *No se meta en vidas ajenas.* Don't meddle in other people's affairs.

ajo garlic. ᴼ**echar ajos** to swear *Empezó a echar ajos.* He started swearing. ᴼ**estar en el ajo** to be in the know.

ajustar to tighten *Tiene Ud. que ajustar esos tornillos.* You have to tighten those screws. ▲to fit *Esta tapadera no ajusta.* This cover doesn't fit. ▲to agree about, decide (on) *Se reunieron para ajustar las condiciones de la paz.* They met to decide peace terms. ▲to settle *Vamos a ajustar las cuentas.* Let's settle accounts.

al (a + el) (see **a.**)

ala wing; brim (*of a hat*).

alabanza praise.

alabar to praise.

alacrán [*m*] scorpion.

alambrada wire fence.

alambre [*m*] wire.

alameda mall, public walk (*lined with poplars*).

álamo poplar.

alarde [*m*] boast. ᴼ**hacer alarde de** to show off *Levantó el baúl para hacer alarde de fuerza.* He lifted the trunk to show off his strength.

alardear to boast; to showoff.

alargar to lengthen, extend *Hay que alargar las mangas de este abrigo.* The sleeves of this coat have to be lengthened.

alarma alarm.

alba dawn.

albañil [*m*] mason, bricklayer.

albaricoque [*m*] apricot [*Sp*].

alborotar to disturb, make noise *Los niños están alborotando mucho.* The children are making a lot of noise.

alboroto disturbance, excitement, uproar; [*C.A.*] popcorn.

alcachofa artichoke.

alcalde [*m*] mayor.

alcance [*m*] reach *Estaba fuera de su alcance.* It was out of his reach.

alcancía toy bank, piggy bank; collection box.

alcanzado short (*of money*) *Siempre anda alcanzado de dinero.* He is always short of money.

alcanzar to catch up with, overtake *Nos alcanzaron muy pronto.* They caught up with us quickly. ▲to reach *No puedo alcanzar esa lata de tomate.* I can't reach that can of tomatoes. ▲to attain, reach *Alcanzó el grado de general.* He reached the rank of general.

alcoba bedroom.

alcohol [*m*] alcohol.

alcohólico [*adj, n*] alcoholic.

aldea village.

alegar to allege, state, assert.

alegrar to brighten (up) *Las flores alegrarán la mesa.* The flowers will brighten up the table. ▲to cheer up. ᴼ**alegrarse** to rejoice, be glad *Me alegro mucho de verla.* I'm very glad to see you.

alegre glad, happy *¿Por qué estas tan alegre hoy?* Why are you so happy today? ▲cheerful *Son gente muy alegre.* They're very cheerful people. ▲brilliant, bright *¡Qué traje tan alegre!* What a bright-colored suit that is!

alegría delight, joy, pleasure *Mostró gran alegría cuando le vio.* He showed great joy when he saw him.

alejarse to go away *No se aleje demasiado.* Don't go too far away.

alentado well, all right [*Am*] *Estaba enfermo, pero hoy ya está alentado.* He was ill, but today he is all right.

alentar [*rad-ch I*] to comfort, cheer up *Hay que alentarla un poco.* She needs a little cheering up. ▲to encourage *Aliéntele Ud. a que lo haga ahora.* Encourage him to do it.

alfabeto alphabet.

alfiler [*m*] pin.

algo something *¿Tiene Ud. algo que decirme?* Have you something to tell me? ▲rather, somewhat *Me parece algo caro.* It seems rather expensive to me. ᴼ**algo de** some *¿Tiene Ud. algo de dinero?* Have you got some money?

algodón [*m*] cotton.

alguien somebody, someone *Alguien llama a la puerta.* Somebody is knocking at the door. ▲anybody, anyone *¿Ha venido alguien?* Has anybody come?

algún (see **alguno**) some *Espero que Ud. vuelva algún día.* I hope you'll come again some day.

alguno some, any *Quiero hacerle algunas preguntas.* I want to ask you some questions.—*¿Quiere Ud. hacerme alguna pregunta?* Do you want to ask me any questions? ᴼ**alguna cosa más** anything else *¿Necesita Ud. alguna cosa más?* Do you need anything else?

alhaja jewel.

aliado allied. ▲[*n*] ally.

alianza union, alliance.

aliarse to form an alliance, ally oneself.

aliento breath *Llegó sin aliento.* He was out of breath when he got here. ‖*Es una persona de muchos alientos.* He is a very energetic person.

aligerar to lighten *Tenemos que aligerar la carga.* We have to lighten the load. ▲to hasten, hurry *Aligera porque es tarde.* Hurry up, it is late.

alimentar to feed, nourish *Esta comida no alimenta bastante.* This food is not nourishing enough.

alimento food, nourishment.

alistarse to enlist *Se alistó en la Marina.* He enlisted in the Navy. ▲to get ready [*Am*] *Hay que alistarse temprano porque el tren no espera.* We'd better get ready early because the train won't wait.

aliviar to relieve, alleviate.

allá there *¡Allá está!* There it is! ᴼ**allá arriba** up there, way up there *Está allá arriba esperándole.* He is up there waiting for you. ᴼ**allá dentro** in there, inside *Allá dentro están sus amigos.* Your friends are in there. ᴼ**hacia allá, para allá** that way *Vamos hacia allá.* Let's go that way.

allí there *Póngalo allí.* Put it over there. —*Su casa está allí a la derecha.* His house is there on the right. Ode allí from there *Vive lejos de allí.* She lives far from there. Odesde allí from there *Desde allí se veía perfectamente.* From there one could see perfectly. Opor allí that way *Dice que vayamos por allí.* He says we should go that way.

alma soul. Oalmas people *Es un pueblo de tres mil almas.* It is a town of three thousand people. Ode mi alma (*term of affectionate address used in Spanish-speaking countries*) *¡Hijo de mi alma!* My dear child!

almacén [*m*] warehouse, stockroom; store, shop; department store; [*Arg*] grocery store.

almendra almond.

almidón [*m*] starch.

almidonar to starch.

almirante [*m*] admiral.

almohada pillow. ||*Lo voy a consultar con la almohada.* I'm going to sleep on it (i.e., think it over).

almohadón [*m*] cushion.

almorzar [*rad-ch I*] to lunch, breakfast.

almuerzo lunch, noon meal.

alocado reckless *Es un muchacho muy alocado.* He is a reckless young fellow.

alojamiento lodging.

alojar to put up, lodge, quarter.

alpargata espadrille (*sandal with fiber sole and canvas upper*).

alquilar to rent, hire *Alquilaron una casa.* They rented a house. ▲to let *Se alquilan habitaciones.* Rooms for rent.

alquiler [*m*] rent, price of rent.

alrededor Oalrededor de around *Estaban sentados alrededor de la mesa.* They were sitting around the table. ▲about *Costó alrededor de treinta pesos.* It cost about thirty pesos. Oalrededores [*m pl*] outskirts, surroundings.

altar [*m*] altar.

altavoz [*m*] loudspeaker.

alteración [*f*] alteration, change *Tenemos que hacer algunas alteraciones en nuestros planes.* We have to make some changes in our plans. ▲strong emotion *Daba muestras de gran alteración.* He showed signs of great emotion.

alterar to change, transform *Su venida alteró completamente nuestra vida.* His coming changed our lives completely. Oalterarse to get excited *No se altere Ud. que no es nada.* Don't get excited; it is nothing.

alternar to alternate, take turns.

alternativa [*f*] alternative.

alto high, tall *¿Qué es aquel edificio tan alto?* What is that very tall building? ▲high (*in ranks*) *Habló con un alto empleado del Ministerio de Hacienda.* He talked to a high official of the Treasury Department. ▲high *Los precios son muy altos en esta tienda.* Prices are very high in this store. ▲loud *No hables tan alto.* Don't talk so loud. Oa altas horas de la noche very late at night *Volvió a altas horas de la noche.* He returned very late at night. Oaltos upper story *Viven en los altos de aquella casa.* They live in the upper story of that house.

alto Ohacer alto to stop, halt *Hicimos alto en el camino para almorzar.* We stopped along the way to have lunch. —*El avión hizo alto al final de la pista.* The airplane halted at the end of the runway. ||*¡Alto!* Halt! *or* Stop!

altura height, altitude, elevation *No me encuentro bien a tanta altura.* I don't feel well at such a high altitude.

aludir a to allude to, refer to.

alumbrado (*see* **alumbrar.**) ▲lighting, lighting system *Hay muy poco alumbrado en esta parte de la ciudad.* The lighting is poor in this part of the city.

alumbrar to give light *Los faroles de la calle no alumbran bastante.* The street lamps don't give enough light. ▲to light, illuminate *¿Puede alumbrar el camino?* Can you light the way?

alumno pupil, student.

alusión [*f*] allusion, reference; hint.

alzar to lift, raise *No alzó los ojos del libro.* He didn't raise his eyes from the book. Oalzarse to rise, revolt *Se alzaron contra el gobierno.* They revolted against the government. ▲to get up.

amabilidad [*f*] kindness.

amable kind, amiable.

amanecer to dawn *Las vacas fueron ordeñadas al amanecer.* The cows were milked at dawn.

amanecer [*m*] daybreak, dawn.

amanecida Oa la amanecida at daybreak, at dawn.

amante [*adj*] loving. ▲[*n*] lover, mistress.

amapola poppy.

amar to love.

amargado (*see* **amargar**) embittered *Ese tipo está amargado.* That guy is very embittered.

amargar to make bitter, make miserable *Amarga la vida de todos los que le rodean.* He makes life miserable for everyone around him.

amargo bitter.

amargor [*m*] bitterness *No podía soportar el amargor del café.* He couldn't stand the bitterness of the coffee.

amargura bitterness *Sus desgracias le causaron gran amargura.* His misfortunes caused him great bitterness.

amarillo yellow.

amarrar to tie, fasten.

ambición [*f*] (excessive) ambition.

ambicioso ambitious, enterprising.

ambiente [*m*] atmosphere, environment.

ambulancia ambulance.

amenaza threat, menace.

amenazar to threaten, menace.

americana coat (*of a man's suit*) [*Sp*].

amigo, amiga friend *Es una amiga mía.* She is a friend of mine.

amistad [*f*] friendship. Ohacer amistad to become friends, make friends (with) *Pronto hicieron amistad.* They soon became friends. *Hizo amistad con Juan.* He made friends with John.

amistoso friendly.

amo, ama owner, master, proprietor *Hablamos con el amo de la casa.* We talked with the owner of the house. ▲boss *No se lo digas al amo.* Don't tell the boss.

amontonar to heap, pile up.

amor [*m*] love *Le gusta hablar de amor.* He likes to talk of love. ▲love, hearthrob *Ha encontrado un nuevo amor.* He has found a new love. ▲love, darling *Sí, mi amor.* Yes, darling.

amoscarse to become peeved *or* irked *Se ha amoscado con tus palabras.* He was peeved by what you said.

amotinarse to mutiny.

amparo aid; protection.

ampliación [f] enlargement *Quiero una ampliación de esta fotografía.* I want an enlargement of this photograph.

ampliar to enlarge, amplify, extend.

amplio ample, roomy, large.

amueblar to furnish, supply with furniture *Amueblaron la casa con todo lujo.* They furnished the house very luxuriously.

analfabeto [adj, n] illiterate.

análisis [m or f] analysis.

analizar to analyze.

anarquía anarchy.

ancho wide, broad *¿Cree Ud. que el camino es bastante ancho para automóviles?* Do you think the road is wide enough for cars? ▲too big, too wide *Este traje me está ancho.* This suit is too big for me.

anciano aged, very old (*of people*).

ancla anchor.

andada hike [Am] *Dimos la gran andada para llegar a la cumbre.* We took a long hike up to the summit.

andar [irr] to walk, go on foot *Es demasiado lejos para ir andando.* It is too far to walk. ▲to go, move *El tren echó a andar.* The train began to move. ▲to run, go, work *¿Anda ese reloj?* Is that clock going? O**andar andando** to roam around [Mex, Col] *He andado andando todo el día.* I've been chasing around all day. Oandar cerca to come close to *No se sacó el premio, pero le anduvo cerca.* He didn't win the prize, but he came close to it.

andarivel [m] cable ferry, aerial cable car [Am]. ▲rail, fence [Arg] *El jinete cayó cerca del andarivel.* The jockey fell right by the rail.

andén [m] (*railroad*) platform.

angosto narrow.

ángulo angle.

anillo ring *Le regaló un anillo de brillantes.* He gave her a diamond ring.

animado (see **animar**) lively, animated.

animal [m] animal. ▲jackass, stupid person *¡No seas animal!* Don't be a jackass!

animar to cheer, encourage *Vamos a animar a los jugadores.* Let's cheer the players. ▲to pep up *Su llegada animó la fiesta.* His arrival pepped up the party.

ánimo (state of) mind, spirits *Estaba de buen ánimo.* He was in good spirits. ▲courage. Odar ánimos to encourage, cheer up *Le dio ánimos porque estaba decaído.* She cheered him up because he was depressed.

aniversario [m] anniversary.

anoche last night.

anochecer [-zc-] to grow dark, get dark *Ahora anochece a las cinco.* It gets dark at five now.

anochecer [m] dusk, nightfall.

anorexia [f] anorexia.

ansiedad [f] anxiety.

ansioso anxious, eager, impatient *Estoy ansioso de conocerla.* I'm anxious to meet her.

anteanoche night before last.

anteayer day before yesterday.

anteojos [m pl] eyeglasses, spectacles.

antepasado [adj] before last *El año antepasado fuimos a Europa.* The year before last we went to Europe. ▲[n] ancestor, ancestress.

anterior previous, last.

antes before *Ya se lo dije a Ud. antes.* I told you that before. ▲formerly *Esta calle tenía otro nombre antes.* This street used to have another name. O**antes de** before *Comamos antes de ir.* Let's eat before we go.

ante todo above all, first of all *Ante todo no olvide escribirme.* Above all, don't forget to write me.

anticipar to advance, lend *Me anticipó treinta pesos.* He lent me thirty pesos. ▲to advance *Anticiparon la fecha de la fiesta.* They advanced the date of the party. O**anticiparse** to arrive ahead of time *Se anticiparon media hora.* They arrived half an hour early. ▲to get ahead of *Se me anticipó.* He got ahead of me.

antiguo former; old, ancient. Oa la antigua in an old-fashioned way *Le gusta vestir a la antigua.* She likes to dress in an old-fashioned way.

antipatía dislike *Me tiene antipatía.* He dislikes me.

antipático disagreeable *Es un hombre muy antipático.* He is a very disagreeable man.

antojarse ||*Hace todo lo que se le antoja.* She does whatever comes into her mind. ||*Lo hago porque se me antoja.* I do it because I take a notion to.

anunciar to announce; to advertise.

anuncio advertisement; announcement; notice.

añadir to add (to).

año year. Oaño bisiesto leap year. Oaño nuevo new year *Feliz año nuevo.* Happy New Year. Otener . . . años to be . . . years old *Tengo veinte años.* I'm twenty years old.

apagar to put out, extinguish *Apague la luz.* Put out the light. O**apagarse** to go out *Se apagaron las luces.* The lights went out.

apagón [m] blackout.

aparato apparatus, set *Vende aparatos de televisión.* He sells television sets.

aparecer [-zc-] to show up, turn up *No apareció.* He didn't show up.

aparición [f] appearance (presence) *Le sorprendió la aparición repentina de su amigo.* He was surprised by the sudden appearance of his friend. ▲apparition.

apariencia appearance, looks *No me gusta su apariencia.* I don't like his looks.

apartado (see **apartar**) distant, far away. O**apartado (de correos)** post office box.

apartamento apartment [Am].

apartar to separate, divide.

aparte separate *Eso es cuestión aparte.* That is a separate question. ▲aside, separately *Ponga este paquete aparte.* Put this package aside.

apearse to get off *Se prohíbe apearse en marcha.* Don't get off while the vehicle is in motion.

apellido (family) name.

apenado sorry, grieved *Estaban apenados por la enfermedad de su tía.* They were grieved by the illness of their aunt. ▲worried [*Am*] *Estábamos apenados porque no recibíamos noticias.* We were worried because we weren't getting any news.

apenas scarcely, hardly *Apenas puede andar.* He can hardly walk. ▲as soon as *Apenas llegue, avíseme.* Let me know as soon as he comes.

apertura opening (*of exhibition, public event*).

apetito appetite.

apiñado gathered in a crowd *La gente está apiñada para ver el desfile.* A crowd of people gathered to see the parade.

apio celery.

aplanar to smooth, flatten. ᴼ**aplanarse** to be in low spirits, get depressed *Se aplanó después del fracaso.* He got very depressed after hit the failure.

aplastar to crush *Aplastaron toda resistencia.* They crushed all resistance. ▲to flatten *Le aplastaron las narices.* They flattened his nose.

aplaudir to applaud.

aplauso applause.

aplicado (see **aplicar**) studious, industrious *Es un estudiante muy aplicado.* He is very studious.

aplicar to apply, put on *Le aplicaron a la silla una capa de pintura.* They put a coat of paint on the chair. ᴼ**aplicarse** to apply oneself.

aplomo self-possession, poise *Tiene mucho aplomo.* He has a lot of poise.

apoderarse de to take possession of, seize.

apodo nickname.

aporrear to beat up, club.

apostar to bet *¿Cuánto apuesta Ud.?* How much do you bet? ᴼ**apostar a que** to bet that *Apuesto a que llego yo antes de Ud.* I bet I get there before you.

apoyar to rest, prop *Apoye el pie en ese escalón.* Rest your foot on that step. ▲to back, support, second *Nadie apoyó su proposición.* No one supported his motion.

apoyo prop, support.

aprecio esteem, respect, liking *Le tengo mucho aprecio.* I have great respect for him.

aprender to learn.

apresurar to hasten, hurry *No apresure el paso; llegaremos a la hora.* Don't walk so fast; we'll get there on time.

apretar [*rad-ch-I*] to tighten *Apriete este tornillo.* Tighten this screw. ▲to be too tight on *Me aprieta mucho este cuello.* This collar is too tight. ▲to press down on, put pressure on, compress *Apretó para cerrar la maleta.* He pressed down on the suitcase to close it. ▲to grip *Me apretó la mano.* He gripped my hand. ▲to clench (*fist or teeth*).

apretazón [*f*] crowd [*Am*] *Era tanta la apretazón que nadie vio nada.* There was such a crowd that nobody saw anything.

aprieto jam, tight spot *Se vio en un aprieto.* He found himself in a tight spot.

aprisa swiftly, fast, quickly *Hace todo muy aprisa.* He does everything very quickly.

aprobación [*f*] approval.

aprobar to approve of *No apruebo su conducta.* I don't approve of his conduct. ▲to pass (*an examination*) *¿Aprobó Ud. en el examen de matemáticas?* Did you pass your math exam?

aprontar to advance [*Am*] *El patrón tuvo que aprontarle algún dinero.* The boss had to advance him some money.

aprovechar to profit by, make use of *Aprovechaba todos los restos.* She made use of all the leftovers. ᴼ**aprovecharse de** to take advantage of *No dejes que se aproveche de ti.* Don't let him take advantage of you.

aprovisionar to supply, provision.

aproximarse to approach, move near *No se aproxime demasiado al fuego.* Don't go too near the fire.

apuesta bet, wager.

apuntar to aim *Apunta demasiado bajo para dar en el blanco.* You're aiming too low to hit the target. ▲to jot down, make a note of *Apúntelo en su cuaderno de notas.* Jot it down in your notebook.

apurar to drain, drink up, consume *Apuraron las copas.* They drained their glasses. ▲to smoke to the end. ᴼ**apurar(se)** to worry *La situación me apura mucho.* The situation worries me very much.—*No se apure Ud.* Don't worry. ▲to hurry *¡Apúrate, niña!* Hurry up, child!—*¡Apúrate!* Hurry up! [*Am*].

apuro jam, tight spot, fix *Estoy en gran apuro.* I'm in a jam.

aquel, aquella, aquellos, aquellas [*adj*] that, these *Compré aquella bufanda que vimos ayer.* I bought that scarf we looked at yesterday.

aquél, aquélla, aquéllos, aquéllas [*pron*] that (one), these *Prefiero este libro a aquél.* I like this book better than that one.

aquello [*neu pron*] that (thing) *¿Qué es aquello?* What is that?

aquí here *No está aquí.* He isn't here. ᴼ**aquí dentro** in here *Les espero aquí dentro.* I'll wait for you in here. ᴼ**de aquí en adelante** from now on *De aquí en adelante tendremos que gastar menos.* From now on we'll have to spend less money.

arado plow.

araña spider.

arañar to scratch.

arañazo scratch.

arar to plow.

araucano [*adj, n*] Araucanian.

árbitro arbitrator, umpire, referee.

árbol tree.

arbusto bush, shrub.

archivar to file, put in a file.

arco arch; bow (*for arrows*). ᴼ**arco iris** rainbow.

arder to burn (be in flames) *La leña mojada no arde bien.* Wet firewood doesn't burn well. ▲to burn (with fever).

ardido burned up, sore [*Am*] *Me tiene ardido con lo que me dijo.* I was burned up by what he said.

ardiente [*adj*] burning; ardent.

ardilla squirrel.

arena sand.

arenoso sandy.

arenque [*m*] herring.

arepa corn griddle cake [*Am*].

argumento argument, logic, premises *No me convencen sus argumentos.* His arguments don't convince me. ▲plot, story *No me gustó el argumento de la película.* I didn't like the plot of the movie.

árido arid, dry, barren.

aristocracia aristocracy.

arma weapon *Se prohíbe llevar armas.* It is forbidden to carry arms.

armadura armor; framework.

armar to arm *Armaron al pueblo.* They armed the people. ▲to assemble, put together *Hay que armar esta máquina.* The machine has to be assembled. ○**armar jaleo** to make a racket *Anoche armaron mucho jaleo.* They made a big racket last night.

armario closet, wardrobe.

armonía harmony.

arqueo balance (*in accounting*).

arquitecto architect.

arquitectura architecture.

arrabal [*m*] suburb, outskirts.

arrancado broke [*Am*] *Siempre está arrancado a fin de mes.* He is always broke at the end of the month.

arrancar to root out, pull out, tear out *Han arrancado tres páginas.* Three pages have been torn out. ▲to start *Vimos arrancar el automóvil.* We saw the car start.

arranque [*m*] sudden impulse *En un arranque me volví a mi pueblo.* On a sudden impulse I returned to my home-town. ▲starter *Este automóvil tiene arranque automático.* This car has a self-starter.

arrastrado (see **arrastrar**) low, contemptible *¡Qué tipo tan arrastrado!* What a heel! ▲bootlicker, yes-man [*Am*] *Consigue todo porque es muy arrastrado.* He gets everything because he is a bootlicker.

arrastrar to drag, drag along *Le arrastró la corriente.* He was dragged along by the current. ▲to touch the floor *or* ground, drag *Cuidado, le arrastra el abrigo.* Be careful, your coat is dragging. ○**arrastrarse** to crawl, creep, drag oneself *Salieron de la cueva arrastrándose.* They crawled out of the cave.

arreglar to arrange, adjust, settle *¿Está todo arreglado para el viaje?* Is everything arranged for the trip? ▲to fix *Creo que arreglarán la computadora esta tarde.* I think they'll fix the computer this afternoon. ○**arreglarse** to tidy up, dress, put make-up on *Arréglate un poco y vámonos al cine.* Tidy up a bit and let's go to the movies.

arreglo arrangement, settlement, agreement; alteration. ○**con arreglo a** according to, in accordance with *Lo hicimos con arreglo a sus instrucciones.* We did it according to your instructions.

arrendar [*rad-ch I*] to rent, let *¿Quiere Ud. arrendar su casa?* Do you want to rent your house? ▲to rent, hire *Necesito arrendar una habitación.* I want to rent a room.

arrepentirse [*rad-ch II*] to be sorry for, regret *Se arrepentirá Ud. de esto.* You'll be sorry for this.

arrestar to arrest, imprison.

arriba up, above *Viven dos pisos más arriba.* They live two flights up. ▲upstairs *Los dormitorios están arriba.* The bedrooms are upstairs. ○**arriba de** beyond, past (on higher level) *Es más arriba de la plaza.* It is past the square. ○**boca arriba, panza arriba, patas arriba** face up, on one's *or* its back. ○**desde arriba** from above *Desde arriba se veía el río.* From above one could see the river. ○**hacia arriba** up, upwards *El coche iba hacia arriba.* The car was going up.

arriesgar to risk, hazard *No le importa arriesgar la vida.* He doesn't mind risking his life.

arrimar to place *or* put near *or* close *No arrimes tanto la mesa a la pared.* Don't put the table so close to the wall.

arrinconar to neglect; to pigeonhole; to corner.

arrodillarse to kneel.

arrogante arrogant, haughty, proud.

arrojar to throw, hurl, cast *Se prohíbe arrojar objetos por la ventanilla.* Don't throw things out the window.

arrollar to coil *Hay que arrollar esa cuerda.* That rope has to be coiled. ▲to trample, run over *Fueron arrollados por la multitud.* They were trampled by the crowd.

arroyo [*n*] brook.

arroz [*m*] rice.

arrugar to wrinkle, crumple.

arruinar to ruin (*financially*) *Ese hombre los ha arruinado completamente.* That man ruined them completely. ○**arruinarse** to be ruined (*financially*) *Con esos negocios se ha arruinado.* He was ruined by that business.

arte [*m or f*] art *¿Le interesa el arte?* Are you interested in art?—*Las bellas artes.* Fine arts. ▲skill *Presenta sus argumentos con mucho arte.* He presents his arguments with great skill. ▲craft, cunning.

arteria artery.

articulación [*f*] joint.

artículo article, news article *Lea el artículo de la página dos.* Read the article on page two. ○**artículos** things, goods *Venden artículos de deportes.* They sell sporting goods.

artificial artificial.

artista [*m, f*] artist.

artístico artistic.

arveja green pea [*Am*].

as [*m*] ace, star; ace (*cards*).

asado (see **asar**) ▲[*m*] roast.

asaltar to assault, attack, hold up.

asamblea assembly, convention.

asar to roast *Vamos a asar las castañas.* Let's roast the chestnuts. ○**asarse** to be roasting, be uncomfortably warm *Se asa uno en este cuarto.* It is roasting in this room.

ascender [*rad-ch I*] to ascend, go up *El globo ascendió lentamente.* The balloon went up slowly. ▲to be promoted *Ascendió tres veces en un año.* He was promoted three times in one year. ○**ascender a** to amount to *La cuenta ascendía a cuatrocientos pesos.* The bill amounted to four hundred pesos.

ascensor [*m*] (passenger) elevator.

ascensorista [*m, f*] elevator operator.

asco nausea, disgust *Rechazó la comida con asco.* He refused the food with disgust.

ᵒ**dar asco** to disgust *Esas cosas me dan asco.* Those things disgust me. ᵒ**estar hecho un asco** to be very dirty, be filthy *No te acerques, estás hecho un asco.* Don't come near me; you're filthy.

asegurar to secure, fasten (with rope or strap) *Aseguró con una cuerda la carga del caballo.* He fastened the horse's pack with a rope. ▲to assure *Le aseguro que todo estará preparado a tiempo.* I assure you everything will be ready on time. ▲to affirm, maintain *Asegura que es cierto.* He maintains it is true. ▲to insure *El equipaje está asegurado.* The baggage is insured.

asesinar to murder.

asesinato murder.

asesino assassin, murderer.

así so, that way *Así es.* That is the way it is. ▲in this manner, this way *Lo debe hacer así.* You must do it this way. ▲therefore, and so *Así decidieron actuar inmediatamente.* And so they decided to act immediately. ᵒ**así así** so-so *"¿Cómo está Ud.?" "Así así." "*How are you?" "So-so."

asiento seat, chair *Tome asiento.* Take a seat.

asilo orphanage; home (*for aged*).

asimismo likewise, too, in the same way *Asimismo lo creo yo.* I think so too.

asistencia attendance, presence *Su asistencia no es necesaria.* Your attendance isn't necessary. ▲assistance, help.

asistir to assist, help, take care of *Le asistí en su enfermedad.* I took care of him during his illness. ᵒ**asistir a** to attend, be present at *¿Asistió Ud. a la reunión?* Were you present at the meeting?

asno ass, donkey.

asociación [f] association, club.

asociado (see **asociar**) ▲[n] associate, partner.

asociar to associate.

asolear to dry in the sun *Hay que asolear la ropa.* The wash will have to be put in the sun to dry. ᵒ**asolearse** to take a sunbath [*Am*] *Estuvieron asoleándose en la playa.* They were taking a sunbath on the beach.

asomar to put out (*one's head, hand, etc.*) *Asomó la cabeza por la ventana.* He put his head out of the window. ᵒ**asomarse a** to lean out of *Se prohíbe asomarse al exterior.* It is forbidden to lean out of windows.

asombrar to astonish, amaze *Asombra a todo el mundo por su ingenio.* He amazes everybody by his cleverness. ᵒ**asombrarse de** to wonder at, be astonished by, be amazed at *Me asombra que diga Ud. eso.* I'm amazed that you say that.

asombroso wonderful, astonishing.

áspero rough, harsh *Esa tela es muy áspera.* That cloth is very rough.

aspiración [f] ambition, aspiration, inhalation.

aspirar to aspire, to inhale.

asqueroso filthy, nasty, mean, low.

asterisco asterisk.

astilla chip; splinter.

astucia [f] cunning.

astuto astute, crafty.

asumir to assume, take on *Asumió todas las responsabilidades.* He assumed full responsibility.

asunto subject *¿Cuál es el asunto de esa comedia?* What is the subject of that play? ▲affair, business *No se meta en mis asuntos.* Don't meddle in my affairs or Mind your own business.

asustar to frighten *Me asustaron sus gritos.* Your screams frightened me. ᵒ**asustarse** to be frightened *Se asusta de los ruidos fuertes.* She is frightened by loud noises.

atacar to attack.

atado (see **atar**) ▲[m] bundle, parcel [*Am*].

atajar to overtake, catch up with *Por este camino les atajaremos.* If we go this way we'll catch up with them. ▲to interrupt, cut short *Le atajó diciéndole que no.* He cut him short by saying no.

atajo shortcut, shorter road.

ataque [m] attack, assault; attack, fit.

atar to tie, lace, bind *Átate bien los zapatos.* Lace up your shoes tight. ᵒ**atar cabos** to put two and two together *Al oírlo, até cabos.* When I heard that, I put two and two together.

atarantado dizzy *He bailado tanto que estoy atarantada.* I've danced so much that I'm dizzy.

atareado busy.

ataúd [m] coffin, casket.

atención [f] attention *El anunciador pidió atención.* The announcer called for attention. ᵒ**atenciones** [pl] kindness *Nunca olvidaré sus atenciones.* I'll never forget your kindness. ᵒ**llamar la atención** to attract attention *Le gusta llamar la atención.* She likes to attract attention.

atender [rad-ch I] to attend, wait on *El dependiente los atendió en seguida.* The clerk waited on them immediately. ▲to pay attention *Haz el favor de atender a lo que te digo.* Please pay attention to what I'm saying. ▲to look after, take care of *Atiende muy bien a sus invitados.* He takes very good care of his guests.

atenerse a [irr] to depend on, rely on (accept as valid) *No sé a que atenerme.* I don't know what to depend on.

atentado assassination (attempted or successful); attempt (to overthrow by violence) *Se cometió un atentado contra la vida del presidente.* There was an attempt on the life of the president.

atento polite, courteous; attentive.

aterrar to terrify.

atinar to hit the mark. ▲to guess (right) *Atinó el dinero que yo tenía en el bolsillo.* He guessed the amount of money I had in my pocket. ᵒ**atinar a** to succeed in *No atinó a explicar lo que quería.* He didn't succeed in explaining what he wanted.

atleta [m, f] athlete.

atlético athletic.

atmósfera atmosphere.

atolondrado scatterbrained *No he visto una persona más atolondrada.* I've never seen such a scatterbrain.

atontado foolish, stupid *No seas atontado.* Don't be so foolish. ▲stunned, dazed.

atormentar to torment, torture.

atornillar to screw, turn a screw.

atracción [f] attraction.

atractivo attractive, charming *¡Que mujer tan atractiva!* What an attractive

woman! ▲[m] charm, appeal *Es muy bonita pero no tiene atractivo.* She is very pretty but has no appeal.

atraer [irr] to attract, charm.

atrás back *Está allí atrás con unos amigos.* He is back there with some friends. **O**dar marcha atrás to go into reverse, back up *No dé marcha atrás que hay un árbol.* Don't back up; there is a tree behind you. **O**hacia atrás back, backward *Miró hacia atrás.* He looked back.

atrasado (see **atrasar**) backward, behind (in work, studies, etc.).

atrasar to delay, detain *Esto atrasa mucho mi viaje.* This will delay my trip a long time. ▲to put back (watch or clock) *Tengo que atrasar mi reloj, está muy adelantado.* I have to set my watch back; it is very fast. ▲to go or be slow, lose time *Mi reloj se atrasa diez minutos al día.* My watch loses ten minutes a day. **O**atrasarse to remain or get behind, lose time *Creo que nos atrasamos en este trabajo.* I think we're getting behind in this work.

atraso backwardness *El atraso de ese país es bien conocido.* The backwardness of that country is well known. ▲delay.

atravesar [rad-ch *I*] to pierce *La bala le atravesó el brazo.* The bullet pierced his arm. ▲to cross *He atravesado el Atlántico varias veces.* I've crossed the Atlantic several times. **O**atravesarse to stop crosswise *Se atravesó un camión en la carretera.* A truck stopped crosswise in the middle of the road.

atreverse to dare, venture *No se atreve a decírmelo.* He doesn't dare to tell me.

atribuir to attribute.

atrocidad [f] atrocity; horrible or terrible thing *¡Qué atrocidad!* What a horrible thing!

atropellar to run over, knock down *Le atropelló un auto.* An automobile ran over him. **O**atropellarse to rush through *Si quiere hacer el trabajo bien, no se atropelle.* If you want to do a good job, don't rush through it.

atropello abuse, outrage *No podemos tolerar tal atropello.* We can't tolerate such an outrage. ▲accident (in which a pedestrian is injured) *Tres peatones fueron víctimas de un atropello.* Three pedestrians were victims of an accident.

atroz terrible, atrocious *¡Fue una cosa atroz!* It was a terrible thing!

aturdir to rattle, to confuse, to stun *Me aturde tanto ruido.* So much noise rattles me. **O**aturdirse to be stunned *Se aturdió y no supo qué contestar.* He was stunned and didn't know what to answer.

audacia audacity, boldness.

audaz bold, daring.

auditorio audience, listeners.

aumentar to increase *Han aumentado los sueldos.* They've increased the salaries.

aumento increase.

aun, aún still *Aún podemos llegar a tiempo.* We can still get there on time. ▲even *Ni aun ahora sería posible.* Even now it wouldn't be possible. ▲yet *No ha venido aún.* He hasn't come yet.

aunque although, even if *Aunque no he nacido en el país, lo conozco muy bien.*

Although I wasn't born in the country, I know it very well.

ausencia absence.

ausentarse to leave, absent oneself *Se ausentó de la clase porque se sentía enfermo.* He left the class because he was feeling sick.

ausente absent. ▲[n] one who is absent.

auténtico authentic.

auto auto, car *¿Hay bastante sitio en el auto para todos?* Is there enough room in the car for everybody?

autobús [m] bus, omnibus *¿Qué es más barato, el autobús o el tranvía?* Which is cheaper, the bus or the streetcar?

automático automatic.

automóvil [m] automobile.

autor [m] author.

autora authoress.

autoridad [f] authority, power *No supo mantener su autoridad.* He couldn't maintain his authority. **O**autoridades authorities, government.

autorizar to authorize.

auxiliar to aid, help, assist.

avanzar to move forward *El coche avanzaba muy despacio.* The car moved forward very slowly. ▲to advance, make progress, get ahead *No avanzamos nada en nuestro trabajo.* We're not making any progress in our work.

avaro stingy, miserly. ▲[n] miser.

ave [m] bird, fowl.

avena oats.

avenida avenue. ▲flood *Las avenidas han estropeado la cosecha.* The floods ruined the crops.

aventajado promising *Es un muchacho muy aventajado.* He is a very promising young man.

aventajar to get ahead; to surpass *Aventaja a todos en el trabajo.* He gets ahead of everybody in his work.

aventura adventure; risk, chance.

aventurar to risk, hazard *¡No se aventure!* Don't risk it!

aventurero adventurous. ▲[n] adventurer.

avergonzar [rad-ch *I*] to shame, to make (someone) ashamed *Avergonzó a toda su familia con su conducta.* He shamed his whole family by his conduct. **O**avergonzarse to be ashamed *Después de decirlo se avergonzó.* After he said it, he was ashamed.

avería damage *El mecánico arregló la avería sin demora.* The mechanic repaired the damage without delay.

averiarse to be damaged, be spoiled *Con la lluvia se averió el cargamento.* The shipment was damaged by the rain.

averiguar to find out.

aviación [f] aviation.

aviador [m] aviator.

ávido eager, anxious *Estaba ávido de noticias.* He was eager for news.

avión [m] airplane, plane.

avisar to notify, inform *Hay que avisar a la policía.* We have to notify the police. ▲to warn, advise, counsel *Es la última vez que te aviso.* I'm warning you for the last time.

aviso announcement, notice, warning *Aviso al público.* Notice to the public.

avispa wasp.

avivar to revive (make bright) *Avivaron el fuego echando más leña.* They revived the fire by putting on more wood. ○**avivar el ojo** to keep one's eyes open, look sharp *¿Por qué no avivas el ojo?* Why don't you keep your eyes open? ○**avivar el paso** to step lively *Avive el paso; es muy tarde.* Step lively; it is very late.

¡ay! oh! ouch!

ayer yesterday.

ayuda help, aid, assistance *Necesito ayuda en esto.* I need help with this.

ayudar to aid, help, assist *Quiero ayudarle a llevar los paquetes.* I want to help him carry the packages.

ayunar to fast.

ayunas ○**en ayunas** hungry, fasting, on an empty stomach *No corra en ayunas.* Don't run on an empty stomach.

azabache [*m*] jet.

azada hoe.

azafata [*f*] stewardess, hostess.

azafate [*m*] tray [*Am*].

azafrán [*m*] saffron.

azahar [*m*] orange blossom.

azar [*m*] chance, risk *Corramos ese azar.* Let's take that chance. ▲chance *Le gustan los juegos de azar.* He likes games of chance.

azarar to embarrass, confuse *Esto azara a cualquiera.* This would embarrass anyone. ○**azararse** to be embarrassed *Cuando se lo dije se azaró mucho.* When I told him that he was very much embarrassed.

azotar to whip, strike repeatedly.

azote [*m*] whipping; spank; lash.

azotea flat roof.

azteca [*adj, n*] Aztec.

azúcar [*m or f*] sugar.

azucarera sugar bowl. ▲[*adj*] pertaining to sugar *La industria azucarera.* The sugar industry.

azucena white lily.

azufre [*m*] sulfur.

azul [*adj, n*] blue.

B

baba spittle; drivel.

babero bib.

Babia ○**estar en Babia** to be absent-minded.

babucha slipper.

bacalao codfish.

bache [*m*] deep hole, rut.

bachiller [*m*] graduate, holder of a bachelor's degree (*person possessing a Spanish degree equivalent in the U.S. to a high-school diploma plus two years of college*).

bagazo pulp.

bahía bay (*arm of sea*).

bailar to dance.

bailarín [*m*] dancer.

bailarina [*f*] dancer.

baile [*m*] dance, ball.

baja (military) casualty *El enemigo sufrió muchas bajas.* The enemy suffered many casualties. ▲fall (*in price*) *Hubo una baja en todos los precios.* There was a general fall in prices. ○**dar de baja** to drop out (*from a list of members or subscribers*) *Se dio de baja del club.* He dropped out of the club.

bajada descent, slope.

bajamar [*f*] low tide.

bajar to go down, descend *Bajemos la escalera despacio.* Let's go down the stairs slowly. ▲to fall, drop *La temperatura bajó.* The temperature fell. ▲to lower; to bring down *Baje la maleta de mi cuarto.* Bring the suitcase down from my room. ▲to take down *¿Quiere ayudarme a bajar las maletas de la red?* Will you help me take the suitcases down from the rack? ○**bajarse** to get down, get off *Nos vieron al bajarse del tren.* They saw us as they were getting off the train.

bajo low *Quiero una mesa baja.* I want a low table. ▲short *Es más bajo que su hermano.* He is shorter than his brother. ▲low, soft *Hablaban en voz baja.* They were speaking in a low voice. ▲bass (*voice, instrument*) *Vamos a colocar los bajos a la izquierda.* Let's put the basses on the left. ▲below *La temperatura ha llegado a bajo cero.* The temperature has fallen below zero.

bala bullet, bale. ○**bala perdida** stray bullet.

balance [*m*] balance; balance sheet *¿Cuál es mi balance de este mes en el banco?* What is my bank balance this month?

balancearse to sway, rock, swing *No se balancee en la silla; se va a romper.* Don't rock in the chair; it is going to break.

balanceo [*m*] rocking, wobbling.

balanza scales, balance.

balazo shot *Se oyeron tres balazos.* Three shots were heard. ▲bullet wound *Tenía tres balazos en el pecho.* He had three bullet wounds in his chest.

balcón [*m*] balcony.

balde [*m*] bucket, pail *Este balde gotea.* This bucket leaks. ○**de balde** gratis, free *Dan boletos de balde.* They're giving tickets free. ○**en balde** in vain, without success *Trató en balde de hablar con ella por teléfono.* He tried to get her on the phone without success.

balear to wound by gunshot [*Am*] *Lo balearon ayer.* They shot him yesterday.

balneario bathing resort.

balón [*m*] ball (football, basketball.)

baloncesto game of basketball.

balonpié game of football (soccer.)

banana banana.

banco bank *¿Puedo cobrar mi cheque en este banco?* Can I cash my check in this bank? ▲bench; pew *Todos los bancos están ocupados.* All the benches are taken.

banco de datos databank, data bank.

banda sash, band (*wide strip of material*) *La falda tenía tres bandas rojas.* The skirt had three red bands. *Llevaba una banda roja cruzada al pecho.* He wore a red sash across his chest. ▲band (*music*) *Esa banda (de música) me da dolor de cabeza.* That band gives me a headache. ▲gang *Una banda de ladrones actúa por esta región.* A gang of thieves works these parts.

bandeja tray.
bandera flag.
bandido bandit.
banquero banker.
banqueta sidewalk [*Mex*]; stool (seat.)
bañar to bathe *Haga el favor de bañar a los niños.* Please bathe the children. O**bañarse** to take a bath *Voy a bañarme.* I'm going to take a bath.
bañera bathtub.
bañero lifeguard.
baño bath; bathroom; bathtub.
baraja deck of cards.
barajar to shuffle (*cards*).
baranda banister.
barato cheap, inexpensive *Es muy bonito y además barato.* It is very pretty and besides it is cheap. ▲cheaply, cheap *En este almacén venden muy barato.* They sell things very cheap in this store. ▲[*m*] sale *Hoy hay un barato en ese almacén.* There is a sale today in that department store.
barba beard; chin.
barbaridad [*f*] any excess in speech *or* action *Come una barbaridad.* He eats too much.—*No diga barbaridades.* Don't talk nonsense.
bárbaro crude *Es un hombre bárbaro.* He is a crude man.
barbería barbershop.
barbero barber.
barbilla chin.
barca (small) boat.
barco boat, ship *¿Cuántas veces ha hecho Ud. el viaje por barco?* How many times have you made the trip by boat?
barniz [*m*] varnish.
barnizar to varnish.
barquinazo tumble, fall [*Am*].
barra bar, rod *Necesitamos una barra de hierro.* We need an iron bar. ▲public, spectators [*Am*] *La barra animaba a los jugadores.* The spectators cheered the players on.
barranco gorge, ravine.
barrer to sweep.
barrera barricade, barrier.
barriga belly; pregnancy.
barril [*m*] barrel, cask.
barrio quarter, section, district.
barro mud; clay; pimple.
base [*f*] basis; base.
base de datos [*f*] database, data base.
¡basta! (see **bastar**) enough! stop! *¡Basta ya! He dicho que te calles.* That is enough! I told you to shut up!
bastante enough, sufficient *¿Tiene Ud. bastante dinero?* Do you have enough money? ▲enough, rather *Es una mujer bastante bonita.* She is a rather pretty woman.
bastar to be enough *No bastó la comida para todos.* There wasn't enough food for all.
bastidor [*m*] frame, easel; stretcher for canvas O**entre bastidores** behind the scenes, backstage.
basto coarse, rough *El traje está hecho de material muy basto.* The suit is made of very rough material.
bastón [*m*] cane, walking stick.
basura garbage, refuse.

bata robe, bathrobe; housecoat.
batalla battle.
batata sweet potato.
bate [*m*] baseball bat [*Am*].
batería battery.
batir to beat *Haga el favor de batir los huevos.* Please beat the eggs. ▲to defeat *Batió a su enemigo.* He defeated his enemy. O**batirse** to fight; to fight a duel.
baúl [*m*] trunk *No han deshecho todavía los baúles.* They haven't unpacked their trunks yet.
bautismo baptism.
bautizar to baptize.
bebé [*m*] baby.
beber to drink *¿Qué van a beber Uds.?* What are you going to drink?
bebida drink, beverage.
becerro calf; calfskin.
béisbol [*m*] baseball (*game*) [*Am*].
beisbolista [*m*] baseball player [*Am*].
belleza beauty.
bello beautiful.
bendecir [*irr*] to bless *¡Que Dios le bendiga!* God bless you!
bendición [*f*] blessing.
bendito (see **bendecir**) blessed, holy.
beneficencia public charity; department of welfare.
beneficio favor *No agradece los beneficios.* He doesn't appreciate favors. ▲benefit, profit *Los beneficios fueron muy altos.* The profits were very high.
benevolencia kindness, goodwill.
berenjena eggplant.
besar to kiss.
beso kiss.
bestia beast.
betabel [*f*] beet [*Mex*].
Biblia Bible.
biblioteca library.
bicarbonato bicarbonate of soda.
bicicleta bicycle, bike.
bien [*m*] good *No distingue el bien del mal.* He doesn't know the difference between good and evil. ▲[*adv*] well *Habló muy bien.* He spoke very well. ▲very well *La cerveza está bien fría.* The beer is very cold. O**ahora bien** now then. O**bienes** [*m pl*] property, estate *Tiene muchos bienes.* He has a great deal of property.
bienestar [*m*] well-being, comfort.
bienvenido [*adj*] welcome *¡Bienvenido a mi casa!* Welcome to my house!
biftec [*m*] (see **bistec**).
bigote [*m*] mustache.
billar [*m*] billiards, pool.
billete [*m*] ticket *¿Ha comprado los billetes?* Have you bought the tickets? O**billete (de banco)** bill *Déme el dinero en billetes de a cinco y de a diez.* Give me the money in fives and tens. O**billete de ida y vuelta** round-trip ticket.
billón one million millions.
biombo folding screen *Hay que poner un biombo delante de la puerta.* You have to put a screen in front of the door.
bisabuela great-grandmother.
bisabuelo great-grandfather.
bistec, biftec [*m*] beefsteak.

B

bizco cross-eyed.

bizcocho sponge cake; biscuit.

blanco white *¡Ojalá hubiera comprado un vestido blanco!* I wish I'd bought a white dress! ▲[n] white (person) *En esta ciudad hay blancos, indios y negros.* There are white people, Indians, and blacks in this city. ▲[m] target *Dieron en el blanco.* They hit the target. ᴼ**en blanco** blank *Deje esta hoja en blanco.* Leave this sheet blank.

blando soft; tender.

blanquillo egg [*Mex*].

bloque [m] block, piece.

blusa blouse.

bobo fool; foolish *¡Hijo, no seas bobo!* Son, don't be foolish!

boca mouth *No abrió la boca en toda la tarde.* He didn't open his mouth all afternoon. ▲entrance (*of subway, cave, etc.*) *En la esquina está la boca del metro.* The subway entrance is on the corner. ᴼ**boca abajo** on one's stomach, face-down *El niño duerme boca abajo.* The child is sleeping on his stomach. ᴼ**boca arriba** on one's back, upside down *Estaba echado en la playa boca arriba.* He was lying on his back on the beach.

bocacalle [f] street intersection.

bocado mouthful; bit.

bochorno embarrassment *¡Qué bochorno pasamos!* What an embarrassing situation that was! ▲sultry weather *¡Qué bochorno hace!* What sultry weather we're having!

bochornoso embarrassing; shameful *¡Qué acción bochornosa!* What a shameful action! ▲sultry.

bocina horn *Toque la bocina para que ese auto nos deje pasar.* Blow the horn so that car will let us pass.

boda wedding.

bodega (wine) cellar, winery; storehouse; [*Am*] grocery store.

bofe lung. ᴼ**echar los bofes** to pant, be out of breath *Estoy echando los bofes.* I'm out of breath.

bofetada slap.

bohemio [*adj, n*] Bohemian.

boina beret.

bola ball, round body *or* mass *Déme esa bola de hierro.* Give me that iron ball. ▲ball (*to play with*) [*Am*] *Compramos unas bolas de tenis.* We bought some tennis balls. ▲crowd [*Mex*] *Había una bola de gente a la entrada del teatro.* There was a crowd of people at the entrance to the theater.

boleador [m] bootblack [*Mex*].

boletería box office [*Am*].

boleto ticket [*Am*].

bolo ninepin; drunkard [*Am*]. ᴼ**jugar a los bolos** to bowl.

bolsa purse *Llevaba una bolsa de seda.* She carried a silk purse. ▲bag *Necesito una bolsa de papel para guardarlo.* I need a paper bag to put it in. ▲stock exchange *No sé cómo están hoy las cotizaciones en la bolsa.* I don't know what the quotations are on the exchange today.

bolsa de aire [f] air bag *La mayoría de los autos modernos están equipados con bolsas de aire.* Most modern cars are equipped with air bags.

bolsillo pocket; [*Sp*] (woman's) handbag, purse.

bomba pump *Usaron una bomba para sacar el agua.* They used a pump to take out the water. ▲bomb *La bomba destruyó tres casas.* The bomb destroyed three houses.—*¡Cayó como una bomba!* It struck like a bombshell! ᴼ**bomba de gasolina** gasoline pump; gas station *¿Dónde hay una bomba de gasolina?* Where is there a gas station? ᴼ**bomba de incendios** fire engine.

bombero fireman (fire department).

bombilla (electric) bulb *Se han fundido tres bombillas.* Three bulbs have burned out.

bonaerense [*adj, n*] (native) of Buenos Aires.

bondad [f] kindness, goodness *Le agradezco su bondad.* Thank you for your kindness. ᴼ**tener la bondad (de)** please *Tenga la bondad de esperar un momento.* Please wait a moment.

bondadoso [*adj*] kind.

boniato sweet potato [*Sp, Cuba*].

bonito pretty.

bono bond, certificate; bonus.

boquilla cigarette holder.

bordar to embroider.

borde [m] edge, border.

bordo ᴼ**a bordo** aboard (*ship*).

borrachera drunkenness. ᴼ**coger una borrachera** to get drunk.

borracho [*n, adj*] drunkard; drunk.

borrar to rub out, erase.

bosque [m] forest, woods.

bostezar to yawn.

bota boot; wine bag.

botado (see **botar**) cheap, inexpensive [*Am*] *Está botado.* It is dirt cheap.

botar to throw away [*Am*] *Tenga cuidado, no bote esos papeles.* Be careful, don't throw away those papers. ▲to throw out, fire *Le han botado de su empleo.* They've fired him. ▲to bounce [*Sp*] *Mire cuánto bota esa pelota.* Look how that ball bounces.

bote [m] boat. ▲can, box *Quiero un bote de tomates.* I want a can of tomatoes. ᴼ**dar un bote** to jump *Cuando lo oyó dio un bote.* When he heard it he jumped. ᴼ**de bote en bote** crowded, jammed *El teatro estaba de bote en bote.* The theater was jammed.

botella bottle.

botica pharmacy.

botón [m] button.

botones [*m sg*] bellboy.

boxeador [m] boxer, prize fighter.

bozal [m] muzzle (*for animals*).

bravo fierce, wild *Cuidado, es un toro bravo.* Be careful, it is a fierce bull. ▲angry, mad [*Am*] *Se puso muy bravo.* He got very mad. ‖*¡Bravo!* Bravo!

brazo arm (*of body*). ᴼ**ir del brazo** to go arm in arm.

brea pitch, tar.

breve brief, short. ᴼ**en breve** in a little while, shortly.

brillante shiny, bright *No me gusta este papel; es muy brillante.* I don't like this paper; it is too shiny. ▲[m] diamond *Le* *regaló una pulsera de brillantes.* He gave her a diamond bracelet.

brillantina brilliantine.

brillar to shine.

brillo gloss, shine.

brincar to leap, jump.

brindar to drink to a person's health, toast *¡Brindemos a su salud!* Let's drink to your health!

brindis [*m sg*] toast (*ceremony*).

brisa breeze.

brocha paintbrush; shaving brush.

broma joke, jest *Siempre está diciendo bromas.* He is always joking. ᴼen broma as a joke *Lo dije en broma.* I said it as a joke.ᐧ ᴼtomar a broma to take lightly, take as a joke *Todo lo toma a broma.* He takes everything lightly.

bromear to joke *Está siempre bromeando.* He is always joking.

bronca fight, quarrel. ᴼarmar una bronca to pick a quarrel, start a fight.

bronce [*m*] bronze.

brotar to bud, sprout.

brújula (mariner's) compass.

brusco abrupt, rough *Es brusco en su manera de hablar.* He is abrupt in his way of speaking.

brutal brutal.

bruto beast, brute *No seas bruto.* Don't be a brute.

budín [*m*] pudding.

buen good, kind *Es un buen hombre.* He is a good man.

bueno good *Ese automóvil es muy bueno.* That is a very good car. ▲appropriate, good *Era una buena ocasión.* It was a good opportunity. ▲well, all right *No estoy muy bueno.* I'm not feeling very well. ▲well, all right, O.K. *Bueno, nos veremos a las cinco.* All right, we'll meet at five.

buey [*m*] ox.

bufanda muffler, scarf.

búho owl.

bujía candle; spark plug; watt.

bulimia bulimia.

bulla noise, racket. ᴼarmar bulla to make a racket *Armaron una bulla terrible.* They made a terrible racket.

bulto bundle *Salió con un bulto de ropa en la mano.* He went out with a bundle of clothes in his hand. ▲swelling, lump *Tiene un bulto en la cabeza.* He has a swelling on his head. ᴼescurrir, huir, *or* sacar el bulto to duck out *En cuanto vio lo que había que hacer escurrió el bulto.* As soon as he saw what he had to do, he ducked out.

buque [*m*] ship, steamer.

burla mockery, jest. ᴼhacer burla to make fun of, make a fool of *Le estaban haciendo burla.* They were making fun of him.

burlarse de to make fun of *Se burla de todo el mundo.* He makes fun of everybody.

burro donkey, ass. ▲jackass, dope *¡Qué burro eres!* What a dope!

busca ᴼen busca de in search of.

buscar to look for, seek.

busto bust.

butaca armchair; orchestra seat.

buzón [*m*] mailbox *Eche estas cartas en el buzón.* Put these letters in the mailbox.

C

cabal just, exact, upright *Juan es una persona cabal.* John is an upright person.

caballería cavalry; saddle horse.

caballero gentleman *Es todo un caballero.* He is a perfect gentleman. ▲sir *Caballero, aquí está la cuenta.* Here is your bill, sir.

caballete [*m*] sawhorse; easel.

caballo horse. ᴼa caballo on horseback.

cabaña cabin, hut.

cabaret [*m*] cabaret, nightclub.

cabecera head (*of a bed, table*) seat of honor.

cabecilla ringleader.

cabello hair (*of the head*) *Lleva el cabello suelto.* She wears her hair loose.

caber [*irr*] to fit, be contained in *No caben más cosas en el baúl.* Nothing else will fit in the trunk. ▲to go through *El piano no cabe por esa puerta.* The piano won't go through that door. ᴼno cabe duda (de que) there's no doubt (that) *No cabe duda de que es inglés.* There is no doubt that he is English.

cabeza head *Ese chico tiene la cabeza muy grande.* That child has a very large head. ▲chief, leader, head *Fue la cabeza del movimiento.* He was the leader of the movement. ▲mind, brains *Este trabajo hay que hacerlo con cabeza.* You have to use your brains in this work. ᴼde cabeza headlong, headfirst *Se tiró de cabeza al agua.* He plunged into the water head first. ▲topsy-turvy, in a mess *Los negocios andan de cabeza.* Business is in a mess. ᴼdolor de cabeza headache.

cabildo city hall.

cable [*m*] wire, cable; cablegram.

cablegrama [*m*] cablegram.

cabo end *De cabo a cabo.* From end to end,—*No podemos dejar cabos sueltos.* We can't leave any loose ends. ▲cape *Pasaron el cabo de Buena Esperanza.* They passed the Cape of Good Hope. ▲corporal *Tiene galones de cabo.* He has corporal's stripes. ᴼdar cabo a to end, put an end to, finish *Dieron cabo a la conversación.* They put an end to the conversation.

cabra goat.

cacahuate [*m*] peanut [*Am*].

cacahuete [*m*] peanut [*Sp*].

cacao cocoa tree; cocoa bean; chocolate.

cacerola casserole.

cachivache(s) [*m*] junk, trash *Quite de aquí estos cachivaches.* Take this junk out of here.

cacho piece, hunk *Déme un cacho de pan.* Give me a piece of bread.

cacto cactus.

cada every, each *Cada día dice una cosa distinta.* Every day he says something different. ᴼcada cual, cada uno everyone *Cada cual pagó su comida.* Everyone paid for his own meal.

cadalso scaffold for capital punishment.

cadáver [*m*] corpse.

cadena chain; range (*of mountains*).

cadera hip.

cadete [*m*] cadet.

caer [*irr*] to fall *Cayó una lluvia torrencial. A heavy rain fell.* ▲to drop *Cayó de rodillas. He dropped to his knees.* ▲to be becoming to *El traje le cae bien.* The suit is becoming to him. ▲to fall, come *Su cumpleaños cae en domingo.* His birthday falls on Sunday. ○**caer enfermo (en cama)** to be taken sick, fall sick *Cayó enfermo hace unos días.* He was taken sick a few days ago. ○**caer en la cuenta** to realize, notice, think of *No caí en la cuenta hasta mucho después.* I didn't realize it until much later. ○**caerse** to fall *Se cayó por la escalera.* She fell down the stairs.

café [*m*] coffee; café.

cafeína caffeine.

cafetal coffee plantation.

cafetera coffee pot.

caída fall, drop *Se quedó cojo después de la caída.* He was lame after the fall. ▲fall, collapse *La oposición de la Cámara causó la caída del gobierno.* The opposition of the House caused the fall of the government.

caja box, case *Le regaló una caja.* He gave her a box. ○**caja de ahorros** savings bank *Ha ingresado mucho dinero en la caja de ahorros.* He put a lot of money in the savings bank. ○**caja de caudales, caja fuerte** safe *Tienen sus alhajas en la caja de caudales.* They keep their jewelry in the safe. ○**caja (registradora)** cash register *Mire lo que marca la caja.* Look and see how much the cash register rings up.

cajero cashier.

cajetilla pack of cigarettes *Voy a comprar una cajetilla.* I'm going to buy a pack of cigarettes.

cajón [*m*] drawer *Han perdido la llave del cajón.* They've lost the key to the drawer. ▲box *Recibieron un cajón de libros.* They received a box of books.

cal [*f*] lime.

calabaza pumpkin, squash. ○**dar calabazas** to refuse, turn down, reject (*a declaration of love*) *Le dio calabazas.* She turned him down. ▲to flunk *Le dieron calabazas en geometría.* They flunked him in geometry.

calabozo prison, cell.

calamar [*m*] squid.

calambre [*m*] cramp *Le dio un calambre mientras nadaba.* He got a cramp while he was swimming.

calamidad [*f*] disaster, calamity, misfortune.

calar to penetrate *El puñal le caló hasta el corazón.* The dagger penetrated to his heart. ▲to soak through, drench *Llegué a casa calado.* I got home drenched. ○**calarse** to put on *or* pull down (*a hat*) *Se caló el sombrero hasta las cejas.* He pulled his hat down to his eyes.

calavera skull; madcap, rake.

calcetín [*m*] sock.

calcular to calculate, figure out *Vamos a calcular los gastos del viaje.* Let's figure out the cost of the trip.

cálculo calculation; ○**cálculo biliario** gallstone.

caldera boiler, large kettle.

caldo broth, bouillon.

calefacción [*f*] heating (system).

calendario calendar.

calentar to heat, warm *Caliente el agua, por favor.* Please heat the water. ○**calentarse** to get warm *Se calentaron al sol.* They warmed themselves in the sun.

calentura fever *Está con calentura desde hace días.* He has had a fever for the past few days.

calidad [*f*] quality *¿Es de buena calidad esta tela?* Is this good material? ○**en calidad de** in one's capacity of, as.

caliente hot, warm *Cuidado, la sopa está muy caliente.* Be careful, the soup is very hot.

callado (see **callar**) silent, quiet *¿Por qué está tan callado?* Why are you so quiet?

callar to keep quiet *Calló mientras nosotros hablábamos.* He kept quiet while we were talking. ▲conceal, keep from someone *Había callado la verdad.* He kept the truth from us. ○**callarse** to shut up *Cállate, ya has hablado bastante.* Shut up! You're talking too much.

calle [*f*] street *¿En qué calle vive Ud.?* What street do you live on? ○**echar a la calle** to throw out; to fire *No tuve más remedio que echarle a la calle.* I had no choice but to throw him out. ○**quedar(se) en la calle** to be left penniless *Al fracasar el negocio se quedó en la calle.* When his business failed he was left penniless.

callejón, calleja [*m*] alley, lane *Estamos en un callejón sin salida.* We're in a blind alley.

calma calm, quiet *Después de la tempestad vino la calma.* There was a calm after the storm. ○**con calma** slowly, taking one's time *Trabaja con mucha calma.* He takes his time when he works.

calmar to calm, soothe, ease *Estas píldoras le calmarán el dolor.* These pills will ease the pain. ○**calmarse** to calm down *No se calmó hasta mucho después.* He didn't calm down until much later.

calor [*m*] heat *No me gusta el calor.* I don't like the heat. ○**hacer calor** to be warm (*of weather*) *Hoy hace mucho calor.* It is very warm today.

calumnia slander, false charge *Todo lo que dice son calumnias.* Everything he is saying is slander.

calumniar to slander.

caluroso warm, hot *¡Qué día más caluroso!* What a hot day!

calva bald head; baldness.

calvicie [*f*] baldness (loss of hair).

calvo bald *Estoy quedándome calvo.* I'm getting bald.

calzada paved highway; [*Am*] sidewalk.

calzado shoes, footwear.

calzador [*m*] shoehorn.

calzar to put on *or* wear (shoes) *¿Qué número calza Ud.?* What size shoe do you wear? ▲to block, chock *Voy a calzar las ruedas para que no se mueva el coche.* I'm going to chock the wheels so the car won't move.

calzoncillos [*m pl*] shorts (*underwear*).

cama bed *Hágame la cama por favor.* Please make my bed. ○**guardar cama, estar en cama** to be confined to bed *Está enfermo en cama desde hace tres meses.* He has been confined to bed for the past three months.

cámara camera *¿Qué clase de cámara tiene Ud.?* What kind of a camera do you have? ▲chamber O**cámara de comercio** chamber of commerce. O**cámara de diputados** chamber of deputies, house of representatives. O**música de cámara** chamber music.

camarada [*m, f*] comrade, pal *Charlaban como viejos camaradas.* They were talking together like old pals.

camarera maid, chambermaid *La camarera todavía no ha arreglado el cuarto.* The maid hasn't made up the room yet. ▲waitress *Pídale el menú a la camarera.* Ask the waitress for the menu.

camarero waiter; valet.

camarote [*m*] cabin, stateroom *Quiero reservar un camarote de primera clase.* I want to reserve a first-class stateroom.

cambiar to change *No ha cambiado nada desde que le vi.* He hasn't changed a bit since I saw him. ▲to change (*money*) *¿Puede cambiarme un billete de diez pesos?* Can you change a ten-peso bill for me?

cambio change *¿Ha habido algún cambio de política?* Has there been any change in policy? ▲small change, coins *¿Tiene Ud. cambio?* Do you have any change? ▲rate of exchange *¿Cuál es el cambio del dólar hoy?* What is the rate of exchange on the dollar today? O**a cambio de** in exchange for *Le daré este libro a cambio de ese otro.* I'll give you this book in exchange for the other one.

camilla stretcher, litter.

caminar to walk *Es muy aficionado a caminar.* He is very fond of walking.

caminata long walk, hike.

camino road, way, highway *¿Está bien el camino para ir en auto?* Is the road all right to drive on? ▲method, way *No sé qué camino seguir para conseguirlo.* I don't know how to go about getting it.

camión [*m*] truck; [*Mex*] bus.

camisa shirt O**en mangas de camisa** in one's shirtsleeves *Estaba en mangas de camisa.* He was in his shirtsleeves.

camisería haberdashery, store for men's wear.

camiseta undershirt.

camisón [*m*] nightgown.

camote [*m*] sweet potato [*Mex, C.A.*].

campamento camp *Los soldados volverán pronto al campamento.* The soldiers will soon return to camp.

campana bell *Oímos las campanas de la iglesia.* We heard the church bells.

campanada stroke of a bell *or* a clock *No he oído cuántas campanadas eran.* I didn't hear how many times the clock struck.

campanilla small bell, handbell.

campaña campaign.

campeón [*m*] champion.

campeonato championship.

campesino, campesina peasant.

campo country, field *Vivimos durante muchos años en el campo.* We lived in the country for many years. O**campo de batalla** battlefield.

cana gray hair *Se encontró la primera cana.* She found her first gray hair.—*Tiene muchas canas.* She has a lot of gray hair.

canal [*m*] canal *Pasamos por el canal de Panamá.* We passed through the Panama Canal. ▲strait, channel *El barco se acercaba al canal de la Mancha.* The boat was approaching the English Channel.

canario canary.

canasta wide basket *Nos trajeron una canasta de fruta.* They brought us a basket of fruit.

cancha court *En este parque hay canchas de tenis.* There are tennis courts in this park. ▲popcorn [*Am*].

canción [*f*] song *¿Cuál es la canción que está más de moda?* What is the latest song hit?

candado padlock.

candela candle *Enciende la candela.* Light the candle. ▲fire, light *La candela está muy alta.* The fire is too high.

candidato candidate, applicant.

cándido simple-minded, innocent, gullible.

canela cinnamon.

cangrejo crab (*shellfish*).

canje [*m*] exchange (*publications, prisoners*).

canjear to exchange *Decidieron canjear los prisioneros.* They decided to exchange prisoners.

canoa canoe.

cansado (see **cansar**) tired *Estoy cansada.* I'm tired. ▲tiresome, boring *Ese hombre es muy cansado.* This man is very tiresome.

cansancio tiredness, fatigue *Está muerto de cansancio.* He is dead tired.

cansar to tire *Es un trabajo que cansa mucho.* It is a very tiring job. O**cansarse** to get tired *Se cansa en seguida.* She gets tired quickly.

cantaleta constant nagging ||*Siempre está con la misma cantaleta.* He is always harping on the same string.

cantante [*m, f*] singer.

cantar [*m*] song *Quiero aprender ese cantar.* I want to learn that song. ▲[*v*] to sing *El tenor ha cantado muy bien esta noche.* The tenor sang very well tonight.

cantidad [*f*] amount, quantity *¿Qué cantidad le debo?* How much do I owe you?

cantimplora canteen, water bottle.

cantina tavern, saloon [*Am*]; railroad restaurant [*Sp*].

canto singing *Es profesor de canto.* He is a singing teacher. ▲song *Me gustan los cantos populares.* I like folk songs.

canto edge. O**de canto** on edge, on its side *Ponga el libro de canto.* Stand the book on edge.

caña reed, cane *En la República Dominicana se cultiva mucha caña de azúcar.* A lot of sugar cane is grown in the Dominican Republic. ▲walking stick, cane (*of bamboo*) *Llevaba una caña.* He carried a cane. O**caña de pescar** fishing rod.

cañada ravine.

cañería water pipe, pipeline *Tienen que arreglar la cañería; está atascada.* They have to fix the water pipe; it is clogged.

cañón [*m*] barrel (*of a gun*) *Compró una escopeta de dos cañones.* He bought a double-barreled shotgun. ▲cannon, gun. ▲canyon, gorge ¿*Conoce Ud. el Cañón del Colorado?* Have you seen the Grand Canyon?

caoba mahogany.

capa (*clothing*) *Usa capa española.* He wears a Spanish cape. ▲coat *La puerta necesita otra capa de pintura.* The door needs another coat of paint. Oa **capa y espada** at any cost; through thick and thin. Oandar (*or* ir) **de capa caída** to be crestfallen *¡Pobrecillos, andan de capa caída!* Poor people, they're so crestfallen!

capacidad [*f*] capacity *Este tanque tiene una capacidad de treinta litros.* This tank has a capacity of thirty liters. ▲capability *Es un hombre de gran capacidad para los negocios.* He is a very capable businessman.

capataz [*m*] foreman *Querría hablar con el capataz.* I'd like to talk to the foreman.

capaz large *Es una habitación bastante capaz para biblioteca.* It is a room large enough for a library. ▲capable *No es capaz de una acción tan baja.* He is not capable of such a low trick. ▲able, competent *Me han dicho que es una persona muy capaz.* I've been told that he is a very competent person.

capellán [*m*] chaplain.

capilla chapel.

capital [*m*] capital *La compañía tiene un capital de un millón de dólares.* The company has a capital of a million dollars. ▲[*f*] capital (*city*) *Hicieron un viaje a la capital.* They took a trip to the capital. Opena **capital** capital punishment.

capitán [*m*] captain.

capítulo chapter *He leído sólo los tres primeros capítulos.* I've read only the first three chapters.

capotera hat *or* clothes rack [*Am*].

capricho whim, fancy *No haga caso de sus caprichos.* Don't pay any attention to her whims.

caprichoso fickle, capricious.

cápsula capsule; shell (*for short firearms*).

capturar to capture.

capullo bud; cocoon.

cara face *Tiene una cara muy bonita.* She has a very pretty face. ▲face, front *No entiendo las palabras que hay en la cara de la moneda.* I don't understand the words on the face of the coin. Ocara **a cara** right to a person's face *Se lo dijo cara a cara.* He told him right to his face. Ocara **o cruz** heads or tails.

caracol [*m*] snail. Oescalera **de caracol** spiral staircase.

carácter [*m*] character *Es un hombre de muy buen carácter.* He is a man of very good character. ▲firmness, character *En todo muestra que tiene carácter.* Everything she does shows she has character.

característica [*f*] characteristic.

¡caramba! gosh darn! heavens! *¡Caramba, qué frío hace!* Heavens, how cold it is!

caramelo caramel, candy *¿Tiene caramelos de menta?* Do you have any peppermint candy?

carbón [*m*] coal, charcoal *Hay que poner más carbón en la estufa.* You have to put more coal in the stove.

carbonera coal bin *La carbonera está llena.* The coal bin is full.

carbonero coal dealer.

carburador [*m*] carburetor.

carcajada burst of laughter, loud laughter *Se estaban riendo a carcajadas.* They were splitting their sides.

cárcel [*f*] jail, prison *Le metieron en la cárcel.* They put him in jail.

carecer [-zc-] to lack, not to have *Carece del dinero necesario para viajar.* He doesn't have enough money to travel.

carey [*m*] tortoise, tortoise shell.

carga load *Este mulo no puede llevar más carga.* This mule can't carry a heavier load. ▲cargo *Es un barco de carga.* It is a cargo ship. ▲freight *Están sacando la carga del vagón.* They're taking the freight out of the car.

cargamento load; shipment.

cargar to load *Cargaron el camión.* They loaded the truck. ▲to charge *Hay que cargar la batería.* The battery has to be charged. ▲to charge (*to one's account*) *Cargo esta cantidad en su cuenta.* I'm charging this amount to your bill.

caricatura caricature, cartoon.

caridad [*f*] charity.

cariño affection, love *Le tienen mucho cariño.* They're very fond of him.

cariñoso affectionate *Era muy cariñoso con sus padres.* He was very affectionate with his parents.

carne [*f*] meat *Generalmente como carne una vez a la semana.* I usually eat meat once a week. Ocarne **de gallina** gooseflesh *Con este frío se me pone la carne de gallina.* This cold weather gives me gooseflesh. Ocarne **de res** beef [*Am*]. Ocarne **de vaca** beef.

carnero sheep; mutton, lamb.

carnicería meat market, butcher shop.

carnicero butcher.

caro dear, expensive *Estas corbatas son muy caras.* These ties are very expensive.

carpeta briefcase [*Am*] *Necesito una carpeta de cuero.* I need a leather briefcase. ▲letter file, folder *La correspondencia está guardada en varias carpetas.* The correspondence is kept in several files.

carpintero carpenter.

carrera race *Me gustan las carreras de caballos.* I like horse races. ▲avenue, broad street [*Col*] *Viven en la Carrera Tercera.* They live on Third Avenue. ▲career *Está preparándose para la carrera diplomática.* He is preparing for a diplomatic career. Oa **la carrera** hastily, hurriedly *Lo escribió a la carrera.* He wrote it hurriedly.

carreta wagon.

carretera highway, road *En este país las carreteras son magníficas.* The highways in this country are excellent.

carro cart *Por la carretera iba un carro de mulas.* There was a mule cart on the road. ▲car, automobile [*Am*] *Vamos a ir en carro a la casa.* We're going home by car.

carruaje [*m*] carriage (*vehicle*).

carta letter *Voy a echar esta carta al correo.* I'm going to mail this letter. Oa **carta**

cabal thoroughly, in every respect *Es honrado a carta cabal*. He is thoroughly honest. **Oa la carta** à la carte. **Ocarta certificada** registered letter *Recibió una carta certificada*. He received a registered letter. **Ocarta de crédito** letter of credit. **Ocarta de presentación** letter of introduction. **Ocarta de recomendación** letter of recommendation. **Ojugar a las cartas** [*Sp*], **jugar cartas** [*Am*] to play cards *Vamos a jugar un rato a las cartas*. Let's play cards a while.

cartel [*m*] placard, bill, poster.

cartera bag *Llevaba bajo el brazo una gran cartera de cuero*. She was carrying a large leather bag under her arm. **▲**wallet *Sacó la cartera del bolsillo*. He took his wallet out of his pocket. **▲**briefcase *¿Caben muchos libros en esa cartera?* Will that briefcase hold many books?

cartero mail carrier *¿A qué hora viene el cartero?* What time does the mail carrier come?

cartón [*m*] cardboard.

casa house. **▲**home *¿Estará Ud. en casa esta tarde?* Will you be at home this afternoon? **Ocasa de comercio** commercial house, firm. **Ocasa de empeño(s)** pawnshop. **Ocasa de huéspedes** boarding house. **Ocasa de maternidad** maternity hospital (charitable institution). **Ocasa de socorro** emergency hospital.

casado (see **casar**) married *¿Es Ud. casado o soltero?* Are you married or single?

casamiento wedding, marriage.

casar to marry *Éste es el cura que los casó*. This is the priest who married them. **▲**to match *Estos colores no casan bien*. These colors don't match well. **Ocasarse** to marry, get married *Se casará el domingo próximo*. He'll be married next Sunday.

cascanueces nutcracker.

cascar to crack *¿Tiene algo con que cascar estas nueces?* Have you got something to crack these nuts?

cáscara rind, peel *Esta naranja tiene una cáscara muy gruesa*. This orange has a very thick rind. **▲**shell (*of nuts, eggs, etc.*) *¿Dónde tiro estas cáscaras de huevos?* Where do I throw these egg-shells?

cascarrabias [*adj; m & f sg*] irritable (person) crab(by) *Te estás volviendo muy cascarrabias*. You're getting to be an old crab.

casco helmet *Los soldados llevaban cascos de acero*. The soldiers were wearing steel helmets. **▲**hull (*of a ship*) *El casco del buque está averiado*. The ship's hull is damaged. **Ocalentarse los cascos** to rack one's brains *Aunque se caliente Ud. los cascos no lo resolverá*. Though you rack your brains over it, you won't solve it. **Ocasco de caballo** horse's hoof.

caserío small village, settlement.

casero, casera landlord, landlady; building superintendent. **▲**[*adj*] homemade *Son dulces caseros*. They're homemade candies.

caseta de baños locker, bathhouse.

casete [*m*] cassette.

casi almost, nearly. **Ocasi casi** very nearly *Casi casi lo ha acertado*. You very nearly guessed it.

caso case *Ha habido varios casos de parálisis infantil*. There have been several cases of infantile paralysis. **▲**occurrence, event *Les voy a contar un caso curioso*. I'm going to tell you about a strange incident. **Oen tal caso** in such a case *En tal caso avise a su familia*. In such a case, notify his family. **Oen todo caso** at all events, anyway *En todo caso nos vemos mañana*. Anyway, we'll see each other tomorrow. **Ohacer caso a** to pay attention to, heed, obey (*a person*) *No hace caso a sus padres*. He doesn't obey his parents.

castaña chestnut.

castaño chestnut tree. **▲**[*adj*] brown *Tiene el pelo castaño*. He has brown hair.

castañuela castanet.

castigar to punish *No castigue a los niños*. Don't punish the children.

castigo punishment.

castillo castle.

castizo correct, pure *Habla un español castizo*. He speaks a pure Spanish.

casual accidental, chance *Fue un encuentro casual*. It was a chance meeting.

casualidad [*f*] coincidence *¡Qué casualidad encontrarle aquí!* What a coincidence meeting you here!

catalogar to catalog, list.

catálogo catalog, list.

catarata cataract, waterfall; cataract (*of eye*).

catarro cold *He cogido un catarro horrible*. I've caught a terrible cold.

catástrofe [*f*] catastrophe.

catedral [*f*] cathedral.

catedrático professor *Es catedrático en la Universidad Nacional*. He is a professor at the National University.

categoría class, category *Los dos no son de la misma categoría*. The two are not in the same category. **▲**rank *No tiene categoría para ese puesto*. His rank isn't high enough for that position.

catolicismo Catholicism.

católico [*adj, n*] Catholic.

catorce fourteen.

catre [*m*] cot.

caucho rubber (*material*).

caudal [*m*] fortune, wealth, means *Ha aumentado mucho el caudal de esa familia*. The family fortune has increased a great deal. **▲**volume (*of water*) *El río lleva un gran caudal*. The river carries a huge volume of water.

caudillo leader, chief *Fue uno de los caudillos de la revolución*. He was one of the leaders of the revolution.

causa cause *¿Cuál fue la causa de su retraso?* What was the cause of his delay? **▲**case, trial, lawsuit *Fue una de las causas célebres de su época*. It was one of the famous cases of his time.

causar to cause, occasion *Me ha causado muchos disgustos*. He has caused me a lot of trouble.

cauto cautious, careful *Uno tiene que ser cauto en los negocios*. You have to be careful in business.

cavar to dig.

caverna cavern, cave.

cayuco dugout canoe [*Am*].

C

caza hunt, hunting *Ahora está prohibida la caza.* Hunting is forbidden now. ▲game *En esa selva hay mucha caza mayor.* There is a lot of big game in that forest. ○**andar a la caza de** to go hunting for, go in search of *Los periodistas andaban a la caza de noticias.* The reporters were hunting for news.

cazador [*m*] hunter.

cazar to hunt.

cazuela earthen cooking pot.

cebada barley.

cebo bait.

cebolla onion; bulb.

cecear to lisp.

cedazo sifter (*utensil*).

ceder to transfer, turn over, cede *Cedió todos sus bienes a su hijo.* He transferred his whole estate to his son. ▲to yield, give in *No cedió en su empeño.* He wouldn't give in.

cedro cedar.

cédula personal identification card.

cegar [*rad-ch I*] to blind *Me ciega esa luz tan fuerte.* That strong light blinds me.

ceja eyebrow. ○**tener entre ceja y ceja** to dislike, have a grudge against *Mi jefe me tiene entre ceja y ceja.* My boss has a grudge against me.

celebrar to celebrate, commemorate *Celebraron su cumpleaños con una gran fiesta.* They celebrated his birthday with a big party. ▲to praise, applaud, approve *Todos celebran sus éxitos.* They all applaud his success.

célebre famous *Fue el escritor más célebre de su tiempo.* He was the most famous writer of his day.

celebridad [*f*] celebrity.

celo zeal, enthusiasm *Trabaja con mucho celo.* He is a very zealous worker. ○**estar en celo** to be in heat (*of animals*). ○**tener celos** to be jealous *Tiene muchos celos de su mujer.* He is very jealous of his wife.

celoso jealous.

cementerio cemetery, graveyard.

cemento cement, concrete.

cena supper *¿Qué vamos a tomar de cena?* What are we having for supper?

cenar to dine, eat *¿Dónde cenaron Uds. anoche?* Where did you eat last night? ▲to have for supper *Cenamos pescado anoche.* We had fish for supper last night.

cenicero ashtray.

ceniza ashes, cinders.

censura censorship *La correspondencia tiene que pasar por la censura.* Mail has to go through censorship. ▲office of censor *Hay que enviar este artículo a la censura.* This article has to go through the censor's office. ▲reproach, criticism *Es una censura injusta la que me hace.* Your criticism is unfair.

censurar to blame, criticize *No se le puede censurar por lo que ha hecho.* You can't blame her for what she did.

centavo cent [*Am*].

centenar [*m*] a hundred *Había un centenar de personas en el local.* There were a hundred people in the hall. ○**a centenares** by hundreds *Murieron las gentes a centenares.* People died by the hundreds.

centenario centenary.

centeno rye.

centímetro centimeter.

céntimo cent [*Sp*].

centinela [*m*] sentry, guard. ○**de centinela** on sentry duty *Está de centinela.* He is on sentry duty.

central [*adj, f*] central. ○**central eléctrica** electric power plant, power- house.

centro center *Vivimos en el centro (de la ciudad).* We live in the center of the city. ▲business district, downtown *Vamos al centro.* Let's go downtown. ▲club *Hubo un baile en nuestro centro.* There was a dance at our club.

ceñir [*rad-ch III*] to fit tightly *Este cinturón me ciñe demasiado.* This belt fits me too tightly. ○**ceñirse** to confine *or* limit oneself *Cíñase Ud. al asunto.* Confine yourself to the facts.

ceño ○**mirar con ceño** to frown.

ceñudo [*adj*] scowling, frowning *Siempre está ceñudo.* He is always scowling.

cepillar to brush *Tengo que cepillar el sombrero.* I have to brush my hat. ▲to plane, make smooth *Estas tablas no están bien cepilladas.* These boards haven't been planed right.

cepillo brush (*flat, with bristles on one side*) *¿Dónde puedo comprar un cepillo?* Where can I buy a brush? ○**cepillo de cabeza** hairbrush. ○**cepillo de carpintero** carpenter's plane. ○**cepillo de dientes** toothbrush. ○**cepillo de ropa** clothes brush.

cera wax.

cerca fence *La huerta tiene una cerca de madera.* The garden has a wooden fence.

cerca de near (*in place*) *La estación está cerca del hotel.* The station is near the hotel. ▲nearly, about, almost *Son cerca de las once.* It is about eleven o'clock. ○**por aquí cerca** near here, somewhere near here *¿Hay un buen restaurante por aquí cerca?* Is there a good restaurant somewhere near here?

cercado fenced in, enclosed.

cercano near, close *Viven en una casa cercana a la nuestra.* They live in a house close to ours.

cercar to surround, fence in *Cercaron la finca con alambrado.* They fenced in the property with wire.

cerdo pig, hog; pork. ○**chuletas de cerdo** pork chops.

cereal [*adj; m*] cereal.

ceremonia ceremony *La ceremonia fue muy solemne.* The ceremony was very impressive.

cereza cherry.

cerilla match *Voy a comprar una caja de cerillas.* I'm going to buy a box of matches.

cerillo match [*Mex*].

cero zero *La temperatura está a cuarenta grados bajo cero.* The temperature is forty below zero.

cerradura lock.

cerrar to close, shut *Cierre la puerta, por favor.* Please close the door. ▲to seal *Añade unas palabras antes de que yo cierre la carta.* Add a few words before I seal the letter.

cerro hill *Desde ese cerro hay muy buena vista.* There is a very good view from that hill.

cerrojo bolt, latch.

certero well-aimed *Fue un disparo certero.* It was a well-aimed shot.

certeza assurance, certainty *Tengo la certeza de que vendrá.* I'm certain he is coming.

certificado (see **certificar**) certificate *¿Necesita Ud. un certificado médico?* Do you need a doctor's certificate? ▲piece of registered mail.

certificar to register (*a letter*) *Voy a certificar estas cartas.* I'm going to register these letters.

cervecería bar, saloon; brewery.

cerveza beer, ale *Vamos a tomar unos vasos de cerveza.* Let's drink a few glasses of beer.

cesar to stop, cease *El ruido no ha cesado en todo el día.* The noise hasn't stopped all day. ▲to dismiss, fire *Ayer cesaron a siete empleados.* Yesterday they fired seven employees.

césped [*m*] lawn, grass.

cesta basket *Compraron una cesta de fruta.* They bought a basket of fruit.

cesto large basket.

chabacano awkward, clumsy; vulgar, in bad taste *Siempre hace chistes chabacanos.* He always tells vulgar jokes. ▲[*m*] apricot [*Mex*].

chacra small farm [*S.A.*].

chal [*m*] shawl.

chaleco vest.

chalet [*m*] chalet.

chamaco youngster.

chambergo soft hat.

champú [*m*] shampoo.

chancearse to jest, joke, fool *Se chancea de todo el mundo.* He makes fun of everybody.

chancho pig, hog [*Am*].

chanchullo unlawful activity, racket *Siempre anda metido en chanchullos.* He is always in some kind of racket.

chanclos [*m pl*] rubbers.

chanza joke *Déjate de chanzas porque la cosa es muy seria.* Stop joking; it is a serious matter.

chapa plate, sheet (*of metal*) *El tejado está cubierto de chapas metálicas.* The roof is covered with sheet metal. ▲lock [*Am*] *Hay que cambiar la chapa de la puerta.* You have to change the lock on the door.

chaparro short person [*Mex*].

chaparrón [*m*] heavy shower, downpour.

chapetón [*m*] Spaniard (*fresh from Spain*) [*S.A.*].

chapetonada illness caused by change of climate [*S.A.*].

chapucería botched job, hurried job *Hágalo Ud. con cuidado, no me gustan las chapucerías.* Do it carefully. I don't like botched jobs.

chapurrear to speak (*a language*) brokenly *Chapurrea el español.* He speaks broken Spanish.

chaqueta jacket, coat.

charco puddle.

charlar to talk, chatter.

charol [*m*] patent leather.

charro cowboy [*Mex*].

chasco Odarle a uno un chasco to fool, play a joke on someone *Le dimos un chasco dejándole la cuenta.* We played a joke on him by leaving him the bill.

chato flat-nosed, pug-nosed.

chauvinismo [*m*] chauvinism *El chauvinismo puede ser un problema serio.* Chauvinism can be a serious problem.

cheque [*m*] check (*money*).

chequear to check, put a check next to [*Am*].

chica girl.

chicha chicha (*alcoholic drink made from corn*) [*Am*].

chícharo green pea [*Mex*].

chicharrón [*m*] thick crisp bacon; cracklings.

chichón [*m*] bump, lump (*on the head*).

chicle [*m*] chewing gum.

chico little, small *El cuarto en que vive es muy chico.* He lives in a very small room. ▲boy, kid *Tiene tres chicos.* She has three kids.

chiflado crazy, crackbrained.

chifladura eccentricity.

chiflón [*m*] draft [*Am*] *Por esa ventana entra un chiflón muy fuerte.* A strong draft is blowing in at that window.

chile [*f*] chili, red pepper.

chillar to screech, scream.

chillido screech, scream.

chimenea smokestack *Desde la ventana se ven las chimeneas de la fábrica.* From the window you can see the smokestacks of the factory. ▲chimney *Se subieron al tejado para limpiar la chimenea.* They climbed up on the roof to clean the chimney. ▲fireplace *Se sentaron junto a la chimenea.* They sat by the fireplace.

china, chino Chinese.

china pebble, small stone *Se me ha metido una china en el zapato.* I have a pebble in my shoe. ▲peasant girl, maid, servant [*Am*] *La china lo llevará a su casa.* The maid will take it to your house. ▲china, porcelain *¿Son de china estas tazas?* Are those cups porcelain? ▲orange [*P.R.*] *Déme una docena de chinas.* Give me a dozen oranges.

chinche [*f*] bedbug; thumbtack.

chiquilín [*m*] small child.

chiquillo, chiquilla small child.

chiripa chance *or* unexpected event [*fam*] *Me ha salido bien de chiripa.* I got it right by accident.

¡chis! Sh!

chisme gossip, malicious remark *Siempre anda metiendo chismes.* He is always gossiping.

chispa spark *¡Cuidado con las chispas que saltan de la chimenea!* Watch out for the sparks that are flying out of the fireplace. ▲little bit, small amount *No tiene chispa de tonto.* He is not at all stupid. Oechar chispas [*fam*] to rage, be furious *Cuando se lo dije echó chispas.* When I told him that, he got furious.

chistar to keep quiet. Ono *or* ni chistar not to say a word *Cuando vio a su padre ni chistó.* When he saw his father, he didn't even say a word.

chiste [*m*] joke *Contó un chiste muy gracioso.* He told a very funny joke.

chistoso funny, witty.

chocante surprising, witty [Sp]; annoying, unpleasant [Mex].

chocar to collide, crash *Chocaron los dos autos.* The two cars crashed. ▲to clash *Han chocado varias veces por sus opiniones políticas.* They often clashed over their political beliefs.

choclo green ear of corn [S.A.].

chocolate [m] chocolate.

chofer, chófer [m] chauffeur.

cholo, chola half-breed [S.A.].

choque [m] collision, crash.

chorizo Spanish sausage.

chorrear to gush, drip.

chorro jet, spurt *Abrió el grifo y salió un chorro de agua.* He turned on the faucet and a jet of water came out. ᴼa **chorros** abundantly [fam]. ᴼllover a **chorros** to pour (rain).

choza hut, cabin.

chuchería trinket; tidbit; trifle.

chueco crooked, bent [Am] *Este zapato está chueco.* This shoe is crooked.

chuleta chop.

chupar to suck.

churro a kind of cruller.

chusco funny, amusing.

cicatriz [f] scar.

ciego blind *Se está quedando ciego.* He is going blind. ▲[n] blind person *Han construido un asilo para ciegos.* They built an asylum for the blind. ᴼa **ciegas** in the dark, blindly *Se metió en ese negocio a ciegas.* He went into that business blindly.

cielo sky *El cielo estaba lleno de aviones.* The sky was filled with airplanes. ▲paradise, heaven. ▲dear, darling. *Ven aquí, mi cielo.* Come here, darling.

cien (see **ciento**) one hundred.

ciencia science. ᴼciencia ficción science fiction

científico scientist; scientific.

ciento one hundred. ᴼpor ciento percent *Gana el cinco por ciento sobre lo que vende.* He makes 5 percent on what he sells.

cierto sure, certain, true *¿Es cierto que vendrá mañana?* Is it true he is coming tomorrow? ▲certain, some *A cierta gente le gusta.* Some people like it. ▲[adv] certainly *Cierto, tiene Ud. razón.* Certainly, you're right.

ciervo deer.

cifra figure, digit (number) *¿Cuántas cifras tiene ese número?* How many digits does that number have? ▲code *La carta estaba escrita en cifra.* The letter was written in code.

cigarrera cigarette case [Am].

cigarrería place where cigars and cigarettes are made or sold [Am].

cigarrillo cigarette.

cigarro (see **puro**) cigar *Le regaló una caja de cigarros habanos.* She presented him with a box of Havana cigars. ▲cigarette *Voy a comprar un paquete de cigarros.* I'm going to buy a pack of cigarettes.

cilindro cylinder.

cima summit, peak.

cimiento foundation *Han comenzado los cimientos de la casa.* They laid the foundation of the house.

cinc [m] zinc.

cinco five.

cincuenta fifty.

cine [m] moving pictures, movies *Me gusta mucho el cine americano.* I like American movies very much. ▲movie theater *Es un nuevo cine.* It is a new movie theater.

cinematógrafo movie house.

cínico cynic; cynical.

cinta ribbon *Llevaba una cinta atada a la cabeza.* She wore a ribbon tied around her hair. ▲film (moving picture) *Es la mejor cinta del año.* It is the best film of the year. ᴼcinta de video videotape.

cintura waist *Tiene una cintura muy pequeña.* She has a very small waist. ᴼmeter en cintura to discipline, restrain *Hay que meter en cintura a ese chico.* That child has to be restrained.

cinturón [m] belt *Voy a comprar un cinturón de cuero.* I'm going to buy a leather belt.

circo circus *Este año el circo tiene diez elefantes.* This year the circus has ten elephants.

circulación [f] circulation *Este periódico tiene mucha circulación.* This paper has a large circulation. ▲traffic *No conozco el reglamento de la circulación aquí.* I don't know the traffic regulations here.

circular [f] circular, letter *He recibido una circular del banco.* I've received a circular from the bank.

circular to move about, get around *Era casi imposible circular por esa calle.* It was almost impossible to get around on that street. ▲to circulate, get around *Ha circulado esa noticia.* That news got around.

círculo circle *Estábamos sentados en círculo.* We were seated in a circle. ▲club, social circle *Comimos juntos en el círculo.* We ate together at the club.

circunstancia circumstance.

circunstante [m] bystander.

ciruela plum. ᴼciruela pasa prune.

ciruelo plum tree.

cita engagement, appointment, date *¿Acudió Ud. a la cita?* Did you keep your appointment? ▲quotation *Es una cita del Quijote.* It is a quotation from Don Quixote.

citar to call, summon *Todavía no nos han citado para la reunión.* We haven't been called to the meeting yet. ▲to make (or give) an appointment *El dentista me citó para las siete.* The dentist gave me an appointment for seven o'clock. ▲to quote, refer to *En mi artículo cité muchas veces su libro.* In my article, I referred to your book a great deal.

ciudad [f] city.

ciudadano, ciudadana citizen *¿De qué país es Ud. ciudadano?* What country are you a citizen of?

civil civil. ᴼderechos civiles civil rights.

civilización [f] civilization, culture.

civilizar to civilize.

claramente clearly, openly, frankly *Dígamelo claramente.* Tell me frankly.

claridad [f] clearness, distinctness *La claridad de la explicación lo convenció.* The clearness of the explanation satisfied him.

clarín [m] bugle, trumpet.

claro clear, transparent *Es tan claro como el agua.* It is crystal clear. ▲thin *En las sienes tiene el pelo muy claro.* His hair is thin at the temples. ▲cloudless, fair *Es un día muy claro.* It is a very clear day. ▲light *Lleva un traje azul claro.* She is wearing a light blue suit. ▲plain, clear *La explicación es clara.* The explanation is clear.

clase [f] class, kind, sort. ▲class *Era uno de los dirigentes de la clase trabajadora.* He was a leader of the working class.—*Sólo asisto a dos clases este curso.* I have only two classes this academic year. ▲classroom *Esa clase es demasiado pequeña.* That classroom is too small.

clásico classical *Anoche asistimos a un concierto de música clásica.* Last night we attended a concert of classical music. ▲[m] classic *¿Ha leído los clásicos latinos?* Have you read the Latin classics?

clasificar to sort out, classify *Todavía no han clasificado la correspondencia.* They haven't sorted the mail yet.

claustro cloister *En esa iglesia hay un claustro muy bonito.* There is a very beautiful cloister in that church.

clavar to nail *Necesito un martillo para clavar las tablas.* I need a hammer to nail the boards. ▲to stick, pin *Tenga cuidado donde clava el alfiler.* Be careful where you stick the pin. ᴼclavarse to stick, prick *Me clavé una espina en el dedo.* I got a thorn in my finger.

clave [f] key (*of a code*) *Necesito la clave para descifrar esta comunicación.* I need the key to decode this message. ▲key *Esta canción está en clave de sol.* This song is in the key of G.

clavel [m] carnation.

clavo nail *Necesito una caja de clavos.* I need a box of nails. ᴼdar en el clavo to hit the nail on the head.

clemencia mercy, clemency.

clerical clerical (*church*).

clero clergy.

cliente [m, f] client, customer.

clientela clientele.

clima [m] climate.

clínica clinic.

cobarde [m, f] coward *¡Anímese Ud.! ¡No sea cobarde!* Come on, don't be a coward! ▲[adj] cowardly *Lo que hizo fue muy cobarde.* It was a cowardly thing he did.

cobardía cowardice.

cobija cover, blanket [Am] *¿Cuántas cobijas tiene la cama?* How many blankets are there on the bed?

cobrador [m] collector (*bills, taxes*) *Les visitó el cobrador de impuestos.* The tax collector called on them.

cobranza collection *La cobranza de impuestos está bien organizada.* The collection of taxes is well organized.

cobrar to collect, receive *¿Cobró el dinero que le debían?* Did you collect the money they owed you? ▲to cash *En esta ventanilla puede cobrar su cheque.* You can cash your check at this window. ▲to charge *Cobran muy caro en esa tienda.* They charge high prices at that store.

cobre [m] copper.

cobro collection (*of money due*) *Presentó la factura al cobro.* He presented the bill for collection.

coca coca (*plant from which cocaine is obtained*) [Am].

cocal [m] coconut plantation [Am].

cocer [rad-ch I] to boil *Cueza Ud. esas papas.* Boil those potatoes. ▲to bake *El pan se está cociendo en el horno.* The bread is baking in the oven.

coche [m] carriage, coach *Tienen un coche de dos caballos.* They have a two-horse carriage. ▲car *Acaban de comprar un coche nuevo.* They've just bought a new car. ᴼcoche-cama sleeping car. *¿Lleva coche-cama este tren?* Does this train have a sleeping car? ᴼcoche-comedor dining car.

cochero coachman *Déle la dirección al cochero.* Give the address to the coachman.

cochino hog, pig. ▲swine (*insult*) ▲dirty, filthy, vile *¡Qué cochinos están estos niños!* How filthy these children are!

cocina kitchen *La cocina de esa casa es muy bonita.* The kitchen in that house is very nice. ▲cuisine, cooking *Me gusta la cocina francesa.* I like French cooking.

cocinar to cook *Su mujer cocina muy bien.* His wife cooks very well.

cocinero, cocinera cook.

coco coconut; coconut tree.

cocotero coconut tree.

coctelera cocktail shaker.

codicioso greedy *Es un hombre codicioso.* He is a greedy man.

código code (*of laws*). ᴼcódigo civil civil law. ᴼcódigo militar military law.

código de área area code *Tienes que aprenderte el nuevo código de área.* You have to learn the new area code.

código de barras bar code.

código postal [m] zip code.

codo elbow *Se está rompiendo la chaqueta por los codos.* The jacket is wearing through at the elbows.—*Se sale el agua por el codo de la cañería.* The water is leaking from the elbow of the pipe.

cofre [m] (see also **baúl**) trunk [Am]; chest [Sp] *Cerró el cofre con llave.* He locked the trunk with a key.

coger to catch *Cogieron al ladrón.* They caught the thief. ▲to pick, gather *Van a empezar a coger las naranjas.* They're going to start picking oranges.

coincidencia coincidence.

coincidir to coincide, agree *Los dos relatos no coinciden.* The two statements don't agree.

cojear [see **renguear**] to limp, hobble *Cojea un poco del pie derecho.* He limps slightly on his right foot.

cojín [m] pad, cushion *Ponga esos cojines en el diván.* Put those cushions on the couch.

col [f] cabbage.

cola tail *El perro movía la cola.* The dog was wagging his tail. ▲train (*of dress*) *Llevaba un vestido de cola.* She wore a dress with a train. ▲line of people *Esta es la cola para sacar los boletos.* This is the ticket line. ᴼhacer cola to stand in line *He estado haciendo cola más de dos horas.* I have been standing in line for more than two hours.

colaboración [f] collaboration, working together *Escribe en colaboración con su hermano.* He writes in collaboration with his brother.

colaborador [m] collaborator, co-worker. ▲contributor (*to a periodical, etc.*) *Es uno de los mejores colaboradores de este periódico.* He is one of the best contributors to this newspaper.

colaborar to collaborate, cooperate; to contribute.

colador [m] colander, strainer *Ponga las verduras en el colador.* Put the vegetables in the strainer.

colar to strain *El jugo de naranja no está bien colado.* The orange juice isn't well strained.

colcha bedspread, blanket *Tienen una colcha azul sobre la cama.* They have a blue bedspread on the bed.

colchón [m] mattress.

colección [f] collection (*of things*) *Tiene una buena colección de cuadros modernos.* He has a good collection of modern paintings.

coleccionar to collect (*stamps, coins, etc.*).

colecta collection (*charity*).

colectivo collective *Los intereses colectivos deben protegerse.* Collective interests must be protected.

colega [m] fellow worker, colleague.

colegio school (*private*) *Acaba de entrar en el colegio.* He has just entered school ▲association, college *Es miembro del colegio de periodistas.* He is a member of the journalists association.

cólera [f] anger, rage, fury *Eso le dio mucha cólera.* That made him very angry.

cólera [m] cholera.

colgado (see **colgar**) dangling *Llevaba el reloj colgando del bolsillo.* His watch was dangling from his pocket.

colgar [*rad-ch-I*] to hang *Cuelgue aquí sus ropas.* Hang your clothes here. ▲to hang (*by the neck*) *Merecía que lo colgaran.* He deserved to be hanged.

colina hill.

collar [m] necklace; collar.

colmena beehive.

colocación [f] job, position *¿Le gusta su nueva colocación?* Do you like your new job? ▲arrangement *¿Le agrada la colocación de los muebles?* Do you like the arrangement of the furniture?

colocar to put, arrange *Voy a colocar estas flores.* I'm going to arrange these flowers. ▲to take on *Colocaron muchos empleados nuevos.* They took on many new employees. ○colocarse to take a job *Me he colocado en un banco.* I've taken a job in a bank.

colonia colony *Jamaica fue una colonia inglesa.* Jamaica was an English colony. ▲suburb, (real estate) development *Hay lindas colonias en los alrededores de la capital.* There are beautiful developments on the outskirts of the capital. ○agua de colonia eau de cologne.

colonial [adj] colonial.

colonizador [m] colonizer.

colono tenant farmer *Tiene muchos colonos en la hacienda.* He has many tenants on his land. ▲colonist *Los primeros colonos americanos llegaron en el siglo diecisiete.* The first American colonists arrived in the 17th century.

color [m] color *Todo lo ve color de rosa.* He sees the world through rose-colored glasses. ▲blush, flush *Le hizo salir los colores (a la cara).* He made her blush.

colorado [adj] red. ○ponerse colorado to blush.

colorear to color (*a map, etc.*).

colorido colors, coloring *El colorido de este cuadro es muy brillante.* The colors of this painting are very bright.

colosal huge, gigantic, colossal; "terrific."

columna column.

coma comma.

comadre [f] (*term of address between mother and godmother of a child*); gossip; old woman (*among country people*).

comandante [m] commander; major.

combate [m] combat, battle, fight.

combatir to combat, fight, oppose, attack.

combinación [f] combination; (woman's) slip.

combinar to combine, join, unite.

combustible [m] fuel *¿Con qué clase de combustible funciona esta máquina?* What kind of fuel do you use in this machine?

comedia comedy; play.

comedor [m] dining room.

comentar to comment on *Comentaban su nuevo libro.* They were commenting on his new book.

comentario remark, comment, commentary *No hay que hacer comentarios.* One should not make comments.

comenzar [*rad-ch-I*] to begin, commence *¿Cuándo comienza la función?* When does the performance begin?

comer to eat. ▲to dine *¿A qué hora comen Uds.?* What time do you have dinner? ▲to fade *El sol come los colores.* The sun fades colors. ○comerse to eat up *Se han comido todo el pastel.* They ate up all the cake. ▲to omit, skip *Se ha comido un renglón.* He skipped a line.

comercial commercial.

comercio commerce, trade, business *Ha hecho mucho dinero en el comercio de frutas.* He has made a lot of money in the fruit business. ▲store, shop *Tienen un comercio de trajes.* They own a dress shop. ○cámara de comercio chamber of commerce. ○comercio exterior foreign trade. ○comercio interior domestic trade.

comestible edible, good to eat. ○comestibles [m, pl] provisions, groceries *En esta calle hay una tienda de comestibles.* There is a grocery store on this street.

cometa [m] comet; [f] kite.

cómico comic, funny, amusing *¡Qué situación más cómica!* What an amusing situation! ▲[n] actor, actress *Son unos cómicos malísimos.* They're very bad actors.

comida food *La comida es muy buena en este hotel.* The food in this hotel is very good. ▲dinner *¿A qué hora es la comida?* When is dinner served?

comienzo beginning, start.

comilón [m] glutton.

comisaría police station.

comisario de policía chief of police.

comisión [*f*] assignment *Le han dado una comisión difícil.* They gave him a difficult assignment. ▲committee, delegation *Ha llegado una comisión de diputados.* A committee of congressmen has arrived.

comisionado agent, commissioner.

comisionar to commission *Han sido comisionados por el gobierno.* They've been commissioned by the government.

como how *Voy a decirle como lo tiene que hacer.* I'll tell you how to do it. ▲as *Como Ud. quiera.* As you like it. ▲as, since *Como no me lo dijo, no fui.* Since he didn't tell me, I didn't go. ▲like *Nada como un pez.* He swims like a fish. ▲if *Como Ud. no se lo diga, él no lo hará.* If you don't tell him, he won't do it.

¿cómo? why? how come? *¿Cómo no me lo dijo?* Why didn't you tell me?

cómoda chest of drawers.

comodidad [*f*] convenience *La casa tiene todas las comodidades.* The house has all the conveniences. ▲ease, comfort *Viven con mucha comodidad.* They live very comfortably.

cómodo convenient, suitable, handy *Una maleta de este tamaño es muy cómoda.* A valise of this size is very handy. ▲comfortable *¿Está Ud. cómodo?* Are you comfortable?

compadecer [-*zc*-] to pity, sympathize with *Le compadezco a Ud.* I sympathize with you.

compadre [*m*] (*term of address between father and godfather of a child*); pal (*among country people*).

compañero, compañera companion, pal, schoolmate *Fueron compañeros de estudios.* They were schoolmates.

compañía company *Trabaja en una compañía de seguros.* He works for an insurance company. ▲company of actors, stock company *¿Le gusta la compañía que hay en ese teatro?* Do you like the company at that theater? ○**hacer compañía (a)** to keep company (with) *Está sola; hágale compañía.* She is lonely; keep her company.

comparable comparable.

comparación [*f*] comparison.

comparar to compare *Compare esta copia con el original.* Compare this copy with the original.

comparecer [-*zc*-] to appear (*in answer to summons*) *Los testigos comparecieron ante el juez.* The witnesses appeared before the judge.

compartir to share *Compartieron lo que tenían.* They shared what they had. —*No comparto su opinión.* I don't share his opinion.

compás [*m sg*] compass *Es difícil dibujar un círculo sin un compás.* It is hard to draw a circle without a compass. ▲beat, rhythm, time *No sabe llevar el compás.* He can't keep time.

compasión [*f*] compassion, pity, sympathy *No tiene compasión de nadie.* He has no pity for anybody.

compatriota [*m, f*] (fellow) countryman, fellow citizen.

compensar to balance, compensate *Las ganacias compensan los gastos.* The income balances the expenses.

competencia competition, rivalry *Hay mucha competencia en el comercio.* There is a lot of competition in business.

competir [*rad-ch III*] to compete *No va a competir en el campeonato.* He is not going to compete for the championship.

complacer [-*zc*-] to please, accommodate *¿En qué puedo complacerla?* How can I help you?

complaciente pleasing, accommodating, kind *Es una persona complaciente.* She is a very accommodating person.

completar to complete, finish *No han completado el informe.* They haven't completed the report.

completo complete *¿Está completo este juego de té?* Is this tea set complete? ▲full *El tranvía va completo.* The trolley is full.

complicación [*f*] complication.

complicar to complicate *No complique la cuestión.* Don't complicate the matter.

cómplice [*m, f*] accomplice.

componer [*irr*] to repair, fix *¿Compusieron el reloj?* Did they repair the watch? ▲to compose *Ha compuesto una sonata.* He has composed a sonata. ○**componerse** to fix oneself, to doll up *Se compuso mucho para ir al baile.* She dolled up a lot to go to the dance.

composición [*f*] composition.

compositor [*m*] composer *¿Quién es el compositor de esta sinfonía?* Who is the composer of this symphony?

compostura mending, repair(s), repairing *Hacemos toda clase de compostura.* We make all kinds of repairs.

compota stewed fruit.

compra purchase, buy *Hicimos una buena compra.* We made a good buy. ○**hacer la compra** to do the day's marketing *La abuela salió a hacer la compra.* The grandmother went out to do the day's marketing. ○**ir de compras** to go shopping.

comprador, compradora buyer, purchaser *Tiene varios compradores para la finca.* He has several buyers for the property.

comprar to buy, purchase.

comprender to understand, comprehend *¿Comprende Ud. español?* Do you understand Spanish? ▲to include, comprise, cover *Esta historia comprende también la época contemporánea.* This history also includes the contemporary period.

comprensión [*f*] comprehension, understanding.

comprimir to compress.

comprobar [*rad-ch I*] to verify, confirm, check *Comprobaron las cuentas.* They checked the accounts. ▲to substantiate, verify *No se pudo comprobar la inocencia del acusado.* The defendant's innocence could not be verified.

comprometer to risk *No comprometan Uds. su fortuna en eso.* Don't risk your fortune on that. ▲to expose, jeopardize, endanger *Está comprometiendo su carrera política.* He is jeopardizing his political career. ○**comprometerse** to get involved *No se comprometa en eso.* Don't get yourself involved in that. ▲to become engaged *Se comprometieron ayer.* They became engaged yesterday.

compromiso obligation, engagement *No puedo ir con Ud., tengo un compromiso.* I can't go with you; I have an engagement. ▲predicament, plight, fix *Se encontró en un compromiso terrible.* He found himself in a terrible fix. O**compromiso matrimonial** engagement *Rompió su compromiso matrimonial.* She broke her engagement.

compuesto (see **componer**).

computador [m] computer *Los computadores son una necesidad en el mundo de hoy.* Computers are a need in today's world.

computador personal [m] personal computer.

computarizar to computerize.

común common, usual, general *Fue la opinión común.* It was the general opinion.

comunicación [f] communication.

comunicar to communicate, transmit, send, issue *Comunique esta orden a sus empleados.* Issue this order to your employees. O**comunicarse** to connect *Las dos habitaciones se comunican.* The two rooms are connected.

comunicativo communicative *Es una persona muy comunicativa.* He is very communicative.

con with *Salió con su hermano.* She left with her brother. O**con tal que** provided that.

concebir [rad-ch III] to imagine *No concibo qué motivo puede tener para hacer eso.* I can't imagine what reason he has for doing that.

conceder to give, grant *Le han concedido una pensión.* They've granted him a pension.

concejal [m] councilman, councilwoman.

concejo municipal council.

concentrar to concentrate.

concepto judgment, opinion, thought *Tengo buen concepto de él.* I have a good opinion of him.

concesión [f] concession, grant.

conciencia conscience *Me remuerde la conciencia.* My conscience bothers me. ▲scruples *Es un hombre sin conciencia.* He is a man without scruples. ▲religion *En este país no hay libertad de conciencia.* There is no freedom of religion in this country. ▲consciousness *Con el golpe perdió la conciencia.* He lost consciousness as a result of the blow.

concierto concert *¿Va Ud. al concierto esta noche?* Are you going to the concert tonight?

conciliar to conciliate, reconcile *Es difícil conciliar todas las opiniones.* It is difficult to reconcile all the opinions.

concisión [f] conciseness *La concisión es una virtud.* Conciseness is a virtue.

concluir to conclude, end, finish, close *¿A qué hora concluyó la sesión?* What time did the meeting end?

conclusión [f] conclusion *¿Se ha llegado a alguna conclusión?* Has any conclusion been reached?

concretar to express concretely *Concrete su idea.* Express your idea concretely. O**concretarse** to limit *or* confine oneself *Concrétese al tema.* Confine yourself to the subject.

concreto definite, concrete *¿Le ha dicho a Ud. algo concreto?* Has he told you anything definite?

concurrir to attend *Mucha gente concurrió a la sesión.* Many people attended the meeting.

concurso competition, contest *¿Quiénes se presentaron al concurso?* Who took part in the contest?

condado county, borough.

conde [m] count (*title*).

condena sentence, term of imprisonment, penalty *Cumplió su condena en el penal de Attica.* He served his sentence at Attica.

condenar to prove, find *or* declare guilty *¿Ud. cree que lo condenarán?* Do you think they'll find him guilty? ▲to sentence *Le condenaron a treinta años de cárcel.* They sentenced him to thirty years in prison. ▲to condemn, blame *Condenaron su conducta.* They condemned his behavior.

condensar to condense *Tienen un nuevo procedimiento para condensar la leche.* They have a new process for condensing milk.

condición [f] condition, character *Es un hombre de mala condición.* He is a man of bad character. O**a condición de que, con la condición de que** on the understanding that, on condition that, provided (that) *Iré a condición de que Ud. vaya conmigo.* I'll go provided you go with me. O**condiciones** qualities *Tiene buenas condiciones, pero está mal educada.* She has good qualities, but she is badly brought up. ▲terms *¿Cuáles son las condiciones del contrato?* What are the terms of the contract? ▲condition, quality, state *¿En qué condiciones está el edificio?* What condition is the building in?

condiscípulo, condiscípula schoolfellow, schoolmate, fellow student.

condominio condominium, apartment.

cóndor [m] condor.

conducir [-zc-] to lead *¿Adónde conduce este camino?* Where does this road lead? ▲to take, accompany *Conduzca a este señor a mi oficina.* Take this gentleman to my office. ▲to drive *Ud. conduce a demasiada velocidad.* You drive too fast. O**conducirse** to act, behave *Se conduce como una persona educada.* She acts like a well-bred person.

conducta conduct, behavior.

conductor [m] driver, motorman *Se prohíbe hablar al conductor.* Don't talk to the driver. ▲conductor of train [*Mex*].

conectar to connect *¿Han conectado la antena del televisor?* Have they connected the television antenna?

conejo rabbit.

conexión [f] connection *No tiene conexión una cosa con la otra.* There is no connection between the two things.

confección [f] workmanship, finish *La confección del vestido es muy mala.* The workmanship on the dress is very bad.

confederación [f] confederacy, federation.

conferencia conference, meeting *Hubo muchas conferencias entre los ministros y senadores.* The ministers and the senators held many conferences. ▲public lecture *Está dando unas conferencias sobre* *literatura.* He is giving some lectures on literature.

conferenciar to confer, consult together, hold an interview *Después de conferenciar varias horas hicieron públicos los acuerdos.* After conferring for several hours, they made the agreements public.

confesar [rad-ch *I*] to admit, confess *Confesó su delito.* He confessed his crime.

confesión [*f*] confession, acknowledgment.

confiado (see **confiar**) trusting, unsuspecting *Son unas personas muy confiadas.* They're very trusting people.

confianza confidence, faith *Han perdido la confianza en él.* They've lost confidence in him. O**de confianza** informal, intimate *Fue una reunión de confianza.* It was an informal meeting. O**en confianza** confidentially, in confidence *Le digo esto en confianza.* I'm telling you this confidentially. O**persona de confianza** right-hand person *Es su persona de confianza.* He is his right-hand person.

confiar to entrust to, put in charge of *Le confiaron la administración de sus negocios.* They put him in charge of their business. O**confiar en** to rely on, trust in, count on *Ud. puede confiar en él.* You can rely on him.

confidencia confidence, trust O**hacer confidencias** to confide *Me ha estado haciendo confidencias.* He has been confiding in me.

confidencial confidential.

confirmación [*f*] confirmation.

confirmar to confirm, corroborate *La prensa confirmó los rumores.* The press confirmed the rumors.

confitería candy store, confectionery; candy.

conflicto conflict, struggle.

conforme as *Todo queda conforme estaba.* Everything remains as it was.—*Conforme leía, más me interesaba.* As I was reading, I became more interested. O**conforme a** in accordance with, in line with *Conforme a su petición...* In accordance with your request...

confundido confused, mistaken. O**estar confundido** to be mistaken, confused. O**quedar confundido** to be extremely embarrassed *Al ver lo que había hecho, quedó confundido.* On seeing what he had done, he was extremely embarrassed.

confundir to confound, jumble, mix up *Han confundido todas las tarjetas.* They've mixed up all the cards. ▲to mistake *Ud. me confunde con mi hermano.* You are mistaking me for my brother.

confusión [*f*] confusion, disorder *Hubo unos momentos de confusión.* There were a few moments of confusion. ▲embarrassment, confusion.

confuso confusing, not clear *Los informes eran confusos.* The reports were confusing. ▲hard to read *or* understand *Su letra es confusa.* His handwriting is hard to read. ▲hazy, vague *Tengo un recuerdo confuso.* I have a vague recollection.

congestión [*f*] congestion, traffic jam.

congestionado congested *El tráfico está congestionado.* The traffic is congested.

congraciarse to get into one's good graces *Quería congraciarse con la madre de su novia.* He wanted to get into the good graces of his sweetheart's mother.

congregación [*f*] congregation.

congregar to congregate, assemble *El cura congregó a los fieles en la iglesia.* The priest assembled the parishioners in the church. O**congregarse** to gather, assemble *Los manifestantes se congregaron en la plaza.* The demonstrators gathered in the square.

congreso congress, convention. O**Congreso de los Diputados** House of Representatives.

conjetura conjecture, guess *Se hacían muchas conjeturas sobre lo que iba a ocurrir.* There was a great deal of conjecture as to what would happen.

conjunto joint, unified *Acción conjunta.* Joint action. ▲[*m*] whole, entirety *Vale más el conjunto que las partes.* The whole is worth more than the parts.

conmemorativo commemorative.

conmigo with me *Fueron conmigo de paseo.* They went for a walk with me.

conocer [-zc-] to know, understand *Conoce muy bien el problema.* He knows the problem very well. ▲to know, be acquainted with *¿Conoce al Sr. López?* Do you know Mr. López? O**conocerse** to meet, become acquainted *Nos conocimos la semana pasada.* We met last week.

conocido (see **conocer**) prominent, well known *Era muy conocido en su país.* He was well known in his country. ▲[*n*] acquaintance *Es un conocido nuestro.* He is an acquaintance of ours.

conocimiento knowledge, understanding *Tiene muy pocos conocimientos de geografía.* He has very little knowledge of geography. ▲consciousness *Todavía no ha recobrado el conocimiento.* He still hasn't regained consciousness.

conquista conquest.

conquistador [*m*] conqueror *Alejandro fue un gran conquistador.* Alexander was a great conqueror. ▲Don Juan, lady-killer *Tenga Ud. cuidado con él; es un conquistador.* Be careful with him; he is a Don Juan.

conquistar to conquer, overcome, subdue *Conquistaron la ciudad.* They conquered the city. ▲to win *No pude conquistar su amistad.* I wasn't able to win his friendship.

consagrar to devote, dedicate; to consecrate *Consagró toda su vida a la ciencia.* He devoted his whole life to science. O**consagrarse** to devote oneself *Se consagra a su trabajo.* He devotes himself to his work.

consciente conscious.

consecuencia consequence *La disputa tuvo malas consecuencias.* The quarrel had unfortunate consequences.

conseguir [rad-ch *III*] to attain, get, obtain *Conseguí lo que quería.* I got what I wanted. ▲to succeed in *Consiguió salir de la casa.* He succeeded in getting out of the house.

consejero adviser, counselor.

consejo advice, counsel *No necesito sus consejos.* I don't need your advice. ▲council *Lo acordó el consejo.* The council agreed on it. O**consejo de ministros** cabinet (*of a government*).

consentimiento consent *No ha dado su consentimiento.* He hasn't given his consent.

consentir [*rad-ch II*] to allow, permit, tolerate *¿Cómo lo consiente Ud.?* Why do you permit it? ▲to coddle, spoil *Consentían demasiado a sus nietos.* They spoiled their grandchildren.

conserva Oconservas preserves; canned food. Oen conserva canned *Me gustan las frutas en conserva.* I like canned fruits.

conservación [*f*] conservation, maintenance.

conservador [*adj; m*] conservative.

conservar to conserve, preserve, keep *Ponga esta fruta en el refrigerador para que se conserve bien.* Put this fruit in the refrigerator so it will keep. ▲to keep *Conservó el retrato durante muchos años.* He kept the picture for many years. Oconservarse to keep (oneself) young, be well preserved *Se conserva muy joven.* He keeps himself very young.

considerable considerable, great, large *Es una cantidad considerable.* It is a large amount.

consideración [*f*] consideration, account *Lo tomaré en consideración.* I'll take it into consideration. ▲respect *No tuvo ninguna consideración con ella.* He showed her no respect.

considerado thoughtful, tactful.

considerar to consider, think over *Considere de nuevo el problema.* Consider the problem again. ▲to show consideration *Lo consideran mucho.* They show him every consideration.

consigo with him(self), with her(self), with it(self), etc. *Lleve Ud. el dinero consigo.* Take the money with you.

consiguiente consequent Opor consiguiente consequently, therefore.

consistir en to be a question *or* matter of *La felicidad consiste en la moderación.* Happiness is a question of moderation.

consolar [*rad-ch I*] to console, comfort.

consolidar to strengthen, consolidate *Hay que consolidar la República.* It is necessary to strengthen the Republic.

conspiración [*f*] conspiracy, plot.

conspirador, conspiradora conspirator.

conspirar to conspire, plot.

constancia perseverance *Todo lo consigue por su constancia.* He gets everything through perververance. ▲record, statement *No hay constancia de lo que ha dicho.* There is no record of what he said.

constante firm, faithful, constant.

constar to be evident, be clear, be certain *Consta que es así.* It is clear that it is so. ▲to be recorded *or* registered *Eso consta en las actas.* That is recorded in the minutes. Oconstar de to be composed of, consist of *La obra consta de treinta capítulos.* The book consists of thirty chapters.

constitución [*f*] constitution *La constitución del país es muy democrática.* The country's constitution is very democratic.—*Es un hombre de una constitución muy fuerte.* He has a strong constitution.

constitucional constitutional.

constituir to constitute, be *Esto constituye la parte esencial de la obra.* This is the essential part of the work. ▲to establish, organize, constitute *Constituyeron una nueva firma comercial.* They established a new firm.

construcción [*f*] construction *Han empezado la construcción del nuevo ferrocarril.* They've begun the construction of the new railroad. ▲structure, building *Es la mayor construcción de la ciudad.* It is the biggest building in the city.

constructor [*m*] builder.

construir to build, construct.

consuelo consolation, comfort.

cónsul [*m*] consul.

consulado consulate.

consulta consultation, conference *Se reunieron en consulta.* They met in conference. ▲office hours *¿A qué hora tiene el doctor la consulta?* What are the doctor's office hours?

consultar to consult (about) *Tengo que consultarle una cosa.* I want to consult you about something. Oconsultar con la almohada to sleep on, think over *Antes de decidirlo, consúltelo con la almohada.* Sleep on it before deciding.

consumado complete, perfect, accomplished *Es un nadador consumado.* He is an accomplished swimmer.

consumar to carry out, commit (*an evil action*) *Consumaron el crimen.* They committed the crime.

consumidor, consumidora consumer.

consumirse to be used up, run out *Se consumieron todas las provisiones.* All the supplies ran out. Oconsumirse de to be consumed with *Se consume de curiosidad.* He is consumed with curiosity.

consumo consumption *No es grande el consumo diario.* Daily consumption isn't large.

contabilidad [*f*] bookkeeping, accounting.

contable [*m, f*] bookkeeper, accountant.

contacto contact, touch. ▲ignition (*of motors*) *Encienda el contacto.* Turn on the ignition.

contado (see **contar**) few *Son contadas las personas que lo saben.* Very few people know it. Oal contado (for) cash *¿Va a pagar al contado?* Will you pay cash?

contador [*m*] accountant, bookkeeper. ▲meter (*for gas, water, electricity, or taxi*).

contagiar to infect.

contagio contagion.

contagioso contagious *El tifus es una enfermedad contagiosa.* Typhus is a contagious disease.

contaminar to contaminate, pollute.

contar [*rad-ch I*] to count *Cuente el cambio.* Count your change. ▲to relate, tell *Contaron muy bien la historia.* They told the story very well. Ocontar con to depend upon, count on *Cuento con su ayuda.* I'm counting on your help.

contemplación [*f*] contemplation (*in visual sense*).

contemporáneo [*adj, n*] contemporary.

contener [*irr*] to check, curb, control *No podía contener el caballo.* He couldn't con-

C

trol the horse. ▲to contain *La botella contenía vino.* The bottle contained wine. Ocontenerse to control oneself *Se contiene admirablemente.* He controls himself admirably.

contenido (see **contener**) [m] contents *¿Puedo ver el contenido del paquete?* May I see the contents of the package?

contentar to satisfy, please *Es muy difícil de contentar.* He is very hard to please. Ocontentarse to be satisfied *No se contenta con nada.* He isn't satisfied with anything.

contento happy, glad *Estaba muy contento.* He was very happy.

contestación [f] reply, answer *No he recibido contestación a mi carta.* I haven't received a reply to my letter.

contestar to answer, reply *No ha contestado a mi carta.* He hasn't answered my letter yet.

contigo with you *No sabía que tu madre vivía contigo.* I didn't know that your mother lived with you.

contiguo adjacent, next *Se oían voces en el cuarto contiguo.* They heard voices in the next room.

continente [m] continent.

continuación [f]continuation; sequence. Oa continuación immediately, right away *Entró y a continuación se sentó.* He came in and immediately sat down.

continuar to continue, pursue, carry on *Continúa sus estudios.* He is pursuing his studies. ▲to remain *Su estado continúa lo mismo.* His condition remains the same.

continuo continuous, uninterrupted.

contorno neighborhood *Es conocido en todo el contorno.* He is known in the whole neighborhood. ▲contour, outline *El contorno de la figura no es claro.* The outline of the figure isn't clear.

contra against *¡Apoye la escalera contra la pared!* Put the ladder against the wall! ▲against, in opposition to *Los diputados votaron contra la proposición.* The representatives voted against the proposition. Ocontra viento y marea against all odds *Contra viento y marea consiguió lo que quería.* He got what he wanted against all odds. Oen pro y en contra for and against.

contrabando contraband, smuggling.

contradecir [irr] to contradict *Se enfada si le contradicen.* He gets angry if he is contradicted. Ocontradecirse to contradict oneself *Se contradijo varias veces en su declaración.* He contradicted himself several times in his testimony.

contradicción [f] contradiction.

contraer [irr] to contract *Contrajo esa enfermedad hace muchos años.* He contracted that illness many years ago. ▲to incur, run into *Contrajeron deudas.* They ran into debt. Ocontraer matrimonio to marry, get married *Contraerán matrimonio el próximo sábado.* They'll get married next Saturday.

contrahecho deformed, crippled.

contraorden [m] countermand.

contrariar to thwart, change, spoil (*a plan*) *Esto contraría todos mis planes.* This spoils all my plans. ▲to annoy *Esto me contraría mucho.* This annoys me very much.

contrariedad [f] disappointment *Fue una contrariedad no verle.* It was a disappointment not to see him.

contrario contrary *Esto es contrario a la ley.* This is against the law. ▲adverse, unfavorable *El fallo fue contrario.* The verdict was unfavorable. ▲[n] opponent *Ganaron el pleito sus contrarios.* His opponents won the lawsuit. Oal contrario on the contrary *"¿Ha dicho eso?" "Al contrario, no lo ha dicho."* "Did he say that?" "On the contrary, he didn't say that." Ode lo contrario otherwise, if not *Saldré a las seis; de lo contrario llegaré tarde.* I'll leave at six; otherwise, I'll be late.

contraseña countersign; pass, check (*for hat, baggage,* or *for readmittance*).

contrastar to contrast, be opposed *Sus ideas contrastaban con la mías.* His ideas were opposed to mine.

contraste [m] contrast.

contratar to engage, hire *Le han contratado por un año.* They hired him for one year.

contratista [m] contractor.

contrato contract.

contribución [f] contribution. ▲tax *Han aumentado mucho las contribuciones.* They have raised the taxes considerably.

contribuir to contribute.

control [m] control.

controlar to control.

convalecencia convalescence.

convencer to convince. Oconvencerse to become (*or* be) convinced *No se convence fácilmente.* He is not easily convinced.

convencido (see **convencer**) convinced.

conveniencia self-interest, good, advantage *No mira más que su propia conveniencia.* He only looks out for his own good.

conveniente suitable *Este clima es muy conveniente para él.* This climate is very suitable for him. ▲convenient *¿Será esta hora conveniente para Ud.?* Will this time be convenient for you? ▲desirable, advisable *Es conveniente para su salud.* It is advisable for his health.

convenir [irr] to agree *Convengo con Ud. en ese punto.* I agree with you on that point. Oconvenirle a uno to be to one's advantage, be advisable, suit *No le conviene aceptar ese empleo.* It isn't advisable for him to take that position.

convento convent; [Arg] tenement house.

conversación [f] conversation, talk.

conversar to talk, converse *Le gusta conversar.* He likes to talk.

convertir [rad-ch I] to convert, turn *Han convertido la casa en un museo.* They've converted their house into a museum. Oconvertirse to be converted *Se convirtió al catolicismo.* He became a Catholic.

convicción [f] conviction, belief.

convidado (see **convidar**) invited. ▲[n] guest *¿Había muchos convidados en la cena?* Were there many guests at the dinner?

convidar to invite *Me convidaron a pasar unos días en su casa.* They invited me to spend a few days at their house. Oconvidarse to invite oneself, come uninvited

Se convida siempre a comer. He always invites himself for dinner.

convite [*m*] treat; invitation *¿Esto es un convite o tenemos que pagar?* Is this a treat or do we have to pay?

convocar to convoke, call *¿Han convocado ya la reunión?* Have they called the meeting yet?

coñac [*m*] cognac, brandy.

cooperativa [*f*] cooperative (*enterprise*).

cooperativo [*adj*] cooperative.

copa glass, stem, goblet *Llenó las copas de vino.* He filled the glasses with wine. ▲drink *Se fueron a tomar unas copas.* They went out to get a few drinks. ▲tree-top *Las copas de los árboles estaban llenas de pájaros.* The trees were full of birds.

copia copy *Necesito tres copias de esta carta.* I need three copies of this letter. — *Este cuadro es una buena copia del original.* This painting is a good copy of the original.

copiar to copy, make a copy of; to imitate.

copla couplet; popular song.

copo flake (*of snow, soap, etc.*).

coqueta coquette, flirt *Es la mujer más coqueta que he conocido.* She is the biggest flirt I've ever known.

coquetear to flirt *Coquetea con todo el mundo.* She flirts with everybody.

coraje [*m*] anger; courage, bravery. O**darle a uno coraje** to make one angry *or* mad *Lo que le dijeron le dio mucho coraje.* What they told him made him very mad.

coral [*m*] coral.

corazón [*m*] heart. ▲core (*of fruits*). O**dar el corazón, decir el corazón** to have a premonition *or* hunch *Me da el corazón que no vendrá.* I've a hunch he isn't coming. O**de buen corazón** kind-hearted *Es un hombre de buen corazón.* He is a kind-hearted man.

corazonada presentiment, hunch.

corbata necktie, tie *¿Qué tipo de corbata quiere Ud?* What kind of tie do you want?

corcho cork.

cordel [*m*] thin rope, cord.

cordero lamb.

cordial cordial, hearty.

cordillera mountain range.

cordón [*m*] cord, twine, lace *Quiero comprar unos cordones de zapatos.* I want to buy some shoelaces. ▲cordon (*of police or soldiers*).

corneta [*f*] bugle; cornet.

corneta [*m*] bugler.

coro chorus, choir.

corona crown; wreath.

coronar to crown *Aquel rey fue coronado a los quince años.* That king was crowned when he was fifteen years old. —*Sus esfuerzos fueron coronados por el éxito.* Their efforts were crowned with success.

coronel [*m*] colonel.

coronilla top of the head, crown. O**estar hasta la coronilla de** to be fed up with *¡Estoy hasta la coronilla de sus bromas!* I'm fed up with his jokes!

corporación [*f*] corporation.

corral [*m*] animal enclosure, corral. O**aves de corral** domestic fowls.

correa strap, belt.

corrección [*f*] correction *He tardado mucho en la corrección de estas páginas.* The correction of these pages has taken me a long time.—*La carta tiene muchas correcciones.* The letter has many corrections.

correcto correct, right *El libro estaba escrito en un español correcto.* The book was written in correct Spanish. ▲irreprochable *Su conducta es muy correcta.* His conduct is irreproachable.

corredor [*m*] runner, racer; corridor. ▲broker. O**corredor de bolsa** stock broker.

corregir [*rad-ch III*] to correct *Corrija los errores.* Correct the errors. ▲to discipline, correct *No le han corregido cuando ha actuado mal.* They didn't discipline him when he was bad.

correo mail *¿Ha venido el correo?* Has the mail come? ▲post office *¿Está cerca de aquí el correo* (or *la oficina de correos*)? Is the post office near here? O**administrador de correos** postmaster. O**correo aéreo** airmail *Envíe sus cartas por correo aéreo.* Send your letters by airmail. O**correo certificado** registered mail. O**echar al correo** to mail *¿Echó Ud. las cartas al correo?* Did you mail the letters? O**lista de correos** general delivery.

correr to run *Tenemos que correr para llegar a tiempo.* We'll have to run to get there on time. ▲to race *Su caballo correrá mañana.* His horse is racing tomorrow. ▲to flow *El río corre hacia el sur.* The river flows toward the south. ▲to blow *Corre un viento muy fresco.* A very cool wind is blowing. ▲to move, push *Corre esa silla para aquí.* Push that chair over here. ▲to slide, draw *Corre la cortina.* Draw the curtain. ▲to go over, travel over *Han corrido medio mundo.* They've traveled over half the world.

correspondencia correspondence *Hemos mantenido correspondencia desde hace años.* We've kept up a correspondence for years. ▲mail *Voy a abrir la correspondencia.* I'm going to open the mail.

corresponder to correspond, match *Estos botones no corresponden.* These buttons don't match. ▲to concern, be up to *Eso le corresponde a Ud.* That is up to you. ▲to return, reciprocate, respond to *Correspondió a sus atenciones.* She responded to his attentions.

corresponsal [*m*] correspondent.

corrida course, run, race O**corrida de toros** bullfight.

corrido corrido (*typical Mexican song and dance*).

corriente current, common *No es de uso corriente.* It is not current usage. ▲ordinary *Está hecho con tela corriente.* It is made of ordinary cloth. ▲running, flowing *¿Hay agua corriente en este cuarto?* Does this room have running water? ▲instant, present (*month or year*) *Contesté a su carta el veinte del corriente* (*mes*). I answered your letter on the twentieth instant (*or* on the twentieth of the present month). ▲[*f*] current (*of electricity, air, river*) *Cuidado, la corriente es muy fuerte.* Be careful, the current is very strong. O**al corriente** informed, posted *Le tendré al corriente de lo que pase.* I'll keep you informed of what happens. O**contra corriente** upstream, against the tide.

corromper to corrupt.

corrupción [*f*] corruption.

cortada cut, wound *Tengo una cortada en la mano.* I have a cut on my hand.

cortado [*adj*] cut *El traje estaba muy bien cortado.* The suit was well cut. ▲chapped *Tengo las manos cortadas por el frío.* My hands are chapped from the cold. ▲confused, abashed *Se quedó cortado y no pudo seguir hablando.* He became confused and couldn't continue talking.

cortador [*m*] cutter (*tailoring*).

cortadura cut (*wound*) *Tiene una cortadura muy profunda en el pie.* He has a very deep cut on his foot.

cortapapeles [*m sg*] paper knife.

cortaplumas [*m sg*] penknife, pocketknife.

cortar to cut *¿Tiene algo con que cortar esta cuerda?* Have you anything to cut this string? ▲to interrupt, stop, cut short *Su entrada cortó la conversación.* His entrance interrupted the conversation.—*Por favor, no me cortes el relato.* Please don't interrupt my story. ▲to cut off *Tiene Ud. que cortar los tallos de esas flores.* You'll have to cut off the stems of these flowers. ▲to cut out *El sastre todavía no ha cortado el traje.* The tailor still hasn't cut out the suit. ▲to shut off, cut off (*steam, water, electricity*) *Han cortado la electricidad.* They shut off the electricity. ▲to cut out, abridge *Han cortado algunas escenas importantes de la película.* They cut out several important scenes in the picture.

corte [*m*] cut *Tenía un pequeño corte en la mano.* He had a small cut on his hand. ▲cut (*style*) *Este traje tiene buen corte.* This suit is well cut. ▲length (*of material*) *Le regaló un corte de vestido.* He presented her with a dress length.

corte [*f*] court [*Am*] *El pleito será juzgado en la Corte Suprema.* The case will be tried in the Supreme Court. °**hacer la corte** to court, woo *Le está haciendo la corte desde hace tiempo.* He has been courting her for some time.

cortedad [*f*] bashfulness, shyness, timidity.

cortés polite, courteous *No es una respuesta muy cortés.* It is not a very courteous answer.

cortesía courtesy.

corteza bark (*of tree*); crust (*of bread*).

cortijo ranch [*Andalusia*].

cortina curtain.

corto short *La chaqueta me está demasiado corta.* The jacket is too short for me. ▲bashful, shy. °**a la corta o a la larga** sooner or later *Les veremos a la corta o a la larga.* We'll see them sooner or later. °**corto de vista** nearsighted *Tiene que usar gafas porque es muy corto de vista.* He has to wear glasses because he is very nearsighted.

cosa thing *Eso ya es otra cosa.* That is quite another thing. °**como si tal cosa** as if nothing had happened. °**cosa de** about, more or less *Serían cosa de veinte personas.* There must have been about twenty people. °**cosa de ver** thing worth seeing. °**cosa nunca vista** something unheard of. °**cosas** ideas, notions *¡Qué cosas tiene Ud.!* What ideas you have!

coscorrón [*m*] blow on the head.

cosecha crop, harvest.

cosechar to reap, harvest.

coser to sew.

cosmopolita [*adj*] cosmopolitan.

cosquilla tickle. °**buscarle a uno las cosquillas** to pick on one. °**hacer cosquillas** to tickle. °**tener cosquillas** to be ticklish.

cosquilloso ticklish.

costa coast *Viven en un pueblecito de la costa.* They live in a little village on the coast. °**a costa de** by dint of, at the expense of *Lo hizo a costa de su salud.* He did it at the expense of his health.

costado side, flank.

costar [*rad-ch 1*] to cost *Eso cuesta demasiado.* That costs too much.

coste [*m*] cost, price.

costilla rib *Se rompió una costilla montando en bicicleta.* He broke a rib riding his bike. ▲better half, wife *Tengo que ver a mi costilla.* I must see my better half.

costo cost, price.

costoso costly, expensive.

costumbre [*f*] custom; habit.

costura sewing; seam.

cotidiano [*adj*] daily.

cotorra parrot.

coyuntura joint (*of body*) *Le duelen las coyunturas.* His joints hurt. ▲opportunity, chance *Es una buena coyuntura para hacer dinero.* It is a good chance to make money.

coz [*f*] kick (*of animals*).

cráneo skull (*of living person or animal*).

cráter [*m*] crater.

creación [*f*] creation.

creador [*m*] creator.

crear to create *¿Quién creó el mundo?* Who created the world? ▲to create, design *Están creando nuevos modelos de aviones.* They're designing new airplane models. ▲to create, cause *Creó muchos disgustos su actuación.* His actions caused a lot of trouble.

crecer [-*zc*-] to increase *Su capital ha crecido en los últimos años.* His capital has increased in the last few years. ▲to grow *¡Cómo crece ese niño!* How that child is growing!

crecimiento growth.

crédito credit *Puedo comprar a crédito en esta tienda.* I can buy on credit at this store. °**dar crédito a** to believe *No di ningún crédito al relato.* I didn't believe the story at all.

creencia belief.

creer to believe *Creyó lo que Ud. le dijo.* He believed what you told him. ▲to think, believe *No lo creo.* I don't think so. ||*¡Ya lo creo!* Of course!

crema cream.

crespo curly.

cretona cretonne.

cría breeding, stock breeding *Se dedicó a la cría de caballos.* He devoted himself to horse breeding. ▲the young (*of animals*) *La gata tuvo una cría.* The cat had a litter.

criada maid, servant.

criado servant.

criar to raise, bring up.

criatura baby, infant *¡Cómo llora esta criatura!* How this baby cries!

crimen [*m*] crime (*spilling of blood*).

criminal [*adj, n*] criminal.

crin mane.
crío nursing baby.
criollo [adj, n] Creole.
crisis [f] crisis.
cristal [m] crystal, glass ¿Cuánto vale este juego de cristal? How much is this set of crystal worth? ▲windowpane El cristal de esta ventana está roto. The pane of this window is broken. ▲crystal, lens Se me han roto los cristales de las gafas. I've broken my lenses.
cristianismo Christianity.
cristiano [adj, n] Christian.
Cristo Christ.
criterio criterion No tenemos los dos el mismo criterio. The two of us don't have the came criterion. ▲judgment Es un hombre de buen criterio. He is a man of good judgment.
crítica criticism.
criticar to criticize.
crítico critical. ▲[n] critic.
cruda hangover [Mex].
crudo raw, not cooked enough Estas patatas están muy crudas. These potatoes weren't cooked long enough. ▲crude Habla de una manera muy cruda. He speaks very crudely.
cruel cruel.
crueldad [f] cruelty.
crujor to crackle, creak, rustle.
cruz [f] cross.
cruzar to cross, go across Cuidado al cruzar la calle. Be careful when you cross the street. Ocruzarse con to pass (a person) Me crucé con él en la calle. I passed him in the street. Ocruzarse de brazos to fold one's arms; to be idle.
cuaderno notebook.
cuadra stable; [Am] block of houses.
cuadrado [adj; n, m] square (shape).
cuadro painting Es un cuadro de Velázquez. It is a painting by Velázquez. ▲scene La obra está dividida en tres actos y ocho cuadros. The play is divided into three acts and eight scenes. Oa cuadros plaid, checked Llevaba un vestido a cuadros. She was wearing a checked dress.
cuajado de filled with La calle estaba cuajada de gente. The street was filled with people.
cuajar to materialize No cuajó su plan. His plan didn't materialize. Ocuajarse to coagulate La sangre se cuajó en el suelo. The blood coagulated on the ground. Oleche cuajada curded milk.
cual as, such as. Opor lo cual for that reason, that is why Me dijo que estabas enfermo, por lo cual te he llamado. He told me you were ill and that is why I'm calling. ||Cual el padre, tal el hijo. Like father, like son.
¿cuál? which? which one? what? ¿Cuál de los dos lo hizo? Which one of the two did it?—¿Cuál es el número de su casa? What is the number of your house?
cualidad [f] quality, trait.
cualquier(a) any, whatever, whatsoever Llegarán cualquier día. They'll come any day now.—Déme un libro cualquiera. Give me any (one) of those books. ▲anyone (at all) Cualquiera puede hacer eso. Anyone can do that. Oun cualquiera a nobody, low-down fellow Es un cualquiera. He is a low-down fellow.

cuando when Cuando Ud. venga se lo diré. When you come I'll tell you. ▲if Cuando Ud. lo dice será verdad. If you say so, it must be true. Ocuando más at most Cuando más, costará treinta pesos. It'll cost, at the most, thirty pesos. Ocuando quiera when you please, when you're ready Cuando Ud. quiera, empezamos. When you're ready, we'll begin.
¿cuándo? when? ¿Cuándo vendrá Ud.? When will you come?
cuanto all that, as much as Le daré a Ud. cuanto necesite. I'll give you all that you need. Ocuanto antes as soon as possible Venga cuanto antes. Come as soon as possible. Ocuanto más...menos the more...the less Cuanto más me lo digas menos te creeré. The more you tell me, the less I'll believe you. Oen cuanto as soon as En cuanto llegue, avíseme. Let me know as soon as he arrives.
cuánto how much? ¿Cuánto cuesta? How much does it cost? ▲how ¡Cuánto me alegro de verle! How glad I am to see you! O¿cuántos? how many? ¿Cuántos vendrán? How many will come?
cuarenta forty.
cuaresma Lent.
cuarta span (of the hand).
cuartel [m] barracks.
cuarto room Está en su cuarto. He is in his room. ▲quarter, one fourth Le he esperado más de un cuarto de hora. I waited for him for more than a quarter of an hour. ▲fourth Carlos IV (cuarto). Charles the Fourth. ▲cuarto (old Spanish coin) No tengo un cuarto. I don't have any money. Ocuarto de baño bathroom. ||Son las tres y cuarto. It is a quarter past three.
cuatro four.
cuatrocientos four hundred.
cuba barrel, cask.
cubeta pail, bucket [Am].
cubierta wrapping El paquete tenía una cubierta de papel grueso. The package was wrapped in thick paper. ▲cover (of book, magazine). ▲deck (of ship) Estuvimos paseando sobre cubierta. We were walking on the deck.
cubierto (see cubrir) covered. ▲[m] place at table. Ocubiertos set of silver; cover.
cubo pail, barrel; cube [math.].
cubrir [irr] to cover Cúbralo con un plato. Cover it with a plate. ▲to cover, balance Sus ingresos cubrían sus gastos. His earnings covered his expenses.
cucaracha cockroach.
cuchara soupspoon, tablespoon.
cucharada spoon.
cucharadita teaspoonful.
cucharilla teaspoon.
cucharón [m] ladle.
cuchichear to whisper.
cuchicheo whisper, whispering.
cuchilla blade; razor blade.
cuchillo knife.
cuello neck Tiene un cuello muy largo. He has a long neck. ▲neck (of a botile) Se le ha roto el cuello a la botella. The neck of the bottle was broken. ▲collar Necesito una

camisa de cuello duro. I need a shirt with a stiff collar.

cuenta account *Póngalo en la cuenta.* Put it on my account. ▲bill *¿Le ha pedido la cuenta al camarero?* Did you ask the waiter for the bill? O**a cuenta y riesgo** at one's own risk *Lo hizo a su cuenta y riesgo.* He did it at his own risk. O**caer en la cuenta** to figure out, catch on *No caigo en la cuenta de lo que quiere Ud. decirme.* I can't figure out what you're trying to tell me. O**dar cuenta de** to account for, report *Hay que dar cuenta de este dinero.* You must account for this money. ▲to exhaust, finish up *Dio cuenta de todo el pastel.* He finished up all the cake. O**darse cuenta de** to realize *Se dio cuenta de su error.* He realized his mistake. O**en resumidas cuentas** in short, in a word *En resumidas cuentas, no quiso venir.* In short, he wouldn't come. O**hacer cuentas de** to compute, calculate, figure out *Estaba haciendo las cuentas de la casa.* She was figuring out her household expenses.

cuento story, short story, tale *Compró un libro de cuentos.* He bought a book of short stories. O**dejarse de cuentos** to stop beating around the bush, come to the point. O**no venir a cuento** not to have bearing on the question *Lo que dice Ud. ahora no viene a cuento.* What you're saying now has nothing to do with the question.

cuerda cord *¿Tiene Ud. una cuerda para atar este paquete?* Do you have a cord to tie this package with? ▲string *Tengo que cambiar una cuerda a la guitarra.* I have to change a string on the guitar. ▲spring, mainspring *Se le rompió la cuerda al reloj.* The watch spring broke. O**dar cuerda a** to wind (*a watch or clock*) *No le di cuerda al reloj anoche.* I didn't wind the clock last night.

cuerno horn (*of an animal*).

cuero tanned skin, leather *La maleta es de cuero.* It is a leather valise. ▲skin *El elefante tiene el cuero muy duro.* The elephant's skin is very tough. O**cuero cabelludo** scalp *Es una enfermedad del cuero cabelludo.* It is a scalp disease. O**en cueros** stark naked.

cuerpo body. ▲corps *Pertenece al cuerpo diplomático.* He belongs to the diplomatic corps. ▲corpse, body *Encontraron el cuerpo en el río.* They found the body in the river.

cuervo crow.

cuesta slope, hill *Al otro lado de la cuesta está el río.* The river is on the other side of the hill. O**a cuestas** on one's back *Llevaba la carga a cuestas.* He was carrying the load on his back. O**cuesta arriba** uphill.

cuestión [f] question (problem) *Ésta es la cuestión que tenemos que resolver.* That is the question we have to solve. ▲argument *Tuve una cuestión con él.* I had an argument with him.

cueva cave; cellar.

cuidado care *El cuidado de la piel es importante.* Care of the skin is important. ▲keeping, care *Considera muy importante el cuidado de su casa.* She considers the care of her home very important. O**estar con cuidado** to be anxious *or* worried *Tardan tanto que estoy con cuidado.* They're so late that I'm worried. O**tener cuidado** to be careful *Tenga cuidado al bajar.* Be careful going down. ||*¡Cuidado!* Look out!

cuidadoso careful, painstaking.

cuidar to take care of, mind *Cuida muy bien de los niños.* She takes very good care of the children.

culebra snake.

culpa fault, blame *Eso no ha ocurrido por mi culpa.* It isn't my fault that it happened. ▲sin *Confesó todas sus culpas.* He confessed all his sins. O**echar la culpa a** to blame *No me eches la culpa a mí.* Don't blame me. O**tener la culpa** to be to blame *Ella tiene la culpa de todo.* She is to blame for everything.

culpable guilty.

culpar to blame, accuse.

cultivado (see **cultivar**) cultured, cultivated *Es un hombre muy cultivado.* He is a very cultured man.

cultivar to cultivate.

cultivo cultivation, growing *Se dedican al cultivo del algodón.* They devote themselves to the growing of cotton. ▲cultivated fields, crops *La inundación arruinó los cultivos.* The flood ruined the crops.

culto cultured, educated *Es un hombre muy culto.* He is a very cultured man. ▲[m] worship *Acaban de abrir al culto esta iglesia.* They've just opened this church for worship.

cultura culture (*of the mind*).

cumbre [f] top, summit.

cumpleaños [m sg] birthday *¡Feliz cumpleaños!* Happy birthday!

cumplido polite; compliment *Es un hombre muy cumplido.* He is a very polite man.

cumplidor reliable *Es muy cumplidor en su trabajo.* He is very reliable in his work.

cumplidos formalities *¡Basta de cumplidos!* Enough of formalities!

cumplimiento performance, fulfillment *Murió en el cumplimiento de su deber.* He died in the performance of his duty.

cumplir to carry out, execute *¡Cumpla mis órdenes!* Carry out my orders! ▲to keep (*a promise*) *Cumplirá lo que nos ha prometido.* He'll keep his promise to us. O**cumplir...(años)** to reach one's birthday *Mañana cumpliré veinte y cinco.* I'll be twenty-five tomorrow. O**cumplirse** to mature, fall due *Hoy se cumple el plazo.* The installment falls due today.

cuna cradle.

cuneta gutter (*along highway*).

cuña wedge.

cuñada sister-in-law.

cuñado brother-in-law.

cuota share, quota; dues.

cúpula dome.

cura [m] priest, minister *Es el cura de esta parroquia.* He is the priest of this parish. ▲[f] cure, treatment *El médico venía a hacerle la(s) cura(s).* The doctor came to dress his wound. O**cura de urgencia** first aid.

curación [f] healing, recovery.

curar to treat, dress the wounds of *Los médicos estuvieron curando a los heridos.* The doctors were treating the wounded. ▲to salt, cure, preserve *No han curado bien estos jamones.* They haven't cured these hams well. O**curarse** to recover *Se ha curado muy bien de la pulmonía.* He is completely recovered from pneumonia.

C

curiosidad [f] curiosity; curio.
curioso curious, inquisitive. ▲odd, strange, quaint, rare *Es un tipo curioso.* He is very odd.
cursi tasteless, cheap, showy.
curso course (*direction*) *Seguimos el curso del río.* We followed the course of the river. ▲course (*of studies*) *Estudia un curso de historia.* He is taking a history course.
curtido (see **curtir**) experienced, hardened (*by life*) *Es un hombre curtido por la vida.* He is a man hardened by life.
curtir to tan (hides). O**curtirse** to become tanned *or* weather-beaten.
curva curve.
cutis [m] complexion.
cuyo whose *Este es la señora cuya hija conociste ayer.* This is the lady whose daughter you met yesterday.

D

dados dice. O**jugar a los dados** to shoot dice.
dama lady *Primero las damas.* Ladies first.
danza dance (*spectacle*) *Ha escrito un libro sobre la historia de la danza.* He has written a book on the history of the dance.
danzar to dance (*as a performance*).
dañar to damage. O**dañarse** to damage *Al aterrizar se le dañó un ala al avión.* The plane damaged a wing in landing.
daño damage *El temporal causó gran daño.* The storm caused a lot of damage. O**daños** damages *Tuvo que pagar los daños.* He had to pay the damages. O**hacerle daño a uno** to be harmful to one, not to agree with one *Me hace daño la comida picante.* Highly spiced food doesn't agree with me. O**hacerse daño** to get hurt, hurt oneself *Me hice daño en el pie.* I hurt my foot.
dar [*irr*] to give. ▲to bear *Este árbol da muy buena fruta.* This tree bears good fruit. ▲to show *No da señales de vida.* He doesn't show any sign of life. ▲to show (*movies or plays*) *¿Dónde dan esa película?* Where is that movie showing? O**dar a** to face, overlook *Las ventanas dan a la calle.* The windows face the street. O**dar a conocer** to make known *Dio a conocer su opinión.* He made his opinion known. O**dar a entender** to pretend *El da a entender que no le interesa.* He pretends that it doesn't interest him. ▲to insinuate, drive at *¿Qué quiere dar a entender?* What are you driving at? O**dar (al) fiado** to sell *or* give on credit *Se lo podemos dar fiado.* We can let you have it on credit. O**dar calabazas** (see **calabaza**). O**dar con** to find, locate *No puedo dar con él.* I can't locate him. O**dar de baja** to dismiss *Le han dado de baja del equipo.* They've dropped him from the team. O**dar de sí** to stretch, give *Estos calcetines no dan de sí cuando se lavan.* These socks don't stretch when you wash them. O**dar el golpe** to create a sensation, make a hit *Darás el golpe con ese vestido.* You'll make a hit with that dress. O**dar en** to hit *¡Al fin ha dado Ud. en el clavo!* At last you've hit the nail on the head! ▲to take to *Le dio por coleccionar sellos.* He took to stamp collecting. O**dar fin a** to complete, finish

Dimos fin a la obra. We finished the work. O**dar guerra** to make trouble *or* a rumpus *Dile a los chicos que no den guerra.* Tell the boys not to make a rumpus. O**dar la hora** to strike *El reloj de la catedral acaba de dar las tres.* The cathedral's clock just struck three. O**dar la razón** to agree, be of the same opinion *Le doy la razón.* I agree with you. O**dar las gracias** to thank *No le dieron las gracias.* They didn't thank him. O**darle a uno** to be stricken with, come down with (*illness*) *Me dio el sarampión.* I came down with measles. O**darle a uno gana(s)** to want, desire *Me dan ganas de comprar un automóvil.* I want to buy an automobile. O**dar ... manos de** to put on ... coats (*as of paint*) *Dio dos manos de pintura a la pared.* She put two coats of paint on the wall. O**dar parte** to report *¿Dieron ya parte a la policía?* Have they reported it to the police yet? O**dar por cierto** *or* **seguro** to feel sure *Doy por seguro que vendrá.* I feel sure he'll come. O**dar por hecho** to assume, take for granted *Lo dimos por hecho.* We took it for granted. O**dar que decir** *or* **hablar** to cause criticism *Eso dará mucho que decir.* That'll cause a lot of criticism. O**dar que hacer** to give *or* cause trouble *or* work *¡Estos niños me dan tanto que hacer!* These children give me so much trouble! O**dar que pensar** to make suspicious *Su conducta extraña me dio qué pensar.* His queer behavior made me suspicious.
datos data; facts.
de of, -'s *Viven en casa de mi madre.* They live in my mother's house. ▲of *Haga el favor de darme un vaso de agua.* Please give me a glass of water. ▲from *Soy de Madrid.* I'm from Madrid. ▲about *¿Habla Ud. de mi amiga?* Are you talking about my friend? ▲in *Se lo bebió de un trago.* He drank it in one gulp. ▲with *¿Quién es esa señora del sombrero rojo?* Who is the woman with the red hat?
debajo de beneath, under *Encontrará la carta debajo de estos papeles.* You'll find the letter under these papers.
debate [m] debate.
deber to owe *Nos debe mucho dinero.* He owes us a lot of money. ▲to have to, must *Debemos irnos.* We have to go. O**deber de** must be (*probability*) *Debe de hacer frío.* It must be pretty cold.
deber [m] duty, obligation *Cumple con su deber.* He does his duty.
débil weak *Después de su enfermedad se ha quedado muy débil.* Since his illness he has been very weak.
debilidad [f] weakness.
debilitar to weaken.
debut [m] debut.
decadencia decline.
decaer [*irr*] to fail *Su salud decae.* His health is failing. ▲to lessen, fall off *Ha decaído mucho el interés del público.* Public interest has fallen off a lot.
decano dean.
decente nice, decent *A ese lugar no va gente decente.* No decent people go to that place. ▲honest *Creo que son personas decentes.* I think they're honest people.
decepción [f] disappointment.
decepcionar to disappoint.

decidido (see **decidir**) determined *Es una persona muy decidida.* He is a very determined person.

decidir to decide *Decidieron hacer el viaje en seguida.* They decided to make the trip right away. **Odecidirse a** to make up one's mind to *Se decidió a casarse con ella.* He made up his mind to marry her.

décimo tenth. ▲[*m*] one-tenth of a lottery ticket.

decir [*irr*] to tell *No dijo la verdad.* He didn't tell the truth. ▲to say *¿Qué dice hoy el periódico?* What does the paper say today? **Ocomo quien no dice nada** as if it were of no importance *Habló de ganar miles de dólares como quien no dice nada.* He spoke of earning thousands of dollars as if it were nothing. **Odecir bien** to be right *Dice Ud. bien.* That is right. **Odecir para sí** to say to oneself. **Odecir por decir** to talk for the sake of talking, talk to make conversation *No hace más que decir por decir.* He just talks for the sake of talking.

decisión [*f*] determination *Muestra siempre mucha decisión en todo lo que emprende.* He always shows great determination in everything he undertakes. ▲decision *¿Han hecho ya pública la decisión del tribunal?* Have they announced the decision of the court yet?

decisivo decisive, final.

declaración [*f*]declaration *¿Fue después de la declaración de guerra?* Was it after the declaration of war? ▲statement *Lea Ud. su declaración antes de firmarla.* Read your statement before you sign it.

declarar to testify *Después declararon los testigos.* Afterwards the witnesses testified. **Odeclararse** to declare one's love *No se me ha declarado todavía.* He hasn't told me he loves me yet. **Odeclararse en huelga** to declare a strike.

decoración [*f*] decoration. ▲(stage) setting, props *Las decoraciones de la obra eran muy acertadas.* The settings of the play were very appropriate.

decorar to decorate.

decoro dignity, decorum.

decretar to decree.

decreto decree.

dedal [*m*] thimble.

dedicar to devote *Dedica todo su tiempo al trabajo.* He devotes all his time to his work. ▲to inscribe, autograph *El autor me ha dedicado su libro.* The author has autographed his book for me. ▲to dedicate *El libro está dedicado al presidente.* The book is dedicated to the president.

dedillo **Osaber al dedillo** to know perfectly.

dedo finger; toe. **Odedo anular** ring finger. **Odedo gordo** thumb; big toe. **Odedo índice** index finger. **Odedo medio** middle finger. **Odedo meñique** little finger, pinky. **Odedo pulgar** thumb.

deducir [-ze-] to deduce, imagine *Se pueden deducir las consecuencias.* You can imagine the consequences. ▲subtract, deduct *Deduzca esa cantidad del total.* Subtract this amount from the total.

defecto defect, imperfection, shortcoming *No tiene defectos físicos.* He has no physical defects.

defectuoso defective, faulty.

defender [*rad-ch I*] to defend *Defendió su opinión con energía.* He defended his opinion with vigor. ▲to protect *La pared nos defendía del viento.* The wall protected us from the wind.

defensa defense, protection.

defensor [*m*] defender *Era uno de los defensores de Bataan.* He was one of the defenders of Bataan. ▲champion *Siempre ha sido uno de mis defensores.* He has always been one of my champions. ▲ [*adj*] for the defense *Después habló el abogado defensor.* Then the attorney for the defense spoke.

deficiencia deficiency.

definir to define.

definitivo final, definite.

deformar to deform.

degenerar to degenerate.

dejado (see **dejar**) sloppy *¡Anda siempre tan dejado!* He is always so sloppy!

dejar to leave *Dejó el libro sobre la mesa.* He left the book on the table. ▲to let, leave *Déjale tranquilo.* Leave him alone. ▲to leave, abandon *Dejó a su mujer y a sus hijos.* He left his wife and children. ▲to entrust, leave, turn over *Dejó sus negocios a su hija por un año.* He turned the business over to his daughter for a year. ▲to yield, produce, pay *(income, dividends, profit) Es un negocio que deja muchas ganancias.* It is a business that pays big dividends. ▲to give up, leave *Ha dejado ese empleo.* He has left that job. ▲to permit, allow, let *Déjeme que se lo explique.* Let me explain it to you. **Odejar caer** to drop *Cuidado, no deje caer la botella.* Be careful, don't drop the bottle. **Odejar de** to stop *Dejó de comer.* He stopped eating. **Odejar dicho** to leave word *Dejó dicho que vendría a las cuatro.* She left word that she'd come at four.

del (de + el; see **de**) *Es el padre del abogado.* He is the lawyer's father. — *Acaba de llegar del extranjero.* He has just arrived from abroad.

delantal [*m*] apron.

delante de before, in front of *Mi casa está delante de la catedral.* My house is in front of the cathedral. ▲before, in front of, in the presence of *No digas esas cosas delante de una señora.* Don't say such things in front of a lady.

delantera start, lead *El caballo blanco ha tomado la delantera.* The white horse has taken the lead. ▲front row (*of seats*). ▲front, façade (*of building*).

delantero front *Hay que arreglar el delantero de la chaqueta.* You have to fix the front of the jacket. ▲forward (*basketball, soccer*).

delegación [*f*] delegation *Es un miembro de la delegación española.* He is a member of the Spanish delegation. **Odelegación de policía** police station *Lo llevaron a la delegación de policía.* They took him to the police station.

delegado delegated. ▲ [*n*] delegate.

deletrear to spell (out) *¿Quiere Ud. hacer el favor de deletrear su apellido?* Would you spell your name, please?

delgado thin, slim *Se ha quedado muy delgado.* He has become very thin. ▲thin, light *Ese abrigo es muy delgado.* That coat is too thin.

D

deliberar to deliberate *El jurado está todavía deliberando.* The jury is still deliberating.

delicadeza delicacy.

delicado delicate.

delicia delight.

delicioso delightful *Hemos pasado un rato delicioso.* We had a delightful time. ▲delicious *El postre está delicioso.* The dessert is delicious.

delincuente [*adj, n*] delinquent.

delirio delirium *Él delirio le duró toda la noche.* The delirium lasted all night. ○**con delirio** madly *La quiere con delirio.* He is madly in love with her.

delito misdemeanor, crime.

demanda claim, demand, request *Han aceptado nuestra demanda.* They've accepted our demand. ▲demand, call (*Com*) *Ahora hay mucha demanda de este artículo.* There is a great demand for this article now. ○**demanda (judicial)** legal proceeding, court action *Entablaré demanda contra ellos.* I'll take court action against them.

demás ○**lo demás** the rest *Luego contaré lo demás.* I'll tell you the rest later. ○**los demás, las demás** others, the others, the rest *Esperemos a los demás.* Let's wait for the others. ○**por demás** too, too much *Eso es por demás.* That is too much.

demasiado [*adj*] too much, too many *Había demasiada gente.* There were too many people there. ▲[*adv*] too much *Cuesta demasiado.* It costs too much.

demente mad, insane. ▲[*n*] insane person.

democracia democracy.

demócrata [*m, f*] democrat.

democrático democratic.

demoler [*rad-ch I*] to demolish.

demonio devil *¿Para qué demonios lo quiere?* What the devil does he want it for? ○**¡demonio!** damn (it)! *¡Demonio, qué frío hace!* Damn it, it is cold!

demora delay.

demorar to delay *Se demoraron en el camino.* They were delayed on the way.

demostración [*f*] proof *Eso no necesita demostración.* That doesn't need any proof. ▲demonstration *Se le recibió con grandes demostraciones de alegría.* He was received with great demonstrations of joy.

demostrar [*rad-ch I*] to prove *Demostró que tenía razón.* He proved he was right. ▲to show *Demostró mucho talento.* He showed great talent.

densidad [*f*] density.

dentadura set of teeth. ○**dentadura postiza** false teeth.

dentífrico toothpaste, tooth powder.

dentista [*m, f*] dentist.

dentro inside, into, within *Le espero dentro.* I'll wait for you inside. ○**a dentro** (see **adentro**). ○**dentro de** inside (of) *Está dentro del cajón.* It is inside the drawer. ▲in, within *Vendrá dentro de dos meses.* He'll be here in two months. ○**dentro de poco** soon, in a little while *Nos veremos dentro de poco.* I'll see you again soon.

denunciar to denounce.

departamento section, department. ▲apartment [*Am*] *Viven en una casa de departamentos.* They live in an apartment house.

depender to depend, be dependent *No le gusta depender de nadie.* He doesn't like to be dependent on anyone. ○**depende** it depends *Depende de lo que quiera Ud. hacer.* It depends on what you want to do.

dependiente [*m, f*] clerk, salesperson.

deplorar to deplore, regret, lament.

deponer [*irr*] to depose.

deportar to deport, exile.

deporte [*m*] sport *¿Le gustan los deportes?* Do you like sports?

deportista [*m, f*] sportsman, sportswoman. ▲fond of sports.

deportivo [*adj*] sport, athletic.

depositar to deposit *Depositaron su dinero en el banco.* They deposited their money in the bank. ▲to put, have *Deposité en él toda mi confianza.* I put all my trust in him.

depósito deposit, bond *Para entrar en el país hay que dejar un depósito.* You must leave a deposit in order to enter the country. ▲warehouse *Estos edificios son los depósitos de la fábrica.* These buildings are the warehouses of the factory. ○**depósito de agua** water tank; reservoir. ○**en depósito** on deposit.

depravado depraved, lewd.

depreciado depreciated *Esa mercadería está depreciada.* That merchandise has depreciated.

depresión [*f*] depression.

deprimir to depress.

derecha right (hand), right (side) *Tomamos el camino de la derecha.* We took the road to the right. —*Conserve* (or *lleve*) *la derecha.* Keep to the right. ○**a derechas** right, well *No hace nada a derechas.* He doesn't do anything right. ○**a la derecha** to the right.

derecho [*adj*] right (*opposed to left*) *Llevaba un anillo en la mano derecha.* He wore a ring on his right hand. ▲straight *Póngase la corbata derecha.* Straighten your tie. ▲[*m*] right *Ud. no tiene derecho a decirme eso.* You have no right to say that to me. ▲law *Es estudiante de derecho.* He is a law student. ○**del derecho** right side out *Fíjese que esté del derecho.* Make sure it is right side out. ○**derechos de aduana** customs duties *No tiene Ud. que pagar derechos de aduana.* You don't have to pay duty. ○**derechos de autor** copyright; royalties.

derecho [*adv*] straight, right *Siga Ud. todo derecho hasta la plaza.* Go straight ahead to the square.

derramar to spill *Derramó el agua en el mantel.* He spilled water on the tablecloth.

derretir [*rad-ch III*] to melt *El sol está derritiendo la nieve.* The sun is melting the snow. ○**derretirse** to melt *La mantequilla se está derritiendo.* The butter is melting.

derribar to demolish, tear down *Han derribado muchas casas viejas.* Many old houses have been torn down. ▲to throw down, knock down *De un golpe lo derribó al suelo.* He knocked him down with one blow. ▲to overthrow *Derribaron al gobierno.* They overthrew the government.

derrochar to waste, squander.

derrota defeat, rout.

derrotar to defeat, rout.

derrumbarse to collapse, tumble down *El puente se derrumbó.* The bridge collapsed.

derrumbe [*m*] landslide *Hay un derrumbe en el camino.* There is a landslide on the road.

desabrigarse to take off outer clothing, to expose oneself (*to cold*).

desabrochar to unclasp, unbutton, unfasten.

desacierto error, mistake, blunder.

desacreditar to discredit.

desacuerdo disagreement.

desafiar to challenge *Le desafío a una partida de ajedrez.* I challenge you to a game of chess. ▲to defy *Desafiaba el peligro.* She defied the danger.

desafinar to be out of tune.

desafío duel; challenge; match (*sports*).

desagradable disagreeable, unpleasant.

desagradar to displease *Me desagrada mucho lo que Ud. ha hecho.* I'm very much displeased with what you did.

desagrado displeasure.

desaguar to drain, draw liquid off.

desagüe [*m*] drain (*plumbing*).

desahogado comfortable *Viven de una manera muy desahogada.* They live very comfortably. ▲cheeky, nervy *¡Qué tío más desahogado!* What a nervy guy!

desahogo relief, breathing spell, rest *No he tenido un momento de desahogo desde que empecé este trabajo.* I haven't had a moment's rest since I began this work. ▲cheek, nerve *Tiene un desahogo terrible.* He has an awful nerve.

desairar to scorn, disregard, slight *No quiero desairarle.* I don't mean to slight him.

desalentar [*rad-ch I*] to discourage *No le desaliente en su trabajo.* Don't discourage him about his work.

desaliento discouragement.

desalmado inhuman, merciless.

desalquilado unrented, vacant *¿Tienen algún apartamento desalquilado* Do you have a vacant apartment?

desalquilarse to become vacant *Me han dicho que este piso se desalquilará el mes próximo.* I've been told this apartment will be vacant next month.

desamparar to abandon, desert.

desamueblado unfurnished.

desandar to retrace (*one's steps*).

desangrarse to bleed, lose blood.

desanimación [*f*] lack of enthusiasm *Hubo gran desanimación en el público.* There was a great lack of enthusiasm on the part of the public.

desanimado poorly attended *La fiesta estuvo muy desanimada.* The fiesta was very poorly attended.

desanimar to dishearten, discourage *¿Por qué me desanima Ud. a hacer el viaje?* Why are you discouraging me from taking the trip? O**desanimarse** to become discouraged *Se desanima con la menor dificultad.* He gets discouraged at the least difficulty.

desaparecer [*-zc-*] to disappear.

desaparición [*f*] disappearance.

desaprobar to disapprove of *Desapruebo su actitud.* I disapprove of his attitude.

desarmar to disarm *Desarmaron a los bandidos.* They disarmed the bandits. ▲to take apart *Desarmé la máquina de escribir para limpiarla.* I took the typewriter apart to clean it.

desarreglar to disarrange, make untidy.

desarrollar to develop *Están desarrollando una nueva industria.* They're developing a new industry. O**desarrollarse** to develop *El niño se ha desarrollado muy de prisa.* The child has developed very quickly.

desarrollo development.

desaseado slovenly, dirty.

desastrado untidy, slovenly.

desastre [*m*] disaster, catastrophe.

desastroso unfortunate, disastrous.

desatar to untie.

desatento discourteous.

desatinado foolish *Me dio un consejo desatinado.* He gave me foolish advice. ▲[*n*] idiot, fool.

desatino nonsense.

desavenencia discord, disagreement.

desayunarse to breakfast *¿Se ha desayunado Ud. ya?* Have you had your breakfast yet?

desayuno breakfast.

desbaratar to destroy, ruin *Estos niños desbaratan todo lo que cogen.* These children destroy everything they get hold of. O**desbaratarse** to fall to pieces *Se han desbaratado todos nuestros planes.* All our plans went to pieces.

desbordarse to overflow.

descabellado preposterous, absurd *¡Qué ideas tan descabelladas tiene Ud.!* What absurd ideas you have!

descalificar to disqualify.

descalzarse to take off one's shoes.

descalzo [*adj*] barefoot.

descamisado shirtless; ragamuffin [*Am*].

descansar to rest *Cuando termine este trabajo, descanse Ud. un rato.* When you finish this work, rest for a while.

descanso rest, let-up *Trabaja sin descanso.* He works without let-up. ▲relief *¡Qué descanso me da haber terminado eso!* What a relief to be finished with that! ▲intermission *Iremos a su palco en el descanso.* We'll come to your box during the intermission. ▲landing (*of staircase*).

descarado impudent, saucy, fresh.

descargar to unload *Varios hombres descargaban el camión.* Several men were unloading the truck. ▲to free (*from an obligation or debt*) *Le han descargado de esas obligaciones.* They've freed him from those obligations. ▲to burst, strike (*as a storm*) *La tormenta va a descargar de un momento a otro.* The storm is going to strike any minute.

descargo unloading, unburdening.

descartar to discard, eliminate *Hay que descartar esa posibilidad.* You have to eliminate that possibility.

descendencia descendants *Su descendencia llegó a ser ilustre.* His descendants came to be well known.

D

descender [*rad-ch I*] to go down, descend *Esa carretera desciende hasta el mar.* That road goes down to the sea. ▲to be descended *Creo que descienden de una familia francesa.* I think they're descended from a French family. ▲to descend, come down *El avión descendió rápidamente.* The airplane came down rapidly.

descendiente [*m, f*] descendant.

descenso descent, going down *El descenso era muy peligroso.* The descent was very dangerous. ▲fall, decrease *Durante varios años hubo un descenso en la natalidad.* There was a fall in the birthrate for several years.

descifrar to decipher, make out.

descolgar to take down *Ayúdeme a descolgar este cuadro.* Help me take down this picture.

descolorido faded *La tela está muy descolorida.* The cloth is very faded. ▲pale *Después de la enfermedad se quedó muy descolorido.* He was very pale after his illness.

descomedido impolite, rude *Es un muchacho muy descomedido.* He is very impolite.

descomponer [*irr*] to upset *Eso descompuso todos nuestros planes.* That upset all our plans. ▲to put out of order *Los niños descompusieron el radio.* The children put the radio set out of order. ᴼ**descomponerse** to dislocate *Se ha descompuesto un brazo.* He has dislocated his arm. ▲to get out of order *El teléfono se descompuso.* The telephone got out of order. ▲to spoil, rot *Por el calor se ha descompuesto la comida.* The food spoiled because of the heat.

descompuesto (see **descomponer**) out of order; spoiled.

desconcertar [*rad-ch I*] to disturb, confuse *La pregunta le desconcertó mucho.* The question confused him.

desconfianza distrust, mistrust.

desconfiar de to distrust, suspect *No tiene Ud. razón para desconfiar de él.* You have no reason to distrust him.

desconocer [*-zc-*] to disregard, ignore *Desconoce las reglas de la etiqueta.* He ignores the rules of etiquette.

desconocido (see **desconocer**) unknown, strange *Es difícil orientarse en una ciudad desconocida.* It is difficult to find one's way around in a strange city. ▲[*n*] stranger *Se le acercó un desconocido.* A stranger approached him.

desconsideración [*f*] inconsiderateness *¡Eso es mucha desconsideración!* That is very inconsiderate.

desconsolado disconsolate.

descontado (see **descontar**) ᴼ**dar por descontado** to take for granted.

descontar [*rad-ch I*] to deduct *Descuente de esa cantidad los gastos de viaje.* Deduct the traveling expenses from that amount.

descontento dissatisfied, displeased *Estaban muy descontentos de su trabajo.* They were dissatisfied with his work. ▲[*m*] dissatisfaction.

descortés discourteous, rude.

describir to describe.

descripción [*f*] description.

descrito (see **describir**).

descubierto (see **descubrir**).

descubrimiento discovery.

descubrir [*irr*] to discover *Descubrimos que todo era mentira.* We discovered that it was all a lie. ▲to disclose, show, make clear *Descubrió sus intenciones.* He disclosed his intentions. ᴼ**descubrirse** to take off one's hat.

descuento discount; deduction.

descuidado (see **descuidar**) sloppy, slovenly, unclean. ▲unaware, off guard. ▲careless, negligent *No seas tan descuidado en tu trabajo.* Don't be so careless in your work.

descuidar to neglect *Descuidó mucho su trabajo.* He neglected his work. ||*Descuida, yo me encargo de eso.* Don't worry, I'll take care of that.

descuido carelessness, negligence. ᴼ**al descuido** carelessly *Hace todo al descuido.* He does everything carelessly. ᴼ**en un descuido** when least expected [*Mex*] *En un descuido llega.* He turns up when least expected.

desde from *Le vi desde lejos.* I saw him from a distance. ▲since *Vivo en esta casa desde el mes pasado.* I've been living in this house since last month. ᴼ**desde ahora** from now on. ᴼ**desde entonces** since then *Desde entonces he cambiado mucho.* I've changed a lot since then. ᴼ**desde hace** for *Le conozco desde hace muchos años.* I've known him for many years. ᴼ**desde luego** of course *¡Desde luego Uds. vendrán con nosotros!* Of course you're coming with us!

desdén [*m*] scorn.

desdicha misfortune.

desdichado unhappy, unfortunate *Fue un accidente desdichado.* It was an unfortunate accident.

desdoblar to unfold.

desear to desire, want, like *Deseo verle cuanto antes.* I want to see you as soon as possible.

desechar to reject *Desecharon su propuesta.* They rejected his proposal. ▲to put aside *Deseche esos temores.* Put aside those fears.

desembarcar to unload, put ashore *Estaban desembarcando las mercancías.* They were unloading the goods. ▲to land, disembark *Cuando desembarcamos vimos a nuestro amigo en el muelle.* When we landed we saw our friend on the pier.

desembarco landing, disembarkation.

desembocar to flow, *or* empty, into *Ese río desemboca en el Pacífico.* That river flows into the Pacific. ▲to end, lead *No sé dónde desemboca esa calle.* I don't know where that street leads.

desembolsar to pay out.

desempacar to unpack [*Am*] *Tengo que desempacar el equipaje.* I have to unpack my luggage.

desempeñar to carry out *Desempeñó muy bien su misión.* He carried out his mission very well.

desenfrenado unbridled, wild *Lleva una vida desenfrenada.* He leads a wild life.

desengañar to set right, undeceive. ᴼ**desengañarse** to be disillusioned, not to fool oneself *Desengáñate, no te quiere.* Don't fool yourself, he doesn't love you. ᴼ**estar desengañado** to be disappointed *or*

disillusioned *Están muy desengañados después de lo ocurrido.* They are very disillusioned after what happened.

desengaño disappointment, disillusion.

desentendido unmindful ᴼ**hacerse el desentendido** to pretend not to know.

desenterrar [rad-ch I] to dig up.

desenvolver [rad-ch I] to unwrap *Voy a desenvolver el paquete.* I'm going to unwrap the package.

desenvuelto (see **desenvolver**) forward; free and easy.

deseo desire, wish *No puede refrenar sus deseos.* He can't control his desires. ᴼ**tener deseo de** to be eager to *Tengo muchos deseos de verle.* I'm very eager to see him.

deseoso desirous, eager.

desertor [m] deserter.

desesperación [f] desperation.

desesperanza despair, hopelessness.

desesperar to despair, lose hope *El médico desespera de salvarle.* The doctor is losing hope of saving him. ▲to drive crazy *Me desesperó con su insistencia.* He drove me crazy with his insistence.

desespero despair; impatience, restlessness.

desfallecer [-zc-] to be on the verge of collapse, grow weak, break down.

desfavorable unfavorable.

desfigurar to disfigure, deform.

desfilar to parade.

desfile [m] parade.

desganado having no appetite.

desgarrar to tear, rip.

desgracia misfortune *Tuvo la desgracia de perder todo su dinero.* He had the misfortune to lose all his money. ▲sorrow, grief *Trataban de consolarla en su desgracia.* They tried to console her in her grief.

desgraciadamente unfortunately.

desgraciado unfortunate *Han sido muy desgraciados durante los últimos años.* They've been very unfortunate during the past few years. ▲[n] wretch *No es más que un desgraciado.* He is nothing but a miserable wretch.

deshacer [irr] to undo *Tenemos que deshacer lo hecho.* We have to undo what was done. ▲to untie, unwrap *No puedo deshacer este nudo.* I can't untie this knot. ▲to dissolve *Deshaga la pastilla en un vaso de agua.* Dissolve the tablet in a glass of water. ▲to spoil, upset *Su llegada deshizo nuestros planes.* His arrival spoiled our plans. ᴼ**deshacerse** to wear oneself out *Se deshace con tanto trabajo.* He is wearing himself out with so much work. ᴼ**deshacerse de** to dispose of, get rid of *Me deshice de mis alhajas.* I got rid of my jewels.

deshecho (see **deshacer**) undone, not made. ▲worn out, exhausted *Estoy deshecho.* I'm exhausted.

deshonesto dishonest, dishonorable; lewd.

deshonra dishonor, disgrace.

deshonrar to disgrace.

desierto deserted; uninhabited *La estación estaba desierta.* The station was deserted. ▲[m] desert *La última parte del viaje fue a través del desierto.* The last part of the trip was across the desert.

designar to name, appoint (*a person*).

desigual unequal *La lucha era muy desigual.* It was an unequal struggle. ▲uneven *El terreno era muy desigual.* The ground was very uneven.

desigualdad [f] difference, inequality.

desilusión [f] disillusionment, disappointment.

desinfectante [adj; m] disinfectant.

desinfectar to disinfect.

desinteresado impartial; disinterested.

desistir de to give up, call off *Desistió de hacer el viaje.* He called off the trip.

desleal disloyal.

deslizarse to slip, slide, glide *Los patinadores se deslizaban rápidamente por la pista.* The skaters glided rapidly around the rink.

deslucido worn, faded *Este traje está muy deslucido.* This dress is too worn. ▲unsuccessful *La fiesta fue muy deslucida.* The party was a failure.

deslumbrar to dazzle.

desmayar to be dismayed *or* depressed *or* discouraged *No desmayó en su intento.* He wasn't discouraged in his plan. ᴼ**desmayarse** to faint *Al saber la noticia se desmayó.* When she learned the news she fainted.

desmejorado deteriorated ᴼ**estar desmejorado** to look sickly.

desmentir [rad-ch II] to disprove *Pude desmentirle en todo lo que decía.* I was able to disprove every statement he made. ᴼ**desmentirse** to take back, retract *Después de haberlo dicho trató de desmentirse.* After he had said it, he tried to take it back.

desnudar to undress *Está desnudando a los niños.* She is undressing the children. ᴼ**desnudarse** to take off one's clothes, get undressed *Se desnudó y se tiró al agua.* He took off his clothes and dove into the water.

desnudo naked, nude, bare.

desobedecer [-zc-] to disobey *No desobedezca mis órdenes.* Don't disobey my orders.

desocupado unoccupied, vacant *¿Hay algún piso desocupado?* Do you have an apartment vacant? ▲not busy, not occupied *Hablaré con Ud. cuando esté desocupado.* I'll talk with you when you're not busy. ▲[n] idler *Toda su vida no ha sido más que un desocupado.* He has been an idler all his life.

desocupar to vacate *Tenemos que desocupar la casa antes del mes próximo.* We must vacate the house before next month. ▲to empty *Voy a desocupar este armario para que Ud. lo use.* I'm going to empty this cabinet so that you can use it.

desolación [f] desolation.

desolado desolate, disconsolate; disappointed.

desollar to skin *Después de matar el carnero tendrá Ud. que desollarlo.* After you kill the sheep you'll have to skin it. ‖*Queda el rabo por desollar.* The most difficult part is still to be done.

desorden [m] disorder, confusion, mess *El cuarto estaba en el más completo desorden.* The room was a complete mess. ᴼ**desórdenes** riots, disturbance *En los últimos desórdenes hubo varios heridos.*

There were several people hurt in the recent riots.

desordenado disorderly.

desordenar to upset.

desorganizar to disorganize.

desorientar to confuse *Me desorienta su manera de presentar el asunto.* His way of presenting the matter confuses me. O**desorientarse** to lose one's bearings, get lost *Me desorienté al salir del metro.* I lost my bearings when I came out of the subway.

despachar to ship, send out *Despacharon un vagón de géneros.* They shipped a carload of goods. ▲to attend to, take care of *No he despachado todavía la correspondencia de hoy.* I haven't taken care of today's mail yet. ▲to wait on, take care of *Señorita, ¿quiere Ud. despacharme, por favor?* Will you please wait on me, miss?

despacho dispatch. ▲office *¿Quiere Ud. pasar a su despacho?* Will you go into his office? O**despacho de boletos** ticket office, ticket window *Tuvo que hacer cola en el despacho de boletos.* He had to stand in line at the ticket office.

despacio slowly *¿Quiere Ud. hablar más despacio?* Would you speak more slowly?

despedazar to tear up, mangle.

despedida farewell, send-off *Les dieron una comida de despedida.* They gave them a farewell dinner.

despedir [rad-ch III] to dismiss, discharge, fire *Tuvieron que despedir a la mitad del personal.* They had to dismiss half their personnel. ▲to see (someone) off *Iremos a despedirle a la estación.* We'll go to the station to see him off. O**despedirse a la francesa** to take French leave, sneak away. O**despedirse (de)** to take leave (of), say good-bye (to) *Tengo que despedirme de unos amigos.* I have to say good-bye to some friends.

despegar to unglue, take off *Voy a despegar este sello con agua caliente.* I'm going to take off this stamp with hot water. ▲to rinse, take off *El avión todavía no ha despegado.* The plane still hasn't taken off. O**despegarse** to come off *El sello se despegó.* The stamp came off. O**no despegar los labios** to keep silent, keep one's mouth shut.

despejado (see **despejar**) smart, bright *¡Qué muchacho tan despejado!* What a bright boy!

despejar to clear *La policía ha despejado la plaza.* The police has cleared the square. O**despejarse** to clear up (of the weather or sky) *Me parece que el tiempo se está despejando.* I think it is clearing up.

despensa pantry.

desperdiciar to waste *No se debe desperdiciar la comida.* Food shouldn't be wasted.

desperdicio [m] waste *Esta carne no tiene desperdicio.* This meat has no waste. O**desperdicios** refuse, garbage.

desperezarse to stretch (oneself).

despertador [m] alarm clock *Ponga el despertador a las siete.* Set the alarm clock for seven o'clock.

despertar [rad-ch I] to wake up *Despiérteme a las ocho.* Wake me up at eight o'clock. ▲to arouse, sharpen, excite *Todo lo que ve despierta su curiosidad.* Everything he sees arouses his curiosity.

O**despertarse** to wake up *Me desperté al amanecer.* I woke up at sunrise.

despierto (see **despertar**) awake. ▲smart, wide-awake *Es un chico muy despierto.* He is a very wide-awake boy.

despintar to remove paint; to remove makeup.

desplegar [rad-ch I] to unfold *Estaban desplegando el mapa sobre la mesa.* They were unfolding the map on the table. ▲to deploy (Military). O**desplegar los labios** to open one's mouth *Estuvo allí sin desplegar los labios.* He sat there without opening his mouth.

desplomarse to fall, collapse.

despoblado uninhabited place, wilderness.

despojar to strip (of property), despoil *Le han despojado hasta del último centavo.* They stripped him of his last penny. O**despojarse de** to take off (clothing) *Al entrar se despojó del abrigo.* On entering he took off his coat.

despojo spoils. O**despojos** remains.

déspota [m] tyrant, despot.

despotismo tyranny, despotism.

despreciable despicable, low-down.

despreciar to look down on, despise *No tiene Ud. ninguna razón para despreciarle.* You have no reason to look down on him. ▲to scorn, reject *Despreció todos mis consejos.* He scorned all my advice.

desprecio contempt, disdain.

desprender to unfasten *Desprenda el broche.* Unfasten the pin. O**desprenderse** to loosen, fall off *Se ha desprendido un botón del saco.* A button has fallen off the jacket. O**desprenderse de** to give away *Se ha desprendido de toda su fortuna.* He gave away his whole fortune.

desprendido (see **desprender**) generous *Siempre ha sido muy desprendido.* He has always been very generous.

desprestigiado having lost one's prestige or reputation *Es un hombre completamente desprestigiado.* He is a man who has completely lost his reputation.

desprestigiar to slander.

despropósito nonsense.

después later *Tendremos una reunión y después podemos dar un paseo.* We'll have a meeting and later we can take a walk. ▲then *Después fuimos al teatro.* Then we went to the theater. ▲afterwards *Se lo contaré después.* I'll tell you afterwards. O**después de** after *Iremos después de comer.* We'll go after we eat.

desquitarse to get even *Vamos a jugar otra partida, a ver si me desquito.* Let's play another game to see if I can get even.

desquite [m] revenge, getting even *Entonces se le presentó la ocasión de su desquite.* Then he had a chance for revenge.

destacar to stand out *Se destacaban por su estatura.* They stood out because of their height. O**destacarse** to be noted, be famous, distinguish oneself *Se destacaron por su valor.* They distinguished themselves by their courage.

destapar to take the lid or cover off *¿Puede Ud. destapar esta caja?* Can you take the lid off this box? ▲to open *Destape Ud. otra botella de cerveza.* Open another bottle of beer.

desternillarse to split (one's sides with laughter).

desterrar [rad-ch I] to banish, exile *Lo van a desterrar.* They're going to exile him.

destilar to distill.

destinado (see **destinar**) addressed *La carta venía destinada a mí.* The letter was addressed to me. **○estar destinado a** to be bound to, be destined to *Ese proyecto está destinado a fracasar.* That plan is bound to fail.

destinar to appoint, assign *Le destinaron a otra sucursal del banco.* They appointed him to another branch of the bank.

destinatario addressee.

destino *Tiene un destino en el ministerio de Hacienda.* He has a job in the Treasury Department. ▲destiny, fate, fortune *Su destino fue trágico.* He had a tragic fate. ▲destination *Esta carta no llegará a su destino.* This letter won't reach its destination.

destituir to dismiss (*from office*), make destitute.

destornillador [m] screwdriver.

destornillar to unscrew.

destreza skill.

destrozar to destroy, tear down.

destrucción [f] destruction.

destruir to destroy.

desunir to separate, take apart *Tendremos que desunir los alambres.* We'll have to separate the wires. ▲to estrange *La política desunió a las dos familias.* Politics estranged the two families.

desvalido destitute.

desván [m] attic.

desvanecerse to vanish, disappear *Con el viento, el humo se desvaneció.* The smoke vanished with the wind. ▲to faint *Al oír la mala noticia se desvaneció.* When she heard the bad news she fainted.

desvelar to keep awake *El café me desvela mucho.* Coffee keeps me awake. **○desvelarse** to outdo oneself *Se desvelaban por satisfacernos.* They outdid themselves to satisfy us.

desventaja disadvantage; handicap.

desventura misfortune, mishap.

desvergüenza impudence; shamelessness.

desviación [f] detour *Había una desviación en el camino.* There was a detour on the road.

desviar to change the course of *Desviaron la carretera para hacerla más corta.* They changed the course of the road to make it shorter. **○desviar la mirada** to avoid someone's eyes, look away. **○desviarse** to deviate, get away (from) *No se desvíe del tema.* Don't get away from the subject. ▲to drift *El avión se ha desviado de su ruta.* The plane drifted from its course.

desvío deviation, indifference.

detallar to tell in detail; to detail.

detalle [m] detail *Cuénteme todos los detalles.* Tell me all the details. **○con detalle** in detail *Explíquenme con detalle cómo ha ocurrido eso.* Explain to me in detail how it happened.

detener [irr] to stop, detain *Por favor, deténgale un momento.* Please detain him for a minute. ▲to arrest *La policía detuvo a*

los cómplices del asesino. The police have arrested the accomplices of the murderer. **○detenerse** to stop, halt *El automóvil se detuvo.* The automobile stopped.

detenido (see **detener**) [adj, n] (person) under arrest *Los detenidos esperaban a que se les interrogara.* Those under arrest were waiting to be questioned.

determinación [f] determination; decision *Tenemos que tomar una determinación.* We have to make a decision.

determinado determined [Am] *Triunfó porque era muy determinado.* He succeeded because he was very determined.

determinar to fix, determine *Determinaron las condiciones del negocio.* They fixed the terms of the deal. ▲to decide *¿Determinó Ud. lo que quiere hacer?* Did you decide what you want to do? **○determinarse** to make up one's mind *¿Se determinó a hacer el viaje?* Did he make up his mind to make the trip?

detestable hateful, detestable, awful.

detrás behind *Vienen detrás.* They're coming along behind. **○detrás de** behind, in back of *Detrás de los árboles hay una casa.* There is a house behind the trees.

deuda debt *Pagó todas sus deudas.* He paid all his debts. **○estar en deuda** to be indebted *Estoy en deuda con Ud.* I'm indebted to you.

deudor debtor.

devanar to wind *Estaba devanando un ovillo de lana.* She was winding up a spool of wool. **○devanarse** to double up (*with pain*) [Am]. **○devanarse los sesos** to rack one's brains *Me estoy devanando los sesos para encontrar una solución.* I'm racking my brains to find a solution.

devastar to lay waste, ruin.

devoción [f] piety, devoutness; devotion.

devolver [rad-ch I] to return, give back *¿No ha devuelto Ud. todavía esos libros?* Haven't you returned those books yet? ▲to pay back *¿Te ha devuelto el dinero que le prestaste?* Has he paid back the money you lent him?

devorar to devour.

devoto devout, pious.

devuelto (see **devolver**).

día [m] day *¿A qué día estamos hoy?* What day is today? **○al día** a day, per day *Producen cien automóviles al día.* They produce a hundred automobiles a day. ▲up-to-date *Ponga Ud. esa correspondencia al día.* Bring that correspondence up to date. **○al día siguiente** the following day. **○buenos días** good morning *Buenos días. ¿Cómo está Ud.?* Good morning. How are you? **○darle a uno los días** to congratulate someone on his saint's day *or* birthday *Fui a dar los días a mi hermano.* I went to congratulate my brother on his birthday. **○de día** before dark *¿Cree Ud. que volveremos de día?* Do you think we'll return before dark? ▲by day, when it is light *Llegó a casa cuando ya era de día.* It was daylight when he got home. **○de día en día** from day to day, as time goes by *De día en día la situación va empeorando.* The situation is getting worse from day to day. **○de hoy en ...días** days from today *Iremos de hoy en ocho días.* We'll go a week from today. **○de un día para otro** from day to day *Está* *dejando esa visita de un día para otro.* He keeps putting off that visit from day to day. O**día de Año Nuevo** New Year's Day. O**día de fiesta** holiday *¿Es mañana un día de fiesta?* Is tomorrow a holiday? O**día del santo** saint's day O**el día menos pensado** when one least expects.

diablo devil *¿Qué diablo estás haciendo!* What the devil are you doing? O**irse al diablo** to go to the devil.

diáfano transparent, clear.

dialecto dialect.

diálogo dialogue.

diamante [*m*] diamond.

¡diantre! the deuce! the devil!

diario [*adj*] daily *Salió a dar su paseo diario.* He went out for his daily walk. ▲[*m*] journal, diary *Escribía por las noches su diario.* He used to write his diary in the evening. ▲paper, journal *¿Qué trae el diario?* What is new in the paper today?

dibujar to draw, sketch.

dibujo drawing.

diccionario dictionary.

dicha happiness.

dicho (see **decir**). ▲[*m*] saying *Ese es un dicho muy antiguo.* That is a very old saying. ▲witty remark *Tiene unos dichos muy graciosos.* He makes some very witty remarks.

dichoso happy, fortunate, lucky.

diciembre [*m*] December.

dictador [*m*] dictator.

dictadura dictatorship.

dictar to dictate *Le voy a dictar unas cartas.* I'm going to dictate some letters to him.—*Hizo lo que le dictó su conciencia.* He did what his conscience dictated. ▲to give, issue (*by decree*) *Acerca de esto no se han dictado órdenes.* They haven't given any orders about this.

diente [*m*] tooth *Tengo un diente picado.* I have a cavity in my tooth. ▲tine *El tenedor tiene torcidos los dientes.* The tines of the fork are bent. ▲cog *Se cogió el brazo entre los dientes de la rueda.* His arm was caught between the cogs of the wheel.

diestro able, skillful. ▲[*m*] bullfighter.

dieta diet.

diez ten.

diferencia difference.

diferenciar to distinguish between.

diferido (see **diferir**) deferred.

diferir [*rad-ch II*] to postpone, put off *No difiera Ud. esos asuntos.* Don't put off those matters. ▲to differ *Difiero de Ud. en ese punto.* I differ with you on that point.

difícil difficult, hard.

dificultad [*f*] difficulty.

dificultar to make difficult.

difundir to spread, tell *¿Quién habrá difundido esa noticia?* Who could have spread that news? ▲to broadcast *Esa emisión será difundida a toda América.* That program will be broadcast throughout America.

difunto [*adj*] dead, deceased ▲[*n*] deceased person, corpse.

difusora (radio) broadcasting station.

digerir [*rad-ch II*] to digest *Es una comida que se digiere muy mal.* That food is hard to digest.

digestión [*f*] digestion.

dignidad [*f*] dignity, high rank (*office*).

digno dignified *¡Qué hombre tan digno!* What a dignified man! ▲worthy *No es digno del puesto que tiene.* He is not worthy of his position. ▲worthwhile.

dije [*m*] trinket, charm, pendant.

dilatación [*f*] expansion, enlargement.

dilatar to expand, dilate *Tiene las pupilas dilatadas.* The pupils of his eyes are dilated. ▲to delay [*Am*] *No dilaten más la resolución del negocio.* Don't delay finishing the business.

diligencia diligence *Trabaja con mucha diligencia.* He works diligently. ▲speed *Hay que resolverlo con toda la diligencia posible.* You must solve it with all possible speed. O**hacer una diligencia** to attend to some business, do an errand. ▲stagecoach.

diligente industrious; careful.

diluvio flood, deluge.

dimensión [*f*] dimension.

diminuto diminutive, tiny.

dineral [*m*] large sum of money.

dinero money *En ese cajón he dejado el dinero.* I've left the money in that drawer. —*No venturen Uds. su dinero en eso.* Don't risk your money in that. O**dinero suelto** small change. O**persona (or gente) de dinero** wealthy person (*or* people).

Dios, dios [*m sg*] God, god. O**a Dios gracias, gracias a Dios** thank God *A Dios gracias, tenemos lo que necesitamos.* Thank God, we have what we need. O**¡Dios mío!** My God! Goodness!

diplomacia diplomacy.

diplomático diplomatic *Su respuesta no fue diplomática.* His answer wasn't diplomatic. ▲[*m*] diplomat *Era un buen diplomático.* He was a good diplomat.

diputado congressperson.

dirección [*f*] direction *¿En qué dirección va Ud.?* Which way are you going? ▲address (*mail, etc.*) *Escriba la dirección con claridad.* Write the address clearly. ▲board of directors. ▲management. O**de dirección única** one-way *Esta calle es de dirección única.* This is a one-way street.

directo [*adj*] direct.

director [*m*] director, manager *Hable Ud. con el director de la empresa.* Speak to the manager of the firm. O**director de escena** stage manager. O**director (de escuela)** principal (*of a school*). O**director de orquesta** orchestra conductor. O**director de un periódico)** editor (*of a newspaper*).

dirigible [*m*] dirigible.

dirigir to direct. ▲to address *¿A quién tengo que dirigir la carta?* Whom should I address the letter to? ▲to manage *Dirigió la campaña política.* He managed the political campaign. ▲to lead *Diríjanos Ud. que sabe el camino.* Lead us, since you know the road. ▲to steer *Dirigieron el barco hacia el muelle.* They steered the ship toward the wharf. O**dirigir la palabra** to speak, address *No me dirigió la palabra en varios días.* He didn't speak to me for several days.

disciplina discipline.

discípulo, discípula student, pupil.

disco disk. ▲phonograph record *Ponga un disco de música de baile.* Put on a dance record.

disco compacto compact disc, CD *Los discos compactos tienen buen sonido.* CDs have a good sound.

disco duro hard disk *La información se almacena en el disco duro.* Information is stored in the hard disk.

disco flexible floppy disk, diskette *Los discos flexibles son baratos.* Floppy disks are inexpensive.

disco magnético magnetic disk.

discordia discord.

discreción [f] discretion.

discrepar to differ, disagree *Discrepo de su opinión.* I differ from your opinion.

discreto fair (fairly good) *Es un actor discreto.* He is a fair actor. ▲discreet *Lo que dijo no era discreto.* What he said wasn't discreet.

disculpa apology *Sus disculpas no me interesan.* I'm not interested in his apologies. ▲excuse *Lo que ha hecho no tiene disculpa.* There is no excuse for what he did.

disculpar to pardon, excuse *Tenemos que disculpar sus faltas.* We must excuse his mistakes. ᴼdisculparse to apologize *Tengo que disculparme por lo tarde que he venido.* I must apologize for coming late.

discurrir to think *Es un hombre que discurre muy bien en una emergencia.* He is a man who thinks well in an emergency.

discurso speech.

discusión [f] discussion.

discutir to discuss (*involving a difference of opinion between two or more persons*) *Estuvieron varias horas discutiendo el asunto.* They discussed the matter for several hours. ▲to argue *Discute todo lo que se le manda hacer.* He argues about everything he is told to do.

disfraz [m] disguise.

disfrazar (se) to disguise (oneself).

disfrutar to benefit by; to enjoy ᴼdisfrutar de to enjoy (*good health*) *Disfruta de muy buena salud.* He enjoys good health. ᴼdisfrutar en or de to enjoy *Disfrutamos mucho en la excursión.* We enjoyed the excursion very much.

disgustar to displease, grieve *Aquello disgustó a todos.* That displeased everyone. ᴼdisgustarse to be displeased or hurt *Se disgustó por lo que le dije.* She was hurt by what I said to her.

disgusto quarrel *He tenido un disgusto con unos amigos.* I had a quarrel with some friends. ▲grief, sorrow *Cuando se enteró de la muerte de su amigo se llevó un disgusto terrible.* When he found out about the death of his friend, he was very much grieved. ᴼdar disgustos to distress, grieve *Ese muchacho les dio muchos disgustos a sus padres.* That boy distressed his parents very much.

disimular to conceal, dissimulate *Siempre disimula sus intenciones.* He always conceals his intentions. ▲to tolerate, overlook *Como lo quiere tanto disimula todas sus faltas.* Since she likes him so much, she overlooks his faults.

disimulo dissimulation.

disipar to squander *Disiparon su fortuna en un par de años.* They squandered their fortune in a couple of years. ▲to dispel, drive away *Quiero disipar sus dudas.* I want to dispel his doubts.

disminución [f] decrease, diminution.

disminuir to decline, lessen *En unas horas disminuirá el dolor.* The pain will be lessened in a few hours. ▲to decrease *En estos días han disminuido las ventas.* Sales have decreased these days. ▲to die down, diminish *Si disminuye el viento, iremos.* If the wind dies down, we'll go.

disolución [f] dissolution.

disolver [irr] to dissolve *Disuelva la pastilla en un vaso de agua.* Dissolve the tablet in a glass of water. ▲to break up *La policía disolvió la reunión.* The police broke up the meeting.

disparado (see **disparar**) ᴼa la disparada [Am] at full speed. ᴼsalir disparado to beat it, to flee *Al llegar la policía salieron disparados.* When the police arrived they beat it.

disparar to shoot, fire *Dispararon al aire.* They fired into the air. ᴼdispararse to go off *Se disparó la escopeta.* The shotgun went off.

disparate [m] nonsense; mistake.

disparo discharge, shooting of weapon.

dispensar to excuse *Le han dispensado de hacer ese trabajo.* They've excused him from doing that work. ▲to excuse, pardon *Dispense Ud. que le interrumpa.* Pardon me for interrupting you.—*Dispénseme.* Excuse me. or Beg pardon. ▲to distribute, dispense.

dispersar to scatter, disperse *Los guardias dispersaron a la multitud.* The police dispersed the crowd.

disponer [irr] to place, arrange *Han dispuesto mal los muebles.* They arranged the funiture badly. ▲to arrange *Disponga Ud. lo que quiera.* Make any arrangements you like. ▲to order, decree *El gobierno ha dispuesto la movilización general.* The government has ordered total mobilization. ᴼdisponer de to spend [Am] *Dispuso de todo el dinero que le di.* He spent all the money I gave him. ▲to have at one's disposal *Dispongo de muy poco tiempo.* I have very little time at my disposal. ᴼdisponerse a to get ready to *Me dispongo a salir mañana.* I'm getting ready to leave tomorrow.

disponible available.

disposición [f] disposal, service *Estoy a su disposición.* I'm at your service. ▲provision, order *Han cambiado las disposiciones.* They changed the orders. ▲arrangement *La disposición de los cuadros.* The arrangement of the pictures. ᴼestar en buena disposición to be in a good frame of mind.

dispuesto (see **disponer**) disposed, ready; zealous. ᴼbien dispuesto favorably disposed. ᴼmal dispuesto ill-disposed.

disputa dispute. ᴼsin disputa undoubtedly, doubtless.

disputar to dispute, argue *Disputaban por cualquier cosa.* They argued over anything at all. ᴼdisputarse to fight for or over *Los dos se disputaron el premio.* The two of them fought for the prize.

D

distancia distance *¿Qué distancia hay de su casa al pueblo?* How far is it from your house to town? O**a distancia** at a distance. O**a larga distancia** long-distance [*Am*] *¿Cuánto tiempo hay que esperar para una llamada de larga distancia?* How long must one wait for a long-distance call?

distante far, distant.

distar to be distant *¿Dista mucho de aquí?* Is it far from here? ▲to be far *Distaba mucho de ser cierto.* It was far from certain.

distinción [*f*] distinction *Era una mujer de mucha distinción.* She was a woman of great distinction. ▲difference, distinction *Hay que hacer una distinción entre los dos sonidos.* It is necessary to make a distinction between the two sounds. ▲distinction, honor *Aquella distinción era merecida.* That distinction was well deserved.

distinguir to distinguish, tell apart *Era muy difícil distinguir a los gemelos.* It was very difficult to tell the twins apart. ▲to make out *¿Distingue a lo lejos una luz?* Can you make out a light in the distance? ▲to esteem, show regard for *La distingue de un modo especial.* He has a special regard for her. O**distinguirse** to distinguish oneself.

distinto different.

distracción [*f*] absentmindedness *Lo hizo por distracción.* He did it absentmindedly. ▲diversion, pastime, amusement *El cine es una gran distracción.* Movies are a great diversion.

distraer [*irr*] to distract *Ese ruido me distrae.* That noise distracts me. ▲to entertain, divert *Me ha distraído mucho esta novela.* I've enjoyed this novel very much. O**distraerse** to be distracted, not to be able to concentrate *Ese chico se distrae fácilmente.* That child is easily distracted.

distribución [*f*] distribution.

distribuir to distribute *Distribuyeron víveres.* They distributed food. ▲to sort *¿Han distribuido el correo?* Has the mail been sorted?

distrito district.

divagar to digress; to roam.

diván couch.

diversidad [*f*] diversity.

diversión [*f*] pastime, diversion.

diverso different *Tenían opiniones diversas.* They had different opinions. O**diversos** various, several *Le he visto en diversas ocasiones.* I've seen him on several occasions.

divertir [*rad-ch II*] to amuse, entertain, divert *Esa película le divertirá mucho.* That picture will amuse you. O**divertirse** to be entertained, have a good time. *¿Se divirtieron Uds. anoche?* Did you have a good time last night?

dividendo dividend.

dividir to divide.

divinidad [*f*] divinity.

divino divine. ▲very beautiful *Era una mujer divina.* She was a very beautiful woman. O**culto divino** public worship in churches.

divisar to make out, perceive indistinctly.

división [*f*] division. ▲compartment *El cajón de la cómoda tiene varias divisiones.* The bureau drawer has several compartments. ▲disunity, discord *Hay una gran*

división en el partido. There is a serious split in the party. ▲division [*Military*].

divorciarse to get a divorce.

divorcio divorce.

divulgación [*f*] diffusion, spread.

divulgar to reveal, let out. *No sé quien divulgó la noticia.* I don't know who let out the news. ▲to popularize, make popular *Ese libro ha contribuido mucho a divulgar la química.* That book has done a lot to popularize chemistry. O**divulgarse** to become widespread *Se ha divulgado mucho el uso de ese tipo de radio.* The use of this type of radio has become widespread.

doblar to fold *Está doblando el mantel.* She is folding the tablecloth. ▲to double *Doblaron las apuestas.* They doubled their bets. O**doblar la cabeza** to give in, yield. O**doblar la esquina** to turn the corner. O**doblarse** to bend, sag *Con tanto peso se doblará la barra.* The rod will bend under so much weight.

doble double *Tendrá Ud. que pagar el doble.* You'll have to pay double. ▲thick, heavy *Quiero una tela doble.* I want some heavy cloth. ▲deceitful, two-faced *No se fíe de él, es muy doble.* Don't trust him, he is very two-faced.

doblez [*m*] fold, crease *Tiene que hacer el doblez bien derecho.* You have to make the crease very straight.

doce twelve.

docena dozen.

dócil docile, obedient.

doctor [*m*] doctor (*academic title*) *Acaba de obtener el grado de Doctor en Filosofía.* He has just received his Ph.D. in Philosophy. ▲doctor, physician (*of medicine*) *El doctor dijo que será necesario operar.* The doctor said it'll be necessary to operate.

doctrina doctrine; teaching.

documento document, paper.

dólar [*m*] dollar.

dolencia pain; disease.

doler [*rad-ch I*] to hurt, pain *Esta inyección no duele nada.* This injection doesn't hurt a bit. ▲to hurt, grieve *Les dolió mucho lo que dijo.* What he said hurt their feelings.

dolor [*m*] pain, ache *Tomó un calmante para el dolor de muelas.* He took a sedative for his toothache. ▲sorrow, grief, affliction *Trataba de consolarla en su dolor.* He tried to console her in her sorrow.

dolorido sore, painful.

domar to tame; to subdue, overcome.

doméstico [*adj*] domestic. ▲[*n*] domestic, servant.

domicilio residence *Avise si cambia de domicilio.* Let us know if you change your residence.

dominar to have a command or mastery of *Domina el español.* He has an excellent command of Spanish. ▲to dominate *No deje que ese hombre le domine.* Don't let that man dominate you. ▲to overlook, command a view of *Esta colina domina la ciudad.* This hill overlooks the city. ▲to predominate *Entre los productos de esta región domina el algodón.* Among the products of this region, cotton predominates. O**dominarse** to control oneself *Domínese, no se ponga así.* Control yourself; don't get excited.

domingo Sunday.

dominico Dominican friar.

dominio power, rule, control *Tiene un gran dominio sobre sí mismo.* He is very self-controlled. ▲domination, authority *Estos territorios estuvieron bajo el dominio extranjero.* These lands were under foreign domination. ▲dominion *El rey salió a visitar sus dominios.* The king went to visit his dominions.

dominó [m] game of dominoes.

don [m] gift *Tiene un don natural para hablar.* He has a natural gift for speaking. ○don de gentes winning manners.

Don [m] Mr. (*used before a man's first name or full name*).

donación [f] donation, gift.

doncella maid, servant [Sp] *La doncella sirvió el té.* The maid served the tea. ▲girl *¡Qué doncella tan linda!* What a pretty girl!

donde where *Aquí es donde murió.* This is where he died. ○¿a dónde? where? *¿A dónde va Ud?* Where are you going? ○¿de donde? how? *¿De donde va a saberlo si nadie se lo ha dicho?* How is he going to know if no one has told him? ○¿dónde? where? *¿Dónde estuvo Ud. ayer?* Where were you yesterday? ○¿por dónde? which way? where? *¿Por dónde está la salida?* Where is the exit? ||*¡De dónde!* Nonsense! ||*Fui donde mi hermano.* I went to my brother's.

dondequiera wherever; anywhere.

Doña Mrs. (*used before a woman's first name or full name*) *¿Conoce a Doña María López?* Do you know Mrs. María López? ▲Miss [Col] *¿Ha llegado Doña Juanita?* Has Miss Janet arrived?

dorado gold, golden, gilded

dorar to gild, to brown.

dormilón sleepyhead.

dormir [rad-ch II] to sleep. ▲to rest, be inactive *Deje que duerma el asunto hasta que yo vuelva.* Let the matter rest until I get back. ▲to put to sleep *Duerme al niño.* Put the child to sleep. ○dormirse to fall asleep *Se durmió en la conferencia.* He fell asleep at the lecture.

dormitorio bedroom, dormitory.

dos two. ▲second *Saldré el dos o el tres del mes próximo.* I'll leave the second or third of next month. ▲[m] deuce *Echó el dos del triunfo.* He played the deuce of trumps. ○de dos en dos in pairs, by twos, two abreast *Las niñas iban de dos en dos por el paseo.* The girls went down the walk in pairs. ○de dos en fondo two abreast *Los soldados marchaban de dos en fondo.* The soldiers were marching two abreast.

doscientos two hundred.

dosis [f] dose (*of medicine*).

dotación [f] allotment *La dotación no es suficiente.* The allotment is inadequate. ▲endowment, foundation; donation. ▲crew *Ya está completa la dotación del buque.* The ship's crew is now complete.

dotado (see **dotar**) gifted *Es un muchacho muy bien dotado.* He is a very gifted boy.

dotar to give a dowry to *Su padre la dotó muy bien.* Her father gave her a good dowry.

dote [f] dowry *Se gastó la dote de su mujer.* He spent his wife's dowry. ▲talent *Con tan buenas dotes tenía que triunfar.* With such talents he was bound to succeed.

draga dredge.

dragar to dredge.

drama [m] play, drama.

dramático dramatic.

droga drug.

droguería drugstore.

ducha shower, shower bath.

duda doubt. ○sin duda certainly, without doubt *"¿Vendrá Ud. mañana?" "Sin duda."* "Will you come tomorrow?" "Certainly."

dudar to doubt *Dudo que venga.* I doubt that he'll come. ▲to hesitate *Dudó al darme la respuesta.* He hesitated before he answered me. ○dudar de to doubt, distrust, question *No dudamos de lo que Ud. dice.* We don't question what you say.

dudoso doubtful. ▲dubious, suspicious *Ese es un tipo dudoso.* He is a suspicious character.

duelo mourning *Se cerraron las tiendas en señal de duelo.* The stores were closed as a sign of mourning. ▲sorrow *La muerte del presidente causó gran duelo.* The president's death caused great sorrow. ▲duel *Su abuelo murió en un duelo.* His grandfather was killed in a duel.

duende [m] hobgoblin.

dueño, dueña owner, landlord, landlady *Es el dueño de la propiedad.* He is the owner of the property. ▲master, mistress *El perro miraba a su dueño.* The dog looked at his master. ○dueño de sí mismo self-controlled *Siempre es dueño de sí mismo.* He is always self-controlled.

dulce [adj] sweet. ▲[m] a piece of candy; pl candy *Compró una caja de dulces.* He bought a box of candy. ○agua dulce fresh water.

dulzura sweetness; mildness *El clima es de una gran dulzura.* The climate is very mild.

duodécimo twelfth.

duplicado (see **duplicar**) [adj; m] duplicate *Este ejemplar está duplicado.* This is a duplicate copy. ○por duplicado in duplicate *Envíelo por duplicado.* Send it in duplicate.

duplicar to double; to duplicate; to repeat.

duque [m] duke.

duquesa duchess.

duración [f] duration, term length *La duración de la guerra perjudica al comercio.* The length of the war is harmful to trade. ○ser de duración to wear well, last *Este género es de mucha duración.* This material will wear very well.

duradero lasting, durable.

durante during.

durar to last *¿Cuánto dura la película?* How long does the picture last? ▲to wear, last *El abrigo me ha durado tres años.* This overcoat has lasted me three years.

dureza hardness, solidity *La dureza del ébano es bien conocida.* The hardness of ebony is well known. ▲hardness, harshness *¡Qué dureza de corazón!* How hard-hearted!

D

durmiente dormant, sleeping; [m] (railroad) tie [Am].

duro hard *Este colchón es muy duro*. This is a very hard mattress. ▲hard, rough *¡Llevan una vida tan dura!* They lead such a hard life. ▲hard, stubborn *¿Por qué tienes la cabeza tan dura?* Why are you so hardheaded? ▲[adv] hard *Trabajó muy duro para conseguirlo*. He worked very hard to accomplish it. ▲[m] duro (*Spanish coin equal to five pesetas*).

E

e and (*before* **i** *or* **hi**) *María e Inés irán conmigo*. Mary and Inez will go with me.

¡ea pues! come on! *¡Ea pues! Sigamos adelante*. Come on, let's get going.

echar to throw *Echaremos esto en el cajón*. We'll throw this into the drawer. ▲to discharge, dismiss, fire *Echaron a muchos empleados*. They fired many employees. ▲to pour *Puede echar el vino en el vaso*. You can pour the wine into the glass. **ᴼechar a** (*followed by verb of motion*) to begin to, start to *Echaron a correr al ver al policía*. They began to run when they saw the policeman. **ᴼechar a perder** to spoil, ruin *Ha echado a perder el trabajo*. He has spoiled the work. **ᴼechar a pique** to sink *Los submarinos echaron a pique muchos barcos*. The submarines sank a lot of ships. **ᴼechar de menos** to miss (notice the lack of) *Echa de menos a sus amigos*. He misses his friends. **ᴼechar de ver** to notice, observe *No echó de ver el cambio*. He didn't notice the change. **ᴼechar en cara** to throw in one's teeth, throw up to one *Siempre me echaba en cara sus favores*. He was always throwing his favors up to me. **ᴼechar la llave** to lock the door *Eche Ud. la llave al salir*. Lock the door when you go out. **ᴼechar por tierra** to overthrow, spoil *Le echaron por tierra sus proyectos*. They overthrew his plans. **ᴼecharse** to lie down *Se echó en la arena*. He lay down in the sand. **ᴼecharse a perder** to spoil *La carne se echó a perder*. The meat spoiled.

eclipsar to eclipse.

eco echo.

economía economy. **ᴼeconomía política** economics. **ᴼeconomías** savings *Perdió todas sus economías*. He lost all his savings.

económico economical.

economizar to save *Economizaba la mitad de lo que ganaba*. He saved half of what he earned.—*Por aquel camino economizaba tiempo*. He saved time by taking that road.

ecuador [m] equator.

edad [f] age.

edificar to build *Edificarán una ciudad moderna*. They will build a modern city.

edificio building.

editor [m] publisher *Los editores de ese periódico son muy liberales*. The publishers of that newspaper are very liberal.

edredón [m] comforter, feather quilt.

educación [f] breeding, upbringing *Es un hombre sin educación*. He is ill-bred. ▲education (*intellectual, physical, and moral training*).

educar to educate *Hay que educar al pueblo*. The people must be educated. ▲to train *Han educado muy bien a su perro*. They've trained their dog very well.

efectivo effective. **ᴼen efectivo** in cash *Quiero que me paguen en efectivo*. I want to be paid in cash.

efecto effect. ▲impression *Su actuación causó mal efecto*. His behavior made a bad impression. **ᴼen efecto** in fact *¡En efecto, no sabe nada!* In fact, he doesn't know anything.

efectuar to carry out, put into effect.

eficaz efficient, effective *Tomaron una medida muy eficaz*. They took a very effective measure.

efusión [f] effusion, warmth *La efusión de su acogida le emocionó*. The warmth of his reception moved him.

egoísta selfish *Es un hombre muy egoísta; no piensa en los demás*. He is a very selfish man; he never thinks of others.

¡eh! hey! *¡Eh! Aquí estoy*. Hey, here I am!

eje [m] axle *El eje está roto*. The axle is broken. ▲main point, crux *Este es el eje de la cuestión*. That is the crux of the matter.

ejecución [f] execution *Se hará cargo de la ejecución del proyecto*. He'll be in charge of carrying out the plan. ▲performance *La ejecución del programa musical fue excelente*. The performance of the musical program was excellent.

ejecutar to execute, carry out *Se están ejecutando cambios en el gabinete*. They're making changes in the cabinet.

ejecutivo [adj] executive.

ejemplar exemplary *Es de una conducta ejemplar*. His conduct is exemplary. ▲[m] copy *No pude conseguir otro ejemplar del libro*. I couldn't get another copy of the book.

ejemplo example *Sirve de ejemplo a los demás*. He sets an example for the others.

ejercer to handle, hold, practice *Ha ejercido ese cargo por mucho tiempo*. He has handled that job for a long time.

ejercicio exercise, drill.

ejercitar to exercise, drill *Está ejercitando su caballo*. He is exercising his horse.

ejército army.

ejote [m] string bean [Am].

el the.

él he *El llegó tarde*. He arrived late.

elástico [adj; m] elastic.

elección [f] election; choice.

electo (see **elegir**).

electricidad [f] electricity.

electricista [m, f] electrician.

eléctrico electric.

electrónico electronic.

elefante [m] elephant.

elegancia elegance *Estaba vestida con elegancia*. She was elegantly dressed.

elegante stylish, smart.

elegir [rad-ch III] to choose, select *Sabe elegir sus amigos*. He knows how to choose his friends. ▲to elect *¿A quién han elegido presidente del club?* Who did they elect president of the club?

elemental elemental, elementary, fundamental.

elemento element, factor *Es un elemento perturbador.* He is a disturbing element. ▲element *Cuando baila está en su elemento.* He is in his element when he is dancing.

elevación [*f*] elevation, height, altitude.

elevar to raise, to elevate; to exalt, to erect *Van a elevar un monumento a los héroes.* They're going to erect a monument to the heroes. ○**elevarse** to climb, ascend *Los aviones se elevaron a gran altura.* The airplanes climbed very high.

eliminar to eliminate.

ella she.

ello it, that *Hablemos de ello.* Let's talk about that.

ellos, ellas [*m*] they.

elocuencia eloquence.

elocuente eloquent.

elogiar to praise *Nunca elogia a nadie.* He never praises anyone.

elogio praise.

elote [*m*] ear of green corn (*for roasting*) [*Am*].

emanación [*f*] fumes.

embajada embassy; delegation.

embajador [*m*] ambassador.

embanderar to decorate with banners *La calle está embanderada.* The street is decorated with banners.

embarcar to ship, send by boat *Embarcaré mi equipaje primero.* I'll ship my baggage first. ○**embarcar(se)** to embark *Se embarcó para Buenos Aires.* He embarked for Buenos Aires.

embargar to seize, attach *Les embargarán todas sus propiedades.* They'll seize all their property.

embargo seizure, embargo ○**sin embargo** however, nevertheless *Aunque es el estado más pequeño, es, sin embargo, el más poblado.* Though it is the smallest state, nevertheless it is the most densely populated.

embarque [*m*] shipment; boarding (*a ship*).

embestir [*rad-ch III*] to attack, charge (*headfirst*) *El toro embistió con furia.* The bull charged furiously.

emblema [*m*] emblem, insignia.

embriagar to make drunk, intoxicate *Este vino embriaga muy fácilmente.* This wine is very intoxicating. ▲to overcome *Estaba embriagado por la emoción.* He was overcome with emotion. ○**embriagarse** to get drunk *Se embriagaron en la fiesta.* They got drunk at the party.

embrollar to muddle, mess up *No embrolle Ud. las cosas.* Don't mess things up.

embrollo muddle, mess *¡Esto es un embrollo!* This is a mess.

embromar to play jokes on *Se pasa el tiempo embromando a todo el mundo.* He spends his time playing jokes on everybody.

embuste [*m*] lie *Todos creyeron su embuste.* Everyone believed his lie.

embustero, embustera liar.

emergencia emergency.

emigración [*f*] emigration.

emigrante [*m, f; adj*] emigrant.

emigrar to emigrate.

eminencia summit, top; hill *Desde una eminencia se divisaba el valle.* From a hill one could see the valley. ▲eminence, outstanding person (*in science, letters, arts*).

eminente famous, eminent *Es un escritor eminente.* He is a famous writer.

emoción [*f*] emotion *Me quedé mudo de la emoción.* I was speechless with emotion. ▲feeling *El actor hizo su papel con emoción.* The actor played the part with feeling.

emocionarse to be moved *Se emociona fácilmente.* He is easily moved.

empacar to pack.

empalizada (wooden) fence.

empalizar to fence *Empalizaron el jardín.* They fenced the garden.

empalme [*m*] junction.

empañar to blur, dim *La humedad empaña los vidrios.* Moisture blurs the glass.

empapar to soak *Empape esta esponja en agua.* Soak this sponge in water. ○**empaparse** to be soaked, be drenched *Llueve tanto que me he empapado al cruzar la calle.* It is raining so hard I got soaked crossing the street.

emparejar to make level, make even [*Am*]; to match [*Sp*].

empatar to equal. ▲to tie *Los dos equipos empataron en el primer partido.* The two teams tied in the first game.

empate [*m*] tie, draw.

empedrado cobblestone pavement.

empedrar to pave with cobblestones.

empellón [*m*] push, shove *Me dio un empellón y pasó delante de mí.* He gave me a push and got ahead of me. ○**entrar a empellones** to push one's way in *La gente entraba a empellones.* The people pushed their way in.

empeñar to pledge, give *Empeñé mi palabra.* I gave my word. ▲to pawn *Tuvo que empeñar su reloj.* He had to pawn his watch. ○**empeñarse en** to be bent on *Se empeña en hacerlo a pesar de los obstáculos.* He is bent on doing it in spite of all obstacles.

empeño determination, firmness *Trabajó con tanto empeño que se hizo rico.* He worked with such determination that he became rich. ▲pawn; pawning. ○**casa de empeños** pawnshop.

empeorarse to grow worse.

empezar [*rad-ch I*] to begin *¿A qué hora empieza la función?* When does the performance begin?

empinado steep.

empinar to raise ○**empinar el codo** to drink *Le gusta empinar el codo.* He likes to drink. ○**empinarse** to stand on one's toes *Tendrá que empinarse para poder ver.* You'll have to stand on your toes to see.

empleado (see **emplear**) ▲[*n*] employee.

emplear to use, employ *Emplearemos otro material.* We'll use another material. ▲to employ, hire *¿Van a emplear más gente?* Are they going to employ more people? ▲to invest *Empleó su dinero en negocios.* He invested his money in business.

empleo employment; job *Tengo un buen empleo.* I have a good job. ▲use *El empleo*

E

de esa palabra no es común. That word isn't in common use.

empobrecerse [-zc-] to become poor.

empolvarse to powder oneself *Se empolva demasiado.* She uses too much powder. ▲to get dusty *En este tiempo se empolva mucho la carretera.* The road gets very dusty in this weather.

emprender to undertake.

empresa undertaking, project, enterprise *Es muy difícil realizar esa empresa.* It is very difficult to carry out that project. ▲company *Ha quebrado la empresa.* The company has failed.

empresario manager (*theatrical*), promoter.

empujar to push *Haga el favor de empujar la mesa hacia aquí.* Please push the table over this way.

empujón [m] push *Le dieron un empujón.* They gave him a push. ○a empujones by pushing.

en in. ▲at *La vi en la estación.* I saw her at the station. ▲on *¿En cuál tren vino Ud.?* What train did you come on? ○en vano in vain *Esperé en vano toda la tarde.* I waited all afternoon in vain.

enamorado in love. ▲[n] one in love, lover, sweetheart.

enamorar to flirt with *Enamora a todas las chicas.* He flirts with all the girls. ○enamorarse de to fall in love with.

encadenar to chain.

encajar to fit *La tapa no encaja bien.* The cover doesn't fit well. ▲to fit in *Ella no encaja bien aquí.* She doesn't fit in here.

encaminar to direct *Los encaminamos a la estación.* We directed them to the station. ○encaminarse to make one's way, go *Se encaminó hacia su casa.* He went toward his house.

encantador [adj] charming. ▲[m] charmer.

encantar to charm, delight *Esta escena me encanta.* This scene delights me.

encanto charm.

encarado ○mal encarado tough-looking *Es un hombre muy mal encarado.* He is a very tough-looking guy.

encaramarse to climb *Se encaramó al árbol.* He climbed the tree.

encarcelar to imprison.

encarecer [-zc-] to raise, make expensive *Han encarecido el precio de la carne.* They've raised the price of meat. ▲to beg *Le encarezco que lo haga con cuidado.* I beg you to do it carefully. ○encarecerse to become more expensive, go up *Los víveres se han encarecido.* The price of food has gone up.

encargado (see **encargar**) in charge *Está encargado de la organización de la fiesta.* He is in charge of preparations for the party. ▲[n] manager, person in charge *Hable con el encargado.* Speak to the manager.

encargar to entrust *Le encargaron una misión muy delicada.* They entrusted him with a very delicate mission. ▲to ask, urge *Me encargó que no lo dijese.* He urged me not to say it. ○encargarse to take charge *Me encargaré del trabajo.* I'll take charge of the work.

encargo job, assignment *Me ha dado un encargo que no me gusta.* He has given me

an assignment that I don't like. ▲errand *Salió a hacer unos encargos.* He went out on some errands.

encarnado [adj] red.

encarnizado cruel, pitiless.

encendedor [m] cigarette lighter.

encender [rad-ch I] to light, put on *Haga el favor de encender la luz.* Please put on the light. ○encenderse to light up, go on *Se encendieron los faroles.* The streetlights went on.

encendido (see **encender**) ignition, bright-colored. ○ponerse encendido to blush.

encerrar [rad-ch I] to lock up *Los encerraron en un calabozo.* They locked them up in a cell. ▲to include, contain *Ese libro encierra ideas útiles.* That book contains useful ideas.

encía gum (*of the mouth*).

encima on *¿Quiere que ponga esto encima de la mesa?* Do you want me to put this on the table? ○por encima superficially, sketchily *He leído el diario por encima.* I skimmed through the newspaper. ○por encima de above *El avión volaba por encima de las nubes.* The airplane was flying above the clouds.

encina evergreen oak (*tree*).

encinta pregnant.

encoger to shrink *Esa tela va a encoger si se lava.* That material is going to shrink if it is washed. ○encogerse de hombros to shrug one's shoulders *Se encogió de hombros por toda contestación.* His only answer was to shrug his shoulders.

encogido (see **encoger**) bashful *Era un chico muy encogido.* He was a very bashful boy.

encolerizar to anger. ○encolerizarse to become angry.

encomendar to charge with, entrust to *Le encomendarán la ejecución del proyecto.* They'll entrust the completion of the project to him.

encomienda commission, charge ○encomienda postal parcel, package, parcel post [Am].

enconado (see **enconarse**) rankling *Se tenían un odio enconado.* They had a rankling hatred for each other.

enconarse to become infected *Se le ha enconado la herida.* His wound has become infected.

encontrar [rad-ch I] to find *Encontré este reloj en la estación.* I found this watch at the station.—*¿Cómo encuentra Ud. el trabajo?* How do you find the work? ▲to meet *Anoche encontré a mi amigo en la biblioteca.* I met my friend in the library last night. ○encontrarse to meet *Nos encontraremos en el teatro.* We'll meet in the theater. ▲to collide *Los dos camiones se encontraron con gran estrépito.* The two trucks collided with a great crash. ▲to be *Mi mujer se encontraba allí.* My wife was there.

encontronazo bump, collision.

encorvar to bend, curve. ○encorvarse to bend, stoop.

encrucijada crossroad, street *or* road intersection.

encuentro meeting *Fue un encuentro muy afortunado.* It was a very fortunate meeting. ▲match *Después de vencer en todos los encuentros, obtuvo el título de campeón.* After winning all the matches, he got the title of champion.

encurtido pickle [*Am*].

enderezar to straighten. ○**enderezarse** to straighten up, sit up.

endiablado devilish, mischievous.

endoso endorsement.

endulzar to sweeten.

endurecer(se) [-zc-] to harden.

enemigo [*n; adj*] enemy.

enemistad [*f*] enmity.

energía energy. ○**energía eléctrica** electric power.

enérgico energetic.

enero January.

enfadar to anger, annoy. ○**enfadarse** to get angry *No hay motivo para enfadarse.* There is no reason to get angry.

enfado anger, annoyance.

énfasis [*m*] emphasis.

enfermar(se) to fall ill, get sick.

enfermedad [*f*] illness, sickness, disease.

enfermera nurse.

enfermo [*adj*] sick *Ayer operaron al niño enfermo.* They operated on the sick child yesterday. ▲[*n*] patient *El enfermo está en el hospital.* The patient is in the hospital.

enflaquecer(se) [-zc-] to become thin.

enfrente opposite, across *Enfrente hay una casa blanca.* Across (the street) there is a white house. ○**de enfrente** across the street *Viven en la casa de enfrente.* They live in the house across the street.

enfriamiento [*m*] cold (*illness*).

enfriar to cool *Debemos enfriar el agua en el congelador.* We must cool the water in the freezer. ○**enfriarse** to cool off, become cold *Deje el café ahí para que se enfríe.* Leave your coffee there so it can cool off. ▲to get chilled *Abríguese bien, no se vaya a enfriar.* Dress warmly so you won't get chilled.

engañar to deceive *Engañó a su amigo.* He deceived his friend. ○**engañarse** to make a mistake, be wrong *Se engañaron a causa de la niebla.* They made a mistake because of the fog.

engaño deceit.

engordar to fatten; to get fat.

enhorabuena congratulations.

enjuagar to rinse.

enlace [*m*] linkage, marriage *Han anunciado su próximo enlace.* They've announced their coming marriage. ▲connection(s) *El enlace de trenes es excelente en esta estación.* The train connections at this station are excellent.

enlazar to lace; to bind, to join; to connect *Esos dos trenes enlazan en la próxima estación.* Those two trains connect at the next station.

enlodarse to get muddy *Las ruedas se enlodaron completamente.* The wheels got all muddy.

enloquecer [-zc-] to become insane *A consecuencia del golpe enloqueció.* As a result of the blow he became insane. ▲to drive crazy, *Este trabajo me está enloqueciendo.* This work is driving me crazy. ○**enloquecerse** to get furious *or* mad *Con*

la discusión se enloqueció. He got furious as a result of the argument.

enmendar [rad-ch *I*] to amend, correct *Hágame el favor de enmendar esta copia.* Please correct this copy for me. ○**enmendarse** to mend one's ways, reform *Si no se enmienda, no podrá triunfar nunca.* If he doesn't mend his ways, he'll never succeed.

enmohecido rusty.

enojar to anger *La suspensión del espectáculo enojó al público.* The public was angered by the suspension of the show. ○**enojarse** to get angry *Enojándose no arreglará nada.* Nothing will be gained by getting angry.

enojo anger.

enorme enormous.

enormidad [*f*] enormity; outrage *Lo que ha hecho ese hombre es una enormidad.* What that man has done is an outrage. ▲great number, great quantity *En la fiesta hubo una enormidad de gente.* There was a great crowd at the party.

enredadera climbing vine.

enredar to snarl, tangle up *El gato enredó todos los hilos.* The cat tangled up all the threads. ▲to snarl, mess up *El gerente enredó todos los negocios de la compañía.* The manager messed up all the company's business. ○**enredarse** to get snarled *Se enredó la cuerda.* The string got snarled. ○**enredarse con** to get involved with *Se enredó con malos amigos.* He got involved with bad friends.

enredo tangle, intrigue.

enriquecer [-zc-] to enrich. ▲to enhance *Ese adorno enriquece mucho el vestido.* That trimming enhances the dress. ○**enriquecerse** to get rich *Se enriqueció de repente.* He got rich quickly.

enrollar to roll up *Enrolle esas revistas.* Roll up those magazines.

enronquecer(se) [-zc-] to get hoarse *Se enronqueció de tanto gritar.* He got hoarse from so much shouting.

ensalada salad.

ensanchar to widen *Estaban ensanchando el camino cuando pasamos.* They were widening the road when we passed. ▲to let out, enlarge *Tiene que ensancharme la chaqueta.* You'll have to let out my jacket.

ensayar to try, test *Vamos a ensayar el nuevo material.* We're going to test the new material. ▲to rehearse *No han tenido tiempo de ensayar la comedia.* They haven't had time to rehearse the play.

ensayo test, trial; rehearsal.

ensenada cove, inlet.

enseñanza instruction, teaching.

enseñar to teach *Un mejicano le enseñó español.* A Mexican taught him Spanish. ▲to show *Me enseñó el retrato de su novia.* He showed me a picture of his sweetheart. ▲to show, point out *Enseñe el camino al señor.* Show this gentleman the way.

ensillar to saddle.

ensordecer [-zc-] to deafen.

ensuciar to soil; to dirty.

ensueño pipe dream, daydream.

entablar to board up *Entablaron las ventanas.* They boarded up the windows. ▲to begin, start *Han entablado negociaciones.* They've started negotiations.

E

entablillar to put splints on *Se rompió un brazo y tuvieron que entablillárselo.* He broke his arm and they had to put splints on it.

entender [*rad-ch I*] to understand *Ya entiendo lo que Ud. quiere decir.* Now I understand what you mean. ᴼ**a** (*or* **según**) **mi entender** in my opinion *A mi entender es mejor cambiar de procedimiento.* In my opinion it is better to change the policy. ᴼ**entender de** to be familiar with, be good at *¿Entiende Ud. de mecánica?* Are you good at mechanics? ᴼ**entenderse con** to deal with *Tendrán que entenderse con el jefe.* They'll have to deal with the boss.

entendido (see **entender**) ᴼ**estar** (*or* **quedar**) **entendido** to be understood *Está entendido que empezaremos mañana.* It is understood that we'll start tomorrow. ᴼ**no darse por entendido** to pretend not to understand *No me di por entendido.* I pretended I didn't understand. ᴼ**ser (muy) entendido en** to be skilled *or* informed in *Es un obrero muy entendido en su oficio.* He is very skilled in his trade.

entendimiento understanding; mind.

enterar to inform, report *Debemos enterar a la dirección de lo que pasa.* We must inform the management of what is going on. ᴼ**enterarse** to pay attention *No te enteras de lo que te estoy diciendo.* You aren't listening to what I'm saying. ᴼ**enterarse (de)** to learn *Acabo de enterarme de la noticia.* I've just learned the news.

entereza fortitude; presence of mind.

entero entire, whole.

enterrar [*rad-ch I*] to bury.

entierro burial.

entonación [*f*] intonation.

entonar to sing in tune; to begin to sing. ▲to harmonize, blend (*of colors*) *Estos colores entonan muy bien.* Those colors harmonize very well.

entonces at the time, then *Entonces vivía con sus padres.* He was living with his parents at the time. ▲then *¿Entonces ya no me necesita Ud.?* Then you don't need me now, do you?—*¿Y entonces qué pasó?* And then what happened?

entrada entrance *Adornaron la entrada con banderas.* They decorated the entrance with flags. ▲admission *La entrada será gratis.* Admission will be free. ▲attendance *La función tuvo una buena entrada.* The show was well attended. ▲ticket, seat *Debemos comprar las entradas ahora mismo.* We have to buy the tickets right now. ▲admittance *Se prohíbe la entrada.* No admittance. ▲beginning *A la entrada del invierno saldré de viaje.* I'm leaving on a trip at the beginning of winter. ▲entrée *¿Qué desea Ud. como entrada?* What do you want for an entrée? ᴼ**entradas** receding hair at temples *A pesar de su juventud ya tiene entradas.* In spite of his youth his hair is already receding at the temples. ▲income *Las entradas superan a las salidas.* The income exceeds the outgo. ‖*Entrada gratis.* Admission free.

entrar to enter, come in, go in *¿Se puede entrar?* May I come in? ▲to fit *El zapato no me entra, es muy chico.* The shoe doesn't fit me; it is too small. ▲to join *Quiero entrar en un club deportivo.* I want to join an ath-

letic club. ᴼ**entrar a trabajar** to go to work, be employed *Entraron a trabajar en una fábrica.* They went to work in a factory.

entre between *La mujer estaba sentada entre dos hombres.* The woman was sitting between two men. ▲among *Repartiremos las ganancias entre todos.* We'll divide the profits among all of us.

entreabierto (see **entreabrir**) ajar, half-open.

entreabrir to open halfway, open part way.

entreacto intermission.

entrega delivery *Ud. tendrá que pagar a la entrega del paquete.* You'll have to pay for the package on delivery.

entregar to deliver, hand over *No han entregado la mercadería todavía.* They haven't delivered the goods yet. ▲to hand *Entrégueme la carta.* Hand me the letter. ▲to give up, surrender, turn over *Lo entregaron a la policía.* They turned him over to the police. ᴼ**entregarse** to give in, yield *Se entregó a la bebida.* He gave in to drink.

entrenador [*m*] trainer, coach.

entrenamiento training, coaching.

entrenar to train.

entrepaño shelf.

entretanto meanwhile.

entretener [*irr*] to entertain, amuse *Hay que entretener al niño con algo.* You have to amuse the child with something. ▲to delay, tie up *Mis asuntos me entretuvieron hasta muy tarde.* My affairs tied me up until very late. ᴼ**entretenerse** to amuse oneself *Nos entretuvimos jugando a las cartas.* We amused ourselves playing cards.

entretenido (see **entretener**) entertaining, amusing.

entretenimiento pastime.

entrevista interview.

entrevistar to interview.

entristecer [*-zc-*] to sadden, be depressing. *Este tiempo entristece.* This weather is depressing. ᴼ**entristecerse** to become sad *Se entristeció mucho al saberlo.* He became sad when he found out.

entumecer to numb *El frío entumece los miembros.* Cold numbs the limbs. ᴼ**entumecerse** [*-zc-*] to become numb.

enturbiar to roil, make muddy *El temporal enturbió las aguas.* The storm roiled the water. ▲to dim (*vision*) *La fiebre le enturbió la vista.* The fever dimmed his vision.

entusiasmar to make enthusiastic *Las noticias entusiasmaron al público.* The news made the public enthusiastic. ᴼ**entusiasmarse** to be enthusiastic *Los muchachos se entusiasmaron con la música.* The boys were enthusiastic about the music.

entusiasmo enthusiasm.

entusiasta [*m, f*] enthusiast.

envejecer [*-zc-*] to age, become old.

envenenamiento poisoning.

envenenar to poison.

enviado envoy.

enviar to send *Envíe la carta por correo aéreo.* Send the letter airmail. ᴼ**enviarle a uno a paseo** to send one about his business, tell someone to go chase himself.

envidia envy.

envidiable enviable.

envidiar to envy *Envidia a todos sus amigos.* He envies all his friends.

envidioso envious.

envío shipment.

envolver [*rad-ch I*] to wrap *No envolvieron bien la caja.* They didn't wrap the box well.

envuelto (see **envolver**) involved *Siempre está envuelto en líos.* He is always involved in some sort of a mess.

epidemia epidemic.

episodio episode.

época epoch, time, times, period, era.

equilibrio balance.

equipaje [*m*] baggage, luggage *Si va Ud. en avión no podrá llevar mucho equipaje.* If you go by plane you won't be able to take much luggage.

equipo team; equipment.

equivalencia equivalent *Déme Ud. la equivalencia en dólares.* Give me the equivalent in dollars.

equivocación [*f*] mistake *Se llevó mi abrigo por equivocación.* He took my coat by mistake.

equivocar to mistake, confuse *Equivocó los paquetes.* He mixed up the packages. O**equivocarse** to make a mistake, be wrong *Se equivoca Ud.* You're wrong. O**equivocarse de** to ... the wrong ... *Me equivoqué de autobús.* I took the wrong bus.

error [*m*] error, mistake *Esta copia está llena de errores.* This copy is full of mistakes. O**error de imprenta** typographical error (*in printed matter*). O**estar en un error** to be mistaken *Dispénseme, pero está Ud. en un error.* Excuse me, but you're mistaken.

esa (see **ese**) that.

escabroso rough, uneven *Bajamos por un camino muy escabroso.* We went down a very rough road. ▲off-color, risqué *Nos contó un chiste escabroso.* He told us an off-color story.

escala (rope) ladder *Cayó al romperse la escala.* He fell when the ladder broke. ▲scale *¿A qué escala está este mapa?* What is the scale of this map? *Estaba haciendo escalas en el piano.* He was playing scales on the piano. O**hacer escala** to make a stop *El barco hará escala en Cádiz.* The ship will make a stop at Cadiz.

escalera stair, stairway *Subió las escaleras corriendo.* He ran up the stairs. ▲ladder *Apoye la escalera contra la pared.* Put the ladder against the wall.

escalón [*m*] step *¿Cuántos escalones tiene esta escalera?* How many steps has this staircase?

escampar to clear up, stop raining *Al escampar podremos seguir.* We'll be able to go on when it clears up.

escandalizar to shock, scandalize *La noticia escandalizó al público.* The news shocked the public.

escándalo scandal.

escapada escapade. O**en una escapada** in a jiffy *Aún no lo he hecho pero lo haré en una escapada.* I haven't done it yet, but I'll do it in a jiffy.

escapar to escape *Escapamos de un gran peligro.* We escaped from a great danger. O**escaparse** to escape, run away *Se nos escapó el perro.* The dog ran away from us.—*Se han escapado unos presos de la cárcel.* Some prisoners have escaped from the jail. ▲to slip out *Siento haberlo dicho, se me escapó.* I'm sorry I said it; it slipped out.

escapatoria escapade, prank *Las escapatorias de ese niño preocupan a sus padres.* That child's pranks worry his parents.

escape [*m*] escape. O**a escape** hastily, in a hurry.

escarbar to scratch, dig, pick.

escasear to be scarce *La gasolina escasea por aquí.* Gasoline is scarce around here.

escasez [*f*] shortage, scarcity.

escaso scarce, short *La carne está escasa.* Meat is scarce.

escena scene *No me hagas escenas.* Don't make scenes. ▲stage *Al levantarse el telón, la escena estaba oscura.* When the curtain went up, the stage was dark.

escenario stage (*of a theater*).

esclavo, esclava slave.

escoba broom.

escoger to choose, take, select *Escogimos el camino más corto.* We took the shortest road.

escolar scholastic. ▲[*m*] student.

esconder to hide *No sé en dónde escondieron la llave.* I don't know where they hid the key.

escopeta shotgun.

escribano scribe.

escribiente [*m*, *f*] clerk.

escribir [*irr*] to write. O**escribir a máquina** to type, typewrite.

escrito (see **escribir**) written.

escritor, escritora writer, author.

escritorio desk.

escuadra fleet (*naval*); carpenter's square.

escuchar to listen. *Escuche Ud. un momento.* Listen a minute.

escuela school.

escultura sculpture.

escupir to spit *Se prohíbe escupir.* Spitting prohibited.

escurrir to wring *Escurra bien esa ropa antes de tenderla.* Wring those clothes well before you hang them up. ▲to drain *Escurre las espinacas.* Drain the spinach. O**escurrir el bulto** to sneak away; to make a getaway *Escurrió el bulto cuando menos lo pensábamos.* He sneaked away when we least expected it. O**escurrirse** to slip *Se escurrió en una cáscara de plátano.* He slipped on a banana peel.—*El plato se me escurrió de las manos.* The plate slipped out of my hands.

ese, esa ; *pl* **esos, esas** [*adj*] that, those *¿Quién es ese chico?* Who is that boy?

ése, ésa *pl* **ésos, ésas** [*pron*] that, that one, those *Esos no son los míos.* Those aren't mine.

esencia essence.

esfera sphere.

esfuerzo effort *Haré un esfuerzo para terminar el trabajo hoy.* I'll make an effort to complete the work today.

eso [*neu pron*] that *Eso es.* That is right. ᴼ**eso mismo** the same *Eso mismo creía yo.* That is exactly what I used to think.

espacio space *El avión se perdió en el espacio.* The plane disappeared in the sky. ▲space, line *Escriba el informe a un espacio.* Single-space the report. ▲blank, space *Deje un espacio.* Leave a blank.

espada sword; spade (*cards*).

espalda back (*of the body*) *Le duele la espalda.* His back hurts. ᴼ**a espaldas** behind one's back *Lo hicieron a espaldas de sus padres.* They did it behind their parents' back.

espaldar back of a seat.

espantapájaros [*m sg*] scarecrow.

espantar to scare, frighten *Se espanta por muy poca cosa.* She gets scared over nothing at all.

espanto fear, fright.

espantoso terrible, frightful.

espárrago asparagus.

especial [*adj*] special.

espectáculo spectacle, show *La corrida de toros es un espectáculo muy interesante.* Bullfighting is a very interesting spectacle. ▲spectacle, scene *No des un espectáculo llorando en la calle.* Don't make a spectacle of yourself crying in the street.

espectador, espectadora spectator. ᴼ**espectadores** [*m pl*] audience.

espejo mirror.

espera wait *Después de una espera larga pudimos entrar.* We got in after a long wait. ᴼ**estar en** (*or* **estar a la**) **espera de** to be waiting for *Estuvimos en espera del barco muchas horas.* We were waiting for the boat for many hours. ᴼ**sala de espera** waiting room.

esperanza hope. ᴼ**tener (la) esperanza (de)** to hope *Tengo esperanza de que venga.* I hope he'll come.

esperar to expect *Espero una llamada telefónica esta mañana.* I expect a phone call this morning. ▲to hope *Esperaban que no muriese.* They hoped he wouldn't die. ▲to wait *Espero a mi amiga.* I'm waiting for my friend.

espeso thick *No me gusta la sopa espesa.* I don't like thick soup. ▲heavy *Aceite espeso.* Heavy oil.

espesor [*m*] thickness.

espesura thickness, density; thicket.

espía [*m, f*] spy.

espiar to spy (on).

espina thorn *Tengo una espina en el dedo.* I have a thorn in my finger. ▲fish bone *Este pescado tiene muchas espinas.* This fish has a lot of bones.

espinacas [*f pl*] spinach.

espinazo spine.

espíritu [*m*] spirit, soul.

espléndido splendid, wonderful, swell *Después del baile sirvieron una cena espléndida.* They served a wonderful dinner after the dance. ▲generous *Son espléndidos con sus amigos.* They're generous with their friends.

esponja sponge.

esposa wife. ᴼ**esposas** [*f pl*] handcuffs.

esposo husband.

espuela spur.

espuma foam; lather.

esqueleto skeleton. ▲blank (*to be filled out*) [*Am*].

esquina corner (*outward angle*) *Viven en la casa de la esquina.* They live in the house on the corner.

esquinazo ᴼ**dar esquinazo** to evade, avoid *Le vi venir pero le di esquinazo.* I saw him coming but I avoided him.

establecer [-zc-] to establish *Establecieron un nuevo régimen.* They established a new regime. ᴼ**establecerse** to settle *Se establecerán en México.* They'll settle in Mexico.

establecimiento establishment.

estaca stake (*post*).

estacada stockade ᴼ**dejarle a uno en la estacada** to leave someone holding the bag.

estación [*f*] station *Fueron a recibirnos a la estación.* They went to the station to meet us. ▲season *En los trópicos hay sólo dos estaciones.* There are only two seasons in the tropics.

estacionar to park (*car, etc.*). ᴼ**estacionarse** to park *¿Dónde podemos estacionarnos?* Where can we park? ▲to station oneself.

estadio stadium.

estado condition *El camino está en mal estado.* The road is in bad condition. ▲status *"¿Estado?" "Soltero."* "Marital status?" "Single." ▲state *Hizo un viaje por todos los estados del país.* He took a trip through all the states in the country. ▲state, government *Está al servicio del estado.* He works for the government.

estallar to break out, start *Temen que estalle una insurrección.* They're afraid a revolt will break out. ▲to explode *Al estallar, la bomba causó muchos daños.* The bomb caused a lot of damage when it exploded.

estampilla postage stamp [*Am*].

estanco cigar store; newspaper stand; small store [*Mex*].

estanque [*m*] pond.

estanquillo cigar store; newspaper stand; small store [*Mex*].

estante [*m*] shelf.

estar [*irr*] to be (*in a place*) *La casa está en la colina.* The house is on the hill. ▲to be (*in a condition at a given moment*) *La sopa está muy caliente.* The soup is very hot. ▲to look, seem *Está Ud. muy linda hoy.* You look very pretty today. ᴼ**estamos a** it is (*a date or day of the week*) *"¿A cuántos estamos?" "Estamos a 5 de junio."* "What is the date?" "It is the fifth of June." ᴼ**estar con** to have (*an illness*) *Estoy con dolor de cabeza.* I have a headache. ᴼ**estar con prisa** to be in a hurry *No puedo esperar porque estoy con prisa.* I can't wait because I'm in a hurry. ᴼ**estar de** to act as, act in the capacity of *¿Quién está de telefonista hoy?* Who is at the switchboard today? ᴼ**estar de acuerdo** to agree *Estuvieron de acuerdo en todo.* They agreed on everything. ᴼ**estar de viaje** to be traveling *Estuvimos de viaje durante el verano.* We were traveling during the summer. ᴼ**estar para** to be about to *Cuando llegamos estaban para salir.* When we arrived they were about to leave.

estatua statue.

estatura stature, height.

estatuto statute, law.

este [m] east.

este, esta; estos, estas [adj] this, these *Este chico nos da mucha guerra.* This boy gives us a lot of trouble.

éste, ésta; éstos, éstas [pron] this one, those *Éste fue el que llegó primero.* He was the first to arrive.

estéreo [m] stereo.

estilo style *¿Qué estilo de muebles le gustaría?* What style of furniture would you like?

estimar to value, respect, hold dear *Estima mucho a sus amigos.* He values his friends highly.

estirar to stretch, pull *Al estirar la tela se rompió.* The material tore when it was stretched. ○**estirarse** to stretch (oneself). ▲to stretch *Esta tela se estira mucho al lavarla.* This cloth stretches a great deal when it is washed.

esto [neu pron] this *Esto no lo entiendo.* I don't understand this. ○**en esto** at this point *En esto llegó él.* At this point he arrived.

estofado stew.

estómago stomach.

estorbar to block, obstruct, hinder *Este mueble estorba el paso.* This furniture is in the way. ▲to bother, be in one's way *No se vaya Ud., no nos estorba.* Don't go away, you're not bothering us.

estornudar to sneeze.

estrechar to take in, make narrower *Me tiene Ud. que estrechar la chaqueta.* You have to take in my jacket. ○**estrechar la mano (a)** to shake hands with.

estrecho narrow *Pasamos por un camino estrecho.* We went along a narrow road. ▲tight *El vestido le está muy estrecho.* The dress is very tight on her. ▲close *Su amistad es muy estrecha.* Their friendship is very close. [n] strait(s) *¿Ha pasado Ud. por el estrecho de Magallanes?* Have you ever gone through the Strait of Magellan?

estrella star; leading actor or actress.

estrellado (see **estrellar**) ○**cielo estrellado** starry sky. ○**huevos estrellados** eggs sunny-side up.

estrellar to smash (up) *Cualquier día va a estrellar el automóvil.* He is going to smash up his car any day. ○**estrellarse** to crash *El avión se estrelló contra la casa.* The plane crashed against the house.

estremecer [-zc-] to shake *La detonación estremeció el suelo.* The explosion shook the ground. ○**estremecerse** to start, shudder, tremble *Se estremeció al oír el ruido.* He started when he heard the noise.

estremecimiento shudder, shuddering.

estrenar to open (a play) *Mañana estrenarán una nueva obra en el Teatro Nacional.* Tomorrow they'll open a new play at the National Theater. ▲to wear for the first time *¿Está Ud. estrenando ese vestido?* Are you wearing that dress for the first time?

estropear to ruin, damage *Los niños han estropeado la grabadora de cinta.* The boys have ruined the tape recorder. ▲to spoil *Su dimisión estropeó nuestros planes.* His resignation spoiled our plans.

○**estropearse** to be out of order *La plancha eléctrica se ha estropeado.* The electric iron is out of order.

estruendo deafening noise.

estudiante [m, f] student.

estudiar to study.

estufa stove, heater.

estupendo wonderful *Anoche vi una película estupenda.* I saw a wonderful movie last night.

estupidez [f] stupidity.

estúpido stupid. ▲[n] stupid person.

etcétera, etc. and so forth, etc.

éter [m] ether.

eterno eternal, endless.

etiqueta label *Lea lo que dice la etiqueta.* Read what is on the label. ○**de etiqueta** formal *Habrá un baile de etiqueta en el casino.* There'll be a formal dance at the casino.

evangelio gospel.

evitar to avoid *Evitaba encontrarse con él.* He avoided meeting him. ▲to prevent *Lograron evitar la explosión.* They succeeded in preventing the explosion.

exactitud [f] accuracy *Este trabajo está hecho con mucha exactitud.* This work is very accurately done. ▲punctuality *La puntualidad es su cualidad característica.* Punctuality is his distinguishing characteristic.

exacto exact, correct *La cuenta está exacta, gracias.* The bill is correct, thank you. ▲accurate *Hizo un relato exacto.* He gave an accurate report.

exagerar to exaggerate *No le puedo creer porque siempre exagera.* I can't believe him because he always exaggerates.

examen [m] examination, test.

examinar to inspect *No han examinado todavía el equipaje.* They haven't inspected the baggage yet. ▲to examine *El médico examinó al enfermo.* The doctor examined the patient. ▲to observe *Examinaba con mucha atención todos sus movimientos.* He observed all his movements closely. ○**examinarse** to be examined, take (an) examination(s) *Tendrán que examinarse de español e inglés.* They will have to take examinations in Spanish and English.

excelente excellent. ▲fine *¡Excelente! Iremos juntos.* Fine! We'll go together.

excepción [f] exception.

excursión [f] excursion, picnic.

excusa excuse.

excusado washroom, toilet.

excusar to excuse, pardon *Debe Ud. excusar sus faltas.* You should excuse his faults. ▲to decline *Excusó la invitación porque no le gustaba la gente.* He declined the invitation because he didn't like the people. ○**excusarse** to apologize *Si no va, tendrá Ud. que excusarse.* If you don't go you'll have to apologize.

exhibición [f] exhibition, showing [Am].

exhibir to exhibit, show.

exigir to require *Exigen que se pague por adelantado.* Payment is required in advance. ▲to demand *Le exigieron que declarase.* They demanded that he testify.

existencia existence, life *Me amarga la existencia.* He makes my life miserable. ▲stock *Tenían grandes existencias de*

E

mercadería. They had a large stock of merchandise.

éxito success *El éxito de la empresa sorprendió a todos.* The success of the enterprise astonished everybody.

exótico exotic, foreign.

experiencia experience *No tengo experiencia en este trabajo.* I haven't any experience in this work.

experto expert, skilled.

expirar to expire, die *El plazo del contrato expira hoy.* The contract expires today.

explicar to explain *¡Déjeme Ud. que se lo explique!* Let me explain it to you! Oexplicarse to understand *No puedo explicarme lo ocurrido.* I can't understand what happened.

explorador [m] explorer; Boy Scout.

explosión [f] explosion, blast.

explotar to work, exploit *Están explotando una mina de plata.* They're working a silver mine. ▲to exploit, use *Explotaba siempre a sus amigos.* He was always using his friends. ▲to explode, blow up *La dinamita explotó en la mina.* The dynamite exploded in the mine.

exponer [irr] to expose *No hay que exponer esto al sol.* This mustn't be exposed to the sun. ▲to explain *Exponga Ud. su idea con más claridad.* Explain your idea more clearly.

exportación [f] export *Trabaja en una oficina de exportación.* He works in an export house.

exportar to export.

exposición [f] exhibition; risk.

expresar to express. Oexpresarse to express oneself, speak *Se expresa con mucha corrección.* He expresses himself very correctly.

expresión [f] expression.

expresivo affectionate *Escribió una carta muy expresiva.* He wrote a very affectionate letter. ▲expressive *Tiene facciones muy expresivas.* She has very expressive features.

expreso express Otren expreso express train.

expuesto (see **exponer**) exhibited, on display *Esos libros estaban expuestos en el escaparate.* Those books were on display in the window. ▲dangerous *En aquel tiempo era muy expuesto viajar.* Traveling was very dangerous at that time.

expulsar to expel, eject.

exquisito delicious *El pastel está exquisito.* The pie is delicious. ▲exquisite *Tiene un gusto exquisito para vestir.* She has exquisite taste in clothes.

extender [rad-ch I] to spread out, extend *Extendieron el mapa sobre la mesa.* They spread the map out on the table. ▲to issue *La biblioteca le extenderá una tarjeta de lector.* The library will issue you a reader's card. ▲to enlarge *Extenderán el campo de aterrizaje.* They'll enlarge the landing field. ▲to expand *Han extendido sus negocios por todo el país.* They've expanded their business throughout the country. Oextenderse to spread, become common *or* widespread *Se ha extendido mucho esa costumbre.* That custom has become very widespread.

exterior [adj; m] outside *El exterior de la casa estaba muy deteriorado.* The outside of the house was very rundown.

externo external *Para uso externo solamente.* For external use only.

extra [adv] extra, in addition to *El desayuno se paga extra.* Extra charge for breakfast. ▲[f] extra [Am] *¿Leyó Ud. la extra de esta mañana?* Did you read this morning's extra?

extranjero foreign *Hablaban una lengua extranjera.* They spoke a foreign language. ▲[n] foreigner *El hotel está lleno de extranjeros.* The hotel is full of foreigners. Oen el extranjero abroad *Ha vivido mucho tiempo en el extranjero.* He has lived abroad for a long time.

extrañar to miss *Extraño mucho a mi madre.* I miss my mother very much. Oextrañarle a uno to seem strange (to) *Me extraña que no haya llegado aún.* It seems strange to me that he hasn't arrived yet.

extraño strange *Tiene un nombre extraño.* He has a strange name. ▲[n] stranger *No lo conozco, es un extraño.* I don't know him; he is a stranger.

extraordinario extraordinary.

extravagante queer, unusual, eccentric, bizarre, odd.

extraviarse to be off course; to get lost *or* misplaced *Los aviadores se extraviaron.* The aviators were off their course.

extremo extreme; end *Siéntese al extremo de la mesa.* Sit at the end of the table.

F

fábrica factory.

fabricación [f] manufacture.

fabricante [m] manufacturer.

fabricar to manufacture.

fábula fable. ▲fabrication, lies *Todo lo que nos contó es una fábula.* Everything he told us was pure fabrication.

fabuloso fabulous.

facción [f] faction. Ofacciones features (*of the face*) *Tiene las facciones muy corretas.* He has very regular features.

facha appearance, looks *No me gustaba la facha que tenía aquel hombre.* I didn't like that man's looks. ▲sight, mess *Vestido de aquella manera, era una facha.* He was a sight, dressed that way.

fachada façade; front (*of a building*).

fácil easy. ▲loose *Aquella mujer era muy fácil.* She was a loose woman. ▲probable, likely *Es muy fácil que vaya el domingo.* It is very likely he'll go Sunday. Ofácil de easy to ▲*Eso es muy fácil de hacer.* That is very easy to do.

facilidad [f] facility, ease. ▲aptitude *Mostró gran facilidad para aprender música.* He showed great aptitude for music. Ocon facilidad with ease, fluently *Habla inglés con mucha facilidad.* He speaks English very fluently. Odar facilidades to facilitate; to offer assistance *El gobierno nos dio toda clase de facilidades para la investigación.* The government offered us every assistance in the investigation.

facilitar to supply *Facilitó los fondos necesarios para aquel negocio.* He supplied the necessary funds for that deal. ▲to facilitate, make easier *Estos libros facilitarán su trabajo.* These books will make your work easier.

factor [*m*] factor, element.

factoría trading post; [*Mex E.U.*] factory, plant.

factura bill, invoice *Mándeme la factura a casa.* Send the bill to my house.

facturar to invoice, to bill; to check (*baggage*).

facultad [*f*] faculty *No tenía completas sus facultades.* He didn't have all his faculties. ▲authority *Se le dio facultad para resolver la cuestión.* He was given authority to settle the dispute. ▲branch of a university, school *Se licenció en la Facultad de Derecho.* He graduated from Law School.

faena work, task *Se dedicaban a las faenas del campo.* They were engaged in farmwork. ▲trick *Me hizo una mala faena.* He played a dirty trick on me.

faja sash (*worn around waist*); girdle (*underwear*).

falda skirt *Lleva la falda muy corta.* She is wearing a very short skirt. ▲slope, side *El pueblo está en la falda de la colina.* The village is on the side of the hill. ▲lap *Tenía el niño en la falda.* She had the child on her lap.

fallar to pass sentence *El juez está dispuesto a fallar.* The judge is ready to pass sentence. ▲to fail *Me ha fallado uno de mis mejores amigos.* One of my best friends has failed me. ▲to miss, fail *El motor falla siempre al subir las cuestas.* The motor always misses going uphill.

fallecer [-*zc*-] to die, pass away.

fallo verdict, decision.

falsear to falsify *Ha falseado los hechos.* He has falsified the facts. ▲to open with a skeleton key *or* passkey [*Am*] *Los ladrones falsearon la puerta.* The thieves opened the door with a passkey.

falsedad [*f*] falsehood, lie *Estoy seguro de que ha dicho una falsedad.* I'm sure he has told a lie.

falsificar to forge, counterfeit.

falso false, untrue. ▲forged *La firma era falsa.* The signature was forged. ▲counterfeit *Me dieron un peso falso.* They gave me a counterfeit peso. ▲imitation *Usaba joyas falsas.* She was wearing imitation jewelry. ▲dishonest *Fue muy falso conmigo.* He was dishonest with me.

falta error, mistake *Hay muchas faltas en esta traducción.* There are a lot of mistakes in this translation. ▲fault *Todos tenemos nuestras faltas.* We all have our faults. ▲misdemeanor, petty crime. ○a falta de for lack of *Tomaremos esto a falta de cosa mejor.* We'll take this for lack of something better. ○hacer falta to be necessary, be needed *Hace falta dinero.* Money is needed. ○hacerle falta a uno to need *Me hace falta un lápiz.* I need a pencil. ▲to miss ▲*Ud. me hace mucha falta.* I miss you very much.

faltar to lack *Le faltan condiciones para tener éxito en el teatro.* He lacks the qualifications for success in the theater. ▲to be missing *¿Le falta a Ud. algo en su cartera?* Is anything missing from your pocketbook? ▲to be needed *Faltan cuatro*

para completar los cincuenta. Four more are needed to make fifty. ▲to be lacking *Faltan diez minutos para las dos.* It is ten minutes to two. ▲to offend *No le he querido faltar.* I didn't want to offend him. ○faltar a to be absent from *Faltó a la clase el lunes.* He was absent from class Monday.

fama fame. ▲reputation *Ese hombre tiene mala fama.* That man has a bad reputation. ○tener fama de to have the reputation of *Tiene fama de sabio.* He has the reputation of being very wise.

familia family.

familiar familiar *Su apellido me es familiar.* His name is familiar to me. ▲[*m*] relative *Invitaron solamente a los familiares.* They invited only their relatives.

famoso famous.

fanático [*adj*] fanatic, fanatical. ▲[*n*] fanatic.

fango mud.

fantasía imagination *Toda esa historia es un producto de su fantasía.* That whole story is a product of his imagination. ▲whim *No debe Ud. consentirle todas sus fantasías.* You shouldn't give in to all her whims.

fantasma [*m*] ghost, phantom, apparition.

fantástico fantastic, unbelievable *Explicó de una manera fantástica su retraso.* He told a fantastic story to explain his delay. ▲extravagant *Daba unas propinas fantásticas.* He gave extravagant tips.

fardo big bundle, bale.

farmacéutico pharmacist.

farmacia pharmacy, drugstore.

faro beacon, lighthouse; headlight.

farol [*m*] lantern *Encienda Ud. el farol para que veamos.* Light the lantern so we can see. ▲street lamp *A la luz del farol de la calle leyó la carta.* He read the letter by the light of the street lamp.

farola street lamp.

farra party ○ir de farra to paint the town red; to go on a spree.

fascinar to fascinate.

fastidiar to annoy, bother *¡Hombre, no fastidies con esas bromas!* Don't annoy me with those jokes.

fastidioso annoying, tiresome.

fatal fatal.

fatalidad [*f*] fate.

fatiga fatigue, tiredness *El trabajo produce fatiga.* Work produces fatigue. ▲hardship *No hay vida sin fatigas.* There is no life without hardships.

fatigar to tire *Fatigó al caballo de tanto galopar.* He tired the horse with so much galloping. ○fatigarse to get tired *¡Se fatiga Ud. demasiado con este trabajo!* You're getting too tired doing this work.

fatuo pompous, vain.

favor [*m*] favor *Le hicieron muchos favores.* They did him many favors. ○a favor de with, aided by *Remaba a favor de la corriente.* He rowed with the current. ▲on behalf of, for, in favor of *Hizo testamento a favor de sus hijos.* He made his will in favor of his children. ○en favor in behalf (*of someone*) *Fue el único que habló en su favor.* He was the only one who spoke in his behalf. ○favor de please [*Am*] *Favor* *de pasarme el azúcar.* Please pass me the sugar. O**hacer el favor de** please *¿Quiere Ud. hacer el favor de pasarme su plato?* Will you please pass me your plate? O**por favor** please *Por favor, ¿quiere decirme qué hora es?* Would you tell me the time, please?

favorable favorable.

favorecer [-zc-] to grant favors to, help *Ese hombre ha favorecido mucho a mi familia.* That man has helped my family a lot. ▲to flatter *Ud. me favorece.* You flatter me.

favorito [*adj, n*] favorite.

fax [m] fax.

fe [*f*] faith O**de buena fe, de mala fe** in good faith, in bad faith *Lo hizo de buena fe.* He did it in good faith. O**tener fe en** to believe in, have faith in *Tengo mucha fe en él.* I have great faith in him.

fealdad [*f*] ugliness.

febrero February.

febril feverish.

fecha date *¿Qué fecha tiene la carta?* What is the date on the letter?

fechar to date (*a letter, etc.*).

fecundo prolific, fruitful.

federación [*f*] federation.

federal federal.

felicidad [*f*] happiness *Es difícil conseguir la felicidad.* It is hard to achieve happiness.

felicitación [*f*] congratulations *Cuando le escriba envíele mi felicitación por su éxito.* When you write to him, send my congratulations on his success.

felicitar to congratulate.

feliz happy *No creo que será muy feliz viviendo con su suegra.* I don't think she'll be happy living with her mother-in-law.— *Le deseamos un Feliz Año Nuevo.* We wish you a Happy New Year.

femenino feminine.

fenómeno phenomenon; freak; ▲prodigy *Era un fenómeno en las matemáticas.* He was a prodigy in mathematics.

feo homely, ugly *Era un hombre muy feo.* He was a very homely man. ▲serious *El asunto tomó un cariz muy feo.* The matter took a serious turn.

feria country market, fair *Compró dos caballos en la feria.* He bought two horses at the fair.

feriado O**día feriado** holiday [*Am*].

fermentar to ferment, sour.

feroz ferocious.

ferretería hardware store.

ferrocarril [*m*] railroad, railway.

fértil fertile.

festivo humorous. O**día festivo** holiday.

fiado (see **fiar**) O**al fiado** on credit.

fiambre cold, served cold (*of food*). O**fiambres** [*m pl*] cold meat, cold cuts.

fiambrera lunch pail.

fianza bail, bond O**bajo fianza** on bail *Le han puesto en libertad bajo fianza.* They've freed him on bail.

fiar to give credit *El banco le fió hasta cien mil pesetas.* The bank gave him a hundred thousand pesetas' credit. ▲to sell on trust, sell on credit *Hoy no se fía, mañana sí.* Cash today, credit tomorrow. O**fiarse de** to trust,

rely on *No me fío de lo que dice.* I don't trust what he says.

fibra fiber ▲stamina, energy *Es un hombre de mucha fibra.* He is a man of great energy.

ficha chip (*card games*); domino; filing card.

fidelidad [*f*] loyalty, faithfulness *La fidelidad es una virtud.* Faithfulness is a virtue. ▲exactness *El documento se copió con toda fidelidad.* The document was copied exactly.

fiebre [*f*] fever.

fiel faithful *Le era fiel como a un perro.* He was as faithful to him as a dog. ▲correct, accurate *El relato que hizo era fiel.* The account he gave was correct.

fieltro felt (*material*).

fiera wild animal *En el circo tienen una magnífica colección de fieras.* The circus has a wonderful collection of wild animals. O**como una fiera** furious, like a wild beast *Se puso como una fiera.* He became furious.

fiesta holiday *El lunes es día de fiesta.* Monday is a holiday. ▲party *Hubo una gran fiesta en su casa.* There was a big party at his house. O**hacerle fiestas a uno** to play with (*an infant*) *Le hizo fiestas al niño.* He played with the child.

figura figure, build *Ese hombre tiene muy buena figura.* That man has a very good build.

figurar to figure, be *Entre los concurrentes figuraba el Duque de X.* The Duke of X was among those present. ▲to be in the limelight, be conspicuous *Le gustaba mucho figurar.* He liked to be in the limelight. O**figurarse** to imagine, think *Se figura que puede hacer todo lo que quiere.* He imagines he can get away with anything.

fijar to drive in *Fijaron estacas para asegurar la tienda.* They drove in stakes to hold the tent down. ▲to post *Se prohíbe fijar carteles.* Post no bills. ▲to establish *Han fijado su residencia en París.* They have established their residence in Paris. ▲to fix, set *Fijaron la fecha de la boda.* They set a date for the wedding. O**fijar los ojos en** to stare at. O**fijarse** to imagine ¡*Fíjate (en) lo que me pasó!* Imagine what happened to me!

fijo permanent *Su puesto no es fijo.* His job isn't permanent. ▲fixed, set *No hacemos rebajas, nuestros precios son fijos.* We don't make reductions; our prices are fixed. ▲fast *No se puede quitar. Está fijo.* It can't be removed. It's fast. O**a punto fijo** exactly *No lo sé a punto fijo.* I don't know exactly.

fila row *Déme una butaca de primera fila.* Give me a seat in the first row, orchestra. ▲line, rank *Había dos filas de soldados.* There were two lines of soldiers. O**en fila** in (a) line *Los niños estaban en fila.* The children were standing in line.

filete [*m*] filet, steak *Comió un filete con papas fritas.* He had steak and fried potatoes.

filial filial.

filo (cutting) edge.

filosofía philosophy.

filtrar to filter.

fin [*m*] end *¿Llegaremos antes del fin de la película?* Will we get there before the end of the movie? ▲purpose *No sé con qué fin lo dice.* I don't know what his purpose is in saying it. ○**a fin de que** so (that) *A fin de que pudiera volver le mandé dinero.* I sent him money so he'd be able to come back. ○**a fines de** toward the end of, late in (*the week, etc.*) *A fines de mes volveré a mi casa.* I'll be back home toward the end of the month. ○**al fin** at last, finally *Al fin se quedaron solos.* They were alone at last. ○**al fin y al cabo** after all *Al fin y al cabo no era tan mala la comedia.* After all, the play wasn't so bad. ○**en fin** in short *En fin, ella no le quería.* In short, she didn't love him. ▲well *En fin, ya veremos.* Well, we'll see. ○**por fin** at last *Por fin pude encontrarle.* At last I managed to find him.

final [*adj*] final. ▲[*m*] end, conclusion. ○**punto final** period (*punctuation*).

financiar to finance [*Am*].

finca country estate, property, farm.

fineza courtesy, politeness, kindness *Me hizo muchas finezas.* He extended many courtesies to me.

fingir to pretend *¡No finja Ud. lo que no siente!* Don't pretend what you don't feel. ○**fingirse** to feign, pretend *Se fingió enfermo para no trabajar.* He feigned illness to get out of working.

fino thin, fine, sharp *Me gusta una pluma fina.* I like a pen with a fine point. ▲fine, delicate (*of features, etc.*) *Esa muchacha tiene las facciones muy finas.* That girl has very delicate features. ▲refined, fine *La pulsera es de oro fino.* The bracelet is of fine gold. ▲courteous *Era un hombre muy fino.* He was a very courteous man.

finura fineness, courtesy.

firma signature *Escriba la firma al pie.* Sign it at the bottom. ○**buena firma** reliable firm or house *Trabajaba para una buena firma.* He worked for a reliable firm.

firmar to sign.

firme firm, steady, sturdy *Tome esta silla que es muy firme.* Take this chair; it is sturdy. ○**en firme** definite, firm *Hicieron una oferta en firme.* They made a definite offer. ○**estar en lo firme** to be in the right *Creo que estoy en lo firme.* I believe I'm in the right.

firmeza firmness.

fiscal fiscal. ▲[*m*] attorney general; district attorney.

física physics.

físico physical. ▲[*n*] physicist.

fisonomía physiognomy, countenance, looks.

flaco thin, lean *Cada día se le veía más flaco.* He appeared thinner every day. ▲weak *Encontré su punto flaco.* I discovered his weak spot.

flamenco flamingo; flamenco (*type of Spanish songs and dances*).

flan [*m*] custard.

flaqueza failing, weakness.

flauta flute.

flecha arrow.

flete [*m*] freight; freight rate.

flexibilidad [*f*] flexibility.

flexible flexible. ▲[*m*] electric cord [*Sp*]; soft hat.

flirtear to flirt.

flojo lazy, slack *Es muy flojo para el trabajo.* He is very slack about his work. ▲loose *Ese nudo está flojo.* That knot is loose.

flor [*f*] flower. ▲compliment *Al verla pasar le echó una flor.* When he saw her pass, he paid her a compliment.

florecer [-*zc*-] to bloom *No creo que florezcan tan pronto los rosales.* I don't think the roses will bloom so soon.

florero flower vase.

florido florid, flowery. ▲in bloom *Los almendros están floridos.* The almond trees are in bloom.

flota fleet (*of ships*).

flotación [*f*] buoyancy. ○**línea de flotación** waterline.

flotar to float.

foco focus; headlight.

fogón [*m*] firebox (*of locomotive, etc.*); stove, cooking range.

fogonero stoker, fireman.

folleto pamphlet.

fomentar to foment, promote *El gobierno debe fomentar las artes.* The government ought to promote the arts. ▲to foment, instigate *Los agitadores fomentaban la rebelión.* The agitators instigated the rebellion.

fomento encouragement, promotion *El fomento de la artes.* Promotion of the arts.

fonda inn, small restaurant.

fondo bottom *Lo guardaba en el fondo del cajón.* He kept it in the bottom of the drawer. ▲background *El retrato tenía un fondo oscuro.* The portrait had a dark background. ▲back *El fondo de la casa.* The back of the house. ○**a fondo** thoroughly *Era necesario estudiar el asunto a fondo.* It was necessary to study the matter thoroughly. ○**andar mal de fondos** to be short of money.

fonógrafo phonograph.

forastero, forastera stranger (*from another city or town*).

forjado (see **forjar**) wrought. ○**hierro forjado** wrought iron.

forjar to forge, hammer. ○**forjarse ilusiones** to delude oneself, build castles in the air.

forma shape, form *No me gusta la forma de este sombrero.* I don't like the shape of this hat. ▲way, manner *No había forma de entenderlo.* There was no way of understanding it. ○**con buenas (o malas) formas** politely (*or* impolitely) *Lo dijo con muy buenas formas.* He said it very politely.

formación [*f*] formation. ○**en formación** in formation.

formal reliable *Es un hombre muy formal.* He is a very reliable man. ▲serious, sedate, settled *Desde que se casó se ha vuelto muy formal.* He has become very settled since his marriage.

formalidad [*f*] formality, seriousness *Hablemos con formalidad.* Let's talk seriously. ○**formalidades** red tape *Perdieron mucho tiempo en todas las formalidades.* They lost a lot of time, with all the red tape.

formalizar to arrange, legalize *Formalizaron el contrato.* They legalized the contract.

formar to form, make, be *Formaban un grupo muy alegre.* They made a very merry group. ○**formar parte de** to be a member or part of *Formó parte de esa organización.* He was a member of that organization.

formidable formidable, terrific *Se enfrentaban con una competencia formidable.* They were up against some very formidable competition.

fórmula formula. ▲solution *Había que encontrar una fórmula.* A solution had to be found. ○**por fórmula** as a matter of form *Le saludó por fórmula.* He greeted him as a matter of form.

formular to draw up, formulate *Formuló sus ideas en una memoria.* He formulated his ideas in a report.

forro lining (*in clothing*).

fortaleza fortitude, strength *Su fortaleza era notable.* His fortitude was remarkable. ▲fortress.

fortuna fortune *Hizo una fortuna especulando en la bolsa.* He made a fortune playing the stock market. ▲luck *Tuve la fortuna de encontrarle.* I had the luck to find him. ○**por fortuna** fortunately *Por fortuna pudieron escapar.* Fortunately, they were able to escape.

forzado (see **forzar**). ▲[*m*] convict. ○**trabajo forzado** forced labor.

forzar [*rad-ch I*] to force, compel; to rape. ▲to break down *Forzaron la puerta.* They broke down the door.

forzoso compulsory, unavoidable *La decisión era forzosa.* The decision was unavoidable. ○**paro forzoso** unemployment.

fosa grave *Lo llevaron a la fosa.* They took him to the grave.

fósforo match *¿Tiene Ud. fósforos?* Have you any matches?

fotografía photography; photograph.

fracasar to fail *La comedia fracasó.* The play failed.

fracaso failure, flop *El negocio fue un fracaso.* The business was a failure.

fracción [*f*] fraction; fragment.

fragancia fragrance.

frágil fragile.

fragmento fragment.

fraile [*m*] monk, friar.

franco free, exempt *Se estableció un puerto franco.* A free port was established. ▲frank *¡Sea franco conmigo!* Be frank with me! ○**franco de porte** prepaid *Envió la mercancía franco de porte.* He sent the merchandise prepaid.

franqueo postage, amount of postage *¿Cuánto es el franqueo de esta carta?* What is the postage on this letter?

franqueza frankness *Me gusta la franqueza de Ud.* I like your frankness. ○**con franqueza** *¿Habla Ud. con franqueza?* Are you speaking frankly?

franquicia franchise.

frasco bottle, flask.

frase [*f*] phrase.

fraternal brotherly, fraternal.

frazada blanket *Ponga dos frazadas en la cama.* Put two blankets on the bed.

frecuencia frequency. ○**con frecuencia** frequently.

frecuente frequent.

fregadero *or* **fregadera** kitchen sink.

fregar [*rad-ch I*] to scour, scrub *Hace falta que frieguen este piso.* The floor has to be scrubbed. ▲to wash (*dishes*) *No me gusta fregar los platos.* I don't like to wash dishes.

freír [*rad-ch III*] to fry *Fríe el pescado con aceite.* He is frying the fish in oil.

frenar to (put on the) brake; to restrain.

frenesí [*m*] madness; frenzy.

frenético very angry; frenzied.

freno bit (*for horses*); brake.

frente [*f*] forehead ▲[*m*] front, battlefield *Los soldados marcharon al frente.* The soldiers left for the front. ○**al frente de** in charge of *No sé quién está al frente del negocio.* I don't know who is in charge of the business. ○**en frente de** opposite *Vive en la casa que está en frente de la nuestra.* He lives in the house opposite ours. ○**frente a** in front of *El coche paró frente a la puerta.* The coach stopped in front of the door.

fresa strawberry.

fresco cool (*of weather, wind, etc.*) *La noche estaba fresca.* The night was cool ▲fresh (*of food*) *El pescado estaba muy fresco.* The fish was very fresh. ▲fresh, cheeky, nervy *Ese tipo es muy fresco.* That guy has a lot of nerve. ▲[*m*] cooling drink [*Am*] *¿Le gusta el fresco de piña?* Do you like pineapple drinks? ▲fresco *Los frescos de la catedral son muy interesantes.* The frescoes of the cathedral are very interesting. ○**quedarse tan fresco** to show no concern; to remain unmoved *¡Y se quedó tan fresco!* He was completely unconcerned!

frescura coolness *Notamos frescura al llegar al río.* We felt the coolness when we arrived at the river. ▲nerve, cheek *La frescura de aquel hombre indignaba.* The nerve of that man was irritating.

frialdad [*f*] coldness (*of weather*); coolness, unconcern.

frijol [*m*] bean.

frío [*adj*] cold *La sopa está fría.* The soup is cold ▲cold, unemotional *Era de temperamento muy frío.* He was a very cold person. ○**hacer frío** to be cold (*of weather*) *Aquel invierno hizo mucho frío.* It was very cold that winter.

friolento sensitive to cold.

friolera trifle, something unimportant *Eso es una friolera.* That is a trifle.

friolero chilly, sensitive to cold *Es muy friolero.* He is very sensitive to cold. ▲(*ironically*) extremely important.

frito (see **freír**) fried. ○**estar frito** to be annoyed *Estaba frito con esas preguntas.* He was annoyed by those questions.

fritura fritter.

frívolo frivolous.

frontera frontier, boundary.

frotación [*f*] rub, rubbing.

frotar to rub *Le frotó la espalda con alcohol.* She rubbed his back with alcohol.

fruncir to shirr, to gather (*material*). ○**fruncir el ceño** *or* **entrecejo** to frown.

frustrar to thwart, frustrate.

fruta (edible) fruit *De postre siempre tomaba fruta.* He always ate fruit for dessert.

frutal [*adj*] ○**árbol frutal** fruit tree.

frutero greengrocer; fruit bowl.

fruto fruit (*edible or inedible*) *El fruto de ese arbusto es venenoso.* The fruit of that shrub is poisonous. ▲fruit, reward ▲*Aquel esfuerzo no dio fruto.* That effort bore no

fruit. ▲profit *El negocio no dio fruto.* The business didn't produce a profit. ○**frutos** produce *Inglaterra importa frutos españoles.* England imports Spanish produce.

fuego fire *Atice el fuego que se apaga.* Poke the fire; it is going out. ○**hacer fuego** to fire *(a weapon) Los soldados hicieron fuego.* The soldiers fired.

fuente [f] fountain *El agua de esta fuente está muy fría.* The water of this fountain is very cold. ▲source *Su información es de buena fuente.* His information comes from a reliable source. ▲dish, platter *Sirva Ud. el pescado en esa fuente.* Serve the fish on that platter.

fuera out, outside *Los enviaron fuera.* They sent them out. ▲out *¡Fuera de aquí!* Get out! ○**desde fuera** from the outside *Desde fuera no se ve el jardín.* The garden can't be seen from the outside. ○**fuera de** out of *Estará tres días fuera de la ciudad.* He'll be out of the city for three days.

fuerte strong *Era un hombre muy fuerte.* He was a very strong man. ▲bad, severe *Ha cogido un catarro muy fuerte.* He has caught a very bad cold. ▲severe, intense *Hace un frío muy fuerte.* The cold is intense. ▲Heavy, warm, thick *Lleve calzado fuerte para la excursión.* Wear heavy shoes for the outing. ▲heavy *La lluvia era muy fuerte.* The rainfall was very heavy. ▲harsh, unbearable *Lo que le dijo fue demasiado fuerte.* What she told him was too harsh. ▲[adv] loud *Habla demasiado fuerte.* He speaks too loud. ▲[m] fort.

fuerza power *Ese motor no tiene fuerza suficiente.* That motor doesn't have enough power. ○**a fuerza de** by dint of *Lo consiguió a fuerza de trabajo.* He got it by dint of hard work. ○**a la fuerza** forcibly *Habrá que hacerlo a la fuerza.* It'll have to be done forcibly. ○**fuerza(s)** strength. ○**fuerzas** forces *Nuestras fuerzas ocuparon la ciudad.* Our forces occupied the city.

fuete [m] quirt, riding whip [Am].

fuga flight, escape, leak.

fugarse to run away, flee, escape.

fullero shady, not on the level *Su juego es un poco fullero.* He plays a shady game. ▲stuck-up, conceited, pompous [Am] *Es un tipo muy fullero.* He is a pompous guy.

fumar to smoke *Se prohíbe fumar.* No smoking.

función [f] function, duty, position *¿Cuáles son sus funciones?* What are your duties? ▲show, performance *¿A qué hora empieza la función?* What time does the show start?

funcionamiento [m] working, functioning.

funcionar to work, function, run *(of machines) El ascensor no funciona.* The elevator isn't running.

funcionario public official, public servant.

funda case, pillowcase; slipcover; sheath.

fundación [f] foundation, founding *Hoy se celebra la fundación de la ciudad.* Today they're celebrating the founding of the city.

fundamental [adj] fundamental.

fundamento basis *Sus ideas no tienen fundamento.* His ideas have no basis.

fundar to found, establish, ○**fundarse** to base oneself *En eso me fundo para decirlo.* That is my basis for saying so.

fundición [f] melting; foundry. ▲casting *La fundición de la estatua se retrasó.* The casting of the statue was delayed.

fundir to smelt *Fundieron todo el hierro.* They smelted all the iron. ○**fundirse** to combine, merge *Se fundieron los dos negocios en uno.* They merged the two businesses into one. ▲to be ruined [Am].

funeral(es) [m] funeral service *Los funerales se celebrarán en la catedral.* Funeral services will take place in the cathedral.

furia fury.

furioso furious.

furor [m] fury, anger; rage, fashion.

fusil [m] army rifle.

fusilar to shoot *(execute by shooting).*

fuste [m] substance, importance *Una dama de alto fuste.* A lady of great importance.

fútbol [m] soccer, football *(game).*

futuro [adj; n] future. ○**en lo futuro** in (the) future, hereafter *Procure en lo futuro venir puntualmente a la oficina.* In the future, try to get to the office on time.

G

gabán [m] coat, overcoat.

gabinete [m] cabinet *Se han encargado de formar gabinete.* They've undertaken to form a cabinet. ▲study, small living room *La casa tiene comedor, alcoba y gabinete.* The house has a dining room, a bedroom, and a study.

gaceta gazette, newspaper; record.

gacho slouched, turned down, stooped *Lleva el sombrero gacho.* He wears his hat turned down.

gachupín, gachupina Spaniard who settles in Mexico.

gafas [f pl] eyeglasses, spectacles.

gajo small bunch [Am] *Quiero un gajo de uvas.* I want a small bunch of grapes. ▲section, piece *Pele la naranja y déme un gajo.* Peel the orange and give me a piece.

gala ○**función de gala** gala performance. ○**tener a gala** to be proud *Tenía a gala ser inglés.* He was proud to be an Englishman. ○**traje de gala** dress suit *(uniform).*

galán leading man *(in a movie or theatrical performance) El galán de esa compañía es muy malo.* The leading man of that company is very bad.

galante courteous, polite, attentive *Sea galante con ella.* Be attentive to her.

galantear to court.

galantería compliment *Me dijo una galantería.* He paid me a compliment. ▲courtesy.

galápago freshwater tortoise. ▲side-saddle [Am].

galera shed [Am] *El carro estaba debajo de la galera.* The cart was under the shed. ▲wagon; van.

galería gallery *(art) La galería de pintura estaba muy concurrida.* The art gallery was very crowded. ▲gallery *(theater) Los espectadores de la galería hacían mucho* *ruido.* The spectators in the gallery were making a lot of noise.

galgo greyhound.

gallardía fine bearing *Los soldados mostraban gran gallardía.* The soldiers had a very fine bearing.

gallego, gallega Spaniard [*Am*].

galleta cookie *¿Quiere Ud. galletas con el té?* Would you like cookies with your tea? ▲slap *Le dio una galleta.* She gave him a slap.

gallina [*f*] hen. ▲[*m*] coward *¡Es Ud. un gallina!* You're a coward!

gallinero chicken coop; top gallery.

gallo cock, rooster. ▲bully [*Sp*]. ▲match, equal [*Am*] *Ese no es gallo para él.* That fellow is no match for him.

galón [*m*] gallon.

galope [*m*] gallop, canter.

galope [*m*] toolshed [*Arg*].

gana ○dar ganas to feel like *No me dan ganas de trabajar.* I don't feel like working. ○darle a uno la gana [*Fam*] to feel like, want to *Me da la gana de ir.* I'm going because I want to. ○de buena gana willingly *Lo hizo de buena gana.* He did it willingly. ○de mala gana unwillingly. ○no darle a uno la gana to refuse to, not to feel like *No me da la gana de hacerlo.* I refuse to do it.

ganado cattle, livestock *Tenía doscientas cabezas de ganado.* He had two hundred head of cattle.

ganador, ganadora winner.

ganancia profit, gain.

ganar to win *¿No ganó Ud. la apuesta?* Didn't you win the bet? ▲to gain *No ganó nada con decirme eso.* He gained nothing by telling me that. ▲to earn *¿Cuánto gana Ud. a la semana?* How much do you earn per week? ○ganar de mano to beat (someone) to it [*Arg*] *Los dos queríamos comprar el caballo pero él me ganó de mano.* We both wanted to buy the horse but he beat me to it. ○ganarse la vida to earn a living *Me gano la vida como puedo.* I earn my living as best I can. ○ganar tiempo to save time.

ganchada ○hacer una ganchada to do a favor [*Arg*].

gancho hook *Colgó la chaqueta en un gancho.* He hung his jacket on a hook. ○gancho de cabeza hairpin [*Am*]. ○tener gancho to be attractive, charming *Esa muchacha tiene mucho gancho.* That girl is very attractive.

ganga bargain *Estos calcetines son una ganga.* These socks are a bargain.

ganso goose, gander.

garaje [*m*] garage.

garantía security *Antes de prestarle el dinero pidió garantía.* Before lending him the money he asked for security.

garantizar to guarantee *El reloj estaba garantizado.* The watch was guaranteed. ▲to vouch for *Quiero que Ud. lo garantice.* I want to vouch for him.

garbanzo chickpea.

garbo grace *Baila con garbo.* He dances gracefully.

garfio hook, gaff.

garganta throat.

gárgaras [*f pl*] gargle (*act of gargling*). ○hacer gárgaras to gargle.

garra claw. ○caer en las garras de to fall into the clutches of.

garrafa decanter; straw-covered bottle.

garrote [*m*] club (*weapon*); gallows.

garúa drizzle [*Arg*].

gas [*m*] gas (*vapor*) *Encienda el gas.* Turn on the gas.

gasa gauze.

gasolina gasoline.

gastar to spend *Gastó casi todo su sueldo.* He spent almost all his salary. ▲to waste *Me estás haciendo gastar el tiempo.* You're making me waste time. ▲to wear, use *Nunca gasta sombrero.* He never wears a hat. ○gastar bromas pesadas to play practical jokes *Siempre está gastando bromas pesadas.* He is always playing practical jokes. ○gastarse to wear out *Se ha gastado muy pronto esa tela.* That cloth has worn out very rapidly.

gasto expense *Cuando pagó los gastos quedó limpio.* When he paid the expenses, he had nothing left.

gata cat, she-cat. ○andar a gatas to walk on all fours, creep.

gatillo trigger.

gato cat, tomcat. ▲jack *Nos hace falta el gato para cambiar la rueda.* We need a jack to change the wheel. ○dar gato por liebre to cheat; to deceive.

gaucho gaucho, man of the pampas, cowboy [*Am*].

gaveta drawer [*Am*] *Los pañuelos están en la gaveta.* The handkerchiefs are in the drawer.

gemelo twin *Parecían gemelos.* They looked like twins. ▲cuff link. ○gemelos binoculars, opera glasses *Préstame los gemelos para verlo mejor.* Lend me the binoculars so I can see it better.

gemido moan, whine.

general [*adj*] general *Compraron boletos de entrada general.* They bought general admission tickets. ▲[*m*] general [*Mil*]. ○en general usually, generally *En general, se va a casa a las cinco.* He generally goes home at five o'clock.

generalidad [*f*] majority, greatest part *La mayoría de los niños son juguetones.* Most children are playful.

generalizar to generalize *Generaliza al hablar de los norteamericanos.* He generalizes when he speaks of Americans. ○generalizarse to become general *El uso al los computadores se ha generalizado.* The use of computers has become general.

género cloth *Ese sastre usa siempre muy buenos géneros.* That tailor always uses very good material. ▲kind *¿Qué género de trabajo le gusta?* What kind of work do you like? ○género humano mankind, humankind. ○género masculino, género femenino masculine gender, feminine gender.

generosidad [*f*] generosity.

genial brilliant *Es un músico genial.* He is a brilliant musician.

genio genius *Es un genio.* He is a genius. ○buen genio good nature *Tiene buen genio.* He is good-natured. ○mal genio bad temper.

gente [*f*] people *¿Cuánta gente hay en esta oficina?* How many people are there in this office? ▲folks *¿Cómo está su gente?* How are your folks?

gentil gracious, kind.

gentileza graciousness, kindness.

geografía geography.

geográfico geographical.

gerencia management *Mudaron la gerencia de la fábrica.* They changed the management of the factory.

gerente [m] manager.

germen [m] germ.

gesto gesture; expression of the face *Tenía mal gesto.* He had an unpleasant expression on his face. ▲gesture *Su dimisión fue un gesto muy noble.* His resignation was a very noble gesture. Ohacer gestos to make gestures, to signal, make (a) sign(s) *Hizo gestos de aprobación.* He made signs of approval.

giganta giantess.

gigante huge, gigantic. ▲[m] giant.

gimnasia physical exercise, calisthenics.

gimnasio gymnasium.

gimotear to whine.

girar to revolve, turn *La rueda no gira.* The wheel doesn't turn. ▲to turn *Llegando a la esquina el coche giró a la derecha.* The car turned right when it reached the corner. ▲to draw *Puede Ud. girar contra mi cuenta.* You can draw against my account.

giro turn *El asunto ha tomado un nuevo giro.* The matter has taken a new turn. ▲draft *Ayer le mandamos un giro de veinte dólares.* We sent him a draft yesterday for twenty dollars. Ogiro postal money order *Mándeme la cantidad por giro postal.* Send me the amount by money order.

gitano, gitana gypsy.

glacial icy *El frío es glacial en este país.* It is freezing cold in this country.

globo globe, sphere, balloon.

gloria glory *En la batalla el general se cubrió de gloria.* In the battle the general covered himself with glory. ▲heaven. Osaber a gloria to be delicious *Comimos un pastel que sabía a gloria.* We ate a very delicious pie.

glotón [adj; n] gluttonous; glutton.

gobernador [m] governor (*political*).

gobernar to govern *Es un país difícil de gobernar.* It is a difficult country to govern. Ogobernarse to manage *Se gobierna muy bien.* He manages his affairs very well.

gobierno cabinet *El primer ministro está formando un nuevo gobierno.* The premier is forming a new cabinet. ▲government *Es un gobierno democrático.* It is a democratic government. ▲control *Perdió el gobierno del volante.* He lost control of the steering wheel.

golfo gulf.

golondrina swallow (*bird*).

golpe [m] blow *El golpe no le hizo daño.* The blow didn't harm him. Oal primer golpe de vista at first sight *Al primer golpe de vista me pareció más grande.* At first sight it seemed larger to me. Odar golpes to knock, pound *Dio varios golpes en la puerta.* He knocked on the door several times. Ode golpe suddenly, all of a sudden *Me lo dijo de golpe.* He told me all of a sudden. Ogolpe de estado coup d'état.

golpear to pound *Estaba golpeando con el martillo.* He was pounding with the hammer.

goma glue; rubber, eraser. ▲hangover [Am] *¡Qué goma tengo!* What a hangover I have!

gordo fat *Era demasiado gordo.* He was too fat. Oagua gorda hard water [Sp]. Ohacer la vista gorda to pretend not to see, wink at *Los niños robaban la fruta pero el guarda hacía la vista gorda.* The children were stealing the fruit but the keeper pretended not to see. Ollevarse un susto gordo to get a bad scare.

gordura stoutness, fatness.

gorrión [m] sparrow.

gorro cap (*for head*). Oir de gorra to sponge *Le gustaba ir de gorra.* He liked to sponge on people.

gota drop *No dejó gota en el vaso.* He didn't leave a drop in the glass. ▲gout. Ogota a gota drop by drop. Osudar la gota gorda to sweat blood.

gotear to rain; to drizzle. ▲to leak *Esa cañería gotea.* That water pipe leaks.

gotera leak (*in roof, wall*) *¡Tape esa gotera!* Plug up that leak!

gótico Gothic.

gozar to enjoy oneself, have a good time [Am] *Gozamos mucho en la fiesta.* We had a very good time at the party. Ogozar de to enjoy *¿Goza Ud. de buena salud?* Are you enjoying good health?

gozo joy.

grabado (see **grabar**) engraved *Sus iniciales están grabadas en la pulsera.* Her initials are engraved on the bracelet. ▲fixed *La idea quedó grabada en su imaginación.* The idea became fixed in his mind. ▲[m] engraving, etching *Era un experto en el grabado en cobre.* He was an expert in copper engraving. ▲picture (*illustration*) *El libro tenía muy buenos grabados.* The book had very good pictures.

grabadora [f] cassette recorder, tape recorder.

grabar to engrave; to cut (*a record*), to tape.

gracejada crude joke.

gracia wit, charm, grace. ▲mercy *El abogado defensor pidió gracia para el condenado.* The defense attorney asked mercy for the condemned man. ▲joke *Se reía de todas sus gracias.* He laughed at all her jokes. ▲name *¿Cuál es su gracia?* What is your name? Ogracias thanks *Estoy bien, muchas gracias.* I am well, thank you. Ogracias a thanks to *Gracias a Ud. llegué a tiempo.* Thanks to you I arrived on time. Ohacer gracia to strike one (as) funny *Me hace gracia lo que dice.* What he says strikes me (as) funny. Otener gracia to be funny, be witty.

gradas wide steps leading to the entrance of a building; bleachers.

grado degree *Obtuvo el grado de doctor en filosofía.* He got his doctor's degree. *La temperatura bajó tres grados.* The temperature went down three degrees.

graduar to set *Había que graduar la espoleta.* It was necessary to set the fuse. Ograduarse to graduate, to be graduated *Se graduó en la Universidad de Harvard.* She graduated from Harvard University.

G

gráfico [*adj*] graphic *Habla de una manera gráfica.* He speaks very graphically. ▲pictorial, picture *¿Hay aquí revistas gráficas?* Are there any picture magazines here?

grama lawn (*grass*) [*Am*].

gramática grammar.

gramo gram (*weight*).

gran (see **grande**) great *Ha tenido una gran idea.* You've had a great idea. ▲fine, good, grand *Es una gran persona.* He is a fine person.

granada grenade; pomegranate.

granado ripe, mature *Es un hombre granado.* He is a mature man. ▲[*m*] pomegranate tree.

grande large *Un vaso grande.* A large glass. ▲tall *Es un hombre grande.* He is a big man. ▲old [*Am*] *Es el más grande de los tres.* He is the oldest of the three. O**a lo grande** in (great) style *Le gustaba vivir a lo grande.* He liked to live in style.

grandeza greatness.

grandioso grandiose, magnificent.

granero granary, barn.

granito granite; pimple.

granizo hail.

granja farm.

grano grain *El grano maduró bien aquel año.* The grain ripened well that year. ▲pimple *Tiene la cara llena de granos.* His face is covered with pimples. O**ir al grano** to get to the point *¡Vamos al grano!* Let's get to the point!

grasa grease *Una mancha de grasa.* A grease spot. ▲ fat *La carne de cerdo tiene mucha grasa.* Pork has a lot of fat.

grasiento greasy, oily *Tiene el pelo muy grasiento.* His hair is very oily.

gratificar to reward *Lo gratificaron esplendidamente.* They rewarded him generously.

gratis gratis, free *La entrada es gratis.* Admission free.

gratitud [*f*] gratitude.

gratuito free *La entrada es gratuita.* Admission free.

grave grave, serious *El estado de mi amigo es muy grave.* My friend's condition is very grave. ▲deep *Tiene la voz grave.* He has a deep voice.

gravedad [*f*] seriousness, gravity.

grieta crack *La pared tenía una grieta.* The wall had a crack in it. O**grietas en las manos** chapped hands *Tengo grietas en las manos.* My hands are chapped.

grifo having hair *or* fur bristling *or* standing on end *El gato está grifo.* The cat's fur is bristling. ▲[*m*] faucet *El grifo del baño está estropeado.* The faucet in the bathroom is out of order.

grillo cricket (*insect*). ▲**grillos** fetters (*for prisoners*) *Le pusieron grillos en los pies.* They put fetters on his feet.

grima fright, horror, disgust O**darle grima a uno** to set one's teeth on edge, get on one's nerves. *El chirrido de la puerta me da grima.* The squeaking of the door gets on my nerves.

gringo gringo, American [*Am*]; foreigner [*Am*].

gripe [*f*] grippe, influenza, flu.

gris gray.

gritar to shout, scream.

grito scream, shout. O**a grito pelado** at the top of one's lungs *Nos llamó a grito pelado.* He called us at the top of his lungs. O**alzar el grito** to raise the voice, shout. O**poner el grito en el cielo** to hit the ceiling, make a great fuss.

grosero rude, coarse *Era un hombre grosero.* He was a coarse man.

grotesco grotesque.

gruesa gross (twelve dozen).

grueso [*adj*] stout, heavyset *Era demasiado grueso.* He was too stout. ▲thick *Esta tela es muy gruesa.* This cloth is very thick. ▲[*m*] main body (*of troops*) *El grueso del ejército atravesó el río.* The main body of the army crossed the river.

gruñido growl; grunt.

gruñir to growl *El perro gruñó cuando nos acercamos.* The dog growled when we approached. ▲to grunt, ▲to grumble *Gruñía porque no le pagaban bastante.* He grumbled because they didn't pay him enough.

gruñón cranky, irritable.

grupo group *¿En qué grupo está su amigo?* Which group is your friend in? ▲clump *En lo alto había un grupo de árboles.* At the top there was a clump of trees.

guacho odd (*only one of a pair*) [*Chile*] *Tengo un guante guacho.* I have an odd glove.

guagua bus [*P.R., Cuba*] *¿Para dónde va esa guagua?* Where does that bus go to? ▲baby [*Am*] *La guagua lloró toda la noche.* The baby cried all night.

guajolote [*m*] turkey [*Mex*].

guante [*m*] glove.

guapo handsome *Era un hombre guapo.* He was a handsome man. ▲brave *Se las da de guapo.* He acts like a tough guy.

guarango rough, vulgar [*Arg*].

guarda [*m*] guard; [*Arg*] conductor.

guardar to keep *Guarde copia de ese documento.* Keep a copy of that document. ▲to guard *Guardaba la entrada.* He was guarding the entrance. O**guardarse de** to avoid *Guárdese de las malas compañías.* Avoid bad company.

guardarropa [*m*] wardrobe, clothes closet, checkroom.

guardia [*m*] policeman *Llame a un guardia.* Call a policeman. ▲[*f*] guard, guard duty *Le tocó hacer la guardia.* It was his turn for guard duty. O**en guardia** on guard *Ante el peligro me pongo en guardia.* I put myself on guard against the danger. O**estar de guardia** to be on guard duty. O**guardia civil** [*f*] civil guard (*body of rural police*). ▲ [*m*] member of civil guard [*Sp*].

guardián [*m*] watchman.

guarida den.

guarnición [*f*] garrison; trimming; edging; garnishing.

guasa kidding, joking *A los andaluces les gusta la guasa.* Andalusians are fond of kidding. O**de guasa** jokingly.

guasón [*m*] wag, joker.

guerra war. O**dar guerra** to cause trouble *Ese niño da mucha guerra.* That child caused a lot of trouble.

guía [*m, f*] guide *Hubo que buscar un guía para el viaje.* It was necessary to find a guide for the trip. ▲[*f*] guide (book), directory. ○**guía de ferrocarriles** railroad guide. ○**guía de turismo** tourist guide(book). ○**guía telefónica** telephone directory.

guiar to guide *Iba delante para guiar a los turistas.* He went ahead to guide the tourists. ▲to drive *Aprendió a guiar un automóvil.* He learned to drive a car. ○**guiarse por** to follow *Quiso guiarse por los consejos de su amigo.* He wanted to follow his friend's advice.

guillotina guillotine.

guisante [*m*] pea [*Sp*].

guisar to cook, stew.

gustar to like, be fond of *Le gustaba mucho viajar.* He was very fond of traveling.—*Como guste.* As you like.

gusto taste *Esto tiene buen gusto.* This tastes good.—*Viste con muy buen gusto.* She dresses in very good taste. ▲liking *Eso no es de mi gusto.* That isn't to my liking. ○**a gusto** comfortable *¿Está Ud. a gusto?* Are you comfortable? ○**con mucho gusto** gladly, willingly, with much pleasure *Lo haré con mucho gusto.* I shall do it gladly.

H

haba lima bean.

haber to have (*auxiliary*). ▲[*m*] credit *Asiente Ud. esa cantidad en el haber.* Enter that amount on the credit side. ○**haber de** to be to *He de salir mañana.* I'm to leave tomorrow. ○**hay** there is, there are. *Hay uno.* There is one.—*Ayer hubo un accidente en la Quinta Avenida.* There was an accident on Fifth Avenue yesterday.—*Habrá tres.* There'll be three. ○**hay que** it is necessary *Hay que hacerlo.* It has to be done.

habichuela kidney bean [*P.R.*] ○**habichuela verde** [*Col.*] (green) string bean.

hábil skillful *Era muy hábil como mecánico.* He was a very skillful mechanic. ○**día hábil** workday *¿Cuántos días hábiles hay este mes?* How many workdays are there this month?

habilidad [*f*] ability.

habilitado paymaster.

habitación [*f*] room *Mi habitación es el número catorce del tercer piso.* My room is number fourteen on the third floor.

habitante [*m, f*] inhabitant *Es un pueblecito de doscientos habitantes.* It is a village of two hundred inhabitants.

habitar to inhabit.

hábito habit (monks, etc.). ▲habit, custom *Tenía por hábito levantarse temprano.* It was his custom to get up early.

habitual habitual.

habituarse to become accustomed *Se habituó a trabajar en la oficina.* He became accustomed to working in the office.

habla speech *Su habla es clara y precisa.* His speech is clear and precise. *El mundo de habla española.* The Spanish-speaking world. ○**perder el habla** to be speechless *Con la emoción perdió el habla.* He was speechless with emotion.

hablador [*adj*] talkative *Es muy hablador.* He is very talkative.

hablar to speak *¿Habla Ud. inglés?* Do you speak English? ▲to talk *Habla, pero no sabe lo que dice.* He talks, but he doesn't know what he is saying. ○**hablar (hasta) por los codos** to chatter *Ese muchacho habla por los codos.* That boy is a chatterbox. ○**hablar por hablar** to be just talking *No le creas, habla por hablar.* Don't believe him, he is just talking (to hear himself talk).

hacendado rancher; landowner [*Am*] *Su padre es un rico hacendado.* His father is a wealthy rancher.

hacendoso industrious.

hacer [*irr*] to make *Le han hecho un traje nuevo.* They have made him a new suit. ▲to have *Hágales entrar ahora mismo.* Have them come in right now. ▲to do *¿Qué hace Ud. para ganar tanto dinero?* What do you do to make so much money? ▲to be *Hace un buen día.* It is a beautiful day. ○**hacer alarde** to boast, brag *Hizo alarde de valor.* He boasted of his courage. ○**hacer caso a** to pay attention to *No le haga caso.* Don't pay any attention to him. ○**hacer de cuenta** to pretend, act [*Am*] *Haga de cuenta que nada ha ocurrido.* Just act as if nothing has happened *or* Think nothing of it. ○**hacer de las suyas** to be up to one's old tricks *Otra vez está haciendo de las suyas.* He is up to his old tricks again. ○**hacer el favor** please *¿Quiere hacer el favor de acompañarme?* Will you please come with me? ○**hacer el honor de** to do the honor of *¿Me hará Ud. el honor de comer conmigo?* Will you do me the honor of dining with me? ○**hacer frío** *o* **calor** to be cold *or* hot (*of weather*) *Hoy hace mucho calor.* It is very hot today. ○**hacer furor** to make a hit *Está haciendo furor esta nueva canción.* This new song is making a big hit. ○**hacer gimnasia** to do exercises (*calisthenics*) *Hago gimnasia por la mañana.* I do exercises in the morning. ○**hacer los honores** to play *or* act as host(ess) *Nos hizo los honores de la casa.* She played hostess to us. ○**hacerse** to become *Se ha hecho muy famoso.* He has become very famous.

hacha ax.

hacia toward *Iba hacia su casa.* He was going toward his house. ○**hacia acá** this way *¡Mire Ud. hacia acá!* Look this way! ○**hacia adelante** forward *El coche iba hacia adelante.* The car was going forward. ○**hacia allá** that way *¡Mire hacia allá, a la derecha!* Look that way, to the right! ○**hacia atrás** backward(s) *Remaban hacia atrás.* They rowed backwards.

hacienda fortune *Perdió toda su hacienda.* He lost his whole fortune. ▲ranch, large estate [*Am*]. ▲Treasury (*government*) *Ministro* (or *Secretario*) *de Hacienda.* Secretary of the Treasury.

halagar to flatter.

halagüeño promising, bright *Las perspectivas no son halagüeñas.* The prospects aren't very bright.

halar [*today usually written* **jalar**] to pull [*Am*] *Halaban la cuerda con fuerza.* They pulled hard on the rope.

hallar to find *Se registró los bolsillos y halló cien pesos.* He searched his pockets and found one hundred pesos. ○**hallarse** to be *No ha podido venir porque se halla enfermo.* He hasn't been able to come because he is sick.

hallazgo a find, thing found *Entre los hallazgos hubo paraguas, zapatos y pañuelos.* Among the things found were umbrellas, shoes, and handkerchiefs.

hamaca hammock [*Am*].

hambre [*f*] hunger *Tenía mucha hambre.* He was very hungry.

hambriento hungry, starved.

harapo rag *Iba vestido de harapos.* He went around dressed in rags.

harina flour, meal.

hartarse to gorge, stuff oneself *Tomó helado hasta hartarse.* He gorged himself on ice cream.

harto full, stuffed; fed up *¡Estoy harto de sus cuentos!* I'm fed up with your stories!

hasta until *No regresarán hasta después de la seis.* They won't return until after six.—*Hasta mañana.* Until tomorrow *or* See you tomorrow. ▲as far as *Fueron hasta la última calle del pueblo.* They went as far as the last street in town. ○**hasta aquí** so far *Hasta aquí todo está bien.* So far everything is all right.

hay (see **haber**).

haya beech tree.

hazaña feat, exploit, deed *El soldado fue condecorado por sus hazañas.* The soldier was decorated for his deeds.

hebilla buckle (*fastener*).

hebra thread.

hechicero bewitching *Tiene una cara hechicera.* She has a bewitching face.

hechizo [*adj.*] fake, artificial [*m*] charm, enchantment.

hecho (see **hacer**) done. ▲ready-made *Prefiero un traje hecho.* I prefer a ready-made suit. ▲[*m*] deed *Fue recordado por sus nobles hechos.* He was remembered for his noble deeds. ▲fact *El periódico publica los hechos más importantes.* The newspaper publishes the most important facts. ○**de hecho** in fact, as a matter of fact *De hecho, quedó convencido.* As a matter of fact, he was convinced.

hechura workmanship, making *No me gusta la hechura de ese traje.* I don't like the workmanship of that suit. ▲style.

hectárea hectare (10,000 sq. meters).

hediondo foul, stinking.

hedor [*m*] stench, stink.

helado (see **helar**) frozen *El estanque amaneció completamente helado.* The pond was completely frozen in the morning. ▲shocked *La noticia me dejó helado.* The news shocked me. ▲[*m*] ice cream *Me gusta el helado de chocolate.* I like chocolate ice cream.

helar [*rad-ch I*] to freeze.

helecho fern.

hélice [*f*] (screw) propeller (*of ship*).

hembra female *No es macho, es hembra.* It is not a male, it is a female.

hemisferio hemisphere.

heredad [*f*] (inherited) country estate *or* farm *Mi padre me dejó una heredad.* My father left me some property.

heredar to inherit *A la muerte de sus padres heredó una gran fortuna.* He inherited a large fortune when his parents died.

heredero, heredera heir.

hereditario hereditary.

hereje [*m, f*] heretic.

herejía heresy.

herencia inheritance.

herida wound *La herida se curó.* The wound healed.

herido wounded man *El herido se curó en tres días.* The wounded man recovered in three days.

herir [*rad-ch II*] to wound, hurt *Fue herido en una pierna.* He was wounded in a leg.

hermana sister. ▲nun, sister *Una hermana de la caridad le cuidaba.* A Sister of Charity took care of him.

hermano brother.

hermoso beautiful, handsome *Es una mujer muy hermosa.* She is a very beautiful woman.

hermosura beauty, handsomeness.

héroe [*m*] hero.

heroico heroic.

heroína heroine; heroin.

heroísmo heroism.

herrador [*m*] horseshoer.

herradura horseshoe *Le pusieron la herradura al caballo.* They shod the horse.

herramienta tool; set of tools.

herrar [*rad-ch I*] to shoe (*horses*); to brand (*cattle*).

herrería ironworks, blacksmith's shop.

herrero blacksmith.

herrumbre [*f*] rust.

hervir [*rad-ch III*] to boil *El agua empezó a hervir.* The water began to boil.

híbrido [*adj, n*] hybrid.

hidalga noble(woman); lady.

hidalgo noble(man); gentleman.

hidrógeno hydrogen.

hiel [*f*] gall; bitterness, malice.

hielo ice *Haga el favor de darme hielo para el agua.* Please give me some ice for the water.

hiena hyena.

hierba grass. ○**mala hierba** weed *La dehesa está llena de mala hierba.* The pasture is full of weeds. ▲bad influence *Ese niño es mala hierba.* That boy is a bad influence.

hierro iron *Toda la armazón era de hierro.* The whole framework was made of iron. ○**machacar en hierro frío** to work in vain, be useless *Tratar de corregir a ese niño es machacar en hierro frío.* Trying to correct that boy is useless.

hígado liver.

higiene [*f*] hygiene.

higo fig.

hija daughter.

hijo son.

hila row, line.

hilar to spin (*wool, silk, etc.*).

hilera row, line.

hilo thread *Cuidado no se rompa el hilo.* Be careful that the thread doesn't break.— *Me hace falta hilo para coser este botón.* I need thread to sew on this button. ▲linen *Me regaló media docena de pañuelos de hilo.* He gave me half a dozen linen handkerchiefs.

hilvanar to baste (*in sewing*).

himno hymn.

hincar to drive *Hincaron en el suelo estacas para asegurar la tienda.* They drove stakes into the ground to make the tent secure. ▲to sink *El perro me hincó los dientes en el brazo.* The dog sank his teeth into my arm. O**hincarse de rodillas** to kneel down *Lo primero que hizo fue hincarse de rodillas.* The first thing he did was to kneel down.

hincha [f] fan *Es una hincha del equipo argentino.* He is a fan of the Argentine team. (*When referring to a sport as a whole, the word used is* aficionado.)

hinchar to swell *Se le hinchó la pierna.* His leg swelled up.

hinchazón [m] swelling (*lump*).

hipocresía hypocrisy.

hipócrita hypocritical. ▲[n] hypocrite.

hipoteca mortgage.

hipótesis [f] hypothesis.

hispanoamericano [adj, n] Spanish-American.

histérico hysterical.

historia history, story *Conocía a fondo la historia de América.* He knew the history of America thoroughly. ▲tale *No me vengas con historias.* Don't come to me with tales.

historiador [m] historian.

histórico historic(al) *Visitamos los lugares históricos del país.* We visited the country's historic sites.

historieta short story; the comics [Sp].

hocico muzzle, snout, nose *El gato metió el hocico en el puchero.* The cat put its nose in the pot.

hogar [m] fireplace *¿Tiene Ud. un hogar en su casa?* Do you have a fireplace in your home? ▲home *Abandonó el hogar cuando era muy joven.* He left home when he was very young.

hogaza (large) loaf of bread.

hoguera bonfire *Encendieron una hoguera.* They lit a bonfire.

hoja leaf *El suelo estaba cubierto de hojas.* The ground was covered with leaves. ▲ blade *La hoja estaba muy afilada.* The blade was very sharp. ▲page *¿En qué hoja está Ud.?* What page are you on? ▲record *¿Presentó Ud. su hoja de servicios?* Did you show your record of service? O**hoja de lata** tin plate. O**hoja de papel** sheet of paper.

hojear to thumb through, glance (*or* skim) through (*a book, etc.*).

¡hola! Hello! (informal) *¡Hola! ¿Cómo estás?* Hello, how are you?

holgazán idler; lazy.

hombre [m] man *Vino a buscarle un hombre.* A man came to see him. O**¡hombre!** man! man alive! *¡Hombre, no digas eso!* Man, don't say that! O**hombre de estado** statesman.

hombría manliness, courage *En la lucha demostró su hombría.* He showed his courage in the fight. O**hombría de bien** honesty *Todos lo estimaban por su hombría de bien.* They all esteemed him for his honesty.

hombro shoulder *Cargó el equipaje al hombro.* He loaded the baggage on his shoulder. O**encogerse de hombros** to shrug the shoulders *Por respuesta se encogió de*

hombros. The only answer he gave was a shrug of his shoulders.

homenaje [m] homage *Han venido a rendirle homenaje al autor.* They have come to pay homage to the author.

homicida [m, f] murderer, killer, slayer *El homicida se refugió en la montaña.* The murderer hid in the mountains. ▲[adj] homicidal *El arma homicida no fue hallada.* The homicidal weapon wasn't found.

homogéneo homogeneous.

honda sling (*for hurling stones*).

hondo deep *Este pozo es muy hondo.* This well is very deep.

honestidad [f] modesty, decorum, uprightness *Se enamoró de ella por su honestidad.* He fell in love with her for her modesty.

honesto decent, honest *El cajero era un hombre muy honesto.* The cashier was a very honest man.

honor [m] honor *Era un hombre de honor.* He was a man of honor. O**honores** honors *Al morir le hicieron honores militares.* When he died he was given military honors.

honradez [f] honesty, integrity.

honrado (see **honrar**) honest *Es un hombre honrado.* He is an honest man.

honrar to honor *Nos honra mucho su presencia.* We're very much honored by your presence.

hora hour *Empezó la fiesta a la hora en punto.* The party began exactly on the hour. ▲time *¿Qué hora es?* What time is it? O**a primeras horas de la mañana** in the early morning. O**a última hora** at the last moment *A última hora todo se solucionó.* Everything was solved at the last moment.

horca gallows

horizontal horizontal.

horizonte [m] horizon.

hormiga ant.

horno oven.

horrible horrid, horrible *Hizo una escena horrible.* She made a horrible scene.

horror [m] horror *Tiene horror a las serpientes.* He has a horror of snakes.

horroroso horrible, frightful *Fue una escena horrorosa.* It was a horrible scene.

hortalizas [f pl] vegetables.

hospital [m] hospital.

hospitalidad [f] hospitality.

hostilidad [f] hostility.

hotel [m] hotel.

hoy today *Hoy empezamos a trabajar.* We're starting to work today. O**hoy por hoy** for the time being, under present circumstances *Hoy por hoy no pienso regresar a mi país.* Under present circumstances I don't intend to return to my country. O**por hoy** for the present *Por hoy lo dejaremos pasar.* We'll let it go for the present.

hoyo hole, depression; ditch.

hoyuelo dimple.

hoz [f] sickle.

hueco [adj] hollow, empty *El tronco del árbol estaba hueco.* The tree trunk was hollow. ▲[m] hole *Cuidado, hay un hueco en el piso.* Be careful, there is a hole in the floor.

huelga strike (*of workers*).

H

huella track *Siguieron las huellas del otro automóvil.* They followed the tracks of the other car. ▲trace, sign *En la América del Sur hay muchas huellas de las culturas indígenas.* In South America there are many traces of indigenous cultures. ▲footprint, fingerprint *Aquí están sus huellas.* Here are his footprints. O**huella dactilar** fingerprint *El asesino fue arrestado por sus huellas dactilares.* The assassin was arrested through his fingerprints.

huérfano, huérfana orphan.

huerta large vegetable garden.

huerto orchard.

hueso bone. O**estar en los huesos** to be nothing but skin and bones. ||*¡A otro perro con ese hueso!* Tell it to the Marines!

huésped [m] guest.

huevo egg *¿Cómo quiere los huevos, fritos o revueltos?* How do you like your eggs, fried or scrambled?

huida flight, escape.

huir to flee *Ellos huyeron del país.* They fled the country.

humanidad [f] humanity. ▲humaneness *La humanidad de sus sentimientos era bien conocida.* The humaneness of his sentiments was well known.

humano [adj] human. ▲humane *Era una persona muy humana.* He was a very humane person.

humear to smoke, give off smoke *Las cenizas todavía humeaban.* The cinders were still smoking.

humedad [f] dampness, humidity, moisture *La humedad del tiempo me hace daño a la salud.* The dampness of the weather is bad for my health.

humedecer [-zc-] to moisten.

húmedo damp, humid.

humilde poor; humble, unaffected.

humillar to humiliate.

humo smoke *Por la ventana se veía salir el humo.* Smoke could be seen pouring out the window. O**darse humos de grandeza** to put on airs of grandeur. O**humos** airs, affected manner *Lo dijo con muchos humos.* He said it in an affected manner.

humor [m] humor, mood *Está siempre de buen humor.* He is always in good humor. ▲humor, wit.

hundirse to sink *Se hundió en el barro hasta las rodillas.* He sank in mud up to his knees. ▲to cave in *La casa se hundió.* The house caved in.

huracán [m] hurricane.

hurtar to steal, pilfer. O**hurtar el cuerpo** to shy away, dodge *Hurtó el cuerpo al toro.* He dodged the bull.

huye See **huir.**

I

iberoamericano [adj, n] Ibero-American.

ida leaving, going, trip out *A la ida, el viaje fue más agradable que a la vuelta.* The trip out was more pleasant than the return. O**boleto de ida y vuelta** round-trip ticket.

idea idea.

ideal [adj] ideal, perfect. ▲[m] ideal, principle.

idear to plan, invent *Ideó un mecanismo para pelar fruta.* He invented an instrument for peeling fruit.

idéntico identical.

identidad [f] identity. ▲ identification *¿Tiene Ud. documentos de identidad?* Have you any identification?

identificar to identify. O**identificarse con** to identify oneself with.

idioma [m] language, tongue *El cónsul habla muchos idiomas.* The consul speaks many languages.

idolatrar to worship, idolize, adore *Te idolatro.* I adore you.

ídolo idol.

iglesia church; clergy.

ignorancia ignorance.

ignorante ignorant.

ignorar not to know, lack knowledge *Ignora las cosas más elementales.* He doesn't know the most elementary things.

igual same, similar *La madre y la hija tienen los ojos iguales.* Mother and daughter have the same eyes. ▲even *Tiene un carácter muy igual.* He has a very even disposition. ▲[m] equal, peer *Era un hombre sin igual.* He was a man without (an) equal.—*Sólo se trata con sus iguales.* He only deals with his equals. O**de igual a igual** as one equal to another, man to man *Le habló de igual a igual.* He spoke to him man to man. O**igual a** equal to, the same as *Esta mesa es igual a aquélla.* This table is the same as that one. O**igual que** the same as; as well as *Pienso igual que Ud.* I think the same as you. O**por igual** evenly *Extienda Ud. la arena por igual.* Spread the sand evenly.

igualar to equal *No iguala a su hermano.* He doesn't equal his brother. ▲to level *No han igualado la carretera.* The road hasn't been leveled.

igualdad [f] equality *Libertad, igualdad y fraternidad.* Liberty, equality, and fraternity. ▲evenness, smoothness.

ilegal illegal, unlawful.

ilícito illicit, immoral.

ilimitado boundless, unlimited *Su audacia es ilimitada.* His audacity is boundless.

iluminar to light, illuminate *Iluminaron el salón con todas las luces.* They turned on all the lights in the salon.—*Han iluminado muy bien el estadio.* They've lighted the stadium very well.

ilusión [f] illusion, delusion. O**hacerse ilusiones** to kid oneself. ▲to bank on *No se haga Ud. ilusiones sobre ese negocio.* Don't bank too much on that business. O**tener ilusiones (de)** to have hopes or illusions *Tiene ilusiones de casarse algún día.* She has hopes of getting married some day.

ilusionar to thrill *La idea de ver a mi madre me ilusiona mucho.* The idea of seeing my mother thrills me very much. O**ilusionarse (con)** to get excited, thrilled *Se ilusiona con cualquier cosa.* She gets excited over anything.

ilustración [f] learning *Es un hombre de mucha ilustración.* He is a very learned man. ▲illustration, picture *Las ilustraciones del libro son muy buenas.* The book's illustrations are very good.

ilustrado learned *Era una mujer muy ilustrada.* She was a very learned woman. ▲illustrated, with pictures *Pidió una revista ilustrada para distraerse.* He asked for a picture magazine to amuse himself.

ilustrar to illustrate *Es un buen artista el que ha ilustrado este libro.* The artist who illustrated this book is very good. ○**ilustrarse** to educate oneself *Le gustaba ilustrarse viajando.* He liked to educate himself by traveling.

ilustre illustrious, distinguished.

imagen [f] image, representation; image, reflection.

imaginar to think of, figure out *Imagine Ud. algo para resolver nuestro problema.* Figure out something to solve our problem. ○**imaginarse** to imagine, suspect *No puedo imaginarme lo que pretende.* I can't imagine what he is driving at.

imán [m] magnet.

imbécil [n] imbecile, fool. ▲[adj] stupid.

imborrable indelible, unforgettable *Es una impresión imborrable.* It is an unforgettable impression.

imitar to imitate, impersonate *Imita muy bien a esa actriz.* She imitates that actress very well.

impaciencia impatience.

impaciente impatient; anxious, eager.

imparcial impartial.

impasible impassive, unmoved, indifferent *Tiene una cara impasible.* He has an impassive face.

impedimento hindrance, impediment.

impedir [rad-ch III] to prevent *¿Quién lo puede impedir?* Who can prevent it? ○**impedir el paso** to block the way *Retírese de ahí, está Ud. impidiendo el paso.* Step aside; you're blocking the way.

imperar to prevail, reign *En la calle impera el desorden.* Disorder prevails in the street.

imperativo imperative *Es imperativo salir.* It is imperative to go out. ▲bossy *Es un hombre muy imperativo.* He is a very bossy man.

imperdible [m] safety pin [Sp].

imperio empire, command. ▲spell *Ese hombre está bajo el imperio de esa mujer.* That man is under that woman's influence.

imperioso imperative; arrogant, haughty.

impermeable [adj] waterproof. ▲[m] raincoat.

impertinencia impertinence *Su impertinencia me molesta.* His impertinence annoys me.

impertinente impertinent. ○**impertinentes** [m, pl] lorgnettes.

ímpetu [m] impetus, impulse.

impío impious, irreligious.

implacable implacable, relentless.

implicar to involve, implicate *No me implique en ese asunto.* Don't involve me in that matter.

implorar to beg, implore.

imponente imposing *La ceremonia fue imponente.* The ceremony was imposing.

imponer [irr] to impose, levy *Le impusieron una multa.* They imposed a fine on him. ○**imponerse** to assert oneself, command respect *Supo imponerse por su talen-*

to. He was able to command respect because of his ability.

importación [f] import(s), importation.

importante important.

importar to import *Importó cien mil toneladas de trigo.* He imported one hundred thousand tons of wheat. ○**importarle a uno** to matter (to), concern *Eso no me importa.* That doesn't matter to me.

importe [m] cost.

importuno annoying (*of a person*) *Me molesta la gente importuna.* Annoying people irritate me.

imposible impossible.

imposición [f] deposit (*of money in a bank*); imposition (*of will on another*); burden.

impotencia impotence, weakness.

imprenta printing shop; press; print. ○**error de imprenta** printer's error.

imprescindible essential, indispensable, imperative.

impresión [f] impression *Me causó muy buena impresión lo que me dijo.* What he said made a good impression on me. ▲imprint. ▲printing *La impresión del libro era perfecta.* The printing of the book was perfect.

impresionar to impress *Le impresionó mucho esa novela.* She was very much impressed by the novel. ▲to make *or* cut (*a record*) *Fue contratado para impresionar discos.* He was under contract to make records. ○**impresionarse** to be moved *Se impresionaron cuando la vieron.* They were moved when they saw him.

impreso (see **imprimir**) printed matter, pamphlet; blank (*paper to be filled*).

impresor, impresora printer ○**impresora láser** laser printer *Las impresoras láser son veloces.* Laser printers are fast.

imprevisión [f] lack of foresight, thoughtlessness *Dejar a los niños solos fue una gran imprevisión.* Leaving the children alone was sheer thoughtlessness.

imprevisto unforeseen, unexpected.

imprimir to print.

improbable improbable.

impropio inappropriate, unfitting.

improvisado makeshift *Un pupitre improvisado.* A makeshift desk.

improvisar to improvise.

imprudente imprudent, unwise.

impuesto (see **imponer**) [m] tax.

impulsar to urge; to encourage; to push.

inaccesible inaccessible.

inactivo inactive.

inadvertencia oversight *No lo incluyeron en la lista por inadvertencia.* He was left off the list through an oversight.

inagotable inexhaustible.

inaguantable unbearable *El dolor era inaguantable.* The pain was unbearable.

inaudito unheard of, strange, unexpected *Obró de una manera inaudita.* He behaved in a strange manner.

inauguración [f] unveiling, dedication, (ceremony of) opening (*a building*) *Ayer fue la inauguración de la estatua del fundador y del edificio de la escuela.* The unveiling of the founder's statue and the open-

I

ing of the school building took place yesterday.

inaugurar to unveil, dedicate, open (*exhibition, courses, etc.*).

incansable untiring, indefatigable.

incapacidad [*f*] incapacity; incompetence.

incapaz incompetent; incapable.

incauto [*adj*] unwary, gullible. ▲[*n*] easy mark *Por ser incauto le robaron el dinero.* Since he was an easy mark they stole his money.

incendiar to set on fire.

incendio fire (*conflagration*) *El incendio destruyó tres casas.* The fire destroyed three houses.

incertidumbre [*f*] uncertainty.

incesante continual, ceaseless *El ruido era incesante.* The noise was ceaseless.

incidente [*m*] incident, disturbance.

incierto uncertain, doubtful *El resultado del partido es incierto.* The result of the game is doubtful.

inclemencia severity, inclemency.

inclinación [*f*] slant, slope *La inclinación del terreno hacía difícil la construcción de la carretera.* The slope of the ground made it difficult to construct the road. ▲bent, inclination *Desde niño tuvo inclinación por el arte.* He had a bent for art from childhood.

inclinar to bend, bow *Inclinó la cabeza.* He bowed his head. Oinclinarse to bow. ▲to yield, give in *Hubo que inclinarse ante aquella verdad.* He had to yield in the face of that truth.

incluir to include *Incluya Ud. su nombre en la lista.* Include his name in the list. ▲to enclose *Incluí el recibo en la carta.* I enclosed the receipt in the letter.

incomodar to disturb, inconvenience, bother *¿Le incomoda a Ud. esta música?* Does this music bother you? Oincomodarse to become angry, to be upset *Se incomoda por cualquier cosa.* He gets angry at the slightest thing.

incomodidad [*f*] inconvenience.

incómodo uncomfortable (*of position*) *Esta silla es incómoda.* This chair is uncomfortable.

incomparable incomparable.

incompatible incompatible.

incomprensible incomprehensible.

inconsciente unconscious *El golpe lo dejó inconsciente.* The blow left him unconscious. ▲irresponsible *Es un hombre muy inconsciente.* He is a very irresponsible person.

inconveniente [*m*] disadvantage *Ese plan tiene algunos inconvenientes.* That plan has certain disadvantages. ▲objection *No tiene inconveniente en que salgamos.* He has no objection to our leaving.

incorporar to incorporate, unite. ▲to add *Incorporó su dinero al fondo común.* She added her money to the common fund. Oincorporarse to sit up (*in bed*).

incorrecto incorrect; ill-mannered.

increíble incredible, unbelievable.

inculto uncultivated, untilled; unrefined, uncultured.

incumplido unfulfilled *Sus promesas quedaron incumplidas.* His promises were unfulfilled.

incurable incurable.

indagar to investigate.

indecente indecent, obscene.

indeciso vacillating, hesitant *Es un hombre muy indeciso.* He is a very hesitant man. ▲indefinite, not clear *Su oferta es indecisa.* His offer is indefinite.

indefinido indefinite.

indemnización [*f*] indemnity; compensation.

indescriptible indescribable.

indiano, indiana Spaniard who returns to birthplace after long residence on the American continent.

indicación [*f*] suggestion *Siguió las indicaciones del médico.* He followed the doctor's suggestions. ▲hint *Una indicación de Ud. es bastante.* A hint from you is enough. Oindicaciones directions *Para usarlo siga estas indicaciones.* To use this, follow these instructions.

indicado (see **indicar**) indicated. ▲logical, appropriate *Su madre es la persona más indicada para decírselo.* Her mother is the most logical person to tell it to her. Olo indicado that which is stated, directed, *or* requested *Haga Ud. lo indicado en el prospecto.* Do what is directed in the prospectus.

indicar to indicate; to hint; to show.

índice [*m*] index; forefinger, index finger.

indicio indication, evidence, clue *No se encontraron indicios del asesino.* They found no clues of the murderer.

indiferente indifferent *Se mostró indiferente a cualquier sugerencia.* He was indifferent to any suggestion.

indígena [*adj*] native, aboriginal ▲[*n*] native, aborigine.

indigestión [*f*] indigestion.

indignación [*f*] indignation.

indignar to make indignant *Sus palabras la indignaron.* His words made her indignant. Oindignarse to become indignant *Ante aquella injusticia se indignó.* He became indignant in the face of that injustice.

indigno despicable, unworthy.

indio [*adj*, *n*] Indian, Hindu.

indirecta insinuation, hint. Oechar indirectas to make insinuations. ‖*Suprima esas indirectas.* Stop insinuating.

indirecto indirect.

indiscreto indiscreet.

indiscutible unquestionable, indisputable.

indispensable essential, indispensable.

indisponer [*irr*] to set against (*of persons*), prejudice *Su mala lengua nos indispuso.* His sharp tongue set us against each other. Oindisponerse to fall out (*with a person*) *Se indispuso con sus compañeros.* He had a falling out with his friends. ▲to become ill, sick *A consecuencia del viaje se indispuso.* As a result of the trip she became sick.

indispuesto (see **indisponer**) set against; indisposed, ill.

individual [*adj*] individual, separate.

individuo individual, person, guy *¿Quién es ese individuo?* Who is that guy?

índole [f] (inner) nature *Es un hombre de mala índole.* He is an evil man. ▲class, kind.

indolencia indolence.

inducir [-zc-] to induce.

indudable indubitable, certain, evident.

indulgente indulgent, lenient.

indulgencia leniency *La indulgencia de ese profesor es conocida.* The leniency of that teacher is known.

indulto pardon (*legal*).

industria industry (*manufacturing*).

industrial [adj] industrial. ▲[m] manufacturer.

ineficaz inefficient.

inepto inept.

inesperado unexpected.

inestimable invaluable.

inevitable unavoidable, inevitable.

inexplicable inexplicable.

infalible infallible.

infame infamous. ▲[n] scoundrel.

infancia infancy, childhood.

infantería infantry.

infantil infantile, childlike.

infatigable indefatigable, tireless.

infección [f] infection.

infeliz unhappy *Su vida fue muy infeliz.* His life was very unhappy. ▲[n] poor devil *Ese es un infeliz.* He is a poor devil.

inferior lower, inferior *En la parte inferior iba el depósito de gasolina.* The gasoline tank was underneath. ▲[n] inferior *Trata a sus inferiores con brutalidad.* He treats his inferiors brutally.

inferioridad [f] inferiority.

infernal infernal, terrible.

infidelidad [f] infidelity, unfaithfulness.

infiel unfaithful *Fue infiel a sus deberes.* He didn't fulfill his obligations.

infierno hell.

infinidad [f] endless number, a lot *Había una infinidad de personas en el parque.* There were a lot of people in the park.

infinito infinite. ▲[m] infinity.

inflamar to set on fire *Una chispa del cigarro inflamó el depósito.* A cigarette spark set the warehouse on fire. Oinflamarse to catch fire *Tenga cuidado porque se inflama muy fácilmente.* Be careful, it is very inflammable. ▲to swell *Los bordes de la herida se inflamaron.* The edges of the wound swelled.

influir (en) to influence; to have influence (on) *Influye en los que le rodean.* He influences everyone around him.

influyente influential, having pull.

información [f] information *Necesito más información sobre este asunto.* I need more information on this matter. Ofuente de información source of information, contact *Este periódico tiene muy buenas fuentes de información.* This newspaper has very good sources of information.

informar to tell; to inform *Necesitaba informar a sus lectores de lo sucedido.* He had to tell his readers what happened. Oinformarse to get information; to inform oneself *Pudo informarse leyendo la carta.* She could get the information by reading the letter.

informática [f] computer science.

informe [m] report *Presentó un informe a sus superiores.* He presented a report to his superiors. Oinformes data, information.

infortunio great misfortune *La muerte de su padre fue un infortunio para él.* The death of his father was a great misfortune for him.

ingeniero engineer (*holder of a degree in engineering*).

ingenio talent *Fue un escritor de mucho ingenio.* He was a writer of great talent. ▲wit *Esa frase tiene mucho ingenio.* That is a very witty phrase. ▲wits, ingenuity *Vivía de su ingenio.* He lived by his wits. Oingenio azucarero sugar mill.

ingenuo ingenuous, candid, innocent, naïve.

ingrato ungrateful, thankless *Es un trabajo muy ingrato.* It is a thankless job. ▲[n] ingrate.

ingresar (en) to enter, to join *Cuando ingresó en la universidad tenía veinte años.* He was twenty when he entered college. ▲to deposit *Ingresaba su dinero cada mes en la caja de ahorros.* She put her money in a savings bank every month.

ingreso entrance (*joining*) *Su ingreso en el partido fue muy comentado.* His joining the party caused a lot of comments. Oingresos earnings, income *Sus ingresos eran escasos.* His earnings were small.

íngrimo alone [Am] *Se quedó íngrimo.* He was left all alone.

inicial [adj, f] initial *¿Cuáles son sus iniciales?* What are your initials?

iniciar to initiate, begin; to initiate (*in societies or religious orders*).

iniciativa initiative.

inhábil incompetent, unskillful, clumsy.

injuria insult.

injusticia injustice.

inmediato adjoining, next.

inmenso immense.

inmigrante [m, f] immigrant.

inmoral immoral.

inmortal [adj] immortal.

inmóvil fixed; unshaken; motionless *El miedo lo dejó inmóvil.* He was motionless with fright.

inmundo filthy, unclean.

innoble ignoble.

inocente innocent; not guilty; gullible, unsophisticated.

inofensivo inoffensive, harmless.

inolvidable unforgettable.

inoportuno inopportune, inconvenient *Era un momento muy inoportuno para tratar el asunto.* That was a very inconvenient time to bring up the subject.

inquietar to worry; to trouble *La falta de noticias le inquietaba.* The lack of news worried him. Oinquietarse to become restless; to become worried *Empezó a inquietarse con aquel ruido.* He began to get restless because of that noise.

inquilino, inquilina tenant.

inquieto restless *Es un niño muy inquieto.* He is a very restless child. ▲worried *Estoy inquieto por su ausencia.* I'm worried over his absence.

insaciable greedy, insatiable.

insano unhealthy, unsanitary; insane *Un clima insano.* An unhealthy climate.

inscribir to register, enroll *Se inscribieron en la lista de votantes.* They registered for voting.

inscripción [*f*] inscription *La medalla tenía una inscripción.* The medal had an inscription. ▲registration *El plazo de inscripción acaba a las cuatro.* Registration is over at four o'clock.

insecto insect.

inseguro insecure, unsafe, unsteady.

insensato senseless, stupid, foolish.

insensible heartless, insensitive. ▲numb *Tenía los dedos insensibles.* His fingers were numb.

inseparable inseparable.

insigne famous, noted, outstanding (*of persons*).

insignificancia insignificance; trifle *Se preocupa por cualquier insignificancia.* He worries over every trifle.

insignificante insignificant.

insinuación [*f*] insinuation.

insinuar to insinuate, hint.

insistir to insist *Insistió pero no consiguió nada.* He insisted but he didn't get anything. ○**insistir en** to insist on *Insistió en salir a la calle.* She insisted on going out into the street.

insolente insolent.

insoportable unbearable.

inspección [*f*] inspection, examination *Hicieron una inspección en la oficina.* They made an inspection in the office. ▲inspector's office *Fui a la Inspección por los documentos.* I went to the inspector's office for the documents.

inspeccionar to inspect; to examine.

inspector inspector.

instalar to install, set up *¿Quién le ha instalado la antena?* Who installed your antenna? ○**instalarse** to establish oneself; to take quarters *Apenas llegó a la capital se instaló en un hotel.* As soon as he arrived in the capital he got settled at a hotel.

instancia petition, application (*written*). ○**a instancia de** at the request of.

instante [*m*] instant, moment.

instintivo instinctive.

instinto instinct *Su instinto le decía que iba a ocurrir algo.* His instinct told him that something was going to happen.

institución [*f*] institution.

instituto institute; school (*equivalent to high school plus two years of college*).

instrucción [*f*] education. *Creo que tiene poca instrucción.* I don't think he has much education. ○**instrucciones** instructions, directions *Todavía no ha recibido instrucciones.* He hasn't yet received instructions.

instruir to teach, instruct.

instrumento instrument.

insuficiente insufficient.

insufrible unbearable, intolerable.

insultar to insult.

insurrección [*f*] insurrection, rebellion.

insurrecto [*adj, n*] insurgent.

intacto intact, untouched.

integridad [*f*] integrity; entirety.

íntegro complete, whole *El dinero estaba íntegro, nadie lo tocó.* The money was all

there; nobody touched it. ▲upright *Es un hombre serio y muy íntegro.* He is a serious and upright man.

intelectual [*adj, n*] intellectual.

inteligencia intelligence.

inteligente intelligent.

intención [*f*] intention, purpose *No sé con qué intención me lo dijo.* I don't know what his purpose was in telling me that. ○**tener buenas intenciones** to be well-meaning. ○**tener la intención de** to intend to, mean to *Tenía la intención de decírselo pero se me olvidó.* I meant to tell him that, but I forgot.

intensidad [*f*] intensity.

intenso intense.

intentar to attempt, try.

interés [*m*] interest *Pone mucho interés en todo lo que hace.* She takes a lot of interest in everything she does. ▲rate of interest *Tenía que pagar mucho interés.* I had to pay a high interest. ○**intereses** affairs *Administraba los intereses de su amigo.* He administered his friend's affairs.

interesado (see **interesar**) interested; mercenary.

interesar to interest *Su conversación me interesaba.* His conversation interested me. ○**interesarse** to be interested *Llegó a interesarse en las matemáticas.* He became interested in mathematics.

interior [*adj*] interior, inside *Esas habitaciones son interiores.* Those are inside rooms. ▲domestic *El correo interior se distribuía dos veces por día.* Domestic mail was delivered twice a day. ▲[*m*] inside *El interior de la casa es muy fresco.* The inside of the house is very cool.

interjección [*f*] interjection.

intermedio intermediate, medium *Quisiera una talla intermedia.* I'd like an intermediate size. ▲[*m*] intermission *Le veré en el intermedio.* I'll see him during the intermission. ○**por intermedio de** through (the intervention of) *Lo consiguió por intermedio de su tío.* He got it through his uncle.

interminable endless.

internacional [*adj*] international.

interno internal *Esto es para uso interno.* This is for internal use. ▲boarding *Es un alumno interno.* He is a boarding pupil.

interponer [*irr*] to interpose, place (between) *Interpusieron un tabique entre las dos partes de la habitación.* They placed a partition between the two parts of the room.

interpretar to interpret *Procure Ud. interpretar bien mis palabras.* Try to interpret my words properly.

intérprete [*m, f*] interpreter.

interrogación [*f*] interrogation; question mark.

interrogar to question, interrogate.

interrogatorio interrogation, questioning.

interrumpir to interrupt *Por favor, no me interrumpa.* Please don't interrupt me. ○**interrumpirse** to be interrupted; to be blocked *El tráfico se interrumpió por la aglomeración de automóviles.* The traffic was blocked by the jam of automobiles.

intervalo interval.

intervención [f] intervention *Su intervención fue muy oportuna.* He intervened at a very opportune moment. ▲mediation *El sindicato ha pedido la intervención del estado en la cuestión.* The union has asked for the mediation of the government in the dispute. ▲(surgical) operation *Después de la caída hubo que hacerle una rápida intervención.* He had to undergo an operation immediately after his fall.

intervenir [irr] to intervene *Para evitar el conflicto tuvo que intervenir.* He had to intervene to prevent the conflict. ▲to audit, check *Se le intervino la cuenta en el banco.* His bank account was audited.

intestino [adj; m] intestine.

intimar to become an intimate friend.

intimidar to frighten, intimidate.

íntimo [adj] intimate. ▲[n] intimate (friend).

intolerable intolerable.

intoxicar to poison; to drug.

intranquilo restless, worried.

intratable unsociable.

intrépido brave, fearless.

intrigar to scheme *¿Cuándo terminará Ud. de intrigar?* When will you stop scheming? ▲to intrigue, interest *Aquello intrigó a todos.* That intrigued everybody. ᴼintrigarse to be intrigued *Me intriga lo que dice.* I'm intrigued by what you say.

introducir [-zc-] to put (in), insert *Introdujo la llave en la cerradura.* He put the key in the keyhole. ▲to present (a person) *Era el encargado de introducir los embajadores ante el rey.* He was the one in charge of presenting the ambassadors to the king.

intuición [f] intuition.

inundación [f] flood.

inundar to flood *El agua inundó las calles.* The water flooded the streets. ᴼinundarse to be flooded *Se inundó el piso bajo.* The ground floor was flooded.

inútil useless. ▲[n] useless person.

invadir to invade.

invariable constant, unchanging.

invasión [f] invasion.

invencible invincible, unconquerable.

inventar to invent; to lie, to make up.

inventario inventory.

invento invention; lie.

invernal wintry.

inverosímil unlikely, improbable.

invertido (see **invertir**) inverted.

invertir [rad-ch II] to invest *Invirtió su dinero en una casa.* He invested his money in a house. ▲to reverse, turn upside down *No invierta Ud. el orden de esas cantidades.* Don't reverse the order of those amounts. ▲to spend (time) *Invirtió dos horas en recorrer veinte millas.* He spent two hours traveling twenty miles.

investigación [f] investigation, inquiry; research.

investigar to investigate *Investigue Ud. cuál es la causa.* Investigate the cause of it. ▲to do research work *Investigaba en un laboratorio.* He was doing research work in a laboratory.

invierno winter.

invisible invisible.

invitación [f] invitation.

invitado (see **invitar**) ▲[n] guest *Estaban recibiendo a los invitados.* They were receiving their guests.

invitar to invite.

involuntario involuntary.

inyección [f] injection, shot.

inyectado bloodshot *Tenía los ojos inyectados.* His eyes were bloodshot.

inyectar to inject, give an injection *Le inyectó una dosis de morfina.* He gave him an injection of morphine.

ir [irr] to go. ▲to lead *¿Adónde va ese camino?* Where does that road lead? ᴼir a caballo to ride on horseback *Fuimos a caballo a la hacienda.* We rode to the ranch on horseback. ᴼir a pie to walk, go on foot *Si vamos a pie tardaremos mucho.* If we walk it will take a long time. ᴼir del brazo to walk arm in arm *Iban del brazo.* They were walking arm in arm. ᴼir de paseo to go for a walk *¿Va Ud. de paseo?* Are you going for a walk? ᴼir en auto to drive *Yendo en auto llegaremos en tres horas.* We'll arrive in three hours if we drive.

ira ire, anger.

ironía irony, sarcasm.

irónico ironical, sarcastic.

irregular irregular, improper *Su conducta es bastante irregular.* His conduct is quite irregular. ▲irregular, uneven *Tiene unas facciones muy irregulares.* He has very irregular features.

irremediable irreparable, hopeless.

irresoluto irresolute, wavering, hesitant.

irritable irritable.

irritación [f] irritation *Tiene irritación en la garganta.* He has an irritation in his throat. ▲irritation, peevishness *Su irritación molestó a todos.* His peevishness annoyed everyone.

irritar to irritate; to peeve.

isla island, isle.

isleño, isleña islander.

itinerario itinerary.

izquierda left hand *Escribía con la izquierda.* He wrote with his left hand. ▲left *En política, militaba en la izquierda.* In politics, she belonged to the left. ᴼa la izquierda on the left, to the left *Estaba sentado a mi izquierda.* He was sitting on my left.

izquierdo [adj] left *Él perdió el zapato izquierdo.* He lost his left shoe. ᴼlevantarse con el pie izquierdo to have bad luck *Se levantó con el pie izquierdo hoy.* He got up on the wrong side of the bed today.

I
J

J

jaba basket; crate [Am].

jabón [m] soap *¿Puede darme un jabón y una toalla?* Can you give me a cake of soap and a towel?

jalar (see **halar**) to pull, haul [Am].

jalea jelly *Deseo café, tostadas y jalea.* I want coffee, toast, and jelly.

jamás never, not ever.

jamón [m] ham (cured pork).

jamona buxom woman [Sp]; old maid.
jaqueca headache, migraine *Estoy con jaqueca desde ayer.* I've had a headache since yesterday.
jarabe [*m*] syrup; jarabe (*a Mexican dance*).
jardín [*m*] garden (*of flowers*).
jaripeo bronco busting, rodeo [*Mex*].
jarra pitcher *Hágame el favor de poner una jarra con agua en mi cuarto.* Please put a pitcher of water in my room.
jaula cage.
jefatura headquarters, chief's office *Los llevaron a la jefatura de policía.* They took them to police headquarters.
jefe [*m*] chief, leader, head *Lograron capturar al jefe.* They managed to capture the leader. ▲boss *Tendré que avisar a mi jefe que no vendré mañana.* I'll have to tell my boss that I won't be in tomorrow.
jerga slang, jargon.
jícara small cup.
jinete [*m*] horseman, horsewoman, rider.
jitomate [*m*] tomato [*Mex*].
jornada journey; day's work; day's walk.
jornalero day laborer, casual worker.
jota letter "j"; Aragonese folk dance.
joven [*adj*] young. ▲[*n*] young person.
joya gem; piece of jewelry.
judía Jewess; bean [Sp]. O**judías verdes** string beans.
judío Jewish. ▲[*n*] Jew.
juego game *El ajedrez es un juego muy difícil.* Chess is a very difficult game. ▲set *Compré un juego de manteles.* I bought a set of table linen. ▲play, playing *La hora de juego en esa escuela es de la una a las dos.* The hour for play in that school is from one to two. ▲gambling *Es un hombre aficionado al juego.* He is a man fond of gambling. O**hacer juego** to match *Ese sombrero hace juego con el traje.* That hat matches the suit. O**juego de palabras** pun, play on words. O**no ser cosa de juego** not to be a laughing matter.
jueves [*m*] Thursday.
juez [*m*] judge, critic, expert.
jugador [*m*] gambler; player, contestant.
jugar [*rad-ch I*] to play *¿Sabe Ud. jugar tenis?* Do you know how to play tennis? ▲to play, gamble *Jugó y perdió.* He gambled and lost.
jugo juice. O**sacar jugo de** to get a lot out of *Saca jugo de todo lo que hace.* He gets a lot out of everything he does.
juguete [*m*] toy.
juicio judgment *Esta chica tiene muy buen juicio.* This girl has very good judgment. ▲trial (*law*).
julepe [*m*] card game; [*Am*] dread, fear. O**tener julepe** to be scared stiff [*Am*].
julio July.
juma drinking spree.
junio June.
junta meeting; board *La junta directiva.* The board of directors. ▲joint, joining (*carpentry*).
juntar to join, connect *Juntaron los dos cordones eléctricos.* They connected the two electric wires. ▲to pool *Juntemos todo el dinero.* Let's pool all our money. O**juntarse** to meet, gather *Nos juntamos a la*

puerta de mi casa. We met at the door of my house.
junto together *¿Quiere que vayamos juntos al teatro?* Do you want to go to the theater together. O**junto a** next to, beside *Se sentó junto a ella.* He sat down next to her. O**junto con** with *Llegó junto conmigo.* He arrived with me.
jurado jury.
juramento oath (*law*); oath, swearing.
jurar to swear (*oath*); to swear, curse.
justicia justice (**fairness**); administration of justice; the law.
justo [*adj*] right, just *Creo que la decisión es justa.* I believe that the decision is just. ▲exact, on the dot *La corrida empezó a la hora justa.* The bullfight began on the dot. ▲[*n*] good person *Siempre pagan justos por pecadores.* The good always pay for the wicked. O**estar justo** to fit tightly *Este anillo me está muy justo.* This ring is too tight for me. ▲to be correct *Esta cuenta está justa.* This account is correct.
juvenil juvenile.
juventud [*f*] youth, youthfulness.
juzgar to judge *No me gusta juzgar los actos ajenos.* I don't like to judge the acts of others. ▲to try *Juzgarán a los reos imediatamente.* They'll try the criminals immediately.

K

kerosén kerosene.
kilo kilogram.
kilogramo kilogram.
kilométrico endless, interminable.
kilómetro kilometer.
kilowat kilowatt.
kiosco pavilion; newsstand; bandstand.

L

la; *pl* **las** the. ▲her, it; [*pl*] them *¿Dónde la encontró Ud.?* Where did you meet her?
labio lip.
labor [*f*] work, task.
labrador [*m*] farmer.
labrar to plow, farm.
lado side *Se sentó a mi lado.* He sat by my side. ▲edge, margin *Escribió una nota en el lado de la página.* He made a note in the margin. O**al lado (de)** near-(by), next door to *El restaurante está al lado del teatro.* The restaurant is next door to the theater. O**al lado derecho, al lado izquierdo** on (*or* to) the right side, on (*or* to) the left side *La casa estaba al lado derecho del camino.* The house was on the right side of the road. O**a un lado** aside *¿Quiere hacerse a un lado?* Would you step aside? O**de lado** sideways, on its side *Hay que poner el piano de lado para que entre.* We have to put the piano on its side in order to get it in. O**lado a lado** side by side *Trabajaron lado a lado.* They worked side by side. O**lado flaco** weak side, weak spot *Conozco muy bien su lado flaco.* I know his weakness very well.
ladrar to bark.
ladrillo brick.
ladrón thief, robber.

lagarto lizard [*Sp*]; alligator [*Am*].

lago lake.

lágrima tear *No derramó ni una lágrima.* He didn't shed a tear.

lamentable lamentable, pitiful, sorry *Estaba en un estado lamentable.* She was in a pitiful state.

lamentar to be sorry *Lamento que no pueda acompañarnos.* I'm sorry you can't join us. ○**lamentarse** to lament, wail, moan *Se lamentaba por la muerte de su perro.* She moaned over the death of her dog.

lamento lament, moan.

lamer to lick, lap.

lámina sheet, plate *Hoy hay muchos objetos hechos con lámina de metal.* Today there are many things made of sheet metal. ▲plate (*illustration*) *¿Tiene láminas de colores ese libro?* Does that book have color plates?

lámpara lamp, bulb; radio tube.

lana wool.

lancha (small) boat.

lanchón [*m*] barge.

langosta lobster; locust (*insect*).

lanzar to throw, hurl, fling *Lanzó la pelota.* She threw the ball. ○**lanzarse (a)** to throw oneself, rush to *Se lanzó al agua.* He threw himself into the water.

lápida memorial tablet, plaque; headstone.

lápiz [*m*] pencil.

larga ○**a la larga** in the long run, eventually *A la larga se convencerá Ud.* Eventually you'll be convinced. ○**dar largas** to put off. ▲to give one the run-around *Siempre me está dando largas.* He is always giving me the runaround.

largar to let loose, loosen [*Am*] *Ya van a largar los caballos.* They're going to let the horses loose now. ○**largarse** to scram, beat it *¡Lárguese de aquí!* Scram!

largo long *Recibí una carta larga de mis padres.* I got a long letter from my parents. ▲[*m*] length *¿Cuál es el largo de ese trozo de tela?* What is the length of this piece of cloth? ○**a lo largo** at full length *Se tumbó a lo largo sobre el sofá.* He stretched out full length on the couch. ○**a lo largo de** along *Hay un bosque a lo largo del río.* There is a forest along the river. ○**de largo** long *Este terreno tiene doscientos metros de largo.* This lot is two hundred meters long. ○**pasar de largo** to pass right by *Pasó de largo sin mirarme.* He passed right by without looking at me.

las (see **la**).

lástima pity *¡Es lástima que Ud. no haya venido anoche!* It is a pity you didn't come last night.—*¡Qué lástima!* What a pity! ○**dar lástima** to inspire pity, be pitiful *Su estado daba lástima.* His condition was pitiful.

lastimadura sore, superficial wound.

lastimar to hurt *Estos zapatos me lastiman.* These shoes hurt me.—*Me dijo una cosa que me lastimó.* He told me something that hurt me. ▲to injure, hurt *El golpe no le lastimó.* The blow didn't hurt him. ○**lastimarse** to hurt oneself *Se lastimó al caer.* He hurt himself when he fell.

lata tin (*plate*) *Esta caja está hecha de lata.* This box is made of tin. ▲can *Quisiera dos latas de tomate.* I'd like two cans of tomatoes. ▲annoyance, nuisance *El ruido era una lata.* The noise was a nuisance. ○**dar la lata** to annoy, bother, pester *Nos daba la lata con sus quejas.* He annoyed us with his complaints.

latido beat, beating, throb.

látigo whip, lash.

latín [*m*] Latin (*language*).

latino [*adj; n*] Latin.

latinoamericano [*adj, n*] Latin American.

latir to beat, throb *El corazón le latía rápidamente.* His heart was beating rapidly.

latón [*m*] brass.

laucha mouse [*Am*].

laurel [*m*] laurel.

lavabo washstand; washroom.

lavadero washtub.

lavamanos [*m sg*] washbowl, lavatory [*Am*].

lavandera laundress.

lavandería laundry [*Am*].

lavar to wash *Tenemos que lavar la ropa.* We have to wash the clothes.

lavatorio lavatory, washbasin [*Am*].

laxante [*adj; m*] laxative.

lazareto *hospital for contagious diseases*; quarantine (*of ports of entry*).

lazo bow, loop *¿Puede Ud. hacer un lazo? Can you tie a bow?* ▲lasso, lariat. ○**echar el lazo** to lasso.

le [*obj pron*] him, to him, to her, to you, to it; [*pl*] them, to them, to you.

leal loyal.

lección [*f*] lesson.

leche [*f*] milk.

lechería dairy store.

lecho bed, couch.

lechuga lettuce.

lector [*m*] reader, one who reads.

lectura reading *¿Qué clase de lectura le gusta a Ud.?* What kind of reading do you like?

leer to read *¿Ha leído Ud. el diario de esta mañana?* Have you read this morning's paper?

legación [*f*] legation.

legal legal, lawful.

legible legible, readable.

legítimo lawful, legitimate.

legua league (*measure of length*).

legumbre [*f*] vegetable.

lejano distant, far, remote.

lejos far *¿Es muy lejos de aquí?* Is it very far from here? ▲far away *Están muy lejos.* They are very far away. ○**a lo lejos** in the distance *A lo lejos vimos unas casas.* We saw some houses in the distance. ○**desde lejos** from a distance *Desde lejos le reconocimos.* We recognized him from a distance.

lengua tongue *Me mordí la lengua.* I bit my tongue. ▲language, tongue *En Centro y Sur América se habla la lengua castellana.* Spanish is spoken in Central and South America. ○**írsele a uno la lengua** to let something out (*by talking*); to give oneself away *Se le va la lengua muy fácilmente.* He gives himself away very easily. **Omorderse la lengua** to hold *or* control one's tongue.

lenguado sole, flounder.

lenguaje [*m*] language, speech.

lente [*m or f*] lens (*optical*). **Olente (de aumento)** magnifying glass *Estas letras tan pequeñas se pueden leer solamente con una lente.* These small letters can only be read with a magnifying glass. **Olentes** [*m pl*] eyeglasses *Deseo comprar unos lentes oscuros.* I want to buy some dark glasses.

lentejuela sequin.

lentitud [*f*] slowness.

lento slow.

leña firewood.

león [*m*] lion.

les (see **le**).

letra letter (*of alphabet*). ▲handwriting *Mi hermana tiene muy buena letra.* My sister has very good handwriting. ▲words (*of a song*) *¿Sabe Ud. la letra de esa canción?* Do you know the words of that song? **Ocuatro letras** a few lines *Le he escrito cuatro letras.* I wrote him a few lines. **Oletra (de cambio)** draft *¿Dónde puedo cobrar esta letra (de cambio)?* Where can I cash this draft? **Oletra (de imprenta)** type *¿Qué estilo de letra (de imprenta) es esa?* What style of type is that?

letrero sign *¿Qué dice este letrero?* What does this sign say?

levantar to raise *Si Ud. quiere hablar, levante la mano.* If you want to speak, raise your hand.—*Empezó a levantar la voz.* He began to raise his voice. ▲to lift *No puedo levantar esto, pesa demasiado.* I can't lift this, it is too heavy. ▲to pick up *Levanta ese papel del suelo.* Pick up that paper there on the floor. ▲to rise up *El pueblo se levantó contra los invasores.* The people rose up against the invaders. ▲to build *Están levantando muchas casas nuevas en esa calle.* They are building many new houses on that street.

ley [*f*] law.

leyenda legend.

libelo libel.

liberación [*f*] liberation.

liberal [*adj, n*] liberal.

liberar to free, liberate.

libertad [*f*] liberty, freedom *Los pueblos luchan por su libertad.* Nations are fighting for freedom. **Odejar en libertad** to free *Dejaron en libertad a los presos.* They freed the prisoners.

libertador [*m*] liberator.

libertar to free.

libra pound (*weight*). **Olibra (esterlina)** pound (sterling).

libranza draft (*Com.*) **Olibranza postal** money order [*Am*].

librar to free, deliver *Los actos del gobernador libraron al pueblo de la miseria.* The acts of the governor delivered the people from their misery. **Olibrar (una letra) contra** to draw (a draft) on. **Olibrarse de** to get rid of *Al fin nos libramos de él.* At last we got rid of him.

libre free *Abrió la jaula para dejar libre al pájaro.* He opened the cage to set the bird free.—*Esta mercadería está libre de impuestos.* This merchandise is tax-free.—*Es muy libre para hablar.* He is very free-spoken.

librería bookshop.

libreta notebook **Olibreta de banco** bankbook, passbook. **Olibreta de direcciones** address book *Ya he apuntado su dirección en mi libreta.* I have already put your address in my book.

libro book. **Olibro de apuntes** notebook. **Olibro de caja** cashbook. **Olibro de cuentas** account book.

licencia license, permit *¿Tiene Ud. licencia para vender licor?* Do you have a license to sell liquor? ▲furlough *El preso está con licencia.* The prisoner is on furlough.

licenciado (see **licenciar**). **Olicenciado del ejército** veteran. **Olicenciado de presidio** discharged convict. **Olicenciado en filosofía** Master of Arts.

licenciar to discharge (*from army or prison*). **Olicenciarse** to get a masters degree.

licor [*m*] liquor, liqueur, cordial.

liga garter *Estas ligas son de buen elástico.* These garters are made of good elastic. ▲league *Las Grandes Ligas* The Major Leagues.

ligar to tie, bind *Le ligaron las manos a la espalda.* They tied his hands behind his back. ▲to join, to connect *Ligaron los dos alambres.* They connected the two wires. **Oligarse** to join, band together *Se ligaron contra el peligro común.* They joined together against the common danger.

ligero light, thin *Quiero un abrigo ligero de primavera.* I want a light spring coat. ▲fast *¡No vaya tan ligero!* Don't go so fast! ▲light *Comeré algo ligero.* I'll eat something light.—*La comedia que vimos era muy ligera.* We saw a very light comedy. ▲unimportant, trifling *Su contribución era muy ligera.* His contribution was unimportant. **Oa la ligera** quickly, superficially *Lo hice a la ligera.* I did it quickly.

lima lime (*fruit*); file (*tool*).

limitar to restrict; to limit *Quieren limitar el número de boletos.* They want to limit the number of tickets. **Olimitar con** to be bounded by *México limita al norte con los Estados Unidos.* Mexico is bounded on the north by the United States.

límite [*m*] limit, boundary.

limón [*m*] lemon.

limonada lemonade.

limonar [*m*] lemon grove.

limonero lemon tree.

limosna alms.

limpiabotas [*m sg*] bootblack.

limpiaparabrisas windshield wiper.

limpiar to clean *¿Cuánto cuesta limpiar un vestido de lana?* How much do you charge for cleaning a woolen dress? ▲to clean out (*of money*) *Lo limpiaron (de dinero).* They cleaned him out. **Olimpiarse** to clean, wash (*one's face, hands, etc.*); to brush (*one's teeth*) *Tengo que limpiarme las manos y los dientes.* I have to wash my hands and brush my teeth.

limpieza cleanliness.

limpio clean *Estos cristales no están limpios.* These windows aren't clean. ▲clear *El cielo está limpio hoy.* The sky is clear today. ▲free *Está limpio de culpa.* He is free from guilt. O**poner en limpio** to make a final copy *Ponga Ud. la carta en limpio.* Make a final copy of the letter. O**sacar en limpio** to make head or tail of, to understand *No he podido sacar nada en limpio de ese discurso.* I couldn't make head or tail of that speech.

lindo lovely *Viven en una casa linda.* They live in a lovely house.—¡*Qué lindo!* How lovely! ▲pretty *¡Qué linda mujer!* What a pretty woman! ▲fine *Ha hecho un lindo trabajo.* He has done a fine job.

línea line *Trace una línea aquí.* Draw a line here. ▲lines, figure *La muchacha no quiere perder la línea.* The girl doesn't want to lose her figure. O**descendiente en línea directa** (*or* **recta**) direct descendant, lineal descendant. O**en línea** in a row *Los árboles estaban en línea.* The trees were in a row. O**entre líneas** between the lines *Sabe leer entre líneas.* She knows how to read between the lines. O**línea férrea** railway line.

lino linen (*material*).

linterna lantern; [*Sp*] flashlight.

lío bundle *Llevaba un lío de ropa.* He carried a bundle of clothes. ▲jam, trouble *No quiero meterme en un lío.* I don't want to get into a jam. ▲mess *¡Qué lío!* What a mess!

liquidación [*f*] bargain sale, selling out *En aquella tienda hay una liquidación.* There is a bargain sale at that store.

liquidar to pay, pay up *Liquida sus cuentas todos los meses.* He pays his bills every month. ▲to squander *Liquidó la fortuna de su padre.* He squandered his father's fortune. ▲to sell out *Este almacén está liquidando.* This store is selling out.

líquido [*adj*] exactly, just *Me quedan tres dólares líquidos.* I have just three dollars left. ▲[*m*] liquid *Sólo toma líquidos.* He can only take liquids. ▲net (balance) *Hecho el inventario, quedó un líquido de trescientos dólares.* After inventory, there was a net balance of three hundred dollars.

lirio iris. O**lirio blanco** lily.

liso smooth *Quiero un papel liso.* I want a smooth piece of paper. ▲straight *Tiene el pelo liso.* She has straight hair. ▲plain *Prefiero las telas lisas.* I prefer plain materials. ▲slippery *El suelo está muy liso.* The floor is very slippery.

lista [*f*] list *¿Está su nombre en la lista?* Is your name on the list? ▲stripe *Lleva un vestido a listas.* She is wearing a striped dress.

listo ready *Todo estaba listo para el viaje.* Everything was ready for the trip. ▲clever *Es muy lista.* She is very clever.

literal literal.

literatura literature.

litro liter.

liviano light (*not heavy*) [*Am*]; free and easy (*of women*) [*Sp*].

lívido livid.

llaga open sore.

llama flame; llama.

llamada call *¿Ha habido algunas llamadas para mí?* Have there been any calls for me?

llamar to call *Haga el favor de llamar un taxi.* Please call a taxi. ▲to knock *Llame antes de entrar.* Knock before entering. ▲to ring (*a bell*) *Abra la puerta, están llamando*

(*el timbre*). Open the door; they are ringing (the bell). O**llamar a** to call upon, summon *El gobierno le llama a defender la patria.* The government calls upon him to defend his country. O**llamar la atención** to warn, scold *Los niños pisaron el césped y el guarda les llamó la atención.* The children trampled on the grass and the guard scolded them. ▲to call *or* attract attention *Quiso llamar la atención sobre sí mismo todo el tiempo.* He always wanted to call attention to himself.

llanero cowboy, plainsman [*Ven., Col*].

llano level, even *La casa está en la parte más llana del terreno.* The house is on the most level part of the ground. ▲simple, plain *Dígalo en lenguaje llano.* Say it in plain terms. ▲frank, unaffected *Es un tipo llano y sincero.* He is a frank and sincere fellow.

llanta tire *Llevamos dos llantas de repuesto.* We are taking two spare tires.

llanura plain *La ciudad está en una llanura.* The city is on a plain.

llave key *Olvidé la llave de mi cuarto.* I forgot the key to my room. ▲jet (*gas stove*) *Dejaron abierta la llave del gas.* They left the gas jet on. ▲switch *¿Dónde está la llave de la luz?* Where is the light switch? ▲faucet, tap *Cierre la llave del baño.* Turn off the faucet in the bathtub. O**echar (la) llave** to lock the door *Debemos echar llave al salir.* We should lock the door when we leave. O**llave inglesa** monkey wrench.

llavero key ring.

llegada arrival.

llegar to arrive *¿Cuándo llegaremos a Miami?* When will we arrive in Miami? ▲to come *Lo haré cuando llegue mi turno.* I'll do it when my turn comes. ▲to reach *El vestido le llegaba hasta los pies.* The dress reached to her feet. ▲to extend, go as far as *Este camino llega hasta Bogotá.* This road goes as far as Bogota. ▲to amount *El gasto llegó a cien pesos.* The expenses amounted to one hundred pesos. O**llegar a** to succeed in *No llegó a oír lo que decíamos.* He didn't succeed in hearing what we were saying. O**llegar a ser** to get to be *Era muy joven cuando llegó a ser doctor.* He was very young when he became a doctor.

llenar to fill (up) *Llenó la copa de vino.* He filled the glass with wine. ▲to cover *Se llenaron las manos de pintura.* They covered their hands with paint. ▲to satisfy, please fully *No me llena ese espectáculo.* That show doesn't please me fully. ▲to fill out *Llene Ud. el pliego de solicitud.* Fill out the application.

lleno full *La piscina está llena de agua limpia.* The pool is full of clean water. —*Esta noche habrá luna llena.* There will be a full moon tonight. O**de lleno** fully *Su libro trataba el asunto de lleno.* His book treated the subject fully. ▲squarely *El golpe le dio de lleno en la cara.* The blow hit him squarely in the face. O**lleno de** covered with *¡Todo está lleno de polvo!* Everything is covered with dust.

llevar to take, carry *Llevaron al enfermo al hospital.* They took the patient to the hospital. ▲to have (*with or on one*), carry *¿Lleva Ud. los boletos?* Have you got the tickets? ▲to wear *Llevaré un vestido blanco.* I'll wear a white dress. ▲to be (*for a*

L

llorar *certain time*) *Llevo mucho tiempo esperando.* I have been waiting for a long time.— *¿Cuánto tiempo lleva Ud. en los Estados Unidos?* How long have you been in the United States? ▲to take, guide, lead *Nos llevaron por un lugar peligroso.* They took us through a dangerous place. ▲to lead *¿A dónde lleva este camino?* Where does this road lead? ▲to conduct *Lleva muy bien sus negocios.* He conducts his business very well. O**llevar a cabo** to carry through, accomplish *Llevó a cabo su misión diplomática con éxito.* He carried through his diplomatic mission with success. O**llevar la contra** to oppose, contradict *Le gusta llevar la contra.* He likes to contradict. ▲to antagonize. O**llevar la delantera** to be ahead *Nos llevan la delantera.* They're ahead of us. O**llevar (mala) vida** to lead a (bad) life *Lleva una vida desordenada.* He leads a disorderly life. O**llevarse** to carry off *or* away, take, steal *Los ladrones se llevaron las joyas.* The thieves carried off the jewels. O**llevarse bien** to get along well *Se lleva muy bien con sus amigos.* He gets along very well with his friends.

llorar to weep, cry.

llover [rad-ch *I*] to rain *Está lloviendo mucho.* It is raining very hard. O**como llovido del cielo** like manna from heaven *Llegó el dinero como llovido del cielo.* The money came like manna from heaven.

lloviznar to drizzle.

lluvia rain.

lluvioso rainy.

lo [*neut art*] the *Es lo mejor que tenemos.* It is the best we have. ▲[*obj pron; pl* los] him, it; *pl* them *Mándemelo.* Send him to me.—*Mándemelos.* Send them to me.

loba female wolf.

lobo wolf.

local [*adj*] local *Éste es uno de los mejores periódicos locales.* This is one of the best local newspapers. ▲[*m*] place (*indoors*) *No me gusta este local.* I don't like this place.

localidad [*f*] locality, place *¿Qué localidad es ésta?* What place is this? ▲seat (*in a theater*) *¿Quedan buenas localidades para esta noche?* Are there any good seats left for tonight?

localizar to locate. ▲to find out *Primero, tenemos que localizar dónde viven.* First we have to find out where they live. ▲to localize *Los bomberos localizaron el fuego.* The firemen localized the fire.

loco insane, crazy *¡No seas loco!* Don't be crazy! ▲[*n*] madman, lunatic *Es un loco.* He is a lunatic.

locomotora locomotive.

locura insanity, madness *Su locura era hereditaria.* His insanity was hereditary. ▲folly *Esas son locuras de la juventud.* Those are the follies of youth.

lodo mud.

lógica logic.

lógico logical, reasonable.

lograr to get, obtain *Lograba todo lo que quería.* He got all he wanted. ▲to succeed in *No logramos convencerle.* We didn't succeed in convincing him.

lomo loin *¿Le gusta el lomo de cerdo?* Do you like loin of pork?

lona canvas.

longitud [*f*] length; longitude.

loquero attendant in an insane asylum.

loro parrot.

los (see **le**, **el**, **lo**).

lotería lottery.

loza crockery.

lucero any bright star.

lucha struggle, fight *La lucha por la existencia.* The struggle for existence.

luchador [*m*] fighter; wrestler.

luchar to fight, struggle *Los dos hombres lucharon largo rato.* The two men fought for a long time. ▲to wrestle.

lucidez lucidity; brilliancy, clarity.

lucir [-zc-] to shine, glitter, sparkle *Las joyas lucían en sus dedos.* The jewels glittered on her fingers. ▲to wear, show off *Se empeñó en lucir su vestido nuevo.* She insisted on wearing her new dress. ▲to look, appear *Luce Ud. muy bien hoy.* You look very well today. O**lucirse** to do splendidly *Se lució en el examen.* He did splendidly in the examination. ▲to show off *Le gusta mucho lucirse.* He likes to show off.

luego immediately, right away *Vengo luego.* I'm coming right away. ▲afterwards *¿Qué haremos luego?* What shall we do afterwards? ▲next *¿Qué pasó luego?* What happened next? ▲then *Cenaremos juntos y luego iremos al teatro.* We'll dine together and then go to the theater. ▲later *Luego lo haré.* I'll do it later. O**desde luego** naturally, of course *¡Desde luego lo haré!* Of course I'll do it!

lugar [*m*] place *Nos encontraremos en el lugar acostumbrado.* We'll meet at the usual place. ▲place, city, town *¿De qué lugar es Ud.?* Where are you from? ▲room, space *No hay lugar donde sentarnos.* There is no room for us to sit down. ▲position, office *Tiene un buen lugar en el banco.* He has a good position in the bank. O**dar lugar a** to cause, give rise to *Lo que dijo dio lugar a muchas controversias.* What he said gave rise to much controversy. O**en lugar de** instead of *En lugar de comer aquí vamos a casa.* Instead of eating here, let's go home. O**en primer lugar** in the first place *En primer lugar tengo que hacer, además hace calor.* In the first place I'm busy, and besides it is too hot.

lujo luxury. O**de lujo** de luxe, luxurious.

lujoso luxurious, showy.

lumbre [*f*] light; fire (*in stove, fireplace*) *Se sentaron cerca de la lumbre.* They sat near the fire.

luminoso bright, luminous *Una idea luminosa.* A bright idea.

luna moon *Estaban paseando a la luz de la luna.* They were walking in the moonlight. O**estar en la luna** to be distracted. O**luna de miel** honeymoon. O**luna llena** full moon.

lunar [*m*] mole, beauty mark *Tenía un lunar en el cuello.* She had a mole on her neck. ▲polka dot *Llevaba un vestido de lunares.* She was wearing a polka-dot dress.

lunes [*m*] Monday.

lustrar to polish, shine *Tengo que lustrarme los zapatos.* I have to shine my shoes.

lustre [*m*] luster, shine, polish; splendor. O**dar lustre** to shine, polish.

luto mourning; grief; mourning garments. Oestar **de luto** to be in mourning.

luz [f] light *No puedo ver con esta luz.* I can't see in this light.—*Hizo luz en el asunto.* He shed some light on the matter. Oa **todas luces** any way you look at it *A todas luces es cierto.* It is true any way you look at it. Odar **a luz** to give birth *Dio a luz a gemelos.* She gave birth to twins. Oentre **dos luces** in the twilight *Llegaron entre dos luces.* They arrived at twilight.

M

macana cudgel, club; fib, tall tale, exaggeration [Arg]. ||¡Qué **macana**! How annoying! [Arg].

macanudo excellent, wonderful, super [Am].

maceta flowerpot; potted plant.

machacar to crush *Machacó la piedra completamente.* He crushed the stone completely. ▲to harp (*on a subject*) *Es inútil, no máchaque Ud. más.* It is useless, don't harp on it any longer.

macho [adj; m] male (*animals*).

macizo [adj] solid *Era una barra de oro macizo.* It was a solid gold bar. ▲[m] flower bed *En medio del jardín había un macizo (de flores).* There was a flower bed in the middle of the garden.

madera wood *La caja estaba hecha de madera de sándalo.* The box was made of sandalwood. ▲lumber, timber *La madera no está todavía seca.* The lumber is still green. ▲qualities, talent *Tiene madera de actor.* He has a talent for acting.

madero beam; timber.

madrastra stepmother.

madre [f] mother. ▲origin, source, cradle *Grecia fue la madre de la civilización occidental.* Greece was the cradle of Western civilization. Omadre **política** mother-in-law *Le voy a presentar a mi madre política.* I'm going to introduce you to my mother-in-law.

madrina godmother.

madrugada dawn. Ode **madrugada** at daybreak, at dawn.

madrugar to rise early.

madurar to ripen *La uva maduró bien aquel verano.* The grapes ripened well that summer. ▲to think out, develop (*an idea*) *Maduró la idea antes de realizarla.* He thought out the idea thoroughly before putting it into practice. ▲to mature *Maduró con los años.* He became more mature with the passing of the years.

madurez [f] maturity; ripeness.

maduro ripe; mature (*of persons*).

maestro teacher *Los chicos escuchaban al maestro.* The children were listening to the teacher. ▲master, craftsman *Era maestro en su oficio.* He was master of his trade.

magia magic.

magistrado magistrate; judge (*higher courts*).

magnífico magnificent, excellent, grand.

mago wizard.

maguey [m] maguey (*plant*).

maíz [m] corn, maize.

majadero silly, foolish. ▲[n] blockhead.

majestad [f] majesty.

majestuoso [adj] grand, majestic.

mal (see **malo**) bad *Hemos pasado un mal rato.* We have had a bad time. ▲[m] illness *Su mal era incurable.* His illness was incurable. ▲harm *Gozaba haciendo el mal.* He enjoyed doing harm. ▲[adv] badly *Todo va muy mal.* Everything is going very badly. Ode **mal en peor** from bad to worse *Vamos de mal en peor.* We are going from bad to worse. Oestar **mal de** to be badly off (*or* in a bad way) as regards *Estoy mal de dinero.* I'm badly in need of money.

malcriado ill-bred, spoiled.

maldad [f] wickedness, evil deed; harm.

maldecir [irr] to damn; to curse.

maldición [f] curse.

maldito [adj] cursed; damned.

malestar [m] indisposition; discontent, dissatisfaction.

maleta suitcase. ▲bundle [Am] *Haga una maleta con esta ropa.* Make a bundle of these clothes. Ohacer **la maleta** to pack the suitcase; to get ready to leave.

maletero porter (*carrier*).

maletín [m] overnight bag, small case.

maleza weeds.

malicia malice *Lo hizo sin malicia.* He did it without malice. Otener **malicia** to be malicious *Aquellas palabras parecían tener malicia.* Those seemed to be malicious words.

malicioso malicious; risqué.

maligno malignant.

malo bad, evil, unpleasant *El tiempo está muy malo.* The weather is very bad. ▲difficult, hard, bad *¡Qué rato tan malo hemos pasado!* What a bad time we've had! ▲naughty *Este niño es demasiado malo.* This child is very naughty. ▲ill *Tan malo se puso que murió a las dos horas.* He became so ill that he died two hours later.

malograr to waste, to miss, fail to take advantage of (*as time, opportunity, etc.*) *Malograron la ocasión.* They failed to take advantage of the opportunity. Omalograrse to fail *La empresa se malogró.* The business failed.

malsano unhealthy, unhealthful, unsanitary, unwholesome.

maltratar to mistreat, to abuse.

malvado wicked. ▲[n] wicked person, villain.

mamá [f] mama, mom.

mameluco overalls [Am].

manantial [m] spring, source of stream.

manar to flow out, spring *De la roca manaba una fuente.* A spring flowed out of the rock.

mancha spot, stain *Le cayó una mancha en el vestido.* She got a spot on her dress. ▲patch (*of ground or vegetation*) *Sólo había algunas manchas de vegetación cerca del río.* There were only a few patches of vegetation near the river.

manchado (see **manchar**) spotted, mottled *Un perro manchado.* A spotted dog.

manchar to stain, soil.

manco one-armed.

mandadero messenger; errand boy.

mandado (see **mandar**). ▲[m] errand; message.

L
M

mandamiento order, command; commandment.

mandar to order, direct *Mandó salir a la criada.* He ordered the maid to leave. ▲to send *Al llegar mandaron el equipaje al hotel.* When they arrived they sent their luggage to the hotel. ▲to send, transmit *Mande recuerdos a nuestro amigo.* Send my regards to our friend.

mandato order, mandate, command.

mando command, order *El general dio el mando de retirarse.* The general gave the command to retreat. ▲leadership, sternness *Era hombre de mucho mando.* He was a man of great leadership. ▲control *Los mandos del avión no funcionaban.* The controls of the plane were out of order.

manecilla hand (*of a watch, clock, or gauge*).

manejar to manage, handle *Manejó bien el dinero y aumentó los ingresos.* He handled the money well and increased the income from it. ▲to drive [*Am*] *¿Ha aprendido Ud. a manejar el coche?* Have you learned to drive the car? ○**manejarse** to move about *Se manejaba ya sin las muletas.* He was already moving about without crutches. ▲to get along *Se maneja bien.* He gets along all right. ▲to manage, succeed in *¿Cómo se maneja Ud. para hacer esto?* How do you manage to do this?

manejo handling *El manejo de esto ofrece peligro.* This is a dangerous thing to handle.—*El manejo de la dinamita es peligroso.* The handling of dynamite is dangerous. ▲driving (*a car*) [*Am*]. ▲management, control *Lleva todo el manejo de la tienda.* She is in complete charge of the shop. ▲intrigue *Con sus manejos consiguió lo que quería.* He got what he wanted by intrigue.

manera way, manner *¿Qué manera es esa de contestar?* Is that the way to answer? ○**de (esta) manera** this way, in this manner *Hágalo de esta manera.* Do it this way. ○**de mala manera** rudely *Lo dijo de mala manera.* He said it in a rude way. ○**de manera que** so, as a result *Ayer no fui, de manera que tengo que ir hoy.* I didn't go yesterday, so I have to go today. ○**de ninguna manera** by no means *De ninguna manera lo aceptaré.* By no means will I accept it. ○**de otra manera** in another way *No se lo puedo decir de otra manera.* I can't tell him any other way. ▲otherwise *Estaba allí, de otra manera no le hubiera hablado.* He was there, otherwise I wouldn't have spoken to him. ○**de todas maneras** at any rate *De todas maneras iremos.* In any case, we'll go.

manga sleeve *Las mangas le estaban cortas.* His sleeves were short for him. ○**andar manga por hombro** to be in a mess *En aquella casa todo andaba manga por hombro.* Everything was a mess in that house. ○**de manga ancha** indulgent *Es hombre de manga ancha con sus hijos.* He is very indulgent with his children. ▲not too scrupulous.

mango handle; mango (*fruit*).

manguito muff.

maní [*m*] peanut [*Am*].

manía madness; mania; hobby. ○**tomar manía (a)** to dislike, have a grudge (against).

manifestación [*f*] demonstration (*parade*).

manifestar [*rad-ch I*] to express, show *En la carta manifestaba estar conforme.* In the letter he expressed his agreement. ○**manifestarse** to hold a demonstration *Los obreros quisieron manifestarse, pero no pudieron.* The workers wanted to hold a demonstration, but couldn't.

manifiesto manifest, plain, obvious. ▲[*m*] manifesto.

manilla hand (*of watch, clock, gage*).

mano [*f*] hand. ▲coat (*of paint, varnish, etc.*) *Hay que darle una mano de barniz.* We must give it a coat of varnish. ▲first player (*next to dealer*) *La mano echó un triunfo.* The first player led a trump. ▲mishap, misfortune [*Am*] *Nos pasó una mano.* We had a slight accident. ○**a mano** by hand *La carta estaba escrita a mano.* The letter was written by hand. ▲nearby, within reach *Póngalo Ud. a mano.* Put it within reach. ○**a mano derecha** *or* **izquierda** on the right *or* left *Su habitación está a mano derecha.* His room is on the right. ○**de la mano** by the hand *Llevaba el niño de la mano.* She was leading the child by the hand. ○**de segunda mano** second-hand. ○**echar una mano** to lend a hand. ○**hecho a mano** handmade.

manojo bunch, bouquet (*of flowers or vegetables*).

mansedumbre [*f*] meekness, humility, tameness.

manso tame; calm; meek.

manta blanket.

manteca lard, fat.

mantel [*m*] tablecloth.

mantener [*irr*] to support, provide for, make a living for *Mantenía a su madre y tres hermanos.* He supported his mother and three brothers. ▲to hold *Mantenga firme la cuerda.* Hold the rope tight. ▲to maintain, defend (*an opinion*) *Mantendrá su opinión contra todos.* She will defend her opinion against anyone. ▲to keep up *Costaba trabajo mantener la conversación.* It was difficult to keep up the conversation. ○**mantenerse** to support oneself *Para mantenerse durante aquel mes no tenía dinero.* During that month he had no money on which to live. ○**mantenerse (en)** to hold (to) *No creo que se mantenga en su decisión.* I don't think he will hold to his decision.

mantenimiento maintenance, support; upkeep.

mantequilla butter.

mantilla mantilla; baby clothes. ○**estar en mantillas** to be innocent as a child, not to know anything about *En cuanto a la política, está todavía en mantillas.* As far as politics is concerned, he is still as innocent as a child.

manual [*adj*] manual, physical. ▲[*m*] manual, handbook.

manufactura manufacture.

manufacturar to manufacture.

manuscrito handwritten. ▲[*m*] manuscript.

manzana apple. ▲block *¿En qué manzana está su casa?* What block is your house in?

manzano apple tree.

maña skill; craftiness. O**darse maña** to contrive, manage *Se da maña para conseguir lo que quiere.* He manages to get what he wants.

mañana [*f*] morning *La mañana estaba clara.* The morning was clear. ▲[*m*] future *Trabaja con ilusión para el mañana.* He works hopefully for the future. ▲[*adv*] tomorrow *Le espero a Ud. mañana en el hotel.* I'll wait for you in the hotel tomorrow. O**a la mañana siguiente** on the morning after *Lo vi a la mañana siguiente.* I saw him the morning after. O**de la mañana** A.M. *Vendrá a las seis de la mañana.* He is coming at 6 A.M. O**de mañana** early in the morning *Salió muy de mañana.* He went out very early in the morning.

mapa [*m*] map.

máquina machine *La máquina se puso en movimiento.* The machine began to run. ▲car *(automobile)* [*Arg*]. O**a toda máquina** at full speed *Llevaba el trabajo a toda máquina.* He worked at full speed. O**máquina (de escribir)** typewriter *Escribe muy bien a máquina.* She types very well.

mar [*m or f*] sea. O**alta mar** high sea, open sea. O**hablar de la mar** to talk idly *Eso es hablar de la mar.* That is idle talk. O**la mar** a lot, lots *En su casa había la mar de gente.* There were a lot of people at his house.

maravilla wonder, marvel.

maravillar to amaze *La fiesta maravillaba por su riqueza.* The lavishness of the party amazed everybody. O**maravillarse** to be astonished *Me maravillo de que llegó a tiempo.* I'm astonished that he is on time.

maravilloso wonderful.

marca mark, characteristic *¿Hay alguna marca que lo distinga?* Has it any distinguishing mark? ▲mark *Ponga Ud. una marca en esta página.* Put a mark on this page. O**marca (de fábrica)** trademark, brand *La marca de fábrica es muy conocida:* The trademark is very well known.

marcar to mark *Marcaba con un lápiz los nombres de los que asistían.* With a pencil he marked off the names of those who attended. O**marcar el compás** to keep time *Aprenda a marcar el compás.* Learn to keep time.

marcha speed *El barco llevaba muy buena marcha.* The ship traveled at a good speed. ▲march *Tocaba una marcha militar.* They played a military march. O**apresurar la marcha** to hurry, speed up *Hay que apresurar la marcha.* We must hurry. O**poner en marcha** to start, put in motion *No podía poner en marcha el motor.* He couldn't start the motor.

marchar to run *El tren marchaba a toda velocidad.* The train was running at full speed. ▲to progress, go along *¡Esto marcha muy bien!* This is coming along fine! ▲to go, run, work *¿Marcha su reloj?* Is your watch running? O**marcharse** to leave, go away *¿A qué hora se marcha Ud.?* When are you leaving?

marchitar to wither *El calor marchitó las flores.* The heat withered the flowers. O**marchitarse** to fade, wither *Su belleza empezó a marchitarse.* Her beauty began to fade.

marchito faded, withered.

marco frame *(of door, window, picture)*; mark *(German monetary unit).*

marea tide.

marear to bother *¡No me maree Ud. más!* Don't bother me anymore! O**marearse** to get seasick, get carsick, get dizzy *Al empezar a andar el barco, se mareó.* As soon as the ship began to move, he got seasick.

mareo seasickness, car sickness, dizziness.

marfil [*m*] ivory.

margen [*m or f*] margin *Deje Ud. margen en el papel cuando escriba.* Leave a margin on the paper when you write. ▲edge, border, bank *Llegó hasta la margen del río.* He reached the edge of the river. O**dar margen** to give an opportunity *Le dio margen para ganar dinero.* He gave him an opportunity to earn money.

mariachi [*m*] Mexican street singer.

marido husband.

marihuana marijuana.

marimba marimba [*Am*].

marina seascape, marine painting. O**marina (de guerra)** navy *Era un oficial de la marina de guerra.* He was a naval officer. O**marina mercante** merchant marine.

marinero sailor, seaman.

marino marine, of the sea, maritime. ▲[*m*] seaman *Ese almirante era un buen marino.* That admiral was a good seaman.

mariposa butterfly.

marítimo maritime.

marmita large cooking pot.

mármol [*m*] marble *(stone).*

marrano hog. ▲[*adj*] piggish.

marrón [*adj*] brown.

martes [*m*] Tuesday.

martillar, martillear to hammer.

martillo hammer.

martirio torture, martyrdom.

marzo March.

más more. ▲plus *Cuatro más tres son siete.* Four plus three is seven. ▲longer *No puedo esperarle más.* I can't wait any longer for him. O**a lo más** at most *A lo más, costará cien pesos.* At most it'll cost one hundred pesos. O**a más tardar** at the latest *A más tardar llegará esta noche.* He'll arrive tonight at the latest. O**de más** too much, too many *Le dieron seis libras de más.* They gave him six pounds too much. O**el (or la, los, las) más** the more, the most *Esta muchacha es la más inteligente.* This girl is the most intelligent. O**en más de** for more than *Lo ha vendido en más de lo que lo compró.* He has sold it for more than he paid for it. O**estar de más** be in excess, to be unnecessary *Estoy de más.* I'm unnecessary here. O**lo más...que** as...as *Llegó lo más pronto que pudo.* He arrived as soon as he could. O**los (or las) más** the majority *Los más de aquellos hombres trabajaban en la mina.* The majority of those men worked in the mine. O**más adelante** later on, farther (*or* further) on *Más adelante se lo explicaré.* Later on I'll explain it to you. O**más allá** farther on *La casa está más allá.* The house is farther on. O**más bien** rather *Llegó más bien tarde.* He arrived rather late.

masa dough *Se hizo la masa para el pan.* The dough was made for the bread. ▲mass (of people) Su discurso iba dirigido a las masas. His speech was directed to the masses. **Ocon las manos en la masa** in the act, red-handed Le cogieron con las manos en la masa. They caught him in the act.

masacre [m] massacre.

mascar to chew Tráguelo, no lo masque. Swallow it, don't chew it.

máscara [f] mask. ▲[m, f] masquerader. **Obaile de máscaras** masquerade ball. **Omáscara contra gases** gas mask. **Ovestido de máscara** in costume.

mascota mascot, good-luck charm.

masculino masculine.

mástil [m] mast, pole, post.

mata plant, bush, shrub.

matanza slaughter.

matar to kill. ▲to trump Me mató el rey. He trumped my king. **Oestar a matar con** to have a feud with, be on bad terms with No me hables de Pérez, estoy a matar con él. Don't speak to me about Pérez; we're on bad terms. **Omatar de aburrimiento** to bore to death Ese trabajo me mata de aburrimiento. That job bores me to death. **Omatar de hambre** to starve En aquel hotel nos mataban de hambre. They starved us in that hotel. **Omatar dos pájaros de un tiro** to kill two birds with one stone. **Omatar el tiempo** to kill time Mató el tiempo leyendo el periódico. He killed time reading the paper.

mate [m] maté (South American tea).

matemáticas [f pl] mathematics.

materia material, substance ¿De qué materia está hecho esto? What material is this made of? ▲matter, topic La materia que discutimos es interesante. The matter we are discussing is interesting. ▲subject Enseñaba varias materias. He taught various subjects. **Oentrar en materia** to come to the point, get down to business. **Omateria prima** raw material.

material [m] material ¿Con qué material se hace esto? What material is used to make this? ▲equipment Tiene una fábrica de material eléctrico. He has an electrical equipment factory.

maternal maternal, motherly.

materno maternal, on the mother's side.

matiz [m] shade, tint.

matón [m] bully, overbearing person.

matorral [m] thicket, brush.

matrimonio marriage Contrajo matrimonio hace tres días. He got married three days ago. ▲married couple Era un matrimonio bien avenido. They were a harmonious couple.

maullar to meow.

máxima maxim, proverb.

máximo [adj; m] maximum.

mayo May.

mayor larger, largest; bigger, biggest Juan es mayor que su hermano. John is bigger than his brother. ▲older, oldest ¿Cómo se llama su hermana mayor? What is your older (or oldest) sister's name? ▲main (of streets) Viven en la calle mayor. They live on the main street. **Oal por mayor** wholesale Sólo vendemos al por mayor. We sell wholesale only. **Ola mayor parte (de)** the majority (of), the greater part (of). **Oser mayor de edad** to be of age.

mayoría majority, greater part. **Omayoría de edad** majority (of age). **Ollegar a la mayoría de edad** to come of age.

mayorista [m] wholesale merchant [Am].

me [obj pron] me, to me; myself, to (or for) myself Cuando me vieron anoche me estaba afeitando. When they saw me last night I was shaving.

mecánica mechanics.

mecánico mechanical Este juguete es mecánico. This is a mechanical toy. ▲[m] mechanic Trabajó de mecánico en una fábrica. He worked as a mechanic in a factory.

mecanismo mechanism, works (of machines).

mecanógrafo, mecanógrafa typist.

mecedora rocking chair.

mecer to rock Mecía al niño en la cuna. He rocked the child in the cradle. **Omecerse** to rock (oneself), swing, sway Las flores se mecían en el viento. The flowers were swaying in the wind.

medalla medal.

media stocking Llevaba medias negras. She wore black stockings. ▲sock [Am] Entró a comprarse unas medias. He went in to buy some socks.

mediación [f] mediation.

mediado (see **mediar**) half-filled, half-full La jarra estaba mediada. The pitcher was half-filled. ▲half-gone, half-over. **Oa mediados de** in (or about) the middle of (a period of time) Estamos a mediados de mes. We are in the middle of the month.

medianería partition (wall).

mediano [adj] medium Es de estatura mediana. He is of medium height. ▲mediocre Su trabajo era muy mediano. His work was very mediocre.

mediante through, by means of Mediante influencia pudo embarcar. He was able to book passage because he had pull. **ODios mediante** God willing.

mediar to mediate Quiso mediar en la discusión. He tried to mediate in the argument.

medicina medicine ¿Qué año de medicina cursa Ud.? What year of medical school are you in?—El doctor le recetó una medicina. The doctor prescribed a medicine for him.

médico [adj] medical. ▲[n] physician.

medida measure, measurements Voy a tomarle la medida. I'm going to take your measurements. ▲rule, measure Aquella medida afectaba a todo el mundo. That rule applied to everybody. ▲number, size ¿Cuál es su medida de calzado? What is your shoe size? **Oa la medida** to order, to measure, custom-made El traje está hecho a la medida. The suit is custom-made. **Oa medida que** as A medida que lleguen, dígales que pasen. As they arrive, tell them to come in. **Ollenar!** (or **colmar**) **la medida** to be the last straw Eso colma la medida. That is the last straw. **Osin medida** without moderation Bebe sin medida. He drinks to excess.

medio [adj] half, half a ¿Quiere Ud. medio pollo? Would you like half a chicken? ▲mid, middle of Podemos vernos a media tarde. We can meet in the middle of the afternoon. ▲[m] middle El auto se paró en *medio de la carretera*. The car stopped in the middle of the road. ▲means *No veo medio de solucionar esto*. I see no means of solving this. **O a medias** fifty-fifty, halves *Iremos a medias en el negocio*. We'll go fifty-fifty in the business. **O a medio camino** halfway to a place *Ya estamos a medio camino*. We're halfway there. **O a medio hacer** half-done *Este trabajo está a medio hacer*. This work is half-done. **O hacer algo a medias** to do something poorly, do a half-baked job *No haga las cosas a medias*. Don't do a half-baked job. **O ir a medias** to go fifty-fifty; to go halves.

mediocre mediocre.

mediodía [*m*] noon, midday.

medir [*rad-ch III*] to measure *Midió el ancho y el largo de la habitación*. He measured the length and width of the room. ▲to measure, weigh *No mide lo que dice*. He doesn't weigh his words.

meditación [*f*] meditation, thought.

meditar to meditate, think.

mejilla cheek.

mejor [*adj*] better *Esta casa es mejor que la otra*. This is a better house than the other one. ▲best *Es la mejor casa del pueblo*. It is the best house in town. **O a lo mejor** perhaps, maybe *A lo mejor mañana no llueve*. Maybe it won't rain tomorrow. **O mejor dicho** or rather, or better *Iré a las tres, mejor dicho a las tres y cuarto*. I'll go at three, or rather at a quarter past three. **O mejor que** rather than, instead of *Mejor que escribir, mándele un fax*. Instead of writing, send a fax.

mejora improvement, getting better; renovation, alteration.

mejorar to improve, recover *Se le veía mejorar rápidamente*. He was obviously improving fast. ▲to improve, get better *Han mejorado los negocios*. Business has improved. ▲to improve, make better *Con las obras mejoraron la casa*. With the alterations, the house was improved.

melancolía gloom, blues.

melancólico melancholy, sad.

melena long hair.

melocotón [*m*] peach.

melodía melody.

melón [*m*] melon, cantaloupe.

meloso honeylike, sweet.

memorable memorable.

memoria memory (*not used for things remembered*) *Su memoria era magnífica*. He had a wonderful memory. **O de memoria** by heart *Me lo aprendí de memoria*. I learned it by heart. **O hacer memoria** to recall, remember *Haga memoria y recuerde lo que pasó*. Try to recall what happened.

mencionar to mention.

mendigo, mendiga beggar.

menear to stir *Hay que menearlo mientras cuece*. It has to be stirred while it is cooking. ▲to shake *No menee la mesa*. Don't shake the table. ▲to wag *El perro meneaba la cola*. The dog was wagging his tail.

menester [*m*] occupation, duty *Los menesteres de la casa*. Household duties. **O ser menester** to be necessary *Es menester que venga a verme*. Come to see me.

menesteroso needy, poor. ▲[*n*] beggar.

menguar to diminish, decrease.

menor smaller, smallest *María es la menor de las tres*. Mary is the smallest of the three. ▲younger, youngest *Es de la misma edad que mi hermano menor*. She is the same age as my younger brother. ▲less, least, slightest *No tengo la menor idea*. I haven't the least idea. ▲[*n*] minor *No es apto para menores*. It isn't suitable for minors. **O al por menor** at retail *Vendía sólo al por menor*. He sold only at retail. ▲minutely, in great detail *Refirió al por menor todo lo sucedido*. He reported in great detail everything that happened. **O menor de edad** underage. minor.

menoría **O menoría de edad** minority (*of age*).

menorista [*m or f*] retail merchant [*Am*].

menos less, least *Mi hermano tiene seis años menos que yo*. My brother is six years younger than I am.—*Es el menos caro de todos*. It is the least expensive of all. ▲[*prep*] except, but *Puede Ud. usar todos los libros, menos éste*. You may use all the books but this one. **O al menos** at least *Procure al menos llegar a la hora*. At least try to come on time. **O a menos que** unless *Le espero mañana a menos que Ud. me avise*. I'll expect you tomorrow unless you let me know otherwise. **O echar de menos** to miss *Echaba mucho de menos a sus amigos*. He missed his friends very much. **O lo de menos** the least of it *Eso es lo de menos*. That is the least of it.

mensaje [*m*] message [*Am*]; dispatch [*Sp*].

mensajero, mensajera messenger [*Am*]; courier [*Sp*]. **O paloma mensajera** carrier pigeon.

menstruación menstruation.

mensual [*adj*] monthly.

menta mint, peppermint.

mental mental.

mente [*f*] mind (*mental faculties*).

mentir [*rad-ch II*] to lie, tell lies.

mentira lie. **O parece mentira** it seems impossible *Parece mentira que tenga tanta edad*. It seems impossible that you're that old. ||*¡Mentira!* That is a lie!

menudeo **O al menudeo** at retail.

menudo tiny, very small *Era una mujer muy menuda*. She was a very small woman. ▲[*m*] coins, change [*Am*] *Déme cambio en billetes y menudo*. Give me change in bills and coins. **O a menudo** often *Iba a verle a menudo*. He used to go to see him often.

menudillo giblets.

mercado market *En este mercado hay fruta y carne*. There is fruit and meat in this market. **O mercado de valores** stock market. **O tener mercado con** to trade with *Tenemos mercado con toda América*. We trade with all America.

mercancía merchandise, goods.

mercantil commercial, mercantile.

merced [*f*] favor *Tenga Ud. la merced de...*Please...**O estar a merced de** to be at the mercy of.

merecer [*-zc-*] to deserve *La cuestión merecía estudio*. The question deserved study. **O merecer la pena** to be worthwhile.

merecimiento value, merit.

merendar [*rad-ch I*] to have a snack *or* refreshments in the afternoon.

meridional southern.

M

merienda afternoon snack. O**merienda en el campo** picnic.

mérito merit, worth. O**hacer méritos** to build up goodwill, make oneself deserving.

mero pure, simple; mere.

mes [m] month.

mesa table. O**poner la mesa** to set the table.

meseta plateau.

mesón [m] country inn, tavern.

mestizo [adj,n] half-breed, (one) of mixed blood (white and Indian).

meta aim, goal; finish line.

metal [m] metal; brass. O**metal de voz** tone, timbre (of voice).

metálico metallic. ▲[m] coin(s) ¿Quiere Ud. su dinero en metálico? Do you want your money in coins?

meter to put Meta Ud. el dinero en el bolsillo. Put the money in your pocket. ▲ to take in Haga el favor de meter un poco las costuras de la chaqueta. Please take in the seams of the jacket a little. O**meter embustes** to tell fibs. O**meter miedo** to frighten Ud. trata de meternos miedo. You're trying to frighten us. O**meter ruido** to make noise No meta Ud. tanto ruido. Don't make so much noise. O**meterse a** to become (without previous thought or training) Decidió meterse a literato. He decided to become an author. O**meterse con** to pick a fight with ¿Por qué se mete Ud. conmigo? Why are you picking a fight with me? O**meterse en** to get into Se metió en la cama. He got into bed.

metódico systematic, methodical.

método method.

metro meter Compre seis metros de esa tela. Buy six meters of that cloth. ▲ subway [Sp] Tome el metro aquí mismo. Take the subway right here.

mezclar to mix ¿Quiere Ud. whisky puro o lo mezclo con agua? Do you want your whiskey straight or shall I mix it with water? ▲ to blend Aquí mezclan el café del Brasil con el de Colombia. They blend Brazilian and Colombian coffee here. O**mezclarse** to get mixed up No se mezcle en eso. Don't get mixed up in that.

mezquino mean, petty; stingy, skimpy.

mi; pl mis [adj] my ¿Dónde están mi sombrero y mis guantes? Where are my hat and my gloves? ▲ [obj pron] me Esta carta es para mí. This letter is for me. ‖ ¡A mí qué! I don't care!

microcomputador [m] microcomputer.

microprocesador [m] microprocessor.

miedo fear. O**tener miedo** to be afraid Tenía mucho miedo a estar enfermo. He was very much afraid of being ill.

miedoso fearful, afraid.

miel [f] honey.

miembro limb Se le paralizaron los miembros. His limbs got paralyzed. ▲ member Es miembro de varias sociedades. He is a member of several societies.

mientras while Lea el periódico mientras yo recibo la visita. Read the paper while I receive the visitor. O**mientras más** (or menos)...más (or menos) the more (or less)...the more (or less) Mientras más duermo, menos ganas tengo de trabajar. The more I sleep, the less I feel like working. O**mientras no** unless Mientras no estudie Ud. no aprenderá esto. Unless you study you won't learn this. O**mientras tanto** meanwhile Volverán pronto, mientras tanto juguemos una partida. They'll be back soon; meanwhile let's play a game.

miércoles [m] Wednesday.

miga crumb Quitaba las migas de pan del mantel. She brushed the bread crumbs from the tablecloth. O**hacer buenas migas** to get on well together Los dos amigos hacían buenas migas. The two friends got on well together. O**hacerse migas** to be smashed to bits El jarrón al caerse al suelo se hizo migas. The jar was smashed to bits when it hit the floor.

mil (one) thousand.

militar [adj] military Fue llamado al servicio militar. He was called up for military service. ▲ [m] military man Es un club de militares. It is a military club.

milonga party and dance, "shindig", kind of dance music [Arg].

milla mile.

millar [m] one thousand.

millón [m] million.

millonario, millonaria millionaire.

mimar to pamper, spoil (a child).

mina mine (excavation) Los obreros no bajaron a la mina aquella noche. The workmen didn't go down into the mine that night. — Aquel negocio era una mina (de oro). That business was a gold mine. ▲ mine (explosive) La navegación era difícil porque había minas. Navigation was difficult because there were mines.

minero miner.

mínimo [adj; m] minimum.

ministerio department (government) ¿Es éste el Ministerio de Trabajo? Is this the Department of Labor? ▲ cabinet Dimitió el ministerio. The cabinet resigned.

ministro minister (member of a cabinet).

minoría minority Habló en nombre de la minoría. He spoke on behalf of the minority.

minorista [m] retail merchant [Am].

minucioso minute, precise, thorough.

minuta memorandum; minutes (of a meeting). O**a la minuta** short-order [Arg].

minuto [adj] minute. ▲[m] minute. O**al minuto** right away.

mío, mía; pl míos, mías [adj] mine, of mine Estas corbatas no son mías. These ties are not mine.—Fue un gran amigo mío. He was a great friend of mine. O**el mío, la mía; los míos, las mías** [pron] mine Este lápiz es de Ud.; el mío está en la mesa. This pencil is yours; mine is on the desk.

mira intention, aim, goal ¿Cuáles son sus miras? What are your intentions? ▲ sight (of gun). O**estar a la mira** to be on the lookout Procure estar a la mira por si vienen. Try to be on the lookout in case they come.

mirada look, expression Su mirada es inteligente. She has an intelligent expression. ▲ glance, look Su mirada demostraba odio. His look showed hatred. O**echar una mirada** to glance, cast a glance Echó una mirada al libro. He glanced at the book.

mirar to look at ¿Qué mira Ud.? What are you looking at? ▲ to glance Miraba a uno y *a otro procurando una respuesta.* He glanced from one to the other, hoping for an answer. ▲to regard, look at *Debemos mirar este asunto con más calma.* We must look at this matter more calmly. ▲to consider, think *Mire Ud. bien lo que hace.* Consider well what you're doing. ▲to watch, be careful *Mire donde pisa.* Watch your step. ▲to watch *Miraba lo que estábamos haciendo.* He watched what we were doing. ○**mirar a** to face *Tres de las habitaciones miran a la calle.* Three of the rooms face the street. ▲to look toward (*in the direction of*) *Estaba mirando al mar.* He was looking toward the sea. ○**mirar alrededor** to look around *Miró alrededor para ver si estaban allí.* He looked around to see if they were there. ○**mirar de hito en hito** to stare at *Se quedó mirándole de hito en hito.* He kept staring at him. ○**mirar de reojo** to look out of the corner of one's eye *Le miraba de reojo mientras hablaba.* He was looking at him out of the corner of his eye while he was speaking. ○**mirar por** to look after *¿No tienen a nadie que mire por ellos?* Don't they have anyone to look after them?

misa Mass.

miserable miserable, unhappy, wretched *Llevaba una vida miserable.* He led a miserable life. ▲contemptible, rotten *Fue una acción miserable.* It was a contemptible thing to do.

miseria poverty *La familia estaba en la miseria.* The family lived in poverty. ▲trifle, pittance *Lo que le pagan es una miseria.* They pay him a pittance.

misericordia mercy, compassion.

misión [*f*] mission *Le envió el gobierno en misión a Rusia.* The government sent him on a mission to Russia. —*Esas iglesias las construyeron las misiones franciscanas.* The Franciscan missions built those churches.

mismo same, identical *Es el mismo sombrero.* It is the same hat. ○**aquí mismo** right here *Nos encontraremos aquí mismo.* We'll meet right here. ○**darle a uno lo mismo** to be all the same to one *Todo le da lo mismo.* It is all the same to him. ○**eso mismo** that very thing *Eso mismo le dije yo.* That is just what I told him. ○**mismo(s)** -self, -selves *Yo mismo puedo hacer esto.* I can do this myself. —*Que lo hagan ellos mismos.* Let them do it themselves.

misterio mystery.

mitad [*f*] half *¿Quiere la mitad de este pastel?* Do you want half of this cake? ▲better half, wife *Allí estaba el señor Gómez con su cara mitad.* Mr. Gómez was there with his better half. ○**en la mitad** in the middle *El auto estaba en la mitad del camino.* The auto was in the middle of the road.

mitin [*m*] political meeting; rally.

mixto mixed. ○**parejas mixtas** mixed doubles (*games*). ○**tren mixto** mixed train (*freight and passenger train*).

mobiliario furniture.

mochila knapsack, backpack.

moda fashion, style *Viste a la última moda.* She dresses in the latest fashion. ○**a la moda** fashionable *Siempre lleva vestidos a la moda.* She always wears fashionable dresses. ○**estar de moda** to be popular, be in fashion *Ese artista está muy de moda.* That artist is very popular. ○**pasado de**

moda out of style *Se ha pasado de moda.* It has gone out of style.

modales [*m pl*] manners.

modelo [*adj*] model, perfect *Era una esposa modelo.* She was a model wife. ▲[*n*] model, one who poses *Es un buen modelo para una escultura.* He is a good model for sculpture. ▲(*clothes*) model *Es una de los modelos de la tienda.* She is one of the models in the store.

módem [*m*] modem *Él se comunica por módem.* He communicates by modem.

moderación [*f*] moderation.

moderado (see **moderar**) [*adj*] centrist *El partido moderado.* The centrist party.

moderar to restrain *Modere sus ímpetus.* Restrain your impulses. ○**moderarse** to become moderate, moderate, control oneself *Se moderó en la bebida.* He cut down on drinking.— *¡Modérese Ud.!* Control yourself!

moderno modern.

modestia modesty, humbleness *La modestia era su mejor cualidad.* Modesty was his greatest attribute. ▲modesty, lack of display *Vestía con mucha modestia.* He dressed very modestly.

modesto simple.

modificación [*f*] modification.

modificar to modify.

modista, modisto dressmaker.

modo method, way *Ese es el mejor modo de arreglarlo.* That is the best way of settling it. ○**a mi** (*or* **su**) **modo** in my (*or* his) own way *Yo hago las cosas a mi modo.* I do things in my own way. ○**con buenos modos** politely. ○**con malos modos** rudely *Contestó con mis malos modos.* He replied very rudely. ○**de este modo** (in) this way *Creo que es mejor hacerlo de este modo.* I think it is better to do it this way. ○**de modo que** so *¿De modo que es Ud. americano?* So, you're an American? ▲so, therefore *Tenemos mucha prisa, de modo que vamos a tomar un taxi.* We're in a hurry, so let's take a taxi.

moho mold, mildew.

mojar to wet, moisten; to drench.

molde [*m*] mold, form. ○**de molde** fitting, to the purpose, to the point *Viene de molde.* It is to the point.

moldura molding.

moler [*rad-ch I*] to grind, mill.

molestar to disturb *¡No me moleste!* Don't disturb me! ▲to annoy *Molestaba a sus amigos con sus palabras.* His words annoyed his friends. ▲to bother, inconvenience *¿Le molesta a Ud. que fume?* Will it bother you if I smoke? ▲to hurt *Me molestan un poco estos zapatos.* These shoes hurt me a little. ○**molestarse** to be annoyed *Ten cuidado con lo que dices porque se molesta muy fácilmente.* Be careful of what you say, for he is easily annoyed.

molestia trouble *Perdone Ud. tantas molestias.* I'm sorry to trouble you so much. ▲discomfort *No se encontraba muy bien, tenía algunas molestias.* She wasn't very well; she suffered some discomfort.

molesto uncomfortable *¿Está Ud. molesto?* Are you uncomfortable? ▲annoyed *Se sentía molesto y dejó de hablarle.* He was annoyed and stopped speaking to her.

M

molete [m] disorder, mix-up, confusion [Am].

molino mill.

momento moment. ○al momento right away, immediately. ○por momentos any moment, soon.

mona female monkey. ▲hangover Tiene una mona horrible. He has a terrible hangover. ○como la mona terrible, lousy [Arg] Me siento como la mona. I feel terrible.

mondar to peel.

mondas [f pl] peelings.

moneda coin Dejó algunas monedas sobre la mesa. He left some coins on the table. ▲currency ¿Dónde podré cambiar moneda extranjera? Where can I exchange foreign currency? ○pagar en la misma moneda to pay back in one's own coin, give tit for tat.

monja nun.

monje [m] monk.

mono [adj] cute ¡Qué mono es este muchacho! What a cute boy! ▲[m] monkey El mono está metido dentro de la jaula. The monkey is in the cage. ○mono (de mecánico) overalls [Sp] Llevaba puesto un mono de mecánico. He was wearing overalls.

monótono monotonous.

monstruo monster.

montado (see montar) astride.

montador [m] assembler (of machinery).

montaña mountain.

montañoso mountainous.

montar to ride (horseback) No monte Ud. ese caballo porque le tirará a Ud. Don't ride that horse; he'll throw you. ▲to set up, assemble, install Hubo que montar una máquina en la fábrica. A machine had to be installed in the factory. ▲to set (a precious stone) Montaron en el anillo cinco diamantes. They set five diamonds in the ring. ○montar a to amount to (in money) ¿A cuánto monta mi deuda? How much does my debt amount to? ○montar a caballo to ride horseback Montaba a caballo todas las mañanas. He went horseback riding every morning. ○montar en to get on or in, board (a vehicle) Al montar en el automóvil me hice daño en un pie. I hurt my foot getting in the automobile.

monte [m] mountain Subió hasta lo más alto del monte. He climbed to the very top of the mountain. ▲woods, forest El monte era tan espeso que casi no se podía andar por él. The forest was so thick that one could hardly walk through it.

montón [m] heap, pile Tengo un montón de cosas que hacer. I have a lot of things to do.

monumental monumental, tremendous.

monumento monument.

moño knot, bun (of hair).

mora blackberry; Moorish woman.

moral [adj] moral No es un libro muy moral. It is not a very moral book. ▲[f] morale La moral de aquellos hombres era magnífica. The morale of those men was excellent. ▲[m] black mulberry tree.

moralidad [f] morals, morality.

morder [rad-ch I] to bite.

moreno dark-skinned, brunet(te). ▲[n] colored person [Antilles].

morir [irr] to die Cuando murió lo rodeaba toda su familia. All his family was around him when he died. ○estarse muriendo por to be dying to, be very anxious to Me estoy muriendo por verla. I'm dying to see her. ○morirse to die Se murió el año pasado. He died last year. —Se moría de miedo. He was scared to death. ○morirse de hambre to starve to death Por no morirse de hambre aceptó aquel trabajo. He took the job to keep from starving to death.

moro [adj] Moorish. ▲[n] Moor.

morocho dark-skinned [Am].

mortal [adj] fatal La herida que recibió era mortal. The wound he received was fatal. ▲deadly, terrible Un enemigo mortal. A deadly enemy. ▲[n] mortal being Eso les ocurre a todos los mortales. That happens to all mortals.

mortificar to mortify, humiliate Lo que dije me mortifica. What I said mortifies me. ▲to hurt, bother Estos zapatos me mortifican. These shoes hurt. ○mortificarse to torment oneself.

mosca fly.

mosquito mosquito.

mostaza mustard.

mostrador [m] counter (in a shop).

mostrar [rad-ch I] to show Le mostró la herida al médico. He showed the doctor his wound. ▲to show, display Mostraba una gran tristeza. He showed great sadness. ○mostrarse to appear, show oneself Quería mostrarse indulgente en ese momento. She wanted to appear lenient at that moment.

mote [m] nickname; alias.

motín [m] uprising, revolt, riot.

motivar to cause.

motivo motive, reason. ○por ningún motivo under no circumstances.

motor [m] motor.

mover [rad-ch I] to move Mueva esta mesa hacia el rincón. Move this table toward the corner. ▲to make use of Movió sus influencias para conseguir un puesto. He made use of his connections to get a job. ▲to motivate No le movía el interés de la ganancia. She wasn't motivated by gain. ▲to stir Mueva Ud. la sopa hasta que hierva. Stir the soup until it boils. ○mover la cola to wag the tail. ○moverse to move Procure no moverse tanto. Try not to move so much.

movible [adj] movable.

móvil mobile Pertenece a una brigada móvil. He belongs to a mobile brigade. ▲[m] motive ¿Qué móvil tuvo Ud. para venir aquí? What made you come here?

movilización [f] mobilization.

movilizar to mobilize.

movimiento movement, move A la hora en punto el tren se puso en movimiento. The train pulled out exactly on time. ▲movement Pertenecía a un movimiento progresista. He belonged to a progressive movement. ▲traffic Hay mucho movimiento en esa calle. There is a lot of traffic in that street.

mozo lad, young man (*of peasant class*). ▲waiter *¡Mozo, tráigame la lista del almuerzo!* Waiter, bring me the luncheon menu! ▲porter, redcap. ᴼ**buen mozo** good-looking [*Am*]; well-built [*Sp*].

mucamo, mucama servant [*Am*].

muchacha girl *Me parece una muchacha excelente.* She seems like a fine girl. ▲young girl (*in her teens*) *Sus hijas son ya unas muchachas.* Her daughters are already in their teens. ▲maid *Dígale a la muchacha que haga las camas.* Tell the maid to make the beds.

muchachada boyish action, prank; [*Arg*] gang of boys.

muchacho boy *Estaba jugando con otros muchachos.* He was playing with other boys.

mucho [*adj*] much *No tiene mucha fuerza.* He hasn't much strength. ▲long, extended *Hace mucho tiempo que le estoy esperando.* I've been waiting a long time for you. ▲[*adv*] much, a lot *Bebía mucho.* He used to drink a lot. ▲often *Esas cosas ocurren mucho.* Those things happen often. ▲long *No me haga Ud. aguardar mucho.* Don't make me wait long. ᴼ**muchos** many *Había muchos niños en la plaza.* There were many children in the square. ᴼ**ni mucho menos** nor anything like it, far from it *No es tonto, ni mucho menos.* He is not stupid; far from it. ᴼ**sentir mucho** to be very sorry *Siento mucho lo que le sucede.* I'm very sorry about what happened to him.

muda change of clothing.

mudanza moving, changing residence; change, evolution.

mudar (de) to change *Mudaba de opinión cada día.* He changed his mind daily.—*Hubo que mudar toda la instalación eléctrica.* All the electric installations had to be changed. ᴼ**mudarse (de)** to change (*clothes*) *¿Se mudó Ud. de traje?* Did you change your clothes? ᴼ**mudarse (de casa, piso,** *or* **habitación)** to move, change residence *Decidió mudarse (de casa) aquel mismo día.* He decided to move that very day.

mudo dumb, mute; speechless. ▲[*n*] mute (*person unable to talk*). ᴼ**cine mudo** silent films.

mueble [*adj*] movable. ▲[*m*] piece of furniture *Me gusta mucho ese mueble.* I like that piece of furniture very much. ᴼ**muebles** furniture *Los muebles del salón eran de estilo moderno.* The living room furniture was modern in style.

muela molar, molar tooth; millstone. ᴼ**dolor de muelas** toothache.

muelle soft *Una vida muelle.* A soft life. ▲[*m*] spring (*wire*); pier.

muerte [*f*] death. ᴼ**de mala muerte** worthless, crummy. ᴼ**guerra a muerte** fight to the death.

muerto (see **morir**) dead.

muestra sample *Mande muestras de tela.* Send samples of cloth. ᴼ**dar muestras de** to show signs of *Daba muestras de no entender nada.* She showed no signs of understanding.

mugre [*f*] grime, dirt, filth.

mujer [*f*] woman; wife.

mula female mule.

mulato [*adj; n*] mulatto.

muleta crutch.

multa fine (*punishment*).

multiplicar to multiply.

multitud [*f*] crowd *Abrió el balcón para ver la multitud.* He opened the balcony window to see the crowd. ▲masses *En su discurso se dirigía a la multitud.* His speech was addressed to the masses. ᴼ**multitud de** a great many, a great deal of *Se me ocurren una multitud de ideas.* I've a great many ideas.

mundano worldly.

mundial global, universal, world *La guerra mundial.* The world war.

mundo world *Ha viajado por todo el mundo.* She has traveled all over the world. ▲world, environment, circle(s) *Frecuentaba el mundo de las letras.* He moved in literary circles. ᴼ**gran mundo** high society. ᴼ**tener (mucho) mundo** to be sophisticated *or* experienced. ᴼ**todo el mundo** everybody *Todo el mundo estaba reunido en el salón.* Everybody was gathered in the living room.

munición, municiones [*f*] ammunition.

municipal municipal.

muñeca wrist; doll.

muralla wall (*of a city*).

murmullo murmur, whisper.

murmuración [*f*] gossip, slander.

murmurar to mutter *Murmuró unas palabras ininteligibles.* He muttered some unintelligible words. ▲to murmur, whisper *Le murmuró al oído unas palabras.* She whispered some words in his ear. ▲to gossip *Se pasaron la tarde murmurando de todo el mundo.* They spent the afternoon gossiping about everybody.

muro outside wall (*of a house or garden*).

músculo muscle.

museo museum.

música music *Estuvimos oyendo música clásica.* We were listening to classical music. ▲band (*of musicians*) *La música venía a la cabeza del desfile.* The band came at the head of the parade. ▲sheet music *No puedo tocar de memoria, haga el favor de darme la música.* I can't play from memory; please give me the music.

musical [*adj*] musical.

músico musical. ▲[*n*] musician.

muslo thigh.

mustio withered; depressed.

mutuo mutual, reciprocal.

muy very *Estoy muy mal de salud.* My health is very bad.—*Lo he escrito muy de prisa.* I've written it very quickly.

N

nabo turnip.

nacer [-ze-] to be born *Él nació en España.* He was born in Spain. ▲to start, originate *La idea nació durante la fiesta.* The idea started at the party. ▲to sprout *Ya nacieron las cebollas.* The onions have already sprouted. ▲to rise, appear *El sol nace más temprano en el verano.* The sun rises earlier in the summer. ▲to rise, spring, have its source *El río nace en las Montañas Rocosas.* The river has its source in the

M
N

Rocky Mountains. **Onacer de pie** to be born lucky *Ese hombre nació de pie.* That man was born lucky.

nacimiento birth. ▲beginning, source *¿Dónde está el nacimiento de este río?* Where is the source of this river?

nación [*f*] nation.

nacional national.

nacionalidad [*f*] nationality.

nada nothing, not anything *No hay nada en esta caja.* There is nothing in this box.— *No me ha dado nada.* He hasn't given me anything. ▲[*adv*] not at all *No es nada fácil.* It is not at all easy. **Ode nada** You're welcome *"Muchas gracias." "De nada."* "Thank you very much." "You're welcome."

nadador, nadadora swimmer.

nadar to swim *¿Sabe Ud. nadar?* Can you swim? **Onadar en la abundancia** to live in luxury *Desde joven nadó en la abundancia.* From youth he lived in luxury.

nadie nobody, no one, not anybody, not anyone *No vino nadie.* Nobody came.—*No he visto a nadie.* I haven't seen anybody.— *Nadie lo conoce.* No one knows him.

naipe [*m*] (playing) card.

nalga buttock(s).

nana grandmother; nurse; lullaby; [*Am*] mama.

naranja orange. **Omedia naranja** better half *Ella es su media naranja.* She is his better half.

naranjada orangeade.

naranjal [*m*] orange grove.

naranjero, naranjera orange seller; orange grower.

naranjo orange tree.

narcótico [*adj*] narcotic. ▲[*m*] narcotic, dope.

nariz [*f*] nose.

nativo [*adj*] native.

natural [*adj*] natural. ▲[*n*] native *Él es natural del Uruguay.* He is a native of Uruguay. ▲[*m*] disposition, nature *Tiene un natural triste.* He has a sad disposition.

naturaleza nature *La naturaleza es variada en los países tropicales.* Nature is varied in tropical countries. ▲constitution *El enfermo no tenía muy buena naturaleza.* The patient didn't have a very good constitution. ▲temperament, disposition *Era muy nervioso por naturaleza.* He had a nervous temperament.

naturalidad [*f*] naturalness *Se conduce con mucha naturalidad.* He behaves very naturally.

naturalización [*f*] naturalization.

naufragar to be (ship)wrecked *Aquel barco naufragó en las costas de Chile.* That boat was wrecked on the coast of Chile. ▲to fail, fall through *Las negociaciones naufragaron.* The negotiations fell through.

naufragio shipwreck.

náufrago, náufraga shipwrecked person, castaway.

náusea nausea.

navaja penknife, clasp knife. **Onavaja de afeitar** razor.

naval naval.

nave [*f*] ship *A pesar del huracán, la nave llegó al puerto.* In spite of the hurricane the ship reached port.

navegación [*f*] navigation. ▲voyage *Tuvimos una navegación difícil.* We had a rough voyage.

navegante [*m*] navigator.

navegar to navigate, sail.

Navidad [*f*] Christmas

neblina mist, fog.

necesario [*adj*] necessary.

necesidad [*f*] need, necessity *Sintió la necesidad de un cambio de clima.* He felt the need of a change of climate.

necesitar to need *Necesitamos más obreros.* We need more workers.

negar [*rad-ch I*] to deny *Negó que conociera a aquel hombre.* He denied that he knew that man. ▲to refuse *Le negaron el aumento de sueldo.* They refused him a raise in salary. ▲to disclaim *Negó toda responsabilidad en el accidente.* He disclaimed all responsibility for the accident.

negativo [*adj*] negative, in the negative *Su respuesta fue negativa.* His reply was in the negative. ▲[*n*] negative *¿Quiere Ud. prestarme los negativos de esas fotografías?* Will you lend me the negatives of those photographs?

negligente negligent.

negociación [*f*] negotiation.

negociante [*m*] businessperson.

negociar to negotiate *Se reunieron para negociar las condiciones de paz.* They met to negotiate peace terms. ▲to do business *Mi amigo quiere negociar con casas sudamericanas.* My friend wants to do business with South American firms.

negocio business, interest *Tienen negocios de petróleo.* They have oil interests. **Onegocio redondo** good bargain *Esa compra fue un negocio redondo.* That purchase was a good bargain.

negro [*adj*] black. ▲gloomy, dark *El porvenir parecía muy negro.* The future looked very gloomy. ▲[*m*] black (*color, race*).

nena, nene baby.

neoyorquino, neoyorquina New Yorker.

nervio nerve.

nervioso nervous.

neto [*adj*] net. **Opeso neto** net weight.

neumático (pneumatic) tire.

neumonía pneumonia.

neutral [*adj*] neutral.

nevada snowfall.

nevar [*rad-ch I*] to snow *En este país no nieva nunca.* It never snows in this country.

nevera icebox, refrigerator.

ni neither, nor. ▲not even *No dijo ni adiós.* He didn't even say good-bye. **Oni ...ni** neither...nor *No sabe ni inglés ni español.* He knows neither English nor Spanish. **Oni siquiera** not even, not a single *No dijo ni siquiera una palabra.* He didn't say a single word.

nicotina nicotine.

nido nest.

niebla fog, mist, haze.

nieta granddaughter.

nieto grandson.

nieve [*f*] snow.

ningún no, not a, not one *Ningún hombre entre ellos pudo levantar el peso.* Not a man among them could lift the weight. ▲no, none *¿No hay ningún cuarto libre?* Are there no vacant rooms?

ninguno none *Ninguna de mis amigas lo sabe.* None of my friends know. ▲not any *¿No le agrada ninguno de estos?* Don't you like any of these? ▲no *or* none (whatever or at all) *No tiene criado ninguno.* He has no servants at all. ○de ninguna manera under no circumstances, by no means *De ninguna manera iría.* I wouldn't go under any circumstances.

niña girl *Con ese vestido parece una niña.* You look like a little girl in that dress. ▲baby *No seas niña.* Don't be a baby. ▲young lady, girl [*Am*] ▲Miss (*used by servants*) [*Am*] *Pregúntele Ud. a la niña María.* Ask Miss Mary. ○niña bien rich girl. ○niña del ojo pupil (of the eye). ▲apple of the eye *La quiere como a la niña de sus ojos.* She is the apple of his eye.

niñada childishness. ▲childish action *Eso es una niñada.* That is childish.

niñez [*f*] childhood.

niño [*adj*] young *Yo era muy niño cuando sucedió eso.* I was very young when that happened. ▲childish *Es muy niño todavía.* He is still very childish. ▲[*n*] boy *Tiene dos niños y una niña.* He has two boys and a girl. ○niños children *Había un grupo de niños jugando en el parque.* There was a group of children playing in the park.

nivel [*m*] level.

nivelar to level *Nivelaron el terreno en muy poco tiempo.* They leveled the ground in a very short time. ▲to balance *Tenemos que nivelar nuestro presupuesto.* We must balance our budget.

no no, not *"¿Hará Ud. eso?" "No, no lo haré."* "Will you do that?" "No, I won't." ○así no más [*Am*] just like this *Hágalo así no más.* Do it just like this. ○no más only, no more *Esto y no más.* This and no more.

noble [*adj*] noble.

nobleza nobility; nobleness.

noche [*f*] night. ▲evening (*after sunset*), night *¡Buenas noches!* Good evening! *or* Good night! ○ayer noche last night *Ayer noche hizo mucho frío.* It was very cold last night. ○de la noche a la mañana overnight *Se hizo rico de la noche a la mañana.* He became rich overnight. ○esta noche tonight *Esta noche vamos al cine.* We're going to the movies tonight. ○hacerse de noche to get dark *Tengo que irme porque se hace de noche.* I must go; it is getting dark.

Nochebuena Christmas Eve *Pasaré la Nochebuena con mi familia.* I'm spending Christmas Eve with my family.

noción [*f*] notion, idea.

nombramiento nomination; appointment.

nombrar to name, mention *En la conversación nombramos a ese señor.* We mentioned that gentleman in the conversation. ▲to appoint *Le nombraron presidente de la comisión.* They appointed him chairman of the committee.

nombre [*m*] name *¿Cuál es su nombre?* What is your name? ▲fame, renown *Su libro le dio mucho nombre.* His book brought him great fame. ▲reputation *Esa empresa tiene muy buen nombre.* That firm has a good reputation. ▲noun *En este caso el adjetivo va antes del nombre.* In this case the adjective goes before the noun. ○nombre de familia family name, surname. ○nombre y apellido full name *Escriba su nombre y apellido.* Write your full name. ○no tener nombre to be unspeakable *Lo que ha hecho no tiene nombre.* What he did is unspeakable.

nordeste [*m*] northeast.

normal [*adj*] normal; standard.

norte [*m*] north. ▲north wind *Sopla un norte muy fuerte.* A very strong north wind is blowing.

norteamericano [*adj, n*] North American (*specifically, in all Spanish-speaking countries, used to designate persons or things of or from the United States*).

nos us *No nos invitaron a la fiesta.* They didn't invite us to the party.—*Vinieron a buscarnos.* They came to look for us. ▲one another, each other *Nos vimos en la calle.* We saw each other on the street.

nosotros we *Nosotros estamos listos.* We're ready. ○nosotros mismos we (...) ourselves *Lo hicimos nosotros mismos.* We did it ourselves.

nota note *¿Tiene Ud. muchas notas en su cuaderno?* Do you have many notes in your notebook?—*Desafina en las notas altas.* She goes flat on the high notes.—*Hemos recibido una nota del Consulado Español.* We've received a note from the Spanish Consulate. ▲mark, grade *Sacó muy buena nota en el examen de español.* He got a very good mark on the Spanish exam. ▲note, renown *Es un escritor de nota.* He is a writer of note. ▲footnote, marginal note.

notable remarkable, notable; distinguished.

notar to notice, note, see *No notamos el cambio de altura.* We didn't notice the change in altitude.

notario notary public.

noticia news; news item *¿Cómo supo Ud. la noticia?* How did you find out the news? ▲notice *Ponga una noticia en el periódico.* Put a notice in the paper.

notificar to notify, inform.

novedad [*f*] novelty, latest fashion *Esta tienda ofrece las últimas novedades en artículos para caballeros.* This shop has the latest things in men's wear. ▲news *¡Eso es una novedad para mí!* That is news to me! ▲surprise *¡Eso es una novedad!* That is a surprise! ○sin novedad as usual; nothing new, no news *"¿Hay noticias?" "Sin novedad."* "Any news?" "Nothing new."

novela novel.

novelista [*m, f*] novelist.

novena novena (*nine days' devotion*).

noveno [*adj*] ninth.

noventa ninety.

novia sweetheart, fiancée; bride.

noviembre [*m*] November.

novio sweethheart, fiancé; bridegroom.

nube [*f*] cloud. *Le rodeaba una nube de gente.* A crowd of people surrounded him. ○estar en las nubes to daydream *Siempre está en las nubes.* He is always daydreaming. ○por las nubes sky-high *¡Los precios están por las nubes!* Prices are sky-high.

N

nublado cloudy, overcast.

nudo knot.

nuera daughter-in-law.

nuestro our *Nuestro maestro de español es madrileño.* Our Spanish teacher is from Madrid. ▲of ours *Un amigo nuestro nos lo regaló.* A friend of ours *or* One of our friends gave it to us. ▲ours *Ésta no es la nuestra, es la de Ud.* This isn't ours, it is yours.

nueve nine *Ahora son las nueve.* It is now nine o'clock.

nuevo new *La mesa era nueva.* The table was new.— *¿Qué hay de nuevo por aquí?* What is new around here? ▲new, different *Ya ha llegado el nuevo director.* The new director has already arrived. ○de **nuevo** again *Tendrá que hacerlo de nuevo.* He'll have to do it again.

nuez [*f*] walnut.

nulo void, null.

numerar to number, put numbers on *Numeraron los asientos.* They numbered the seats.

número number *¿Cuál es el número de su teléfono?* What is your phone number? ▲size *(of wearing apparel) ¿Cuál es el número de camisa que usa Ud.?* What size shirt do you wear? ▲issue, edition *¿Tiene Ud. el último número de esta revista?* Do you have the latest issue of this magazine?

nunca never, not ever *Nunca me habló.* He never spoke to me.—*No la he visto nunca.* I've never seen her.

Ñ

ñame [*m*] yam [*Antilles*].

ñapa See **yapa**.

ñato pug-nosed [*Am*].

ñeque [*m*] ‖*Es hombre de ñeque.* He is a real he-man [*Am*].

ñoño silly.

ñudo ○al **ñudo** in vain [*Arg*].

O

o or *Vienen tres o cuatro amigos.* Three or four friends are coming. ○o...ó either...or *O lo hace Ud. o se lo digo a sus padres.* Either you do it or I'll tell your parents. ○o **sea** that is *La fiesta será el lunes próximo, o sea el 25 de agosto.* The party will be held next Monday, that is, August 25th.

oasis [*m*] oasis.

obedecer [-zc-] to obey *Tendrán Uds. que obedecer mis órdenes.* You'll have to obey my orders. ▲to be the reason for; to arise from *¿A qué obedece todo eso?* What is the reason for all that?

obediencia obedience.

obediente obedient.

obispo bishop.

objeción [*f*] objection.

objeto object *Había varios objetos sobre la mesa.* There were several objects on the table. ▲purpose *El objeto de su visita era estrictamente comercial.* The purpose of his call was strictly business.

oblicuo [*adj*] oblique.

obligación [*f*] duty *Tiene Ud. la obligación de contestar.* It is your duty to reply. ▲obligation, responsibility *Con una familia tan numerosa tiene muchas obligaciones.* With such a large family, he has a great many responsibilities.

obligar to oblige, force, compel *Le obligaron a firmarlo.* He was forced to sign it. ○**obligarse** to obligate oneself, bind oneself *Se obligó a pagarlo.* He bound himself to pay it.

obligatorio obligatory, binding, compulsory.

obra work *Pongámonos a la obra.* Let's get to work. ▲book(s), work(s) *La obra de Cervantes es universalmente admirada.* The works of Cervantes are universally admired. ▲show, performance *¿Qué tal fue la obra que vieron anoche?* How was the show last night? ○**en obras** under construction, undergoing repairs *Esa casa está en obras.* That house is undergoing repairs. ○**obra maestra** masterpiece. ‖*¡Manos a la obra!* Let's get to work!

obrar to do, act *Obre Ud. como quiera.* Do as you please. ▲to act, behave *Obró Ud. ligeramente.* You acted without thinking. ○**obrar en poder de** to be in the possession of, be in one's hands *La carta obra en mi poder.* The letter is in my possession.

obrero, obrera worker, laborer.

o(b)scurecer [-zc-] to get dark *En el invierno o(b)scurece pronto.* It gets dark early in winter.

o(b)scuridad [*f*] obscurity, darkness.

o(b)scuro [*adj*] dark *A las cinco ya está o(b)scuro.* It is already dark at five o'clock.—*Quiero un traje azul o(b)scuro.* I want a dark blue suit. ▲obscure, not clear *El significado de esta frase es más bien o(b)scuro.* The meaning of this sentence is rather obscure. ○**a o(b)scuras** in the dark, in darkness *La habitación estaba a o(b)scuras.* The room was in darkness.

obsequiar to lavish attentions on, entertain lavishly *Todo el tiempo que estuvo en casa de sus amigos le obsequiaron mucho.* During the whole time he was in his friends' home, they entertained him lavishly. ▲to present with *Le obsequiaron (con) un ramo de flores.* They presented her with a bouquet of flowers.

obsequio gift, present.

observación [*f*] observation, suggestion *¿Le puedo hacer a Ud. una observación?* May I make a suggestion? ○**en observación** under observation *Estaba en observación en un sanatorio.* He was under observation in a sanatorium.

observador [*adj*] observing *Es un muchacho muy observador.* He is a very observing fellow. ▲[*m*] observer *El gobierno francés envió un observador.* The French government sent an observer.

observar to notice *¿Observa Ud. algún cambio en el enfermo?* Do you notice any change in the patient? ▲to watch *Observe lo que hacen.* Watch what they're doing. ○**observar buena conducta** to behave well.

obstáculo obstacle, hindrance.

obstinación [*f*] obstinancy, stubbornness.

obstinado stubborn.

obstinarse en to insist on *Se obstina en quedarse en casa.* He insists on staying home.

obstruir to obstruct, block *Aquel automóvil estaba obstruyendo el tráfico.* That car was blocking traffic. O**obstruirse** to be blocked up *or* clogged up *La cañería se obstruía con frecuencia.* The pipe was often clogged.

obtener [*irr*] to get, obtain *¿Dónde obtuvo Ud. esos informes?* Where did you get that information?

obtuso obtuse.

ocasión [*f*] chance, opportunity *Aquí puede tener ocasión de encontrar trabajo.* You may have a chance of finding work here. ▲time, occasion *No es ésta la mejor ocasión para preguntárselo.* This isn't the best time to ask him about it. O**aprovechar la ocasión** to take advantage of a situation.

ocasionar to cause *Aquel descuido pudo ocasionar un incendio.* That carelessness could have caused a fire.

occidental [*adj*] western; Occidental. ▲[*n*] Occidental.

occidente [*m*] west; Occident.

océano ocean.

ocio idleness, leisure. O**ratos de ocio** spare time *Lo haré en mis ratos de ocio.* I'll do it in my spare time.

ocioso lazy, idle *Era un hombre ocioso.* He was a lazy fellow.

octavo [*adj*] eighth.

octubre [*m*] October.

ocultar to hide.

oculto concealed, hidden, occult.

ocupación [*f*] employment *Si no consigue empleo mañana, venga por aquí.* If you don't find a job tomorrow, come on over. ▲occupation *La ocupación se hizo con orden,* The occupation was carried out in an orderly way.

ocupado (see **ocupar**) busy *Hoy estaré ocupado todo el día.* I'll be busy all day today. ▲occupied, taken *¿Está ocupado ese piso?* Is that apartment occupied?

ocupar to occupy, take possession of *Han ocupado una nueva ciudad.* They've occupied a new city. ▲to take *Puede Ud. ocupar esa silla.* You may take that chair. ▲to live in *Ocupó una habitación en el piso tercero.* He lived in a room on the third floor. O**ocuparse de** to take care of, pay attention to *Se ocupa muy poco de su familia.* He pays very little attention to his family.

ocurrencia occurence; witticism, wisecrack *Las ocurrencias de aquel hombre hacían reír a todos.* That fellow's wisecracks made everyone laugh.

ocurrir to occur, happen *Salga a ver qué ocurre.* Go out and see what is happening. O**ocurrírsele a uno** to occur to one *Se me ocurrió una buena idea.* A good idea occurred to me.

ochenta eighty.

ocho eight; eighth (*day of the month*).

odiar to hate.

odio hatred.

odioso mean, nasty *¡Qué odioso!* How nasty!

oeste [*m*] west.

ofenderse to take offense *Se lo dije y no se ofendió.* I told him and he didn't take offense.

ofensa insult, offense (*personal*).

ofensivo [*adj*] offensive.

oferta offer.

oficial [*adj*] official *Fue en misión oficial.* She went on an official mission. ▲[*m*] officer *Fue oficial del ejército.* He was an army officer.

oficina office (*room*).

oficinista [*m, f*] office worker, white-collar worker; clerk.

oficio manual work, occupation, trade *¿Qué oficio tiene Ud.?* What is your occupation?—*Es carpintero de oficio.* He is a carpenter by trade. O**oficio(s) divino(s)** church service(s).

ofrecer [-*zc*-] to offer *Me ofrecen un nuevo empleo.* They're offering me a new job. O**ofrecerse** to offer oneself, be at the service of *Me ofrezco a Ud. para todo.* I'm completely at your service.

ofrecimiento offer, offering.

ofrenda offering (*religious*).

¡oh! O! oh!

oída hearing. O**de** (*or* **por**) **oídas** by hearsay.

oído (inner) ear *Le duelen los oídos.* He has an earache. ▲hearing *Era muy duro de oído.* He was very hard of hearing. O**al oído** in the ear, whispering *Le murmuró algo al oído.* She whispered something in his ear. O**dar oídos** to listen, lend an ear *No quiso dar oídos a aquello.* He didn't want to listen to that. O**de oído** by ear *Tocaba el piano de oído.* He played the piano by ear. O**tener buen oído** to have a good ear (*for music*); to have good hearing.

oír [*irr*] to hear *No oigo bien; hable más alto.* I don't hear well; speak louder. ▲to listen *Oígame, por favor, tengo que hacerle una pregunta.* Listen, please, I have to ask you a question.

ojal [*m*] buttonhole.

¡ojalá! ||*¡Ojalá (que) venga!* I wish he'd come!

ojeada glance. O**echar una ojeada** to cast a glance.

ojear to glance through *Ojeó rápidamente el periódico.* He quickly glanced through the paper.

ojo eye *El médico le examinó los ojos.* The doctor examined his eyes. O**costar un ojo de la cara** to cost plenty *Nos costó un ojo de la cara.* It cost us plenty. O**en un abrir y cerrar de ojos** in the twinkling of an eye. O**¡ojo!** look out! *¡Ojo! Que se va a caer.* Look out! It is going to fall. O**ojo de agua** spring of water. O**ojo de la llave** keyhole.

ola wave (*of water*).

oleaje [*m*] ground swell, motion of waves.

oler [*rad-ch I*] to smell *Esto huele muy bien.* This smells very good.—*Olió el peligro y decidió no salir.* He smelled danger and decided not to go out.

olfato sense of smell.

oliva olive.

olivar [*m*] olive grove.

olivo olive tree.

olla pot.

olor [*m*] smell, odor.

oloroso fragrant.

O

olvidar to forget *¿Ha olvidado Ud. algo?* Have you forgotten something? ○**olvidarse (de)** to forget *Olvídese de lo ocurrido.* Forget what has happened.

olvido forgetfulness.

omisión [f] omission.

omitir to omit.

ómnibus [m] bus.

once eleven; eleventh (*day of month*).

onda wave (*of hair*); ripple (*of water*). ○**onda corta, onda larga** short wave, long wave (*radio*).

ondulación [f] wave, waving. ○**ondulación permanente** permanent wave.

ondulado (see **ondular**) wavy. ▲[n] wave, waving.

ondular to ripple, wave.

onza ounce.

opaco opaque.

ópera opera.

operación [f] operation *Los médicos decidieron hacer la operación.* The doctors agreed to perform the operation. ▲operation (*math*), calculation *¿Quiere Ud. comprobar las operaciones?* Do you want to check the calculations? ▲operation (*military*) *El general dirigía las operaciones.* The general directed the operations.

operar to operate on *Le han operado de apendicitis.* They operated on him for appendicitis.

operario, operaria operator, skilled worker.

opinar to judge, hold (*or* be of) the opinion.

opinión [f] opinion *¿Qué opinión tiene Ud. de esto?* What is your opinion about this?

oponer [irr] to set up *Opusieron toda clase de obstáculos.* They set up all kinds of obstacles. ○**oponerse (a)** to oppose *Nadie se opuso a aquel proyecto.* No one opposed that project.

oportunidad [f] opportunity.

oportuno opportune, fitting, appropriate *Su intervención fue oportuna.* His intervention was opportune.

oposición [f] opposition.

oprimir to oppress *Oprimía a los débiles.* He oppressed the weak. ▲ to be tight *El cinturón le oprimía demasiado.* The belt was too tight on him.

óptico optician *Voy al óptico para comprar unos lentes.* I'm going to the optician to get glasses.

optimismo optimism.

optimista optimistic. ▲[n] optimist.

opuesto (see **oponer**) [adj] opposed. ▲opposite *Estaba situado en el lado opuesto.* It was situated on the opposite side.

opulento rich, opulent.

oración [f] sentence *Escribe oraciones muy cortas.* She writes very short sentences. ▲prayer *Rezó sus oraciones.* He said his prayers.

orador [m] orator.

órbita [f] orbit.

orden [f] order(s), command, instruction *No he recibido ninguna(s) órdenes de mis superiores.* I haven't received any order(s) from my superiors. ▲order (*commercial*) *Despacharemos su orden vía Nueva Orleans.* We'll ship your order via New Orleans. ▲order (*religious*) *La orden franciscana.* The franciscan order. ▲[m] order *Trabajaba sin ningún orden.* He had no order in his work. ○**a sus órdenes** at your service. ○**en orden** in order *Todo estaba en orden.* Everything was in order. ○**orden del día** agenda, order of the day.

ordenador computer.

ordenar to put in order *Tenemos que ordenar estos papeles.* We must put these papers in order. ▲to order *Ordenó que le sirvieran la comida.* He ordered them to serve his dinner. ○**ordenarse** to be ordained.

ordinario usual *¿Cuál es el precio ordinario de esto?* What is the usual price of this? ▲ordinary *Era un hombre ordinario.* He was an ordinary man. ▲vulgar *Es un tipo muy ordinario.* He is a very vulgar fellow. ○**correo ordinario** regular mail.

oreja ear *Tiene las orejas grandes.* He has big ears. ▲handle [Am] *Se le rompió la oreja a la taza.* The handle of the cup broke.

orgánico organic.

organismo organism.

organización [f] organization.

organizador [adj] organizing. ▲[m] organizer. ○**comité organizador, comisión organizadora** committee on arrangements.

organizar to organize *Van a organizar el club la semana que viene.* They are going to organize the club next week. ▲to arrange, organize *Organizó una fiesta.* She arranged a party.

órgano organ *La cantante fue acompañada por un órgano.* The singer was accompanied by an organ.—*No tiene órgano sano.* He hasn't a healthy organ in his body.—*Ese periódico es el órgano de un partido político.* That paper is the organ of a political party.

orgía drunken revel, orgy.

orgullo pride.

orgulloso proud, haughty.

oriental [adj] eastern; Oriental. ▲[n] Oriental.

orientarse to find one's bearings; to orient oneself.

oriente [m] east; Orient.

origen [m] origin *Sé el origen de toda la historia.* I know the origin of the whole story. ▲descent, extraction *Es de origen francés.* He is of French descent.

original original; eccentric, odd *Es un tipo muy original.* He is a very eccentric person. ▲[m] original *Haga un original y tres copias.* Make an original and three copies.

originalidad [f] originality; oddity, eccentricity.

originar to start *Aquella frase originó una discusión.* That sentence started a discussion.

orilla bank *Las orillas del río estaban cubiertas de árboles.* The banks of the river were heavily wooded. ▲edge, rim *La orilla de la taza está rota.* The rim of the cup is chipped. ○**orilla del mar** seashore.

oro gold.

orquesta orchestra (*musicians*).

ortografía spelling (*in writing*).

os you, to you [*fam pl, Sp; see* **vosotros**] *Os he dicho que no lo hagáis más.* I told you not to do it again.
osadía audacity, daring, boldness.
oso, osa bear.
ostentación [*f*] ostentation.
ostentar to boast, show off.
ostión [*m*] oyster.
ostra oyster.
otoño autumn, fall.
otro another, other *Este otro me gusta más.* I like this other one better. ▲another *¿Quiere Ud. otro?* Would you like another? ᵒ**alguna otra cosa** something (*or* anything) else *¿Quiere Ud. alguna otra cosa?* Do you want anything else? ᵒ**(el) uno a(l) otro** each other *Se miraron (el) uno a(l) otro con sorpresa.* They looked at each other in surprise. ᵒ**otra cosa** something else, something different *Eso es otra cosa.* That is something else. ᵒ**otra vez** again *¿Volverá Ud. otra vez por aquí?* Will you come here again?
ovación [*f*] ovation, cheering.
oveja sheep.
oxígeno oxygen.
oyente [*m, f*] hearer, listener.

P

paciencia patience, forbearance.
paciente [*adj*] patient *¡Qué niño más paciente!* What a patient child! ▲[*n*] patient *No se puede visitar a los pacientes después de las seis.* Patients may not be visited after six o'clock.
pacto agreement, pact.
padecer [-ᴢᴄ-] to suffer *Padezco de jaquecas.* I suffer from headaches.
padre [*m*] father. ▲priest *Llamaron a un padre.* They called a priest. ᵒ**padres** [*m*] parents *Sus padres son franceses.* His parents are French.
padrino godfather *Fue a ver a su padrino.* He went to see his godfather. ▲patron, sponsor *Tiene muy buenos padrinos.* He has very good sponsors.
paella *saffron-flavored dish of rice with meat and chicken, or seafood.*
paga wages, pay.
pagador [*m*] paying teller, paymaster.
pagar to pay *Hay que pagar por anticipado.* You have to pay in advance. ▲to pay for *Pagaron el traje a plazos.* They paid for the suit in installments. ᵒ**pagar contra recepción** C.O.D. ᵒ**pagar el pato** to be the scapegoat, take the rap *Siempre me toca pagar el pato.* I'm always the one who takes the rap.
página page (*of a book*).
pago payment.
país [*m*] country *Esa parte del país está llena de bosques.* That part of the country is heavily wooded. ᵒ**del país** domestic *¿Le gusta el vino del país?* Do you like the domestic wine?
paisaje [*m*] landscape, scenery.
paisano, paisana person from same province *or* city *Este señor es gallego; es paisano mío.* This gentleman is a Galician; he is from my province. ▲civilian *En la plaza había algunos militares y muchos paisanos.* In the square there were some army men and many civilians.
paja straw. ᵒ**echarlo a pajas** to draw straws *Vamos a echarlo a pajas para ver quién paga.* Let's draw straws to see who pays.
pájaro, pájara bird *Más vale pájaro en mano que ciento volando.* A bird in the hand is worth two in the bush.
pala spade, shovel; dustpan.
palabra word *¿Cómo se escribe esa palabra?* How do you spell that word? ᵒ**decir de palabra** to tell in person; to tell by word of mouth *Es mejor que se lo diga de palabra que por escrito.* It is better to tell him in person than in writing. ᵒ**¡palabra!** honestly! no fooling! no kidding! *Lo que le dijo es cierto ¡palabra!* No kidding! What he told him is true. ᵒ**palabra de honor** word of honor *Dio su palabra de honor.* He gave his word of honor. ᵒ**palabras mayores** no joking matter, insulting *Esas son palabras mayores.* That is no joking mater *or* It is insulting.
palacio palace.
palco box (*theater*).
pálido pale.
paliza beating, spanking.
palma palm (*leaf, tree*) *La avenida estaba bordeada de palmas.* The avenue was lined with palms. ▲palm (*hand*) *Conozco este lugar como la palma de la mano.* I know this place like the palm of my hand.
palmada clapping; pat (*on the back*). ᵒ**dar palmadas** to clap, applaud.
palmo span (*measure of length: 8 inches*)
palo stick *Tenía un palo en la mano.* He had a stick in his hand. ▲pole *El palo del teléfono cayó en tierra.* The telephone pole fell on the ground. ▲wood *La cuchara y el tenedor erán de palo.* The spoon and fork were made of wood.
paloma pigeon, dove.
palpitante [*adj*] throbbing, beating.
palpitar to beat, throb, quiver.
pampa pampa, plain [*Arg*]. ᵒ**estar a la pampa** to be outdoors, camp [*Am*].
pan [*m*] bread. ᵒ**pan integral** wholewheat bread. ᵒ**pan seco, pan duro** stale bread. ᵒ**pan tierno** fresh bread.
panadería bakery.
panadero, panadera baker.
panamericano Pan-American.
pandereta tambourine.
pandillero gangster [*Am*].
panecillo roll (*bread*) *Los panecillos están muy tiernos.* The rolls are very soft.
pánico panic, fright.
panorama [*m*] panorama.
pantalla lamp shade *Cambie la pantalla de esta lámpara.* Change the shade on this lamp. ▲film, screen, movie *Conocía a muchas estrellas de la pantalla.* He knew many movie stars.
pantalones [*m pl*] trousers, pants.
pantano swamp, marsh, bog.
pantomima pantomime.
pantorrilla calf (*of the leg*).
panza belly, paunch.
pañal [*m*] diaper.
pañito small cloth.
paño cloth, woolen goods.

pañuelo handkerchief, kerchief; shawl.

papa [*m*] pope *El papa reside en el Vaticano.* The Pope lives in the Vatican.

papa [*f*] potato [*Am*] *Nos dieron puré de papas.* They gave us mashed potatoes.

papá [*m*] papa, pop, dad.

papaya papaya (*fruit*).

papel [*m*] paper ¿*Está hecho de papel o de tela?* Is it made of paper or cloth? ▲paper, document *Guarda esos papeles, son importantes.* Keep those papers; they're important. ▲role, part *Tendrá a su cargo el papel principal.* He'll have the leading role. ○**papel de cartas** stationery *He comprado una caja de papel de cartas.* I bought a box of stationery. ○**papel de seda** tissue paper *Envuélvalo primero en papel de seda.* Wrap it first in tissue paper.

papelería stationery store.

papeleta slip of paper. ○**papeleta electoral** ballot.

papera mumps.

par [*adj*] even (*of numbers*) *Las casas con números pares están al norte.* The houses with even numbers are on the north side. ▲[*m*] equal *Es una mujer sin par.* She has no equal. ▲pair *Un par de zapatos.* A pair of shoes. ▲couple *Llegará dentro de un par de días.* He'll arrive in a couple of days. ○**abierto de par en par** wide open *La puerta estaba abierta de par en par.* The door was wide open. ○**a la par** at par *La peseta estaba a la par.* The peseta was at par.

para to, in order to *Debemos salir ya para llegar a tiempo.* We must leave now to get there on time. ○**estar para** (*followed by infinitive*) to be about to *Estoy para salir.* I'm about to leave. ○¿**para dónde?** where (to)? ¿*Para dónde va este tren?* Where does this train go? ○**para que** so (that) *Abra la ventana para que nos entre el aire fresco.* Open the window so we can get some fresh air. ○¿**para qué?** what for? what good? what use? ¿*Para qué lo despertó?* Why did you wake him?

parachoques [*m sg*] bumper (*of car*).

parada stop ¿*Cuántas paradas hace este tren?* How many stops does this train make? ▲parade ¿*Vio Ud. la parada esta mañana?* Did you see the parade this morning?

paradero whereabouts ¿*Sabe Ud. el paradero de Juan?* Do you know John's whereabouts?

parado (see **parar**) shy, timid *El chico es parado.* The boy is shy. ▲suspended, shut down *Está parada la fábrica.* The factory has shut down. ▲unemployed ¿*Hay muchos obreros parados estos días?* Are there many unemployed workers at present? ▲standing [*Am*] *He estado parado mucho rato.* I've been standing quite a while.

paraguas [*m sg*] umbrella.

paraíso paradise, heaven; upper gallery (*in a theater*).

paralelo parallel, corresponding.

paralizar to paralyze.

parar to stop *Tuvieron que parar a medio camino.* They had to stop half-way there. ▲to stake, bet [*Am*] *Con estas cartas yo voy a parar cincuenta pesos.* With these cards I'm going to bet fifty pesos. ▲to stop (over), stay ¿*En qué hotel pararán sus amigos?* What hotel will your friends stay at? ▲to end up, turn out *Aquel negocio no paró bien.* That business didn't turn out very well. ○**ir** (*or* **venir**) **a parar** to land finally, end up ¿*Cómo ha venido a parar esto aquí?* How in the world did this get here? ○**parar de** to stop *No para de llover desde ayer.* It hasn't stopped raining since yesterday. ○**parar la oreja** to prick up one's ears *Paró la oreja para oír lo que decíamos.* He pricked up his ears to hear what we were saying. ○**pararse** to stop, halt *Al llegar a la puerta se paró.* When he got to the door he stopped. ▲to stand up, get up [*Am*] *Se pararon al verla llegar.* They got up when they saw her coming.

parcial partial.

pardo dark gray; brown *Tiene ojos pardos.* He has brown eyes ▲[*n*] mulatto [*Am*].

parecer [-*zc*-] to look, appear *Parèce que va a llover hoy.* It looks as though it'll rain today. ▲to seem *Me parece muy bien.* It seems all right to me. ▲[*m*] opinion *Me gustaría saber cuál es su parecer en este asunto.* I'd like to know what your opinion is in this matter. ○**al parecer** apparently *Al parecer, vendrá la semana próxima.* Apparently, he is coming next week. ○**parecerse** to be alike *Los dos se parecen mucho.* The two of them are very much alike.

parecido like, similar *Los dos trabajos son muy parecidos.* The two jobs are very similar. ▲[*m*] resemblance *El parecido entre padre e hijo es muy claro.* The resemblance between father and son is very clear. ○**bien parecido** good-looking *Su hijo es muy bien parecido.* Your son is very good-looking. ○**parecido a** like, similar to *Yo tengo un traje muy parecido al suyo.* I have a suit very much like yours.

pared [*f*] wall.

pareja pair ¡*Gano, tengo dos parejas!* I win; I have two pairs. ▲team *Esos dos tenistas hacen muy buena pareja.* Those two tennis players make a very good team. ▲couple *Vi una pareja de soldados en el parque.* I saw a couple of soldiers in the park. *Hacen muy buena pareja.* They make a good couple. ▲dancing partner *Su pareja baila muy bien.* Your partner dances very well.

parejo [*adj*] neck and neck *Los dos caballos iban parejos en la carrera.* The two horses were running neck and neck. ▲equal, the same *Sus caracteres son parejos.* Their characters are the same.

pariente [*m, f*] relative.

parlamento parliament; parley.

paro stoppage; unemployment; strike.

parpadear to blink, wink.

párpado eyelid.

parque [*m*] park *Paseamos por el parque.* We strolled through the park.

párrafo paragraph.

parranda revel, carousal, binge *Se pasaron toda la noche de parranda.* They were on a binge all night.

parte [*f*] part ¿*En qué parte de la ciudad vive Ud?* What part of the city do you live in?—¿*Qué parte del pollo le gusta más?* What part of the chicken do you like best? ▲share *Cada uno pagó su parte.* Each paid his share. ▲party (*legal*) *Hicieron comparecer a ambas partes ante el juez.* They summoned both parties before the judge. ▲[m] report *Envíeme el parte mañana.* Send me the report tomorrow. Odar parte to inform, notify *Dieron parte del robo a la policía.* They notified the police of the robbery. Ode mi parte on my behalf *Déle recuerdos de mi parte.* Remember me to him. Ode parte de in the name of, on behalf of *Telefoneó de parte del señor Gómez.* I'm calling on behalf of Mr. Gómez. Oen alguna otra parte somewhere else *He debido dejar mi boleto en alguna otra parte.* I must have left my ticket somewhere else. Oen parte partly, in part *Tiene Ud. razón sólo en parte.* You're only partly right. Oen todas partes everywhere *Se le ve siempre en todas partes.* He is seen everywhere.

participante participating. ▲[n] participant.

participar to announce *Participaron a las amistades su próximo matrimonio.* They announced their coming marriage to their friends. Oparticipar de to share, share in *Participaremos de las ganancias.* We'll share the profits.—*Los hijos participaron de la fortuna de su padre.* The children shared in their father's fortune. Oparticipar en to take part in *Participó en las olimpiadas de 1992.* He took part in the 1992 Olympic games.

particular special, particular *Es un caso muy particular.* It is a very special case. ▲private *Ésta es una casa particular.* This is a private house. ▲odd, peculiar *Es una persona muy particular.* He is a very peculiar person. Oen particular particularly, especially *Me gustan todos los deportes, pero el tenis en particular.* I like all sports, but particularly tennis.

partida departure *La hora de la partida de los trenes está indicada en el horario.* Train departures are listed in the timetable. ▲item (*in an account*) *Asiente Ud. esta partida en el libro correspondiente.* Enter this item in the right book. ▲game *¿Echamos una partida de cartas?* Shall we play a game of cards. ▲certificate (*of birth, marriage, death*) *Partida de nacimiento.* Birth certificate.—*Partida de casamiento* or *boda.* Marriage license.—*Partida de defunción.* Death certificate. ▲band, gang *Fueron atacados por una partida de ladrones.* They were attacked by a band of thieves. Ojugarle una mala partida to play a dirty trick on, double-cross *Le jugó una mala partida.* She played a dirty trick on him.

partidario follower *Este señor es uno de sus partidarios más antiguos.* This gentleman is one of his oldest followers.

partido broken, divided *La cuerda está partida en dos.* The string is broken in two. ▲[m] party, faction *Pertenecen al mismo partido.* They belong to the same party. ▲match, game *¿Quiere Ud. ver el partido de fútbol?* Would you like to see the football game? Osacar partido de to profit by *Ese hombre saca partido de todo.* That man profits by everything.

partir to split *Partió la manzana en dos.* He split the apple in two. ▲to divide *Partieron el terreno en varios lotes.* They divided the land into several lots. ▲to cut *Partamos un poco de leña para el fuego.* Let's cut some wood for the fire. ▲to break, crush *Esta máquina sirve para partir las* piedras. This machine is for crushing stones. ▲to divide (*mathematics*) *Parta Ud. 250 entre 3.* Divide 250 by 3. ▲to leave *Si partimos por la noche, llegaremos durante el día.* If we leave at night, we'll arrive during the day.

pasa (see **paso**) raisin.

pasado last *Estas cartas llegaron la semana pasada.* These letters came last week. ▲spoiled *La fruta está pasada.* The fruit is spoiled. ▲[m] past *Esa mujer tiene un pasado muy romántico.* That woman has a very romantic past. Opasado de moda out of date, out of style *Está pasado de moda.* It is out of date. Opasado mañana the day after tomorrow *Me dijeron que vendrían pasado mañana.* They told me they'd come the day after tomorrow.

pasaje [m] crossing, journey, voyage *Hicimos el pasaje a Europa en siete días.* We made the crossing to Europe in seven days. ▲fare *¿Cuánto cuesta un pasaje en primera a Buenos Aires?* How much is the fare to Buenos Aires, first-class? ▲passage *Citó un pasaje del Quijote.* He quoted a passage from Don Quixote. ▲arcade *Dentro de este edificio hay un pasaje.* There is an arcade in this building. ▲number of passengers on a ship, plane, etc.

pasajero passing, transitory *Es solamente una lluvia pasajera.* It is only a passing shower. ▲[n] passenger *Los pasajeros tienen que enseñar sus boletos a la entrada.* Passengers must show their tickets at the gate.

pasamanos [m sg] rail, banister.

pasaporte [m] passport.

pasar to pass, overtake *Pasemos ese carro, nos retrasa mucho.* Let's pass that car; it is holding us up. ▲to pass, hand *Haga el favor de pasarme el azúcar.* Please pass me the sugar. ▲to pass, go through *Tuvimos que pasar muchos túneles.* We had to go through a number of tunnels. ▲to cross *Debemos pasar el puente durante la noche.* We must cross the bridge at night. ▲to move, transfer *Tienen que pasar al enfermo a otro cuarto.* They have to move the patient to another room. ▲to happen *¿Qué pasó anoche?* What happened last night? ▲to spend *Pasa los domingos en la playa.* He spends his Sundays at the beach. ▲to come (*or go*) in *Pase Ud. y siéntese.* Come in and sit down. ▲to tolerate, overlook *Ella le pasa todas sus faltas.* She overlooks all his faults. ▲to get along, make out *Pasa muy bien con lo que gana.* He gets along very well on what he earns. ▲to pass (*at cards*) *Paso.* I pass. ▲to pass, stop (*of rain, snow, etc.*) *La lluvia pasará pronto.* The rain will stop soon. Opasar de largo to go (*or pass*) right by, pass by without stopping *No se demore, pase Ud. de largo.* Don't delay. Pass by without stopping. Opasar de moda to go out of style. Opasar el rato to kill time, pass the time away *¿Cómo pasaremos el rato?* How shall we kill time? Opasar (la) lista to call the roll *Dentro de un momento pasarán (la) lista.* In a moment they'll call the roll. Opasarlo bien to have a good time *La otra noche lo pasamos muy bien.* We had a very good time the other night. Opasar por alto to skip, overlook *Pasé por alto esa página.* I skipped that page. Opasarse to go over *Se pasó al partido contrario.* He went over to the other party. ▲to slip one's mind

¡Se me pasó completamente! It completely slipped my mind.

pasatiempo pastime, amusement.

Pascua O**Pascua florida, Pascua de Resurrección** Easter *Celebran mucho la Pascua de Resurrección.* They have a big Easter celebration. O**Pascuas** Christmas *¡Felices Pascuas!* Merry Christmas! O**estar como unas pascuas** to be beaming all over.

pase [m] pass, permit.

pasear to stroll, take a walk *Íbamos paseando por el parque cuando la vimos.* We were taking a walk through the park when we saw her. ▲to go for a ride (*car, horse, bicycle*) *Le gustaba pasear a caballo.* She liked to go horseback riding. O**pasearse** to pace the floor *Estuvo paseándose toda la noche.* He paced the floor all night.

paseo walk *En este lugar hay lindos paseos.* There are beautiful walks here. O**dar un paseo** to stroll, take a walk *¿Le gustaría dar un paseo por el parque?* Would you like to take a walk in the park?

pasillo passage, corridor.

pasión [f] emotion, passion.

paso dried (*of fruits*). O**ciruela pasa** prune.

paso step *Dio unos cuantos pasos y se paró.* He took a few steps and stopped. ▲gait *Este caballo tiene un paso excelente.* This horse has a fine gait. ▲progress *Ha dado un gran paso en sus estudios.* He has made great progress in his studies. ▲pass (*mountain*) *El paso es peligroso por la noche.* The pass is dangerous at night. O**abrir paso** to open a passage, make way *Los policías abrieron paso para el coche del presidente.* The policemen opened a passage for the president's car. O**abrirse paso** to get through *Hay tanta gente que es muy difícil abrirse paso.* There is such a crowd that it is very hard to get through. O**apretar el paso** to hurry, hasten. *Apretemos el paso para llegar a tiempo.* Let's hurry and get there on time. O**de paso** in passing *Aludió a la situación política solamente de paso.* She referred to the political situation only in passing. O**paso a paso** step by step, little by little *Paso a paso se hizo una posición.* Little by little he made a place for himself. O**salir del paso** to get by *Estudia sólo lo suficiente para salir del paso.* He only studies enough to get by.

pasta paste, batter *Hicieron una pasta de harina de maíz.* They made a paste of corn meal. ▲pie crust *La pasta es muy buena.* The pie crust is very good. ▲"dough" (*money*) *Ese muchacho tiene mucha pasta.* That fellow has a lot of dough. ▲tea cake *Tomaron té con pastas.* They had tea and cakes. ▲binding, cover (*of a book*) *Leía un libro de pasta roja.* He was reading a book with a red cover. O**de buena pasta** good-natured *Ese hombre es de muy buena pasta.* He is a very good-natured man. O**pasta de dientes** toothpatse *¿Venden Uds. pasta de dientes?* Do you sell toothpaste? O**sopa de pasta** noodle soup.

pastel [m] pie, pastry, cake *Nos sirvieron pastel de cerezas.* They served us cherry pie.

pastelería pastry shop; pastry.

pasteurizado pasteurized.

pastilla tablet, drop *¿Tiene Ud. algunas pastillas contra la tos?* Do you have any cough drops?

pasto pasture; grass. O**a (todo) pasto** aplenty, galore *Teníamos comida a todo pasto.* We had food galore.

pastor [m] shepherd, pastor.

pata foot, leg (*of an animal*) *Cogieron al perro por una pata.* They caught the dog by the leg. ▲leg (*furniture*) *La pata de la mesa está quebrada.* The table leg is broken. O**a cuatro patas** on all fours, creeping. O**meter la pata** to pull a boner, to put one's foot in it. *Ten cuidado no metas la pata.* Be careful not to put your foot in it.

pata, pato duck.

patada kick.

patata potato [*Sp*].

patente evident *Era patente que quería pedirle a Ud. dinero.* It was evident that he wanted to borrow some money from you. ▲[f] patent *Deberá sacar una patente de su invento.* You should take out a patent on your invention.

patinador, patinadora skater.

patinar to skate; to skid, slip.

patio patio, courtyard *El patio es característico en las casas españolas.* The patio is characteristic of Spanish houses. O**patio de butacas** orchestra (*theater*).

patizambo bow-legged.

patojo lame, crippled [*Am*] *Quedó patojo después de la caída.* His fall left him lame. ▲[n] kid, urchin [*Am*] *Un patojo me enseñó el camino.* A kid showed me the way.

patria fatherland, native country.

patriota [m, f] patriot.

patriótico patriotic.

patriotismo patriotism.

patrón [m] boss *Lo ha ordenado el patrón.* The boss has ordered it. ▲employer. ▲patron saint *Santiago, patrón de España.* Saint James, patron saint of Spain. ▲pattern *Estos patrones para hacer vestidos son muy prácticos.* These dress patterns are very practical.

patronal [adj] of the employers *Las representaciones patronales y obreras han llegado a un acuerdo.* The representatives of the employers and workers have reached an agreement.

patrono employer; patron saint.

pausa rest; break O**hacer una pausa** to take a break; to pause. *Vamos a hacer una pausa de cinco minutos.* Let's take a five-minute break.

pausar to pause, hesitate.

pava pot, kettle [*Arg*]; turkey hen.

pavada nonsense, foolishness [*Arg*].

pavimentar to pave.

pavimento pavement.

pavo turkey cock. O**pavo real** peacock.

payar to sing to the accompaniment of a guitar [*Arg*].

payaso clown.

paz [f] peace *Que en paz descanse.* May he rest in peace. O**estar (**or **quedar) en paz** to be even, be quits *Cuando le dé tres dólares estaremos en paz.* When I give you three dollars, we'll be even. O**hacer las paces** to make up, patch up (differences), become reconciled *Me alegra que hayan hecho las paces.* I'm glad they've made up.

pecado sin.

pecar to sin.

pecho chest, bosom.

pedazo piece, bit *Le dio un pedazo de pan.* She gave him a piece of bread. ⃝**hacerse pedazos** to break into pieces, shatter *El florero se hizo pedazos al caer al suelo.* The vase broke into pieces when it fell on the floor.

pedido order, shipment.

pedir [*rad-ch III*] to ask for *Tengo que pedirle permiso.* I have to ask him for permission. ▲to ask, request *¿Por qué no pide que le sirvan más temprano?* Why don't you ask them to serve you earlier? ▲to order *He pedido mil copias.* I've ordered a thousand copies.

pegadizo catchy *Es una música muy pegadiza.* It is a very catchy tune.

pegajoso contagious, sticky.

pegar to stick, glue, cement *¿Con qué pegaron esto?* What did they glue this with? ▲to post *Pegaron un cartel en la pared.* They posted a sign on the wall. ▲to sew (on) *Tiene Ud. que pegarle botones a esta camisa.* You have to sew buttons on this shirt. ▲to infect with, communicate *Me pegó el catarro.* He infected me with his cold *or* I caught his cold. ▲to hit, beat, strike *Le pegó con un bastón.* He beat him with a cane. ⃝**pegar(le) fuego a** to set fire to *Le pegaron fuego a la casa.* They set fire to the house. ⃝**pegarse** to be catching *Todo se pega menos la belleza.* Everything is catching except beauty.

peinado (see **peinar**) combed. ▲[*m*] hairdo.

peinador [*m*] hairdresser; hairdressing cape.

peinar to comb, do the hair of *Peinó a la niña con trenzas.* She did the child's hair in braids. ⃝**peinarse** to comb one's hair, fix one's hair *Está peinándose.* She is fixing her hair.

peine [*m*] comb (*for hair*).

peineta ornamental comb (*for hair*).

pelado (see **pelar**) picked, plucked; "skinned." ▲[*n*] peasant [*Mex*].

pelar to peel *Esta fruta no se puede comer sin pelar.* You can't eat this fruit without peeling it. ▲to pick, pluck (*fowl*) *La cocinera peló los pollos.* The cook plucked the chickens. ▲to fleece, skin *En ese negocio me pelaron.* They skinned me in that deal. ⃝**pelarse** to peel off *Esta pintura se está pelando.* This paint is peeling off. ▲to get one's hair cut *Hoy tengo que ir a pelarme.* I have to get my hair cut today.

pelea fight, brawl, quarrel; bout.

pelear to fight *Pelearon durante muchas horas.* They fought for hours. ▲to quarrel *Son amigos, pero pelean mucho.* They're friends, but they often quarrel.

película film *Necesito un rollo de película.* I need a roll of film. ▲picture, movie *Hoy dan una película muy buena.* There is a very good picture today.

peligro danger *Hubo peligro de que se incendiara la casa.* There was danger of the house catching fire. ⃝**correr peligro** to run a risk *Corrió peligro de perder todo su dinero.* He ran the risk of losing all his money.

peligroso dangerous, risky.

pellejo skin, hide (*of animals*); wine-skin. ⃝**estar en el pellejo de otro** to be in another's shoes *No quisiera estar en su pellejo.* I wouldn't like to be in his shoes. ⃝**jugarse el pellejo** to risk one's life.

pellizcar to pinch.

pelo hair *Tiene el pelo negro y los ojos castaños.* She has black hair and brown eyes. ⃝**a pelo** bareback *Sabía montar a pelo.* He could ride bareback. ⃝**no tener pelos en la lengua** to be outspoken *Esa muchacha no tiene pelos en la lengua.* That girl is very outspoken. ⃝**pelos y señales** minute details *Lo contó con pelos y señales.* He told it in minute detail. ⃝**tomar el pelo** to pull one's leg *Creo que me estás tomando el pelo.* I think you are pulling my leg.

pelota ball (*for games*).

peluca wig, toupee.

peluquería barbershop; beauty parlor.

peluquero, peluquera barber, hairdresser.

pena penalty *Sufrieron una severa pena por lo que hicieron.* They paid a severe penalty for what they did. ▲pain, sorrow *Le dio mucha pena la muerte de su primo.* His cousin's death caused him great sorrow. ▲trouble *Han pasado muchas penas.* They've suffered a great deal of trouble. ▲embarrassment, chagrin [*Am*] *Me da mucha pena.* It is very embarrassing. ⃝**a duras penas** with great difficulty *Llegaron a duras penas.* They had a hard time getting here. ⃝**pena capital, pena de muerte** death, capital punishment *Lo condenaron a la pena capital.* They condemned him to death. ⃝**tener la pena de** to have the misfortune to *Tuvo la pena de perder a su padre.* He had the misfortune to lose his father. ⃝**valer la pena** to be worth (while) *No vale la pena hacerlo.* It is not worth doing.

pendiente pending *Tenemos un asunto pendiente con ellos.* We have some unfinished business with them. ▲[*f*] drop, slope *La pendiente era muy pronunciada.* The slope was very steep. ⃝**pendientes** [*m pl*] earrings *Le regaló unos pendientes de brillantes.* He gave her diamond earrings.

penetrante penetrating, piercing.

penetrar to penetrate, go in *La bala penetró hasta el hueso.* The bullet penetrated to the bone. ▲to determine, make out *Es difícil penetrar sus pensamientos.* It is hard to make out what he thinks.

península peninsula.

penoso arduous, hard *Aquel trabajo era muy penoso.* That was very hard work. ▲embarrassing, unpleasant *Sería penoso decírselo.* It would be embarrassing to tell him.

pensamiento thought, idea *Sus pensamientos son muy elevados.* His thoughts are very lofty. ▲pansy (*flower*).

pensar [*rad-ch I*] to think *¡Yo pensaba que Ud. estaba en Chile!* I thought you were in Chile! ▲to intend, plan *¿Adónde piensa ir mañana?* Where do you intend to go tomorrow? ⃝**pensar de** to think of, have an opinion of *¿Qué piensa Ud. de Juan?* What do you think of John?

pensativo pensive, thoughtful.

pensión [*f*] pension; boarding house.

peña rock, boulder ▲group of friends *La peña se reunía en el Café Universal.* The group of friends used to meet in Café Universal.

peón [*m*] workman, day laborer [*Am*]. ▲pawn (*chess*). ▲top (*plaything*). ○**jugar al peón** to spin the top.

peonza top (*plaything*). ○**bailar como peonza** to dance well, be light on one's feet.

peor worse *Hoy me encuentro peor.* I'm worse today. ▲worst *Es el peor de todos.* He is the worst of all. ○**de mal en peor** from bad to worse. ○**tanto peor** so much the worse *Tanto peor para él.* So much the worse for him.

pepa seed, stone, pit [*Am*].

pepinillo pickled cucumber.

pepino cucumber.

pequeño small, little *Vive en un cuarto muy pequeño.* He lives in a very small room. ▲[*n*] child *Los pequeños están en la escuela.* The children are in school.

pera pear.

percha rack (*for hat or clothes*); hanger, coat hanger.

perder [*rad-ch I*] to lose *Tenga mucho cuidado no pierda esos papeles.* Be careful you don't lose those papers.—*Jugó y perdió.* He gambled and lost. ▲to miss *Perdimos el tren.* We missed the train. ▲to ruin, disgrace (*morally, socially*) *A ese muchacho lo perdió su amor al lujo.* Love of luxury ruined that boy. ○**echar a perder** to ruin, spoil *Me ha echado Ud. a perder el traje.* You've ruined my suit. ○**echarse a perder** to spoil *La carne se echó a perder con el calor.* The meat spoiled because of the heat. ▲to become spoiled *El niño se echó a perder con las malas compañías.* The boy was spoiled by the bad company he kept. ○**perder de vista** to lose sight of *Al volver la esquina le perdimos de vista.* When we turned the corner we lost sight of him. ○**perder la vista** to go blind. ○**perderse** to go to the dogs *Se perdió con la bebida.* He went to the dogs because he liked to drink. ▲to get sour, turn, become spoiled *La fruta se va a perder porque está demasiado madura.* The fruit is going to spoil because it is overripe. ▲to get lost *Se perdió porque no conocía bien la ciudad.* He got lost because he didn't know the city very well. ○**perderse de vista** to drop out of sight.

pérdida loss *El enemigo sufrió muchas pérdidas.* The enemy suffered great losses.

perdido (see **perder**) lost. ▲[*m*] black sheep (*person*). ▲**perdida** [*f*] loose woman.

perdón [*m*] forgiveness *Me pidió perdón por no haber contestado a mi carta.* He asked my forgiveness for not having answered my letter. ▲pardon, reprieve *El perdón del gobernador le salvó la vida.* The governor's pardon saved his life. ▮¡*Perdón!* Pardon me! *or* Excuse me!

perdonar to pardon *Han perdonado a los criminales.* They've pardoned the criminals. ▲to forgive ¡*Dios me perdone!* God forgive me! ▲to excuse, pardon ¡*Perdone!* Excuse me!

perecer [*-zc-*] to perish *En la mina perecieron cincuenta hombres.* Fifty men perished in the mine.

peregrino exotic, strange *Tiene ideas muy peregrinas.* He has very strange ideas. ▲[*n*] pilgrim.

perejil [*m*] parsley.

pereza laziness.

perezoso lazy

perfección [*f*] perfection.

perfecto perfect.

perfil [*m*] profile; outline.

perfumar to perfume.

perfume [*m*] perfume.

pericia skill, expertness.

periódico [*adj*] periodic(al). ▲[*m*] newspaper *Lo he leído en el periódico de esta mañana.* I read it in this morning's paper.

periodista [*m, f*] journalist, newspaperman, newspaperwoman, reporter.

período period, term.

perito [*adj, n*] expert.

perjudicar to damage, hurt, injure.

perjudicial harmful, injurious.

perjuicio damage, injury, harm; financial loss.

perla pearl. ○**ser una perla** to be a jewel *Esa criada es una perla.* That maid is a jewel.

permanecer [*-zc-*] to stay, remain.

permanente [*adj*] permanent. ▲[*f*] permanent (*wave*).

permiso permission, license, permit ▮*Con permiso* (lit., *with your permission*) If you don't mind *or* Excuse me, please.

permitir to permit, allow.

pero [*conj*] but *La ciudad es grande, pero no es muy hermosa.* The city is large but it is not very attractive. ▲[*m*] shortcoming, defect. ○**no tener pero(s)** to be faultless *or* flawless *Ese trabajo no tiene peros.* That work is flawless. ○**poner pero(s)** to find fault, object *A este trabajo no se le puede poner ningún pero.* You can't find fault with this job.

perra female dog, bitch; slut.

perro dog.

persecución [*f*] persecution; pursuit.

perseguir [*rad-ch III*] to pursue *Persiguieron a los fugitivos.* They pursued the fugitives. ▲to aim at ¿*Qué fin persigue Ud.?* What are you aiming at?

perseverancia perseverance.

persona person.

personaje [*m*] personage, important person *Debe ser un personaje.* He must be an important person. ▲character (*in a play*) *El personaje principal es un viejo.* The main character is an old man.

personal [*adj*] personal *Esos son asuntos personales.* Those are personal matters. ▲[*m*] personnel *Vaya Ud. a la oficina de personal.* Go to the personnel office.

personalidad [*f*] personality, prominent person *A la fiesta concurrieron muchas personalidades.* Many prominent people attended the party.

persuadir to persuade, convince *Les persuadió para que se quedasen.* He persuaded them to stay.

pertenecer [*-zc-*] to pertain to, concern. ▲to belong to *Este dinero no nos pertenece.* This money doesn't belong to us.

perturbar to perturb, disturb.

perverso perverse, wicked.

pesa weight (*object*)

P

pesadez [f] boringness, dullness. ▲persistence *La pesadez de ese hombre me molesta.* The persistence of that man annoys me.
pesadilla nightmare.
pesado (see **pesar**) heavy *Esta maleta es muy pesada.* This suitcase is very heavy. ▲boring, dull, tiresome, persistent *Es uno de esos tipos pesados.* He is one of those boring people. ▲sultry (*of weather*) *¡Qué tiempo tan pesado!* What sultry weather! ▲sound (*of sleep*) *Tenía un sueño muy pesado.* She slept soundly.
pesar to weigh *Esta carta pesa demasiado.* This letter weighs too much. ▲to be weighty, important, count *Su opinión pesa mucho.* Your opinion counts a lot. O**pesarle a uno** to regret, be sorry for *No me pesa haberlo dicho.* I don't regret having said it. O**pesarse** to weigh oneself, get weighed *Es aconsejable pesarse a menudo.* It is advisable to get weighed frequently.
pesca fishing *La pesca es un deporte agradable.* Fishing is a pleasant sport. ▲catch (*of fish*) *Fue una gran pesca.* It was a big catch. O**ir de pesca** to go fishing.
pescado fish (*caught*).
pescador [m] fisherman.
pescar to fish *¿Le gusta a Ud. pescar?* Do you like fishing? ▲to catch, get, "hook" *Ha pescado un buen marido.* She hooked a good husband.
peseta peseta (*monetary unit of Spain*).
pesimista [adj] pessimistic. ▲[n] pessimist.
pésimo [adj] the very worst.
peso weight *¿Puede darme el peso en libras?* Can you give me the weight in pounds? ▲load *Es demasiado peso para ti.* That is too big a load for you. ▲weight, burden, load *Se me ha quitado un gran peso de encima.* That is a big load off my mind. ▲peso (*monetary unit*). O**caerse de su peso** to be self-evident, go without saying *Eso se cae de su peso.* That goes without saying.
pestaña eyelash.
pestañear to wink, blink.
peste [f] plague.
pestillo door latch, bolt *Corre el pestillo.* Bolt the door.
petaca cigarette case; [Am] suitcase.
petate [m] straw mat [Mex].
petición [f] petition; request.
petróleo petroleum.
pez [m] fish (*in the water*). ▲[f] tar.
pianista [m, f] pianist.
piano piano.
pibe [m] kid, child [Arg].
picante spiced *La comida mexicana es muy picante.* Mexican food is highly spiced. ▲risqué, off-color *Las historias que él cuenta son siempre un poco picantes.* His stories are always a little off-color.
picar to sting, bite, eat (*of insects*) *Lo picaron las avispas.* The wasps stung him good and proper.—*Esta tela está picada.* This material is moth-eaten. ▲to chop, grind up *Hay que picar muy bien la carne.* The meat has to be well ground up. ▲to nibble *El pez picó el cebo.* The fish nibbled at the bait. ▲to itch *Me pica todo el cuerpo.* I'm itching all over. ▲to crush (*stone*). ▲to burn *Pica mucho el sol hoy.* The sun burns today.

pícaro mischievous. ▲[n] rascal, rogue.
picazón [m] itching, itch *Tengo una picazón en la espalda.* I have an itch on my back.
pichel [m] pitcher [Am].
pícher [m] baseball pitcher [Am].
pichón [m] young pigeon, squab.
pico beak, bill *¡Qué pico más tremendo el de ese pájaro!* What a huge bill that bird has! ▲sharp point, corner *Me di un golpe con el pico de la mesa.* I bumped against the corner of the table. ▲pick, pickax *Llevaba al hombro un pico y una pala.* He was carrying a pick and shovel on his shoulder. ▲spout *Está roto el pico del jarro.* The spout of the pitcher is broken. ▲summit, peak *Subimos hasta el pico más alto.* We climbed up to the highest point. ▲small amount over *Me costó diez pesos y pico.* It cost a little over ten pesos.
pie [m] foot *Se lastimó un pie durante el juego.* He hurt his foot during the game.— *Un metro tiene un poco más de tres pies.* A meter is a little over three feet.—*Estaba sentado al pie de la cama.* He was sitting at the foot of the bed. ▲base *El pie de esa lámpara está roto.* The base of that lamp is broken. O**al pie de la letra** thoroughly *Sabe el asunto al pie de la letra.* He knows the subject thoroughly. O**a pie** on foot *Iremos a pie.* We'll go on foot. O**de pie** standing *Tuvieron que ir de pie en el tren.* They had to stand in the train.
piedad [f] piety; pity.
piedra stone.
piel [f] skin *Tiene la piel muy delicada.* He has very delicate skin. ▲leather *Este calzado está hecho con una piel muy fina.* These shoes are made of very fine leather. ▲fur *La piel de zorro es muy cara.* Fox fur is very expensive. ▲skin, peel *A esta fruta es muy difícil quitarle la piel.* This fruit is hard to peel. O**abrigo de pieles** fur coat *No quiero tener un abrigo de pieles.* I don't want to have a fur coat.
pierna leg *Perdió una pierna en un accidente.* He lost a leg in an accident.
pieza part (*of a machine*) *Se ha perdido una pieza de la máquina.* A part of the machine has been lost. ▲bolt (*of cloth*) *Necesitamos una pieza de esa tela para las cortinas.* We need a bolt of that material for the curtains. ▲room *La casa tiene varias piezas grandes.* The house has several large rooms. ▲play *Vimos una pieza muy graciosa anoche.* We saw a very amusing play last night. ▲piece (*of music*) *Toque una pieza en el piano.* Play a piece on the piano.
pijama [m in Sp, f in Am] pajamas.
pila stone trough, basin. ▲sink *Vacíe Ud. la pila.* Empty the sink. ▲battery (*electrical*) *Hay que cambiar las pilas a ésta linterna.* The batteries in this flashlight have to be changed. ▲pile *Había una pila de cosas en el cuarto.* There was a pile of things in the room. O**pila de bautismo** baptismal font. O**nombre de pila** given name.
pilar [m] pillar, column, post.
píldora pill, pellet.
pillo petty thief; rascal.
piloto pilot.
pimentón [m] red pepper; paprika.
pimienta pepper (*spice*).
pimiento pepper (*vegetable*).

pino pine, pine tree.

pintado (see **pintar**) ᴼ**como el más pintado** as (or with) the best of them *Puede hacerlo como el más pintado.* He can hold his own with the best of them.

pintar to paint *Van a pintar esta habitación.* They're going to paint this room. ᴼ**pintarse** to put on makeup *Esa muchacha se pinta demasiado.* That girl uses too much makeup.

pintor, pintora painter.

pintoresco picturesque.

pintura painting, picture *Las pinturas que se exhiben aquí son muy valiosas.* The paintings exhibited here are very valuable. ▲paint *Déle dos manos de pintura.* Put on two coats of paint.

piña pineapple.

piojo louse.

pipa pipe (smoking); cask, hogshead.

pique [m] resentment. ᴼ**echar a pique** to sink *Echaron a pique muchas naves de guerra.* Many warships were sunk.

piquete [m] picket (demonstration); bite, small wound.

piropo compliment, flattery.

pisar to step on, tread on.

piscina pool, swimming pool.

piso floor, flooring *Los pisos de esta casa son de madera.* This house has wooden floors. ▲floor, story *Vive en el tercer piso.* He lives on the third floor.

pistola pistol.

pita string, cord [Am].

pitar to whistle *La locomotora pitó al entrar en la estación.* The engine whistled as it entered the station.

pito whistle. ᴼ**tocar un pito** to blow a whistle. ‖*No me importa un pito.* I don't give a hoot.

pizarra slate; blackboard.

placa plaque.

placer [v] to please, be pleasing to *Puede Ud. hacer lo que le plazca.* You can do what you please. ▲[m] pleasure *He tenido un gran placer en conocerle a Ud.* It has been a great pleasure to meet you.

plaga plague, epidemic.

plan [m] plan *¿Cuáles son sus planes?* What are your plans? ᴼ**estar en plan de** to be out for, be in the mood for *Están en plan de divertirse.* They're out for a good time. ᴼ**plan de estudios** curriculum *Han cambiado el plan de estudios en la universidad.* They've changed the curriculum at the university.

plancha plate *Las planchas estaban soldadas.* The plates were welded together. ▲iron, flatiron *El último modelo de planchas eléctricas está ya a la venta.* The latest models of electric irons are now on sale.

planilla payroll [Am] *La planilla de esa compañía es muy elevada.* That company has a very large payroll. ▲bus (or streetcar) ticket. ◄list of candidates, ticket [Am] *Votaremos por esta planilla.* We'll vote this ticket.

plano flat, level *El terreno aquí es muy plano.* The ground here is very flat. ▲[m] plan, drawing *El arquitecto trazó un plano muy bonito.* The architect drew a very fine plan. ▲map.

planta sole *Me duele la planta del pie.* The sole of my foot hurts. ▲plant *Esta planta es del Brasil.* This plant comes from Brazil. ᴼ**buena planta** fine physique, good build *Tiene muy buena planta.* He has a very good build.

plantado ᴼ**dejarle a uno plantado** to leave one in the lurch, leave one high and dry; to stand someone up.

plantear to pose, present, or state (a problem) *Eso plantea una dificultad.* That presents a difficulty.

plástico [adj] plastic, pliable.

plata silver *En México y Perú hay muchas minas de plata.* There are many silver mines in Mexico and Peru. ᴼ**quedarse sin plata** to be broke *Me he quedado sin plata.* I'm broke.

plataforma platform.

platal [m] great quantity of money [Am] *Le ha costado un platal.* It cost him a fortune.

plátano banana, plantain.

platea orchestra (theater section).

plateado silver-plated, silvered

plática talk, conversation.

platillo dish (of food) [Mex].

plato plate, dish *La criada rompió tres platos.* The maid broke three plates. ▲dish (of food) *Hubo unos platos deliciosos en la cena.* There were several delicious dishes for supper. ▲course *¿Qué desea como plato fuerte?* What would you like for the main course?

playa beach, shore.

plaza plaza, square *En el centro de la plaza hay un gran monumento.* There is a big monument in the center of the square. ▲market *En la plaza encontrará todo lo que desea.* You'll find everything you need in the market. ▲job, position *Hay una plaza vacante en la oficina.* There is a job open in the office. ᴼ**plaza de toros** bullring.

plazo time limit *Si Ud. desea, podemos fijar un nuevo plazo.* If you wish, we can set a new time limit. ▲installment *El primer plazo es de cien pesos.* The first installment is one hundred pesos. ᴼ**a plazos** in installments.

plebiscito plebiscite.

plegar [rad-ch I] to fold; to plait.

pleito lawsuit *Siguen un pleito sobre su herencia.* They're having a lawsuit over their inheritance. ▲dispute *Hubo un pleito entre los estudiantes.* There was a dispute among the students. ᴼ**poner pleito** to sue, bring suit against.

plenitud [f] plenty, abundance.

pleno full, complete. ᴼ**en pleno invierno** or **verano** or **día** in the middle of winter or summer or the day.

pliego sheet (of paper, usually folded).

pliegue [m] fold, crease.

plomero plumber.

plomo lead (metal). ▲fuse *Se ha fundido un plomo.* A fuse was blown out.

pluma feather. ▲pen *Vive de su pluma.* He lives by his pen. ᴼ**pluma fuente** fountain pen *¿Podría arreglarme esta pluma fuente?* Could you fix this fountain pen for me?

plural [adj; m] plural.

población [f] population *¿Qué población tiene este país?* What is the population of this country? ▲town, village *Pasamos por muchas poblaciones pintorescas durante el viaje.* We went through many picturesque towns on the trip.

pobre [adj] poor *En este distrito vive gente muy pobre.* Very poor people live in this section. ▲poor, humble *La casa de su madre es muy pobre.* Her mother's house is very humble. ▲poor, pitiful *¡Pobre muchacho!* Poor fellow! ▲[n] poor person *Ayudan a los pobres.* They help the poor.

pobreza poverty.

poco little *Queda muy poca gasolina en el tanque.* There is very little gasoline left in the tank. ▲small *Tienen muy poca existencia de vinos.* They have a very small stock of wines. Oa poco (de) shortly after *A poco de llegar nosotros a la estación, llegó el tren.* The train arrived shortly afer we reached the station. Odentro de poco soon, in a short time *Llegará dentro de poco.* He'll be here soon. Opoco a poco little by little, gradually *Poco a poco aprenderá Ud. a hablar español.* Little by little you'll learn to speak Spanish. Opoco después de soon after *Poco después de graduarme, me casé.* Soon after graduation, I got married. Opoco más o menos more or less, about *Saldremos poco más o menos a las ocho de la mañana.* We'll leave about eight in the morning. Opocos a few *Saldré dentro de pocos días.* I'll leave in a few days.

pocho, pocha Mexican born in the U.S. [Mex].

poder [irr] to be able, can *¿No puede Ud. correr más?* Can't you run any faster? ▲to be possible, may *Puede que vaya a Europa el próximo año.* I may go to Europe next year. ▲[m] power, influence *Tenía un poder muy grande entre los obreros.* He had great influence among the workers. Oa más no poder to the utmost *Estudia a más no poder.* He studies as hard as he possibly can. Ono poder con not to be able to stand, endure, carry, control, manage *No puedo con él.* I can't stand him. Ono poder más to be exhausted, be all in *¡No puedo más!* I'm all in! Ono poder menos de not to be able to help *No puedo menos que ir.* I can't help going. Ono poder ver not to be able to stand *No puedo verle.* I can't stand him. Opoder general power of attorney *Ha dado poder general a su padre.* He has given his father power of attorney.

poderío power, might.

poderoso powerful, mighty.

podrido rotten, spoiled.

poema [m] poem.

poesía poetry.

poeta [m] poet.

polar polar.

policía [f] police *Dieron parte a la policía inmediatamente.* They informed the police immediately. ▲[m] policeman, policewoman *Se lo preguntaré al policía de la esquina.* I'll ask the policeman on the corner.

polilla moth.

política policy *Ese país ha cambiado su política exterior.* That country has changed its foreign policy. ▲politics *Ha dejado todo para dedicarse a la política.* He has given up everything to devote himself to politics.

político political *Este periódico no representa a ningún partido político.* This newspaper doesn't represent any political party. ▲[n] politician *Fue uno de los políticos más distinguidos de su época.* He was one of the most distinguished politicians of his time.

póliza de seguro insurance policy.

pollo chicken *Los pollos están muy caros en este tiempo.* The price of chickens is very high right now.

polo pole *Hicieron una expedición al polo norte.* They made an expedition to the North Pole. ▲polo (electrical) ▲polo *¿Le interesaría ver un partido de polo?* Would you like to see a polo match?

polvareda cloud of dust; dust storm.

polvera powder box.

polvo dust *Cerraremos la ventana para que no entre polvo.* We'll close the window to keep the dust out. Oen polvo powdered *¿Quiere azúcar en polvo o en terrón?* Do you want powdered or lump sugar? Opolvos powder *Uso polvos de talco después de afeitarme.* I use talcum powder after I shave.

pólvora powder, gunpowder.

pompa pomp, show, display. Opompas de jabón soap bubbles *El niño hace pompas de jabón.* The child is blowing soap bubbles.

ponche [m] punch (liquor).

poncho poncho (South American blanket with slit in middle for the head).

poner [irr] to put, place, lay *Ponga sus cosas aquí.* Put your things here. ▲to suppose, assume *Pongamos que eso sea cierto.* Let's suppose that is true. ▲to impose, keep *Aquí se necesita alguien que ponga orden.* We need someone to keep order around here. ▲to put down, write down *Ponga Ud. lo que yo le voy a dictar.* Put down what I'm going to dictate to you. Oponer al corriente to inform, tell, bring one up-to-date *Le puse al corriente de lo que había sucedido.* I informed him of what had happened. Oponer de mí (or tu, su, etc.) parte to do all one can *Ponga de su parte todo lo que pueda.* Do all you can. Oponer en claro to clear up, make clear *Tenemos que poner en claro este lío.* We've got to clear up this mess. Oponer en duda to question, doubt *Pone en duda todo lo que le dicen.* He questions everything they tell him. Oponer la mesa to set the table *Ya dije que pusieran la mesa para cenar.* I've already told them to set the table for supper. Oponerle a uno to cause one to become, make *Este calor me pone mala.* This heat makes me ill. Oponerse to put on, wear *Hoy me pondré el vestido azul.* I'll put on my blue dress today. ▲to get, become (with adjective denoting physical condition or state of mind) *Se pondrán muy disgustados si lo saben.* They'll get very angry if they find out. ▲to place oneself *Póngase en esa ventana.* Place yourself at that window. ▲to set (of the sun) *El sol se pone más temprano en invierno.* The sun sets earlier in the winter. Oponerse a to begin to, start to *De repente, se puso a correr.* Suddenly, he began to run. Oponerse (a) mal con to get in bad with *Se pone (a) mal con todos.* He gets in bad with everybody. **Oponerse colorado** to blush *Al oírlo se puso colorada.* She blushed when she heard it. **Oponerse de acuerdo** to come to an agreement *Después de discutir mucho se pusieron de acuerdo.* After much discussion they came to an agreement.

poniente [*m*] west.

popote [*m*] straw (*for drinking*)[*Mex*].

popular popular; folkloric.

popularidad [*f*] popularity.

poquito [*adj*] little. ▲[*m*] little bit.

por by *Hice el viaje por avión.* I made the trip by plane. ▲for (*in behalf of*) *Nunca olvidaré lo que Ud. hizo por mí.* I'll never forget what you did for me. ▲around, about *Regresará por la Navidad.* He'll come back around Christmas. ▲through *Pasaron por el túnel.* They went through the tunnel. ▲for, (in order) to get *Vaya por una botella de leche.* Go get a bottle of milk. ▲to, in order to *Lo hicimos por ayudarle.* We did it to help him. ▲still (*or* yet) to (be) ... *¿Tiene trabajo por hacer?* Do you still have work to do?—*Quedan tres cartas por escribir.* There are three letters still to be written. ▲by way of, via *Este autobús va por la calle central.* This bus goes by way of Center Street. ▲across, over *Se pasó la mano por los ojos.* He passed his hand across his eyes. ▲in, during *Estudio por la mañana.* I study in the morning. ▲per, a(n) *¿Cuánto paga Ud. por hora?* How much do you pay an hour? **Oal por mayor** wholesale. **Oal por menor** retail. **Opor ahí** around there, near there *Viven por ahí cerca.* They live near there. **Opor aquí** around here *Venga por aquí mañana temprano.* Come around early tomorrow morning. **Opor ciento** percent. **Opor docena** by the dozen. **Opor donde** wherever *Por donde voy lo encuentro.* Wherever I go I meet him. **Opor encima** superficially, hastily *Leí el documento por encima.* I glanced over the document. **Opor entre** through, among, between *La vi por entre los árboles.* I saw her through the trees. **Opor escrito** in writing.

porcelana chinaware; enamelware.

porción [*f*] portion, part.

porfiar to persist, insist *No porfíe tanto.* Don't insist so much. ▲to argue, contend *No porfíen más sobre eso.* Don't argue any more over that.

pormenor [*m*] detail, particular.

poroto bean [*Arg*].

porque because, for, as.

porqué [*m*] reason *No ha explicado el porqué de su ausencia.* He hasn't explained the reason for his absence.

porquería dirty trick, filthy action *or* saying; trifle, worthless thing.

porra club, bludgeon. ||*¡Váyase a la porra!* Go to the devil!

porrazo blow, knock; fall.

portada entrance, lintel (*of door in front part of house*) *La portada está pintada de rojo.* The entrance is painted red. ▲front, façade *La portada del edificio es muy hermosa.* The building has a beautiful façade. ▲cover (*of book, magazine, etc.*) *Dibujaba portadas para revistas.* He drew covers for magazines.

portal [*m*] entry, vestibule, hallway.

portamonedas [*m sg*] purse, pocketbook.

portarse to behave, conduct oneself *Se portó muy mal.* He behaved very badly.

porte [*m*] postage *¿Cuánto será el porte de esta carta?* How much is the postage on this letter? ▲bearing (*of a person*).

portería superintendent's *or* janitor's room; goal.

portero doorman, janitor; goalkeeper.

portezuela door (*of a vehicle*)

porvenir [*m*] future.

posada lodging house; inn.

posar to pose, to perch, alight, sit (birds). *¿Quién posa para ese cuadro?* Who is posing for that painting?

posdata postscript.

poseedor, poseedora owner, possessor.

poseer to hold, possess, own.

posesión [*f*] possession; property.

posfecha [*f*] postdate.

posibilidad [*f*] possibility.

posible possible *No me fue posible venir más temprano.* It wasn't possible for me to come earlier. **Oen lo posible** as far as possible. **Olo más ... posible** as ... as possible *Lo más pronto posible.* As soon as possible.—*Lo más tarde posible.* As late as possible. **Otodo lo posible** everything possible *Hace todo lo posible por terminar el trabajo.* He is doing everything possible to finish the work.

posición [*f*] position *Cambiaré de posición para estar más cómodo.* I'm going to change to a more comfortable position. ▲position, place *Me gustaría cambiar la posición de la cama.* I'd like to change the position of the bed. ▲position, status *Es una persona de alta posición.* He is a man of high position.

positivo positive, certain *Eso es un hecho positivo.* That is positive. ▲practical *Es un hombre muy positivo.* He is a very practical man.

poso sediment, dregs.

postal [*adj*] postal, mail *¿Tienen Uds. servicio postal aquí?* Do you have mail service out here? ▲[*f*] postcard, postal card *Me escribió una postal.* He wrote me a postcard. **Ogiro postal** money order *Deseo enviar un giro postal.* I want to send a money order.

poste [*m*] post, pillar; pole.

posterior [*adj*] rear. ▲later *Eso ocurrió en una época posterior.* That happened in a later period. ▲back *Salga por la puerta posterior.* Leave by the back door.

postizo artificial, false *Tiene los dientes postizos.* He has false teeth.

postre [*adj*] last, final. **Oa la postre** at last.

postre [*m*] dessert *Aquí sirven muy buenos postres.* They serve very good desserts here.

postura position, posture *Estaba incómodo en aquella postura.* I was uncomfortable in that position. ▲position *¿Cuál es su postura política?* What is your political position?

potable [*adj*] drinkable, potable.

pote [*m*] pot, jar.

potencia power, capacity, potency *El motor tiene gran potencia.* It is a high-powered motor. ▲power, large nation *No sabemos qué decidirán las potencias ex-*

tranjeras. We don't know what the foreign powers will decide.

potente powerful, strong, potent.

pozo well (_for water_).

práctica practice; exercise.

practicar to practice, go in for _¿Practica Ud. algún deporte?_ Do you go in for any sport? ▲to carry out, perform, make _Practicaron una inspección general._ They made a general inspection.

práctico practical; experienced, skillful. O[m] **práctico de puerto** harbor pilot.

prado lawn; field; meadow.

precaución [f] precaution.

preceder to precede.

preciar to value, prize _Precia mucho este recuerdo._ She prizes this souvenir very highly. O**preciarse de** to take pride in, boast of _Se precia de su habilidad._ He takes pride in his ability.

precio price _Los precios han bajado en los últimos días._ Prices have gone down in the last few days. O**no tener precio** to be priceless. O**precios fijos** fixed prices.

precioso beautiful _Llevaba un traje precioso._ She wore a beautiful dress. ▲precious _Me gustan las piedras preciosas._ I like precious stones.

precipicio cliff, precipice.

precipitación [f] rush, haste; precipitation.

precipitarse to rush, hurry, hurl oneself.

precisar to fix, set _Hay que precisar la fecha de salida._ We must fix the date of departure. ▲to be necessary, must _Precisa hacer eso pronto._ That must be done soon. ▲to be urgent [Am] _Me precisa hablar con Ud._ I must speak with you. ▲to make clear _Precise lo que quiere decir._ Make clear what you mean.

precisión [f] necessity _Hay precisión de terminar la carretera pronto._ The highway must be completed soon. ▲precision _Es admirable la precisión de la máquina._ The precision of that machine is wonderful.

preciso accurate _El reloj es muy preciso._ The watch is very accurate. ▲exact _Dígame la hora precisa._ Tell me the exact time. O**ser preciso** to be necessary _Es preciso llegar temprano._ It is necessary to get there early. O**tiempo preciso** just time enough _Tenemos el tiempo preciso para llegar a la estación._ We have just enough time to get to the station.

precoz precocious.

predecesor [m] predecessor.

predispuesto predisposed.

predominar to predominate, prevail.

preferencia preference _Debemos dar preferencia al estudio del español y del inglés._ We ought to give preference to the study of Spanish and English.

preferible preferable.

preferir [rd-ch II] to prefer.

pregunta question _Me hizo muchas preguntas._ He asked me a lot of questions. O**estar a la cuarta pregunta** to be broke _Siempre está a la cuarta pregunta._ He is always broke. O**hacer una pregunta** to ask a question _¿Puedo hacerle una pregunta?_ May I ask you a question?

preguntar to ask _Pregúntele dónde vive._ Ask him where he lives. O**preguntar por** to inquire _or_ ask about _or_ for (_a person_) _Preguntaron por Ud. esta mañana._ They inquired for you this morning. O**preguntarse** to wonder _Me pregunto cuándo volverá._ I wonder when he'll be back.

premiar to reward, give a prize to.

premio prize, reward.

prenda security _Lo dejaron en prenda._ They left it as security. ▲piece of jewelry _Ella usa prendas caras._ She wears expensive jewelry. ▲personal quality _Una muchacha de muchas prendas._ A girl of many fine qualities. O**juego de prendas** game of forfeits _¿Conoce algún juego de prendas?_ Do you know any game of forfeits? O**prenda de vestir** garment _He comprado algunas prendas de vestir._ I've bought some clothes.

prendedor [m] pin, brooch; [Sp] clothespin.

prender to fix, catch, pin _Prenda esto con un alfiler._ Fix this with a pin. ▲to arrest _Lo prendió la policía._ The police arrested him. O**prender fuego a** to set on fire _Prendieron fuego a los bosques._ They set the woods on fire.

prensa press _Las prensas funcionan muy bien._ The presses are working very well. ▲press, newspapers _Libertad de prensa._ Freedom of the press.

prensar to press, compress _Prensaron las uvas en la bodega._ They pressed the grapes in the winery.

preocupación [f] preoccupation. ▲cares, worries _Tiene mucha preocupación._ He has many cares.

preocupar to preoccupy. ▲to worry _Aquello le preocupó mucho._ That worried him a lot. O**preocuparse** to worry _No se preocupe por eso._ Don't worry about that. O**preocuparse de** to care for, take care (of) _Preocúpese de que los niños beban la leche._ Take care that the children drink their milk.

preparación [f] preparation.

preparado (see **preparar**) preparation.

preparar to prepare _Le preparé el desayuno._ I'll get your breakfast. ▲to arrange, prepare _Vamos a preparar una fiesta de despedida._ Let's arrange a farewell party. O**prepararse** to get ready _Está preparándose para hacer un viaje._ She is getting ready for a trip.

preparativos [m pl] preparations.

presa prey _El león devoraba su presa._ The lion devoured his prey. ▲dam (_for water_) _Tomamos una fotografía de la presa._ We took a photograph of the dam.

prescribir to prescribe.

prescrito (see **prescribir**) prescribed.

presencia presence. _Se agradecerá su presencia en ese acto._ Your presence at that function will be greatly appreciated. ▲appearance _Tiene muy buena presencia._ He has a very good appearance. O**en presencia de** in front of, in the presence of _Lo dijo en presencia de todos._ He said it in front of everybody. O**presencia de ánimo** presence of mind _Su presencia de ánimo nos evitó el peligro._ His presence of mind saved us from danger.

presenciar to see, witness.

presentación [f] exhibition, display _Ese escaparate tiene una presentación muy bonita._ That window has a very pretty display. ▲introduction *La presentación del orador fue hecha por el presidente.* The speaker was introduced by the president. O**a la presentación** on presentation *Lo pagaré a la presentación de la cuenta.* I'll pay it on presentation of the bill.

presentar to present, introduce, submit *El comité presentará mañana un nuevo plan.* The committee will present a new plan tomorrow. ▲to present, put on *Presentarán un nuevo programa la semana próxima.* They'll put on a new program next week. O**presentarse** to present oneself, report *Preséntese Ud. a la oficina de inmigración.* Report to the Immigration Department. ▲to appear, turn up *Se presentó inesperadamente.* He turned up unexpectedly.

presente present, current *Hay cinco fiestas en el presente mes.* There are five holidays in the current month. ▲present *Todos los niños presentes se levantaron.* All the children present got up. O**al presente** at present *Al presente no tenemos ninguna noticia.* At present we have no news. O**la presente** this, the present writing *La presente es para saludarle y decirle....* This is to greet you and say.... O**tener presente** to bear in mind *Tengo presente lo que me dijo.* I'm bearing in mind what he told me.

presentimiento feeling, premonition.

presentir [rad-ch II] to have a feeling *or* premonition.

preservar to preserve, guard, keep.

presidencia presidency; chairmanship.

presidente [m] president *El presidente de la compañía es un hombre muy joven.* The president of the company is a very young man. ▲chairperson *Cada año nuestra comisión elige un nuevo presidente.* Every year our committee elects a new chairperson.

presidio penitentiary.

presión [f] pressure.

preso fastened; arrested. ▲[n] convict, jailbird.

préstamo loan.

prestado (see **prestar**) lent; borrowed. O**pedir prestado** to borrow *¿Puedo pedirle prestado su coche el próximo domingo?* May I borrow your car next Sunday?

prestar to lend, loan *Me prestó un libro muy interesante.* She lent me a very interesting book. O**prestar atención** to pay attention *Se ruega prestar atención.* Please pay attention. O**prestar ayuda** to help *¿Quiere Ud. prestarnos ayuda?* Will you help us? O**prestarse** to lend itself *Lo que dijo se prestaba a malas interpretaciones.* What he said lent itself to misinterpretation. ▲to offer *Se prestó a ayudarnos.* He offered to help us.

prestigio prestige.

presumir to presume *Presumo que es así.* I presume it is so. ▲to be conceited, show off *Presume mucho.* She shows off too much. O**presumir de** to think of oneself as *Presume de elegante.* He thinks he is pretty stylish.

presunción [f] conceit, presumption, vanity.

presupuesto budget.

pretender to intend, try *Esa persona pretende aprovecharse de Ud.* That person intends to take advantage of you. ▲to

pretend *Pretendió no haberme visto.* He pretended not to have seen me. ▲to aim for, aspire to *Varias personas pretendían el puesto.* Several people aspired to the job.

pretendiente [m] suitor; pretender (*to throne*).

pretensión [f] (unreasonable) claim *No había justificación alguna en su pretensión.* There was no justification at all for his claim. ▲pretensión *Tiene muchas pretensiones descabelladas.* He has many foolish pretensions.

pretexto pretext, excuse.

prevención [f] prevention, warning.

prevenido (see **prevenir**) forewarned. O**estar prevenido** to be ready, be prepared, be forewarned *Como estaba prevenido, no lo sorprendieron.* As he was prepared, they didn't catch him unaware.

prevenir to prepare, arrange *Será necesario prevenir algo para la fiesta.* It'll be necessary to prepare something for the party. ▲to prevent, avoid *Tendremos que tomar medidas para prevenir la propagación de la enfermedad.* We'll have to take measures to prevent the spread of the disease. ▲to forewarn *Le previnieron del peligro.* They forewarned him of the danger.

previo previous. O**examen previo** preliminary *or* entrance examination.

previsión [f] foresight. O**previsión social** social security.

prieto dark, brunet(te) [Am].

prever to foresee, anticipate *Previeron la desgracia.* They foresaw the mishap.

previsto (see **prever**) foreseen.

prima female cousin; premium, bonus.

primavera spring (*season*).

primer See **primero**. O**en primer lugar** in the first place. O**primer ministro** prime minister. O**primer plano** foreground.

primero [adj] first *Es el primero de la fila.* He is the first in line. ▲[adv] first, in the first place *Primero, es un tonto; segundo, no me gusta.* In the first place, he is a fool; in the second place, I don't like him. ▲first *Haga esto primero.* Do this first.

primitivo [adj] primitive.

primo male cousin.

primor [m] something lovely *Ese abrigo es un primor.* That coat is lovely. ▲neatness *Ese trabajo está hecho con primor.* That job is very beautifully done.

primoroso exquisite; neat; dexterous.

princesa princess.

principal [adj] main, principal *Es la persona principal en la oficina.* He is the main person in the office. ▲[m] principal *Hable con el principal.* Speak to the principal.

príncipe [m] prince.

principiar to begin, start *Hay que principiar el trabajo inmediatamente.* The work must be started immediately.

principio principle *¿En qué principio basa Ud. su teoría?* On what principle do you base your theory? ▲principle, standard *Eso no está de acuerdo con sus principios.* That doesn't agree with your principles. ▲beginning *El principio del libro era muy interesante.* The beginning of the book was very interesting. O**al principio** at first *Al* *principio me parecía fácil el trabajo.* The work seemed easy to me at first.

prisa hurry. ▲urgency *Hay prisa de terminar este trabajo hoy.* It is urgent that this work be finished today. ᴼ**andar de prisa** to be in a hurry *Siempre anda de prisa.* He is always in a hurry. ᴼ**a toda prisa** at full speed *Iban a toda prisa.* They were going at full speed. ᴼ**darse prisa** to hurry *¡Démonos prisa, que es tarde!* Let's hurry, it is late! ᴼ**de prisa** quickly. ᴼ**tener prisa** to be in a hurry. *Tenía tanta prisa que se olvidó el sombrero.* He was in such a hurry that he forgot his hat.

prisión [*f*] prison, jail.

prisionero, prisionera prisoner.

privado [*adj*] private *Todos los cuartos tienen baño privado.* All rooms have a private bath. ᴼ**en privado** privately, in private *Lo resolvieron en privado.* They settled it privately.

privado (see **privar**) deprived. ▲unconscious *De la impresión, quedó privada.* She became unconscious from the shock.

privar to deprive *Lo privaron de sus derechos.* They deprived him of his rights. ᴼ**privarse** to deprive oneself *Se priva Ud. de demasiadas cosas.* You deprive yourself of too many things.

privilegio privilege.

proa bow, prow; nose (*of an airplane*).

probabilidad [*f*] probability.

probable probable.

probar to try, test *Probaremos el avión esta tarde.* We'll test the airplane this afternoon. ▲to taste *Pruebe este dulce.* Taste this candy. ▲to prove *Probó su inocencia.* He proved his innocence. ▲to agree with, suit *Este clima me va bien.* This climate agrees with me. ᴼ**probarse** to try on *¿Puedo probarme el vestido?* May I try on the dress?

problema [*m*] problem.

proceder to proceed, begin *Después de examinar a los muchachos procedieron a calificarlos.* After testing the children they proceeded to classify them. ▲to come, be the result *Esto procede de su ignorancia.* This is the result of his ignorance. ▲to come *¿De dónde proceden sus padres?* Where do your parents come from? ▲to act *Procedió sin reflexionar.* He acted without thinking. ▲to behave. ▲[*m*] conduct, behavior *No me gusta su proceder.* I don't like your behavior. ᴼ**proceder contra** to take action against.

procedimiento method, procedure *Su procedimiento de enseñanza es muy bueno.* Your method of teaching is very good.

procesador de palabras word processor.

procesión [*f*] procession.

proceso process; trial (*court*).

proclamar to proclaim.

procurar to try *Procuraré llegar al teatro a tiempo.* I'll try to get to the theater on time. ▲to see *Procure que no falte nada.* See that nothing is lacking. ᴼ**procurarse** to get, obtain *Procúrese un buen asiento.* Get a good seat.

pródigo prodigal, extravagant.

producción [*f*] production.

producir [*irr*] to produce *Ese país produce mucho café.* That country produces a lot of coffee. ▲to produce, cause *Un descuido de alguien produjo el incendio.* The fire was caused by somebody's carelessness. ▲to produce, yield, give *No creo que el alquiler de la casa le produzca a Ud. mucho.* I don't think the rent from the house will yield you much.

productivo productive.

producto product. ᴼ**productos agrícolas** (farm) produce.

profecía prophecy.

profesión [*f*] profession.

profesional [*adj*] professional.

profesar to profess; to join (*a religious order*).

profesor [*m*] professor

profeta [*m*] prophet.

profundidad [*f*] depth.

profundo deep *¿Es muy profunda esta parte del lago?* Is this part of the lake very deep? ▲profound *Eso es un pensamiento muy profundo.* That is a very profound thought.

programa [*m*] program *¿Tiene Ud. el programa del concierto?* Do you have the program of the concert? ▲plans *¿Cuál es su programa para el domingo?* What are your plans for Sunday?

programador programmer.

progresar to progress, make progress, advance *Ese país ha progresado mucho en los últimos años.* That country has made great progress in the last few years. ▲to progress, improve *Su español progresa mucho.* His Spanish is improving a great deal.

progreso progress.

prohibición [*f*] prohibition.

prohibir to forbid *Te prohíbo comer entre horas.* I forbid you to eat between meals. ‖*Se prohíbe fumar.* No smoking. ‖*Se prohíbe fijar carteles.* Post no bills.

prójimo fellow being, neighbor.

prólogo prologue; preface.

prolongar to prolong.

promedio [*m*] average.

promesa promise.

prometer to promise *Le he prometido ir a visitarla.* I have promised to visit her.— *La fiesta promete estar muy alegre.* It promises to be a very lively party. ▲to be promising *Este niño promete mucho.* He is a very promising child.

prometido (see **prometer**) engaged.

pronto [*adj*] ready *Estoy pronto para empezar.* I'm ready to begin. ▲[*adv*] quickly *Hizo muy pronto el trabajo.* He did the work very quickly. ▲soon *Llegó más pronto de lo que yo esperaba.* He came sooner than I expected. ▲[*m*] sudden impulse *Todavía siente aquel pronto que tuvo.* He still regrets that sudden impulse. ᴼ**al pronto** at first *Al pronto no lo reconocí.* At first I didn't recognize him. ᴼ**de pronto** suddenly *De pronto apareció.* Suddenly she appeared. ᴼ**por de pronto** in the meantime, for the time being *Por de pronto, trabaje Ud. en esto.* For the time being, work on this. ᴼ**tan pronto como** as soon as *Tan pronto como lo haga, avíseme.* Let me know as soon as you do it.

pronunciación [*f*] pronunciation.

pronunciamiento pronouncement; insurrection (*in army*).

pronunciar to pronounce.

propaganda advertising; propaganda.

propiedad [f] property.

propietario, propietaria owner, proprietor, propietress.

propina tip, gratuity.

propio own *Lo vi con mis propios ojos.* I saw it with my own eyes. ▲typical *Eso es muy propio de él.* That is typical of him. ▲proper, right *Era el hombre propio para aquel trabajo.* He was the right man for that job. ▲oneself *Ella propia lo hizo.* She did it herself.

proponer [irr] to propose (suggest) *Propondremos un cambio.* We'll propose a change. Oproponerle algo a alguien to make someone a proposition *Le propuso un negocio a mi padre.* He made my father a business proposition. Oproponerse to plan, intend *Se propuso estudiar mucho.* He planned to study a lot.

proporción [f] proportion.

proporcionar to provide with, supply with *Le voy a proporcionar a Ud. todo lo que necesita.* I'm going to provide you with everything you need.

proposición [f] proposition.

propósito purpose *¿Cuál es su propósito?* What is your purpose? ▲intention *El infierno está empedrado de buenos propósitos.* The road to hell is paved with good intentions. Oa propósito on purpose *Lo hice a propósito.* I did it on purpose.

propuesta proposal, proposition, motion.

prorrogar to extend (expiration date).

prosa prose.

prosperar to prosper.

prosperidad [f] prosperity.

protección [f] protection.

protector [m] protector.

proteger to protect *La madre protege a sus hijos.* The mother protects her children. Oprotegerse to protect oneself *Para protegernos de la lluvia entramos en una tienda.* We went into a store to get out of the rain.

protesta protest *El juez no dio importancia a la protesta del público.* The judge ignored the public protest.

protestar to protest. Oprotestar de to protest against *Protestaron de la injusticia.* They protested against the injustice.

provecho profit *No sacó ningún provecho de aquel negocio.* He didn't make any profit on that deal. Ode provecho useful *Es hombre de provecho.* He is a useful man. Oser de provecho to be good (for) *Esta comida no es de provecho para Ud.* This food isn't good for you.

provechoso profitable.

providencia providence.

provincia province.

provinciano [adj, n] provincial.

provisión [f] provision.

provisional provisional.

provocación [f] provocation.

provocar to provoke *¡No me provoque Ud.!* Don't provoke me!

proximidad [f] vicinity *Naufragaron en la proximidad de aquella costa.* They were shipwrecked in the vicinity of that coast.

próximo [adj] next *Empezaré el año próximo.* I'll begin next year. ▲close *Son parientes muy próximos.* They're very close relatives. Oestar próximo a to almost *.... Estuvo próximo a caer al río.* He almost fell in the river.

proyectar to plan *Proyectan hacer más carreteras.* They plan to build more highways. ▲to project, show *Proyectaron una película científica.* They showed a scientific movie.

proyecto plan *El proyecto del nuevo edificio está listo.* The plan of the new building is ready. ▲project, plan *Mis hijos tienen muchos proyectos para el futuro.* My sons have many plans for the future.

prudencia prudence.

prudente prudent, wise.

prueba proof *¿Qué prueba tiene Ud.?* What proof do you have? ▲evidence *No hay prueba(s) para condenarlo.* There is no evidence to condemn him. ▲test *El aparato se rompió en la prueba.* The apparatus broke down during the test. ▲proof (printing, photography) *Me han enviado las pruebas de la imprenta.* They've sent me the printer's proofs. ▲trick [Am] *Hizo una prueba con las barajas.* He did a card trick. Oa prueba de proof against, ▲proof *Este refugio está a prueba de bombas.* This shelter is bombproof. ||*Haga la prueba.* Try it.

psicología psychology.

publicación [f] publication.

publicar to publish.

publicidad [f] publicity.

público [adj] public *¿Hay aquí un teléfono público?* Is there a public telephone here? ▲[m] public; audience *El público estaba impaciente.* The audience was impatient.

puchero cooking pot; stew. Ohacer pucheros to pout.

pudín [m] pudding.

pueblo town, village *Este es un pueblo muy pintoresco.* This is a very picturesque village. ▲people *Es un hombre del pueblo.* He is a man of the people.

puente [m] bridge.

puerco pig, hog; pork.

puerta door; gate. Odar con la puerta en las narices to slam the door in one's face *Me dio con la puerta en las narices.* He slammed the door in my face.

puerto port.

pues because, as, since *Vaya, pues lo han llamado.* Go, since they have called you. ▲anyhow *Pues yo me voy.* I'm going anyhow. ▲well *Pues, si no quieres no vayas.* Well, if you don't want to, don't go. ▲certainly [Am] *Sí, pues.* Yes, certainly.

puesto (see poner) set *La mesa está puesta.* The table is set. ▲[m] place *Tengo el tercer puesto en la cola.* I have the third place in the line. ▲stall, stand, booth *Lo compré en un puesto del mercado.* I bought it at a stand in the market. ▲position, job *Tiene un buen puesto.* He has a good job. Obien puesto well dressed *Iba muy bien puesto.* He was very well dressed. Omal puesto out of place.

pulga flea. Otener malas pulgas to be ill-tempered.

pulgada inch.

pulgar [m] thumb.

pulmón [m] lung.

pulmonía pneumonia.

pulpería grocery store, general store [Am].

pulque [m] pulque (fermented juice of the maguey plant; a Mexican drink).

pulsera bracelet. Oreloj de pulsera wrist watch.

pulso pulse. Otomarle a uno el pulso to take one's pulse El médico le tomó el pulso. The doctor took his pulse.

punta point Este lápiz no tiene punta. This pencil has no point. ▲end, tip Caminamos hasta la punta del muelle. We walked to the end of the pier. ▲top En la punta del volcán se veía humo. Smoke could be seen at the top of the volcano.

puntada stitch. Oechar puntadas to stitch.

puntal [m] prop, support; snack [Am].

puntiagudo sharp-pointed.

puntilla nail. Ode puntillas on tiptoe.

punto point, dot El avión se veía como un punto en el cielo. The airplane looked like a dot in the sky. ▲period (in writing) ¿Dónde está el punto en esta máquina de escribir? Where is the period on this typewriter? ▲place, spot Nos veremos en el mismo punto. We'll meet at the same place. ▲point (in sports) Ganó por pocos puntos. He won by a few points. Oal punto instantly Se presentó al punto. He appeared instantly. Oa punto fijo exactly No lo sé a punto fijo. I don't know exactly. Oa tal punto that far No quiero llegar a tal punto. I don't want to go that far. Ocoche de punto taxi, car for hire [Sp]. Odar en el punto to hit the nail on the head Ha dado Ud. en el punto. You've hit the nail on the head. Ode punto by the minute Su cólera subía de punto. He became angrier by the minute. ▲knitted Compraré un chaleco de punto. I'll buy a knitted vest. Odesde cierto punto de vista from a certain standpoint Desde cierto punto de vista Ud. tiene razón. You're right from a certain standpoint. Oen punto on the dot, sharp Debemos llegar a las seis en punto. We must arrive at six on the dot.

puntual prompt, punctual.

puñado handful.

puñalada stab, knife wound.

puño fist Cerró los puños. He clenched his fists. ▲handle El puño del paraguas está roto. The umbrella handle is broken. ▲cuff Están mal planchados los puños de la camisa. The shirt cuffs are poorly ironed.

pupila pupil (of eye).

pupitre [m] (school) desk.

pureza purity.

purgante [m] purgative, physic.

puro pure Esta leche es pura. This milk is pure. ▲clear Tiene una voz muy pura. She has a very clear voice. ▲[m] cigar Le gusta fumar puros. He likes to smoke cigars. Ode pura casualidad purely by chance Me encontré con él de pura casualidad. I met him purely by chance. Ode pura sangre thoroughbred Ese caballo es de pura sangre. That horse is a thoroughbred.

Q

que that, which Tomaré el tren que llegue primero. I'll take the first train that arrives. ▲that, on which, when El día que vino era miércoles. The day he came was Wednesday. ▲who Ud., que es una experta, seguramente debe saberlo. You, who are an expert, should certainly know. ▲whom Ese es el muchacho de que le hablé. That is the boy I spoke to you about. ▲what No sé qué haré mañana. I don't know what I'll do tomorrow.—¿Qué ha sido de su hermano? What has become of your brother? ▲that Estaba tan cambiado que no le conocí. He looked so changed that I didn't recognize him.—Dudo que venga. I doubt that he'll come. ▲than La otra es mejor que ésta. The other is better than this. Oel (or la, los, las) que he (or she, they) who, the one(s) who, anyone who El que quiera beber que venga conmigo. Anyone who wants a drink, come with me. O¿qué? which? ¿Qué libro le gusta a Ud. más? Which book do you like better? ▲what kind of? Dime, ¿qué gente es esa? Tell me, what kind of people are they? O¡qué! how! ¡Qué bonito es ese cuadro! How pretty that picture is! ▲what! what a! ¡Qué tontería! What nonsense!—¡Qué niño! What a child!

quebrado rough, rugged Estos últimos días hemos viajado por terrenos muy quebrados. We have been through some very rough country in the last few days. ▲broken Trace una línea quebrada. Draw a broken line. Oestar quebrado to be ruptured. Onúmero quebrado fraction (mathematics).

quebrar to break Quebró un vaso. He broke a glass. ▲to fail, go bankrupt El banco quebró cuando nadie lo esperaba. The bank failed when no one expected it. Oquebrarse to break El plato se quebró. The plate broke. ▲to break (a bone) Al caer se quebró un brazo. He broke his arm when he fell.

quedar to be left El bolso quedó sobre la mesa. The purse was left on the table.—Sólo me quedan unos centavos. I have only a few cents left. ▲to remain La carta quedó sin contestar. The letter remained unanswered. ▲to be Queda lejos de aquí. It is far from here. Oquedar (bien) to come out (well) Quedó muy bien el trabajo. The work came out very well. Oquedar bien con to make a hit with, get along well with Está quedando bien con ella. He is making a hit with her. Oquedar de to promise to [Am] Quedamos de llegar el domingo. We promised to come Sunday.

quehacer occupation, task, work [m pl] quehaceres de casa household chores.

queja complaint.

quejarse to complain No tiene Ud. de qué quejarse. You have nothing to complain about.

quema burning La quema de las hojas. The burning of leaves. Ohuir de la quema to get away from trouble, beat it Al ver lo que iba a ocurrir, huyó de la quema. When he saw what was going to happen, he beat it.

quemado (see quemar) burned, burnt Huele a quemado. It smells burnt. Oquemado por el sol sunburned.

quemadura burn, scald.

quemar to burn *¿Quién quemó esta cortina?* Who burned this curtain? Oquemarse to burn oneself *Cuidado, puede Ud. quemarse.* Be careful, you'll burn yourself.

querer [*irr*] to want, wish *¿Qué quiere Ud. comer?* What do you want to eat? ▲to love *La quiere mucho.* He loves her very much. Ocomo quiera que sea in any case *Como quiera que sea, iremos.* In any case, we'll go. Odonde quiera anywhere, wherever. Oquerer decir to mean *¿Qué quiere decir esta palabra?* What does this word mean?

querido [*adj*] dear, beloved *Querido hijo:...* Dear son:...

queso cheese.

quiebra bankruptcy, failure.

quien who, whom *Son los muchachos de quienes le hablé.* They are the boys I spoke to you about. *Es la muchacha a quien más quiero.* She is the girl I like best of all. ▲whoever, anyone who *Quien así piense, se equivoca.* Whoever thinks so is wrong.

¿quién? who, whom? *¿Quién llamó?* Who called? O¿quién sabe? who knows? *"¿Crees que va a llover?" "¿Quién sabe?"* "Do you think it'll rain?" "Who knows?"

quienquiera whoever *Deja pasar a quienquiera que venga.* Whoever comes, let him in.

quieto [*adj*] still *Estése quieto un momento.* Stand (*or* Sit) still a moment. ▲calm *El lago ha estado quieto todo el día.* The lake has been calm all day. ▲quiet *Es una chica muy quieta.* She is a very quiet girl.

quietud [*f*] quiet, repose.

quijada jaw.

química chemistry.

químico chemical. ▲[*n*] chemist.

quince fifteen.

quincena Opor quincena(s) every two weeks, semimonthly.

quinientos five hundred.

quinina quinine.

quinta country house.

quintal [*m*] a hundred pounds.

quinto [*m*] fifth. ▲[*m*] nickel (*coin*) [*Mex*].

quitar to take away *Quitaremos esta mesa de aquí.* We'll take this table away from here. ▲to subtract *Hay que quitar esta cantidad del total.* You have to subtract this amount from the total. Oquitarse to take off (*clothing*) *No se quite el abrigo.* Don't take off your overcoat. ▲to come out *Estas manchas no se quitan.* These stains won't come out. ▲to give up *Se ha quitado el vicio de la bebida.* He has given up drinking. Oquitarse de en medio to get out of the way.

quizá, quizás perhaps, maybe.

R

rábano radish. Otomar el rábano por las hojas to misinterpret.

rabia rabies *El perro tiene rabia.* The dog has rabies. ▲rage, fury. Odar rabia to make furious; to anger *Me da rabia no haber ido.* It makes me furious that I didn't go. Otener rabia to have a grudge against *Le tengo una rabia tremenda.* I've a terrible grudge against him.

rabiar to be mad, be furious; to rage.

rabioso furious, enraged; rabid

rabo tail (*without hair or feathers*) *El ratón se cogió el rabo en la ratonera.* The mouse's tail got caught in the trap.

rabona Ohacer rabona to cut or skip (*class, etc.*); to play hooky.

racha streak, string, series *Ha habido una racha de crímenes.* There has been a series of crimes. Obuena racha streak of good luck.

racimo cluster, bunch.

radar radar.

radiador [*m*] radiator.

radio [*f in Sp. & Arg, m in rest of Am*] radio *El radio dio la noticia.* The news came over the radio. ▲[*m*] radium. Oradio de acción range *El radio de acción de aquella emisora era muy extenso.* That radio station had a very long range.

radiograma [*m*] radiogram.

raído frayed, threadbare.

raíz [*f*] root *Este árbol tiene las raíces muy hondas.* This tree has very deep roots. Oarrancar de raíz to uproot.

raja split, crack; slice (*of food*).

rajar to split, rend. ▲to slice *Hay que rajar el melón.* The melon has to be sliced. ▲to chatter, gossip [*slang*]. Orajarse to crack *El cristal del reloj se rajó.* My watch crystal cracked. ▲to hold back *Siempre se raja a última hora.* He always holds back at the last moment.

ralo thin, sparse; [*Am*] weak (*of infusions*).

rama branch, twig, bough *¡No te cuelges de esa rama!* Don't hang from that branch! ▲branch *Aquel apellido era de otra rama de la familia.* That name came from another branch of the family. Oandarse por las ramas to beat about the bush.

ramo bough (*cut off tree*). ▲bouquet, bunch *Le ofreció un ramo de flores.* He gave her a bouquet of flowers. ▲branch *La química es un ramo de la ciencia.* Chemistry is a branch of science. ▲(*line of*) business *El ramo de ferretería.* The hardware business.

rancho mess (*of food*), chow *¿A qué hora dan el rancho?* What time is chow? ▲hut [*Am*] *Viven en ranchos de paja.* They live in thatched huts. ▲ranch [*Am*] *Tiene un rancho muy grande.* He has a very big ranch. ▲man's flat straw hat [*Am*].

rancio rancid; old (*of wine, nobility*). ▲old-fashioned, antiquated *Es un hombre muy rancio.* He is a very old-fashioned man.

rapidez [*f*] rapidity, swiftness.

rápido [*adj*] rapid, quick *Era muy rápido en sus decisiones.* He was very quick in his decisions. ▲[*m*] express (train) *A las nueve pasó el rápido.* The express went by at nine.

raqueta racket (sports).

raro rare, unusual *Era raro que recibiera carta.* It was unusual for him to get a letter.—*Los muebles coloniales son muy raros hoy día.* Colonial furniture is very rare nowadays. ▲odd, strange *¡Qué cosa más rara!* What a strange thing!

rascacielos [*m sg*] skyscraper.

rascar to scratch.

rasgar to tear *Se rasgó los pantalones.* He tore his pants.

rasgo stroke *Los rasgos de ese dibujo son muy acentuados.* The strokes in that drawing are very heavy. ▲impulse *Tuvo un rasgo muy digno de alabanza.* He had a very worthy impulse. O**a grandes rasgos** briefly, in outline, in a few words *Se lo contaré a grandes rasgos.* I'll tell it to you in a few words. O**rasgos** features *Sus rasgos me eran familiares.* His features were familiar to me.

rasgón [*m*] tear *Llevaba un rasgón en el traje.* He had a tear in his clothes.

rasguño scratch *Se hizo un rasguño en la cara.* She got a scratch on her face.

raspadura scraping, bruise *Tengo una raspadura en el brazo.* I have a bruise on my arm.

raspar to scrape, scratch out.

raspón [*m*] bruise.

rastreador [*m*] scout.

rastrear to scout, track down.

rastro track, trail *Los perros perdieron el rastro al llegar al río.* When they reached the river, the dogs lost the track. ▲trace *Después del huracán no quedó ni rastro de la casa.* After the hurricane not a trace of the house was left. O**seguir el rastro** to track down, follow the scent.

rata rat.

ratero pickpocket; thief, burglar.

rato (short) while *Espere un rato.* Wait a while. O**al poco rato** very soon, after a little while *Nuestros amigos llegarán al poco rato.* Our friends will come after a little while. O**a ratos perdidos** in one's spare time *Leía a ratos perdidos.* He read in his spare time. O**pasar el rato** to while away the time, pass the time away.

ratón [*m*] mouse.

raya dash, line; crease (*in trousers*); part (in hair); ray fish. ▲line (*sports*) *La pelota cayó fuera de la raya.* The ball fell outside of the line. O**tener a raya** to keep within bounds, control, restrain.

rayar to draw lines on, rule. ▲to scratch (make scratches on) *Está Ud. rayando la mesa.* You're scratching the table.

rayo flash (or bolt) of lightning *Cayó un rayo e incendió la casa.* A bolt of lightning struck the house and set it on fire. ▲ray *Los rayos del sol queman en verano.* The rays of the sun burn in summer.

raza race (*anthropological*).

razón [*f*] reason (reasoning power). ▲reason, sanity *Ha perdido la razón.* He has lost his reason. ▲reason, explanation *Dé Ud. algunas razones si quiere convencerme.* Give me some reasons if you want to persuade me. ▲reason, cause *Lo hizo sin razón.* He did it without reason. ▲message [*Am*] *Le daré la razón a la señora.* I'll give the lady the message. O**a razón de** at the rate of *Pagará a razón de un seis por ciento al año.* He'll pay at the rate of six percent a year. O**atender a razones** to listen to reason.

razonable reasonable.

razonar to reason.

reacción [*f*] reaction.

real real, actual *La situación real no ha cambiado.* The actual situation hasn't

changed. ▲royal *Pertenecía a la familia real.* He belonged to the royal family. ▲[*m*] real (*Spanish coin*).

realidad [*f*] reality, fact.

realimentación [*f*] feedback.

realización [*f*] realization, execution *La realización de los planes durará por lo menos un año.* The execution of the plans will take at least a year. ▲sale *El lunes pasado hubo una realización de todas las mercancías.* There was a sale of all the merchandise last Monday.

realizar to accomplish *Esto no es difícil de realizar.* This isn't hard to accomplish. ▲to carry out *Realizaron el plan con todos sus detalles.* They carried out the plan in every detail. ▲to sell out *Realizaron todas las existencias.* They sold out all the goods in stock.

reanimar to cheer up, encourage; to revive.

rebaja reduction.

rebajar to reduce, lower *Han rebajado un poco los precios.* They have reduced the prices a little. ▲to reduce (*in weight*) *He rebajado diez libras.* I have reduced ten pounds. O**rebajarse** to lower oneself *No me rebajaré a hacer tal cosa.* I won't lower myself to do such a thing.

rebelde rebellious. ▲[*n*] rebel.

recadero messenger.

recado message; errand.

recaída relapse.

recámara bedroom [*Mex*].

racambio O**pieza de recambio** spare part.

receloso distrustful, suspicious.

recepción [*f*] reception, formal gathering *La recepción fue muy lucida.* It was a very brilliant reception. ▲reception *Les hicieron una recepción muy calurosa.* They were given a very warm reception.

receta prescription (*medicine*). O**receta de cocina** recipe (*cooking*).

rechazar to discard, reject, turn down *Rechazó la idea de ir al campo.* He turned down the idea of going to the country. ▲to drive back *El enemigo fue rechazado a sus posiciones.* The enemy was driven back to its positions.

recibir to receive *Recibió Ud. ayer alguna visita?* Did you receive any visitors yesterday? O**recibirse** to graduate [*Am*] *Se recibió de doctor.* He graduated as a doctor.

recibo receipt.

recién recently, newly *Ese café está recién hecho.* That coffee was just brewed. ▲just, recently [*Am*] *Recién me entero.* I just found out. O**recién casados** newlyweds. O**recién llegado** newcomer.

reciente new, fresh *La pintura estaba reciente.* The paint was fresh. ▲recent *¿Son estas noticias recientes?* Is this news recent?

reclamación [*f*] reclamation; complaint; claim.

reclamar to claim *Ud. ya no puede reclamar ese dinero.* You can no longer claim that money. O**reclamar en juicio** to sue.

reclamo advertising; claim [*Am*]; decoy.

recluta [*m*] recruit, rookie.

recobrar to recover, regain.

R

recoger to get *Voy a recoger los papeles que dejé en mi oficina.* I'm going to get the papers I left in my office. ▲to collect *Han recogido mucho dinero para la Cruz Roja.* They have collected a lot of money for the Red Cross. ▲to collect, gather up *Recoja todas esas cosas y póngalas en orden.* Gather up all those things and put them in order. ▲to pick up *Recoja eso que se le ha caído.* Pick up what you dropped. ▲to take in, shelter *Han recogido varios huérfanos.* They have taken in several orphans. ○**recogerse** to go home, retire. *Se recoge muy tarde.* He keeps late hours.

recomendación [f] recommendation.

recomendar to recommend *¿Me puede Ud. recomendar un buen restaurante?* Can you recommend a good restaurant to me? ▲to recommend, advise *Le recomiendo a Ud. que lo haga de prisa.* I advise you to do it quickly.

reconocer to inspect, examine *El paciente fue reconocido cuidadosamente.* The patient was carefully examined. ▲to recognize *Cuando le vi de nuevo, no le reconocí.* When I saw him again, I didn't recognize him. ▲to acknowledge, admit *¿Reconoce Ud. su falta?* Do you acknowledge your mistake? ▲to acknowledge, be grateful for *Estoy reconocido por sus atenciones.* I'm grateful for your kindness.

reconstruir to rebuild, reconstruct.

recordar [rad-ch I] to remember *¿Recuerda Ud. lo que le dije?* Do you remember what I told you? ▲to remind *Me recuerda mucho a su padre.* He reminds me very much of his father.

recorrer to cover, travel *Ayer recorrimos diez millas.* Yesterday we covered ten miles.

recorrido route, course, run *Ese cartero tiene un recorrido muy largo.* That mail carrier has a very long route.

recorte [m] scrap, cutting; clipping (*newspaper*).

recreo recreation.

recto [adj] straight *Todo el camino era recto.* The road was straight all the way. ▲just, fair *Era un hombre recto.* He was a just man. ○**ángulo recto** right angle.

recuerdo remembrance, memory *Guardo muy buenos recuerdos de mi amistad con él.* I have very happy memories of my friendship with him. ▲souvenir, memento *Estos son recuerdos de nuestro viaje por Italia.* These are souvenirs of our trip through Italy. ○**recuerdos** regards *Déle mis recuerdos a su familia.* Give my regards to your family.

recurso means, argument *Empleó todos los recursos para convencerle.* He used every argument to convince him. ○**recursos** resources, means *Estaba materialmente sin recursos.* He was practically without means.

red [f] net *Los pescadores tendieron la red.* The fishermen spread out the net. ▲snare, trap *Cayó en la(s) red(es) que le tendieron.* He fell into the snare they set for him.

redacción [f] editorial staff *Entró en la redacción de una revista.* He joined the editorial staff of a magazine. ▲writing *La redacción de esta carta es mala.* This letter is badly written.

redactar to compose, frame in writing *Esta carta está muy bien redactada.* This letter is very well put.

redondo [adj] round. ○**en números redondos** in round numbers.

reducción [f] reduction, decrease.

reducir [-zc-] to reduce *Redujo el presupuesto en su departamento.* He reduced the budget in his department. ○**quedar reducido a** to be reduced to, be brought to a condition of *El edificio quedó reducido a escombros.* The building was reduced to rubble.

reemplazar to replace.

reexpedir to forward (*mail*).

referencia reference *¿Cuáles son sus referencias?* What are your references? ○**dar referencias** to inform. ○**hacer referencia a** to refer to, mention *Hizo referencia a un autor muy famoso.* He referred to a very famous author.

referir [rad-ch II] to relate *Refirió el caso con muchos detalles.* He related the matter in great detail. ○**referirse a** to refer to *¿A qué se refiere Ud. cuando dice eso?* What are you referring to when you say that?

reforma alteration. ○**cerrado por reformas** closed for alterations.

refrán [m] proverb, saying.

refrescar to cool *Hay que refrescar el agua.* The water must be cooled. ▲to get cool or cooler *Está refrescando la tarde.* The afternoon is getting cooler. ○**refrescar la memoria** to refresh one's memory.

refresco refreshment, cold drink *Tomó un refresco para aplacar la sed.* He took a cold drink to quench his thirst.

refrigerador [m] refrigerator.

refugiarse to take shelter.

regalar to present, give (*gift*) *¿Qué me vas a regalar para mi cumpleaños?* What are you going to give me for my birthday?

regalo present, gift *Recibió un buen regalo.* He received a nice gift. ○**con regalo** in luxury *Vivía con regalo.* He lived in luxury.

regañar to scold *Siempre me está regañando.* He is always scolding me.

regaño scolding, reprimand.

regar [rad-ch I] to water, irrigate.

regateo bargaining, haggling.

régimen [m] regime, political system *El régimen de aquel país era muy democrático.* The political system of that country was very democratic. ▲diet *El médico lo puso a régimen.* The doctor put him on a diet.

región [f] region.

regir [rad-ch III] to rule, govern *¿Quién rige esos territorios?* Who rules those territories? ▲to be in effect *Aún rige ese decreto.* That decree is still in effect.

registrar to search *La policía registró su casa.* The police searched his house. ▲to examine (*baggage*). ▲to record, keep a record of *Registraba en aquel libro las compras y ventas.* He kept a record of purchases and sales in that book. ○**registrarse** to register (one-self) *Es preciso registrarse en el consulado.* You have to register at the consulate.

regla rule, regulation. *Tiene que obedecer las reglas.* You have to obey the rules. ▲ruler (*for drawing lines*) *¿Puede dejarme* *la regla?* Can you leave me the ruler? O**en regla** in order ¿*Todo está en regla?* Is everything in order? O**por regla general** as a general rule.

regocijo joy, gladness.

regreso return, coming *or* going back.

regular regular, orderly, regulated *Llevaba una vida muy regular.* He led a very regular life. ▲moderate, so-so *Esta mañana me siento regular nada más.* This morning I only feel so-so. O**por lo regular** as a rule, ordinarily *Por lo regular le veía todos los días.* Ordinarily I saw him every day.

regularidad [*f*] regularity.

reina queen.

reinar to reign *Luis XVI reinó en Francia en el siglo diechiocho.* Louis XVI reigned in France in the eighteenth century. ▲to prevail, reign *Durante la guerra reinó el terror.* Terror reigned during the war.

reino kingdom.

reír(se) [*rad-ch III*] to laugh *No se ría.* Don't laugh. O**reírse a carcajadas** to laugh heartily, guffaw. O**reírse de** to laugh at ¿*De qué se ríe Ud.?* What are you laughing at? ▲to make fun of, ridicule *Estaban riéndose de él.* They were making fun of him.

reja bars, iron window grating.

relación [*f*] story, account *Toda aquella relación era interesante.* The whole story was interesting. O**con relación a** about, with regard to *No sé nada con relación a ese asunto.* I don't know anything about that matter. O**entrar en** (*or* **establecer**) **relaciones con** to establish (*business*) relations with. O**relaciones** relations, dealings *No existían entre ellos ningunas relaciones.* They had no dealings with each other. O**tener relación con** to have connection with, have relation to *Eso no tiene ninguna relación con el asunto que estamos tratando.* That has no relation to the subject we're discussing.

relacionar to relate, connect, establish a relation between *En su conferencia relacionó los dos hechos históricos.* In his lecture he established a relation between the two historical facts. ▲to introduce (make acquainted) *Mi prima nos relacionó.* My cousin introduced us. O**relacionarse con** to have dealings with *No se relacione con tales gentes.* Don't have any dealings with such people.

relajamiento laxness, laxity, looseness.

relajo disorder, confusion, mix-up [*Am*].

relámpago lightning.

relatar to relate, tell.

religión [*f*] religion.

religioso religious. ▲[*n*] member of a religious order.

reloj [*m*] clock, watch. O**andar** (*or* **marchar**) **como un reloj** to be in perfect trim. O**reloj de pulsera** wristwatch.

relucir [-*zc*-] to shine, glisten, glitter.

rellenar to refill; to fill up; to stuff.

relleno stuffed, filled. ▲[*m*] stuffing. O**pimientos rellenos** stuffed peppers.

remar to row (*a boat*).

remate [*m*] auction. O**de remate** completely *Estaba loco de remate.* He was completely crazy.

remediar to remedy, repair *Tenemos que remediar el daño.* We'll have to repair the damage.

remedio remedy, medicine *Se le dieron al enfermo varios remedios caseros.* Various home remedies were given to the patient. O**ni para un remedio** for love or money *No pude encontrar un taxi ni para un remedio.* I couldn't get a taxi for love of money. O**no hay más remedio que** there is nothing to do but *No hay más remedio que dejarle marchar.* There is nothing to do but let him go. O**no tener más remedio que** to have no recourse but *No tuve más remedio que ir.* I had no recourse but to go.

remendar [*rad-ch I*] to mend, patch, repair.

remiendo patch.

remitir to remit, send

remo oar; [*slang*] leg.

remolacha beet.

remolcar to tow.

remontar to go up *Remontaron el curso del río.* They went up the river. O**remontarse** to get excited, be excited *Procure no remontarse tanto.* Try not to be so excited. O**remontarse a** to go back to *En su conferencia el profesor se remontó a fechas muy lejanas.* The professor went back to very early times in his lecture.

remordimiento remorse.

remover [*rad-ch I*] to dig up, loosen (*soil*) *Removió la tierra para sembrar la semilla.* He dug up the ground to plant the seeds. ▲to stir *Remueva la sopa.* Stir the soup. ▲to shake *La explosión removió la casa.* The explosion shook the house. O**remover** (**de un cargo** *or* **puesto**) to dismiss (from a post or office) *Removieron a todos los empleados.* All the employees were dismissed.

rendir [*rad-ch III*] to yield, produce *Esta hacienda rinde muy poco.* This farm produces very little. ▲to conquer, win (over) *Con sus amabilidades la rindió.* With his attentions, he conquered her. ▲to surrender *El general rindió la plaza al enemigo.* The general surrendered the city to the enemy. O**estar rendido** to be all in. O**rendir cuentas** to give (*or* render) an account *Tuvo que rendir cuentas.* He had to render an account. O**rendirse** to become exhausted, be worn out *Se rindió de tanto correr.* She became exhausted from running so hard. ▲to surrender, give up *Después de seis días se rindió la plaza.* After six days the garrison surrendered.

rengo lame.

renguear to limp, hobble [*Arg*].

renquear to limp, hobble.

renta rent *No hemos pagado la renta de la casa este mes.* We haven't paid this month's rent on the house. ▲income; interest (*from a bank account*) ¿*Qué renta anual le produce su capital?* What is the annual income on your capital?

rentar to rent for ¿*Cuánto renta ese cuarto?* How much does that room rent for? ▲to produce, yield *Estos valores rentarán mucho en el futuro.* These stocks will yield a great deal in the future.

renuncia resignation; renunciation.

renunciar to resign *Tuvo que renunciar a su puesto.* He had to resign from his position. ▲to refuse, reject *Renunció a aquel*

R

honor. He refused that honor. ▲to give up, renounce *Hay que renunciar a esos planes.* Those plans have to be given up.

reñido (see **reñir**) on bad terms *Estamos reñidos.* We're on bad terms.

reñir [*rad-ch III*] to wrangle, quarrel, argue *Le gustaba reñir por cualquier cosa.* He would quarrel about anything. ▲to scold *No le riña más.* Don't scold him any more.

reorganizar to reorganize.

reparar to repair *Había que reparar el edificio.* The building had to be repaired. O**reparar en** to consider *No reparó en las consecuencias.* He didn't consider the consequences. ▲to notice *No reparó en el saludo que le hice.* He didn't notice my greeting.

reparo objection *Los reparos suyos no son razonables.* Your objections aren't reasonable. O**poner reparo(s)** to make objection(s) *¿Puso algún reparo a aquella carta?* Did he make any objections to that letter?

repartir to distribute. O**repartirse** to share, divide *Nos repartimos el pastel.* We divided the cake among ourselves.

reparto sharing, distribution; delivery (*of goods, mail*).

repasar to check *Repase esa cuenta detenidamente.* Check that account carefully. ▲to review *Repase las lecciones.* Review your lessons. ▲to mend *Había que repasar aquella ropa.* Those clothes had to be mended.

repaso review (*of a lesson*); mending.

repente [*m*] sudden impulse *Tuvo un repente y se declaró.* He had a sudden impulse and proposed to her. O**de repente** suddenly, unexpectedly *Llegó de repente.* She arrived unexpectedly.

repentino sudden.

repetición [*f*] repetition *El informe estaba lleno de repeticiones.* The report was full of repetitions.

repetir [*rad-ch III*] to repeat *Haga el favor de repetir esa palabra.* Please repeat that word.

replicar to reply, answer back; to argue.

replicón insolent (*of children or servants*).

reponer [*irr*] to replace *Repuso los fondos en su cuenta corriente.* He replaced the funds in his current account. ▲to repair *Hay que reponer este ventilador.* This electric fan has to be repaired. O**reponerse** to recover (*health*) *Se marchó al campo para reponerse.* He went to the country to recover his health.

reposar to rest.

reposo rest. O**sin reposo** ceaselessly, endlessly *Habla sin reposo.* He talks endlessly.

representación [*f*] performance (*usually of a play*) *¿A qué hora empieza la representación?* What time does the play begin? O**en representación de** representing, as a representative of *Fue a México en representación de su país.* He went to Mexico as his country's representative.

representante [*adj*] representative. ▲[*m*] traveling salesperson, agent.

representar to represent; to perform.

represión [*f*] repression, suppression *Medidas de represión.* Repressive measures.

reprimir to suppress, repress *Reprimieron la sublevación.* They suppressed the revolt. O**reprimirse** to repress oneself, control oneself *No pudo reprimirse por más tiempo.* He could control himself no longer.

reprochar to reproach.

reproducción [*f*] reproduction (*biology*). ▲reproduction *Aquel instrumento servía para la reproducción del sonido.* That instrument was used to reproduce the sound. ▲reproduction, copy *Hizo una buena reproducción de un cuadro de Velázquez.* He made a good copy of a Velazquez painting.

reproducir [-*zc*-] to reproduce.

república republic.

republicano [*adj; n*] republican.

repuesto See **reponer.** O**de repuesto** extra, spare (*of a part*).

repugnante repugnant; repulsive.

repugnar to cause disgust (*or* loathing) in *Me repugna esa sopa.* I loathe that soup.— *Me repugna hacerlo.* I hate to do it.

requerir [*rad-ch II*] to summon *Lo requirieron para declarar.* They summoned him to testify. ▲to require *Este trabajo requiere cuidado.* This work requires care.

requisito requisite, requirement.

res [*f*] head of cattle.

resaltar to stand out (*by contrast*).

resbaladizo slippery.

resbalar (se) to slip *Tenga cuidado no vaya a resbalarse.* Be careful you don't slip.

resbaloso slippery [*Am*] *El camino era muy resbaloso.* The road was very slippery.

rescatar to rescue; to recover; to redeem; to ransom.

rescate [*m*] rescue; ransom; exchange (*of prisoners*).

reserva secrecy, discretion *Se aconseja reserva en este asunto.* Discretion is advisable in this matter. ▲reserve *Estaba en la reserva militar.* He was in the military reserve. O**guardar reserva** to use discretion, be discreet *Por favor, guarde Ud. reserva en esto.* Please be discreet about this.

reservado (see **reservar**) reserved *Era muy reservada.* She was very reserved.

reservar to reserve *Le reservó la habitación hasta su regreso.* She reserved the room for him until his return. ▲to keep in reserve *Reserve Ud. ese dinero, puede hacerle falta.* Keep that money in reserve; you may need it.

resfriado cold (*sickness*).

resfriarse to catch cold.

residencia residence, house; student's boarding house.

residente [*adj*] resident.

residir to reside, live.

resignarse to be resigned.

resistencia resistance; strength, stamina.

resistente strong; resistant.

resistir to resist, put up resistance. *Resistieron en la ciudad durante un mes.* They resisted in the city for a month. O**resistirse a** to refuse to *Se resistió a comer.* He refused to eat.

resolución [*f*] decision, resolution; courage, resoluteness.

resolver [*rad-ch I*] to decide *Era necesario resolver con toda urgencia.* A decision had to be made immediately. ▲to solve *Resolvió* *el problema.* He solved the problem. ^O**resolverse** to bring oneself to the point (of) *No se resuelve a tomar una decisión.* He can't bring himself to the point of making a decision.

respaldar to endorse *Respalde este documento.* Endorse this document. ▲to back, support *El jefe respaldaba sus actos.* The chief supported his actions.

respaldo back (*of a seat*).

respecto ^O(con) **respecto a** with respect to, with regard to.

respetable respectable *Era un hombre respetable.* He was a respectable man. ▲considerable *Le debía una cantidad respetable.* I owed him a considerable sum.

respeto respect.

respiración [*f*] respiration *Le faltó la respiración.* He got short of breath.

respirar to breathe *Respire fuerte.* Breathe deeply.

responder to answer, respond *No respondió nada.* He didn't answer anything. ▲to respond, react *Ha respondido muy bien al tratamiento.* He responded very well to the treatment. ▲to be the result, be due *Esa ley responde a una necesidad pública.* That law is the result of a public need. ▲to repay, requite.

responsable responsible, reliable *Es un hombre muy responsable.* He is a very responsible man. ^O**ser responsable** to be in charge *¿Quién es la persona responsable aquí?* Who is in charge here? ^O**ser responsable de** to be responsible for, to be blamed for *Ese hombre es responsable del incendio.* That man is responsible for the fire.

responsabilidad [*f*] responsibility.

respuesta answer, reply

resquebrajado cracked.

resta subtraction.

restar to subtract. ▲to be left, remain *No resta nada que hacer.* Nothing remains to be done.

restaurante [*m*] restaurant.

resto remainder, balance, rest *Es el resto del dinero.* It is the rest of the money. ▲pile, stack (*of chips in playing cards*) *Le juego mi resto.* I bet my pile. ^O**echar el resto** to do one's best *Echó el resto por conseguir trabajo.* He did his best to get a job. ^O**restos** leftovers *Ese cocinero sabe aprovechar los restos.* That cook knows how to use leftovers. ^O**restos (mortales)** (mortal) remains *Trasladaron los restos al cementerio.* They took the remains to the cemetery.

restorán [*m*] restaurant.

resuelto (see **resolver**) determined, resolute *Es un hombre muy resuelto.* He is a very determined man.

resultado result.

resultar to result, turn out *La fiesta resultó muy bien.* The party turned out very well. ▲to wear, last *¿Qué traje le ha resultado mejor?* Which suit wore better?

resumen [*m*] summary, abstract, résumé. ^O**en resumen** in brief, in short.

retener [*irr*] to withhold *Le retuvieron el sueldo aquel mes.* They withheld his salary that month. ▲ to keep, remember, retain (*in one's mind*) *No podía retener las fechas en la cabeza.* He couldn't remember dates. ▲to hold, keep *Retuvieron aquella colina dos días más.* They held that hill two more days.

retirada retreat, retirement, withdrawal.

retirar to withdraw *Puede retirar esa cantidad del banco.* You may withdraw that amount from the bank. ▲to pull back, put aside *Retire un poco la silla para que se pueda pasar.* Pull the chair aside a little so there'll be room to pass. ▲to retire *Lo retiraron a los setenta años.* They retired him at seventy.

retiro retirement (*from social life, business, or profession*). ▲retreat.

retrasar to postpone *Retrasaron la fecha de la reunión.* They postponed the date of the meeting. ▲to delay *Ciertos asuntos me retrasaron.* Some business delayed me. ▲to set back *Retrasó el reloj.* He set back his watch. ^O**retrasarse** to run slow *El reloj se retrasa.* The clock runs slow. ▲to be late *Siento haberme retrasado tanto.* I'm sorry to be so late.

retratar to portray; to take a picture of.

retrato portrait, painting, photograph.

retrete [*m*] toilet (*room*) [*Sp*].

retroceder to go back, come back *Retrocedió unos pasos para reunirse con nosotros.* He came back a few steps to join us. ▲to back up *El auto retrocedió hasta quedar enfrente de la puerta.* The car backed up until it was in front of the door.

reunión [*f*] meeting, gathering, assembly, party.

reunir to unite, gather, bring together *Reunió todos sus amigos en una fiesta.* He brought all his friends together at a party. ▲to collect *Reunieron mucho dinero en la función benéfica.* They collected a lot of money at the benefit. ^O**reunirse** to meet *Se reúnen en su casa todos los miércoles.* They meet at his home every Wednesday.

revelación [*f*] revelation.

revelar to reveal, show *Revela gran talento.* He shows great talent. ▲to develop *¿Reveló Ud. ya las fotografías?* Have you developed the pictures yet?

reventar [*rad-ch 1*] to burst, bust *La cañería reventó.* The water main busted. ▲to annoy, (to death), irritate *Ese tipo me revienta.* That fellow annoys me to death. ▲to burst, be full *Reventaba de salud.* He was bursting with health. ▲to exhaust, knock out *La caminata me reventó.* The long walk exhausted me. ^O**estar reventado** to be exhausted, be knocked out *Después de esa caminata estoy reventado.* After that long walk I'm knocked out. ^O**reventarse** to blow out, explode *Se reventó un neumático.* A tire blew out.

revés [*m*] wrong side, reverse side *Ese es el revés de la tela.* This is the wrong side of the material. ▲slap (*with back of hand*). ▲backhand shot *Fue un buen revés.* It was a good backhand shot. ^O**al revés** the contrary, the opposite *No es así, precisamente es al revés.* It is not like this; it is just the opposite. ▲the wrong way, wrong *Todo le salía al revés.* Everything he did went wrong.

revisar to revise; to review, examine.

revista review *Se pasó revista a los soldados.* The soldiers were reviewed. ▲magazine *Es una revista muy cara.* It is a very expensive magazine.

revolución [*f*] revolution, revolt; turn.

revolucionario [*adj, n*] revolutionary.

revólver [*m*] revolver, pistol.

R

revuelta revolt *La revuelta empezó en un cuartel.* The revolt started in one of the barracks. ▲turn *Al llegar a la revuelta del camino, paró.* He stopped when he reached the turn in the road.

revuelto (see **revolver**) [*adj*] topsy-turvy.

rey [*m*] king.

rezar to pray, say (*prayers*) *Rezaba todos los días sus oraciones.* He said his prayers every day. O**rezar con** to concern *or* affect *La orden no reza conmigo.* The order doesn't concern me.

rezo [*m*] praying.

rico rich, wealthy *Era el más rico del pueblo.* He was the richest man in the town. ▲rich (in) *Hay vegetales muy ricos es en vitaminas.* Some vegetables are very rich in vitamins. ▲delicious *¡Qué rico es el sabor de esta carne!* What a delicious flavor this meat has! ▲cute *¡Qué niño más rico!* What a cute child!

ridículo ridiculous *Su aspecto era ridículo.* His appearance was ridiculous. O**poner en ridículo** to put in a ridiculous position *La conducta de su mujer lo puso en ridículo.* The conduct of his wife put him in a ridiculous position.

ridiculizar to ridicule.

rienda rein *Sujete bien las riendas.* Hold on to the reins. O**a rienda suelta** without restraint *Se rió a rienda suelta.* He laughed without restraint.

riesgo danger, risk *Corrió mucho riesgo.* He ran a big risk.

rifar to raffle.

rígido stiff, rigid; severe, stern.

rigor [*m*] rigor, severity. O**en rigor** in fact. O**ser de rigor** to be indispensable.

riguroso rigorous, strict, severe.

rincón [*m*] (inside) corner *Ponga la silla en el rincón.* Put the chair in the corner. ▲remote spot *Buscó un rincón donde vivir tranquilo.* He looked for a remote spot where he could live quietly.

riñón [*m*] kidney.

río river.

riqueza wealth; abundance.

risa laugh, laughter *La risa es contagiosa.* Laughter is contagious. O**cosa de risa** a laughing matter *No es cosa de risa.* It is not a laughing matter.

risueño smiling, cheerful.

rizador [*m*] curler, curling iron.

rizo curl.

robar to rob, plunder *Ese hombre roba a todo el mundo.* That man robs everybody. ▲to steal *Robó el dinero.* He stole the money. ▲to draw (*in cards*) *Ahora le toca a Ud. robar.* Now it is your turn to draw.

roble [*m*] oak.

robo robbery, theft.

robot robot.

robótica [*f*] robotics.

robusto robust, vigorous, hale.

roca rock; cliff.

rodar [*rad-ch I*] to roll *La piedra rodaba cuesta abajo.* The stone was rolling downhill. ▲to wander about, roam *Empezó a rodar por el mundo.* He began to roam around the world. ▲to roll in *Ahora rueda el dinero más que nunca.* Now the money rolls in more than ever. O**rodar una película** to shoot a movie *Se empezó a rodar la película.* They started shooting the picture.

rodear to surround, encircle *El río rodeaba la ciudad.* The river surrounded the city.—*La casa está rodeada de árboles.* The house is surrounded with trees. ▲to take the long way around. O**rodearse** to surround oneself *Procuró rodearse de buenos amigos.* He tried to surround himself with good friends.

rodeo turn, winding *Ese camino da un rodeo muy grande.* The road makes a wide turn. ▲roundup *Hubo rodeo la semana pasada.* There was a roundup last week. O**dejarse de rodeos** to stop beating around the bush *Déjese de rodeos y conteste claramente.* Stop beating around the bush and give me a straight answer.

rodilla knee *Póngase Ud. de rodillas.* Get down on your knees. ▲dusting cloth, rag *Limpie Ud. con esa rodilla.* Clean it with that rag.

rogar [*rad-ch I*] to request, beg *Me rogó que le esperara.* He begged me to wait for him. ▲to plead *Le rogó y le rogó pero no consiguió convencerle.* He pleaded and pleaded but couldn't convince him.

rojo red. O**al rojo vivo** red-hot, to red heat.

rollo roll, anything rolled up.

romance [*adj*] romance, [*m*] ballad, poem.

romántico romantic.

romper [*irr*] to break *Rompió el vaso.* He broke the glass. ▲to break, break off relations *Han roto con esa familia.* They have broken with that family. O**al romper el día, al romper el alba** at dawn, at daybreak. O**romper a** to start to *Rompió a hablar cuando nadie lo esperaba.* He started to talk when nobody expected it. ▲to be torn *Se le ha roto el vestido.* Your dress is torn.

roncar to snore.

ronco hoarse.

ropa clothes *Voy a planchar la ropa.* I'm going to iron the clothes. O**a quema ropa** point-blank *Le disparó a quema ropa.* He fired at him point-blank. O**ropa blanca** linen. O**ropa hecha** ready-made clothes. O**ropa limpia** clean laundry. O**ropa sucia** soiled laundry.

ropero closet, wardrobe.

rosa rose. O**color de rosa** pink.

rosario rosary.

rosca thread (*screw*); spiral. ▲ring (*bread or cake*). O**hacer la rosca** to flatter.

rostro face, countenance.

roto (see **romper**) broken *La silla estaba rota.* The chair was broken.—*El compromiso quedó roto.* The engagement was broken. ▲[*m*] tear *Tiene Ud. un roto en el pantalón.* You have a tear in your trousers.

rótulo sign.

rozadura chafed spot, sore spot.

rozar to clear (*ground*) *Empezó a rozar la tierra.* He began to clear the ground. ▲to graze, rub *El avión rozó ligeramente el suelo.* The airplane grazed the ground.

rubia [*f*] blonde.

rubio [*adj*] blond(e), fair.

rúbrica flourish, mark, distinctive flourish after a signature.

rudo rude, rough *Aquel hombre era muy rudo.* That man was very rude. ▲hard *La jornada fue muy ruda.* The journey was very hard.

rueda wheel.

ruego plea, request.

ruido noise *¿Qué ruido es ese?* What is that noise? ▲comment, discussion *Aquel suceso ocasionó mucho ruido.* That event caused a lot of comment.

ruidoso noisy.

ruina ruin, decline *Aquel negocio fue su ruina.* That business was his ruin. ᴼen **ruinas** in ruins *La ciudad quedó en ruinas.* The city was left in ruins.

ruinoso ruinous.

rumba rumba *(dance).*

rumbo direction *Salió con rumbo a Europa.* He left for Europe. ᴼ**fiesta de rumbo** lavish party.

rumor [*m*] murmur *Un rumor confuso salió del público.* A confused murmur arose from the crowd. ▲rumor *Corre el rumor de que va a cambiar la política.* Rumor has it that there'll be a change of policy.

rústico rustic, rural.

ruta route, way.

rutina routine, custom, habit, rut.

S

sábado Saturday.

sábana sheet.

saber [*irr*] to know *¿Sabe Ud. español?* Do you know Spanish? ▲to know how *¿Sabe Ud. nadar?* Do you know how to swim?—*¿Sabe Ud. cómo llegar a ese lugar?* Do you know how to get to that place? ▲to taste *Esto sabe mal.* This tastes bad. ▲to...usually *or* customarily [*Am*] *Sabe venir los domingos.* He usually comes on Sunday. ᴼa **saber** namely, i.e. *Son tres: a saber, Enrique, Juan y María.* They are three; namely, Henry, John, and Mary. ᴼ**demasiado saber** to know only too well *Demasiado sé que es verdad.* I know only too well that it is true. ᴼ**saber a** to taste of *La sopa sabe a ajo.* The soup tastes of garlic. ᴼ**saberse** to become known, be found out *¡Cuidado, puede saberse!* Be careful, you may be found out!

sabiduría learning, knowledge.

sabio [*adj*] wise *María es una mujer muy sabia.* Mary is a very wise woman. ▲[*n*] learned *or* wise person.

sablazo blow or wound from a saber; borrowing. ᴼ**dar un sablazo** to make a touch, borrow *Anoche me dio un sablazo de cinco dólares.* Last night he touched me for five dollars.

sable [*m*] saber.

sabor [*m*] taste, flavor *El sabor de este vino es delicioso.* The flavor of this wine is delicious. ᴼ**dar sabor** to season *No le daba sabor a lo que guisaba.* She didn't season her cooking.

saborear to taste; to relish.

sabroso savory, tasty.

sabueso hound.

sacacorchos [*m sg*] corkscrew.

sacar to draw (out) *Saqué dinero del banco.* I drew some money out of the bank. ▲to take out *Saque Ud. las manos de los bolsillos.* Take your hands out of your pockets. ▲to take off *Lo sacaron del equipo.* They took him off the team. ▲to bring out, manufacture *Están sacando nuevos modelos de aviones.* They are bringing out new airplane models. ▲to put out *Sacó la cabeza por la ventana.* He put his head out of the window. ▲to relieve [*Am*] *La medicina le sacó la fiebre.* The medicine relieved his fever. ▲to get *¿De dónde han sacado Uds. esa idea?* Where did you get that idea? ▲to get out *Nos sacó de un apuro.* He got us out of trouble. ▲to win *Saqué un premio en el sorteo.* I won a prize at the drawing. ▲to accomplish *¿Qué saca Ud. con eso?* What do you accomplish by that? ▲to get out, draw out *Le sacaron el secreto.* They got the secret out of him. ᴼ**sacar a bailar** to invite for a dance *Voy a sacar a bailar a aquella chica.* Im going to ask that girl to dance. ᴼ**sacar a relucir** to bring up *Siempre saca a relucir cosas que sería mejor olvidar.* He always brings up things it would be better to forget. ᴼ**sacar copia** to make a copy *Hay que sacar varias copias de la carta.* It is necessary to make several copies of the letter.

sacerdote [*m*] priest.

saco sack, bag *Guarde eso en el saco.* Keep that in the bag. ▲coat, jacket, blazer [*Am*] *Le sienta muy bien ese saco.* That coat looks good on him. ᴼ**saco de viaje** traveling bag.

sacrificar to sacrifice *Sacrificaron a su hijo.* They sacrificed their son.

sacrificio sacrifice.

sacudir to shake *Salió a la terraza a sacudir la ropa.* She went out on the terrace to shake out the clothes. ▲to jolt *El autobús sacudió a los pasajeros al parar repentinamente.* The bus jolted the passengers when it stopped suddenly. ▲to beat *(remove dust) Hay que sacudir esas alfombras.* Those rugs have to be beaten.

sagrado sacred, holy.

sainete [*m*] one-act farce; farce *La vida es un sainete.* Life is a farce.

sal [*f*] salt.

sala living room, parlor *El piso tiene una sala grande.* The apartment has a large living room. ᴼ**sala (de música)** (music) hall.

salado [*adj*] salted, salty *No le gustaba el jamón salado.* He didn't like salty ham. ▲witty *Es un tipo muy salado.* He is a very witty fellow. ▲cute, winsome *Es una chica muy salada.* She is a very cute girl. ▲unlucky [*Am*] *Está salado.* He is unlucky. ▲expensive [*Arg*] *Es muy salado.* It is very expensive.

salario salary, wages.

salchicha sausage.

salchichón [*m*] sausage (*large*).

saldo balance *¿Cuál es el saldo de mi cuenta?* What is the balance of my account? ▲sale *Hubo un saldo en esa tienda.* There was a sale in that store.

salero salt cellar, salt shaker.

salida exit; departure *La salida de incendios tiene luz roja.* The emergency exit has a red light. ▲departure *Esperemos hasta la salida del barco.* Let's wait till the boat sails. ▲comeback *Tenía muy buenas salidas*. He always had a snappy comeback. ▲expenditure *Entradas y salidas*. Income and expenditures.

salir [*irr*] to go (*or* come) out, leave, get out *Salieron con Juan*. They went out with Juan. ▲to stick out *Le sale mucho el pañuelo del bolsillo*. His handkerchief sticks way out of his pocket. ▲to come out, be published *¿Ha salido ya el último número de esta revista?* Has the latest issue of this magazine come out yet? ▲to come off (*or* out), disappear *Estas manchas no salen*. These spots don't come off. ▲to rise *Quiso ver salir el sol*. He wanted to see the sun rise. ▲to grow up, to come up *Empieza a salir el trigo*. The wheat is beginning to come up. ▲to begin (*games, sports*) *A Ud. le toca salir*. It is your turn to begin. ▲to draw (*prize*) *¿Qué número salió premiado?* Which number drew the prize? ▲to cost *Esto me sale muy caro*. This costs me a lot. ▲to turn out *El niño salió muy listo*. The child turned out to be very bright. ▲to end [*Am*] *Al salir el verano regresaremos*. We'll return when the season ends. O**salir a bailar con** to dance with *Salió a bailar con mi hermana*. He danced with my sister. O**salir bien, salir mal** to come out well, come out badly *Salió bien en los exámenes*. He came out well in his examinations. O**salir con** to come out with *¿Ahora sale Ud. con eso?* Now you come out with that? O**salir de compras** to go shopping. O**salir ganando** to come out ahead, win *¿Quién sale ganando?* Who is winning? O**salirse** to leak *Este cacharro se sale*. This pot leaks. ▲to leave, go out *Me salí del teatro*. I left the theater. O**salirse con la suya** to have one's own way *Siempre se sale con la suya*. He always has his own way.—*Siempre me salgo con la mía*. I always have my own way.

saliva saliva, spit.

salmón [*m*] salmon.

salón [*m*] living room, hall, salon. O**salón de baile** dance hall.

salpicar to spatter *El automóvil le salpicó el traje de barro*. The car spattered his suit with mud.

salsa gravy, sauce.

saltar to jump *Salté de la cama al oír el despertador*. I jumped out of bed when I heard the alarm clock. ▲to pop out *Saltó el tapón y salió el líquido*. The cork popped out and the liquid spilled. ▲to bounce, bound *Esta pelota no salta*. This ball doesn't bounce. ▲to spring *Saltó en su defensa*. He sprang to her defense. O**saltar a la vista** to be self-evident *Eso salta a la vista*. That is self-evident. O**saltarse** to skip *Me he saltado un renglón*. I skipped a line.

salto jump *Este salto es muy peligroso*. This is a very dangerous jump. O**dar un salto mortal** to turn a somersault. O**de un salto** in a flash *De un salto se plantó en la puerta*. In a flash he was at the door. O**salto de agua** waterfall. O**salto mortal** somersault.

salud [*f*] health *Su salud era perfecta*. She was in perfect health. O**saludos** regards, greetings [*Am*] *Mi familia le envía muchos saludos*. My family sends you their regards.

saludable healthful.

saludar to greet *Nos saludó de una manera muy fría*. He greeted us very coldly. ▲to salute (*military*).

saludo greeting, salutation, salute *Su saludo fue muy cordial*. His greeting was very cordial.—*Saludo militar*. Military salute.

salvación [*f*] salvation.

salvador, salvadora savior, rescuer.

salvaje [*adj*] savage, wild *En el parque había animales salvajes*. There were wild animals in the park. ▲[*m*] savage, uncivilized person.

salvar to save, rescue *Había que salvar a muchas víctimas*. There were many victims to be saved. ▲to cover, clear, jump over *Salvó la zanja de un salto*. He cleared the ditch with one jump.

salvo except *He revisado el libro, salvo el último capítulo*. I have revised the book, except for the last chapter. O**ponerse a salvo** to escape, reach safety *Pudo ponerse a salvo del incendio*. He was able to escape from the fire.

san [*adj*] (see **santo**) saint *San Francisco*. Saint Francis.

sanar to heal; to cure.

sangre [*f*] blood. O**a sangre fría** in cold blood *Lo hizo a sangre fría*. He did it in cold blood. O**hacer hervir la sangre** to make the blood boil *¡Eso me hace hervir la sangre!* That makes my blood boil! O**sangre fría** composure, coolness of mind *Su sangre fría es notable*. Her coolness of mind is well known.

sangriento bloody.

sanidad [*f*] health *Pertenecía a la junta de Sanidad*. He belonged to the Board of Health.

sano healthy *Estaba muy sana*. She was very healthy. ▲healthful *Esta región tiene un clima muy sano*. This region has a very healthful climate. ▲honest, good. O**sano y salvo** safe and sound *Al fin le vimos sano y salvo*. At last we saw him safe and sound.

santidad [*f*] holiness, sanctity.

santo holy, saintly. ▲[*n*] saint.

saque O**el saque** the kickoff (*soccer, football*); serve *Ud. tiene el saque*. It is your serve.

sarape [*m*] blanket [*Mex*]; type of woven material [*Mex*].

sardina sardine.

sarna mange; itch (*disease*). O**más viejo que la sarna** as old as Methuselah

sartén [*m or f*] frying pan.

sastre [*m*] tailor.

satisfacción [*f*] satisfaction.

satisfacer [*irr*] to satisfy *No me satisface su trabajo*. His work doesn't satisfy me. ▲to pay in full *Había que satisfacer aquella deuda*. The debt had to be paid in full.

satisfactorio satisfactory.

satisfecho (see **satisfacer**) satisfied.

sauce willow.

saya skirt.

sazón [*f*] ripeness, maturity; seasoning; taste, flavor. O**a la sazón** at that time *A la sazón estaba yo en España*. At that time I was in Spain. O**en sazón** ripe *La fruta está en sazón*. The fruit is ripe.

sazonar to season *La cocinera sazona bien la comida*. The cook seasons the food well. ▲to ripen (*of fruit*) *Esa fruta sazona en la primavera.* That fruit ripens in the spring.

se oneself, himself, herself, themselves, yourselves; to (*or* for) himself, herself, etc.; (used for *le, les*) to him, to her, etc. *Se afeita.* He is shaving himself.—*El se dijo.* He said to himself.—*Se lo doy a Ud.* (*a él, a ellos, etc.*). I'm giving it to you (to him, to them, etc.). ▲to each other, to one another *Se escriben todos los días.* They write to each other every day.

secante annoying [*Arg*]. ▲blotting. ▲[*m*] blotter. ○**papel secante** blotting paper.

secar to dry *Hay que secar los platos.* It is necessary to dry the dishes. ○**secarse** to dry oneself *Procure secarse bien.* Try to dry yourself thoroughly. ▲to wither, dry *Las flores se secaron.* The flowers withered.

sección [*f*] section, division *¿En qué sección trabaja Ud.?* In what section do you work?

seco dry *Tengo la garganta seca.* My throat is dry.—*Aquí no existe la ley seca.* There is no dry law here. ▲abrupt, curt *Era un hombre muy seco.* He was a very curt man. ▲dried *Frutas secas.* Dried fruits. ○**a secas** only, just *Me llamo Pepe a secas.* My name is just Joe. ▲curtly *Le contestó a secas.* He answered her curtly.

secretaría secretary's office, secretariat.

secretario, secretaria secretary *Fue secretario del alcalde.* He was the mayor's secretary.

secreto secret *Guarde el secreto.* Keep the secret. ○**un secreto a voces** an open secret *Su casamiento era un secreto a voces.* Her marriage was an open secret.

secuestro kidnapping.

sed [*f*] thirst *Estoy muerto de sed.* I'm dying of thirst. ○**tener sed** to be thirsty *Tengo sed.* I'm thirsty. ○**tener sed de** to be hungry for *Tenía sed de noticias.* He was hungry for news.

seda silk.

seguida ○**en seguida** right away, immediately *Voy en seguida.* I'm going right away.

seguir [*rad-ch III*] to follow, keep up with *No puedo seguirle* I can't follow you.—*No vaya tan de prisa porque no puedo seguirle* Don't go so fast because I can't keep up with you. ▲to follow, come after *¿Qué sigue después?* What comes afterwards? ▲to continue *Siguió hablando más de dos horas.* He kept on talking for more than two hours. ▲to keep *Siga a la derecha.* Keep on to the right.

según according to *La casa está hecha según los planos.* The house is built according to plans. ▲as *Hágalo según le digo.* Do it as I tell you. ▲depending on *Saldré o no, según esté el tiempo.* I shall go or stay, depending on the weather.

segundo [*adj*] second. ▲[*m*] second *Espéreme un segundo, ahora vuelvo.* Wait a second, Ill be right back. ○**segunda intención** double meaning *Lo dijo con segunda intención.* What he said had a double meaning.

seguridad [*f*] security *¿Qué seguridad me ofrece Ud.?* What security can you give me? ○**caja de seguridad** safe-deposit box.

seguro sure, certain *¿Está Ud. seguro de que no vendrá?* Are you sure he won't

come? ▲safe *Este puente es muy seguro.* This bridge is very safe. ▲secure *¿Está el clavo bien seguro?* Is the nail in firmly? ▲steady, sure *Su paso no es seguro.* His step is not steady.—*Anda con paso seguro.* He walks with a sure step. ▲[*m*] safety catch *Puso la pistola en el seguro.* He put the safety catch of his pistol on. ▲insurance *¿Quiere Ud. comprar un seguro de vida?* Do you wish to buy a life insurance policy?

seis six.

selección [*f*] selection, choice.

seleccionar to choose *Seleccionaron a los jugadores.* They chose the players.

selecto distinguished, select *Había un público muy selecto.* There was a very distinguished audience.

sellar to stamp *Selle Ud. esas localidades.* Stamp those tickets. ▲to seal *Sellaba las cartas.* He was sealing the letters.

sello seal *El notario puso su sello en el documento.* The notary placed his seal on the document. ▲stamp *¿En qué ventanilla venden sellos?* At what window do they sell stamps?

selva jungle, woods, forest.

semana week *¿En qué día de la semana estamos?* What day of the week is it? ○**semana inglesa** five-day week. ○**Semana Santa** Holy Week (Easter).

semanal [*adj*] weekly.

semblante [*m*] look, expression.

sembrar [*rad-ch I*] to sow *En el otoño sembraremos.* We'll sow in the fall. ▲to spread *Siembra la discordia entre sus compañeros.* He spreads discord among his friends.

semejante [*adj*] similar *Las dos historias son muy semejantes.* The two stories are very similar. ▲such *No creo en semejante cosa.* I don't believe in such a thing. ▲[*m*] fellowman *Piense que son sus semejantes.* Remember that they're your fellowmen.

semejanza resemblance, similarity.

semilla seed.

senado senate.

senador [*m*] senator.

sencillez [*f*] simplicity *Vestía con mucha sencillez.* She dressed very simply. ▲naturalness *Atraía por la sencillez de su carácter.* She attracted people because of her naturalness.

sencillo [*adj*] plain *Habla de una manera sencilla.* She speaks plainly. ▲unaffected *Su amigo es muy sencillo.* Your friend is very unaffected.

senda path.

sendero path, byway.

sensación [*f*] sensation.

sensato sensible, wise.

sensible sensitive, keen *Tenía el oído muy sensible.* He had a keen sense of hearing.

sentar [*rad-ch I*] to seat *Voy a sentarle en la última fila.* I'm going to seat him in the last row. ▲to fit *Aquel traje no le sentaba bien.* That suit didn't fit him well. ○**sentarle a uno bien** (*or* **mal**) to agree (*or* disagree) with one *La langosta no le sentó bien.* The lobster didn't agree with him.—*Este clima me sienta bien.* This climate agrees with me.

S

sentencia sentence *El tribunal dictó la sentencia*. The court pronounced (the) sentence.

sentido sincere *Sus palabras eran muy sentidas*. His words were very sincere. ▲moving *Su discurso era muy sentido*. His address was very moving. ▲[m] sense (*of five senses*) *El sentido del olfato*. The sense of smell. ▲meaning *Esto tiene doble sentido*. This has a double meaning. ▲direction *Caminaba en sentido contrario*. He was walking in the opposite direction. ○estar **sentido** to be offended, hurt *Está sentida por lo que le dijeron*. She is offended because of what they told her. ○perder el sentido to lose consciousness *Perdió el sentido y cayó al suelo*. He lost consciousness and fell to the ground. ○sentido común common sense. ○tener sentido to make sense *No tenía sentido lo que escribía*. What he was writing didn't make sense.

sentimental sentimental.

sentimiento sentiment, feeling *Era persona de buenos sentimientos*. He was a person of good sentiments. ▲sorrow, grief *Su sentimiento fue muy grande*. His sorrow was very great.

sentir [rad-ch II] to feel *Siento un dolor en las articulaciones*. I feel a pain in my joints. ▲to sense, feel, hear *Siento pasos*. I hear footsteps. ▲to regret *Eso es lo que más siento de todo*. That is what I regret most of all. ▲to be sorry *Siento mucho molestarle*. I'm very sorry to bother you. ○sentirse to feel *Se sentía enfermo*. He felt ill. ○sentirse molesto to be annoyed *No tenía porqué sentirse molesto*. He had no reason to be annoyed.

seña sign *Hizo una seña con la mano*. He made a sign with his hand. ▲trace, sign *No quedaron ni señas del pastel*. Not a trace of the cake remained. ▲mark *Tiene una seña en la cara*. He has a mark on his face. ○señas address *Escriba Ud. a estas señas*. Write to this address. ○señas personales personal description.

señal [f] mark *Ponga una señal en esa página*. Put a mark on that page. ▲signal *La señal de avance fue un disparo*. A shot was the signal to advance. ○en señal as a deposit *¿Quiere Ud. que deje algún dinero en señal?* Do you want me to leave some money as a deposit?

señalar to mark *Señale esto con tinta*. Mark this with ink. ▲to point out, mark *Señale Ud. los errores que encuentre*. Point out the errors that you find. ▲to set *Hay que señalar el día de la reunión*. The date of the reunion must be set.

señor [m] Mr. *¿Está el señor Palacios?* Is Mr. Palacios in? ▲sir *Sí, señor, tiene Ud. razón*. Yes, sir, you're right. ▲man *Me han dicho que es un señor muy fino*. I have heard that he is a very fine man. ▲gentleman *Hay un señor esperándole*. There is a gentleman waiting for him.

señora Mrs. *¿Puedo hablar con la señora García?* May I speak to Mrs. García? ▲lady *Cuando la conocí era una señora de edad*. When I met her she was an elderly lady. ▲madam *Sí, señora*. Yes, madam.

señorita Miss *¿Conoce Ud. a la señorita Martínez?* Do you know Miss Martínez? ▲young lady *Esta señorita no es americana*. This young lady is not an American.

señorito young gentleman; master of the house; playboy [Sp].

separación [f] separation.

separar to separate, set apart *Separe las niñas de los niños*. Separate the girls from the boys. ▲to divide *Una cortina separa las dos habitaciones*. A curtain divides the two rooms. ▲to move away *Separe un poco la mesa de la pared*. Move the table away from the wall a bit. ▲to lay aside *Separé estos trajes para que me los envíen*. Lay aside these suits so they can send them to me. ○separarse to separate *El matrimonio decidió separarse*. The couple decided to separate.

septiembre [m] September.

séptimo seventh.

sepultar to bury, inter, entomb.

sepultura grave.

sequedad [f] aridity, dryness.

ser [irr] to be (*with predicate noun or pronoun*) *Su padre es abogado*. His father is a lawyer.—*La víctima no fui yo*. The victim wasn't I. ▲(*with predicate adjectives that express an inherent or characteristic quality*) *El camino es muy largo*. The road is very long.—*La niña es bonita*. The girl is pretty. ▲(*origin*) *El señor Pérez es de Madrid*. Mr. Perez is from Madrid. ▲(*ownership*) *Pero no era de Ud*. But it wasn't yours. ▲(*material of which a thing is made*) *Era un reloj de oro*. It was a gold watch. ▲(*in impersonal expressions*) *Es imposible*. It is impossible —*No era verdad*. It wasn't truc. ▲(*in expressions of time*) *¿Qué hora era?* What time was it?—*Eran las cuatro y media*. It was half past four. ▲to take place *La escena es en París*. The scene takes place in Paris. ▲(*with a past participle to form passive voice*) *La obra fue escrita por Lope de Vega*. The work was written by Lope de Vega.

serenata serenade.

serenidad [f] serenity, calm.

sereno clear, fair *El cielo está muy sereno*. The sky is very clear. ▲calm, serene *Era un hombre sereno*. He was a calm man. ▲[m] night watchman [Sp] *Esta calle no tiene sereno*. This street has no night watchman. ▲dew *Hay mucho sereno en las flores*. There is a lot of dew on the flowers.

serie [f] series *Pertenece a la serie A*. It belongs to series A. ○en serie mass-produced, standardized.

seriedad [f] seriousness, gravity, earnestness.

serio serious, solemn *No se ponga tan serio*. Don't be so solemn. ▲critical *Estos son tiempos muy serios*. These are critical times. ○en serio seriously *Estábamos hablando en serio*. We were speaking seriously.

servicio service *El servicio del ferrocarril es ahora muy malo*. Train service is very bad now. ▲toilet, water closet [Am]. ○servicio doméstico domestic help *Es muy difícil conseguir servicio doméstico*. It is very difficult to get any domestic help. ○servicio militar military service.

servidor servant *Tiene muy buenos servidores*. She has excellent servants. ‖*Su servidor*. At your service.

servidumbre [*f*] (staff of) servants, attendants; servitude.

servilleta table napkin.

servir [*rad-ch III*] to serve, wait on *Sirva primero a las señoras.* Serve the ladies first. ▲to serve *Sirvió cuatro años en las fuerzas aéreas.* He served in the air force for four years. ○**servir para** to be good for *Eso no sirve para nada.* That is good for nothing.

sesenta sixty.

sesión [*f*] session, meeting *¿Dónde se celebrará la sesión?* Where will the meeting take place?

seso brain *Comió un plato de sesos de ternera.* He ate a plate of calf's brains. ○**devanarse los sesos** to rack one's brains *Hay que devanarse los sesos para comprender este problema.* One has to rack one's brains to understand that problem. ○**perder el seso** to lose one's head (over) *Perdió el seso por aquella muchacha.* He lost his head over that girl. ○**sin seso** witless, scatterbrained *¡Qué muchacha sin sesos!* What a scatterbrained girl!

setenta seventy.

severidad [*f*] severity, rigor.

severo severe, rigorous.

sexo sex.

sexto sixth.

sexual sexual.

si if, whether *Deseo saber si Ud. viene.* I want to know whether you're coming. ○**por si acaso** if by chance, just in case *Le dejo esto por si acaso viene.* I'm leaving this just in case he comes.

sí yes. ○**sí que** certainly *Eso sí que es raro.* That is certainly strange. ○**un...sí y otro no** every other...*Viene un día sí y otro no.* He comes every other day.

sí [*pron*]. -self ○**de por sí** separately, individually, by oneself *Dio de por sí todo lo que pudo.* He gave all he could by himself. — *Cada uno de por sí haga lo que pueda.* Let each one individually do what he can. ○**fuera de sí** beside himself, herself, yourself, themselves *Estaban fuera de sí.* They were beside themselves (*with anger, anxiety, joy, etc.*). ○**sí mismo, misma, mismos, mismas** himself, herself, themselves *Tenía un gran dominio sobre sí mismo.* He had great control of himself (*or* great self-control). ○**volver en sí** to regain consciousness *No ha vuelto en sí.* He hasn't regained consciousness.

SIDA [*m*] (Síndrome de immunodeficiencia adquirida) AIDS.

siembra sowing, seeding, planting.

siempre always *Siempre hace el mismo trabajo.* He always does the same work. ○**para siempre** forever. ○**para siempre jamás** forever and ever. ○**siempre que** whenever *Siempre que me ve, me saluda.* Whenever he sees me, he greets me. ▲provided (that) *Siempre que estudie aprobará.* He'll pass provided he studies.

sien [*f*] temple (*anatomy*).

sierra saw *No corta bien la sierra.* The saw doesn't cut well. ▲mountain range *Subieron al pico más alto de la sierra.* They climbed to the highest peak of the range.

siesta afternoon nap.

siete seven. ▲[*m*] tear, rent (*in clothing*) *Tenía un siete en la chaqueta.* He had a tear in his jacket.

siglo century.

significación [*f*] significance, importance, implication *Ese hecho no tiene ninguna significación.* That fact has no significance whatever.

significado meaning (*literal*) *¿Cuál es el significado de esta palabra en inglés?* What is the meaning of this word in English?

significar to mean *No sé qué significa esa palabra.* I don't know what that word means.

significativo significant, meaningful.

signo mark, sign, symbol *Haga claros los signos de puntuación.* Make the punctuation marks clear.—*El signo de la cruz.* The sign of the cross.—*Un signo fonético.* A phonetic symbol.

siguiente next, following *Esperé hasta el día siguiente.* I waited till the following day.

sílaba syllable.

silbar to whistle *Silbe para que nos oigan.* Whistle so they can hear us. ▲to boo (*whistling indicates disapproval in Spanish-speaking countries*) *El público silbó la comedia.* The audience booed the comedy.

silbato whistle (*instrument*) *Se oía el silbato de la locomotora.* The locomotive's whistle could be heard.

silbido whistle, sound.

silencio silence *Sufrió en silencio aquel agravio.* He suffered that affront in silence. ○**en silencio** quiet *Todo estaba en silencio.* Everything was quiet.

silencioso silent, noiseless.

silla chair *Siéntese en esa silla.* Sit down in that chair. ○**silla de montar** saddle.

sillón [*m*] armchair. ○**sillón de ruedas** wheelchair.

silueta silhouette, outline. ▲figure *Esa muchacha tiene una silueta muy bonita.* That girl has a very nice figure.

simpatía congeniality *Le inspiró mucha simpatía.* He found her very congenial.

simpático nice, pleasant, congenial *Es un muchacho simpático.* He is a nice boy. ▲congenial *El ambiente allí es muy simpático.* The atmosphere there is very congenial.

simple simple, easy *Aquel trabajo era muy simple.* That work was very simple. ▲simple, witless *¡Qué hombre más simple!* What a witless man!

simpleza silliness *La simpleza de esa mujer me molesta.* That woman's silliness annoys me. ▲silly thing *Ese hombre no hace más que simplezas.* That man is always doing silly things. ▲trifle *Riñeron por una simpleza.* They quarreled over a trifle.

sin without *Llegó sin un centavo.* He arrived without a penny.—*Le espero en la oficina mañana sin falta.* I'll expect you at the office tomorrow without fail. ○**sin embargo** however, nevertheless.

sinceridad [*f*] sincerity.

sincero sincere.

singular [*adj*] singular (*grammar*). ▲strange, singular *¡Qué caso tan singular!* What a strange case! ▲[*m*] singular *Escriba Ud. el verbo en singular.* Write the verb in the singular.

siniestro sinister, vicious *Era un hombre siniestro.* He was a sinister man. ▲fire, disaster, accident *Dos personas murieron en el siniestro*. Two persons died in the fire.

sino but. ▲except, but *Nadie sino tú puede hacerlo*. No one except you can do it. ▲[m] fate, destiny. O**no...sino** not...but *No es gordo, sino flaco*. He is not fat, but thin.

sintoma symptom.

sinvergüenza [m] scoundrel, rascal.

siquiera at least *Déme siquiera agua fría*. At least give me some cold water. O**(ni) siquiera** (not) even *Ni siquiera me habló*. He didn't even speak to me.

sirvienta maid, servant girl.

sirviente [m] servant (*domestic*).

sistema [m] system.

sitio spot, site *Es un sitio precioso para pasar el verano*. It is a delightful spot to spend the summer. ▲place, seat *Ocupe Ud. su sitio*. Take your place. ▲room, space *No hay bastante sitio para todos*. There isn't enough room for all. ▲siege, besieging *El sitio de la ciudad duró tres semanas*. The siege of the city lasted three weeks.

situación [f] site, location *La situación de la colina era muy favorable*. The location of the hill was very favorable. ▲situation, standing (*in life*) *La situación de esa familia es muy buena*. That family's situation is very good. ▲situation, predicament *No sé lo que hubiera hecho en esa situación*. I don't know what I'd have done in that predicament.

smoking [m] dinner jacket, tuxedo.

soberano [adj] sovereign, absolute *Tiene por ella un desprecio soberano*. He feels absolute contempt for her. O**los soberanos** the sovereigns (*the king and queen*).

soberbia arrogance, haughtiness.

soberbio arrogant, haughty.

sobornar to bribe.

sobra excess, surplus. O**de sobra** more than enough *Tengo de sobra con lo que Ud. me dio*. I have more than enough with what you gave me. O**estar de sobra** to be superfluous, be in the way, be in excess *Yo aquí estoy de sobra*. I'm superfluous here. O**saber de sobra** to be fully aware *Lo sabe Ud. de sobra*. You're fully aware of that. O**sobras** leftovers *Estas croquetas están hechas con sobras*. These croquettes are made of leftovers.

sobrar to be in excess, be more than enough, be left over *Sobró mucha comida*. A great deal of food was left over. —*Sobra comida*. There is more than enough food.

sobre over *El avión pasó sobre la ciudad*. The airplane passed over the city. ▲on, upon *Había un libro sobre la mesa*. There was a book on the table. ▲on *Súbase sobre esa silla para alcanzar el cuadro*. Get up on that chair to reach the picture. ▲about, concerning *Quiero hablarle a Ud. sobre cierto asunto*. I want to speak to you about a certain matter. ▲[m] envelope *Déme un sobre*. Give me an envelope. O**sobre todo** above all *Sobre todo, no dejes de escribir*. Above all, don't fail to write.

sobrehumano superhuman.

sobrenatural supernatural.

sobresueldo extra income *Tiene un sobresueldo de cien dólares a la semana*. He has an extra income of a hundred dollars a week.

sobrina niece.

sobrino nephew.

sobrio sober, temperate; restrained.

socar to tighten [Am] *Este nudo ha quedado muy socado*. This knot is very tight.

social [adj] social.

sociedad [f] society *Le gustaba frecuentar la buena sociedad*. She liked to move in high society. ▲partnership; corporation. O**sociedad anónima** joint stock company, corporation.

socio partner (*in business*) *Le presento a mi socio, Sr. Avalos*. Meet my partner, Mr. Avalos. ▲member (*of club or society*) *¿Es Ud. socio de ese club?* Are you a member of that club?

socorrer to help *Había que socorrer a los náufragos*. It was necessary to help the survivors of the shipwreck.

socorro help, aid *Le agradecí el socorro que me prestó*. I was grateful to him for the help he gave me. O**puesto de socorro** first-aid station.

sofá [m] sofa.

sofocado (see **sofocar**) embarrassed, flushed.

sofocar to stifle, suffocate *El calor lo sofocaba*. The heat was stifling him. ▲to choke, suffocate *El humo lo sofocaba*. The smoke was choking him. ▲to put out, extinguish *Las bombas sofocaron el incendio*. The fire engines put out the fire. O**sofocarse** to get flushed and out of breath *Se sofocó al subir las escaleras*. He got flushed and out of breath on climbing the stairs. ▲to get excited *Procure no sofocarse por ese asunto*. Don't get excited over that matter. ▲to blush, get embarrassed *Al oír aquella palabra, la niña se sofocó*. The girl blushed when she heard that word.

sofoco blushing, embarrassment. O**pasar un sofoco** to be in an embarrassing situation.

soga rope *Coja la soga por la punta*. Catch the end of the rope.

sol [m] sun. ▲sunlight, sun *Esas plantas necesitan mucho sol*. Those plants require a lot of sunlight. ▲Peruvian coin *Debo cambiar mis soles por dólares*. I must exchange my soles for dollars. O**al salir el sol** at sunup, at sunrise *Al salir el sol empezó la marcha*. The march began at sunup. O**estar quemado** (*or* **tostado**) **por el sol** to be sunburned (*or* suntanned).

solapa lapel.

soldada salary (*of servants*).

soldado (see **soldar**) soldered, welded *Todavía no han soldado la cañería*. They haven't soldered the pipe yet. ▲[m] soldier *Los soldados fueron alojados en el pueblo*. The soldiers were billeted in the town. ▲private (*military*). O**soldado de primera** (**clase**) private first class. O**soldado raso** buck private.

soldar [rad-ch I] to solder, weld.

soledad [f] solitude.

solemne solemn.

soler [rad-ch I] to be in the habit of, have the custom of *¿A qué hora suele venir Ud. a la oficina?* What time do you usually come to the office?

solicitar to request, apply for *Hay que solicitar un permiso para visitar ese* *edificio.* It is necessary to apply for a pass to visit that building.

solicitud [*f*] solicitude, diligence; application (*request*).

sólido solid, firm *El puente tiene una base muy sólida.* The bridge has a very solid base. ▲sound *Tenía una cultura muy sólida.* He had a very sound cultural background.

sollozar to sob.

sollozo sob.

solo alone *Cuando venga a verme, venga Ud. solo.* When you come to see me, come alone. ▲lonely *Estoy muy solo.* I'm very lonely. ▲[*m*] solo *El tenor cantó muy bien el solo.* The tenor sang the solo very well.

sólo only *El matrimonio tenía sólo un hijo.* The couple had only one son.

soltar [*rad-ch I*] to loosen *Soltaron las amarras.* They loosened the cables. ▲to let out *Soltó una exclamación.* He let out an exclamation. ▲to drop, let go *Soltó el paquete que tenía en la mano.* He let go the package he had in his hand. Osoltarse to loosen, become loose *Se me ha soltado el cordón del zapato.* My shoelace is loose.

soltero single (*not married*).

soltura poise, ease (*of movement*) *Bailaba con mucha soltura.* She danced effortlessly. ▲fluency *Habla las lenguas extranjeras con soltura.* He speaks foreign languages fluently.

solución [*f*] solution *Esto no tiene solución.* This doesn't have any solution. ▲result *¿Qué solución hubo en aquel pleito?* What was the result of that lawsuit? ▲solution (*liquid*).

solucionar to solve.

solvencia solvency.

solvente solvent (*financially*).

sombra shade *Buscó la sombra del árbol.* He sought the shade of the tree. ▲shadow *Se veía en el suelo la sombra del avión.* The shadow of the airplane could be seen on the ground. ▲dark, darkness *Estaba escondido en la sombra.* He was hidden in the dark. ▲luck. ▲wit *Ese chiste tiene mucha sombra.* That joke is very witty. Oa la sombra in the shadow; [*slang*] in jail.

sombrerería hat factory *or* store.

sombrero hat. Osombrero de copa silk hat, top hat. Osombrero de paja straw hat.

sombrilla parasol, umbrella.

sombrío gloomy, somber *Tenía un semblante muy sombrío.* He had a very gloomy expression on his face.

someter to subdue *Es muy difícil someter a esa gente.* It is very difficult to subdue those people. ▲to subject *Someta esto a nuevo estudio.* Subject this to further study. ▲to submit, present *Someta el informe.* Submit the report. Osometerse to submit *No sé cómo se somete a que le traten así.* I don't know why he submits to such treatment. ▲to surrender *Se sometieron ante los invasores.* They surrendered to the invading armies.

son [*m*] sound (*musical or pleasant*) *El son de los violines.* The sound of the violins. ▲Cuban song and dance. O¿a qué son? For what reason? *¿A qué son dice Ud. eso?* For what reason do you say that?

sonado (see **sonar**) sensational, scandalous.

sonar [*rad-ch I*] to sound, ring *Sonó la sirena del barco.* The ship's siren sounded. ▲to strike *Sonaron las diez.* The clock struck ten. ▲to ring *Me parece que ha sonado el timbre.* I think the bell rang. ▲to sound familiar *Ese nombre no me suena.* That name doesn't sound familiar. ▲to be mentioned, be talked about, be in the public eye *Su nombre suena mucho.* His name is always in the public eye. Osonarse to blow one's nose.

sondear to sound, take soundings in *Estuvieron sondeando la bahía.* They were taking soundings in the bay. ▲to sound out *Sondee sus intenciones.* Sound out his intentions.

sonido sound (*something heard*).

sonoro sonorous.

sonreír to smile.

sonrisa smile.

sonrojar to make blush. Osonrojarse to blush.

soñador [*m*] dreamer.

soñar [*rad-ch I*] to dream *Sueño con mucha frecuencia.* I dream very often. Oni soñar not by a long shot "*¿Te lo dio?*" "*¡Ni soñar!*"

sopa soup. Ohecho una sopa drenched to the skin *Llegó a casa hecho una sopa.* He got home drenched to the skin.

soplar to blow *Soplaba mucho viento.* A strong wind was blowing. ▲to tattle, blab *Le sopla al jefe todo lo que ocurre en la oficina.* He tattles to the boss about everything that goes on in the office.

soplido blow(ing), puff *De un soplido, apagó la vela.* He put the candle out with a puff.

soplo breath, gust (*of air*), puff *No hay hoy ni un soplo de aire.* There is not a breath of air today. ▲tip, hint *Cogieron al asesino gracias a un sople que recibió la policía.* They caught the murderer as a result of a tip received by the police.

soportar to bear, put up with *No hay más remedio que soportar esto.* There is nothing to do but bear it.

sorber to sip.

sorbo sip *Déme un sorbo de agua.* Give me a sip of water.

sordo deaf *Estaba bastante sordo.* He was quite deaf. ▲muffled, dull *Oyó un ruido sordo.* He heard a muffled noise. ▲dull *Tenía un dolor sordo en el pecho.* He had a dull pain in his chest. Ohacerse el sordo to turn a deaf ear *Se hizo el sordo a mis peticiones.* He turned a deaf ear to my pleas.

sordomudo, sordomuda deaf and dumb. ▲[*n*] deaf-mute.

soroche [*m*] altitude sickness, mountain sickness [*Am*].

sorprendente surprising.

sorprender to surprise *Le sorprendió aquella noticia.* That news surprised him. ▲to catch *Su madre le sorprendió robando.* His mother caught him stealing. Osorprenderse to be surprised *No se sorprenda por eso.* Don't be surprised by that.

sorpresa surprise *¡Qué sorpresa tan agradable el verle!* What a pleasant surprise to see you! Ode sorpresa by surprise *Me ha cogido de sorpresa esa noticia.* That news took me by surprise.

S

sortear to raffle off, draw lots for *Sortearon un reloj*. They raffled off a watch. ▲to elude, dodge *El torero sortea hábilmente al toro*. The bullfighter dodges the bull skillfully.

sortija ring (*circular object*).

sosegarse [*rad-ch I*] to compose oneself, calm down *Cuando Ud. se sosiegue, hablaremos*. When you calm down, we'll talk.

sosiego peace, tranquillity.

soso tasteless *Estas legumbres están muy sosas*. These vegetables are tasteless. ▲insipid *¡Qué persona más sosa!* What an insipid person!

sospecha suspicion.

sospechar to suspect *Sospecho que este trabajo no está bien hecho*. I suspect that this work isn't well done.

sospechoso suspicious.

sostener [*irr*] to hold *Sostenía la botella en la mano*. He held the bottle in his hand. ▲to maintain, stick to *Lo digo y lo sostengo*. I say it and I stick to it. ▲to support *Con su trabajo sostenía a su familia*. He supported his family by working. ⃝**sostenerse** to support oneself, stand (up) *Estaba tan borracho que no podía sostenerse*. He was so drunk he couldn't stand up.

sótano basement.

su; pl sus your, his, her, its, their *Su pluma*. Your pen, his pen, etc.—*Sus plumas*. Your pens, his pens, etc.

suave delicate, soft, gentle, light *El dentista tenía la mano muy suave*. The dentist had a very light hand. ▲smooth *Es una tela muy suave*. It is a very smooth cloth. ▲gentle *Soplaba un viento suave*. A gentle breeze was blowing. ▲mellow, mild *Este vino es muy suave*. This wine is very mellow.

suavizar to soften.

subalterno [*adj, n*] subordinate.

subasta auction.

subido (see **subir**) high, bright *Es una corbata de color subido*. It is a bright-colored tie.

subir to go up *Voy a subir por mi abrigo*. I'm going up for my coat. ▲to bring up *Súbame el baúl*. Bring up my trunk. ▲to put on, set on *El mozo le subirá la maleta al tren*. The porter will put your suitcase on the train. ▲to put up, lift up *Suba al niño a la silla*. Lift the child up on the chair. ▲to raise *Tendrá que subir un poco la voz, es muy sordo*. You'll have to raise your voice a little; he is very deaf. ▲to add up, amount to, come to *¿A cuánto sube la cuenta?* How much does the bill come to? ▲to go up, rise, increase *Los precios han subido mucho*. Prices have gone up a lot.—*Le subió la temperatura*. His temperature rose. ▲to rise, ascend *El globo subió hasta diez mil pies*. The balloon rose to ten thousand feet. ▲to rise, advance *Ha subido muy de prisa ese muchacho*. That boy has advanced very rapidly.

su(b)scribirse to subscribe *¿Quiere Ud. subscribirse a esta revista?* Do you want to subscribe to this magazine?

su(b)scripción [*f*] subscription.

su(b)stitución [*f*] substitute.

su(b)stituir to replace.

su(b)stituto, su(b)stituta substitute.

subterráneo subway [*Am*].

suceder to succeed *Se cree que su hijo le sucederá*. It is thought that his son will succeed him. ▲to happen *Sucedió algo que nadie se explica*. Something happened that can't be explained.

sucesivo consecutive, successive. ⃝**en lo sucesivo** in the future.

suceso event.

suciedad [*f*] filthiness, nastiness.

sucio dirty *La calle estaba muy sucia*. The street was very dirty. ▲dirty, unfair *Hizo una jugada sucia*. He played a dirty trick.

sudamericano [*adj, n*] South American.

sudar to sweat.

sudeste [*m*] southeast.

sudoeste [*m*] southwest.

sudor [*m*] sweat.

suegra mother-in-law.

suegro father-in-law.

suela sole *Las suelas de mis zapatos están rotas*. The soles of my shoes are worn out.

suelo floor *El suelo estaba manchado*. The floor was stained. ▲soil *Este suelo produce mucho*. This soil is very productive. ▲ground *Cayó al suelo herido*. He fell to the ground wounded.

suelto loose, untidy *Tenía suelto el cordón de un zapato*. One of his shoelaces was loose. ▲free, (on the) loose *Ese perro está suelto*. That dog is loose. ▲odd *Tenemos unos números sueltos de esa revista*. We have some odd copies of that magazine. ▲single *Número suelto, dos pesos*. Single copy, two pesos. ▲[*m*] (loose) change *¿Tiene Ud. suelto?* Have you any change?

sueño sleep *Necesita Ud. más sueño*. You need more sleep. ▲dream *He tenido un sueño muy raro*. I've had a very strange dream. ⃝**conciliar el sueño** to get to sleep *No pudo conciliar el sueño*. He couldn't get to sleep. ⃝**echar un sueño** to take a nap *A la mitad de la tarde eché un sueño*. I took a nap in the middle of the afternoon. ⃝**tener sueño** to be sleepy.

suerte [*f*] fate, luck *Quiso la suerte que yo llegara en aquel momento*. As luck would have it, I arrived at that moment. ▲luck *Ese hombre tiene buena suerte*. That man has good luck. ⃝**de suerte que** so (that), and so *¿De suerte que no le ha visto Ud.?* So you haven't seen him? ⃝**echar (a) suertes** to draw lots.

suéter [*m*] sweater [*Am*].

sufragio suffrage, vote.

sufrido (see **sufrir**) serviceable, practical. ▲patient, long-suffering *Es un hombre muy sufrido*. He is a very long-suffering man.

sufrimiento suffering.

sufrir to suffer *¿De qué dolencia sufre Ud.?* What ails you? ▲to undergo *Ha sufrido una operación*. He has undergone an operation. ▲to endure, put up with *¡No le puedo sufrir más!* I can't put up with him any longer!

sugerir [*rad-ch II*] to suggest.

sugestionar to influence *Nada podía sugestionarle*. Nothing could influence him. ▲to hypnotize. ⃝**sugestionarse** to be spellbound *Me quedé sugestionado*. I was spellbound.

suicida [*m, f*] suicide (*person*). [*adj.*] suicidal.

suicidarse to commit suicide.

suicidio suicide (*act*).

sujetar to hold *Los policías trataron de sujetarle.* The police tried to hold him. ▲to fasten *Sujete al perro con una cadena.* Fasten the dog with a chain. O**sujetarse** to submit, abide (by) *Había que sujetarse a la nueva disposición.* We had to submit to the new regulation.

sujeto (see **sujetar**) fastened *No está bien sujeto el cinturón.* The belt is not well fastened. ▲[*m*] subject (*grammar*) *¿Cuál es el sujeto de esa oración?* What is the subject of that sentence? ▲fellow, guy *¿Quién es ese sujeto?* Who is that fellow?

suma amount, sum *¿Cuánto es la suma total?* What is the total amount? O**en suma** in short *En suma, ¿qué es lo que pasó?* In short, what happened?

sumar to add; to amount to.

sumergirse to submerge, dive.

sumidero sewer, sink, drain.

sumo great *He tenido sumo gusto en conocerle.* It has been a great pleasure to know you. O**a lo sumo** at most *A lo sumo tardará dos horas.* She'll be delayed two hours at most.

suntuoso sumptuous.

superficial superficial *La herida era superficial.* The wound was superficial. — *Sus conocimientos eran muy superficiales.* His knowledge was very superficial. ▲shallow *¡Qué muchacha tan superficial!* What a shallow girl!

superficie [*f*] surface.

superior superior, better *Esto es de calidad superior.* This is of superior quality. ▲higher *Tenía un grado superior en el ejército.* He held a higher rank in the army. ▲above *Vive en el piso superior.* He lives on the floor above. ▲[*m*] superior *Respete a sus superiores.* Show respect for your superiors.

superioridad [*f*] superiority.

súplica request; entreaty, supplication.

superstición [*f*] superstition.

superviviente [*m, f*] survivor.

suplente [*adj*] substituting. ▲[*n*] substitute.

suplicar to implore *Le suplicó que le ayudara.* She implored him to help her. ▲to beg, request *Le suplico a Ud. que vuelva mañana.* I beg you to come back tomorrow.

suplicio torture *Le sometieron a horribles suplicios.* They subjected him to horrible torture. ▲ordeal, anguish *Pasó por el suplicio de ver morir a su padre.* He went through the ordeal of seeing his father die.

suponer [*irr*] to suppose, assume *Supuso que ella no quería hacer ese trabajo.* He assumed that she didn't want to do that work. ▲to imagine *Ud. podrá suponer lo que ocurrió.* You can imagine what happened.

suposición [*f*] supposition.

supremo supreme *Tribunal Supremo.* Supreme Court.

supresión [*f*] suppression.

suprimir to suppress, leave out, omit *Suprima Ud. la pimienta en la sopa.* Omit the pepper from the soup.

supuesto (see **suponer**) assumed; supposed. O**por supuesto** of course *Por supuesto, tendrá Ud. el pasaporte en regla.* Of course, you have your passport in order.

sur [*m*] south.

surco furrow.

surgir to make a sudden appearance *Surgió cuando nadie le esperaba.* He appeared when no one expected him. ▲to arise (*as a situation*).

suroeste [*m*] southwest.

surtido (see **surtir**) supplied; assorted. ▲[*m*] assortment.

surtidor [*m*] vertical fountain, spout; sprinkler. O**surtidor de gasolina** filling station.

surtir to supply *¿Le ha surtido de todo lo necesario?* Has he supplied you with everything that is necessary? O**surtir efecto** to have the desired effect *Surtirá muy buen efecto este artículo.* This article will have the desired effect.

suspender to suspend, stop *Suspendieron el espectáculo por la lluvia.* The show was stopped on account of the rain. ▲to suspend, hang *Suspendieron el cuadro de un clavo.* They hung the picture on a nail. ▲to flunk (*give a failing mark to*) *Lo suspendieron en aritmética.* They flunked him in arithmetic.

suspenso (see **suspender**) hung, suspended. ▲[*m*] failing grade, flunk. O**en suspenso** in suspense *Se quedó en suspenso.* He stopped in suspense. ▲suspended *Esa ley está en suspenso.* That law is suspended.

sustento support, sustenance, living expenses. O**ganarse el sustento** to make a living.

susto fright, scare. O**dar un susto** to frighten.

susurrar to whisper; to murmur; to rustle (*leaves*).

sutil subtle; light.

sutileza [*f*] subtlety; nicety.

suyo, suya; suyos, suyas your(s), of yours, his, of his, her(s), of hers, their(s), of theirs *Este lápiz no es suyo.* This pencil isn't yours (*or* his, hers, theirs).—*Son amigos suyos.* They're friends of yours (*or* of his, of hers, of theirs). O **el suyo, la suya; los suyos, las suyas** yours, his, hers, theirs *El mío está aquí. ¿Dónde está el suyo?* Mine is here. Where is yours? O**los suyos** his (*or* her, your, their) folks *Fue con todos los suyos a la playa.* He went with all his folks to the beach.

T

tabaco tobacco; cigar; cigarettes.

taberna saloon, tavern, pub.

tabla board, plan *¿Tiene Ud. una tabla de planchar?* Have you an ironing board? ▲list, table (*of contents, prices, etc.*) *Quiero ver la tabla de precios.* I want to see the price list. O**salvarse en una tabla** to have a narrow escape. O**tablas** [*f pl*] stage (*theater*) *Es gente de las tablas.* They belong to the theatrical world. ▲draw (*in a game*) *El partido terminó en tablas.* The game ended in a draw.

tablado outdoor stage, platform.

tacha fault *Es una persona sin tacha.* He is a person without any faults.

tachar to cross out *Tache esa palabra.* Cross out that word.

taco taco (*Mexican dish*) *Quiero un taco de puerco.* I want a pork taco. ▲heel (*of a shoe*) [*Am*] *Usa tacos muy altos.* She wears very high heels. ᴼechar tacos to swear, curse [*Sp*]. ᴼtaco de billar billiard cue.

tacón [*m*] heel (*of a shoe*).

táctica tactics; policy, way of doing *Tendremos que emplear otra táctica.* We'll have to use a different tactic.

tacto touch, sense of touch *Esta tela es muy suave al tacto.* This cloth is very soft to the touch. ▲tact *Tiene mucho tacto para tratar a sus amigos.* He is very tactful with his friends.

tajada slice.

tal such *Jamás se ha visto tal cosa.* Never has such a thing been seen. ▲such (a) thing *Ud. me dijo eso y no hay tal cosa.* You told me that, but there is no such thing. ᴼcon tal que provided that *Con tal que lo haga Ud. bien, no importa el precio.* Provided you do it well, the price doesn't matter. ᴼel tal, la tal that (*contemptuous*) *No me gustó la tal comedia.* I didn't like that comedy. ᴼtal como just as *Siga tal como empezó.* Go on just as you started. ᴼtal cual as *Me gusta tal cual es.* I like it as it is. ▲so-so [*Mex*] *"¿Cómo está Ud.?" "Tal cual."* "How are you?" "So-so." ᴼtales y tales such and such *Me dijo: Pregunte a tales y tales personas...* He said to me: Ask such and such persons...

talabartería leather workshop, harness-maker's shop.

taladro drill, bit.

talante [*m*] mien, countenance; disposition ᴼmal talante bad humor, bad disposition.

talento talent, brains.

talla carving *Se ha dedicado a la talla en madera.* She devoted herself to wood carving. ▲size *Deseo un traje de la talla cuarenta.* I want a suit size forty. ▲height (*of humans*) *Un hombre de talla elevada.* A man of great height. ▲prominence *Un escritor de talla.* A prominent writer.

talle [*m*] waist, figure *Esa muchacha tiene un lindo talle.* That girl has a pretty figure.

taller [*m*] workshop; factory, mill.

tallo stem (*of plant*).

talón [*m*] heel (*of foot*). ▲stub (*of a check, receipt*) *No pierda Ud. el talón de los cheques.* Don't lose your check stubs.

talonario checkbook, receipt book, stub book, book of tickets.

tamal [*m*] tamale [*Am*].

tamaño so great, such a big *Es imposible creer tamaña mentira.* It is impossible to believe such a big lie. ▲[*m*] size *¿De qué tamaño?* What size?

también also, too *El también irá con nosotros.* He too will go with us.

tambor [*m*] drum.

tampoco neither, not either *Yo tampoco la he visto.* I haven't seen her either.

tan [*before adj or adv*] (see **tanto**) so *No le esperaba tan temprano.* I didn't expect you so early.

tanate [*m*] bundle [*Am*] *Haré un tanate con esta ropa.* I'll make a bundle of these clothes.

tanda turn *Como somos muchos, almorzaremos por tandas.* Since there are so many of us, we'll take turns at lunch. ▲batch. ▲performance, session [*Am*] *Iremos a la primera tanda.* We'll go to the first performance.

tango tango.

tanque [*m*] tank (*military*); tank (*for liquid*).

tantear to estimate, consider *Hay que tantear la situación antes de decidir.* The situation must be considered before deciding. ▲to judge, estimate [*Am*] *Tantee el peso de esto.* Estimate the weight of this. ▲to feel out *Tantéelo antes de hablarle claro.* Feel him out before speaking plainly to him.

tanteo computation, calculation; points, score.

tanto so much *He comido tanto que ya no tengo hambre.* I've eaten so much that I'm no longer hungry.—*No debe Ud. trabajar tanto.* You shouldn't work so much. ▲so many *Ha ido tantas veces que conoce muy bien el lugar.* He has gone so many times that he knows the place very well.—*Eran tantos que faltó comida.* There were so many that there wasn't enough food. ▲so long *No tardará tanto si va en auto.* He won't take so long if he goes by car. ▲so often *Yo no voy tanto al teatro como mi hermano.* I don't go to the theater as often as my brother does. ▲[*m*] part [*Am*] *Mezclaba tres tantos de cal por cinco de arena.* He mixed three parts lime with five of sand. ▲point (*in games*) *Ganaron por dos tantos a cero.* They won two to nothing. ᴼentre tanto meanwhile *Entre tanto, sentémonos.* Meanwhile, let's sit down. ᴼestar al tanto to keep informed, be on the alert *Yo estaba al tanto.* I was on the alert. ᴼno ser para tanto not to be so serious *No es para tanto el asunto.* It is not such a serious matter. ᴼpor lo tanto so, therefore *Es tarde, por lo tanto debemos irnos ya.* It is late, so we ought to go now. ᴼtanto como as much as *Sabe tanto como su hermana.* He knows as much as his sister. ᴼtanto más cuanto que so much more since *Tanto más cuanto que yo no lo esperaba.* So much more since I didn't expect it.

tapa lid *¿Dónde está la tapa de la caja?* Where is the lid of the box? ▲cover *Las tapas de este libro están manchadas.* The covers of this book are stained. ᴼtapas appetizer.

tapado lady's overcoat [*Am*].

tapar to cover *Tape el café para que no se enfríe.* Cover the coffee so it won't get cold. ▲to obstruct (*or* block) one's view *No puedo ver porque me tapa esa columna.* I can't see because that pillar blocks my view. ▲to cover up for *Su madre le tapa todas sus diabluras.* His mother covers up all his mischiefs. ᴼtaparse to bundle up, wrap (*oneself*) up *Tápese bien que hace frío afuera.* Bundle up for it is cold outside.

tapete [*m*] small rug; cover for a table.

tapia wall, brick fence.

tapioca tapioca.

tapiz [*m*] tapestry; carpet (*without pile*).

tapón [*m*] cork, stopper; fuse.

taquigrafía shorthand.

taquilla ticket office, ticket window.

tarantín [m] kitchen utensils [Am] *Hay muchos tarantines en esta cocina.* There are many utensils in this kitchen.

tardanza delay, slowness, lateness, tardiness.

tardar to delay, be long *No tarde mucho.* Don't be long. ▲to take (*time*) *Tardaron varios meses en hacer el trabajo.* They took several months to do the work. O**a más tardar** at the latest *A más tardar, vendré el sábado.* I'll come Saturday at the latest.

tarde [m] afternoon, early evening *Estaré en casa por la tarde.* I'll be at home in the afternoon. ▲[adv] late *Más vale tarde que nunca.* Better late than never. O**de la tarde** (at a certain hour) in the afternoon. *Venga a las tres de la tarde.* Come at three in the afternoon. O**hacerse tarde** to become (or get) late *Se hace tarde y no estamos listas.* It is getting late and we're not ready. O**por la tarde** afternoon *Nos veremos el lunes por la tarde.* We'll get together Monday afternoon.

tarea task, chore; homework. O*Tienes que terminar tu tarea hoy.* You must finish your homework today.

tarifa rates, tariff; list or schedule of prices, taxes, etc.

tarjeta card; visiting card; filing card.

tata [m] papa.

taz O**taz con taz** equal, the same, side by side [Am] *Quedaron taz con taz.* They were equal.

taza cup.

tazón [m] bowl (receptacle).

té [m] tea *¿Quiere una taza de té?* Do you want a cup of tea?

te you, to you; yourself, to (for) yourself *Te buscan.* They are looking for you.—*Te lo daré cuando lo encuentre.* I'll give it to you when I find it.—*¡Cuidado no te cortes!* Careful, don't cut yourself!

teatro theater.

techo ceiling; roof.

teclado [m] keyboard.

técnica technique.

tecolote [m] owl [Mex].

tecomate [m] gourd, canteen [Am].

teja roof tile.

tejer to weave; [Am] to knit.

tela cloth, material *No me gusta la tela de este traje.* I don't like the material in this suit. O**tela metálica** screen wire; wire fencing.

telefonear to telephone, phone.

telefonista [m, f] telephone operator.

teléfono telephone. O**teléfono público** pay or public telephone. O**teléfono celular** cellular telephone.

telegrafiar to telegraph, send a telegram.

telégrafo telegraph.

telegrama [m] telegram.

telón [m] theater curtain.

tema [m] subject, topic, theme.

temblar [rad-ch I] to tremble, shiver, shake *Está temblando de frío.* He is shivering with cold.

temblor [m] tremor. O**temblor de tierra** earthquake. *En ese país hay muchos temblores de tierra.* There are many earthquakes in that country.

tembloroso trembling.

temer to fear, be afraid of.

temerario rash; unwise.

temible [adj] fearful, terrible.

temor [m] fear.

temperamento temperament.

temperatura temperature.

tempestad [f] storm, tempest.

templado brave, courageous *Es un tipo muy templado.* He is a courageous fellow. ▲temperate *Francia está en la zona templada.* France is in the temperate zone. ▲mild *Hoy hace un día templado.* It is a mild day today. ▲tuned *El violín no está bien templado.* The violin isn't tuned. ▲warm, lukewarm *Déme Ud. agua templada.* Give me some warm water.

templar to tune. O**templarle la gaita a uno** to humor someone.

templo temple, church.

temporada spell, period of time, season *Pasaremos una temporada en la playa.* We'll spend some time at the beach. ▲season *¿Ha empezado ya la temporada de ópera?* Has the opera season started yet?

temporal temporary *Tengo un trabajo temporal.* I have a temporary job. ▲[m] storm *El temporal duró varios días.* The storm lasted several days.

temprano [adj, adv] early.

tenaz tenacious, persevering *Es muy tenaz en sus propósitos.* He is very persevering. ▲stubborn *La resistencia fue tenaz.* Resistance was stubborn.

tenaza pliers, tongs.

tendencia tendency.

tender [rad-ch I] to stretch, spread out *Estaba tendiendo el mantel sobre la mesa.* She was putting the tablecloth on the table. ▲to hang (*clothes*) *Tienda Ud. esa ropa al sol.* Hang that wash out in the sun. ▲to extend, offer (*one's hand*) *Al verlo le tendió la mano.* When he saw him he offered him his hand. ▲to build (*engineering*) *Tendieron un puente y una línea ferroviaria.* They built a bridge and a railroad.

tendero shopkeeper.

tendón [m] sinew, tendon.

tenedor [m] holder; keeper; fork. O**tenedor de libros** bookkeeper.

tener [irr] to have, possess *Tengo un automóvil nuevo.* I have a new car. ▲to hold *Téngalo por los brazos.* Hold him by the arms. ▲to have, contain *Cada caja tiene veinticuatro píldoras.* Each box contains twenty four pills. ▲to have, carry, sell *¿Tienen aquí libros en español?* Do you carry Spanish books here? ▲to have, entertain *Hoy tendremos invitados.* We're going to entertain some guests today. ▲to be, live (*in a place*) *Tenemos muchos años de vivir aquí.* We've lived here many years. O**no tener razón** to be wrong. O**tener ...años** to be ... years old *Creo que tiene veinticinco años.* I think he is twenty-five years old. O**tener buena cara** to be looking well *¿Cómo estás, María? Tienes buena cara.* How are you, Mary? You're looking well. ▲to look good *Tiene buena cara ese pastel.* That cake looks good. O**tener con cuidado** to worry *Su ausencia me tiene con cuidado.* His absence worries me. O**tener cuidado** to be careful. O**tener en cuenta** to take into consideration. O**tener gana(s) de** to feel like. O**tener frío** to be cold *Tengo frío.* I'm cold. **Otener gracia** to be funny *¡Tendría gracia que eso pasara!* It would be funny if that happened. **Otener gusto** to be pleased, be glad *Tengo mucho gusto en conocerle.* I'm very glad to meet you. **Otener hambre** to be hungry. **Otener (la) costumbre de** to be used to *Tengo costumbre de levantarme temprano.* I'm used to getting up early in the morning. **Otener miedo** to be afraid. **Otener presente** to bear in mind *Tendré presente lo que Ud. me ha dicho.* I'll bear in mind what you've told me. **Otener prisa** to be in a hurry. **Otener que** to have to, be obliged to *Tengo que irme ya.* I have to go now.

teniente [*m*] lieutenant.

tenis [*m*] tennis, tennis shoes.

tensión [*f*] tension.

tentación [*f*] temptation.

tentar [*rad-ch I*] to touch, feel; to tempt.

tentativa attempt.

teñir [*rad-ch III*] to dye, to stain, to tint.

tequila tequila (*plant, drink*) [*Mex*].

tercer [*adj*] (see **tercero**) third *Este es mi tercer viaje a este país.* This is my third trip to this country.

tercero [*adj*] third *Vive en el piso tercero.* He lives on the third floor. ▲[*m*] third person, mediator *Necesitamos un tercero para resolver esto.* We need a third person to decide this.

tercio one-third.

terciopelo velvet.

terco stubborn.

terminación [*f*] termination, completion.

terminar (de) to end, finish *Terminó de hablar.* He finished speaking.

término end; completion; term. **Oen último término** in the last analysis. **Oponer término a** to put an end to. **Otérmino medio** compromise, middle road.

termómetro thermometer.

ternera female calf; calfskin; veal.

ternero male calf.

ternura tenderness, fondness.

terquedad [*f*] stubbornness, obstinacy.

terraza terrace.

terremoto earthquake.

terreno piece of ground, lot; ground, soil.

terrible terrible *Hace un calor terrible.* It is terribly hot. ▲wonderful, terrific *Nos divertimos de una manera terrible.* We had a terrific time.

territorio territory.

terrón [*m*] lump (*of sugar*); clod (*of earth*).

terror [*m*] terror.

tertulia conversation, gabfest, gathering.

tesorería treasury.

tesorero, tesorera treasurer.

tesoro treasure.

testamento will (*document*).

testarudo stubborn, hardheaded.

testificar to testify.

testigo [*n*] witness. ▲[*m*] testimony.

tetera teapot.

texto text; textbook.

tez [*f*] complexion.

ti [*fam; used only with a preposition*] you *Esta carta es para ti.* This letter is for you.— *No me lo dijo a mí, sino a ti.* He didn't say it to me, but to you.

tía aunt; old woman. **Ono hay tu tía** [*fam*] there are no excuses, nothing doing *No hay tu tía; tienes que ir.* Nothing doing; you have to go yourself.

tibio tepid, lukewarm.

tiempo time, period, epoch *Esto fue construido en tiempo de la colonia.* This was built in colonial times. ▲time *No sé si tendré tiempo de ir con Ud.* I don't know whether I'll have time to go with you. ▲weather *El tiempo está muy malo desde ayer.* The weather has been very bad since yesterday. **Oa tiempo** on time *Llegué a tiempo.* I arrived on time. **Ocon tiempo** in time *Avíseme con tiempo.* Notify me in time. **Oen otro tiempo** formerly. **Oganar tiempo** to save time. **Ohacer buen** (*or* **mal**) **tiempo** to be good (*or* bad) weather. **Ohacer tiempo** to while away the time. **Ohace tiempo** long ago.

tienda shop, store. **Otienda de campaña** tent.

tierno tender, soft *Esta carne de vaca está muy tierna.* This beef is very tender. ▲tender, affectionate *Le lanzó una mirada tierna.* He looked at her affectionately.

tierra earth *¿Cómo parece la tierra desde un avión?* How does the earth look from an airplane? ▲ground *El avión cayó en tierra.* The plane fell to the ground. ▲land *Están arando la tierra.* They are plowing the land. ▲soil, dirt *Ponga tierra en la maceta.* Put some soil in the flowerpot. ▲native land, country *Pronto regresaré a mi tierra.* Soon I'll return to my country. **Ocaer por tierra** to fall to the ground. **Oechar por tierra** to overthrow, ruin *Le echaron por tierra sus proyectos.* They ruined his plans. **Oechar tierra a** to forget, hush up *Le echaron tierra al asunto.* They hushed up the matter.

tigre [*m*] tiger.

tijera **Ocama de tijera** folding cot. **Otijeras** [*pl*] scissors, shears.

timbre [*m*] electric bell; seal, tax stamp.

timidez [*f*] shyness, bashfulness.

tímido timid, shy, bashful.

timo fraud, swindle *Ud. ha sido víctima de un timo.* You've been the victim of a swindle.

timón [*m*] helm; rudder; steering wheel.

tino good aim; tact. **Ohablar sin tino** to chatter incessantly. **Osin tino** without rhyme or reason, aimlessly.

tinta ink.

tinte [*m*] shade, tint; dyeing; dry-cleaning shop.

tinterillo shyster lawyer [*Am*].

tintero inkwell. **Oquedársele a uno algo en el tintero** to forget completely *Se me ha quedado en el tintero.* I completely forgot about it.

tinto red, wine-colored. **Ocafé tinto** black coffee [*Col*].

tintorería dry cleaning shop; combination laundry and dry-cleaning establishment [*Arg*].

tío uncle *Llegó con su tío.* He came with his uncle. ▲fellow, guy [*Sp*.] *Me lo dijo el tío ese.* That fellow told me so.

típico typical, characteristic *¿Cuál es el traje típico de esta región?* What is the typical dress here?—*Eso es típico de ellos.* That is typical of them.

tiple [*m*] treble. ▲[*f*] soprano. ▲small guitar

tipo type, pattern *Ese tipo de letra es muy moderno.* That is very modern lettering. ▲type *Limpie los tipos de la máquina de escribir.* Clean the type on the typewriter.— *Tiene tipo latino.* He is a Latin type. ▲guy (*derogatory*), character *¿Quién es ese tipo?* Who is that guy? ○**buen tipo** good figure or physique *Tiene buen tipo.* He has a good physique. ○**mal tipo** bad egg *Es muy mal tipo.* He is a bad egg.

tiquete [*m*] ticket [*Am*].

tira narrow strip.

tirador, tiradora marksman, good shot.

tiranía tyranny.

tirano tyrant.

tirante tight, taut *Ponga la red bien tirante.* Make the net good and tight. ▲tense *La situación era muy tirante.* The situation was very tense. ○**tirantes** [*m, pl*] suspenders *Compró unos tirantes.* He bought suspenders.

tirar to throw *Tiró la pelota más lejos que todos los otros.* He threw the ball farther than all the others. ▲to throw away, discard *Este cinturón ya no sirve; hay que tirarlo.* This belt is no longer any good; we have to throw it away. ▲to shoot, fire (*gun*) *Estaban tirando al blanco con rifles.* They were shooting at the target with rifles. ▲to draw *Tire una línea recta.* Draw a straight line. ▲to squander, waste *Ha tirado su herencia.* He has wasted his inheritance. ▲to print *Tirarán muchos ejemplares.* They'll print a large edition. ○**tirar a los dados** to shoot craps. ○**tirar coces** to kick *Está tirando coces el caballo.* The horse is kicking. ○**tirar de** to pull *Tira de la cuerda.* Pull the cord. ○**tirarse** to throw oneself, hurl oneself *Se tiró a la piscina.* He threw himself in the swimming pool. ▲to jump *Vimos como se tiraban los paracaidistas.* We saw the parachutists jump.

tiritar to shiver.

tiro drive, shot *Su tiro de revés es mejor que su tiro de derecha.* His backhand drive is better than his forehand. ▲shot *El tiro atravesó la pared.* The shot went through the wall. ▲team of horses *Caballo de tiro.* Draft horse. ○(**de**) **al tiro** right away, immediately [*Am*].

titubear to hesitate, waver *No titubea nunca.* He never hesitates.

título title, name *¿Cuál es el título del libro?* What is the title of the book? ▲headline (*newspaper*) *Sólo he leído los títulos.* I've only read the headlines. ▲diploma, degree, title *Tiene el título de maestra.* She has a teacher's diploma.

toalla towel *No tengo toalla.* I haven't got a towel.

tobillo ankle.

tocador [*m*] boudoir; dressing table.

tocante a concerning.

tocar to touch *No me toque.* Don't touch me. ▲to play (*an instrument*) *Estaba tocando el piano.* He was playing the piano. ▲to knock *Toqué a la puerta.* I knocked at the door. ▲to get a share *Nos tocarán partes iguales.* We'll get equal shares. ▲to draw *Le tocó el número premiado.* He drew the prize-winning number. ▲to call (*at a port*) *El barco no tocará en Veracruz.* The ship won't call at Veracruz.

tocino bacon.

todavía still *¿Todavía tienes hambre?* Are you still hungry? ▲yet *Todavía no ha llegado.* He hasn't arrived yet. ▲even *Ella es todavía más buena que él.* She is even kinder than he is.

todo [*adj*] all *Este pollo es todo huesos.* This chicken is all bones. ▲full *Pasaron a toda velocidad.* They tore past at full speed. ▲[*m*] all, the whole *¡Eso es todo!* That is all! ▲everything *Le gusta probarlo todo.* He likes to try everything. ○**ante todo** first of all *Ante todo, dígame Ud. a qué hora llegan.* First of all, tell me what time they're coming. ○**así y todo** in spite of all *Así y todo me gusta estar aquí.* In spite of all that, I like being here. ○**a todo** all out, to the limit *Iban a todo correr.* They were going at full speed. ○**con todo** still, however *Con todo prefiero no ir.* Still, I prefer not to go. ○**del todo** wholly, completely *Se le olvidó del todo.* He completely forgot. ○**jugarse el todo por el todo** to bet everything. *Se están jugando el todo por el todo.* They're betting everything. ○**ser el todo** to be the whole *El es el todo del equipo.* He is the whole team. ○**sobre todo** especially, above all *Me gusta el café, sobre todo si está caliente.* I like coffee, especially if it is hot.

toldo awning; tarpaulin.

tolerancia toleration, tolerance.

tolerante tolerant.

tolerar to overlook, tolerate *Le tolera sus faltas.* She overlooks his faults. ▲to allow. *No podemos tolerar eso.* We can't allow that.

tomada [*Am*] plug (*electrical*).

tomar to take *Tomaré el que más me guste.* I'll take the one I happen to like best.— *Tomaremos el avión esta tarde.* We'll take the plane this afternoon.—*No lo tome Ud. en ese sentido.* Don't take it that way. ▲to drink, eat, have *Tomaremos café al regresar.* We'll have coffee when we return. ▲to take, hire *Tomemos un taxi.* Let's take a taxi. ▲to take, adopt *Ha tomado las costumbres de aquel país.* He has adopted the customs of that country. ▲to take, capture *Tomaron la ciudad por la noche.* They captured the city during the night. ○**sin tomar aliento** in a great hurry *Vino sin tomar aliento.* He came in a great hurry. ○**tomar a bien** to take the right way (to put the correct interpretation upon) *Lo tomarán a bien.* They'll take it the right way. ○**tomar a broma** to take as a joke *Tomémoslo a broma.* Let's take it as a joke. ○**tomar a mal** to take offense. ○**tomar a pecho** to take to heart *No lo tome Ud. a pecho.* Don't take it to heart. ○**tomar asiento** to sit down, take a seat *¿Quiere Ud. tomar asiento?* Won't you sit down? ○**tomar cariño a** to become attached to, fond of *Me tomaron mucho cariño.* They became very much attached to me. ○**tomar el gusto** to begin to like *Ya le estoy tomando el gusto a este juego.* I'm beginning to like this game. ○**tomar el sol** to sun oneself *Salieron para tomar el sol.* They went out to sun themselves. ○**tomarla con uno** to pick on, ride *La ha tomado conmigo.* She picked on me. ○**tomar la responsabilidad** to take (assume) responsibility *El tomó la responsabilidad del trabajo.* He assumed the responsibility for the work.

tomate [*m*] tomato.

T

tomo volume *Esta obra tiene varios tomos.* This work is in several volumes.

tonada tune, song.

tonel [*m*] cask, barrel.

tonelada ton.

tono tone, note *Desafina casi medio tono.* She is nearly a half note off-pitch. ▲manner *Me lo dijo con mal tono.* He told me in a rude manner. ▲shade *¿No tiene otro tono de rojo?* Haven't you another shade of red? ᴼbajar el tono to lower the pitch *Baje el tono de voz.* Lower your voice. ᴼdarse tono to put on airs *Se da tono de gran persona.* She puts on the airs of a great lady.

tontería foolishness, nonsense *Eso es una tontería.* That is nonsense!

tonto silly, foolish, stupid, dumb *No es tan tonto como Ud. cree.* He is not as dumb as you think. ▲ [*n*] fool *¡Qué tonto!* What a fool! ᴼa tontas y a locas thoughtlessly, haphazard ᴼhacerse el tonto to play the fool.

topar to butt, strike against. ᴼtopar con to stumble upon, find, come upon *Topé con él en la calle.* I came upon him in the street.

toque [*m*] touch *Unos cuantos toques más y estará terminado.* A few more touches and it will be finished. ᴼtoque de corneta bugle call. ᴼtoque de diana reveille. ᴼtoque de queda curfew.

torbellino whirlwind.

torcer [*rad-ch I*] to twist *Está torciendo el alambre.* He is twisting the wire. ▲to turn *El camino tuerce hacia el río.* The road turns toward the river.

torcido crooked *Arregle el cuadro que está torcido.* Straighten the picture; it is crooked. ▲bent *El clavo está torcido.* The nail is bent. ▲twisted *Este alambre está torcido.* This wire is twisted. ▲unlucky [*Am*] *Es muy torcido en el juego.* He is very unlucky at gambling.

torero bullfighter.

tormenta storm.

tormento torment, pain.

tornarse to turn, become *Se tornó muy amargo.* He became very bitter.

torneo tournament.

tornillo screw *Necesitamos un clavo, no un tornillo.* We need a nail, not a screw. ᴼfaltarle a uno un tornillo to have a screw loose *A ese muchacho le falta algún tornillo.* That boy has a screw loose.

toro bull.

torpe slow; stupid.

torre [*f*] tower.

torta cake.

tortilla omelet; [*Mex*] pancake.

tortuga turtle.

tos [*f*] cough.

tosco rough *Es un trabajo muy tosco.* It is a very rough job. ▲coarse, uncouth *Es un hombre tosco.* He is a coarse fellow.

toser to cough.

tostada toast *En el desayuno tomo café con tostadas.* I have coffee and toast for breakfast.

tostado tanned (*by the sun*).

tostar [*rad-ch I*] to toast.

tostón sliced fried plantain.

total [*adj; m*] total *¿Cuál es el total de la suma?* What is the total amount? ᴼen total in a word, in short *En total, lo que pasó fue esto.* In a word, what happened was this:...

trabajador industrious *Era honrado y trabajador.* He was honest and industrious. ▲[*n*] worker *Han aumentado el número de trabajadores.* They've increased the number of workers.

trabajar to work *Trabaja en una compañía de transportes.* He works with a transport company. ▲to work, strive *Ha trabajado mucho para conseguir lo que quería.* He has worked hard to get what he wanted. ▲to till *Están trabajando la tierra.* They are tilling the land.

trabajo work *El trabajo está muy bien hecho.* The work is very well done. ▲labor *Van a cambiar la ley del trabajo.* They're going to change the labor laws. ᴼcostar mucho trabajo to be difficult, hard *Me costó mucho trabajo arreglar el asunto.* It was quite a job for me to get the matter straightened out.

trabar to fetter; to clasp, lock, bind ᴼtrabar amistad to strike up a friendship *Trabaron amistad en un viaje.* They struck up a friendship on a trip. ᴼtrabarse la lengua to stammer *Se le traba la lengua cuando habla ligero.* When he speaks fast, he stammers.

tradición [*f*] tradition.

tradicional traditional.

traducción [*f*] translation.

traducir [*-zc-*] to translate *¿Quién tradujo esto?* Who translated this?

traer [*irr*] to bring *He traído una carta para Ud.* I brought a letter for you. ▲to wear *Ella traía un lindo abrigo.* She wore a lovely coat. ▲to bring, serve *Espere que traigan el café.* Wait until they serve the coffee. ▲to carry, have *El periódico hoy trae un artículo sobre el señor X.* Today's paper has an article on Mr. X.

tráfico traffic *En esta ciudad hay poco tráfico.* Traffic is very light in this city.

tragar to swallow.

tragedia tragedy.

trágico tragic.

trago swallow, drink. ᴼechar un trago to take a drink; to have a shot.

traición [*f*] treason.

traicionar to betray.

traidor [*m*] traitor.

traje [*m*] suit, dress *Llevaba un lindo traje.* She was wearing a pretty dress. ᴼtraje de baño bathing suit. ᴼtraje de etiqueta formal dress *Todos vestían traje de etiqueta.* They were all wearing formal dress. ᴼtraje largo evening dress *Las señoras iban de traje largo.* The ladies were in evening dress. ᴼtraje sastre tailored suit *Siempre usa traje sastre.* She always wears tailored suits.

trámite [*m*] business transaction.

trampa trap *Pusieron algunas trampas para los ratones.* They set several mice traps. ᴼhacer trampas to cheat *Hace trampas cuando juega.* He cheats when he plays.

trance [*m*] ᴼa todo trance at any cost *Está resuelto a hacerlo a todo trance.* He is determined to do it at any cost. ᴼen trance de at the point of *Estaba en trance de muerte* He was at the point of death.

tranquilidad [*f*] rest, peace, tranquility.

tranquilizarse to be reassured *Me he tranquilizado con lo que Ud. me ha dicho.* What you have told me has reassured me. ▲to calm oneself, be calmed *¡Tranquilícese!* Calm yourself!

tranquilo [*adj*] quiet.

transacción [*f*] settlement; transaction.

transcurrir to pass, elapse *Transcurrió mucho tiempo sin que la volviera a ver.* A long time passed without her seeing him again.

transeúnte [*adj*] transient. ▲[*n*] passerby.

transferir [*rad-ch II*] to transfer.

transformar to transform.

transición [*f*] transition.

transigir to settle, compromise *¡Con eso no transijo!* I won't compromise on that! ▲to agree *Transigieron en hablarle.* They agreed to talk to him.

tránsito passage *Se prohíbe el tránsito.* No thoroughfare. ᴼ**de tránsito** in transit, passing through *Estaba de tránsito.* He was passing through.

transmisión [*f*] transmission; broadcast(ing) *La transmisión del programa de radio será a las ocho de la noche.* The program will be broadcast at eight P.M.

transmisora broadcasting station.

transmitir to transmit; to broadcast.

transparente transparent. ▲[*m*] window shade.

transportar to transport, carry.

transporte [*m*] transport; transportation.

tranvía [*m*] streetcar, tramway.

trapero ragpicker.

trapo piece of cloth. ▲rag *Déme el trapo para limpiar la mesa.* Give me the rag to clean the table. ᴼ**a todo trapo** to beat the band *Estaban charlando a todo trapo.* They were talking to beat the band. ᴼ**poner como un trapo** to insult, skin alive.

tras after *La policía andaba tras él.* The police were after him. ▲behind *Estaba tras la puerta.* It was behind the door. ᴼ**tras de** behind *Iba tras de ella.* He was walking behind her.

trasero [*adj*] rear, back *La parte trasera del automóvil.* The rear part of the automobile. ▲[*m*] rear, hind part.

trasladar to transfer *La trasladaron a otro departamento.* She was transferred to another department. ᴼ**trasladarse** to move (*change place of residence or work*) *Se han trasladado a otra ciudad.* They've moved to another city.

trasnochador [*m*] night owl.

trasnochar to be up all night.

traspasar to go through, pierce *El alfiler le traspasó el dedo.* The pin pierced his finger. ▲to transfer, sell (*a business*) *Traspasó la tienda muy ventajosamente.* He sold the business very profitably.

traspatio backyard [*Am*].

trastornado (see **trastornar**) crazy, insane.

trastornar to upset, disturb *Trastornó toda la habitación.* He upset the whole room. ▲to drive insane *El disgusto la trastornó.* The misfortune drove her insane.

tratado treaty; treatise.

tratamiento medical treatment; courteous form of address.

tratante [*m*] dealer (*in cattle or grain*) *Es un tratante en granos.* He is a grain dealer.

tratar to treat *Lo trataron con desprecio.* They treated him with contempt.—*El médico la trató por mucho tiempo.* The doctor treated her for a long time. ▲to handle *Trate eso con cuidado.* Handle that with care. ᴼ**tratar de** to deal with (*a subject or thing*) *Vamos a tratar de ese negocio.* Let's deal with that business. ▲to try *Trataron de resolver el problema.* They tried to solve the problem. ▲to call *Lo trató de loco.* She called him a madman. ᴼ**tratarse (con)** to deal with (*person*), be on good or intimate terms (with) *No me trato con Juan.* I'm not on good terms with John.

trato treatment *Le dieron a él muy buen trato.* They treated him very well. ▲behavior, manners *Su trato es muy correcto.* His manner is very correct. ▲pact, agreement, deal (*commercial*) *Hicieron un trato.* They had an understanding.

través ᴼ**a través** de through, across *Fueron a través del bosque.* They went through the woods. ᴼ**de través** sidewise, out of the corner of the eye *Me miró de través.* He looked at me out of the corner of his eye.

travesía voyage.

travesura prank, antic.

traviesa railroad tie [*Sp*].

travieso mischievous, prankish.

trayecto distance, stretch, line.

trayectoria [f] trajectory; path.

traza looks, appearance. ᴼ**buena traza** good appearance. ᴼ**mala traza** evil look *Ese hombre tiene mala traza.* That man looks dangerous. ᴼ**tener trazas** to show signs *Esto no tiene trazas de terminarse.* This doesn't seem to be anywhere near finished.

trazar to draw *Trazó un croquis rápidamente.* He quickly drew a sketch. ▲to draw up *Trazaron planes para el futuro.* They drew up plans for the future.

trazo line, stroke *Con unos trazos de lápiz hizo una caricatura.* With a few strokes of his pencil he made a caricature.

trébol [*m*] clover.

trece thirteen.

trecho space, stretch *Hay un trecho de mal camino.* there is a stretch of bad road. ᴼ**de trecho en trecho** at intervals *Han plantado árboles de trecho en trecho.* They have planted trees at intervals.

tregua truce, lull *Hubo una tregua en la lucha.* There was a lull in the fighting. ᴼ**sin tregua** without rest *Trabaja sin tregua.* He works without rest.

treinta thirty.

tremendo terrible, dreadful *Hubo un tremendo accidente.* There was a terrible accident. ▲huge, tremendous *Ocasionó tremendos gastos.* It entailed tremendous expense.

tren [*m*] train *El tren viene atrasado.* The train is late. ▲pomp, show *Con ese tren de vida se van a arruinar.* They'll go broke with such extravagant living. ᴼ**tren correo** mail train. ᴼ**tren de mercancías** freight train *Pasaron un tren de mercancías.* They passed a freight train. ᴼ**tren de viajeros** passenger train *Hay un tren de viajeros cada dos horas.* There is a (passenger) train

T

every two hours. **Otren expreso** (*or* **rápido**) express train.

trenza braid, tress.

trepar to climb *Trepó al árbol con gran dificultad.* He climbed the tree with great difficulty.

tres three.

triángulo triangle.

tribu [*f*] tribe.

tribuna rostrum, reviewing stand *El orador subió a la tribuna.* The speaker mounted the rostrum. ▲gallery *Desde las tribunas ovacionaron a los diputados.* The galleries cheered the delegates. **Ola tribuna** the bar; politics (*profession*).

tribunal [*m*] court (*of justice*); examining board. **Ollevar alguien a los tribunales** to sue.

tribuno orator.

trigo wheat.

trinchadora sideboard.

trinchante [*m*] carving knife.

trinchar to carve (*meat*).

trinchera trench; ditch; trench coat.

trineo sled; bobsled.

tripa tripe; intestines; belly.

triple triple, treble.

tripulación [*f*] crew.

triste sad. ▲sad, sorry *Hizo un triste papel.* He cut a sorry figure. ▲gloomy, dismal *El día está muy triste.* It is a gloomy day.

tristeza sadness, sorrow.

triunfar to triumph, succeed *Triunfaron sus proyectos.* His plans succeeded. ▲to win *Ha triunfado en el campeonato.* He won the championship.

triunfo triumph, victory *El triunfo sobre el enemigo fue completo.* The victory over the enemy was complete. ▲trump card *Echó un triunfo.* He played a trump.

triza small piece. **Ohacer trizas** to tear to bits *Hizo trizas el papel.* He tore the paper to bits.

trompa horn; elephant's trunk.

trompeta [*f*] trumpet, bugle. ▲ [*m*] bugler.

tronar [*rad-ch I*] to thunder *Ha estado tronando durante toda la noche.* It has been thundering all night long.

tronchado (see **tronchar**) broken. **Oestar tronchado** to be all in.

tronchar to break. **Otroncharse** to split one's sides with laughter [*slang*].

troncho stalk, stem (*of garden plants*).

tronco trunk, stalk, stem *El tronco del árbol es muy grueso.* The tree has a large trunk.

trono throne.

tropa troop *Las tropas desfilaron por la calle.* The troops marched through the streets.

tropel [*m*] bustle, confusion (*of people*) *¿Por qué hay tanto tropel en la calle?* Why is there so much confusion in the street? **Oen tropel** boisterously, in a throng *Entraron en la casa en tropel.* They entered the house boisterously. **Otropel de caballos** herd of horses.

tropelía excess, excessive act; outrage *Los soldados cometieron tropelías.* The soldiers committed many outrages.

tropezar [*rad-ch I*] to stumble *Tropezó y cayó al suelo.* He stumbled and fell.

Otropezar con to run into, come upon *Tropecé con él en la calle.* I came upon him in the street. **Otropezar en** to trip over *Tropecé en el bordillo de la acera.* I tripped over the curb.

tropical tropical.

trópico tropic(al). ▲[*m*] tropics.

tropiezo obstacle, hitch.

trotar to trot *Los caballos trotaban a través del campo.* The horses were trotting across the field. ▲to hustle *Me he pasado la mañana trotando.* I've been on the go all morning.

trote [*m*] trot *El caballo tiene muy buen trote.* The horse has a good trot. **Oal trote** in haste *Me llevaba al trote.* He kept me on the run.

trozo piece *Déme un trozo de pollo.* Give me a piece of chicken. ▲part *Un trozo de la calle está en mal estado.* A part of the street is in bad shape. ▲fragment *Está hecho con trozos de tela.* It is made out of odds and ends of cloth. ▲selection, passage (*of books*) *Léame un trozo de ese libro.* Read me a selection from that book. **Otrozo de madera** wooden block *El niño juega con trozos de madera.* The child is playing with wooden blocks. **Otrozo musical** musical selection *Es un lindo trozo musical.* That is a beautiful piece of music.

trucha trout.

trueno thunder *Hubo truenos y relámpagos durante la tormenta.* There was thunder and lightning during the storm.

trusa bathing suit [*Cuba*].

tu; *pl* **tus** [*adj, fam*] your *Aquí tienes tus guantes y tu bastón.* Here are your gloves and your cane.

tú [*pron, Fam*] you *María, tú irás conmigo.* Mary, you'll go with me. **Otratar de tú** to use *tú* in addressing, be on intimate terms with *¿Le trata Ud. de tú?* Are you on intimate terms with him?

tubo tube, pipe.

tuerca nut (*hardware*).

tuerto one-eyed.

tumba tomb.

tumbar to knock down *Lo tumbó al primer golpe.* He knocked him down with the first punch. **Otumbarse** to tumble *Se tumbó en la cama.* He tumbled into bed.

tumbo tumble, somersault *Andaba dando tumbos.* He was turning somersaults.

tumor [*m*] tumor.

tumulto mob, noisy crowd.

tuna prickly pear [*Am*].

tunante [*m, f*] rake, rascal, rogue *¡Es un tunante!* He is a rascal!

túnel [*m*] tunnel.

tupir to choke, obstruct; to block, stop up, to pack tight *Se me han tupido las narices.* My nose is stopped up.

turba crowd, mob.

turbación [*f*] confusion.

turbar to disturb, upset; to confuse.

turbio muddy *Esta agua está turbia.* This water is muddy. ▲blurred, indistinct *Veo todo turbio.* I see everything blurred.

turista [*m, f*] tourist.

turno turn *Espere que le llegue su turno.* Wait your turn. **Ode turno** on duty *Estaba de turno aquella noche.* He was on duty that night.

turquesa turquoise.

turrón [*m*] nougat.

tutear to use the familiar *tú* in addressing a person.

tutor, tutora tutor.

tuyo yours, of yours [*fam*] *¿Es tuyo esto?* Is this yours?—*Creía que eran amigas tuyas.* He thought they were friends of yours.

U

u (for **o**, before *o* or *ho*) or *Elija uno u otro.* Choose one or the other.

último last *¿Quién es el último?* Who is last? ▲final *Fue su última decisión.* It was his final decision. ▲latest *Las últimas noticias son muy buenas.* The latest news is very good. O**a la última moda** in the latest style *Va a la última moda.* She dresses in the latest style. O**a última hora** at the last minute. O**a últimos de** at the end of *Vendrá a últimos de septiembre.* He'll come at the end of September.

un (see **uno**) a, an; one.

unánime unanimous.

undécimo eleventh.

ungüento ointment.

único only, only one *Es el único que puede arreglar este asunto.* He is the only one who can settle this matter. — *Es hijo único.* He is an only son.

unidad [*f*] unity *Trabajemos todos por la unidad.* Let's all work for unity. ▲figure *A esa unidad agréguele dos ceros.* Add two zeros to that figure. ▲unit *¿Cuál es la unidad monetaria de su país?* What is the monetary unit of your country?

unión [*f*] union *La unión de esos dos países es probable.* The union of these two countries is likely. ▲union, marriage *Anoche se celebró la unión de Juan y María.* The marriage of John and Mary took place last night. ▲unity *La unión hace la fuerza.* In unity there is strength.

unir to tie together *Una esas dos cuerdas.* Tie those two strings together. ▲to attach *Una esa carta al informe.* Attach that letter to the report. O**unirse** to unite, join *No quería unirse con nadie en aquel negocio.* She didn't want to join with anybody in that business. ▲to join *Se unió a los obreros.* He joined the workers.

universal universal.

universidad [*f*] university.

universo universe, world.

uno a, an *Necesito un experto para este trabajo.* I need an expert for this work. ▲one *Sólo uno ha llegado.* Only one has arrived. O**cada uno** each one *Pagó a cada uno lo que le debía.* He paid each one what he owed. O**de una a otra parte** from one place to another; from side to side. O**uno a uno, uno por uno** one by one *Salgan uno a uno.* Go out one by one. O**uno que otro** occasional(ly) *Uno que otro día viene a vernos.* He comes to see us occasionally.

untar to spread *Úntele mantequilla a las tostadas.* Spread some butter on the toast. ▲to bribe *Le untaron para que no declarara la verdad.* They bribed him so that he wouldn't tell the truth. O**untar con grasa** to grease *Untó la rueda con grasa.* He

greased the wheel. O**untarse** to grease, smear *Le gustaba untarse la cara con crema.* She liked to use cream on her face.

uña nail, fingernail, toenail *Se rompió la uña.* She broke her fingernail. ▲claw *El gato sacó las uñas.* The cat showed its claws. O**ser uña y carne** to be fast friends.

urbanidad [*f*] (good) manners.

urbano urban.

urgencia urgency, hurry *Lo necesitan con urgencia.* They need it in a hurry. O**clínica de urgencia** emergency ward. O**cura de urgencia** emergency treatment. O**sello de urgencia** special-delivery stamp.

urgente pressing, urgent.

usado (see **usar**) used, secondhand *Quiero comprar un carro usado.* I want to buy a used car.

usanza usage, custom.

usar to use *¿Puedo usar su pluma?* May I use your pen? ▲to wear *¿Qué número de zapatos usa Ud.?* What size shoe do you wear? O**antes de usarse** before using *Agítese antes de usarse.* Shake well before using.

uso use *¿Qué uso tiene esta máquina?* What use has this machine? O**en buen uso** in good condition *Ese abrigo está todavía en buen uso.* That overcoat is still in good condition.

usted (*abbr* Ud., Vd.) you *¿Cómo está Ud.?* How are you?

usual usual, customary *Lo usual en estos casos es el traje de smoking.* The tuxedo is customary for such occasions.

útil profitable *El juego es útil y agradable.* The game is both pleasant and profitable. ▲useful *Era un hombre muy útil.* He was a very useful man. O**útiles (de trabajo)** tools, utensils.

utilidad [*f*] usefulness, utility *¿Tiene esto alguna utilidad?* Has this any usefulness?

utilizar to utilize.

uva grape.

V

vaca cow. ▲beef *Estos filetes ¿son de vaca o de ternera?* Are these steaks beef or veal?

vacación [*f*] vacation.

vacante [*adj*] vacant. ▲[*f*] vacancy.

vaciar to empty; to drain.

vacilar to reel, stagger *Vacilaba mucho al andar.* He staggered badly when he walked. ▲to waver, hesitate *¡No vacile Ud.!* Don't hesitate!

vacío void, empty *El granero estaba vacío.* The granary was empty. ▲unoccupied, vacant *A fin de mes quedará el cuarto vacío.* At the end of the month the room will be vacant. ▲vacuous, stupid, empty. *Era un hombre vacío.* He was a stupid fellow. ▲[*m*] empty space, space, vacuum *Se lanzó al vacío.* He jumped into space.

vacuna vaccine.

vadear to wade through, ford.

vado ford.

vagabundo, vagabunda tramp, bum.

vagar to rove, wander.

vago vague, hazy *Tengo una vaga idea.* I have a vague idea. ▲[*m*] loafer, tramp *No*

T
U
V

le gusta trabajar, es un vago. He doesn't like to work; he is a loafer.

vagón [*m*] railway car. Ovagón de carga freight car.

vagoneta dump cart.

vaina nuisance, bother. ▲scabbard, sheath; pod (*of vegetables*).

vainilla vanilla.

vaivén [*m*] fluctuation; vibration.

vajilla set of dishes; chinaware.

vale [*m*] note, I.O.U.; sales slip; coupon.

valentía courage.

valer [*irr*] to cost ¿*Cuánto vale ese vestido?* How much is that dress? ▲to cause, result in *Aquella tontería le valió muchos disgustos.* That foolishness caused him a lot of trouble. ▲to be of value *Puede tirar esos papeles, no valen nada.* You can throw those papers away; they're worthless. ▲to be worth, be worthy *Ese hombre vale mucho.* That man is very worthy. ▲[*m*] worth, merit *Es un hombre de mucho valer.* He is a man of great merit.

valiente valiant, brave, courageous.

valija valise, suitcase; briefcase.

valioso [*adj*] valuable.

valla wooden fence.

valle [*m*] valley.

valor [*m*] price *Lo he comprado por la mitad de su valor.* I bought it at half price. ▲value *El valor del nuevo peso en México ha bajado mucho recientemente.* The value of the new peso in Mexico has recently lost a lot of its value. ▲import, importance, meaning ¿*Qué valor le da Ud. a esas palabras?* What importance do you attach to those words? ▲courage, gallantry *El soldado demostró mucho valor.* The soldier showed great courage. ▲nerve, crust ¿*Cómo tiene Ud. valor para presentarse aquí?* How do you have the nerve to appear here? Ovalores stocks, bonds, securities.

vanidad [*f*] vanity.

vanidoso vain.

vano vain, shallow. Oen vano in vain.

vapor [*m*] steam; steamship. Oal vapor swiftly, at lightning speed; steamed.

vaquero cowboy, cowhand.

vara twig, switch; (*measure; about a yard*); yardstick.

varar to run aground *La embarcación varó frente a la costa.* The vessel ran aground off the coast.

variable changeable, variable, unstable.

variación [*f*] variation, change.

variedad [*f*] variety, diversity. Ovariedades vaudeville show.

vario various, varied *Tenía telas de varios precios.* He had fabrics at various prices. ▲several *Hay varios libros en la mesa.* There are several books on the table.

varón [*m*] male (*of humans*).

varonil virile, manly.

vaselina vaseline.

vasija container, receptacle (*for liquids*).

vaso (drinking) glass.

vasto vast, huge, immense.

¡**vaya un(a) . . . !** what a(n)...!¡*Vaya una idea!* What an idea!

vecindad [*f*] tenants ¿*Tiene esta casa mucha vecindad?* Are there many tenants in this house? ▲vicinity, neighborhood

Viven en la vecindad. They live in the neighborhood.

vecindario population of a district, ward, etc.

vecino neighboring, nearby *Traen las provisiones del pueblo vecino.* They bring provisions from the town nearby. ▲[*n*] neighbor. ▲tenant *Aquella casa tenía cincuenta vecinos.* There were fifty tenants in that house.

vegetación [*f*] vegetation.

vegetal [*adj; m*] vegetable. Oel reino vegetal the vegetable kingdom.

vehemencia vehemence.

veinte twenty.

vejez [*f*] old age.

vela vigil *La vela duró hasta la madrugada.* The vigil lasted till daybreak. ▲candle *Encienda esa vela.* Light that candle. ▲sail *Tenía varios barcos de vela.* He had several sailing ships. Oa toda vela under full sail; at full speed.

velada evening party *or* gathering.

velar to stay up, keep watch *Estuvo toda la noche velando el enfermo.* He kept watch all night over the sick man. ▲to stay awake *Veló toda la noche.* She stayed awake all night. Ovelar por to take care of, protect *Vela muy bien por su familia.* He takes very good care of his family.

velo veil; film (*thin coat*). Ocorrer un velo to drop the matter, forget about it *Corramos un velo.* Let's drop it.

velocidad [*f*] velocity, speed.

velorio wake, vigil *El velorio es hoy.* The wake is today.

veloz swift, fast.

vena vein. Oestar de vena to be in the mood.

venado deer.

vencer to defeat, vanquish *Vencieron al enemigo.* They defeated the enemy. ▲to overcome *No creo que venza esa pasión.* I don't think he'll overcome that habit. ▲to win *Venció nuestro equipo por dos tantos.* Our team won by two points. ▲to prevail *Su opinión fue la que venció.* It was his opinion that prevailed. ▲to become due *La letra venció ayer.* The bill of exchange was due yesterday. Ovencerse to control (one's feelings).

venda bandage, surgical dressing; roll of bandage.

vendaje [*m*] bandage, surgical dressing; bandaging.

vendar to bandage, dress.

vendedor [*m*] vendor, seller, trader.

vender to sell *Vendió todas sus propiedades.* He sold all his property. Ovender a crédito to sell on credit. Ovender al contado to sell for cash. Ovender a plazos to sell on installments Ovender(se) to give oneself away, betray *Su emoción le vendió.* His emotion betrayed him.

veneno poison, venom.

venenoso [*adj*] poisonous, venomous.

venganza revenge, vengeance.

vengar to avenge. Ovengarse to take revenge.

venir [*irr*] to come. *Viene de muy buena familia.* He comes from a very good family. ▲to fit *Eso le viene muy ancho.* That is too big for her. ▲to occur *No sé cómo me vino esa idea.* I don't know how that idea occurred to me. O**que viene** next *Le veré la semana que viene.* I'll see you next week. O**venir a** (followed by infinitive) to get to, end by *Vino a ser presidente.* He got to be president. O**venir a menos** to decline, be in reduced circumstances *Con la muerte del padre esa familia vino a menos.* As a result of the death of the father, that family is in reduced circumstances. O**venir a parar** to turn out, terminate *¿En qué vino a parar ese asunto?* How did that matter turn out? O**venir a pelo** to be to the point *Lo que dijo no venía a pelo.* What he said wasn't to the point. O**venir a ser** to amount to *Eso viene a ser lo mismo.* That amounts to the same thing. O**venir a tener** probably have, must have *Viene a tener unos cuarenta mil pesos de renta al año.* He must have an income of about forty thousand pesos a year.

venta sale *Hicimos un contrato de venta.* We made a contract of sale. ▲sales, selling *Toda la venta se hacía al por mayor.* All the sales were wholesale. O**estar a la venta** to be on sale.

ventaja advantage, profit; headway, lead. O**llevar ventaja** to be ahead, have a lead.

ventajoso advantageous.

ventana window O**echar la casa por la ventana** to put oneself out, go to a lot of expense. O**ventanas de la nariz** nostrils.

ventanilla ticket window; window (of a vehicle)

ventilación [f] ventilation.

ventilador [m] electric fan; ventilator.

ventilar to air, ventilate *Hay que ventilar esta habitación.* This room must be aired. ▲to settle *¿Cuándo ventila esta cuenta con el banco?* When are you going to settle this account with the bank?

ventoso windy.

ventura happiness; happy event. ▲luck *Tuve la ventura de encontrarlo.* I had the luck to find him.

ver [irr] to see *¿Ve Ud. bien con esas gafas?* Can you see well with those glasses? ▲to look at [Am] *No me vea de esa manera.* Don't look at me that way. O**no poder ver** to abhor, detest *No me hables de él, no le puedo ver.* Don't mention his name; I detest him. O**no tener que ver con** to have nothing to do with *No tengo nada que ver con él.* I have nothing to do with him. O**ver el cielo abierto** to see a great opportunity. O**ver las estrellas** to see stars (experience a sudden pain).

veranear to summer, spend the summer *¿Dónde veranea Ud.?* Where are you spending the summer?

veraneo (summer) vacation, summering *Fuimos de veraneo a la playa.* We spent the summer at the beach.

verano summer.

veras [fpl] reality, truth. O**de veras** in truth, really, honestly *¡Ahora va de veras!* Now he is really going!—*Se lo digo de veras.* I'm telling you honestly.

verdad [f] truth *Le ha dicho la verdad.* He has told you the truth. O**a decir verdad** to tell the truth. *A decir verdad, yo no creo eso.* To tell the truth, I don't believe that. O**decir cuatro verdades** to speak one's mind, tell someone a thing or two. O**de verdad** really

¿De verdad lo cree Ud.? Do you really believe it? O**ser verdad** to be true *Era verdad lo que decía.* What he said was true.

verdadero true, staunch *Es un amigo verdadero.* He is a staunch friend. ▲real *No usaba su nombre verdadero.* He didn't use his real name.

verde [adj] green. ▲green, unripe *La fruta estaba demasiada verde.* The fruit was too green. ▲risqué, off-color *Ese libro es muy verde.* That book is very off-color.

verdor [m] greenness, green.

verdura vegetation; leafy vegetables.

vereda path, lane; [Arg] sidewalk.

vergonzoso shameful; shy, bashful.

vergüenza shame; shyness, bashfulness. O**darle a uno vergüenza** to be ashamed *No me atrevo a decírselo, me da vergüenza.* I don't dare tell him; I'm ashamed. ▲to be (too) bashful *Le da vergüenza declararse.* He is too bashful to propose. O**no tener vergüenza** to be shameless *Ese hombre no tiene vergüenza.* That man is shameless. O**no tener vergüenza de** not to be too bashful to, not to be ashamed to *Ese niño no tiene vergüenza de cantar delante de la gente.* That boy is not ashamed to sing before people. O**tener vergüenza** to be shy *Ese niño tiene mucha vergüenza.* That child is very shy.

verso line of poetry; poem.

verter [rad-ch I] to spill *Ha vertido el vino.* He has spilled the wine. ▲to empty *Vierta Ud. esa jarra.* Empty that jug. ▲to translate *Han vertido ese libro al inglés.* They've translated that book into English.

vertiente [f] slope; watershed; basin (of a river).

vértigo dizziness; vertigo.

vestíbulo vestibule; lobby.

vestido (see **vestir**) dressed *Iba muy bien vestido.* He was very well dressed. ▲[m] dress *¿Qué vestido llevo a la comida?* What dress shall I wear to the dinner? ▲garments, clothing.

vestir [rad-ch III] to dress. ▲to wear *Vestía uniforme militar.* He was wearing a military uniform. ▲to be fashionable, be dressy *Ese vestido viste mucho.* That dress is very fashionable.

veterano old, seasoned (of soldiers). ▲[m] veteran; old hand, old-timer.

vez [f] turn (in line) *Le llegó a Ud. la vez de entrar.* It was your turn to go in. ▲time *La primera vez que vine a los Estados Unidos fue en 1988.* The first time I came to the United States was in 1988. O**a la vez** at once, simultaneously *Todos querían hablar a la vez.* Everybody wanted to talk at once. O**alguna vez, algunas veces** sometimes *Algunas veces voy a comer al restaurante.* Sometimes I eat at the restaurant. O**a veces** occasionally *A veces le veo en casa de sus amigos.* Occasionally I see him at the home of his friends. O**cada vez** each time *¡Que lo haga otra persona cada vez!* Let a different person do it each time! O**cada vez que** whenever, every time *Cada vez que le encuentro se lo digo.* Whenever I see him I tell him so. O**¿cuántas veces?** how many times? how often? O**de una vez** immediately, without delay, right now *¡Hágalo de una vez!* Do it right now! ▲in (or at) a gulp *Se lo comió de una vez.* He ate it in a gulp.

Ode una vez para siempre once and for all *De una vez para siempre se lo prohíbo.* Once and for all I forbid it. Ode vez en cuando once in a while, from time to time *De vez en cuando iba a verla.* I went to see her once in a while. Odos veces twice. Oen vez de instead of *Voy a tomar pescado en vez de carne.* I'm going to have fish instead of meat.

vía track ¿*Por qué vía viene el expreso?* Which track does the express train come in on? ▲route *La vía marítima es más lenta.* The sea route is slower. ▲via, by way of *Llegamos a Nueva York vía Miami.* We arrived in New York via Miami.

viajar to travel.

viaje [*m*] trip, travel ¿*Cuándo sale Ud. de viaje?* When do you start on your trip?— *Hizo un relato de sus viajes.* He gave an account of his travels. ||¡*Buen viaje!* Bon voyage! *or* Have a good trip!

viajero, viajera traveler *El viajero estaba muy cansado.* The traveler was very tired. ▲passenger *Se ruega a los viajeros que conserven sus boletos.* Passengers are requested to keep their tickets.

víbora viper.

vibrar to vibrate.

vicio vice. Oquejarse de vicio to complain habitually.

vicioso licentious, given to vice.

víctima victim.

victoria victory, triumph. Ocantar victoria to celebrate victory; to crow too soon.

victorioso victorious, triumphant.

vid [*f*] grapevine.

vida life, human life *Aquel descubrimiento salvó muchas vidas.* That discovery saved many lives. ▲life, liveliness *El niño tiene mucha vida.* The child is full of life. ▲life, way of living *Llevaba muy buena vida.* He lived a very good life. ▲life (*being alive*) *Estuvo entre la vida y la muerte.* He hovered between life and death. ▲life, history *Sabe la vida y milagros de todo el mundo.* He knows everybody's life story.

video [*m*] video *Alquilo videos los domingos.* I rent videos on Sundays.

videocasete [*m*] videocassette.

vidriera glass door, window, *or* partition; showcase; show window [*Am*].

vidriero glazier, dealer in glass.

vidrio glass (*material*); pane of glass. Opagar los vidrios rotos to be made the scapegoat.

viejo old *Aquella casa era muy vieja.* That was a very old house. ▲[*m*] old man [*Am*] *El viejo caminaba con dificultad.* That old man walked with difficulty. ▲old man, pal [*Am*] ¡*Oyeme, viejo!* Listen to me, old man! Olos viejos parents (*affectionate*) [*Am*] *Tengo que escribirles a los viejos.* I have to write to my parents.

viento wind. Ocontra viento y marea come hell or high water. Ocon viento contrario against the wind. Oir viento en popa to go very well *Sus negocios van viento en popa.* His business is going very well.

vientre [*m*] belly, abdomen; womb.

viernes [*m sg*] Friday. OViernes Santo Good Friday.

viga beam (*of a building*).

vigilancia vigilance, watchfulness.

vigilante watchful. ▲[*m*] watchman; [*Arg*] policeman.

vigilar to watch, keep watch, guard, watch over.

vigilia fast, abstaining from food for religious reasons; wakefulness. Ocomer de vigilia to fast (*abstain from meat*).

vigor [*m*] vigor, strength *Era un hombre de mucho vigor.* He was a man of great strength. Oen vigor in effect, in force. Oleyes en vigor laws in force.

vil vile, mean, despicable.

villa town *Toda la villa estaba alegre en la fiesta.* The whole town was cheerful at the festival. ▲villa, country house *En el campo tengo una villa.* I have a villa in the country.

vinagre [*m*] vinegar. Ocara de vinagre sourpuss.

vindicar to vindicate.

vino wine. Ovino tinto red wine.

viña vineyard.

violar to violate; to rape, ravish; to infringe, to desecrate.

violencia violence, force.

violento impulsive; violent *Tiene un carácter muy violento.* He is very impulsive. ▲strong *No diga Ud. esas frases tan violentas.* Don't use such strong language.

violeta violet; lilac (*color*).

violín [*m*] violin.

violón [*m*] bass viol. Otocar el violón to talk through one's hat.

virgen [*adj, f*] virgin, Virgin.

virtud [*f*] virtue, good quality; efficacy, power.

virtuoso virtuous. ▲[*n*] virtuoso.

viruela smallpox.

visera eyeshade, visor.

visible [*adj*] visible.

visillo window curtain.

visión [*f*] vision *Tuvo una visión.* He had a vision. ▲view, opinion *Su visión del problema me parece justa.* His view of the problem seems correct to me. ▲sight, peculiar looking person *Con aquel vestido y aquel sombrero estaba hecha una visión.* With that dress and hat she was a sight. Over visiones to be seeing things, be deluded.

visita visit ¿*Recibió Ud. la visita de mi amigo?* Did my friend call on you? ▲visitor, caller *Con tantas visitas no hemos podido hacer nada.* There were so many callers we haven't been able to accomplish anything. Ohacer una visita to pay a call. Opagar la visita to return the call. Otener visita to have company *No puede recibirle, tiene visita.* She can't see you; she has company.

visitar to visit, call on ¿*Cuándo podré visitarle?* When may I call on you? ▲to visit, to make a professional visit, make a call *El doctor está visitando a sus enfermos.* The doctor is making his calls.

víspera eve, day before *Hoy es la víspera de la fiesta.* This is the eve of the holiday. Oestar en vísperas de to be on the eve of, be about to *Estaba en vísperas de embarcar para Europa.* He was about to sail for Europe.

vista eyesight, vision *Tiene muy buena vista.* He has very good eyesight. ▲sight ¡*No te pongas delante de mi vista!* Get out of my sight! ▲view, vista *La vista desde la terraza era preciosa.* There was a beautiful view from the terrace. ○**corto de vista** near-sighted *Es muy corto de vista.* He is very nearsighted. ○**de vista** by sight, without introduction *No me lo han presentado, lo conozco sólo de vista.* I haven't been introduced to him; I know him only by sight. ○**echar la vista encima** to lay eyes on (upon). ○**en vista de** in view of *En vista de esto, yo no puedo comer con Ud. hoy.* In view of this, I cannot eat with you today.

visto (see **ver**) seen. ○**estar mal visto** to be improper, be disapproved, be bad form *No haga eso, aquí está mal visto.* Don't do that; it is considered bad form here. ○**estar visto** to be evident, obvious, clear *Está visto que Juan no viene.* It is evident that John isn't coming. ○**no estar bien visto** to be improper, frowned upon *Eso no está muy bien visto.* That isn't done.

vistoso beautiful; showy, loud.

vital vital, essential.

vitrina show window [*Am*]; showcase [*Sp*].

viuda widow.

viudo widower.

víveres [*m pl*] provisions.

viveza quickness, liveliness *Tiene mucha viveza de ingenio.* He has a quick mind. ▲vehemence, spirit *Al oírlo contestó con viveza.* When she heard it she replied with spirit.

vivienda dwelling, house.

vivir to live, exist *No sé si vive o ha muerto.* I don't know whether he is living or dead. ▲to live; to dwell *Yo vivo en Argentina.* I live in Argentina. ○**vivir de** to live on *Vivía de sus rentas.* He lived on his investments.

vivo alive *Por fortuna estoy vivo.* Fortunately I'm alive. ▲vivid *Los colores eran muy vivos.* The colors were very vivid. ▲intense *La luz a esa altura es muy viva.* The light at that altitude is very intense. ▲acute, quick, keen *Tiene una inteligencia muy viva.* He has a very keen mind. ▲[*m*] edging, piping *Llevaba un traje con vivos verdes.* She was wearing a suit with green piping. ▲wise guy *No me gusta porque es un vivo.* I don't like him because he is a wise guy.

vocabulario vocabulary.

vocación [*f*] vocation (*activity or profession for which one feels an inner calling*) *Soy médico pero mi verdadera vocación era la pintura.* I'm a doctor, but I've always wanted to be a painter.

volado (see **volar**). ○**hacer un volado** to do something pressing *or* urgent [*Am*] *Tengo que hacer un volado.* I have something urgent to do.

volante [*m*] steering wheel (*of vehicle*); flywheel. ○**tomar el volante** to take the wheel.

volar [*rad-ch I*] to fly *El avión vuela alto.* The plane is flying high. ▲to vanish, disappear *Mi dinero voló.* My money vanished. ▲to blow up *Volaron los puentes con dinamita.* They blew up the bridges with dynamite. ○**volando** quickly, on the run, as fast as possible *Fue volando.* She flew right over.

volcán [*m*] volcano.

volcar [*rad-ch I*] to overturn, turn over *El automóvil se volcó al entrar en el puente.* The car turned over when it entered the bridge.

voltear to turn (over), whirl *Volteaba en el trapecio.* He was whirling on the trapeze. ○**voltearse** to change party or creed *Se volteó a otro partido.* He changed sides.

volumen [*m*] volume, bulk; volume (*book*).

voluntad [*f*] will *Tiene una voluntad de hierro.* He has a will of iron. ○**buena voluntad** kindliness, goodwill.

voluntario voluntary. ▲[*n*] volunteer.

voluptuoso voluptuous.

volver [*irr*] to turn (over) *Volvía las páginas del libro rápidamente.* He was turning the pages of the book quickly. ▲to turn *Este camino vuelve a la derecha.* This road turns to the right. ▲to return, go back *Volvió a su casa por el mismo camino.* He went back home by the same route. ▲to return; to pay back; to give *or* send back *Vuelva Ud. favor por favor.* Return favor for favor. ○**volver a** to…again *No ha vuelto a escribirme.* He hasn't written me again. ○**volver del revés** to turn upside down; to turn inside out. ○**volver en sí** to recover consciousness, come to. ○**volver la cabeza** to turn one's head *Al oír su nombre volvió la cabeza.* She turned her head when she heard her name. ○**volverse** to turn *Se le ha vuelto el pelo muy blanco.* His hair has turned snow-white.

vomitar to vomit.

vómito vomiting, vomit.

voraz ravenous *Tenía hambre voraz.* He was ravenously hungry. ▲fierce *Un voraz incendio arrasó el edificio.* A fierce fire demolished the building.

vos you [*fam; Am*].

vosotros you [*fam pl; Sp*] *Vosotros habláis inglés.* You speak English.

votación [*f*] voting, balloting.

voto vote, ballot; vow. ○**hacer voto** to make a vow.

voz [*f*] voice. ○**a media voz** softly *Estaban hablando a media voz.* They were talking softly. ○**a voces** (by) shouting *A voces no consigue Ud. nada.* You won't get anything by shouting. ○**correr la voz** to be rumored *Corre la voz de que ha desaparecido.* It is rumored that he has disappeared. ○**dar voces** to shout, yell *¡No des esas voces!* Don't shout like that! ○**en voz alta** aloud.

vuelco tumble, overturning.

vuelo flight, trip *Nuestro vuelo llegó atrasado una hora.* Our flight arrived one hour late. ▲width, fullness *Las faldas ahora tienen poco vuelo.* Skirts are narrow this season. ○**al vuelo** right away, quickly; in flight, on the wing.

vuelta turn, revolution. ▲curve *¡Cuidado con esa vuelta!* Watch out for that curve! ▲change *¿Tiene Ud. vuelta para este billete?* Do you have change for this bill? ○**a la vuelta** upon returning *A la vuelta de mi viaje nos veremos.* We'll see each other when I get back from my trip. ○**a la vuelta de** around *La casa está a la vuelta de la esquina.* The house is around the corner. ○**dar la vuelta a** to turn *Hay que dar dos vueltas a la llave.* You have to turn the key twice. ▲to go around *Dimos la vuelta a la casa.* We walked around the house. ○**darse vuelta** to turn around; to go to and fro *Haga el favor de darse vuelta.* Please turn around. ○**dar una vuelta** to take a stroll, turn *Vamos*

V

a dar una vuelta por el parque. Let's take a turn through the park. ▲to turn over *El automóvil dio una vuelta.* The car turned over. Odar **vueltas** to turn *La tierra da vueltas sobre su eje.* The earth turns on its axis.

vuelto change (*money*) [*Am*] *Cuente el vuelto.* Count your change.

vulgar vulgar, coarse; common.

W

water closet toilet, lavatory.

WC (See *water closet*).

weekend weekend

welter welterweight

whisky whiskey *Un whisky con hielo, por favor.* A whiskey on the rocks, please.

X

xenofobia xenophobia.

xenón xenon.

xerografía xerography

xilófago xylophagous.

xilófono xylophone.

xilografía xylography.

Y

y and. O¿**y bien?** all right *Y bien, ¿cuándo nos vamos?* All right, when do we go? O**y eso que** and yet, even though *Ud. no ha barrido mi cuarto, y eso que le dije que no dejara de hacerlo.* You haven't swept my room, even though I told you not to fail to do so. O¿**y luego?** and then *Y luego, ¿qué pasó?* And then what happened? O¿**y qué?** is it true that [*Am*] *¿Y qué se fue para Europa?* Is it true that he went to Europe?

ya already *Ya sabe Ud. lo que yo quiero.* You already know what I want. ▲now *Ya es tarde.* It is too late now. ▲at once, right now [*Am*] *Hágalo ya.* Do it right now. O**ya lo creo** of course *¿Quiere Ud. venir? ¡Ya lo creo!* Do you want to come? Of course! O**ya no** no longer *Ya no tengo ganas.* I no longer feel like it. O**Ya pronto** presently, any minute now *Ya pronto llegará el tren.* The train will be here any minute now. O**ya que** since *Ya que me preguntas, te contestaré.* Since you ask me, I'll tell you. O**ya voy** I'm coming *¡Ya voy! espere un minuto.* I'm coming! Wait a minute!

yagua royal palm

yanqui Yankee.

yapa something extra, good measure. [*Am*] *Me dieron esto de yapa.* They gave me this for good measure.

yate yacht

yedra ivy

yegua mare.

yelmo helmet

yema bud, shoot; yolk; cushion of fingertip.

yerba herb; grass.

yerno son-in-law.

yerro error, mistake.

yeso plaster.

yo I *Soy yo.* It is me *or* It is I. O**yo mismo** I myself *Yo mismo se lo dije.* I told you so myself.

yodo iodine.

yogur yogurt

yugo yoke (*for animals*); burden; nuptial tie.

yugular jugular

yunta pair, team of draft animals.

Z

zafarse to slip off, come off [*Am*] *Se zafó la rueda.* The wheel came off. ▲to dislocate [*Am*] *Se ha zafado un brazo.* He dislocated his arm. ▲to get out of, avoid *No sé cómo zafarme de ese compromiso.* I don't know how to get out of that engagement.

zafio coarse, vulgar.

zaguán [*m*] entry, hall, vestibule.

zambo [*adj, n*] knock-kneed, half-breed (*black and Indian*).

zambullida dive, plunge.

zambullir to dive; to plunge. O**zambullirse** to dive.

zanahoria carrot.

zancudo long-legged. ▲[*m*] mosquito [*Am*].

zanganear to loaf

zangolotear to shake violently [*Am*].

zanja ditch, trench.

zapatería shoemaker's shop, shoe store.

zapatero shoemaker.

zapatilla slipper.

zapato shoe.

zarco blue-eyed.

zarpar to weigh anchor; to sail, start moving (*of a boat*).

zarza bramble.

zarzamora blackberry

zarzaparrilla sarsaparilla

zarzuela musical comedy.

zinc zinc

zodiaco zodiac

zona district, zone.

zonzo dull, stupid, silly [*Am*].

zoológico zoological.

zoquete [*m*] piece of stale bread; chuck, block; blockhead.

zorro fox.

zozobra worry.

zozobrar to capsize, founder, sink.

zumbar to buzz.

zumbido buzz, buzzing.

zumo juice (*of fruit*).

zurcir to darn, mend.

zurdo left-handed.

zurrar to whip, flog.

zutano so-and-so. O**Fulano, Zutano y Mengano.** Tom, Dick and Harry.